MEYERS GROSSES TASCHEN LEXIKON

Band 4

MEYERS GROSSES TASCHEN LEXIKON

in 24 Bänden

5., überarbeitete Auflage
Herausgegeben und bearbeitet von
Meyers Lexikonredaktion

Band 4:
Bou – Com

B.I.-Taschenbuchverlag
Mannheim · Leipzig · Wien · Zürich

Redaktionelle Leitung der 5. Auflage: Dr. Rudolf Ohlig

Redaktionelle Bearbeitung der 5. Auflage:
Ariane Braunbehrens M. A., Dipl.-Inform. Veronika Licher,
Otto Reger, Wolfram Schwachulla, Johannes-Ulrich Wening

Die Deutsche Bibliothek – CIP-Einheitsaufnahme
Meyers großes Taschenlexikon: in 24 Bänden/hrsg. und bearb.
von Meyers Lexikonredaktion. – Mannheim; Leipzig; Wien; Zürich:
BI-Taschenbuchverl.
Früher im Bibliogr. Inst., Mannheim, Wien, Zürich.
ISBN 3-411-11005-8 (5., überarb. Aufl.) kart. in Kassette
NE: Digel, Werner [Red.]
Bd. 4. Bou – Com. – 5., überarb. Aufl. /
[red. Leitung der 5. Aufl.: Rudolf Ohlig]. – 1995
ISBN 3-411-11045-7
NE: Ohlig, Rudolf [Red.]

Satz: Bibliographisches Institut & F. A. Brockhaus AG, Mannheim
(DIACOS Siemens)
Druck: Klambt-Druck GmbH, Speyer
Bindearbeit: Röck GmbH, Weinsberg
Papier: 80 g/m², Eural Super Recyclingpapier matt gestrichen
der Papeterie Bourray, Frankreich
Printed in Germany
Gesamtwerk: ISBN 3-411-11005-8
Band 4: ISBN 3-411-11045-7

Bou

Bouaké [frz. bwa'ke], zweitgrößte Stadt der Republik Elfenbeinküste, Hauptstadt der Region Nördl. Zentrum, 364 m ü. d. M., 335 000 E. Kath. Bischofssitz; Baumwollverarbeitung, Zigarettenfabrik; Mittelpunkt und Handelszentrum eines Agrargebietes; ✈.

Boubín [tschech. 'bɔubi:n] (früher Kubany), Berg im Böhmerwald (Šumava) in der ČSFR; 1 362 m; am Osthang befindet sich ein unter Naturschutz stehendes Naturwaldgebiet (50 ha).

Bouchardon, Edme [frz. buʃar'dõ], * Chaumont (Haute-Marne) 29. Mai 1698, † Paris 27. Juli 1762, frz. Bildhauer. – 1723–32 in Rom. In Paris entstanden u. a. die strengen (vorklassizist.) Figuren der Chorpfeiler von Saint-Sulpice (1734 ff.), die Brunnenanlage in der Rue de Grenelle (1739–46) und das Reiterdenkmal Ludwigs XV. (1763 aufgestellt, 1792 zerstört).

Boucher, François [frz. bu'ʃe], * Paris 29. Sept. 1703, † ebd. 30. Mai 1770, frz. Maler. – Seine galanten, delikat gemalten Bilder sind glänzende Zeugnisse des frz. Rokokos. Entwürfe für Tapisserien; zahlr. [Vor]zeichnungen.

Bouches-du-Rhône [frz. buʃdy'ro:n], Dep. in Frankreich.

Bouclé [bu'kle:; frz.], Gewebe aus frottéartigen Effektzwirnen mit gekräuselter, rauher Oberfläche.

◆ (Bouclételppich) Haargarnteppiche mit unaufgeschnittenen Polschlingen.

Boudoir [budo'a:r; frz., eigtl. „Schmollwinkel"], im 18./19. Jh. elegantes, im Geschmack der Zeit eingerichtetes Zimmer einer Dame.

Bougainville, Louis-Antoine Comte de [frz. bugɛ̃'vil], * Paris 11. Nov. 1729, † ebd. 31. Aug. 1811, frz. Offizier und Seefahrer. – Leitete 1766–69 die 1. frz. Erdumseglung, auf der er in Melanesien mehrere Inseln entdeckte (Wiederauffindung der Salomoninseln).

Bougainville [engl. 'bu:gənvɪl], größte Insel der Salomoninseln, im westl. Pazifik, gehört zu Papua-Neuguinea, 10 049 km², 160 000 E; Verw.-Sitz ist Arawa (12 600 E). Die ganze Insel wird von einem dicht bewaldeten Gebirge durchzogen (im tätigen Vulkan Mount Balbi 2 743 m hoch). Ehem. bed. Kupferbergbau (1990 eingestellt). Hafen und ✈ in Kieta (2 400 E). – 1768 von L.-A. Comte de Bougainville entdeckt. Seit 1988 Autonomiebestrebungen.

Bougainvillea [bugɛ̃'vɪlea; nach L.-A. Comte de Bougainville], Gatt. der Wunderblumengewächse mit nur wenigen Arten im trop. und subtrop. S-Amerika; Sträucher oder kleine Bäume; Blüten rosa, gelbl. oder weiß; z. T. Zierpflanzen.

Bougie [bu'ʒi:; frz. „Kerze", nach Bougie, dem früheren Namen der alger. Stadt Bejaïa], Dehnsonde zur Erweiterung enger Körperkanäle (v. a. der Harn- und Speiseröhre).

Bougram [bu'grã:; frz.; nach der Stadt Buchara] (Bougran, Buckram), Baumwoll- oder Zellwollgewebe (in Leinwandbindung).

Bouguer, Pierre [frz. bu'gɛ:r], * Le Croisic (Loire-Atlantique) 10. Febr. 1698, † Paris 15. Aug. 1758, frz. Naturforscher. – Mgl. der Académie des sciences; Teilnahme an der großen frz. Meridianmessung (Gestaltmessung der Erde); Mitbegründer der Photometrie. Konstruierte das Heliometer.

Bouguersches Gesetz ↑ Extinktion.

Bouillabaisse [buja'bɛ:s; frz.], würzige provenzal. Fischsuppe; besteht aus Fischen, Muscheln, Krustentieren sowie versch. Gewürzen und Gemüsen.

Bouillon, Gottfried von ↑ Gottfried von Bouillon.

Bouillon [frz. bu'jõ], belg. Stadt an der Semois, in den südl. Ardennen, 230 m ü. d. M., 6 000 E. 1795–1814 frz., 1815 niederl., 1830 zu Belgien. Oberhalb der Stadt die Stammburg Gottfrieds von B. aus dem 11. Jahrhundert. **B.,** ehem. Gft. im Hzgt. Niederlothringen, die 1096 Gottfried von B. dem Bischof von Lüttich verpfändete, um die Kosten für seinen (1.) Kreuzzug zu bestreiten; seit 1678 selbständiges Herzogtum.

Bouillon [bʊl'jõ:; zu lat. bullire „aufwallen"], Kraft-, Fleischbrühe.

Boulanger [frz. bulã'ʒe], Georges, * Rennes 29. April 1837, † Ixelles bei Brüssel 30. Sept. 1891 (Selbstmord), frz. General und Politiker. – 1886/87 Kriegsmin.; Wortführer der Revanchisten; führte eine Koalition der mit dem bestehenden Regime unzufriedenen Kräfte (Boulangisten) herbei, wagte aber nicht, 1889 den Elyséepalast zu stürmen; des Staatsstreichs angeklagt; floh nach Brüssel.

B., Nadia [Juliette], * Paris 16. Sept. 1887, † ebd. 22. Okt. 1979, frz. Musikpädagogin, Dirigentin und Komponistin. – Lehrtätigkeit ab 1920 v. a. in Paris; von bed. Einfluß auf das europ. und amerikan. Musikleben des 20. Jh., zu ihren Schülern zählen u. a. die Komponisten J. Françaix, I. Markevitsch, A. Copland, W. Piston und V. Thomson.

Boulder [engl. 'boʊldə], Stadt in N-Colorado, USA, 1 690 m ü. d. M., 81 000 E. Univ. (gegr. 1861); Erholungsort; Handelszentrum in einem Ackerbau- und Bergbaugebiet; Herstellung von Satelliten und elektron. Geräten.

Boule [bu:l; frz. „Kugel"], Sammelbez. für frz. Kugelspiele.

Boulevard [bulə'va:r; frz.; zu niederdt. bolwerk „Bollwerk"], urspr. Wall, Bollwerk; dann ein auf dem Wall angelegter Weg oder eine Prachtstraße (bes. in Frankreich).

Boulevardpresse [bulə'va:r], sensationell aufgemachte, in hohen Auflagen erscheinende billige Zeitungen, die an Kiosken oder von Straßenverkäufern vertrieben werden.

Boulevardstück [bulə'va:r], publikumswirksames leichtes Unterhaltungsstück, wie es zuerst in den Privattheatern an den Pariser Boulevards gespielt wurde.

Boulevardtheater [bulə'va:r], kleine Theater mit Unterhaltungsrepertoire.

Boulez, Pierre [frz. bu'lɛ:z], * Montbrison (Loire) 26. März 1925, frz. Komponist und Dirigent. – 1970–77 Chefdirigent des New York Philharmonic Orchestra und bis 1975 des BBC Symphony Orchestra. 1975–91 Direktor des „Institut de recherche et de coordination acoustique-musique" (Ircam; Paris), erhielt 1976 ebd. den Lehrstuhl für Musik am Collège de France, seit 1979 Präs. des Orchestre de Paris. – Zunächst von Messiaen beeinflußt (Sonatine für Flöte und Klavier, 1946), dann serielle und punktuelle Kompositionen („Polyphonie X", 1951); später flexible Gestaltung der seriellen Planung (z. B. „Le Marteau sans maître" für Alt und 6 Instrumente, 1953–57). Entscheidende Anregungen verdankt B. J. Joyce, dessen Idee des „work in progress" die 3. Klaviersonate (1957) und „Figures-Doubles-Prismes" (1963) verpflichtet sind. In neueren Werken („Éclats", 1966; „Multiples", 1970; „Rituel in memoriam Maderna" für Orchester in 8 Gruppen, 1975) arbeitet er mit sog. Klangobjekten, d. h. im Ggs. zu Reihen mit Mikrostrukturen. Auch Musiktheoretiker (u. a. „Musikdenken heute", 2 Bde., 1963–85).

Boulle, André Charles [frz. bul], * Paris 11. Nov. 1642, † ebd. 28. Febr. 1732, frz. Kunstschreiner. – Er fertigte bes. als Hoflieferant Ludwigs XIV. Prunkmöbel aus Ebenholz in bewegt kurviger Form, die er mit reichen Intarsienarbeiten und mit feuervergoldeten Bronzebeschlägen schmückte. Die B.technik wurde im ganzen 18. Jh. für bes. kostbare Möbel nachgeahmt.

Boulogne, Bois de [frz. bwadbu'lɔɲ], Waldpark in Paris, ehem. königl. Jagdgebiet; Pferderennbahnen.

Boulogne-sur-Mer [frz. bulɔɲsyr'mɛ:r], frz. Hafenstadt im Dep. Pas-de-Calais, an der Mündung der Liane in den Kanal, 48 000 E. Seebad, Fischerei-, Handels- und Passagierhafen (Brit. Inseln); Holz-, Papier-, metall- und fischverarbeitende Ind. – In der Unterstadt vorröm. Hafen **Gesoriacum** der kelt. Moriner, 43 v. Chr. Ausgangspunkt für die röm. Eroberung Britanniens; von den Römern gegr. Oberstadt **Bononia**; seit dem 5. Jh. fränk., von Karl d. Gr. befestigt. 1435–77 burgund., dann zur frz. Krone. – Basilika Notre-Dame (1866), Beffroi (13. und 17. Jh.), Rathaus und Justizpalast (beide 18. Jh.).

Boumedienne, Houari [frz. bume'djɛn] (arab. Bumidjan, Huwari), eigtl. Mohammed Boukharouba, * Guelma 23. Aug. 1927, † Algier 27. Dez. 1978, alger. Offizier und Politiker. – Schloß sich 1954 der FLN an; seit 1960 Generalstabschef der Befreiungsarmee und Kommandeur der alger. Streitkräfte in Tunesien und Marokko; unterstützte anfangs Ben Bella; seit 1962 Verteidigungsmin., seit 1963 zugleich stellv. Min.präs.; stellte sich 1965 an die Spitze eines Revolutionsrates, der Ben Bella absetzte und B. als Staatschef einsetzte.

Bounty Islands [engl. 'baʊntɪ'aɪləndz], neuseeländ. Inselgruppe (13 Felseninseln) im sw. Pazifik, etwa 650 km osö. von Dunedin, 1,3 km², unbewohnt. – 1788 von W. Bligh, dem Kapitän der „Bounty", entdeckt.

Bouquinist [buki'nist; frz.; zu niederl. boeckin „kleines Buch"], Straßenbuchhändler (antiquar. Bücher v. a.), heute noch am Seineufer in Paris.

Bourbaki [frz. burba'ki], Charles Denis Sauter, * Pau 26. April 1816, † Bayonne 22. Sept. 1897, frz. General griech. Herkunft. – Übernahm 1870 den Befehl über die kaiserl. Garde; mit seinen Truppen in Metz eingeschlossen; verhandelte in Großbritannien mit Kaiserin Eugénie erfolglos über einen dt.-frz. Frieden.

B., Nicolas, Pseud. für eine Gruppe führender, meist frz. Mathematiker des 20. Jh. – Herausgeber des Standardwerks „Éléments de mathématique" (1939 ff.), worin in streng log.-axiomat. Aufbau die gesamte Mathematik zur Darstellung kommen soll.

Bourbon [frz. bur'bõ] (Bourbonen), nach dem Herrschaftssitz B.-l'Archambault (heute Dep. Allier) benannte Seitenlinie der † Kapetinger, begr. durch Graf Ludwig I. von Clermont (* 1270, † 1342), einen Enkel Ludwigs IX. von Frankreich, der 1327 zum Herzog von B. erhoben wurde. Die auf seine Söhne zurückgehenden Hauptlinien (*ältere Linie,* erloschen 1521/27; *jüngere Linie B.-Vendôme,* erloschen 1883) teilten sich in zahlr. Nebenlinien. Die jüngere Linie gelangte mit Heinrich IV. auf den frz. Thron (1589–1792, 1814–30), ebenso 1830–48 mit Louis Philippe die 1660 von ihr abgespaltene Nebenlinie †Orléans. In Spanien begründete 1700 König Philipp V., ein Enkel Ludwigs XIV., die Linie *B.-Anjou* (1808–14, 1868–75 und 1931–75 des Throns enthoben), die 1735–1860 in Neapel-Sizilien und 1748–1802 sowie 1847–59/60 in Parma-Piacenza Sekundogenituren innehatte.

Bourbon [engl. 'bə:bən; nach dem gleichnamigen County in Kentucky, USA], aus Mais hergestellter amerikan. Whiskey.

Bourbonnais [frz. burbɔ'nɛ], histor. Gebiet in Frankreich, am N-Rand des Zentralmassivs und im Übergangsbereich zum Pariser Becken, durchflossen von Allier und Cher; Zentrum ist die ehem. Hauptstadt Moulins. – Die Herrschaft Bourbon bestand vom 9. Jh. an; 1327 Hzgt. einer Nebenlinie der Valois; seit 1587 Gouvernement.

Bourdelle, Antoine [frz. bur'dɛl], * Montauban 30. Okt. 1861, † Le Vésinet (Yvelines) 1. Okt. 1929, frz. Bildhauer. – Rhythmisierte Bewegung charakterisiert sein von Pathos und monumentalem Anspruch erfülltes Werk; u. a. Beethoven-Büsten, „Herakles mit Bogen" (1909, Paris, Musée Bourdelle), Reliefs für das Théâtre des Champs-Elysées in Paris (1912).

Bourdichon, Jean [frz. burdi'ʃõ], * Tours um 1457, † ebd. 29. Juli 1521, frz. Maler. – Illuminierte u. a. das „Stundenbuch der Anne von Bretagne" (1500–07; Paris, Bibliothèque Nationale). Zugeschrieben wird ihm auch ein Marientriptychon (Neapel, Palazzo di Capodimonte).

Bourg-en-Bresse [frz. burkã'brɛs], frz. Stadt, 55 km nö. von Lyon, 41 000 E. Verwaltungssitz des Dep. Ain; Museum; Markt- und Handelszentrum der Bresse; gehört zur Ind.-region von Lyon. – 1184 erstmals erwähnt; 1407 Stadtrecht.

Bourgeois, Léon Victor [frz. bur'ʒwa], * Paris 29. Mai 1851, † Schloß Oger (bei Épernay) 29. Sept. 1925, frz. Politiker. – 1890–1917 mehrfach Min., 1895/96 Min.-präs., 1920–23 Senatspräs.; wurde 1919 erster Vors. des Völkerbundrates und vertrat die frz. Forderung nach größeren Exekutiv- und Sanktionsbefugnissen des Völkerbundes; erhielt 1920 den Friedensnobelpreis.

Bourgeois [bʊrʒo'a; frz.], Angehöriger der Bourgeoisie.

Bourgeoisie [bʊrʒoa'zi:; frz.], urspr. im Frz. gebraucht zur Bez. der sozialen Schicht zw. Adel und Bauernschaft, entsprechend etwa dem dt. „Bürgertum". Das Wort B. taucht nicht vor dem 13. Jh. auf. – In der *marxist. Terminologie* Bez. für die herrschende Grundklasse der kapitalist. Gesellschaft, die, im Ggs. zur ausgebeuteten Arbeiterklasse, im Besitz der Produktionsmittel ist.

Bourges [frz. burʒ], Stadt in Z-Frankreich, auf einem Sporn am Zusammenfluß von Yèvre und Auron, 79 000 E. Erzbischofssitz (seit etwa 250); technolog. Universitätsinst.; Theater; Museen; Fremdenverkehr; Handels- und Ind.zentrum (u. a. Flugzeugind., Waffen-, Munitions- und Reifenfabrikation), ✈. – **Avaricum** war einer der Hauptorte der Biturigen, von Cäsar 52 v. Chr. erobert, seit Diokletian Hauptstadt der Prov. Aquitania prima, 478 westgot., 507 fränk. Im 8. Jh. Hauptort der Gft. B., 1101 zur frz. Krondomäne. – Got. Kathedrale Saint-Étienne (12. und 13. Jh.) mit unvollendeten Türmen (14.–16. Jh.) und Krypta (12. Jh.), Hôtel Jacques-Cœur (15. Jh.).

Bourget, Paul [frz. bur'ʒɛ], * Amiens 2. Sept. 1852, † Paris 25. Dez. 1935, frz. Schriftsteller. – Wandte sich gegen die Milieutheorie des Naturalismus und schrieb psycholog., von der kath. Tradition bestimmte Romane, Dramen, Essays, Reiseberichte und Lyrik. – *Werke:* Psycholog. Abhandlungen über zeitgenöss. Schriftsteller (1883–86), Eine Liebestragödie (R., 1886), Der Schüler (R., 1889), Des Todes Sinn (R., 1915).

Bourguiba, Habib [frz. burgi'ba] †Burgiba, Habib.

Bournemouth [engl. 'bɔ:nməθ], Stadt und Seebad an der engl. Kanalküste, am Bourne, 145 000 E. Prähistor. Museum; Elektro-, Flugzeug- und Pharmaind.; ✈.

Bourrée [bu're:; frz.] (italien. Borea), alter frz. Volkstanz (im 2- oder 3zeitigen Takt), war in Oper und Ballett (Lully) sowie in der Instrumentalmusik (Bach, Händel) beliebt.

Bourride [frz. bu'rid], südfrz. Fischgericht aus kleinen Seefischen.

Bourtanger Moor ['bu:r...], Moorlandschaft an der dt.-niederl. Grenze (⅓ gehört zur BR Deutschland).

Bourvil [frz. bur'vil], eigtl. André Raimbourg, * Pétrot-Vicquemare (Seine-Maritime) 27. Juli 1917, † Paris 23. Sept. 1970, frz. Filmschauspieler. – Filmkomiker; u. a. in „Zwei Mann, ein Schwein und die Nacht von Paris" (1956), „Vier im roten Kreis" (1970).

Bousset, Wilhelm ['busɛt], * Lübeck 3. Sept. 1865, † Gießen 8. März 1920, dt. ev. Theologe. – Prof. in Göttingen und Gießen; Mitbegründer der †religionsgeschichtlichen Schule.

Boussingault, Jean Baptiste [frz. busɛ̃'go], * Paris 2. Febr. 1802, † ebd. 11. Mai 1887, frz. Chemiker. – Prof. in Lyon und Paris; erkannte als erster die Bed. von Nitraten und Phosphaten für die Bodendüngung.

Boutique [bu'ti:k; frz.; zu griech. apothēkē „Abstellraum“], kleiner Laden, in dem mod. Neuheiten angeboten werden.

Bouton [bu'tõ:; frz.], Schmuckknopf für das Ohr, Brillantanhänger, Ansteckblume.

Bouts, Dieric (Dirk) [niederl. bɔuts], * Haarlem zw. 1410/20, † Löwen 6. Mai 1475, niederl. Maler. – Einer der führenden altniederl. Maler, steht in der Nachfolge der Brüder van Eyck und v. a. Rogier van der Weydens. Seine Gestalten sind schmal, fast asket. Typs; buntfarbig stimmungsvolle Landschaften als Bildhintergrund. – Sein Hauptwerk ist der Abendmahlsaltar in der Sint-Pieterskerk in Löwen (1464–67).

Boveri, Theodor [bo've:ri], * Bamberg 12. Okt. 1866, † Würzburg 15. Okt. 1915, dt. Zoologe. – Prof. in Würzburg; erkannte die Bed. der Zentrosomen für die Zellteilung und begr. die Chromosomentheorie der Vererbung.

Bovet, Daniel [frz. bɔ'vɛ], * Neuenburg (Schweiz) 23. März 1907, † Rom 8. April 1992, italien. Pharmakologe schweizer. Herkunft. – War an der Entdeckung der Sulfonamide beteiligt; erforschte die Mutterkornalkaloide und Antihistamine; bed. Arbeiten über Kurare. 1957 Nobelpreis für Physiologie oder Medizin.

Bovist † Bofist.

Bowdenzug [engl. baʊdn; nach dem brit. Industriellen Sir H. Bowden, * 1880, † 1960], Drahtkabel zur Übertragung von Zug- und Druckkräften (in einem metall. Schlauch).

Bowen, Elizabeth [engl. 'boʊɪn], * Dublin 7. Juni 1899, † London 22. Febr. 1973, engl. Schriftstellerin. – Ihre gesellschaftskrit. Romane und Kurzgeschichten enthalten zunehmend sensible Analysen zwischenmenschl. Beziehungen. Auch Essays. – *Werke:* Der letzte September (R., 1929), Der Tod des Herzens (R., 1938), Die kleinen Mädchen (R., 1964), Seine einzige Tochter (R., 1969).

Bowiemesser ['bo:vi; nach dem amerikan. Abenteurer James Bowie, * 1796, † 1836], dolchartiges Jagdmesser mit nur einer Schneide.

Bowle ['bo:lə; engl. boʊl], kaltes alkohol. Getränk aus Wein, Sekt, aromat. Früchten oder Würzstoffen und wenig Zucker; auch das runde Glasgefäß zum Servieren einer Bowle.

Bowler [engl. 'boʊlə] † Melone.

Bowling ['bo:lɪŋ; engl. 'boʊlɪŋ; zu to bowl „rollen (lassen)“], amerikan. Variante des Kegelsports, die mit 10 Kegeln gespielt wird, die in einem (vom Spieler aus gesehen) auf der Spitze stehenden gleichseitigen Dreieck aufgestellt sind. Die Kugel (Durchmesser 21,8 cm, Gewicht zw. 4 550 und 7 257 g), mit 3 Löchern zum Halten versehen, wird auf waagerechter Lauffläche gerollt.
◆ † Bowls.

Bowls [engl. boʊlz] (Bowling), in Großbritannien stark verbreitetes Kugelzielspiel auf Rasen.

Box [engl.; zu vulgärlat. buxis „(aus Buchsbaumholz hergestellte) Büchse“], svw. † Boxkamera.
◆ abgeteilter Einstellplatz für Wagen in einer Großgarage; ein an einer Rennstrecke gelegener Werkstattraum zur Wartung und Reparatur von Motorsportfahrzeugen.
◆ Verschlag für Haustiere (v. a. Pferd, Schaf, Schwein, Rind; hauptsächl. Jungtiere) in Ställen.

Boxcalf [auch: 'bɔkska:f; engl.], feingenarbtes Kalbsoberleder; v. a. als Schuhoberleder verwendet.

Boxen [engl.], mit durch gepolsterte Handschuhe geschützten Fäusten ausgetragener Zweikampf. Erlaubt sind nur Schläge mit geschlossener Faust gegen die Vorderseite des Körpers vom Scheitel bis zur Gürtellinie. Die wichtigsten Schläge sind: die Gerade (aus der Schulter mit gestrecktem Arm geschlagen), der Haken, der Stoppstoß (Kontern bei einem Abwehrstoß) und der Aufwärtshaken. Die *Entscheidungen* können auf verschiedene Arten herbeigeführt werden: Sieg durch Niederschlag (K. o., wenn ein Boxer mindestens 8 Sek. kampfunfähig ist), durch Aufgabe, durch Abbruch (wegen Kampfunfähigkeit oder sportl. Unterlegenheit), durch Punktwertung, durch Disqualifikation des Gegners, durch Unentschieden oder Abbruch ohne Entscheidung. Das Kampfgericht besteht aus 1 Ringrichter und (bei den Amateuren) 3 oder 5 bzw. (bei den Berufsboxern) 2 Punktrichtern. Um eine größere Ausgeglichenheit der Kämpfe zu erzielen, werden die Kämpfer in Gewichtsklassen eingeteilt. Senioren- und Juniorenkämpfe der Amateurboxer gehen über 3 Runden zu je 3 Min. effektiv mit je 1 Min. Pause zw. den Runden. Kämpfe der Berufsboxer liegen zw. 5 und 15 Runden zu je 3 Min. B. wird im **Ring** (Quadrat von 4,90–6,10 m, mit dreifacher Seilumspannung in 40, 80 und 130 cm Höhe über dem Ringboden) ausgetragen.
Die wichtigsten *Schutzbestimmungen* bei den Amateurboxern, die z. T. auch von Berufsboxern übernommen wurden, sind Schutzsperren nach K.-o.-Niederlagen. Dennoch sind *gesundheitl. Schäden* nicht auszuschließen. Die schwerste bleibende Folge des B. ist die *traumat. Boxerenzephalopathie* (Boxersyndrom, Dementia pugillistica), eine nach wenigen schweren bzw. häufig wiederholten mittelschweren Kopftreffern v. a. bei Berufsboxern beobachtete Hirnschädigung. Der *Tod im Ring* kann durch eine Gehirnblutung oder (v. a. nach Doping) auch durch Herz- oder Kreislaufversagen bedingt sein.
Geschichte: Hinweise auf den Faustkampf

gibt es in zahlr. Hochkulturen. Im antiken Griechenland bestand die Technik des Faustkampfes zunächst darin, den Schlägen geschickt auszuweichen. Mit dem Aufkommen der Berufsathleten nahm er jedoch brutale Formen an. Der Kampf wurde stets bis zur Entscheidung durch Niederschlag oder bis zur Aufgabe eines der Kämpfer ausgetragen. Ähnl. war der Boxkampf im alten Rom. Neubelebt wurde das B. im England des 17. Jh., wo feste Regeln entstanden; 1743 wurden die Boxhandschuhe eingeführt. Entscheidend war die Regelfestsetzung des Marquess of Queensberry (1890), die in ihren Grundzügen noch heute gültig ist. Im Prinzip werden Boxkämpfe nur von Männern und männl. Jugendlichen ausgetragen. Seit einigen Jahren werden jedoch vereinzelt auch Boxkämpfe zw. Frauen veranstaltet (z. B. Meisterschaften in den USA), die jedoch von den offiziellen Verbänden nicht legitimiert sind.

Sonnenberg, H.: B. – Fechten mit der Faust. Bln. [16]1989. – Wettkampfbestimmungen. Hg. v. Dt. Amateur-Box-Verband. Losebl. Stand 1. 1. 1972. Bln. 1967 ff.

Boxer [engl.; an die Vorstellung von boxenden Fäusten anknüpfende Wiedergabe von chin. yi-he-quan „Fäuste der Rechtlichkeit und Eintracht" (ein Mißverständnis der urspr. Bez. yi-he-tuan „Gesellschaft für Rechtlichkeit und Eintracht")], Mgl. eines christen- und fremdenfeindl. Geheimbundes, der 1900 im N Chinas aus Protest gegen die zahlr. Konzessionen und Gebietsabtretungen an die europ. Mächte mit der Belagerung des Pekinger Gesandtschaftsviertels und der Ermordung des dt. Gesandten K. Freiherr von Ketteler den **Boxeraufstand** auslöste, der durch die militär. Intervention eines internat. Expeditionskorps niedergeschlagen wurde. 1901 mußte China im **Boxerprotokoll** die von den an der Expedition beteiligten Mächten Deutschland, Frankreich, Großbritannien, Japan und USA diktierten Bedingungen akzeptieren (u. a. Sühnegesandtschaft nach Berlin).

Boxer [engl.], zu den Doggen gehörende Rasse kräftiger, bis 63 cm schulterhoher Haushunde mit sehr kurzer, kräftig entwikkelter Schnauze, stark herabhängenden Lefzen, hoch angesetzten, spitz kupierten Ohren sowie kurz- und glatthaarigem, gelblich- bis braunrotem, häufig auch gestromtem Fell; Schwanz kurz kupiert.

Boxeraufstand ↑ Boxer.

Boxermotor, Verbrennungsmotor mit einer Zylinderanordnung, bei der zwei Zylinder oder Zylinderreihen auf gegenüberliegenden Seiten der Kurbelwelle in einer Ebene liegen; wegen seiner niedrigen Bauhöhe häufig als Unterflurmotor eingesetzt.

Boxerprotokoll ↑ Boxer.

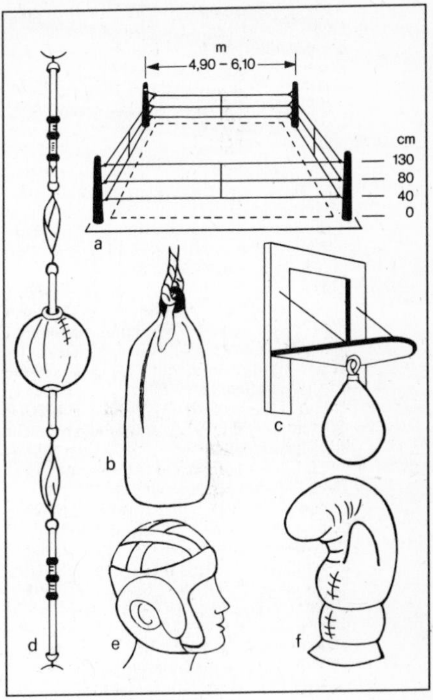

Boxen. a Ring, b Sandsack, c Plattformball, d Doppelendball, e Kofpschutz, f Boxhandschuh

Boxheimer Dokument, ein aus Diskussionen hess. NSDAP-Funktionäre im Boxheimer Hof bei Bürstadt hervorgegangener Entwurf von Sofortmaßnahmen, die im Fall einer nat.-soz. Machtergreifung im Anschluß an einen kommunist. Putsch verwirklicht werden sollten; Hitler distanzierte sich vom B. D. nach dessen Bekanntwerden 1931.

Boxkamera (Box), photograph. Kamera einfachster Bauart für Rollfilm.

Boy [engl.], Junge; Diener, Bote.

Boyacá [span. boja'ka], Dep. in Kolumbien, 23 189 km², 1,15 Mill. E (1985), Hauptstadt Tunja. Der Kernraum liegt in der Ostkordillere; Anbau von Getreide, Kartoffeln, Bohnen, Tabak und Zuckerrohr; Rinder- und Schweinehaltung; Eisenerz-, Kohlevorkommen; Smaragdabbau; Erdölförderung.

Boyd-Orr, John [engl. 'bɔɪd'ɔ:], Baron of Brechin Mearns, * Kilmaurs bei Glasgow 23. Sept. 1880, † Newton bei Moutrose 25. Juni 1971, brit. Ernährungsforscher. – Prof. für

Landw. in Aberdeen; trat für die Gründung einer weltweiten Ernährungsorganisation ein, um künftige Hungerkatastrophen zu verhindern; erhielt 1949 den Friedensnobelpreis.

Boye, Karin Maria [schwed. ˌbɔi̯ə], * Göteborg 26. Okt. 1900, † Alingsås 24. April 1941 (Selbstmord), schwed. Schriftstellerin. – Bekannt durch die düstere Vision eines totalitären Staates in dem Roman „Kallocain“ (1940); auch Lyrik.

Boyen, Hermann von, * Kreuzburg (Ostpr.) 23. Juni 1771, † Berlin 15. Febr. 1848, preuß. Min. und Generalfeldmarschall (seit 1847). – Ausbildung an der Königsberger Militärschule. Enger Mitarbeiter von G. J. von Scharnhorst und Graf Neidhardt von Gneisenau. Als Kriegsmin. (1814–19) verankerte er in den Wehrgesetzen von 1814 und 1815 die allg. Wehrpflicht und führte die Landwehr und den Landsturm in Preußen ein; stieß mit seinen Plänen, die Ansätze einer Demokratisierung enthielten, auf heftigsten Widerstand der Kreise der Restauration am Hof; 1841–47 erneut Kriegsminister.

Boyer, Charles [frz. bwa'je], * Figeac (Lot) 28. Aug. 1899, † Phoenix (Ariz.) 26. Aug. 1978 (Selbstmord), amerikan. Filmschauspieler frz. Herkunft. – Ab 1931 erfolgreich in den USA; spielte u. a. in „Barcarole“ (1930), „Maria Walewska“ (1937), „Lola Montez“ (1955), „Stavisky“ (1974).

Boykott [engl.], Abbruch der rechtl., geschäftl., sozialen Beziehungen zu einem Dritten (Firmen, Institutionen, Staaten), um dadurch ein bestimmtes Verhalten zu erzwingen. Ein B. kann sich auch als Ausdruck einer Protest- und Verweigerungshaltung gegen die Teilnahme an Veranstaltungen (z. B. Olympia-B.) oder gegen den Kauf bestimmter Waren richten (Waren-B., Käufer-B.). – Die Bez. rührt wohl von dem engl. Gutsverwalter Charles Cunningham Boycott (* 1832, † 1897) her, der wegen seiner Rücksichtslosigkeit gegenüber den ir. Landpächtern 1880 zum Verlassen Irlands gezwungen wurde.
Im *Recht* kommt der B. als Mittel des *Arbeitskampfes* vor (z. B. in Form einer Einstellungssperre für bestimmte Bewerbergruppen). Im *wirtsch. Wettbewerb* ist der B. selten geworden, da er als wettbewerbsbeschränkendes Mittel den Vorschriften des Wettbewerbsrechts zuwiderläuft. Zw. Staaten gibt es boykottähnl. Maßnahmen v. a. in Form der ↑ Sanktion und des ↑ Embargos.

Boykotthetze, nach Art. 6 der Verfassung der DDR von 1949 (gültig bis 1968) unbestimmter Tatbestand zur Erfassung aller polit. mißliebigen Handlungen, der bes. zw. 1950 und 1957 die Grundlage der polit. Terrorjustiz bildete; abgelöst durch den Tatbestand der staatsfeindl. Hetze.

Boyle [engl. bɔɪl], Kay, * Saint Paul (Minn.) 19. Febr. 1903, † Mill Valley (Calif.) 27. Dez. 1992, amerikan. Schriftstellerin. – Lebte ab den 1920er Jahren bis 1941 in Europa; verbindet in ihren Romanen (u. a. „Generation ohne Abschied“, 1959), Kurzgeschichten (u. a. „The white horses of Vienna“, Sgl., 1936) und Erzählungen (u. a. „Der rauchende Berg“, Sgl., 1963) subtile Charakteranalysen mit der Darstellung von zeitgeschichtl. Ereignissen in Europa (v. a. Faschismus, Nachkriegsdeutschland) und den USA.

B., Robert, * Lismore (Irland) 25. Jan. 1627, † London 30. Dez. 1691, engl. Chemiker. – Definierte chem. Elemente als chem. unvermischte Körper, in die vermischte Körper mit Mitteln der Chemie zerlegt werden können. In der Medizin beschrieb B. zahlr. Erscheinungen (Reflexbewegungen, Funktion der Schwimmblase u. a.). – ↑ Boyle-Mariottesches Gesetz.

Boyle-Gay-Lussacsches Gesetz [engl. bɔɪl, frz. gely'sak], svw. ↑ Gay-Lussacsches Gesetz.

Boyle-Mariottesches Gesetz [engl. bɔɪl, frz. ma'rjɔt], von R. Boyle und E. Mariotte aufgefundene Gesetzmäßigkeit: In einem idealen Gas ist das Produkt aus dem Druck p und dem Volumen V bei gleichbleibender absoluter Temperatur T konstant, oder $p_1 V_1 = p_2 V_2$, wenn das Gas isotherm vom Zustand 1 in den Zustand 2 übergeht.

Boyneburg (Boineburg, Bönburg, Bemelburg, Bemmelberg), hess. Adelsgeschlecht; teilte sich noch im 12. Jh. in die Familien Boyneburgk und Boineburg (gen. Hohenstein); daneben gibt es eine bayr. freiherrl. Linie sowie seit 1859 die großherzogl.-hess. gräfl. Linie B. und Lengsfeld.

Boyomafälle ↑ Kongo.

Boy-Scout ['bɔɪskaʊt; engl.; zu boy „Junge“ und scout „Kundschafter“], engl. Bez. für: Pfadfinder.

Boys Town [engl. 'bɔɪz 'taʊn], Ort unmittelbar westl. von Omaha (Nebraska, USA), der ausschließl. von Jungen und männl. Jugendlichen bewohnt und verwaltet wird; 1917 gegr. und 1936 als selbständige Gemeinde anerkannt.

Boz, Pseud. von C. ↑ Dickens.

Bozen (italien. Bolzano), Hauptstadt der autonomen Provinz Bozen innerhalb der italien. Region Trentino-Südtirol, 262 m ü. d. M., 101 000 E. Bischofssitz; Konservatorium, Landesmuseum, Staatsarchiv; Handelsplatz mit Messen; Kurort; Eisen- und Aluminiumwerke, Kfz-, Maschinenbau; in der Umgebung Wein- und Obstbau. – 14 v. Chr. röm. Straßenstation **(Pons Drusi).** Im 7. Jh. Sitz einer langobard. Gft., im 8. Jh. fränk. **(Bauzanum);** unterstand seit 1027 dem Bischof von Trient, mehrfach besetzt durch die Grafen von Tirol; 1531 endgültig an Tirol. Seit dem MA Zentrum des dt.-italien. Handels. 1805 mit Tirol an Bayern, 1810 an das Napoleon. Kgr. Italien, 1815 an Österreich, 1919 mit Südtirol an Italien. – Altstadt mit ma. Häusern, u. a. in der Laubengasse, z. T. mit barocken Fassaden, z. B. Merkantilgebäude (1708–27); gotische Pfarrkirche (14.–15. Jh.); Franziskanerkloster mit spätroman. Kreuzgang (14. Jh.). In der Nähe bed. Burgen, v. a. Burg Runkelstein.

Bozzetto [italien.], Modell, insbes. plast. Entwurf einer Skulptur in Ton, Wachs u. a.

BP, Abk. für: ↑Bayernpartei.

BP Benzin und Petroleum AG, dt. Mineralölunternehmen, Sitz Hamburg, gegr. 1904; Haupttätigkeitsgebiete: Förderung, Verarbeitung und Vertrieb von Erdöl, Erdgas und Mineralen. Muttergesellschaft: The ↑British Petroleum Company Ltd.

Bq, Einheitenzeichen für ↑Becquerel.

Br, chem. Symbol für ↑Brom.

BR, Abk. für: Bayer. Rundfunk.

Braak, Menno ter, * Eibergen (Prov. Geldern) 26. Jan. 1902, † Den Haag 14. Mai 1940, niederl. Schriftsteller. – Kritiker; beging nach dem Einmarsch der Deutschen Selbstmord; schrieb v. a. zeitkrit. und moralphilosoph. Essays; auch Romane.

Brabançonne [frz. brabãˈsɔn; nach der belg. Provinz Brabant], Name der belg. Nationalhymne; der 1830 (Unabhängigkeit) entstandene Text wurde 1860 überarbeitet.

Brabant, histor. Gebiet in Belgien und den Niederlanden. Die Grafen von Löwen erwarben im Verlauf des 11. Jh. ein Gebiet, das etwa dem der belg. Prov. Antwerpen und Brabant und dem der niederl. Prov. Nordbrabant entspricht, und nannten sich nach 1150 Herzöge von B. Das Hzgt. kam 1430 an Burgund, 1477 an die Habsburger. Die Generalstaaten eroberten das nördl. B. im Achtzigjährigen Krieg und wurden 1648 in dessen Besitz bestätigt. B. wurde in der frz. Zeit (1794–1814) in 3 Dep. aufgeteilt, Grundlage der heutigen Prov., deren beide südl. nach 1830 Kernland des neuen Kgr. Belgien wurden.

Brabant, Herzog von, Titel des belg. Kronprinzen (seit 1840).

Brabanter, svw. ↑Belgier.

Brabanter Kreuz (Lazarus-, Kleeblattkreuz), Kreuz mit kleeblattförmig endenden Armen.

Brač [serbokroat. bra:tʃ], kroat. Adriainsel 15 km südl. von Split, 395 km², 15 000 E; im Vidova gora 778 m hoch; Verwaltungszentrum ist Supetar; Marmorsteinbrüche.

Bracara Augusta ↑Braga.

Bracciolini [italien. brattʃoˈli:ni], Francesco, * Pistoia 26. Nov. 1566, † ebd. 31. Aug. 1645, italien. Dichter. – Parodierte in dem kom. Epos „Dello scherno degli dei“ (1618, vollständig 1626) den übertriebenen Gebrauch der klass. Mythologie.

B., Poggio ↑Poggio Bracciolini.

Brache, urspr. Bed.: Umpflügen („Umbrechen“) des Feldes nach der Ernte; später der nicht bestellte Boden, an dem eine Regeneration, meist verbunden mit techn. Einwirkung (z. B. Pflügen), bewirkt werden soll. – ↑Sozialbrache.

Bracher, Karl Dietrich, * Stuttgart 13. März 1922, dt. Historiker und Politikwissenschaftler. – Seit 1959 Prof. in Bonn; 1962–68 Präs. der Kommission für Geschichte des Parlamentarismus und der polit. Parteien; 1980–88 Vors. des Beirates des Instituts für Zeitgeschichte. – *Werke:* Die Auflösung der Weimarer Republik (1955), Die nationalsozialist. Machtergreifung (1960; zus. mit W. Sauer und G. Schulz), Die dt. Diktatur (1969), Die totalitäre Erfahrung (1987).

Brachfliege (Getreideblumenfliege, Hylemyia coarctata), etwa 6–7 mm große, gelbgraue, schwarz behaarte Blumenfliege; Larven minieren in den Halmen von Weizen, Roggen, Gerste oder Futtergräsern.

brachial [lat.], zum Arm, zum Oberarm gehörend; den Arm betreffend.

Brachialgewalt, rohe Gewalt.

Brachialgie [lat./griech.], Schmerzen im Arm, vorwiegend Oberarm, verursacht u. a. durch Nervenreizung bei degenerativen Halswirbelsäulenveränderungen, Nervenentzündung oder Durchblutungsstörungen.

Brachiatoren [lat.], Bez. für Primaten, deren Arme gegenüber den Beinen stark verlängert sind. Sie bewegen sich überwiegend hangelnd oder schwingkletternd fort; heute noch lebende Vertreter sind die Orang-Utans.

Brachiopoden [lat./griech.], svw. ↑Armfüßer.

Brachiosaurus [lat./griech.], Gatt. bis nahezu 23 m langer und 12 m hoher Dinosaurier aus dem oberen Jura (Malm) in N-Amerika, O-Afrika und Portugal; Vorderbeine wesentl. länger als Hinterbeine, Hals sehr lang (13 bis zu 1 m lange Halswirbel); Pflanzenfresser.

Brachistochrone [griech.], Kurve zw. zwei in verschiedenen Höhen liegenden Punkten P_1 und P_2, auf der ein reibungslos unter der Einwirkung der Schwerkraft gleitender Massenpunkt in der kürzest mögl. Zeit von P_1 nach P_2 gelangt; ein Zykloidenbogenstück.

Brachium [lat.], svw. Oberarm (↑Arm).

Brachkäfer (Amphimallon), Gatt. der Laubkäfer mit 5 einheim., etwa 1,5–2 cm großen, bräunlichgelben, braunen oder rostroten Arten; häufigste Art ist der ↑Junikäfer.

Brachmonat (Brachet), alter dt. Name für den Monat Juni, in dem die Brache stattfand.

Brachpieper (Anthus campestris), rd. 17 cm große Stelzenart in Europa und im mittleren Asien; Oberseite sandbraun, Unterseite heller; mit auffallendem, rahmfarbenem Augenstreif und langen, gelbl. Beinen; lebt v.a. in sandigem Ödland und in Dünengebieten.

Brachschwalbe (Glareola pratincola), etwa 23 cm lange Art der Brachschwalben (Unterfam. der Regenpfeiferartigen) in weiten Teilen S-Europas, Asiens und Afrikas; Oberseite olivbraun, Bauch weiß, Brust gelblichbraun mit blaßgelbem, schwarz umrahmtem Kehlfleck; der tief gegabelte Schwanz schwarz mit weißer Wurzel.

Brachsen (Blei, Brassen, Abramis brama), bis etwa 75 cm langer Karpfenfisch in Europa; sehr hochrückig, seitl. stark zusammengedrückt; Oberseite bleigrau bis schwärzl., Bauch weißl., lebt in Seen und langsam fließenden Flüssen; Speisefisch.

Brachsenkraut (Isoetes), Gatt. der Brachsenkrautgewächse (Farnpflanzen) mit etwa 60 (in M-Europa 2) Arten; meist am Boden nährstoffarmer kalter Seen lebende, ausdauernde Pflanzen.

Brachsenregion (Brassenregion, Bleiregion), unterer Abschnitt von Fließgewässern, der sich stromabwärts an die ↑Barbenregion anschließt. Charakterist. Fischarten sind neben dem Brachsen v.a. Aal, Blicke, Hecht, Zander, Schleie, Karpfen, Karausche, Rotauge, Rotfeder, Nerfling. Stromabwärts folgt auf die B. die ↑Brackwasserregion.

Bracht, Eugen, *Morges 3. Juni 1842, †Darmstadt 15. Nov. 1921, dt. Landschaftsmaler. – Malte naturalist. Heide- und Gebirgslandschaften.

Brachvogel, Albert Emil, *Breslau 29. April 1824, †Berlin 27. Nov. 1879, dt. Schriftsteller. – Bekannt v.a. als Verfasser des Romans „Friedemann Bach“ (1858).

Brachvögel (Numenius), Gatt. der Schnepfenvögel mit 8, etwa 35 bis 60 cm großen Arten in Europa, Asien sowie in N-Amerika; einheim. ist der ↑Große Brachvogel.

brachy..., Brachy... [griech.], Bestimmungswort in Zusammensetzungen mit der Bedeutung „kurz..., Kurz...“.

Brachycera [griech.], svw. ↑Fliegen.

Brachydaktylie [griech.], Kurzfingrigkeit bzw. Kurzzehigkeit; eine angeborene erbl. Verkürzung einzelner oder mehrerer Finger oder Zehen **(Brachydaktyliesyndrom).**

Brachyura, svw. ↑Krabben.

Bracken, Rassengruppe urspr. für die Hetzjagd auf Hochwild gezüchteter Jagdhunde. Aus den urspr. hochbeinigen, etwa 40–60 cm schulterhohen B. (z.B. Deutsche Bracke, ↑Dalmatiner) wurden für die Niederjagd (bes. auf Füchse, Dachse, Hasen) kurzläufige, etwa 20–40 cm schulterhohe Rassen gezüchtet (z.B. ↑Dackel, ↑Dachsbracke, ↑Bassets).

Brackenheim, Stadt im Zabergäu, Bad.-Württ., 267 m ü.d.M., 10800 E. Weinbau. – Spätroman. Johanniskirche (13.Jh.), Renaissanceschloß (1556), Rathaus (1780).

Brackett-Serie [engl. 'brækɪt; nach dem amerikan. Astronomen F. P. Brackett, *1865, †1953], Spektralserie, die beim Übergang des Wasserstoffatoms von einem höheren zum viertniedrigsten Energieniveau emittiert (im umgekehrten Falle absorbiert) wird. Die Spektrallinien der B.-S. liegen im Infrarot.

brackig [niederdt.], schwach salzhaltig (gesagt von Wasser).

Bracknell [engl. 'bræknəl], New Town, 45 km westl. von London, Gft. Berkshire, 48800 E. Hauptsitz des Meteorological Office; Generalstabsakad. der Royal Air Force.

Brackwasser [niederdt.], mit Meerwasser vermischtes Süßwasser, bes. im Mündungsgebiet von Flüssen; auch in Endseen abflußloser Gebiete.

Brackwasserregion, unterster, auf die Brachsenregion folgender Abschnitt der Fließgewässer an deren Mündung ins Meer. Charakterist. für die B. ist der häufig schwankende Salzgehalt des stets sehr trüben Wassers. Kennzeichnende Fischarten der B. sind Flunder, Kaulbarsch, Stichling.

Brackwede, Ortsteil von Bielefeld.

Brackwespen (Braconidae), Fam. der Hautflügler mit über 5000 Arten; einheimisch u.a. der Weißlingstöter.

Bradbury, Ray Douglas [engl. 'brædbərɪ], *Waukegan (Ill.) 22. Aug. 1920, amerikan. Schriftsteller. – Gesellschaftskrit. Science-fiction-Romane und pessimist. Kurzgeschichten. – *Werke:* Der illustrierte Mann (En., 1951), Fahrenheit 451 (R., 1953), Das Böse kommt auf leisen Sohlen (R., 1962), Gesänge des Computers (En., 1969), Der Tod ist ein einsames Geschäft (R., 1985).

Bradford [engl. 'brædfəd], engl. Stadt in der Metropolitan County West Yorkshire, 15 km westl. von Leeds, 281000 E. Anglikan. Bischofssitz; Univ. (seit 1966); Museen; Woll-, Metall- und Pharmaind. u.a. ✈. – 1311 Markt- und 1888 Stadtrecht. – Kathedrale Saint Peter (1458), Grammar School (16.Jh.), Herrenhaus Bolling Hall (14.–17.Jh.), Rathaus (1873).

Bradley [engl. 'brædlɪ], Francis Herbert, *Glasbury 30. Jan. 1846, †Oxford 18. Sept. 1924, engl. Philosoph. – Vertreter des engl. Neuhegelianismus; ging in „Erscheinung und Wirklichkeit“ (1893) davon aus, daß hinter der Aufspaltung in Subjekt und Objekt ein harmon. Ganzes existiere, das jedoch nur gefühlt, nicht begrifflich gefaßt werden könne.

B., James, *Sherborne (Dorset) Ende März 1693, †Chalford (Gloucestershire) 13. Juli 1762, engl. Astronom. – Prof. in Oxford und Greenwich; entdeckte 1728 die Aberration des Lichtes und berechnete daraus die Lichtgeschwindigkeit.

B., Omar Nelson, * Clark (Mo.) 12. Febr. 1893, † New York 8. April 1981, amerikan. General. – Wirkte als Generalstabschef (seit 1947) beim Abschluß des Nordatlantikpaktes mit, trug als Chef der Vereinigten Generalstäbe (1949–53) die Mitverantwortung für die Operationen im Koreakrieg.

Bradstreet, Anne [engl. 'brædstri:t], geb. Dudley, * Northampton (England) 1612 oder 1613, † North Andover (Mass.) 16. Sept. 1672, amerikan. Dichterin. – Gilt als erste Dichterin Amerikas; schrieb Gedichte, Vers- und Prosaerzählungen und eine Autobiographie.

brady..., Brady... [griech.], Bestimmungswort in Zusammensetzungen mit der Bed. „langsam".

Bradykardie [griech.], verlangsamte Herzschlagfolge (unter 60 Schläge je Minute). B. kann (ohne krankhafte Bedeutung) anlagebedingt oder (bei Sportlern) durch Training vorübergehend erworben sein; sie kann auch in der Rekonvaleszenz nach Infektionskrankheiten auftreten. Im Krankheitsfall tritt B. bei Vagusreizung (infolge Druckes auf den Nervenstamm oder infolge Hirndruckerhöhung, etwa bei Hirntumoren oder Hirnblutungen) auf. Auch durch manche Arzneimittel (bes. Betablocker) wird eine B. hervorgerufen.

bradytrophes Gewebe, Körpergewebe mit geringer oder fehlender Kapillarversorgung und verlangsamtem, herabgesetztem Stoffwechsel; z. B. Knorpel, Bandscheiben, Hornhaut, Linse, Trommelfell.

Braga [portugies. 'braɣɐ], portugies. Stadt 40 km nnö. von Porto, 63 000 E. Sitz eines Erzbischofs (seit 1104); kath. Univ.; Handelsplatz für landw. Produkte, Ind.standort. – Von den Römern gegr. Ort **(Bracara Augusta),** seit dem 4. Jh. Bischofssitz; seit etwa 411 Hauptstadt der Sweben, um 485 westgot., 716 von Arabern zerstört; Ende 11. und Anfang 12. Jh. Residenz der portugies. Könige. – Kathedrale (12. Jh.), Kirche Santa Cruz (1642), Capela dos Coimbras (1524).

Bragança [portugies. brɐ'ɣẽsɐ], portugies. Dyn., die in männl. Linie 1640–1853 (mit Unterbrechung 1807–21) in Portugal und 1822–89 auch in Brasilien regierte; begr. 1442 von Alfons I., einem natürl. Sohn König Johanns I., als erstem Herzog von B. Die 1853–1910 in Portugal herrschende Linie Sachsen-Coburg-B. stammt von Maria da Glória (Tochter Kaiser Peters I. von Brasilien) ab.

Bragança [portugies. brɐ'ɣẽsɐ] (Braganza), Stadt im östl. Hochportugal, 14 100 E. Bischofssitz (seit 1770); Seiden- und Süßwarenind. – Altstadt aus Granit erbaut; Kathedrale (16. Jh.), Burg (1187).

Brägen, svw. ↑ Bregen.

Bragg [engl. bræg], Sir (seit 1920) William Henry, * Wigton (Cumberland) 2. Juli 1862, † London 12. März 1942, brit. Physiker. – Vater von Sir William Lawrence B.; Prof. in Adelaide, Leeds und London. Präs. der Royal Society (1935–40); arbeitete über Radioaktivität; entwickelte zus. mit seinem Sohn das Drehkristallverfahren zur Strukturbestimmung von Kristallen und zur Bestimmung der Wellenlänge von Röntgenstrahlen. Nobelpreis für Physik 1915 zus. mit seinem Sohn.

B., Sir (seit 1941) William Lawrence, * Adelaide 31. März 1890, † Ipswich (Suffolk) 1. Juli 1971, brit. Physiker. – Prof. in Manchester, Cambridge und London. Stellte die ↑ Braggsche Gleichung auf und entwickelte mit seinem Vater das Drehkristallverfahren. Nobelpreis für Physik 1915 zus. mit seinem Vater.

Braggsche Gleichung (Braggsche Reflexionsbedingung) [engl. bræg], von W. L. Bragg 1913 aufgestellte Gleichung für die Beugung monochromat. Röntgenstrahlen an Kristallen.

Bragi, in der nord. Mythologie Sohn Wodans, Gott der Dichtkunst und der Skalden, Gemahl der Idun.

Bragi (B. Boddason), altnorweg. Dichter des 9. Jh. – Erhalten sind Reste eines Gesanges auf einen Schild mit Bildern aus Sage und Mythologie; später wurde B. als Sprecher in Odins Halle zum Gott der Dichtkunst erhöht.

Brahe, Tycho (Tyge), * Knudstrup (Schonen) 14. Dez. 1546, † Prag 24. Okt. 1601, dän. Astronom. – Seit 1599 Astronom Kaiser Rudolfs II. in Prag; steigerte durch Verbesserung der Beobachtungsverfahren die Meßgenauigkeit, hinterließ Kepler Aufzeichnungen über genaue Positionen des Mars, aus denen dieser die Gesetze der Planetenbewegungen ableitete; B. selbst blieb Anhänger des geozentr. Weltsystems.

Brahm, Otto, eigtl. O. Abraham, * Hamburg 5. Febr. 1856, † Berlin 28. Nov. 1912, dt. Kritiker und Theaterleiter. – 1890 Mitbegr. der „Freien Bühne", 1894 Leiter des Dt. Theaters, 1904–12 des Lessingtheaters in Berlin; Wegbereiter des naturalist. Dramas.

Brahma [Sanskrit], ind. Gott (ohne nennenswerte kult. Verehrung), ursprüngl. höchster Gott des hinduist. Pantheons, von Wischnu und Schiwa später verdrängt.

Brahmagupta, * um 598, † nach 665, ind. Mathematiker und Astronom in Ujjain (Gwalior). – B. verfaßte 628 ein Lehrbuch der Mathematik und Astronomie in Versform, „Brahmasphuṭasiddhānta"; kannte bereits die Null und das Bruchrechnen.

Brahman [Sanskrit], in der wed. Zeit Indiens das machthaltige Wort des Priesters

Bramante. Rundtempel im Klosterhof von San Pietro in Montorio, Rom; vollendet 1502

beim Opfer, später zentraler religionsphilosoph. Begriff: Die „Upanischaden" sehen im B. das absolute, allem Seienden zugrunde liegende Prinzip. Die Erkenntnis, daß die individuelle „Seele" (der ↑Atman) ident. ist mit dem B., führt zur Erlösung und zur Einsicht in den illusionären Charakter der sichtbaren Welt.

Brahmanas [Sanskrit], ind. religiöse Texte in Sanskrit, die sich an die vier Weden anschließen. Sie geben Anweisungen zur Ausführung des wed. Opfers und versuchen mit Hilfe mystisch-philosoph. Spekulation die mag. Kraft des Opfers zu erläutern und eine Kosmologie zu entwerfen.

Brahmane [Sanskrit], Angehöriger der obersten Kaste des Hinduismus, ursprüngl. ausschließl. Priester.

Brahmanismus [Sanskrit], Vorform des Hinduismus, literar. durch den „Weda", die „Brahmanas" und die „Upanischaden" belegt, inhaltl. charakterisiert durch eine zunehmend starre, ausschließl. am Opferwesen orientierte „Wissenschaft", ferner durch Kastensystem und Wiedergeburtslehre.

Brahmaputra [brama'pʊtra, ...'pu:tra], Fluß in China (Tibet), Indien (Assam) und Bangladesch, etwa 3 000 km lang, 670 000 km² Einzugsbereich; entsteht im tibet. Himalaja in 5 600 m Höhe aus 3 Quellflüssen, fließt als **Tsangpo** 1 250 km in östl. Richtung, biegt als **Dihang** nach S um, durchbricht in einer 2 400 m tiefen Schlucht die Ketten des Himalaja. Fließt, vom Eintritt in das Assamtal (B.tal) ab B. genannt, nach SW, dann nach S, ab Sadiya vielfach verzweigt in einem breiten Sumpfgelände. Gemeinsam mit dem Ganges bildet er ein etwa 44 000 km² großes Delta. Von der Mündung bis Dibrugarh über 1 300 km schiffbar.

Brahmasamadsch [Sanskrit „Gemeinde der Gottesgläubigen"], von dem Brahmanen Rammohan Roy (* 1772, † 1833) 1828 in Kalkutta gegr. hinduist. Reformbewegung. Gekennzeichnet durch den Versuch, den Monotheismus in allen (auch den ind.) Religionen zu erkennen und den Hinduismus von dessen volkstüml. Erscheinungsformen zu reinigen und zu reformieren.

Brahmischrift, ind., meist rechtsläufige Schrift, aus der sich alle ind. Schriften entwickelten.

Brahms, Johannes, * Hamburg 7. Mai 1833, † Wien 3. April 1897, dt. Komponist. – Befreundet mit dem Geiger J. Joachim, Robert und Clara Schumann. 1857–59 wirkte er als Chordirigent und Hofpianist in Detmold. 1862 ging B. nach Wien und leitete dort vorübergehend die Konzerte der Gesellschaft der Musikfreunde; nach 1875 lebte er als freischaffender Künstler in Wien. Den Schwerpunkt seines instrumentalen Schaffens bildet die Kammermusik, deren Gestaltungsprinzipien, die motiv. Verzahnung der Gedanken und die weitgehend selbständige Durchbildung der Einzelstimmen, auch die Sinfonien kennzeichnen. Die Vokalkompositionen reichen vom Klavierlied und von A-cappella-Sätzen im Madrigal- oder Motettenstil auf der einen bis zu orchesterbegleiteten mehrteiligen Chorwerken auf der anderen Seite. In den Klavierliedern dominiert die lyr. Entfaltung der Singstimme. Darüber hinaus sammelte und bearbeitete B. Volkslieder.

Werke: *Orchesterwerke:* 4 Sinfonien: 1. c-Moll op. 68 (1855–76), 2. D-Dur op. 73 (1877), 3. F-Dur op. 90 (1883), 4. e-Moll op. 98 (1884/85); 2 Serenaden: D-Dur op. 11 (1857/58), A-Dur op. 16 (1860); Haydn-Variationen op. 56a (1873); Akadem. Festouvertüre op. 80 (1880); Trag. Ouvertüre op. 81 (1880/81). – *Konzerte:* Violinkonzert D-Dur op. 77 (1878); Klavierkonzert d-Moll op. 15 (1854–58), B-Dur op. 83 (1878–81); Doppelkonzert für Violine und Violoncello a-Moll op. 102 (1887). – *Kammermusik:* 2 Streichsextette op. 18 (1858–60), 36 (1864/65); 2 Streichquintette op. 88 (1882), 111 (1890); Klarinettenquintett op. 115 (1891); 3 Streichquartette op. 51, 1 und 2 (1873), 67 (1875);

Klavierquintett op. 34 (1864); 3 Klavierquartette op. 25 (1861), 26 (1881), 60 (1875); 3 Klaviertrios op. 8 (1853/54; 1889), 87 (1880–82), 101 (1886); Horntrio op. 40 (1865); Klarinettentrio op. 114 (1891); 3 Violinsonaten op. 78 (1878/79), 100 (1886), 108 (1886–88); 2 Cellosonaten op. 38 (1862–65), 99 (1866); 2 Klarinettensonaten op. 120, 1 und 2 (1894). – *Klaviermusik:* 3 Sonaten: C-Dur op. 1 (1852/53), fis-Moll op. 2 (1852), f-Moll op. 5 (1854); Variationen, darunter Händel-Variationen op. 24 (1861), Paganini-Variationen op. 35 (1862/1863); Balladen, Rhapsodien, Intermezzi u. a. – *Vokalmusik:* „Ein Dt. Requiem" op. 45 (1866–68); Alt-Rhapsodie op. 53 (1869); „Schicksalslied" op. 54 (1871); „Nänie" op. 82 (1881); „Gesang der Parzen" op. 89 (1882); Klavierlieder („Vier ernste Gesänge" op. 121, 1896), Volksliedbearbeitungen für Singstimme und Klavier; Motetten op. 29 (1860), 74 (1877), 110 (1889); 5 Gesänge für gemischten Chor op. 104 (1888); „Fest- und Gedenksprüche" op. 109 (1886–88); Lieder op. 22 (1859), 44 (1859–63), 62 (1874), 93a (1883/84) u. a.

📖 *Schmelzer, H. J.: J. B. Eine Biographie. Tüb. 1983. – Gal, H.: B. Leben u. Werk. Ffm. 1980.*

Brahui, literatur- und schriftlose drawid. Sprache in Pakistan im Gebiet um Kalat mit etwa 1,3 Mill. Sprechern.

Brăila [rumän. brə'ila], Hauptstadt des rumän. Verw.-Geb. B., am linken Ufer der unteren Donau, 235 000 E. Staatstheater, Museen; bedeutendster Donauhafen Rumäniens; u. a. Werften, Zelluloseherstellung. – Neolith. Siedlungsspuren; urkundl. erstmals 1368 erwähnt; 1542–1829 Sitz eines türk. Rajahs.

Braille, Louis [frz. brɑ:j], * Coupvray (Seine-et-Marne) 4. Jan. 1809, † Paris 6. Jan. 1852, frz. Blindenlehrer. – Erblindete im 3. Lebensjahr; entwickelte 1825 die *B.-Blindenschrift,* indem er das 12-Punkte-System Charles Barbiers (* 1767, † 1843) auf 6 reduzierte.

Brain-Drain ['breɪndreɪn; engl. „Abfluß von Intelligenz"], Abwanderung von Wissenschaftlern ins Ausland.

Braine, John [engl. breɪn], * Bradford (Yorkshire) 13. April 1922, † London 28. Okt. 1986, engl. Schriftsteller. – Steht der literar. Gruppe der „Angry young men" nahe; Romane, u. a. „Der Weg nach oben" (1957), „Ein Mann der Gesellschaft" (1962), „One and last love" (1981).

Brainstorming ['breɪnstɔmɪŋ; zu engl. brainstorm „Geistesblitz"], Verfahren, durch Sammeln von spontanen Einfällen innerhalb einer Arbeitsgruppe die beste Lösung für ein Problem zu finden.

Brain-Trust [engl. 'breɪntrʌst; zu brain „Gehirn" und ↑ Trust], urspr. Bez. für die Berater des Präs. Franklin D. Roosevelt beim New Deal; heute allg. Bez. für ein Gremium von Fachleuten, das auf Grund bes. Erfahrungen und Kenntnisse beratende Funktionen ausübt.

Brainwashing [engl. 'breɪn,wɔʃɪŋ], engl. Bez. für ↑ Gehirnwäsche.

Braithwaite, Richard Bevan [engl. 'breɪθweɪt], * Banbury 15. Jan. 1900, brit. Philosoph. – Seit 1953 Prof. in Cambridge. Wichtige Beiträge zur Wissenschaftstheorie, speziell zu den Grundlagen der Wahrscheinlichkeitstheorie und Statistik. – *Werke:* Scientific explanation. A study of the function of theory, probability, and law in science (1953), An empiricist's view of the nature of religious belief (1955).

Bräker, Ulrich, gen. „der arme Mann im Toggenburg", * Näbis im Toggenburg 22. Dez. 1735, † Wattwil (Kt. Sankt Gallen) 11. Sept. 1798, schweizer Schriftsteller. – Sohn eines Kleinbauern, Hütejunge, Knecht, später Weber. Bed. ist seine autobiograph. „Lebensgeschichte und natürl. Ebentheuer des Armen Mannes im Tockenburg" (1789).

Brake (Unterweser), Krst. in Nds., 16 300 E. Verwaltungsitz des Landkr. Wesermarsch; Schiffahrtsmuseum, Theater, Hafen, Werft, Maschinenbau, Kunststoffverarbeitung. Durch Kanäle mit dem Ind.gebiet Hannover-Braunschweig verbunden. – 1856 Stadt.

Brakteaten [lat.], einseitige Abdrücke oder Durchreibungen antiker griech. Münzen mittels Goldblech, mit hohler Rückseite.

◆ Schmuckscheiben (Schmuck-B.) der Völkerwanderungszeit aus Gold-, Silber- und Kupferblech mit einseitig getriebenen oder geprägten figürl. Darstellungen.

◆ silberne Hohlpfennige (Blech- oder Schüsselmünzen, hole penninghe, denarii concavi) des Hoch-MA mit nur einem Stempel auf weicher Unterlage hergestellt, so daß das Bild der Vorderseite auf der Rückseite vertieft erscheint.

Braktee [lat.] (Tragblatt, Deckblatt, Stützblatt, Bractea), Blatt, aus dessen Achsel ein Seitensproß (z. B. auch eine Blüte) entspringt. Das der B. am Seitensproß folgende Blatt ist die **Brakteole** (Vorblatt).

Bram [niederl.] (Bramstenge), zweitoberste Verlängerung der Masten sowie deren Takelung *(Bramsegel)* bei Segelschiffen.

Bramante, eigtl. Donato d'Angelo, * Monte Asdrualdo bei Fermignano (Prov. Pesaro e Urbino) 1444, † Rom 11. März 1514, italien. Baumeister. – Ursprüngl. Maler. Wurde in Rom zum Begründer der klass. Architektur der Hochrenaissance (u. a. Tempietto, ein Rundtempel im Hof von San Pietro in Montorio; 1502). Seit 1503 für Papst Julius II. tätig; Umgestaltung des Vatikanpalastes und Beginn des Neubaus der Peterskirche nach seinem Entwurf.

Bramantino, eigtl. Bartolomeo Suardi, * Mailand um 1465, † ebd. 1530, italien. Maler und Baumeister. – 1508–12 Mitarbeiter Bramantes; schuf v. a. religiöse Bilder, u. a. „Kreuzigung“ (um 1520; Mailand).

Bramarbas, kom. Bühnenfigur (seit 1710) des großsprecher. Maulhelden; **bramarbasieren,** prahlen, aufschneiden.

Bramme, quaderförmiges Stahlhalbzeug; als *Roh-B.* ein durch Gießen in Stahlformen (Kokillen) erhaltenes Gußstück zur Herstellung von Blechen und Bändern im Walzwerk.

Bramscher Massiv (Bramscher Pluton), in der Oberkreidezeit in den Untergrund (etwa 5 000 m Tiefe) des südl. Niedersachsen, bei Osnabrück, aufgedrungener basischer Intrusionskörper; bewirkte die starke Inkohlung der Ibbenbührener Steinkohle (Anthrazit).

Bramsegel † Bram.

Bramstedt, Bad † Bad Bramstedt.

Bramstenge, svw. † Bram.

Bram van Velde, niederländ. Maler, † Velde, Bram van.

Bramwald, Teil des Weserberglands, im Todtenberg bis 408 m hoch.

Brancati, Vitaliano, * Pachino bei Syrakus 24. Juli 1907, † Turin 25. Sept. 1954, italien. Schriftsteller. – V. a. satir. Romane über die Zeit des Faschismus.

Branche ['brã:ʃə; lat.-frz.], Wirtschafts-, Geschäftszweig.

Branchien [griech.], svw. † Kiemen.

Branchiura [griech.] † Kiemenschwänze.

Brandberg. Die „Weiße Dame vom Brandberg“, Felsbild

Brâncoveanu, Constantin [rumän. brɨŋko'veanu] † Brîncoveanu, Constantin.

Brancusi, Constantin; rumän. C. Brâncuşi [frz. brãku'si; rumän. brɨŋ'kuʃj], * Hobiţa, Gem. Peştişani (Verw.-Geb. Gorj) 19. Febr. 1876, † Paris 16. März 1957, frz. Bildhauer rumän. Herkunft. – Grundlegendes Gestaltungselement ist die Eiform als Urform, z. B. in den Bronzeplastiken „Schlafende Muse“ (1910), „Prometheus“ (1911), „Großer Fisch“ (1928–57). Ein weiteres Formmotiv ist die „endlose Säule“.

Brand, Dollar [engl. brænt], eigtl. Adolph Johannes B., muslim. Name Abdullah Ibrahim, * Kapstadt 9. Okt. 1934, südafrikan. Jazzpianist und -komponist. – Zunächst von Duke Ellington und T. Monk beeinflußt, prägte B. in den 60er Jahren eine eigenständige Stilistik aus, in der die rhythmisch-melod. Muster der südafrikan. Kwela-Musik und eine an die europ. Romantik anknüpfende Harmonik zusammenfanden.

Brand (Gangrän), abgestorbener braunschwarzer Gewebebezirk als Folge eines örtl. Absterbens (Nekrose) von Körperteilen oder Organen bei unzureichender oder vollständig unterbrochener Blutzufuhr. Ursachen der örtl. Durchblutungsstörung sind Druck von außen, Gefäßwandveränderungen, z. B. bei Arteriosklerose oder Diabetes. Beim **trockenen Brand** (auch **Mumifikation**) kommt es durch Austrocknung zur Schrumpfung und lederartigen Verhärtung von Gewebebezirken. Beim **feuchten Brand** (auch **Faulbrand**) tritt eine Zersetzung des Gewebes infolge bakterieller Infektion ein. Wegen der Gefahr einer Sepsis ist meist eine Amputation notwendig.

Brandabschnitt, durch feuerbeständige Bauteile begrenzter Gebäudeteil. Durch den B. soll eine Ausbreitung eines Brandes verhindert werden.

Brandauer, Klaus Maria, * Bad Aussee 22. Juni 1943, östr. Schauspieler. – Vielseitiger Charakterdarsteller; seit 1972 am Wiener Burgtheater; wurde durch den Film internat. bekannt, u. a. „Mephisto“ (1981), „Oberst Redl“ (1985), „Hanussen“ (1988), „Georg Elser – Einer aus Deutschland“ (1989; auch Regie), „Mario und der Zauberer“ (1994; auch Regie); auch Fernsehrollen (u. a. „Der Weg ins Freie“, 1983; Regie Karin Brandauer). – ⚭ mit **Karin Brandauer** (* 1945, † 1992), die zahlr. Fernsehfilme drehte, u. a. „Das Totenreich“ (1986, „Marleneken“ (1990), „Sidonie“ (1991).

Brandberg, granitischer Inselberg nördlich von Swakopmund, Namibia, 2 610 m ü. d. M.; Felsmalereien (u. a. die sogenannte Weiße Dame).

Brandblase, Merkmal bei einer Verbrennung zweiten Grades.

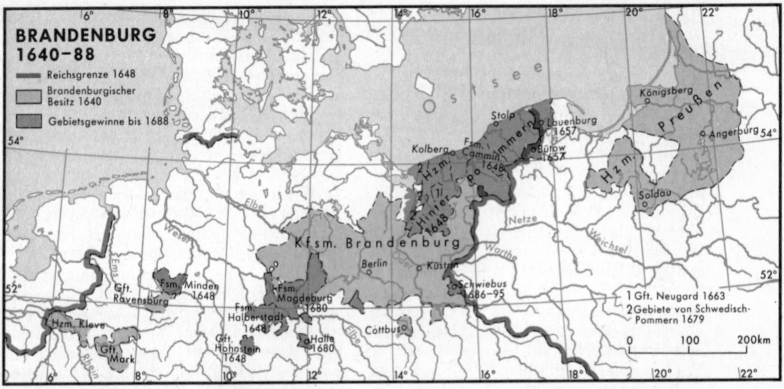

Brandbombe, Bombe, die mit leicht entzündl. Stoffen (Napalm, Phosphor) gefüllt ist; gerät beim Aufschlag in Brand.

Brandbrief, bis in das 18. Jh. bekannte behördl. Erlaubnis zum Betteln durch Brandgeschädigte oder für diese (sog. **Brandbettel**). Heute umgangssprachl. für dringl. Brief.

Brandenburg, Friedrich Wilhelm Graf von (seit 1795), * Berlin 24. Jan. 1792, † ebd. 6. Nov. 1850, preuß. General und Staatsmann. – Sohn König Friedrich Wilhelms II. von Preußen aus der morganat. Ehe mit Sophie Gräfin von Dönhoff; festigte als Min.präs. 1848–50 die Autorität der Regierung durch Auflösung der Nat.versammlung und durch die oktroyierte Verfassung vom 5. Dez. 1848 und stimmte 1850 der Olmützer Punktation zu.

B., Hans, * Barmen (= Wuppertal) 18. Okt. 1885, † Bingen 8. Mai 1968, dt. Schriftsteller. – Humorvolle Erzählungen, Liebes- und Generationsromane (u. a. „Vater Öllendahl", 1938), Gedichte, Essays, Biographien.

Brandenburg (Mark B., Mark), histor. Landschaft im Gebiet der BR Deutschland und Polens, umfaßt in Polen (Neumark) die Woiwodschaft Zielona Góra und den S der Woiwodschaft Szczecin, in der BR Deutschland im wesentl. das Land B. und Berlin. – Nach dem Abzug german. Stämme wanderten im 7. Jh. von O Slawen ein (bed. v. a. die in der späteren Mark siedelnden Liutizen). Nach mehreren vergebl. oder nur vorübergehend erfolgreichen Versuchen, das Land dem Fränk. bzw. ostfränk.-dt. Reich einzugliedern (Kämpfe Karls d. Gr.), wurde B. von dem 1134 mit der Nordmark belehnten Askanier ↑Albrecht I., dem Bären, endgültig der dt. Ostsiedlung und der Christianisierung erschlossen. Die Markgrafen von B. (Titel seit 1157) stiegen in den Kreis der bedeutendsten R.-Fürsten auf (seit 1177 als R.-Erzkämmerer bezeugt, später Kurfürsten). Nach dem Aussterben der Askanier (1320) gab König Ludwig IV., der Bayer, B. als erledigtes R.-Lehen seinem Sohn Ludwig d. Ä. (♔ 1323–51), der sich aber ebensowenig wie seine wittelsbach. Nachfolger in der Mark durchsetzen konnte. Die landesfürstl. Macht wurde durch die Autorität der Landstände (1. Landtag 1345) eingeschränkt. König Sigismund belehnte 1417 den Nürnberger Burggrafen Friedrich VI. von Hohenzollern mit der Mark. Dessen Sohn Friedrich II., der Eiserne (♔ 1440–70), machte Berlin bzw. Cölln zur Residenz. Albrecht III. Achilles legte mit der ↑Dispositio Achillea (1473) den Grund zur dauernden territorialen Einheit der Mark, zur Trennung zw. B. und den fränk. Besitzungen der Hohenzollern und zur Festigung der Landesherrschaft. Joachim II. Hektor vollzog, nachdem sich bereits ein großer Teil der Bev. der luth. Lehre angeschlossen hatte, mit der Kirchenordnung von 1539 den entscheidenden Schritt zur Reformation. Nach dem ↑Jülich-Kleveschen Erbfolgestreit kamen das Hzgt. Kleve, die Gft. Mark und Ravensberg an B. (1614), 1618 das Hzgt. Preußen als poln. Lehen. Im Westfäl. Frieden (1648) erhielt B. Hinterpommern, die Bistümer Halberstadt, Cammin und Minden sowie die Anwartschaft auf das Erzbistum Magdeburg (Anfall 1680). Friedrich Wilhelm, der Große Kurfürst (♔ 1640–88), schuf den absolutist. brandenburgisch-preuß. Staat. Trotz polit. Entmachtung der Landstände (letzter märk. Landtag 1652/53) verbesserten die Gutsherren ihre wirtsch. und soziale Stellung, während sich die Lage der Landbev. weitgehend bis zur Leibeigenschaft verschlechterte. 1657/1660 (Vertrag von Wehlau und Friede von Oliva) erlangte der Kurfürst die Souveränität für das Hzgt. Preußen. Ab 1685 wurden Hugenotten und dann auch andere Glaubensflüchtlinge und Auswanderer (Schweizer,

Pfälzer u.a.) in der Mark angesiedelt. Nach der Krönung des Kurfürsten zum „König in Preußen" (1701) geht die brandenburg. Geschichte in der Geschichte ↑Preußens auf.

📖 *Berlin u. die Mark B. Hg. v. H. U. Engel. Ffm. 1979. – Holmsten, G.: B. Gesch. der Mark, ihrer Städte u. Regenten. Bln. 1973. – Schultze, Johannes: Die Mark B. Bln. 1961–69. 5 Bde.*

B., Land der BR Deutschland (seit 1990), 29 059 km², 2,61 Mill. E (1990), Landeshauptstadt Potsdam. B. grenzt im W und SW an Sa.-Anh., im N an Meckl.-Vorp., im S an Sa. und im O mit Lausitzer Neiße und Oder an Polen. Inmitten von B. liegt das Land Berlin.

Landesnatur: B. liegt im Bereich des Norddt. Tieflandes. Die von eiszeitl. Ablagerungen bedeckte Oberfläche ist hügelig bis eben. Im N erstreckt sich von NW nach SO ein schmaler Streifen des zum Jungmoränengebiet gehörenden Balt. Landrückens mit bis zu 153 m ü. d. M. liegenden Endmoränen und dem sö. Ausläufer der Mecklenburg. Seenplatte (um Templin), jedoch der größte Teil seiner südl. Abdachung, zu der im NW die zur Elbe abfallende Prignitz gehört, besteht v. a. aus trockenen Sanderflächen mit ausgedehnten Forsten. Zw. Havel und der Oderniederung liegt der südl. Teil der Uckermark mit der wald- und seenreichen Schorfheide. Im SW und S breitet sich das Altmoränengebiet mit dem Fläming (201 m ü. d. M.) und dem Lausitzer Grenzwall (am Südrand der beiderseits der unteren Spree gelegenen Niederlausitz im SO) aus. Den größten Teil von B. nehmen die in W-O-Richtung ziehenden Urstromtäler ein (von N nach S Thorn-Eberswalder, Warschau-Berliner, Glogau-Baruther Urstromtal), die voneinander durch höhergelegene größere (z. B. Barnim, Teltow) und kleinere Platten (Ländchen) getrennt sind. In den Urstromtälern, die von den z. T. seenartig erweiterten Flüssen Havel, Spree, Rhin, Dahme und Elbe (nur mit kurzem Teilstück als Grenzfluß zu Sa.-Anh. in B.) durchflossen werden, bildeten sich bei entsprechend hohem Grundwasserstand Feuchtgebiete (Rhinluch, Havelländ. Luch, Spreewald, Oderbruch) aus. – Das Klima wird durch zunehmende Kontinentalität von W nach O bestimmt. – In der Niederlausitz sind große Braunkohlenlager (von Senftenberg–Finsterwalde über Lübben–Cottbus–Bad Muskau bis Forst–Guben reichend) vorhanden. Bei Rüdersdorf Zementkalkvorkommen.

Bevölkerung: Neben der deutschstämmigen Bev. lebt im S in der Niederlausitz die nat. Minderheit der Sorben (Niedersorben). Etwa 45% der Bewohner bekennen sich zum christl. Glauben, davon ist die überwiegende Mehrheit ev.-luth. und zur Ev. Kirche Berlin-B. gehörig. In B. gibt es 3 Univ. (Potsdam, Frankfurt (Oder), Cottbus). Auf etwa ⅕ der Landesfläche ist ½ der Bev. konzentriert. Größte Bev.dichte im Nahbereich von Berlin und im Ind.gebiet der Niederlausitz.

Wirtschaft: In B. überwiegt die Landw. Die Ind. ist nur im mittleren und südl. Teil stärker vertreten. Der Ackerbau (Anbau von Weizen, Roggen, Kartoffeln, Zuckerrüben) konzentriert sich auf die relativ fruchtbaren Lehmböden der Grundmoränen im NW der Prignitz (um Perleberg–Pritzwalk), im Gebiet von Neuruppin, in der Uckermark um Prenzlau–Angermünde–Schwedt sowie auf den von Lehmböden bedeckten Platten. Um Werder bei Potsdam entstand ein bedeutendes Obstbaugebiet. Die Feuchtgebiete sind die Schwerpunktbereiche des Gemüsebaus (Spreewald, Oderbruch) und der Grünlandwirtschaft mit Rinderzucht. Etwa ⅛ der Landesfläche ist bewaldet, wobei die Sandböden der Endmoränen des Balt. Schildes, die südl. Uckermark (Schorfheide), die Sandergebiete im Bereich der trockenliegenden Urstromtäler und das Altmoränengebiet große Waldareale tragen. – Wichtigstes Ind.gebiet ist die Stadtrandzone von Berlin mit Eisenhütten-

Verwaltungsgliederung
(Stand 1993)

Kreisfreie Stadt/ Landkreis	Fläche (km²)	E (in 1000)
Kreisfreie Städte		
Brandenburg an der Havel	199	89,9
Cottbus	150	128,9
Frankfurt (Oder)	148	84,9
Potsdam	109	139,8
Landkreise		
Barnim	1 495	148,8
Dahme-Spreewald	2 261	141,7
Elbe-Elster	1 890	139,1
Havelland	1 707	129,1
Märkisch-Oderland	2 128	171,0
Oberhavel	1 795	165,8
Oberspreewald-Lausitz	1 217	161,8
Oder-Spree	2 243	186,9
Ostprignitz-Ruppin	2 511	117,1
Potsdam-Mittelmark*	2 691	170,8
Prignitz	2 123	104,7
Spree-Neiße	1 662	150,8
Teltow-Fläming	2 091	147,2
Uckermark	3 058	165,1

* Ohne Berücksichtigung des Ortsteils Mahlenzien, der aus dem Kr. Potsdam-Mittelmark ausgegliedert und in die kreisfreie Stadt Brandenburg an der Havel eingemeindet wurde.

Brandenburger Tor mit restaurierter Quadriga; Sommer 1991 (von östlicher Seite aus)

ind., Maschinen-, E-Lok-Bau sowie Elektrotechnik/Elektronik in Potsdam, Teltow, Hennigsdorf und Bernau. Ein weiteres entwickelte sich im Braunkohlengebiet der Niederlausitz, wo seit 1952 im Raum Senftenberg (Schwarze Pumpe) - Lauchhammer, um Spremberg, Lübbenau und Cottbus die Braunkohlenindustrie mit großen Tagebauen, Großkraftwerken (Boxberg, Jänschwalde, Lübbenau, Vetschau) und chem. Ind. (Guben, Schwarzheide, Spremberg) entstand, die zu schwersten Umweltbelastungen führte. Herkömml. Ind.zweige sind in der Niederlausitz die Textil- (Cottbus, Forst, Guben) und Glasindustrie (bei Forst und Spremberg). Außerhalb des Berliner und Niederlausitzer Ind.bereiches sind bedeutende Einzelstandorte Eisenhüttenstadt, Brandenburg/Havel und Oranienburg mit Eisenhüttenind., Eberswalde-Finow mit Eisenhüttenind. und Kranbau, Frankfurt (Oder) mit elektrotechn./elektron. Ind., Ludwigsfelde, Wildau und Lukkenwalde mit Fahrzeug- und Maschinenbau, Schwedt/Oder mit Erdölverarbeitung und Papierind., Premnitz mit Kunstfaserherstellung, Rathenow mit opt. Ind., Wittenberge mit Zellstoffind. und Nähmaschinenbau sowie Pritzwalk mit Zahnradwerk. Rüdersdorf ist ein wichtiger Standort der Zementerzeugung. - Eisenbahnlinien und Fernverkehrsstraßen (einschl. Autobahnen als Teil des Europastraßennetzes) ziehen sternförmig durch B. nach Berlin, sie sind durch den Berliner Auto- und Eisenbahnring, der auf B. Gebiet liegt, miteinander verbunden. Die schiffbaren Flüsse Oder, Spree, Havel und Elbe sind durch Oder-Havel-, Oder-Spree-, Elbe-Havel-Kanal miteinander verbunden. Bedeutende Binnenhäfen sind Königs Wusterhausen, Wittenberge, B. und Potsdam.

Seen- und waldreiche Landschaften werden als Erholungsgebiete genutzt (Ruppiner Schweiz um Neuruppin und Rheinsberg, Seenlandschaft um Templin, Schorfheide mit Werbellinsee, Scharmützelsee, Märk. Schweiz um Buckow, Spreewald).

Geschichte: Bis 1945 ↑ Brandenburg (Mark). - 1945 als Land auf dem Territorium der SBZ gebildet, wurde B. 1952 in die DDR-Bez. Cottbus, Frankfurt und Potsdam aufgeteilt. 1990 als Land wiederhergestellt. Nach den Landtagswahlen vom 14. Okt. 1990 bildete M. Stolpe eine linksliberale Reg. (Koalition von SPD-FDP-Bündnis 90/Grüne). Bei den Landtagswahlen 1994 erreichte die SPD die absolute Mehrheit.

Verfassung: Nach der Verfassung von 1992 übt der Landtag (88 Abgeordnete, auf 4 Jahre gewählt) die Legislative aus. Träger der Exekutive ist die vom Landtag gewählte Landesreg. mit dem Ministerpräsidenten an der Spitze und den von ihm ernannten Ministern. Mit der Gebietsreform wurde B. 1993 in 14 Groß- und 4 Stadtkreise gegliedert.

B., ehem. Bistum. 948 von Otto I. als Missionsbistum gegr., 968 dem Erzbistum Magdeburg unterstellt; 983 aufgegeben; im 12. Jh. neu umschrieben; bis Ende des MA reichsunmittelbar; nach Einführung der Reformation 1571 aufgelöst.

Brandenburg an der Havel, Krst. an der Havel, Brandenburg, 31 m ü. d. M., 94 000 E. Theater; Stahl- und Walzwerk, Metall-, Textilind.; Verkehrsknotenpunkt, v. a. auch im Wasserstraßennetz. - Die hevell. Hauptfeste **Brendanburg** wurde 928/929 von König Heinrich I. erobert. 948–983 Bistum (1161 wiederbegr.). Nach mehrfachem Besitzwechsel 1157 von Albrecht I. wiedererobert. Burgbezirk auf der Dominsel; am nördl. Havelufer Marktsiedlung; südl. der Dominsel Gründung der Neustadt vor 1200. 1715 Zusammenschluß von Alt- und Neustadt, die Dominsel wurde 1930 eingemeindet. – Dom Sankt Peter und Paul (1165 ff.); Katharinenkirche (1401 ff.), Steintorturm (nach 1400); Altstädt. Rathaus (um 1480; Backsteingotik).

Brandenburger Tor, Berliner Baudenkmal (Unter den Linden), von C. G. Langhans 1788–91 errichtet; Quadriga (1794) nach Modell von G. von Schadow; 1961–89 war das B. T. in den Sperrbezirk der Berliner Mauer einbezogen. – Abb. S. 19.

Brandenburgische Halsgerichtsordnung ↑Bambergische Halsgerichtsordnung.

Brandente (Brandgans, Tadorna tadorna), etwa 60 cm lange Art der Halbgänse in Europa und Asien; weiß mit rostroter Binde um den Vorderkörper; Schultern und Handschwingen schwarz, Armschwingen körpernah rostrot, Flügelspiegel grün, Kopf und Hals grünlichschwarz, Schnabel rot (beim ♂ mit Höcker vor der Stirn), Beine fleischfarben, relativ lang.

Brander, ein mit entzündbarem und explosivem Material beladenes Seefahrzeug (bis etwa 1830 im Seekrieg verwendet). Der B. wurde brennend an feindliche Schiffe herangebracht, um diese in Brand zu setzen.

Brand-Erbisdorf, Krst. im Erzgebirge, Sa., 470–500 m ü. d. M., 10 000 E. Metallverarbeitung. – Vor 1209 entstand das Kolonistendorf **Erbisdorf,** seit etwa 1500 Silbererzabbau; kam zus. mit der Bergmannssiedlung **Brand** 1532 an Sachsen; 1912 Vereinigung; Bleierzabbau seit 1945.

B.-E., Landkr. in Sachsen.

Brandes, Georg, eigtl. Morris Cohen, * Kopenhagen 4. Febr. 1842, † ebd. 19. Febr. 1927, dän. Literarhistoriker, Kritiker und Biograph. – Hatte großen Einfluß auf das dän. Geistesleben seiner Zeit; trat für Realismus und Naturalismus ein und machte Skandinavien mit der europ. Literatur und dem Werk Nietzsches bekannt. Antiklerikal eingestellt, Gegner Kierkegaards. Brillante Abhandlungen u. a. über Kierkegaard, Disraeli, Shakespeare, Voltaire, Michelangelo.

B., Heinrich Wilhelm, * Groden (Cuxhaven) 27. Juli 1777, † Leipzig 17. Mai 1834, dt. Physiker und Meteorologe. – Regte 1816 die Erstellung synopt. Wetterkarten an und leistete wesentl. Beiträge zur Kenntnis des Wetterablaufs und seiner Vorhersagbarkeit.

Brandgans, svw. ↑Brandente.

Brandgeschoß ↑Munition.

Brandi, Karl, * Meppen 20. Mai 1868, † Göttingen 9. März 1946, dt. Historiker. – Seit 1897 Prof. in Marburg, 1902–36 in Göttingen; schrieb u. a. „Dt. Geschichte im Zeitalter der Reformation und Gegenreformation" (2 Bde., 1927–30), „Kaiser Karl V." (2 Bde., 1937–41).

Brandklassen, amtl. Einteilung brennbarer Stoffe bzw. Objekte, die v. a. zur Kennzeichnung des Anwendungsbereiches von Feuerlöschgeräten und -mitteln dient; man unterscheidet 5 Klassen: A = feste Stoffe (außer Metallen), B = flüssige Stoffe, C = gasförmige Stoffe, D = brennbare [Leicht]metalle, E = elektr. Anlagen.

Brandknabenkraut (Brandorchis, Orchis ustulata), v. a. in S-Deutschland auf grasigen, trockenen Kalkhängen vorkommende, bis 40 cm hohe Knabenkrautart; Blütenknospen fast schwarz, Lippe der geöffneten Blüte weiß, spärl. rot punktiert.

Brandkraut (Phlomis), Lippenblütlergatt. mit etwa 70 Arten, vom Mittelmeerraum bis China verbreitet; Kräuter, Halbsträucher oder Sträucher mit gelben, purpurfarbenen oder weißen Blüten.

Brandl (Prantl), Peter Johannes, ≈ Prag 24. Okt. 1668, † Kuttenberg 24. Sept. 1735, böhm. Maler. – Malte Altarbilder in erregender, barocker pathet. Ausdrucksweise; hervorragende Porträts, u. a. Selbstbildnisse, und einige Genrebilder.

Brandmarkung, v. a. im Altertum und MA gebräuchl. Einbrennen von Zeichen auf den Körper eines Verbrechers; als Strafe oder zur Kennzeichnung.

Brandmauer, svw. ↑Brandwand.

Brando, Marlon [engl. 'brændoʊ], * Omaha 3. April 1924, amerikan. Filmschauspieler, Regisseur. – Spielte u. a. in „Endstation Sehnsucht" (1951), „Die Faust im Nacken" (1954), „Der Pate" (1971), „Der letzte Tango in Paris" (1972), „Apocalypse now" (1979), „Weiße Zeit der Dürre" (1989), „The Freshman" (1990).

Brandopfer ↑Opfer.

Brandorchis, svw. ↑Brandknabenkraut.

Brandpfeil, seit dem Altertum verwendeter, mit Bogen- oder Wurfmaschinen verschossener Pfeil, der vor dem Abschuß in Brand gesetzt wurde.

Brandpilze (Ustilaginales), Ordnung interzellulär in Pflanzen parasitierender Ständerpilze mit etwa 1 000 Arten. Als Erreger der Brandkrankheiten sind die B. bes. schädl. an Getreide (z. B. Maisbeulenbrand, Flug- oder Staubbrand von Hafer, Gerste, Weizen; Stein- oder Stinkbrand des Weizens); Bekämpfung mit Fungiziden.

Brandrodung, Rodung durch Fällen und anschließendes Abbrennen der Bäume und Sträucher, wobei die Wurzelstöcke vielfach im Boden verbleiben; B. wird v. a. im Rahmen des Wanderfeldbaus und der Landwechselwirtschaft angewandt.

Brandschatzung, [Geld]erpressung unter Androhung von Brandlegung und Plünderung; bes. seit dem Spät-MA und im Dreißigjährigen Krieg angewendet.

Brandschau (Feuerbeschau), regelmäßige behördl. Kontrolle, um brandgefährdete baul. Zustände festzustellen. Sie erstreckt sich auf alle Gebäude (außer Ein- und Zweifamilienhäuser), insbes. auf Räumlichkeiten mit großem Publikumsverkehr.

Brandschutz, bau- und betriebstechn. Schutz von Anlagen gegen Brandgefährdung: Einbau von Brandwänden, Brandschutztüren, Sprinkleranlagen, Nottreppen.

Brandsohle, innere Sohle des Schuhs.

Brandstetter, Alois, * Aichmühl (heute zu Pichl bei Wels, Oberösterreich) 5. Dez. 1938, östr. Schriftsteller, Literarhistoriker. – Satir. Prosa, u. a. „Die Abtei" (R., 1977), „Die Burg" (R., 1986), Essays „Kleine Menschenkunde" (1987).

Brandstiftung, gemeingefährl., mit hohen Strafen bedrohtes Gefährdungsdelikt. Wegen **schwerer Brandstiftung** (§ 306 StGB) wird bestraft, wer bestimmte Räumlichkeiten, in denen sich Menschen aufzuhalten pflegen, in Brand setzt. Eine **bes. schwere Brandstiftung** (§ 307) liegt vor, wenn 1. entweder der Tod eines Menschen durch die B. verursacht wurde oder 2. die schwere B. als Vorbereitungshandlung für Mord, Raub, räuber. Diebstahl oder räuber. Erpressung begangen wurde oder 3. der Täter Löschgeräte entfernt oder unbrauchbar gemacht hat, um das Löschen des Feuers zu erschweren oder zu verhindern. Gegenstand der **einfachen Brandstiftung** (§ 308) sind Gebäude und Sachen, die in fremdem Eigentum stehen. Die B. wird mit Freiheitsstrafen von einem Jahr bis zu lebenslängl. Dauer geahndet; die **fahrlässige Brandstiftung** (§ 309) hat Freiheitsstrafen bis zu fünf Jahren oder Geldstrafe zur Folge.
Im *östr.* und im *schweizer. Recht* gelten ähnliche Regelungen.

Brändström, Elsa, * Petersburg 26. März 1888, † Cambridge (Mass.) 4. März 1948, schwed. Philanthropin. – Als Delegierte des schwed. Roten Kreuzes 1914–20 maßgebl. an der Versorgung der Kriegsgefangenen in Rußland und ihrer Rückführung beteiligt („Engel von Sibirien"); beschaffte nach dem 1. Weltkrieg in den USA und in Skandinavien Mittel zur Gründung von Arbeitssanatorien und Waisenhäusern in Deutschland.

Brandt, Willy, früher Herbert Ernst Karl Frahm, * Lübeck 18. Dez. 1913, † Unkel 8. Okt. 1992, dt. Politiker. – 1930 Mgl. der SPD, seit 1931 der SAP; emigrierte 1933 nach Norwegen, journalist. tätig; 1938 von den dt. Behörden ausgebürgert, nahm die norweg. Staatsbürgerschaft an; 1940 Flucht nach Schweden; kehrte 1945 als Korrespondent skand. Zeitungen nach Deutschland zurück, 1947 Wiedereinbürgerung unter seinem Schriftstellernamen B. und erneut Mgl. der SPD, 1949–57 sowie seit 1969 MdB; 1957–66 Regierender Bürgermeister von Berlin (West); 1964–87 Parteivors., seitdem Ehrenvors.; Außenmin. und Vizekanzler der Großen Koalition 1966–69; entwickelte als Bundeskanzler (seit 1969) auf der Grundlage einer neuen Deutschland- und Ostpolitik Aktivitäten auf außenpolit. Gebiet (Unterzeichnung des Atomwaffensperrvertrags, Abschluß des Dt.-Sowjet. Vertrags 1970 und des Dt.-Poln. Vertrags 1970) sowie in der Deutschland- und Berlinpolitik (Viermächteabkommen über Berlin 1971); erhielt 1971 den Friedensnobelpreis; 1974 Rücktritt als Bundeskanzler (↑ Guillaume-Affäre); 1976 bis Sept. 1992 Vors. der Sozialist. Internationale, seit 1977 der Nord-Süd-Kommission.

Willy Brandt (1978)

Brandstaetter, Roman, * Tarnów 3. Jan. 1906, † Poznań 28. Sept. 1987, poln. Schriftsteller. – Entstammte der jüd. Intelligenz, konvertierte zum Katholizismus; begann mit Gedichten; schrieb v. a. histor. und zeitgenöss. Dramen „Das Schweigen" (1957), „Der Tag des Zorns" (1962); „Jezus z Nazarethu" (R., 4 Bde., 1967–73).

Brandung [niederl.], die auf die Küste bzw. auf Untiefen auflaufenden und sich überstürzenden Meereswellen; wirkt meist küstenzerstörend, an Flachküsten durch Sandanlagerung auch küstenaufbauend. An Steilküsten bilden sich **Brandungskehlen** und **Brandungshöhlen;** mit dem entstehenden Geröll wird das Gestein vor der Steilküste zu einer **Brandungsplatte** (Schorre) geschliffen.

Brandungsriff, küstenparallele Sandanhäufung an Flachküsten.

Brandwand (Brandmauer), feuerbeständige und von Grund auf ohne Öffnungen und Hohlräume errichtete Wand, die bei Brand ihre Standsicherheit bewahrt und das Übergreifen von Feuer auf andere Gebäude oder -abschnitte verhindert.

Brandy ['brɛndi; engl.], engl. Bez. für Weinbrand; in Zusammensetzungen auch für Liköre (Cherry-B.).

Brandys, Kazimierz [poln. 'brandɨs], * Łódź 27. Okt. 1916, poln. Schriftsteller. – Lebte ab 1982 vorwiegend in Paris. Setzt sich mit den Problemen der poln. Zeitgeschichte auseinander, zunächst im Angriff auf den Stalinismus, u. a. in den Erzählungen „Die Verteidigung Granadas" (1956) und „Die Mutter der Könige" (1957); danach unter dem Blickwinkel der Verantwortung des einzelnen, u. a. in dem Roman „Der Marktplatz" (1968). – *Weitere Werke:* Warschauer Tagebuch (1978–81), Rondo (R., 1982).

Brandzeichen (Brand), in das Fell wertvoller Zuchttiere gebranntes Kennzeichen, das Auskunft über die (in das Herdbuch eingetragene) Abstammung der Tiere gibt.

Braniewo ↑ Braunsberg (Ostpr.).

Branković [serbokroat. 'bra:ɲkɔvitɕ], serb. Dynastie des 14./15. Jh.; **Đurađ (Georg) Branković** (* um 1375, † 1456), seit 1427 Fürst von Serbien, hatte 1427–29 von Byzanz die Despotenwürde.

Branle (Bransle) ['brã:l(ə); frz.], frz. Gruppentanz, sowohl im Zweier- als auch im Dreiertakt, ohne festes Tempo; beliebter Gesellschaftstanz des 16. und 17. Jh.

Branner, Hans Christian, * Kopenhagen 23. Juni 1903, † ebd. 24. April 1966, dän. Schriftsteller. – Bekannt v. a. durch psycholog. Romane, u. a. „Ein Dutzend Menschen" (1936), „Der Reiter" (1949).

Branntkalk, svw. ↑ Calciumoxid.

Branntwein, i. w. S. Bez. für jede Flüssigkeit mit einem hohen Gehalt an Äthanol, unabhängig von der Herkunft des Äthanols (durch alkohol. Gärung und anschließende Destillation oder durch chem. Synthese gewonnen); i. e. S. Bez. für den durch alkohol. Gärung und anschließende Destillation gewonnenen, konzentrierten Alkohol (Äthanol) und Wasser [z. T. auch Geschmacks- und Geruchstoffe] **(Trinkbranntwein).** Als Rohstoffe für die Herstellung von B. sind alle Stoffe geeignet, die zuckerhaltig sind (Zuckerrüben, Zuckerrohr, Melasse, Molke, Früchte u. a.), oder aus denen durch entsprechende chem. oder biochem. Vorbehandlung vergärfähige Zucker erzeugt werden können (Kartoffeln, Getreide, Holz, Stroh). – Zur Vergärung wird die in den pflanzl. Zellen befindl. Stärke zunächst mit Wasserdampf aufgeschlossen, dann mit Hilfe von Grünmalz oder Darrmalz oder Schimmelpilz- bzw. Bakterienamylase enzymatisch zu Maltose und Glucose gespalten; die zuckerhaltige Maische wird mit Hefen vergoren. Nach der Gärung liegt der Alkoholgehalt bei 8–9 Vol.-%. Die vergorene Maische wird nun „gebrannt", d. h. stark erhitzt. Dabei verdampft der während der Gärung gebildete Alkohol und wird dadurch von den festen Bestandteilen der Maische getrennt. Die fast alkoholfreie sog. **Schlempe,** die aus den unvergorenen, nichtflüchtigen Bestandteilen der Maische besteht, ist wegen ihres hohen Eiweißgehaltes ein hochwertiges Futtermittel für Masttiere. Der Alkoholdampf wird in einem Kondensator niedergeschlagen. Der so gewonnene **Rohsprit** enthält etwa 85–95 % Alkohol. Er wird für techn. Zwecke (z. B. als **Brennspiritus** zur Verbrennung oder als Lösungsmittel) verwendet; aus steuerl. Gründen wird er ungenießbar gemacht (vergällt). **Feinsprit** wird in Reindestillationsanlagen aus dem Rohsprit hergestellt. Bei der Reinigung werden durch Auffangen in gesonderten Behältern der aldehydhaltige Vorlauf und der fuselölreiche Nachlauf vom Mittellauf **(Primaspiritus)** getrennt. Der von schädl. Nebenbestandteilen befreite Sprit dient u. a. zur Herstellung von Spirituosen, für medizinisch-pharmazeut. Zwecke und zur Herstellung von Essig.

📖 *Pischl, J.: Schnapsbrennen heute. Luzern [4]1989. – Pilz, H.: Getränke-ABC. Lpz. [3]1985.*

Branntweinmonopol, Finanzmonopol in der BR Deutschland; umfaßt fünf ausschließl. Rechte, näml. 1. die Übernahme des im Monopolgebiet (Bundesgebiet) hergestellten Branntweins, 2. die Herstellung von Branntwein aus Zellstoffen, 3. die Einfuhr von Branntwein, 4. die Reinigung von Branntwein, 5. die Verwertung von Branntwein und den Branntweinhandel. Das B. wird unter der Aufsicht des Bundesmin. der Finanzen von der **Bundesmonopolverwaltung für Branntwein** mit Sitz in Offenbach (Main) verwaltet.

Branntwein wird, soweit er nicht aus dem Ausland stammt, von Monopol- und Eigenbrennereien hergestellt. Diesen wird mit dem zugeteilten **Brennrecht** die Abnahme der entsprechenden Menge Weingeist durch die Monopolverwaltung zu einem festgesetzten **Übernahmepreis** garantiert, der sich bei darüber hinaus produzierten Mengen um den *Überbrandabzug* vermindert. Die Verwertung geschieht durch Verkauf von unverarbeitetem Branntwein (zu ermäßigtem Preis), wobei der Verwendungszweck (als **Brennspiritus** für Heizung, Beleuchtung u. a.) vorgeschrieben ist, und von Monopoltrinkbranntwein.

In *Österreich* und in der *Schweiz* **(Alkoholmonopol)** besteht eine entsprechende rechtl. Regelung.

Branntweinsteuer, Verbrauchsteuer auf weingeisthaltige Flüssigkeiten, gestaffelt je nach dem Verwendungszweck des Branntweins. Eingeführter Branntwein wird entsprechend der B. mit dem Monopolausgleich belegt. Die B. wird von den Bundesfinanzbehörden (Zoll) verwaltet und fließt dem Bundeshaushalt zu (Gesamteinnahmen aus dem Branntweinmonopol 1990 [alte Bundesländer] 4,23 Mrd. DM).

Brant, Sebastian, * Straßburg 1457 oder 1458, † ebd. 10. Mai 1521, dt. Dichter. – War Dekan der jurist. Fakultät in Basel, später Stadtsyndikus und Schreiber in Straßburg. Als volkstüml. Aufklärer nimmt er, unbeeinflußt von der Reformation, eine Mittlerstelle zw. der ma. Weltanschauung und dem Humanismus ein. „Das Narrenschiff" (1494) zeigt in Holzschnitten und gereimten Texten menschl. Torheiten und Unzulänglichkeiten und gilt als Ausgangspunkt der Narrenliteratur. B. schrieb auch religiöse, polit.-histor. Gedichte und gab Spruchsammlungen heraus.

Branting, Hjalmar, * Stockholm 23. Nov. 1860, † ebd. 24. Febr. 1925, schwed. Politiker. – 1889 Mitbegr. der Sozialdemokrat. Arbeiterpartei; 1917/18 Finanzmin.; führte als Min.präs. 1920–23 und 1924/25 weitgehende soziale Reformen durch; erhielt 1921 mit C. Lange den Friedensnobelpreis.

Brantôme, Pierre de Bourdeille, Seigneur de [frz. brã'to:m], * Bourdeilles (Dordogne) um 1540, † Brantôme (Dordogne) 15. Juli 1614, frz. Schriftsteller. – Führte ein abenteuerl. Leben; seine 1665/66 veröffentlichten Memoiren geben ein farbiges Bild der zeitgenöss. frz. Gesellschaft.

Braque, Georges [frz. brak], * Argenteuil 13. Mai 1882, † Paris 31. Aug. 1963, frz. Maler. – 1905 in Paris Bekanntschaft mit den Fauves, 1907 mit Picasso, mit dem er die Grundlage für den ↑ Kubismus schuf; Thema ist das Stilleben oder eine Figur (Mandolinenspieler). In der Phase des analyt. Kubismus (1909/10–12) ist es wohl B., der zur rasterhaften Bedeckung (Facettierung) des ganzen Bildraumes, zur Analyse von Gegenstand und Umgebung, vorandrängt. Im synthet. Kubismus (1912/13–20) liegt sein Beitrag bes. in der Einbeziehung von Sand, Buchstaben, Zeitungsausschnitten (erste Collagen) und Holzstrukturen ins Bild. – Seit 1919 entwickelte er den Kubismus zu einem persönl., zunehmend organ. Stil fort, seit 1931 neoklassizist. Periode.

Brasch, Thomas, * Westow (Yorkshire) 19. Febr. 1945, dt. Schriftsteller. – Sohn deutscher Emigranten, die 1947 in die spätere DDR übersiedelten; 1968/69 aus polit. Gründen inhaftiert, im Dez. 1976 Übersiedlung nach Berlin (West). Schreibt Gedichte, Erzählungen („Vor den Vätern sterben die Söhne", 1977) und Theaterstücke („Rotter. Ein Märchen aus Deutschland", 1976/77; „Mercedes", Uraufführung 1983) und Szenarien. Drehte die Spielfilme „Engel aus Eisen" (1981), „Domino" (1982) und „Der Passagier" (1988). – Kleist-Preis 1987.

Brasidas, ⚔ Amphipolis 422 v. Chr., spartan. Heerführer. – Eroberte 424 im Peloponnes. Krieg Amphipolis. In der Schlacht von Amphipolis gegen ein athen. Heer unter Kleon fielen beide Heerführer.

Brasil [span.], Zigarre aus dunklem, brasilian. Tabak.

Brasilholz (Brasilienholz), allg. Bez. für einige südamerikan. Farbhölzer.

Brasília, Hauptstadt Brasiliens (seit 1960) und des Bundesdistrikts B., im östl. Hochland von Goiás, 950 km nnw. von Rio de Janeiro, 1 060 m ü. d. M., 1,2 Mill. E. Sitz eines Erzbischofs; Univ. (gegr. 1962). Verbindung zu den übrigen Landesteilen durch Straßen und v. a. Flugverkehr, seit 1967 Bahnverbindung mit Rio de Janeiro. – Die Gründung einer neuen Hauptstadt im Landesinnern wurde bereits 1823 angeregt. 1956 städtebaul. Wettbewerb; Grundkonzeption ist ein Straßenkreuz aus der 13 km langen, parabelförmigen Hauptverkehrsachse mit den Wohngebieten und der 6 km langen Monumentalachse (N–S) mit den Regierungsgebäuden, den kulturellen und kommerziellen Zentren. Die Achse erweitert sich zu einer Esplanade, eingefaßt von den Ministerien. Hier liegen auch Theater und Kathedrale. Den Abschluß bildet im SO der dreieckige „Platz der drei Gewalten", von O. Niemeyer entworfen, mit Kongreßgebäude, Oberstem Gerichtshof und Regierungsgebäude. B. wurde von der UNESCO zum Weltkulturerbe erklärt.

B., brasilian. Bundesdistrikt im östl. Hochland von Goiás, 5 814 km², 1,68 Mill. E (1987), Hauptstadt Brasília.

brasilianische Kunst, im 20. Jh. wurden zunächst heim. folklorist. Traditionen gepflegt, die Öffnung gegenüber der internat. Entwicklung erfolgte zuerst in der Architektur gegen Ende der 1930er Jahre, in den bildenden Künsten seit den 1950er Jahren (Biennalen von São Paulo). Internat. bekannt wurde v. a. die moderne *Architektur* in Brasilien. Le Corbusier entwarf 1936 in Rio de Janeiro in Zusammenarbeit mit dortigen Architekten (u. a. L. Costa, A. E. Reidy, O. Niemeyer) das Erziehungsministerium, das 1937–43 von L. Costa u. a. erbaut wurde. 1939 erregte der brasilian. Pavillon von O. Niemeyer und L. Costa auf der Weltausstellung in New York Aufsehen. Weitere Bauten: Halle des Flughafens Santos Dumont in Rio de Janeiro von M. Roberto (1944), Wohnhäuser im Eduardo-Guinle-Park ebd. von L. Costa (1948–54), Pedregulho-Wohnsiedlung ebd. von A. E. Reidy (1950–52), Ausstellungsgebäude in São Paulo von O. Niemeyer (1951–55), Krebskrankenhaus von R. Levi ebd. (1954), die städtebaul. Gesamtplanung von Brasília (L. Costa) mit öff. Bauten von O. Niemeyer und Gartenanlagen von R. Burle Marx.

brasilianische Literatur, die Periode völliger kultureller Abhängigkeit vom Mutterland Portugal erstreckte sich bis etwa 1750. Die erste literarisch bed. Persönlichkeit war der Jesuit J. de Anchieta. Beachtlich wegen seiner Naturschilderungen ist das Lobgedicht „Prosopopeia" (1601) von B. Teixeira (* 1545, † 1618). Das bedingt durch die Kämpfe gegen Holländer und Engländer im 17. Jh. erwachende Nationalgefühl der Brasilianer schlug sich nieder in der „História da custódia do Brasil" (1627) des Franziskaners V. do Salvador (* 1564, † 1636) bis hin zur „História da América portuguesa" (1730) des Jesuiten S. da Rocha Pita (* 1660, † 1738). Ab Mitte des 18. Jh. orientierte man sich an frz. und italien. Vorbildern. Neben der Lyrik (T. A. Gonzaga) wurde v. a. die ep. Dichtung gepflegt (J. B. da Gama). Bedeutendster Vertreter der Romantik (um 1830) war A. G. Dias. Als Reaktion auf den romant. Subjektivismus entstand die sozial engagierte *„Escola Condoreira"*. Ihr Anliegen, die Aufhebung der Sklaverei, fand seinen stärksten dichter. Ausdruck in der Lyrik von A. de Castro Alves. Indianist. Romane schrieb J. M. de Alencar. Von den 1870er Jahren an entwickeln sich parallel die Strömungen des *Parnassianismus* und *Symbolismus* in der Lyrik, des *Realismus* und *Naturalismus* in Prosa und Theater. Hauptvertreter des brasilian. Parnaß war O. Bilac. Die wichtigsten Symbolisten sind J. da Cruz e Sousa und A. de Guimarães (* 1870, † 1921). Im Bereich der Prosa übernimmt A. Azevedo (* 1857, † 1913) die naturalist. Techniken Zolas. Außerhalb des Naturalismus nimmt der Romancier J. M. Machado de Assis (* 1839, † 1908) einen überragenden Platz ein. Die Exponenten und Theoretiker des brasilian. Modernismo (seit 1922) sind M. R. M. de ↑ Andrade und J. O. de Andrade (* 1890, † 1954). Bed. Lyriker waren M. Bandeira Filho (* 1886, † 1968), J. de Lima (* 1895, † 1953) und C. Meireles (* 1901, † 1964). Auf dem Gebiet der erzählenden Prosa entstanden mehrere große Romanzyklen mit regionaler Thematik, die ihren Höhepunkt in den Romanen und Erzählungen von J. Guimarães Rosa (* 1908, † 1967), A. Aguiar Júnior (* 1915), J. Amado, E. Veríssimo erlangte. Mit beachtl. Œuvres sind jüngere Prosaautoren hervorgetreten: O. Lins (* 1925), A. Dourado (* 1935), J. U. Ribeiro (* 1944), M. Souza (* 1946) und andere.

Brasilianisches Bergland (Planalto), Berg- und Tafelland in Südamerika, zw. Amazonastiefland, Atlantik und Tiefland des Paraná und Paraguay; etwa 5 Mill. km²; im O bis 2 890 m ü. d. M.

Brasilide [nlat.], eine Menschenrasse in den südamerikan. Tropen; kleine, kräftige Gestalt (u. a. Kariben, Aruak und Tupi).

Brasilien

(amtl. Vollform: República Federativa do Brasil; dt. Föderative Republik Brasilien), präsidiale BR in Südamerika, zw. 5° 16′ n. Br. und 33° 45′ s. Br. sowie 34° 46′ und 74° w. L. **Staatsgebiet:** Umfaßt den Großteil des zentralen und nördl. Südamerika (47,3 % von dessen Landfläche), grenzt im N an Französisch-Guayana, Surinam, Guyana und Venezuela, im NW an Kolumbien, im W an Peru, Bolivien und Paraguay, im SW bzw. S an Argentinien und Uruguay, im O an den Atlantik (rd. 7 400 km Küstenlänge). Zu B. gehören noch mehrere Inseln im Atlantik. **Fläche:** 8 511 965 km². **Bevölkerung:** 154,11 Mill. E (1992), 18 E/km². **Hauptstadt:** Brasília. **Verwaltungsgliederung:** 26 Bundesstaaten, ein Bundesdistrikt. **Amtssprache:** Portugiesisch. **Nationalfeiertag:** 7. Sept. (Unabhängigkeitstag). **Währung:** Cruzeiro (Cr$) = 100 Centavos. **Internat. Mitgliedschaften:** UN, OAS, ALADI, SELA, GATT. **Zeitzonen** (von O nach W): MEZ −4, −5 und −6 Stunden.

Landesnatur: B., das fünftgrößte Land der Erde, hat im N Anteil am Bergland von Guayana mit der höchsten Erhebung des Landes, dem 3 014 m hohen Pico da Neblina. Das Bergland bricht nach S schroff ab zum größten trop. Tieflandgebiet der Erde, dem rd. 4,5 Mill. km² großen Amazonasbecken. Es folgt ein sanfter Anstieg zum Brasilian. Bergland, das über 50 % des Staatsgebiets einnimmt. In Küstennähe ist es herausgehoben und erreicht Höhen bis 2 890 m (Pico da Bandeira); im Landesinnern besteht es aus langgestreckten Abdachungsflächen mit Schichtstufen. Im SW erstreckt sich östl. des Paraguay das Tiefland des Pantanal. Ausgenommen im Bereich des Amazonastieflands ist die Küste B. von einem schmalen, maximal nur 80 km breiten Tieflandstreifen begleitet. **Klima:** B. ist ein überwiegend trop. Land mit Differenzierungen vom innertrop. Äquatorialklima (im N) über das Klima der wechselfeuchten äußeren Tropen bis zum subtrop. Klima (im S). Die brasilian. O-Küste bis zum NO-Horn erhält durch den SO-Passat ganzjährig Niederschläge. Die im Regenschatten liegenden Binnengebiete sind z. T. arid und von Dürren bedroht. Die Sommer sind im NO und O heiß, die Wintertemperaturen liegen an der Küste bei 20 °C, im Binnenland unter 18 °C. Im Bergland werden die Temperaturen durch die Höhenlage gemildert. Süd-B. hat heiße Sommer, jedoch relativ kühle Winter mit Kaltluftvorstößen aus S.

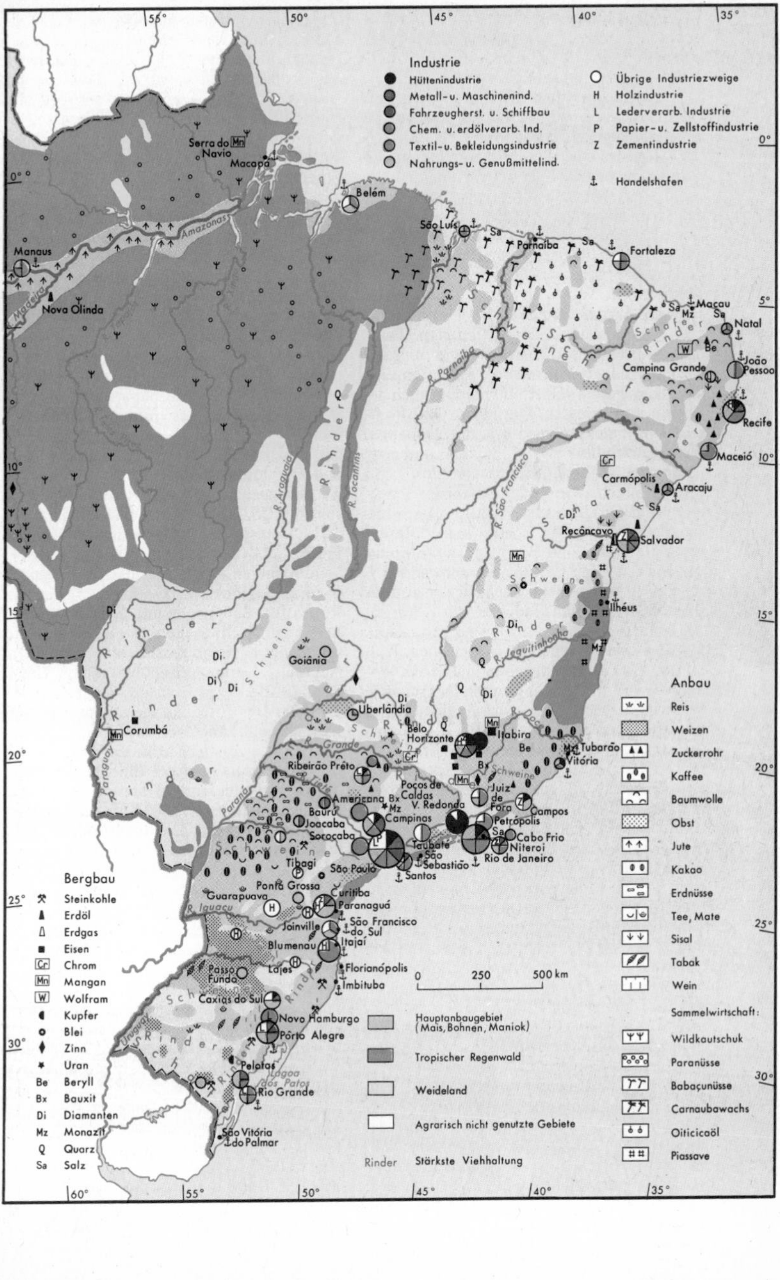

Industrie
Hüttenindustrie
Metall- u. Maschinenind.
Fahrzeugherst. u. Schiffbau
Chem. u. erdölverarb. Ind.
Textil- u. Bekleidungsindustrie
Nahrungs- u. Genußmittelind.
Übrige Industriezweige
H Holzindustrie
L Lederverarb. Industrie
P Papier- u. Zellstoffindustrie
Z Zementindustrie
Handelshafen
Bergbau
Steinkohle
Erdöl
Erdgas
Eisen
Cr Chrom
Mn Mangan
W Wolfram
Kupfer
Blei
Zinn
Uran
Be Beryll
Bx Bauxit
Di Diamanten
Mz Monazit
Q Quarz
Sa Salz
Anbau
Reis
Weizen
Zuckerrohr
Kaffee
Baumwolle
Obst
Jute
Kakao
Erdnüsse
Tee, Mate
Sisal
Tabak
Wein
Sammelwirtschaft:
Wildkautschuk
Paranüsse
Babaçunüsse
Carnaubawachs
Oiticicaöl
Piassave
Hauptanbaugebiet (Mais, Bohnen, Maniok)
Tropischer Regenwald
Weideland
Agrarisch nicht genutzte Gebiete
Rinder Stärkste Viehhaltung
0 250 500 km
Serra do Navio
Macapá
Belém
Manaus
Nova Olinda
Amazonas
São Luís
Parnaíba
Fortaleza
Macau
Natal
João Pessoa
Campina Grande
Recife
Maceió
Carmópolis
Aracaju
Recôncavo
Salvador
Ilhéus
Goiânia
Uberlândia
Belo Horizonte
Itabira
Tubarão
Vitória
Corumbá
Ribeirão Prêto
Poços de Caldas
Americana
Juiz de Fora
Campos
V. Redonda
Campinas
Petrópolis
Bauru
Joacaba
Sorocaba
Taubaté
Cabo Frio
Niteroi
Rio de Janeiro
São Sebastião
Tibagi
São Paulo
Santos
Ponta Grossa
Guarapuava
Curitiba
Paranaguá
Joinville
São Francisco do Sul
Blumenau
Itajaí
Lajes
Florianópolis
Imbituba
Passo Fundo
Caxias do Sul
Novo Hamburgo
Pôrto Alegre
Pelotas
Rio Grande
Lagoa dos Patos
São Vitória do Palmar
R. Parnaíba
R. São Francisco
R. Tocantins
R. Araguaia
R. Jequitinhonha
R. Doce
R. Grande
Tietê
Paraná
Paraguay
Uruguay
R. Iguaçu
Schweine
Schafe
Rinder

Vegetation: Fast der gesamte N wird von immergrünem trop. Regenwald (Hyläa) eingenommen. Nach S schließt sich eine Übergangsvegetation von laubabwerfendem Feuchtwald und den feuchtsavannenähnl. Campos cerrados an. Weite Teile des semiariden NO bedecken Trockenwälder (Caatinga) mit Dornsträuchern und Sukkulenten. Im Sertão herrschen Sukkulentenhalbwüsten vor. Im S finden sich subtrop. Feuchtwälder, auf den Hochflächen baumloses subtrop. Grasland und Araukarienwälder. Der Pantanal ist period. überschwemmt; an der Küste kommen Mangrovewälder vor.
Tierwelt: Im Waldland leben Tapir, Wildschwein, Jaguar, Puma sowie kleinere Wildkatzenarten neben zahlr. Affenarten. Faultier, Gürteltier, Ameisenbär und Leguan kommen als typ. Vertreter der isolierten südamerikan. Fauna vor. Artenreichtum auch bei Vögeln und Insekten. Die Flüsse sind fischreich; in ihnen kommen u.a. der Arapaima, Pirayas, Delphine, der Flußmanati und Kaimane vor. In den Campos cerrados leben Pampashirsch, Waschbär, Nasenbär, Termiten und Blattschneideameisen.
Bevölkerung: Die Bev. ist ethn. stark differenziert; etwa 54% sind Weiße, rd. 40% Mulatten, Mestizen und Cafusos, 5% Schwarze, 1% Asiaten (v.a. Japaner); die Zahl der in ihrer Existenz bedrohten Indianer wird auf ca. 200000 geschätzt. Rd. 91% sind röm.-kath., 5% prot.; verbreitet sind afro-brasilian. Kulte. Rd. 70% der Bev. leben im S und SO, große Teile von B. sind unbewohnt. Das schnelle Wachstum der Städte – die Agglomeration São Paulo hat z.B. über 10 Mill. E – ist eine Folge der hohen Geburtenrate und der Landflucht, die sich in ausgedehnten Elendsvierteln (Favelas) verdeutlichen. Es besteht ein krasses Mißverhältnis zw. einer kleinen, wirtsch. starken Oberschicht und der breiten besitzlosen Masse; die Mittelschicht ist relativ klein. Schulpflicht besteht von 7–11 Jahren. Neben zahlr. Hochschulen verfügt B. über 68 Universitäten. Das Gesundheitswesen ist nur in Ballungsräumen besser entwickelt. Die Kindersterblichkeit zählt zu den höchsten in Lateinamerika.
Wirtschaft: B. gehört zu den am stärksten industrialisierten Ländern S-Amerikas und gilt auf Grund seiner vielfältigen und reichen Bodenschätze als typ. Schwellenland. Die Bedeutung der Landw. nimmt seit dem 2. Weltkrieg ab; zahlenmäßig überwiegen Klein- und Mittelbetriebe. Nur 4% der landw. Nutzfläche sind Acker- und Dauerkulturland, der größte Teil dient als Weideland. Die Nahrungsmittelerzeugung (Kartoffeln, Maniok u.a.) kann den Inlandsbedarf nicht mehr decken; stärkere Importe sind nötig. Hauptanbau- und Ausfuhrprodukt ist Kaffee. Durch die extensive Rinderzucht hat sich B. zu einem der führenden Fleischerzeuger der Welt entwickelt. Mit der Kolonisation, v.a. längs der Transamazônica, ist das Problem der Waldvernichtung gekoppelt, die bedrohl. Ausmaße angenommen hat. Die Reserven an unerschlossenen Bodenschätzen sind noch groß; abgebaut werden v.a. Eisen- und Manganerze, Kalk, Kohle und Salz. B. ist einer der größten Eisenerzexporteure der Welt (Förderung v.a. in Minas Gerais und in der Serra dos Carajás). Die Erdölförderung, auch im Off-shore-Bereich, deckt knapp 20% des Eigenbedarfs. Die Stromerzeugung stammt zu rd. 90% aus Wasserkraft; am Paraná wurde 1991 das größte Kraftwerk der Welt (Itaipú mit 14200 MW), entstanden in Zusammenarbeit mit Paraguay, in Betrieb genommen; am Tocantins wird ein weiteres (8000 MW) gebaut. Die Ind. konzentriert sich im SO und S des Landes; führend sind Textilind., Autoind. samt Zulieferbetrieben, Werften, Elektro- und Elektronikind., petrochem. und Zelluloseindustrie.
Außenhandel: Wichtigster Handelspartner sind die USA, gefolgt von den EG-Ländern (BR Deutschland, Niederlande, Italien, Frankreich), Japan, Argentinien, Kanada, Saudi-Arabien. Die BR Deutschland kauft in B. u.a. Sojabohnen, Eisenerze, Ölkuchen, Rohkaffee, Baumwolle und Baumwollgarne, Bett- und Tischwäsche sowie Kfz-Teile und -Zubehör; sie liefert nach B. u.a. Maschinen, Apparate, Geräte, Eisen und Stahl, chem. Grundstoffe.
Verkehr: Das Eisenbahnnetz (fünf Spurweiten) hat eine Länge von fast 30000 km, das Straßennetz von 1,59 Mill. km. Bes. wichtig für die Erschließung des Binnenlandes sind die O–W verlaufende Transamazônica und die sie kreuzende, N–S verlaufende Fernstraße Santarém–Cuiabá. Nur im Amazonasgebiet spielt die Binnenschiffahrt eine größere Rolle. B. ist führende Seeschiffahrtsnation S-Amerikas. Größte Seehäfen sind Tubarão, Rio de Janeiro, São Sebastião, Santos, Pôrto Alegre und Paranaguá. Größte internat. ✈ in Brasília, Rio de Janeiro und São Paulo.
Geschichte: Erste menschl. Spuren sind für etwa 8000 v.Chr. im Inneren B. nachgewiesen (Lagoa Santa). Bereits die ersten Keramiken um 1000 v.Chr. machen die Zweiteilung B. in Amazonasbecken und Süd-B. deutlich. Während für Süd-B. eine Eigenständigkeit angenommen wird, rechnet man im Amazonasbecken mit starken äußeren Einflüssen aus Venezuela, den Guayanas und vom Oberlauf des Amazonas.
Als erste Europäer erreichten die Spanier 1500 die Küste des heutigen B. Mit Fahrten entlang der brasilian. Küste sicherte sich aber Portugal seine auf dem Vertrag von Tordesil-

las beruhenden Ansprüche auf dieses Land. 1532 (Gründung von São Vicente) wurde die systemat. Besiedlung eingeleitet. Während der Vereinigung Portugals mit Spanien (1578–1640) war B. Angriffen der Gegner Spaniens (Engländer, Franzosen, Niederländer) ausgesetzt, die jedoch bis 1654 aus dem Land wieder vertrieben wurden. Im 17. Jh. griffen die „Bandeirantes" aus São Paulo die von span. Jesuiten in Paraná und Santa Catarina gegr. Missionen, die sog. Indianerreduktionen, an. Erst die Niederlage der Bandeirantes (1641) gegen die von den Jesuiten geführten und bewaffeneten Indianer beendete die portugies. Ausdehnung. Seit 1650 begann v. a. von São Paulo aus die Durchdringung und Besiedlung des Innern.

Bis Anfang des 19. Jh. war B. ein vom Mutterland Portugal abhängiges Vizekönigreich. Mit dem Einmarsch der Franzosen in Portugal 1807 übersiedelte der portugies. Hof nach Brasilien. Nachdem der Hof 1821 bei seiner Rückkehr nach Portugal die geforderte freiheitl. Verfassung für B. nicht verkündete, antwortete B. am 7. Sept. 1822 mit der Unabhängigkeitserklärung. Der zurückgebliebene portugies. Regent, Kronprinz Peter, der sich an die Spitze der Unabhängigkeitsbewegung gestellt hatte, wurde zum konstitutionellen Kaiser Peter I. ausgerufen. 1825 erkannte Portugal die Unabhängigkeit seiner ehemaligen Kolonie an. Unter der Herrschaft Peters II. begann der Aufstieg von B., v. a. seiner S-Provinzen. Konsequent wurde die Einwanderung von Europäern (bis 1889 über 800 000) gefördert. Die brasilian. Wirtschaft stellte sich in dieser Zeit auf den Anbau von Kaffee um. Das Problem des Arbeitskräftemangels in den rasch wachsenden Plantagen wurde durch Import von schwarzen Sklaven aus Afrika gelöst. Auf Grund der geringen Rassenvorurteile setzte in B. eine starke Vermischung der schwarzen und der weißen, bald auch der indian. Rasse ein. Erst 1888 verfügte das Parlament die entschädigungslose Freilassung aller Sklaven. Im Nov. 1889 stürzte ein Militärputsch die Monarchie, die Republik wurde ausgerufen und eine Verfassung nach dem Vorbild der USA verabschiedet. Der 1. Weltkrieg brachte, v. a. im Bundesstaat São Paulo, den Aufbau der Industrie. Er wurde jedoch durch die Weltwirtschaftskrise unterbrochen. Extremist. Parteien (Kommunisten und die faschist. Integralisten) erzielten große Stimmengewinne. Nach dem Aufstand der Kommunisten (1935) und auf Grund der anhaltenden Unruhen ließ Präs. G. Vargas (1930–45) die neu ausgearbeitete Verfassung 1937 aufheben und alle polit. Parteien verbieten. Nach dem Ende des 2. Weltkrieges nahm die Opposition gegen Vargas rasch zu und erzwang 1945 seinen Rücktritt. Vargas wurde jedoch 1950 erneut zum Präs. gewählt. 1954 forderte schließl. das Militär seinen Rücktritt. Unter Präs. Kubitschek (1956–61) wurde der innere Ausbau in B., v. a. die Industrialisierung und die Errichtung der neuen Hauptstadt Brasília, vorangetrieben. 1964–85 übte das Militär die Herrschaft aus; 1969 wurde eine neue Verfassung erlassen. 1985 wurde mit T. Neves ein Zivilist zum Präs. gewählt; nach dessen Tod trat Vizepräs. J. Sarney im April 1985 das Präs.amt an. Er suchte erfolglos durch mehrere Stabilitätsprogramme die Wirtschaftskrise zu bewältigen. Am 27. Juli 1988 wurden die wesentl. Teile einer neuen Verfassung verabschiedet, die am 5. Okt. 1988 in Kraft trat. Die neue Verfassung ist v. a. im sozialen Bereich sehr fortschrittlich und stärkt die Rechte des einzelnen gegenüber dem Staat. Präs. F. Collor de Mello (* 1949), im Amt seit März 1990, trat Dez. 1992 auf Grund von Korruptionsvorwürfen, die seit Mai 1992 gegen ihn erhoben worden waren, zurück. Nachfolger wurde der bisherige Vizepräs. I. Franco (* 1931). Bei den Präsidentschaftswahlen 1994 setzte sich der Sozialdemokrat F. H. Cardoso durch.

Politisches System: Der Verfassung von 1988 nach ist B. eine bundesstaatl. Präsidialdemokratie. Staatsoberhaupt ist der vom Volk für 5 Jahre gewählte Präs. (Wiederwahl ist nicht mögl.), der als Reg.chef auch Inhaber der *Exekutive* ist. Ein Nat. Verteidigungsrat berät den Präs. in allen wichtigen Fragen (u. a. Verteidigungsfall, Belagerungszustand, Friedensverträge). Die *Legislative* liegt beim Bundesparlament, dem Nationalkongreß; er besteht aus Abg.haus (z. Z. 503 Abg.) und Senat (81 Mgl.). Das *Parteiensystem* hat sich seit der Militärherrschaft gewandelt, und das Parteienspektrum erweitert sich ständig durch Neugründungen und Abspaltungen. Polit. am bedeutsamsten sind der PMDB (Partido do Movimento Democrático Brasileiro), der PDT (Partido Democrático Trabalhista), der PDS (Partido Democrático Social) und der 1989 gegr. PRN (Partido da Reconstrução Nacional).

Die 26 Bundesstaaten haben bei eigenen Verfassungen unterschiedl. Einrichtungen für die *Verwaltung,* Gesetzgebung und Rechtsprechung, eigene Parlamente als Legislativorgane, direkt gewählte Gouverneure als Inhaber der Exekutive. Die 3 Bundesterritorien unterstehen unmittelbar den Bundesbehörden. Die Hauptstadt Brasília und ihre Umgebung ist ein Bundesdistrikt. Es gilt fortentwickeltes portugies. *Recht.* Das Gerichtswesen gliedert sich in Zivil-, Arbeits-, Wahl- und Militärgerichte. Das Oberste Bundesgericht urteilt über Verfassungsfragen und Anklagen gegen Angehörige der Exekutive und Legislative.

📖 *Handelmann, H.: Gesch. v. B. Zürich 1987. – Wöhlcke, M.: B. Anatomie eines Riesen. Mchn. 1987. – Müller, J.: B. Stg. 1984. – Holtz, U.: B. Eine histor.-polit. Landeskunde. Paderborn 1981.*

Brasilin [span.], im brasilian. Rotholz enthaltenes Glykosid, das bei Oxidation in den eigtl. Naturfarbstoff **Brasilein** übergeht; findet Verwendung u. a. zur Rotfärbung von Tinten, Hölzern und Textilien sowie als Mikroskopierfarbstoff.

Brasilkiefer (Brasilian. Araukarie, Araucaria angustifolia), Araukariengewächs S-Brasiliens und N-Argentiniens; bestandbildender Nadelbaum mit etwa 25–45 m hohen und 1 m dicken, weitgehend astfreien Stämmen und hoch angesetzter Krone.

Brasillach, Robert [frz. brazi'jak], * Perpignan 31. März 1909, † Paris 6. Febr. 1945 (als Kollaborateur hingerichtet), frz. Schriftsteller. – Schrieb Literaturchroniken und -essays und Romane („Uns aber liebt Paris", 1936; „Ein Leben lang", 1937).

Brasilstrom, warme Meeresströmung im Atlantik vor der Küste S-Amerikas, von Kap Branco bis zur La-Plata-Mündung.

Braşov [rumän. bra'ʃov] ↑ Kronstadt.

Brassaï [frz. bra'sɛ], eigtl. Gyula Halász, * Kronstadt (= Braşov) 9. Sept. 1899, † Paris 11. Juli 1984, frz. Photograph ungar. Herkunft. – Ab 1923 zunächst als Maler in Paris; seine Nachtaufnahmen der Pariser Unter- und Halbwelt (1933 veröffentlicht, dt. 1976 u. d. T. „Das geheime Paris") sind bed. Zeugnisse realist. Photographie. B. machte auch „Graffiti-Photographien", Aufnahmen von in Mauern eingeritzten trivialen Inschriften und Zeichen.

Brasselett [lat.-frz.], Armband; in der Gaunersprache für: Handschelle.

Brassen [niederl.], Taue zum Drehen der Rahen.

Brassen, (Abramis) Gatt. der Karpfenfische mit 3 Arten; ↑ Zobel, ↑ Zope und B. (↑ Brachsen).

◆ (Meerbrassen, Sparidae) Fam. bis 1,3 m langer Barschfische mit etwa 200 Arten, v. a. in den Küstengewässern trop. und gemäßigter Meere; u. a. ↑ Zahnbrasse, ↑ Goldbrasse, ↑ Rotbrasse und ↑ Graubarsch.

Brassenregion, svw. ↑ Brachsenregion.

Brassens, Georges [frz. bra'sɛ̃:s], * Sète (Hérault) 22. Okt. 1921, † ebd. 30. Okt. 1981, frz. Chansonnier. – Schrieb Texte und Melodien zahlr. typ. Pariser Chansons und Songs, die er auch selbst vortrug.

Brasseur, Pierre [frz. bra'sœ:r], eigtl. P. Espinasse, * Paris 22. Dez. 1905, † Bruneck 14. Aug. 1972, frz. Schauspieler. – Charakterdarsteller; Filme: „Hafen im Nebel" (1938), „Kinder des Olymp" (1945), „Die Mausefalle" (1957), „Affäre Nina B." (1961).

Brassica [lat.], svw. ↑ Kohl.

Braten, das Garen von Fleisch, Fisch, usw. in heißem Fett oder Öl in Pfannen oder anderen Gefäßen oder in Folie im eigenen Saft.

Brătianu [rumän. brə'tjanu], Ion C., * Piteşti 14. Juni 1821, † Florica 16. Mai 1891, rumän. Politiker. – Spielte bei der Vereinigung der Donaufürstentümer 1859 eine maßgebende Rolle; förderte die Thronbesteigung Karls von Hohenzollern-Sigmaringen (1866); 1868 und 1876–88 Min.präs. (mit kurzer Unterbrechung 1881); führte zahlr. Reformen durch (allg. Wahlrecht, Bodenreform).

B., Ion (Ionel) I. C., * Florica 1. Sept. 1864, † Bukarest 24. Nov. 1927, rumän. Politiker. – Sohn von Ion C. B.; 1908–11, 1914–18, 1918/1919 und 1922–26 sowie seit Juni 1927 Min.-präs.; seit 1909 Vors. der Liberalen Partei; setzte bei Kriegsausbruch die Neutralität Rumäniens durch; trat 1916 an der Seite der Entente in den Krieg ein.

Bratislava ↑ Preßburg.

Brätling (Bratling, Birnenmilchling, Brotpilz, Milchbrätling, Lactarius volemus), in Mischwäldern wachsende Art der Milchlinge; orangebrauner, weißen Milchsaft führender, bis 12 cm hoher, geschätzter Speisepilz; Hutdurchmesser 7–15 cm.

Bratsche [zu italien. viola da braccio, eigtl. „Armgeige"], das Altinstrument der modernen Violinfamilie, ↑ Viola.

Bratschenschlüssel ↑ Altschlüssel.

Bratsk, russ. Stadt an der Angara, 255 000 E. Industriehochschule; Aluminiumwerk, Holzverarbeitungsind.; Hafen, ✈. – Gegr. 1631 als Festung. Aus einer Zeltstadt des Staudammbaus entwickelte sich das neue B., 1955 Stadt. Das alte B. ist überflutet vom **Bratsker Stausee** (5 470 km^2, 169,3 Mrd. m^3), der 1961–67 durch den Bau eines 125 m hohen Staudammes (Wasserkraftwerk mit 4 500 MW) entstand.

Bratspill ↑ Spill.

Brattain, Walter Houser [engl. brætn], * Amoy (China) 10. Febr. 1902, † Seattle (Wash.) 13. Okt. 1987, amerikan. Physiker. – Gemeinsam mit J. Bardeen entwickelte er 1948 den bipolaren Spitzentransistor. Er erhielt 1956 mit Bardeen und W. Shockley für die Entdeckung und Aufklärung des Transistoreffekts den Nobelpreis für Physik.

Bratteli, Trygve Martin, * Nøtterøy 11. Jan. 1910, † Oslo 20. Nov. 1984, norweg. Politiker. – 1964–75 Vors. der (sozialdemokrat.) Arbeiterpartei; 1971/72 und 1973–76 Ministerpräsident.

Braubach, Max, * Metz 10. April 1899, † Bonn 21. Juni 1975, dt. Historiker. – 1928–67 Prof. in Bonn; Arbeiten zur rhein. Landesgeschichte, zur europ. Geschichte des 17. und 18. Jh. sowie zur Zeitgeschichte.

Braubach, Stadt am Mittelrhein, Rhld.-Pf., 3 700 E. Wein- und Obstbau; Blei- und Silberhütte. – 691/692 erstmals erwähnt; 1276 Stadtrecht. Die Marksburg ist die einzige unzerstörte Burg am Mittelrhein (13.–18. Jh.; Museum).

Brauch, von der Sitte gefordertes, sozial bestimmtes, bei gewissen Anlässen geübtes traditionelles Verhalten, z. B. Ernte-, Hochzeitsbräuche, Fastnacht. – Gegenstand der *B.forschung* sind die ↑Tradition, die erneuernde Wiederholung und die Stilisierung, mit der Verhaltensweisen zu überlieferbaren Mustern werden. Heute versucht die B.forschung, Ausbildung und Wandel des B.tums in der Bindung an Ort, Zeit und Trägerschicht sowie an wirtsch., soziale und ideolog. Verhältnisse zu erfassen und in ihrer urspr. Bed. zu erklären. Zu einer umfassenden *B.geschichte* gibt es erst Ansatzpunkte. – Öffentl. Gebärden, die den Charakter von B. haben, sind z. B. Grundsteinlegung und Richtfest, erster Spatenstich, die Taufe von Schiffen, die Übergabe eines goldenen Stadtschlüssels, die Siegerehrung von Sportlern, die verschiedenen „Tage", z. B. des Kindes, des Baumes.

Brauchitsch, Manfred von, * Hamburg 15. Aug. 1905, dt. Automobilrennfahrer. – Gewann auf Mercedes-Benz-Wagen u. a. 1937 den Großen Preis von Monaco und 1938 den Großen Preis von Frankreich.

B., Walter von, * Berlin 4. Okt. 1881, † Hamburg 18. Okt. 1948, dt. Generalfeldmarschall. – 1938 als Nachfolger von W. von Fritsch zum Oberbefehlshaber des Heeres ernannt; nach wiederholten Differenzen mit Hitler über die strateg. Planung im Dez. 1941 verabschiedet; starb in brit. Haft.

Brauchwasser, für gewerbl. oder industrielle Zwecke bestimmtes Wasser, das nicht als Trinkwasser benutzt werden darf.

Brauer, Erich (Arik), * Wien 4. Jan. 1929, östr. Maler, Radierer und Liedersänger. – Bed. Vertreter der Wiener Schule des Phantast. Realismus; horizontlose Landschaften, in denen oft „fürchterlich-prachtvolle" (B.) Gestalten, techn. anmutende Gebilde und seltsame Flugkörper im Mittelpunkt stehen.

B., Ludolph, * Rittergut Hohenhaus (Kreis Thorn) 1. Juli 1865, † München 25. Nov. 1951, dt. Mediziner. – Förderte die Entwicklung von chirurg. Maßnahmen zur Heilung der Lungentuberkulose.

B., Max, * Ottensen (= Hamburg) 3. Sept. 1887, † Hamburg 2. Febr. 1973, dt. Kommunalpolitiker (SPD). – 1919 Bürgermeister, 1924–33 Oberbürgermeister von Altona; bis 1946 in der Emigration; 1946–53 und 1957–60 1. Bürgermeister von Hamburg.

Brauerei, Gewerbebetrieb zur Herstellung (Brauen) von ↑Bier.

Braugerechtigkeit, Recht zum Betrieb des Brauereigewerbes, das i. d. R. mit einem Grundstück verbunden war, aber auch als persönl. Recht ausgestaltet sein konnte; seit 1. Jan. 1873 aufgehoben.

Braugersten, Sommergerstensorten mit geringem Eiweiß- und hohem Stärkegehalt sowie großer Keimschnelligkeit; Verwendung zur Malzbereitung für Brauereizwecke.

Braun, Alexander [Heinrich], * Regensburg 10. Mai 1805, † Berlin 29. März 1877, dt. Botaniker. – Prof. in Freiburg im Breisgau, Gießen und Berlin. B. schuf ein natürl. System zur Bestimmung von Pflanzen, das mit Ergänzungen die Grundlage des modernen Systems bildet.

B., Caspar, * Aschaffenburg 13. Aug. 1807, † München 29. Okt. 1877, dt. Holzschneider und Verleger. – Gründete 1838 eine „Xylograph. Anstalt", mit dem Buchhändler F. Schneider zum Verlag B. & Schneider erweitert („Münchner Bilderbogen", „Fliegende Blätter").

B., Eva ↑Hitler, Adolf.

B., Felix, * Wien 4. Nov. 1885, † Klosterneuburg 29. Nov. 1973, östr. Schriftsteller. – Schrieb Lyrik („Das Nelkenbeet", 1966), Romane („Der Schatten des Todes", 1910; „Agnes Altkirchner", 1927, 1957 u. d. T. „Herbst des Reiches").

B., Harald, * Berlin 26. April 1901, † Xanten 24. Sept. 1960, dt. Filmregisseur und Drehbuchautor. – Drehte u. a. die Filme „Zwischen Himmel und Erde" (1941), „Nachtwache" (1949), „Königliche Hoheit" (1953).

B., Heinrich, * Pest (= Budapest) 23. Nov. 1854, † Berlin 9. Febr. 1927, dt. Sozialpolitiker. – ⚭ mit Lily B.; 1883 Mitbegr. der „Neuen Zeit", 1888–1903 Hg. des „Archivs für soziale Gesetzgebung und Statistik", 1892–95 des „Sozialpolit. Zentralblattes", 1905–07 der „Neuen Gesellschaft", 1911–13 der „Annalen für Sozialpolitik und Gesetzgebung".

B., Karl Ferdinand, * Fulda 6. Juni 1850, † New York 20. April 1918, dt. Physiker. – Prof. in Marburg, Straßburg, Karlsruhe, Tübingen. Entdeckte 1874 den Gleichrichtereffekt bei Sulfiden; erfand 1897 die Braunsche Röhre (↑Elektronenstrahlröhre); bahnbrechende Entwicklungsarbeiten auf dem Gebiet der Funktechnik. Nobelpreis 1909 (mit G. Marconi).

B., Lily, * Halberstadt 2. Juli 1865, † Berlin 8. Aug. 1916, dt. Schriftstellerin. – ⚭ mit Heinrich B.; war führend in der dt. Frauenbewegung tätig; Mgl. der SPD. Schrieb Romane, Dramen sowie die „Memoiren einer Sozialistin" (2 Bde., 1909–11).

B., Matthias (M. Braun von Braun), * Oetz (Tirol) 25. Febr. 1684, ▭ Prag 15. Febr. 1738, böhm. Bildhauer. – Wichtigster Vermittler

Berninischer Gedanken für Böhmen. Er schuf hochbarocke Statuen und Gruppen, z. B. die hl. Luitgardis auf der Prager Karlsbrücke (1710), Steinfiguren in der Klemenskirche in Prag (um 1715) und vor dem Hospital in Kuks (um 1719). Im Naturpark „Bethlehem" bei Kuks schlug B. 1726–31 aus dem Gestein Skulpturen von Einsiedlern und bibl. Gestalten.

B., Otto, * Königsberg (Pr) 28. Jan. 1872, † Locarno 15. Dez. 1955, dt. Politiker (SPD). – Seit 1911 im Parteivorstand; Mgl. des preuß. Abg.hauses seit 1913, 1919/20 der Weimarer Nat.versammlung, 1920–33 MdR; 1920–33 preuß. Min.präs. (mit kurzer Unterbrechung 1921 und 1925; „Roter Zar von Preußen"); die kampflose Räumung dieser Machtposition nach der Wahlniederlage und dem Preußenputsch der Reichsregierung von Papen 1932 ebnete Hitler den Weg zur Macht; emigrierte 1933 in die Schweiz.

B., Volker, * Dresden 7. Mai 1939, dt. Schriftsteller. – Exponent der Literatur in der DDR, der bei Bejahung der sozialist. Utopie die Verhältnisse in der DDR z. T. scharf kritisierte. – *Werke:* Provokation für mich (Ged., 1965), Wir und nicht sie (Ged., 1970), Das ungezwungene Leben Kasts (En., 1972), Die Kipper (Dr., 1968, Neufassung 1972), Hinze-Kunze-Roman (1985), Bodenloser Satz (1990).

B., Wernher Freiherr von, * Wirsitz (= Wyrzysk) 23. März 1912, † Alexandria (Va.) 16. Juni 1977, amerikan. Physiker und Raketeningenieur dt. Herkunft. – Befaßte sich seit 1930 mit Problemen der Raketentechnik; 1932 Mitarbeiter des Heereswaffenamtes, 1937 techn. Direktor des Raketenwaffenprojektes der Heeresversuchsanstalt in Peenemünde. Entwicklung der ersten automat. gesteuerten Flüssigkeitsrakete A 4 (später V 2). Seit 1945 in den USA; seit 1959 Mitarbeiter der NASA; ab 1960 Entwicklung großer Trägerraketen („Saturn"-Raketen) für das amerikan. Raumfahrtprogramm, an dem er wesentl. Anteil hatte.

Braun, Bez. für jede Farbempfindung, die durch ein Gemisch von orangefarbenem bis karminrotem und gelbgrünem bis blauem Licht hervorgerufen wird oder durch Mischung von orangegelben Farben und Schwarz oder Violettblau in unterschiedl. Anteilen zustande kommt.

Braun AG, Unternehmen der Elektroindustrie, Sitz Frankfurt am Main, gegr. 1921 von Wilhelm Max Braun (* 1890, † 1951); seit 1961 AG; Produktion: Elektrorasierer, Haushalts-, Hörfunk-, Tonband- und Phonogeräte, Filmkameras; Mehrheitsaktionär ist die amerikan. Gillette Co.

Braunalgen (Phaeophyceae), hochentwickelte Klasse der Algen mit rd. 2 000, überwiegend marinen Arten. B. sind, mit Ausnahme der in riesigen Mengen in der Sargassosee treibenden Sargassumarten, festsitzend. Die B.zelle führt mehrere, meist linsenförmige Chromatophoren, in denen (neben Chlorophyll) u. a. das für die braune bis olivgrüne Farbe der meisten B. verantwortl. Karotinoid Fucoxanthin vorkommt. Von industrieller Bedeutung sind die aus B. gewonnene Alginsäure und deren Produkte.

Braunau am Inn, Bezirkshauptstadt an der Mündung der Mattig in den Inn, Oberösterreich, 352 m ü. d. M., 17 000 E. Aluminiumhütte. – 1125 erstmals genannt **(Prounaw);** 1779 erstmals, 1816 endgültig von Bayern zu Österreich. – Got. Pfarrkirche (15. Jh.); Geburtsstadt von Adolf Hitler.

Braunauge (Dira maera), etwa 5 cm spannender, dunkelbrauner Augenfalter, v. a. in Hügellandschaften Europas; mit je einem mittelgroßen, schwarzen, hell gekernten Augenfleck auf den Vorderflügeln und 2–5 kleinen, schwarzen Augenflecken auf den Hinterflügeln.

Braunbär (Ursus arctos), ursprüngl. über fast ganz N-Amerika, Europa und Asien verbreitete Bärenart mit zahlr. Unterarten; heute in weiten Teilen des ehem. Verbreitungsgebietes ausgerottet und im wesentl. auf große Waldgebiete dünn besiedelter Gegenden (bes. der Gebirge) beschränkt; Vorkommen in Europa: O- und SO-Europa, Skandinavien, Pyrenäen, NW-Spanien; u. a. ↑ Eurasischer Braunbär, ↑ Alaskabär, ↑ Grizzlybär.

Braune, Wilhelm [Theodor], * Großhiemig bei Bad Liebenwerda 20. Febr. 1850, † Heidelberg 10. Nov. 1926, dt. Germanist. – Schrieb Standardwerke der Germanistik wie „Althochdt. Lesebuch" (1875), „Gotische Grammatik" (1880), „Althochdeutsche Grammatik" (1886).

Brauneisenstein (Brauneisenerz, Limonit), Mineralgemenge v. a. aus Goethit und Rubinglimmer; eines der wichtigsten, durch Verwitterung anderer eisenhaltiger Minerale entstandenen Eisenerze, das wegen seiner unterschiedl. Erscheinungsformen viele Namen hat, z. B. Raseneisenerz, Brauner Glaskopf, Bohnerz.

Braunelle, (Prunella) Gatt. der Lippenblütler mit 5 Arten, in Europa bis N-Afrika. In M-Europa 3 Arten, darunter die **Gemeine Braunelle** (Prunella vulgaris), bis 30 cm hoch, mit bis 15 mm großen, bläul., selten weißen Blüten, auf Wiesen und Waldrändern häufig; ferner die **Großblütige Braunelle** (Prunella grandiflora) mit bis 25 mm langen, bläul., selten weißen Blüten; in Trockenrasen.

◆ svw. ↑ Kohlröschen.

Braunellen (Prunellidae), Fam. der Singvögel mit 12 Arten (in der einzigen Gatt. **Prunella)** in Europa und Asien sowie in N-Afrika; etwa 12–18 cm lang, überwiegend braun und grau gefärbt. – Einheim. Arten sind ↑Heckenbraunelle und ↑Alpenbraunelle.

Brauner, Victor [frz. bro'nɛ:r; rumän. 'brauner], * Piatra Neamţ 15. Juni 1903, † Paris 12. März 1966, frz. Maler rumän. Herkunft. – Graph. aufgefaßte, streng ornamental komponierte Bilder voller Bedrohungen.

Brauner Bär (Arctia caja), etwa 65 mm spannender Schmetterling bes. auf Wiesen und Waldlichtungen Europas, Asiens und N-Amerikas; Vorderflügel braun mit weißen Binden, Hinterflügel rot mit schwarzblauen Flecken.

Braunerde ↑Bodenkunde.

Brauner Enzian ↑Enzian.

Brauner Jura ↑Dogger.

Braunfäule, Bez. für verschiedene Pflanzenkrankheiten, bei denen durch Pilzbefall meist braune Flecken auftreten, z. B. Fruchtfäule der Tomaten, Knollenfäule der Kartoffeln, Schwarzadrigkeit des Kohls.

Braunfelchen, Bez. für die aus der Uferregion des Bodensees als ↑Silberfelchen bekannten Fischarten, wenn diese im freien See leben und eine ins Braune gehende Körperfärbung bekommen.

Braunfels, Stadt sw. von Wetzlar, Hessen, 236 m ü. d. M., 9600 E. Luftkurort; Brauerei. – Burg B. (13. Jh.) wurde 1384 Hauptsitz der Grafen von Solms-B. Im 17. Jh. Stadt, 1815 an Preußen. – Zahlr. barocke Fachwerkbauten. Das Schloß (13.–14. Jh.) wurde im 19. Jh. umgebaut.

Braunit [nach dem dt. Kammerrat W. Braun, * 1790, † 1872] (Hartmanganerz), grau bis braunschwarz glänzendes, tetragonales Mineral, $Mn^{2+}Mn_6^{4+}[O_8/SiO_4]$; Dichte 4,7–5,0 g/cm³, Mohshärte 6–6,5; wichtiges Manganerz.

Braunkehlchen (Saxicola rubetra), etwa 12 cm lange Schmätzerart (Fam. Drosseln) in Europa und M-Asien; Oberseite des ♂ braun mit hellerer Streifung, Unterseite rahmfarben mit rostbrauner Brust und Kehle, weißer Augenstreif; ♀ etwas heller.

Braunkohl, svw. ↑Grünkohl.

Braunkohle, aus untergegangenen Wäldern hauptsächlich im Tertiär entstandene gelb- bis schwarzbraune Kohle mit niedrigem Inkohlungsgrad. *Weich-B.*, die aus einer Grundmasse von Humussäuren mit Resten von Holz (Xylit) besteht, hat einen Wassergehalt von 45–60 %, in wasser- und aschefreiem Zustand einen Kohlenstoffgehalt von 65–70 %. *Hart-B.* ist ohne sichtbare holzige Einschlüsse und hat einen Wassergehalt von 10–30 %. In wasser- und aschefreiem Zustand weist sie einen Kohlenstoffgehalt von 70–75 % auf. B. lagert oberflächennah und wird im Tagebau gefördert; dient im wesentl. als Brennstoff zur Energieerzeugung in therm. Kraftwerken (Brennwert ↑Kohle). In der BR Deutschland befinden sich große B.ablagerungen um Bitterfeld, Halle/Saale, Leipzig, Borna, Meuselwitz, Zeitz und Weißenfels sowie in der Kölner Bucht, bei Helmstedt, in Hessen und in Bayern.
Die **Weltförderung** betrug 1988 1,27 Mrd. t. Die wichtigsten B.förderländer 1989: DDR 301,0 Mill. t; UdSSR 164,0 Mill. t; BR Deutschland 110,1 Mill. t; Tschechoslowakei 93,9 Mill. t; Polen 71,8 Mill. t; Jugoslawien 67,5 Mill. t.

Braunlage, Stadt im Harz, Nds., etwa 600 m ü. d. M., 6800 E. Heilklimat. Kurort und Wintersportplatz. – 1934 Stadt.

Braunsberg (Ostpr.) (poln. Braniewo), Stadt in Ostpreußen, Polen, nö. von Elbing, 17 000 E. Lebensmittelindustrie. – Erhielt 1254 als **Brunsberg** Stadtrecht; Mgl. der Hanse; 1466 poln., 1722 preuß.; im 2. Weltkrieg stark zerstört. – Erhalten u. a. die barocke Heiligkreuzkirche, die spätgot. Trinitatiskirche, das barocke Rathaus sowie Teile der Stadtmauer (14. und 15. Jh.).

Braunsche Röhre [nach K. F. Braun] ↑Elektronenstrahlröhre.

Braunschliff ↑Holzschliff.

Braunschweig, Stadt an der Oker, Nds., 70 m ü. d. M., 252 000 E. Verwaltungssitz des Reg.-Bez. B.; Biolog. Bundesanstalt für Land- und Forstwirtschaft, Forschungsanstalt für Landw., Physikal.-Techn. Bundesanstalt, Luftfahrt-Bundesamt, Internat. Schulbuchinst.; TU (gegr. 1745), Hochschule für Bildende Künste, Niedersächs. Musikschule, Ev. Akademie; Staatstheater; botan. Garten; Maschinen- und Fahrzeugbau, Nahrungsmittel-, elektron., chem., feinmechan.-opt. Ind., Herstellung von Klavieren; Brauereien und Verlage. – 1031 zuerst erwähnt, aus zwei Kaufmannssiedlungen und einer Burg hervorgegangen. Residenz Heinrichs des Löwen. Stadtrecht 1227 bestätigt; Ende des 13. Jh. Beitritt zur Hanse. Einführung der Reformation 1528; seit 1753 Hauptstadt von B.-Wolfenbüttel. – Sankt Blasius (heute ev. Dom) von Heinrich dem Löwen 1173–95 errichtet, Sankt Ägidien (1278–um 1300), Sankt Martini (um 1275 ff. zur frühgot. Hallenkirche umgestaltet). Burg Dankwarderode (1173–95, 1887 neuroman. wiederaufgebaut) mit dem ↑Braunschweiger Löwen. Altstadtmarkt mit Altstadtrathaus (14.–15. Jh.), Renaissance-Gewandhaus (1591). Der alte Hauptbahnhof (1843–44) ist einer der ältesten dt. Bahnhofsbauten.

B., Reg.-Bez. in Niedersachsen.

B., Bez. mehrerer Territorien und Häuser der Welfen sowie eines ehem. dt. Hzgt. und Landes. **Altes Haus Braunschweig:** Bei der Teilung des Hzgt. ↑Braunschweig-Lüneburg (1267) erhielt Albrecht I. das Ft. B., das schon um 1286 in die Ft. ↑Grubenhagen, ↑Göttingen und ↑Wolfenbüttel geteilt wurde. – **Mittleres Haus Braunschweig:** Aus einer abermaligen Teilung bildeten sich 1428 neu die Ft. Lüneburg und B. (aus Calenberg, Wolfenbüttel, seit 1463 auch Göttingen; Hauptlinie Calenberg, 1432–73 eigenständiges Wolfenbütteler Ft.). 1495 brachte eine neue Teilung abermals ein eigenes Ft. Wolfenbüttel hervor, das sich nach der Hildesheimer Stiftsfehde (1519–23) mit der Linie Calenberg-Göttingen in das eroberte Stiftsgebiet teilte und 1584 das Ft. Calenberg-Göttingen erbte. Mit der Inbesitznahme von Grubenhagen 1596 (bis 1617) wurde der ganze S des welf. Machtbereichs in einer Hand vereint. 1634 starb die Wolfenbütteler Linie aus. – **Neues Haus Braunschweig:** Gründung des Neuen Hauses B. durch die Dannenberger Linie des Hauses Lüneburg, die das Ft. Wolfenbüttel (ohne Calenberg und Grubenhagen) erhielt (seit 1735 deren Nebenlinie B.-Bevern) und seit 1753 in Braunschweig regierte. Gehörte 1807–13 zum Kgr. Westfalen, konstituierte sich 1813 etwa in den Grenzen des alten Ft. Wolfenbüttel neu, doch setzte sich die Bez. Hzgt. B. endgültig durch. Nach Erlöschen des Hauses B. (1884) bestand eine preuß. (bis 1906) bzw. mecklenburg. (bis 1913) Regentschaft; 1913–18 regierte Hzg. Ernst August. – **Freistaat:** Kurzlebige Räterepublik, seit 1918 sozialdemokrat. bzw. bürgerl. geführte Regierungen (republikan. Verfassung ab 1921); seit 1933/34 ohne Eigenständigkeit, 1945 wiederhergestellt, ging 1946 im Land Nds. auf.

Braunschweiger Löwe, von Heinrich dem Löwen 1166 auf dem Hof der Burg Dankwarderode in Braunschweig als Zeichen seiner Hoheit und Gerichtsbarkeit aufgestelltes Standbild seines Wappentieres.

Braunschweiger Tracht ↑Volkstrachten.

Braunschweigische Staatsbank, 1765 gegr., bis 1970 bestehendes ältestes öff.-rechtl. Kreditinstitut Deutschlands.

Braunschweig-Lüneburg, aus dem Besitz (Allod) der Welfen durch die Belehnung Ottos I. (1235) entstandenes dt. Hzgt., das reichsrechtl. bis 1806 bestand, aber schon 1267 in die Ft. ↑Braunschweig und ↑Lüneburg geteilt wurde.

Braunspat, svw. ↑Ankerit.

Braun von Braun, Matthias ↑Braun, Matthias.

Braunwurz (Scrophularia), Gatt. der Rachenblütler mit etwa 150 Arten auf der Nordhalbkugel; in M-Europa 6 Arten, am bekanntesten der in feuchten Wäldern und an Gräben wachsende **Knotige Braunwurz** (Scrophularia nodosa), eine bis 1 m hohe Staude mit kugeligen, trübbraunen Blüten in Rispen und eiförmigen Kapselfrüchten.

Brausepulver ↑Natriumhydrogencarbonat.

Braut, svw. Verlobte (↑Verlöbnis).

Brautente (Aix sponsa), etwa 40 cm lange Ente, v. a. an bewaldeten Steh- und Fließgewässern S-Kanadas und der USA; ♂ im Prachtkleid mit violettfarbenen Kopfseiten, grün schillernden, den Nacken weit überragenden Scheitelfedern und rötl. Schnabel; in Europa in Parkanlagen.

Brautexamen, in der kath. Kirche vorgeschriebene Prüfung vor einer Eheschließung, ob die Bedingungen für eine gültige und erlaubte Ehe vorliegen; i. d. R. verbunden mit einem **Brautunterricht.**

Brautgeschenke ↑Verlöbnis.

Bräutigam, svw. Verlobter (↑Verlöbnis).

Brautkauf ↑Kaufheirat.

Brautkinder, die aus einem Verlöbnis hervorgegangenen Kinder. Ein B. ist nichtehelich, wird gemäß § 1719 BGB jedoch bei Eheschließung ehelich. Wenn das Verlöbnis durch den Tod eines Elternteils aufgelöst worden ist, ist auf Antrag Ehelicherklärung möglich (§ 1740a ff. BGB).

Brautkleidung, die von der Frau zur Trauung angelegte Kleidung: (seit dem 19. Jh. meist weißes) Brautkleid, Brautkranz (Sinnbild der Jungfräulichkeit) und Schleier (seit dem 17. Jh. belegt), gehörte zur erbrechtl. festgelegten Ausstattung.

Brauttür, Name des Nordportals got. Kirchen, vor dem Trauungen stattfanden.

Brauweiler ↑Pulheim.

Bravais, Auguste [frz. bra'vɛ], * Annonay 23. Aug. 1811, † Versailles 30. März 1863, frz. Naturforscher. – Leistete grundlegende Beiträge zur Kristallographie, ermittelte die endl. Anzahl mögl. Symmetrieklassen von Kristallen durch die Ableitung der mögl. Arten von Raumgittern (sog. **Bravais-Gitter**).

Bravais-Gitter [nach A. Bravais], ↑Kristallgitter.

Bravais-Indizes ↑Indizes.

Brave Westwinde, Bez. für die beständigen Westwinde auf den Meeren der gemäßigten Breiten. Auf der Südhalbkugel werden die B. W., da sie in etwa 40° s. Br. mit bes. Heftigkeit auftreten, **Brüllende Vierziger** (engl. roaring forties) genannt.

bravo [italien. „wacker, wild" (zu griech.-lat. barbarus „fremd")], Ausruf oder Zuruf des Beifalls und der Anerkennung: gut!, vortrefflich!; Superlativ: **bravissimo,** sehr gut!

Bravo, Río ↑Rio Grande.

Bravour [bra'vu:r; lat.-frz.], gekonnte Technik, Meisterschaft.

Bravourstück [bra'vu:r], Glanzleistung.

Bray-Steinburg, Otto Graf von [frz. brɛ], * Berlin 17. Mai 1807, † München 9. Jan. 1899, bayr. Politiker. – Jurist; 1846/47, 1848/49 Außenmin., 1870/71 Außenmin. und Vors.

des Ministerrats; schloß 1870 die Verträge über Bayerns Eintritt in das Dt. Reich ab.

Brazza, Pierre **Savorgnan de** [frz. bra'za], * Castel Gandolfo 26. Jan. 1852, † Dakar 14. Sept. 1905, frz. Afrikaforscher und Kolonisator italien. Herkunft. – Erforschte 1876–78 den Ogowelauf; gründete auf seiner 2. Reise (1880–82) u. a. Brazzaville; Regierungs- (seit 1883) und Generalkommissar (seit 1886) von Frz.-Äquatorialafrika.

Brazzaville [frz. braza'vil], Hauptstadt der Republik Kongo, am rechten Ufer des seenartig zum Stanley Pool erweiterten Kongo, 331 m ü. d. M., 600 000 E. Kath. Erzbischofssitz; Univ. (seit 1972); zoolog. Garten. – Bed. Ind.zentrum (Nahrungsmittel, Textilien, Kunststoffwaren, Metallmöbel u. a.). Endpunkt der Kongoschiffahrt und der Bahnlinie vom Hafen Pointe-Noire, Fährverkehr nach Kinshasa; internat. ✈. – 1880 von P. Savorgnan de Brazza gegr., 1910–58 Hauptstadt von Frz.-Äquatorialafrika.

BRD, häufig verwendete, nichtamtl. Abk. für: **B**undes**r**epublik **D**eutschland.

Brdywald [tschech. 'brdi], Gebirgszug sö. von Pilsen, ČSFR; im Praha 862 m hoch; Blei-, Zink-, Silber- und Uranvorkommen.

Bréa, Louis [frz. bre'a], * Nizza um 1450, † ebd. um 1523, frz. Maler. – Lombard. und niederländ. Einflüsse, u. a. Paradiesaltar in Santa Maria di Castello in Genua (1513).

Break [bre:k, engl. breɪk „Durchbruch"], im *Sport* Bez. für 1. einen Durchbruch aus der Verteidigung heraus (v. a. beim Eishokkeyspiel); 2. Durchbrechen des gegner. Aufschlages (Tennis); 3. Trennkommando des Ringrichters beim Boxkampf.

◆ im *Jazz* kurze, rhythm.-melod. „Kadenz", die vom improvisierenden Instrumentalisten oder Sänger solist. dargeboten wird, während das Ensemble pausiert.

Breakdance [am. 'breɪkdɛ:ns; von engl. break „brechen" und dance „Tanz", übertragen „mit dem Körper sprechen"], Anfang der 1970er Jahre in den New Yorker Armenvierteln unter den farbigen Jugendlichen entstandener Straßentanz, vermischt roboterhafte rhythm. Bewegungen mit akrobat. Sprüngen, Pirouetten auf Schultern, Kopf oder Rücken; getanzt zu Funkmusic († Funk).

Breakfast [engl. 'brɛkfəst, eigtl. „das Fastenbrechen"], engl. Bez. für Frühstück.

Bream, Julian [engl. bri:m], * London 15. Juli 1933, engl. Gitarrist und Lautenist. – Interpret alter und neuer Musik. Gründer des **Julian-Bream-Consort** zur Pflege alter Musik.

Breccie ['bretʃe; italien.] (Bresche, Brekzie), Sedimentgestein, das aus miteinander verkitteten, eckigen Gesteinsbruchstücken besteht. – † Konglomerat.

Brechbühl, Beat, * Oppligen (Kt. Bern) 28. Juli 1939, schweizer. Schriftsteller. – Gedichte und Romane mit individualist. und skurrilen Elementen. – *Werke:* Kneuss (R., 1970), Nora und der Kümmerer (R., 1974), Traumhämmer (Ged., Auswahl 1977), Die Glasfrau (En., 1985).

Brechdurchfall, gleichzeitiges Auftreten von Erbrechen und Durchfall infolge akuter Entzündung der Magen-Darm-Schleimhaut. Ursächlich spielen v. a. Infektionen mit Enteroviren, Salmonellen, Shigellen und Kolibakterien eine Rolle, u. a. bei verseuchten Nahrungsmitteln.

Brechen, in der *Textiltechnik* Bez. für das Freilegen der Fasern aus den Pflanzenstengeln durch Zerbrechen der Stengel.

◆ svw. † Erbrechen.

Brecher, (Sturzsee) eine Meereswelle mit überstürzendem Wellenkamm und bes. starkem Aufprall; B. entstehen bei Sturm oder in der Brandung im flachen Wasser.

◆ Maschine zur Grobzerkleinerung harter Stoffe durch Druck oder Schlag.

Brechkraft (Brechwert), der Kehrwert der Brennweite f eines abbildenden opt. Systems: $D = 1/f$; kennzeichnet die brechende Wirkung. Die Einheit der B. ist die Dioptrie.

Brechmittel (Emetika), Arzneimittel zur Auslösung des Erbrechens durch reflektor. Einwirkung auf das Brechzentrum, z. B. Apomorphin. Bei akuten Vergiftungen durch die Magenspülung ersetzt.

Brechnußbaum (Strychnos nux-vomica), bis 15 m hoher Baum der Gatt. Strychnos in S-Asien; Blätter eiförmig; Blüten grünlichgelb, in Trugdolden. Früchte beerenartig, 2,5–6 cm groß, orangerot, mit bitter schmekkenden Samen **(Brechnuß)**, die etwa 1% Strychnin u. a. Alkaloide enthalten und als Brech- und Abführ- sowie als Anregungsmittel bei Schwächezuständen verwendet werden.

Brechreiz, vom Brechzentrum ausgelöste unangenehme, oft mit Übelkeit, Ekel, Speichelfluß, Würgen in Hals und Speiseröhre verbundene Mißempfindung, gewöhnl. unmittelbar vor dem Erbrechen.

Brecht, Arnold, * Lübeck 26. Jan. 1884, † Eutin 11. Sept. 1977, amerikan. Politologe dt. Herkunft. – 1921–27 Ministerialdirektor im Reichsinnenministerium, danach stimmführender Bevollmächtigter Preußens im Reichsrat; 1933 entlassen; 1933–54 in New York; nach 1945 Berater bei der Gründung der BR Deutschland und der Verabschiedung des GG. Wichtige Werke zur polit. Theorie; Memoiren.

B., Bertolt, eigtl. Eugen Berthold Friedrich B., * Augsburg 10. Febr. 1898, † Berlin (Ost) 14. Aug. 1956, dt. Schriftsteller und Regisseur. – Lebte seit 1924 in Berlin, zunächst Dramaturg bei Max Reinhardt, dann freier Schriftsteller und Regisseur; 1933 Emigration; lebte u. a. in der Schweiz, in Dänemark

2 VT 4 E D C B A

(1933–39), Schweden, Finnland, den USA (1941–47); 1949 Rückkehr nach Berlin (Ost), wo er mit seiner Frau Helene Weigel das ↑„Berliner Ensemble" gründete. – B. gehört zu den einflußreichsten Autoren des 20. Jh. Bes. bestimmend für sein Leben und Schaffen wurde die Erfahrung des 1. Weltkrieges und die allmähl. Hinwendung zum Marxismus (ab 1926), ohne aber selbst je der kommunist. Partei beizutreten. – Sein Schaffen entwickelte sich vom rauschhaft bejahten Nihilismus und Individualismus der Frühwerke – z. B. „Baal" (entstanden 1918/19, gedruckt 1922), „Im Dickicht der Städte" (1921–24, gedruckt 1927), „Mann ist Mann" (1924–26, gedruckt 1926), „Die Dreigroschenoper" (1928, gedruckt 1929) – zum Glauben an das Kollektiv und zur strengen Disziplin der sog. „Lehrstücke" – z. B. „Die Maßnahme" (1929/30, gedruckt 1931), „Die hl. Johanna der Schlachthöfe" (1929–31, gedruckt 1932) –, um schließl. in den Meisterdramen der Exilzeit – z. B. „Leben des Galilei" (1. Fassung entstanden 1938, 3. Fassung gedruckt 1955), „Mutter Courage und ihre Kinder" (1939, gedruckt 1949), „Herr Puntila und sein Knecht Matti" (1940, gedruckt 1950), „Der gute Mensch von Sezuan" (1938–41, gedruckt 1953), „Der kaukas. Kreidekreis" (1944/45, gedruckt 1949) – diese Gegensätze in dichter. vollendeter Synthese zu versöhnen. Der Zwiespalt zw. menschl. Freiheit und sozialer Gerechtigkeit, Glücksverlangen des einzelnen und Notwendigkeit des Opfers ist das Grundproblem, um das B. ständig kreist. Fast gleichzeitig mit den Stükken entstand die Theorie des sog. „ep. [später auch dialekt.] Theaters" – dargelegt in „Der Messingkauf" (1939/40, gedruckt 1963) und „Kleines Organon für das Theater" (1948, gedruckt 1949) –, die auf die Aktivierung des Zuschauers durch Erkenntnis zielt und deren Schlüsselbegriff die vieldiskutierte Verfremdung („V-Effekt") ist. – B. schrieb auch Lyrik (u. a. „Hauspostille", 1927; „Svendborger Gedichte", 1939), Romane, Kurzgeschichten, „Kalendergeschichten" (1949), Hörspiele, Dialoge, Pamphlete, lehrhafte Prosa, ein Ballett („Die sieben Todsünden [der Kleinbürger]", 1933, gedruckt 1959) sowie „Schriften zur Literatur und Kunst" (1966), „Schriften zur Politik und Gesellschaft" (1968) sowie aufschlußreiche „Texte für Filme" (1969, alle postum).

Bertolt Brecht (1956)

Weitere Werke: Aufstieg und Fall der Stadt Mahagonny (Oper, 1929, mit K. Weill), Dreigroschenroman (1934), Das Verhör [später: Die Verurteilung] des Lukullus (Hsp., 1940; Oper 1951, mit P. Dessau), Der aufhaltsame Aufstieg des Arturo Ui (Dr., 1941, gedruckt 1957), Turandot oder Der Kongreß der Weißwäscher (Dr., 1953/54, gedruckt 1967), Flüchtlingsgespräche (Dialoge, entstanden hauptsächlich 1940/41, gedruckt 1961).

🕮 *Mittenzwei, W.: Das Leben des B. B. oder Der Umgang mit den Welträtseln. 2 Bde. Ffm. 1989. – B. B. Leben und Werk im Bild. Hg. v. W. Hecht u. a. Ffm 1987. – J.-W. Joost u. a.: B. B. Epoche – Werk – Wirkung. Mchn. 1985. – Jeske, W.: B. B.s Poetik des Romans. Ffm. 1984. – Klotz, V.: B. B. Wsb. [4]1980.*

Brechung, (Refraktion) Änderung der Ausbreitungsrichtung von Wellen an der Grenzfläche zweier Medien, in denen sie verschiedene Ausbreitungsgeschwindigkeiten besitzen. Fällt eine ebene Wellenfront aus einem Medium 1 (in dem die Wellen die Geschwindigkeit v_1 haben) schräg auf die Oberfläche eines anderen Mediums 2 (Wellengeschwindigkeit v_2), so breitet sich von jedem Punkt, der von der Wellenfront getroffen wird, eine als Elementarwelle bezeichnete Kugelwelle aus. Die in das Medium 1 zurücklaufenden Elementarwellen überlagern sich

Brechung eines Lichtstrahls mit Teilreflexion (links) und Totalreflexion (α Einfallswinkel, β Brechungswinkel)

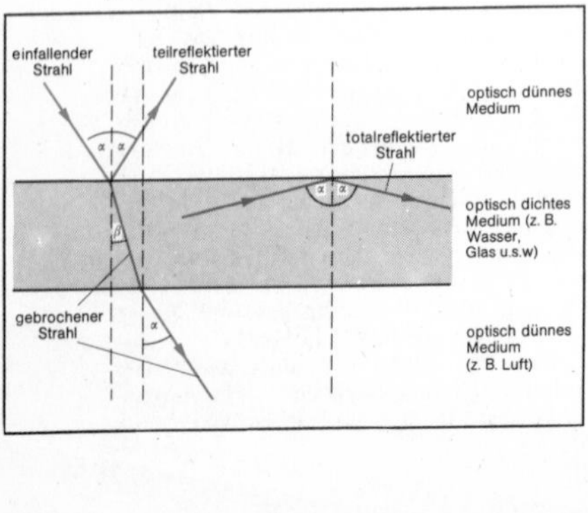

zu der reflektierten Teilwelle, die in das Medium 2 hineinlaufenden zu der gebrochenen Teilwelle mit einer gegen die ursprüngl. Richtung geneigten Wellenfront. Bildet die Ausbreitungsrichtung der einfallenden Welle, d.h. die Richtung der einfallenden Strahlen, mit dem auf der Grenzfläche senkrecht stehenden *Einfallslot* den *Einfallswinkel* α, die Ausbreitungsrichtung der gebrochenen Welle mit dem Einfallslot den *Brechungswinkel* β, so gilt das von W. Snellius formulierte **Snelliussche Brechungsgesetz** $\sin\alpha/\sin\beta = v_1/v_2 = n_{21}$; den für eine bestimmte Wellenlänge konstanten Wert n_{21} dieses Verhältnisses nennt man die **relative Brechzahl** (früher auch Brechungsindex, -koeffizient oder -exponent genannt) des zweiten Mediums in bezug auf das erste. Die relative Brechzahl ist frequenzabhängig. Bei der **Lichtbrechung** wird die Brechzahl i.d.R. auf das Vakuum bezogen. Bezeichnet man die Geschwindigkeit des Lichts im Vakuum mit c_0, so gilt für einen Lichtstrahl, der, vom Vakuum kommend, in einem Medium gebrochen wird, das **Brechungsgesetz** $\sin\alpha/\sin\beta = c_0/c = n$; dabei bezeichnet man n als die **absolute Brechzahl** des Mediums, oft auch als Brechzahl schlechthin. Die Brechzahl des Vakuums ist also gleich 1; für flüssige und feste Stoffe ergeben sich im allg. Werte zw. 1 und 2, z.B. für gewöhnl. Glas 1,5, für Wasser 1,33; für Luft ist $n \approx 1$. Für die relative Brechzahl n_{12} eines Stoffes mit der absoluten Brechzahl n_1 gegen einen anderen mit der absoluten Brechzahl n_2 gilt: $n_{12} = n_1/n_2 = c_2/c_1$, wobei c_1 bzw. c_2 die Geschwindigkeiten des Lichts im Medium 1 bzw. im Medium 2 sind. Gilt $n_1 > n_2$, so bezeichnet man das Medium mit der Brechzahl n_1 als das *optisch dichtere*, das mit der Brechzahl n_2 als das *optisch dünnere* Medium. Die B. ist eines der grundlegenden Phänomene der Optik, auf dem die Wirkungsweise nahezu aller opt. Geräte beruht. Neben Licht werden auch andere elektromagnet. Wellen gebrochen; analoge Erscheinungen gibt es beim Schall.

◆ in der *Sprachwiss.* die Veränderung bestimmter Vokale (unter dem Einfluß eines unbetonten Vokals der Nebensilbe oder bestimmter Folgekonsonanten).

Brechungsfehler (Refraktionsanomalien, Refraktionsfehler), meist durch opt. Hilfsmittel korrigierbare Augenfehler, die v.a. dadurch entstehen, daß entweder der Augapfel zu kurz oder zu lang gebaut ist, wodurch sich die parallel einfallenden Strahlen nicht auf der Netzhaut, sondern dahinter oder davor vereinigen.

Brechwert, svw. ↑Brechkraft.

Brechwurz, svw. ↑Haselwurz.

Brechwurzel (Ipekakuanha, Cephaelis ipecacuanha), bis 40 cm hohes, halbstrauchiges Rötegewächs in Brasilien; Wurzeln braun mit tiefen, ringförmigen Wülsten, getrocknet als B. (Rio-Ipekakuanha) im Handel, medizin. zur Schleimlösung verwendet.

Brechzahl ↑Brechung.

Brechzentrum, im verlängerten Mark, nahe dem Atemzentrum gelegenes vegetatives Nervenzentrum, das den Brechakt auslöst.

Breda, niederl. Stadt, 40 km sö. von Rotterdam, 121 000 E. Kath. Bischofssitz; Akad. der Bildenden Künste, Schauspiel- und Musikschule, Militärakad.; Theater, Bibliotheken und Museen; Waffen- und Munitionsfabrik, Gießerei, Maschinenbau, Elektroind., Textil- und Nahrungsmittelind., Hafen. – Um 1252 Stadtrecht. – Liebfrauenkirche (13. Jh.; brabant. Gotik); Rathaus (1766–68), Schloß (15.–17. Jh.).

Bredel, Willi, *Hamburg 2. Mai 1901, †Berlin 27. Okt. 1964, dt. Schriftsteller. – Mgl. der KPD, 1933 KZ-Haft, Flucht über Prag nach Moskau; lebte seit 1945 in Berlin (Ost); schrieb, dem sozialist. Realismus verpflichtet, v.a. polit. Gesellschaftsromane, u.a. „Verwandte und Bekannte" (Trilogie, 1943–53).

Bredenborn ↑Marienmünster.

Bredouille [breˈdʊljə; frz.], Verlegenheit, Bedrängnis.

Breeches [ˈbrɪtʃɪs; engl.], Reithose, die im Gesäß und an den Hüften weit, an den Knien und Unterschenkeln eng ist.

Breg, rechter Quellfluß der Donau.

Bregen (Brägen), norddt. Bez. für: Gehirn vom Schlachttier.

Bregenz, Hauptstadt des östr. Bundeslandes Vorarlberg, am O-Ufer des Bodensees, 400 m ü.d.M., 26 000 E. Sitz der Landesregierung, Handelsakad., Techn. Bundeslehr- und Versuchsanstalt, Museum; Hafen. Textil-, Elektro-, Nahrungsmittelind., Theater, alljährl. stattfindende Festspiele auf der Seebühne. – Nö. eines röm. Erdkastells entstand die Siedlung **Brigantium;** bis ins 4. Jh. blieb die Oberstadt röm. Festung; Ende des 5. Jh. alemann.; Burg an Stelle der röm. Oberstadt (802 **Castrum Brigancia**); um 1200 Stadtrecht, 1330 Marktprivileg. 1451 an die Habsburger, nun Verwaltungsmittelpunkt von Vorarlberg. – Pfarrkirche Sankt Gallus (1097 erwähnt); Kloster Mehrerau (erneuert 1779–81); Altes Rathaus (1511), zahlr. Barockbauten, u.a. Gasthaus zum Kornmesser (um 1720), Ruinen der Burg Hohenbregenz.

Bregenzerwald, Teil der nördl. Voralpen, östl. des Bodensees, in Vorarlberg und Bayern; die höchsten Gipfel sind Hochifen (2 232 m) und Kanisfluh (2 047 m).

Brehm, Alfred [Edmund], *Renthendorf (Thüringen) 2. Febr. 1829, †ebd. 11. Nov. 1884, dt. Zoologe und Forschungsreisender. – Zoodirektor in Hamburg und Gründer des Berliner Aquariums. Sein Hauptwerk „Tierleben" (6 Bde., 1864–69; Jubiläumsausg., hg. v. C. W. Neumann, 8 Bde., 1928/29) wurde vielfach übersetzt und gilt noch heute als Standardwerk für biolog. Interessierte.

B., Bruno, * Ljubljana 23. Juli 1892, † Altaussee (Steiermark) 5. Juni 1974, östr. Schriftsteller. – Schilderte in seinen z. T. umstrittenen Romanen bes. die Welt des alten Österreich (u. a. Trilogien „Die Throne stürzen", 1951; „Das 12jährige Reich", 1961).

B., Christian Ludwig, * Schönau bei Gotha 24. Jan. 1787, † Renthendorf (Thüringen) 23. Juni 1864, dt. luth. Pfarrer und Ornithologe. – Vater von Alfred B.; einer der Begründer der dt. Ornithologie; legte eine Sammlung von etwa 15 000 Vogelbälgen an.

Breinierenkrankheit (Enterotoxämie), in der Veterinärmedizin eine durch Bakterien der Art *Clostridium perfringens,* einem bei Schafen weitverbreiteten Erreger, verursachte hochakute und verlustreiche Erkrankung; keine wirkungsvolle Behandlung möglich.

Breisach am Rhein, Stadt sw. des Kaiserstuhls, Bad.-Württ., 191–227 m ü. d. M., 9 900 E. Zentralkellerei; Weinbau; Rheinhafen. – Um 369 röm. Kastell auf dem Berg **(Mons Brisiacus).** 1002 kam die Burg Breisach in die Hand der Bischöfe von Basel, die vor 1146 eine Stadt gründeten. Im 13.–15. Jh. zeitweise in Reichsbesitz bzw. freie Reichsstadt, 1331 erstmals, 1425 endgültig in habsburg. Hand, seit 1648 frz., als Festung ausgebaut. 1697 an Österreich, 1805 an Baden. Die Werke wurden 1743 geschleift, die Oberstadt 1793 weitgehend, die Unterstadt 1945 vollständig zerstört. – Münster Sankt Stephan, im Kern roman. (um 1300 got. erneuert) mit Wandmalerei des Jüngsten Gerichts von M. Schongauer (1488–91) und spätgot. Hochaltar (1523–26) des Meisters H. L.; Rheintor (1670) mit Prunkfassade.

Breisgau, Landschaft am Oberrhein, Bad.-Württ., zw. dem Rhein im W, dem Schwarzwaldrand im O, dem Markgräfler Land im S und der Ortenau im N. Städt. Zentren sind Freiburg im Breisgau und Breisach am Rhein. – Um 400 erstmals genannt; bezeichnete seit karoling. Zeit eine Gft. (erst zähring., kam im 11. Jh. an die Badener, 1190 an ihre hachberg. Linie). Der (nördl.) „niedere" B. wurde 1318 an die Grafen von Freiburg verpfändet. Teile des B. brachten die Habsburger im 14./15. Jh. an sich, machten sie zu einer Landvogtei und ließen sich 1478 mit der Landgrafschaft im B. belehnen. Seit 1805 zu Baden.

Breisgau-Hochschwarzwald, Landkreis in Baden-Württemberg.

Breit, Ernst, * Rickelshof (Dithmarschen) 20. Aug. 1924, dt. Gewerkschafter. – 1971–82 Vors. der Dt. Postgewerkschaft; 1982–90 Vors. des Dt. Gewerkschaftsbundes (DGB).

Breitbach, Joseph, * Koblenz 20. Sept. 1903, † München 9. Mai 1980, dt.-frz. Schriftsteller und Journalist. – Schrieb in dt. und frz. Sprache; sein Roman „Bericht über Bruno" (1962) schildert die Spielregeln der Macht; auch Erzählungen und Dramen.

Breitbandantibiotika (Breitspektrumantibiotika), gegen eine Vielzahl von Mikroorganismen wirksame ↑ Antibiotika.

Breitbandkabel, Spezialkabel zur hochfrequenten Signalübertragung, z. B. ↑ Koaxialkabel.

Breitbandkommunikation, Sammelbez. für die (meist an ein spezielles Kabelnetz gebundenen) Formen von Telekommunikation, für die wegen der Menge der pro Zeiteinheit übertragenen Informationsgesamtheit aus übertragungstechn. Gründen ein verhältnismäßig großer Frequenzbereich (mehrere MHz) erforderl. ist. Zur B. zählen (im Ggs. zu schmalbandigen Übermittlungsvorgängen wie Hörfunkübertragung, Telefonieren, Fernschreiben) v. a. Fernsehen, Bildtelefonie, Telekonferenzen, schnelle Datenübertragung, bei gleichzeitiger Möglichkeit des Empfängers, mit dem Sender in Kontakt zu treten.

Breitbandstraße (Breitbandwalzwerk), vollautomat. arbeitende Walzstraßenanlage, in der 8–26 cm dicke erhitzte Brammen in mehreren Stufen zu 60–230 cm breiten und 20–1 mm dicken Stahlblechen ausgewalzt werden.

Breitbildverfahren (Breitwandverfahren), in der *Filmtechnik* Verfahren zur Darbietung von Filmen auf bes. großen Bildwänden, deren Breiten-Höhen-Verhältnis größer als bei der Normalbildprojektion (1,375:1) ist, um dem Zuschauer einen Anwesenheitseffekt und pseudoplast. Wirkungen zu vermitteln. Anfänglich haben sich das *Cinemascope-Verfahren* (Breiten-Höhen-Verhältnis 2,55:1) und das 70-mm-Verfahren, urspr. *Todd-AO-Verfahren* gen. (Breiten-Höhen-Verhältnis 2:1; bei anamorphot. Bildpressung und -entzerrung 3:1), behaupten können, jedoch ist die Anwendung dieser Verfahren u. a. wegen der schlechten Verwendbarkeit für das Fernsehen stark zurückgegangen. Es werden grundsätzl. Methoden von B. unterschieden; a) das *Kaschverfahren,* wobei das Normalbildfeld im Breiten-Höhen-Verhältnis 1,66:1 oder 1,85:1 abgedeckt wird; b) das *anamorphot. Verfahren,* bei dem ebenfalls 35-mm-Normalfilm verwendet wird und die Bildpressung und -entzerrung im Verhältnis 2:1 in horizontaler Richtung erfolgt; c) B., bei dem breiterer Film verwendet wird (in der Wiedergabe 70-mm-Film mit mehrkanaliger Magnettonaufzeichnung).

Breite, (geograph. B.) der Winkel zw. dem in einem Punkt auf die Erdoberfläche gefällten Lot und der Äquatorebene.
◆ (geomagnet. B.) der Winkel zw. der Verbindung eines Punktes der Erdoberfläche mit dem Erdmittelpunkt und der Ebene des magnet. Äquators.
◆ (ekliptikale B.) der Winkelabstand eines Gestirns von der Ekliptik.

Breitenfeld, Ortsteil von Lindenthal bei Leipzig, Sa.; 1631 vernichtende Niederlage des Heeres der Liga unter Tilly durch die Schweden und die mit ihnen vereinigte sächs. Armee; 1642 Sieg der Schweden unter Torstensen über die Kaiserlichen.

Breitenkreise ↑Gradnetz.

Breitenschwankung, Schwankung der Rotationsachse der Erde (und damit der Polhöhe).

Breithaupt, dt. Feinmechanikerfamilie in Kassel. Bed. Vertreter:

B., Friedrich Wilhelm, * Kassel 23. Juli 1780, † ebd. 20. Juni 1855. – Erfand die erste Kreisteilmaschine.

B., Georg August, * Kassel 17. Aug. 1806, † ebd. 14. Febr. 1888. – Sohn von Friedrich Wilhelm B.; baute 1850 die erste Längenteilmaschine auf Meterbasis.

Breithorn, Name zweier vergletscherter Gipfel in den Berner Alpen: Lauterbrunner B. 3 782 m, Lötschentaler B. 3 785 m hoch.

B. (Zermatter B.) vergletscherter Gipfel in den Walliser Alpen, 4 160 m hoch.

Breitinger, Johann Jakob, * Zürich 1. März 1701, † ebd. 13. Dez. 1776, schweizer. Philologe und Schriftsteller. – Freund und Mitarbeiter ↑Bodmers, mit dem er in seiner „Crit. Abhandlung von dem Wunderbaren in der Poesie" (1740) für eine relative Betonung des poet. Enthusiasmus eintrat; nach B. soll das Kunstwerk das Gemüt bewegen.

Breitkopf & Härtel ↑Verlage (Übersicht).

Breitlauch, svw. ↑Porree.

Breitling, seenartige Erweiterung der Unteren Warnow mit dem Überseehafen und der Werft von Rostock.

Breitnasen (Neuweltaffen, Platyrrhina), Überfam. der Affen in M- und S-Amerika; zu den B. gehören ↑Kapuzineraffenartige (↑Springtamarin) und ↑Krallenaffen.

Breitrandschildkröte (Testudo marginata), etwa 25–35 cm lange Landschildkröte in M- und S-Griechenland.

Breitrüßler (Maulkäfer, Anthribidae), weltweit, v. a. in subtrop. und trop. Gebieten verbreitete Käferfam. mit über 2 700 etwa 2–50 mm großen Arten, davon 36 in Europa, 17 einheimisch; einfarbig dunkel oder kontrastreich gezeichnet. Die Larven zahlr. trop. Arten bohren in Samen (Vorratsschädlinge), z. B. der ↑Kaffeekäfer.

Breitscheid, Rudolf, * Köln 2. Nov. 1874, † KZ Buchenwald 24. Aug. 1944, dt. Politiker. – Schloß sich 1912 der SPD an; 1917 Mgl. der USPD; 1919/20 preuß. Innenmin.; MdR 1920–33 zunächst für die USPD, dann die SPD, deren Fraktionsvors. und Hauptsprecher in außenpolit. Fragen; 1926–30 Mgl. der dt. Völkerbundskommission; 1940 von der Vichy-Reg. an die Gestapo ausgeliefert, kam 1944 bei einem Luftangriff um.

Breitschwanz, Handelsbez. für Pelzwaren aus dem Fell tot- oder frühgeborener Lämmer des Karakulschafs.

Breitseite, Längsseite eines Schiffes.
◆ bei Kriegsschiffen auch Bez. für das gleichzeitige Abfeuern aller Geschütze einer Seite.

Breitspurbahn, Eisenbahn, die im Unterschied zur Normalspurbahn eine größere ↑Spurweite besitzt.

Breitstreifenflur ↑Flurformen.

Breitwandverfahren, svw. ↑Breitbildverfahren.

Breker, Arno, * Elberfeld (= Wuppertal) 19. Juli 1900, † Düsseldorf 13. Febr. 1991, dt. Bildhauer. – 1938–45 Prof. der Staatl. Hochschule für bildende Künste Berlin. Aufträge für die Repräsentationsbauten des Nationalsozialismus. Zahlr. Porträtbüsten (Bronze).

Brekzie ↑Breccie.

Brel, Jacques, * Brüssel 8. April 1929, † Bobigny 9. Okt. 1978, frz. Chansonsänger belg. Herkunft. – Besang in seinen z. T. satir. und sozialkrit. Liedern u. a. seine Heimat Flandern.

Bremen, Hauptstadt des Landes B., an beiden Seiten der unteren Weser, 533 800 E. Univ. (1971 eröffnet), Hochschulen für Nautik, Technik, Sozialpädagogik, Wirtschaft, Kunst, Max-Planck-Inst. für mikrobielle Ökologie; Museen, u. a. Überseemuseum, Focke-Museum, Kunsthalle, Staatsbibliothek, Staatsarchiv; mehrere Theater; Sitz der Landesregierung und zahlr. Behörden; Wertpapierbörse; botan. Garten, Aquarium. – 1619–22 Bau des Vorhafens Vegesack, 1827 Gründung von Bremerhaven, seit 1886 Korrektion der Weser, so daß große Seeschiffe bis B. fahren können. Im 19. Jh. größter europ. Auswandererhafen, Weltmarkt für Baumwolle, Tabak und Petroleum. – In den neuen, überwiegend als Tidehäfen gebauten brem. Häfen verkehren v. a. Regelfrachtschiffe eines weltweiten Linienverkehrs. Hafenorientierte Ind., u. a. Werften, Jutespinnereien, Tabakind., Öl-, Getreide- und Reismühlen, Schokoladenfabriken, Kaffeeröstereien und Tauwerkfabriken; Maschinenbau, Kraftfahrzeug-, Luft- und Raumfahrtind. sowie Elektrotechnik. – Kirchsiedlung auf der Domdüne, hierher 845 Verlegung des Erzbistums Hamburg. Marktprivilegien 888 und 965; am Weserufer entstand eine Kaufmannssiedlung, die mit der Domsiedlung verschmolz; 1186 städtische Privilegien. Um 1300 Ummauerung aller Stadtteile (1350: 20000 E). Bis ins 20. Jh. i. d. R. vom Rats- bzw. Senatspatriziat regiert. Beitritt zur Hanse 1358; 1522 reformiert, später kalvinist.; Reichsunmittelbarkeit 1541 anerkannt, 1646 bestätigt. 1806 Freie Hansestadt, 1810-13 frz. und 1815-66 Mgl. des Dt., seit 1866 des Norddt. Bunds. Seit 1871 zum Dt. Reich, seit 1888 zum Reichszollgebiet. Militärrevolte 1918; Ausrufung der Räterepublik 1919, von der Reichsregierung nach wenigen Wochen gestürzt. Parlamentar.-demokrat. Regierung durch Verfassung 1919/20. Ab 1933 mit Oldenburg von einem Reichsstatthalter regiert. 1945 der amerikan. Militärregierung unterstellt, die 1947 das Land B. errichtete. Seit 1945 stellt die SPD als stärkste Partei den Senatspräs. und Bürgermeister (1945-65 W. Kaisen, 1965-67 W. Dehnkamp, 1967-85 H. Koschnik, seit 1985 [1987 und 1991 in den Bürgerschaftswahlen bestätigt] K. Wedemeier). - Dom (11.-13. Jh.) nach zwei Vorgängerbauten; Rathaus (1405-10) mit bed. Figurenzyklus, 1608-12 Umbau im Stil der Weserrenaissance. Neues Rathaus (1910-14); Roland (um 1405), Schütting (1536-38; heute Handelskammer); Pfarrkirche Unserer Lieben Frauen (1229; im 14. Jh. erweitert). Schwerste Kriegsschäden, 1950-60 Wiederaufbau. Die Böttcherstraße wurde 1926 bis 1931 in ma. und expressionist. Formen gestaltet. Seit 1956 entstand der Stadtteil Neue Vahr (sozialer Wohnungsbau); Stadthalle (1964).

B., (amtl. Freie Hansestadt Bremen) kleinstes Land der BR Deutschland, an der unteren Weser, besteht aus den durch niedersächs. Gebiet voneinander getrennten Städten ↑ Bremen und ↑ Bremerhaven, 403,77 km², 660000 E (1989). Sitz der Landesregierung ist Bremen. - Die Wirtsch. des Landes ist durch die beiden Häfen geprägt (Güterumschlag 1988: 28,8 Mill. t) sowie durch die mit ihnen verbundenen Ind.zweige. - Autobahnanschluß, ✈.

Geschichte: ↑ Bremen (Stadt).

Verfassung: Nach der Verfassung von 1947 liegt die Gesetzgebung, außer bei einem Volksentscheid, beim Landesparlament, der *Bürgerschaft,* deren 100 Mgl. auf 4 Jahre gewählt werden. Die Landesregierung *(Senat),* Träger der Exekutive, besteht aus den von der Bürgerschaft gewählten Senatoren und wählt zwei von diesen zu Bürgermeistern, von denen einer gleichzeitig Senatspräs. ist.

B., Hochstift, 787/788 gegr., 864 endgültig aus der Metropolitanhoheit der Erzbischöfe von Köln gelöst und mit dem nach B. verlegten Erzbistum Hamburg vereinigt; Zentrum der Missionsaktivität der Reichskirche für die skand. und ostseeslaw. Länder; nach 1236 Aufbau eines Territorialgebiets zw. Niederelbe und Niederweser, Verwaltungsmittelpunkt und Hauptsitz war Bremervörde, da die Stadt Bremen sich frühzeitig der erzbischöfl. Hoheit entzogen hatte; nach 1558 unter luth. Administratoren; 1648 als weltl. Hzgt. der Krone Schweden zugeteilt, 1719 zu Hannover.

Bremen. Roland

Bremen, Name mehrerer Passagierdampfer des Norddt. Lloyd. Die erste B. (2675 BRT, bis 570 Passagiere) wurde 1858 in Dienst gestellt. Die vierte B. mit 51735 BRT bot Platz für mehr als 2200 Passagiere und gewann 1929 auf der Jungfernfahrt mit 27,85 Knoten und erneut 1933 das Blaue Band; fiel 1941 einem Brand zum Opfer. Die 1957 als fünfte B. angekaufte ehem. frz. *Pasteur* (32360 BRT, 23 Knoten) wurde 1959 in Dienst gestellt, 1971 wieder verkauft.

Bremer, Fredrika, * Tuorla bei Turku 17. Aug. 1801, † Årsta (= Stockholm) 31. Dez. 1865, schwed. Schriftstellerin. - Mit sozial und religiös bestimmten Romanen war sie eine Vorkämpferin der Frauenemanzipation. - *Werke:* Die Familie H. (R., 1829), Hertha (R., 1856).

Bremer Beiträger, eine Gruppe Leipziger Studenten, Hg. und Mitarbeiter der 1744-48 in Bremen erschienenen Zeitschrift „Neue Beiträge zum Vergnügen des Verstandes und Witzes". Die B. B. waren aus der Schule Gottscheds hervorgegangen, neigten aber der freieren Kunstauffassung Hallers, Bodmers und Breitingers zu (u. a. waren J. A. und J. E. Schlegel, J. A. Cramer, K. C. Gärtner, G. W. Rabener, C. F. Gellert, F. W. Zachariae Mitarbeiter).

Bremerhaven, Stadt im Land Freie Hansestadt Bremen, zu beiden Seiten der Geestemündung in die Weser, 127 000 E. Fachhochschulen für Technik, Schiffsbetriebstechnik; Inst. für Meeresforschung; Alfred-Wegener-Institut für Polarforschung; Dt. Schiffahrtsmuseum, Fischereimuseum; Theater; Nordseeaquarium. Fischereigroßhafen, Handelshafen, „Columbusbahnhof" mit modernen Fahrgastanlagen; Reedereien. Die Ind. ist v. a. auf Schiffbau und Fischverarbeitung (Gefrierfisch) ausgerichtet. – 1827 Bau des neuen **Bremer Havens** auf bis dahin hannoverschem Territorium; 1847 Endpunkt der ersten Dampferlinie zw. dem europ. Festland und Amerika, 1851 Stadt, 1857 Haupthafen des Norddt. Lloyd; 1939 Wesermünde angegliedert; der Hafen blieb brem.; 1947 kam Wesermünde an Bremen, seitdem Bremerhaven.

Bremer Presse, Privatpresse, die 1911 von L. Wolde und W. Wiegand zus. mit H. von Hofmannsthal, R. Borchardt und R. A. Schröder in Bremen gegr. wurde. Die B. P. wurde 1919 nach Bad Tölz verlegt, 1921 von dort nach München, wo sie 1944 einging.

Bremervörde, Stadt an der Oste, Nds., 17 700 E. Kunststoff- und Möbelind. – Nach 1110 Anlage der Burg Vorde und einer Zollstätte, 1219 an die Bremer Erzbischöfe und Ausbau zur Residenz. Im 14. Jh. Marktflekken, seit 1635 B. gen.; 1852 Stadt.

Bremgarten (AG), Hauptort des Bez. Bremgarten im schweizer. Kt. Aargau, 15 km westl. von Zürich, 381 m ü. d. M., 4700 E. Textil-, Zementind. – Am Reußübergang um 1200 gegr.; 1258 Stadtrecht. – Kirche (13. Jh., im 15./16. Jh. erweitert), Kapuzinerkloster (1618–21), Schlößli (gegen 1561; im 17./18. Jh. erweitert); drei Türme der ehem. Stadtbefestigung; gedeckte hölzerne Brücke.

Bremische Evangelische Kirche ↑Evangelische Kirche in Deutschland (Übersicht).

Bremsbelag ↑Bremse.

Bremsdynamometer, Meßvorrichtung für das von einer Maschine abgegebene Drehmoment (Bremsmoment). Wird gleichzeitig die Wellendrehzahl gemessen, so läßt sich die von der Kraftmaschine abgegebene Leistung **(Bremsleistung)** errechnen.

Bremse [eigtl. „Nasenklemme" (zu niederdt. prame „Druck")], techn. Vorrichtung zum Verzögern oder Verhindern eines Bewegungsablaufs. *Reib[ungs]-B.* wandeln die Bewegungsenergie in Wärme um bzw. halten den ruhenden Körper durch Reibung fest. Hierzu gehört sowohl die **Backenbremse (Radialbremse),** die als *Außenbacken-B.* oder *Klotz-B.* ihre Bremsbacken radial von außen an den Umfang eines Rades bzw. einer Bremstrommel oder als *Innenbacken-B.* radial von innen an eine Bremstrommel anpreßt *(Trommelbremse),* als auch die **Scheibenbremse (Axialbremse),** bei der die Bremskörper zangenförmig von außen an eine umlaufende Scheibe *(Teilscheiben-B.)* oder auch zwei Scheiben, die eine feststehend, die andere umlaufend *(Vollscheiben-B.),* gegeneinander gedrückt werden. Zu diesen Vollscheiben-B. gehört die *Lamellen-B.*, bei der mehrere Scheiben, die abwechselnd mit dem sich drehenden und dem stillstehenden Teil drehfest verbunden sind, zum Bremsen gegeneinandergedrückt werden. Reib-B. sind die *Bandbremse* und die beim Rangieren zum Abbremsen rollender Schienenfahrzeuge verwendeten *Bremsschuhe (Hemmschuhe).* Auch elektr. Maschinen können als B. verwendet werden. Ein über die Leerlaufdrehzahl angetriebener Gleichstromnebenschlußmotor wirkt als Generator bremsend und dient z. B. bei Bergbahnen wegen der Rückgewinnung elektr. Energie als *Nutz-B.;* Reihenschlußmotoren müssen zum Bremsen vom Netz getrennt und die anfallende Energie in Widerständen vernichtet werden. Als *Senk-B.* für Hebezeuge dienen *Wirbelstrom-B.*, bei denen ein steuerbares Magnetfeld auf eine mit der Welle fest verbundene Eisenscheibe bremsend einwirkt.

Kfz müssen mit zwei unabhängig voneinander arbeitenden Bremssystemen ausgerüstet sein. Personenwagen haben als *Feststell-B.* eine *Hand-B.*, die über Seilzug oder *Bremsgestänge* mechan. auf die Bremsanlage einer Achse einwirkt. Das zweite Bremssystem ist heute eine *hydraul. Bremsanlage,* die auf alle vier Räder wirkt; sie besteht im wesentl. aus dem *Bremspedal,* dem *Haupt[brems]zylinder,* der *Bremsleitung,* den *Rad[brems]zylindern,* den *Bremsbacken* sowie aus den jeweils mit dem Rad verbundenen, bei Fahrt umlaufenden *Bremstrommeln.* Beim Drücken des Bremspedals bewegt sich im Hauptzylinder ein Kolben, verschließt die Ausgleichsbohrung zum Ausgleichsbehälter und verringert das Volumen im Druckraum. Dadurch wird *Bremsflüssigkeit* (Hydrauliköl) verdrängt und im geschlossenen Leitungssystem Druck erzeugt, der die im *Rad[brems]zylinder* bewegl. angeordneten Kolben auseinanderpreßt und die Bremsbacken entgegen der Kraft einer Rückzugsfeder gegen die Bremstrommel drückt. Der auf der Bremsbacke aufgeklebte oder aufgenietete *Bremsbelag* aus hitzebeständigem abriebfestem Material reibt auf der Bremstrommel und wandelt die Bewegungsenergie in Wärmeenergie um. Backen-B. werden in verschiedenen Ausführungen gebaut: Bei der *Simplex-B.* ist je Rad nur ein *Radzylinder* für beide halbkreisförmige Bremsbacken vorhanden. Dagegen wird bei der *Duplex-B.* jede Bremsbacke durch einen

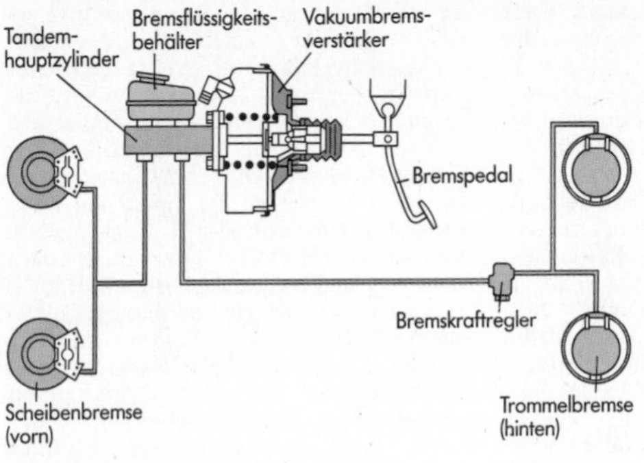

Bremse. Schematische Darstellung einer hydraulischen Zweikreis-Bremsanlage für Pkw; getrennte Bremsleitungssysteme für Vorder- und Hinterachse

Radzylinder betätigt. Die *Auflaufbacken* werden infolge der Reibung durch die drehende Bremstrommel zusätzl. an die Trommel gepreßt, wodurch sich eine Selbstverstärkung der Bremskraft ergibt *(Servo-B.)*. Die *Einkreisbremsanlage* verliert bei einer Undichtheit im System ihre gesamte Wirksamkeit. Bei der *Zweikreisbremsanlage* sind zwei unabhängige Bremskreise an einen Tandemhauptzylinder angeschlossen. Bei Ausfall eines Bremskreises bleibt der zweite wirksam.
Infolge schlechter Wärmeabfuhr läßt die Bremsleistung der Trommel-B. nach *(Fading)*. Diesen Nachteil weist die *Scheiben-B.* nicht auf. Die durch den Fahrtwind gekühlte *Bremsscheibe* ist von scheibenartigen Bremsbelägen in einem sattelförmigen Gehäuse zangenartig umgeben. Beim Bremsen werden die Beläge beidseitig gegen die Bremsscheibe gepreßt. Scheiben-B. sind weitgehend unempfindl. gegen langdauernde Belastung. Da bei vielen Fahrzeugen eine zu hohe Fußkraft erforderl. werden würde, sind diese mit einem **Bremskraftverstärker** ausgerüstet. Diese Geräte arbeiten auf Grund der Differenz zw. Innendruck im Ansaugkrümmer und Außendruck. Das zylinderförmige Gehäuse des Bremskraftverstärkers wird durch einen membranartigen Arbeitskolben in zwei druckdichte Kammern geteilt. Über den Anschluß ist die eine Kammer mit dem Ansaugrohr verbunden. Bei laufendem Motor herrscht in dieser Kammer Unterdruck; wird das Bremspedal betätigt, so wandert die Kolbenstange mit Arbeitskolben vorwärts, nimmt den flexiblen Teil des Ventilsystems mit, wodurch die Verbindung zw. beiden Kammern unterbrochen wird. Preßt sich der Arbeitskolben in eine elast. Dichtung, so strömt durch das Ventilsystem Außenluft in die zunächst unter Vakuum stehende zweite Kammer. Dadurch wandert der Kolben mit Stange vorwärts, wodurch der Tandemkolben des Tandemhauptzylinders sich ebenfalls vorwärts bewegt. Der dadurch im Hydrauliksystem ansteigende Druck bewirkt den Bremsvorgang. Wird das Bremspedal nicht mehr betätigt, so wandert unter Federkraft die Kolbenstange zurück, und das Ventilsystem gibt die Verbindung zur Steuerbohrung und dem Vakuumkanal frei. Es folgt ein Druckausgleich zw. beiden Kammern, und alle Kolben bewegen sich in ihre Ausgangsstellung zurück. Die B. ist wieder gelöst.
Für schwere Lastwagen reicht der Unterdruck-Bremskraftverstärker nicht aus. Um auch bei einer Vollbremsung mit kleinen Pedalkräften auszukommen, verwendet man bei

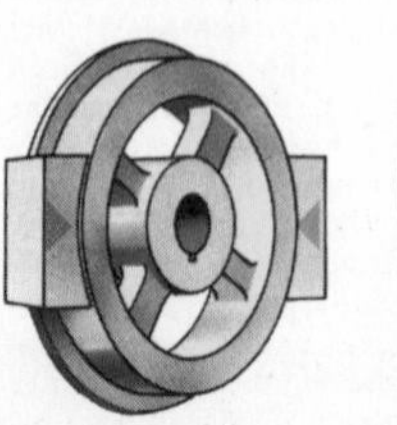

Backenbremse

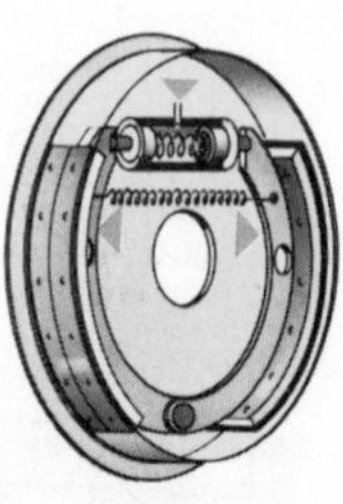

Trommelbremse

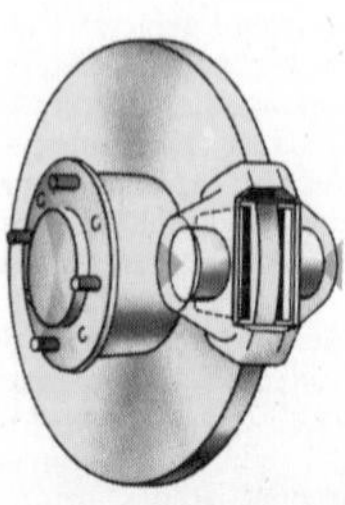

Scheibenbremse

der *Druckluftbremse* als Hilfskraft Druckluft. Sie wird in einem Kompressor erzeugt und in Behältern gespeichert. Die Druckluft übernimmt die Funktion der Bremsflüssigkeit. Schwere Kraftfahrzeuge sind vielfach mit einer zusätzl. *Motor-B.* ausgerüstet, bei der durch [teilweises] Verschließen der Auspuffleitung die in den Zylindern zurückgehaltenen Verbrennungsgase bremsend auf den Motor wirken. *Getriebe-B.* greifen bei Fahrzeugen an den kraftübertragenden Teilen an.
🕮 *ATE-Bremsenhandbuch. Ottobrunn ⁹1988. – Gräter, H.: Service-Fibel f. den Kfz-Bremsendienst. Würzburg ⁴1985.*

Bremsen [niederdt.; zu althochdt. breman „brummen"] (Viehfliegen, Tabanidae), weltweit verbreitete Fam. der Fliegen mit rund 3 000 bis etwa 3 cm langen Arten; meist grauschwarz bis braungelb gefärbt, metallisch glänzend; Kopf kurz und sehr breit, Augen sehr groß. Die ♀♀ haben einen kräftigen, dolchartigen Stechrüssel, mit dem sie an Säugetieren Blut saugen. Die ♂♂ der B. sind ausschließl. Blütenbesucher.

Bremsflüssigkeit ↑Bremse.

Bremsklappen, in die Tragflächen oder den hinteren Teil des Rumpfes eines Flugzeugs eingelagerte, schwenkbare Platten, die zur Erhöhung des Luftwiderstandes, insbes. beim Landen, ausgefahren werden.

Bremskraftverstärker ↑Bremse.

Bremsleitung ↑Bremsdynamometer.

Bremsleitung ↑Bremse.

Bremsschlupfregler, svw. ↑Antiblokkiersystem.

Bremsschuh (Hemmschuh), keilförmiger Gleitkörper aus Stahl zum Auffangen und Abbremsen von Schienenfahrzeugen im Rangierbetrieb.

Bremsstrahlung, elektromagnet. Strahlung, die ein geladenes Teilchen (z. B. Elektron) beim Durchlaufen des Feldes eines Atomkerns auf Grund der damit verbundenen Ablenkung bzw. Abbremsung aussendet. Beliebige Ablenkwinkel führen zu einem kontinuierl. Spektrum; seine kurzwellige Grenze entspricht der gesamten kinet. Energie des Teilchens und liegt im Gebiet der Röntgenstrahlung.

Bremsweg ↑Anhalteweg.

Bremszylinder ↑Bremse.

Brendel, Alfred, * Loučná nad Desnou (Nordmähr. Gebiet) 5. Jan. 1931, östr. Pianist. – Internat. bekannt als Interpret von Mozart, Beethoven, Schubert und Liszt.

Brenneisen, svw. ↑Thermokauter.
◆ (Brandeisen) Stempel aus Eisen, der im Feuer erhitzt zur Kennzeichnung *(Brennmarke)* von Tieren dient.

Brennelement (Brennstoffelement), ein meist aus vielen **Brenn[stoff]stäben** zusammengesetztes Betriebsteil der Spaltzone eines Kernreaktors. Die Brennstäbe bestehen aus gasdichten Metallhülsen, die den Kernbrennstoff enthalten. In den B. wird der Hauptteil der durch Kernspaltung entstehenden Energie als Wärme freigesetzt und auf das umgebende Kühlmittel übertragen.

Brennen, Verfahren zur Erhöhung der Alkoholkonzentration in alkoholhaltigen Flüssigkeiten.
◆ Verfahren zur chem. Umwandlung durch Einwirkung höherer Temperaturen auf bestimmte Rohstoffe (z. B. Kalk) oder Halbfertigprodukte (z. B. keram. Erzeugnisse).

Brennende Liebe (Lychnis chalcedonica), Lichtnelkenart im östl. Rußland; bis 1 m hohe Staude mit breitlanzett- bis eiförmigen, spitzen, rauhhaarigen Blättern; Blüten scharlachrot, an den Enden der Stengel trugdoldig gehäuft; auch Zierpflanze.
◆ (Verbena peruviana) Eisenkrautart in Argentinien und Brasilien; etwa 15 cm hohe Staude mit liegenden, an den Enden aufgerichteten Stengeln und zinnoberroten Blüten in Köpfchen; als Zierpflanze kultiviert.

Brenner, Otto, * Hannover 8. Nov. 1907, † Frankfurt am Main 15. April 1972, dt. Gewerkschafter. – Nach 1945 Mitbegr. der Gewerkschaften und der SPD in Niedersachsen; seit 1952 Vors. der IG Metall; seit 1961 Präs. des „Internat. Metallarbeiterbundes".

Brenner ↑Alpenpässe (Übersicht).

Brenner, Misch- und Zuführungseinrichtung für Brennstoff und Luft zur geregelten Verbrennung von staubförmigen, flüssigen bzw. gasförmigen Brennstoffen, deren Leuchtkraft oder Brennwert ausgenutzt werden soll. Nach der Art des verwendeten Brennstoffs unterscheidet man Gas-, Öl- und Kohlenstaubbrenner.
◆ Arbeitsgerät zum Autogenschweißen, Schneiden, Schutzgasschweißen, Plasmaschneiden u. a. – ↑Schweißbrenner.

Brennerei, gewerbl. Betrieb zur Herstellung von Branntwein. Man unterscheidet bei den **Eigenbrennereien** die landw. B. (Kartoffel- und Korn-B.), die gewerbl. B. (meist Melasse-B.) und die Obst-B., zu denen auch die Wein-B. zählen.

Brennessel (Urtica), Gatt. der Nesselgewächse mit etwa 35 Arten in den gemäßigten Gebieten; an Blättern und Stengeln ↑Brennhaare. – 2 einheim. Arten: **Große Brennessel** (Urtica dioica), bis 1,5 m hohe Ruderalpflanze mit längl.-eiförmigen, am Rand grob gesägten Blättern; **Kleine Brennessel** (Urtica urens), bis 50 cm hohes Gartenunkraut mit rundl.-eiförmigen bis ellipt. Blättern.

Brennfleckenkrankheit, Bez. für verschiedene, durch Deuteromyzeten hervorgerufene Pflanzenkrankheiten, v. a. bei Bohnen, Erbsen, Gurken; gekennzeichnet durch dunkelbraune, eingesunkene Flecken.

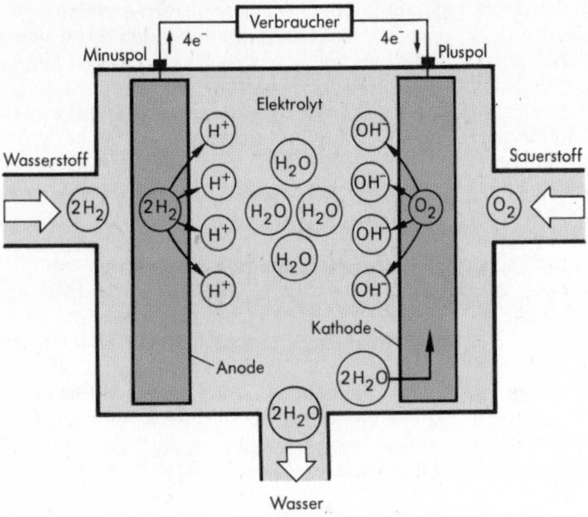

Brennstoffzelle. Wasserstoff-Sauerstoff-Brennstoffzelle

Brenngase, brennbare techn. Gase und Gasgemische, die natürl. vorkommen (Erdgas) oder künstl. aus festen (Kohle), flüssigen (Erdöl) oder gasförmigen Rohstoffen (Biogas) hergestellt werden. Techn. Heizgase mit hohem Kohlenwasserstoffgehalt (z. B. Erdgas) werden als **fette Gase** (Starkgase) bezeichnet; an Kohlenwasserstoffen arme B., sog. **Armgase** (Schwachgase), entstehen durch Vergasung fester Brennstoffe.

Brennglas, umgangssprachl. eine Sammellinse, in deren Brennpunkt einfallendes Licht so hohe Temperaturen erzeugt, daß leicht entzündbare Stoffe in Brand geraten.

Brennhaare, (Nesselhaare) v. a. bei Brennesselgewächsen vorkommende, borstenförmige, ein- oder wenigzellige Pflanzenhaare, die im Zellsaft gelöste, hautreizende Giftstoffe enthalten; Wand des Haars im oberen Teil verkieselt, Haarspitze bauchig erweitert und bei Berührung schief abbrechend, so daß der Haarstumpf wie eine Injektionsspritze wirkt.
◆ (Gifthaare, Toxophoren) leicht abbrechende hohle Drüsenhaare bei verschiedenen Schmetterlingsraupen; enthalten ein Sekret, das in der Haut des Menschen starken Juckreiz und heftiges Brennen verursacht.

Brennkammer, ein an einer Seite offener Behälter in Kraftmaschinen und Energiewandlern (z. B. Gasturbinen) bzw. Antriebsaggregaten (z. B. Luftstrahl- und Raketentriebwerke), in dem die Brenn- oder Treibstoffe unter gleichzeitiger Zufuhr verdichteter Luft, reinen Sauerstoffs oder eines Sauerstoffträgers verbrannt werden. Die entstehenden Verbrennungsgase strömen mit hoher Geschwindigkeit durch die Öffnung und dienen als Antriebsmittel.

Brennofen, mit Gas oder Öl, häufig auch elektrisch betriebener Industrieofen zum Brennen (Sintern) von Ziegelsteinen und keram. Waren bei Temperaturen zw. 800 und 1 500 °C. B. werden kontinuierlich oder periodisch beschichtet und meist als Rund-, Ring-, Kanal- oder Tunnelöfen gebaut.

Brennpunkt, (Fokus) derjenige Punkt auf der opt. Achse eines abbildenden opt. Systems (z. B. einer Linse oder eines Hohlspiegels), in dem sich (im Idealfall) parallel zur opt. Achse einfallende Strahlen nach der Brechung bzw. Reflexion schneiden.
◆ in der *Chemie* die niedrigste Temperatur, bei der die von der zu prüfenden Substanz entwickelten Dämpfe bei Annäherung einer Zündflamme von selbst weiterbrennen.
◆ in der *Mathematik* ↑Kegelschnitte.

Brennschluß, der Zeitpunkt, in dem das Triebwerk einer Rakete zu arbeiten aufhört und der antriebslose Flug beginnt oder der Landevorgang erfolgt. Die bei B. erreichte Fluggeschwindigkeit ist die *B.geschwindigkeit* bzw. die Landegeschwindigkeit.

Brennschneiden, Trennen metall. Werkstoffe mit dem Schneidbrenner. Für Eisenwerkstoffe werden vorzugsweise Gas- bzw. Autogenschneidbrenner eingesetzt, die mit Sauerstoffüberschuß arbeiten: Unter Einwirkung des Sauerstoffs wird das Eisen unter starker Wärmeabgabe zu Eisenoxid (Fe_3O_4) verbrannt und aus der Trennfuge geschleudert. Weitere Möglichkeiten sind Lichtbogen-Schneidverfahren und Elektronenstrahlschneiden.

Brennspiritus ↑Branntwein, ↑Branntweinmonopol.

Brennstab ↑Brennelement.

Brennstoffe, natürl. (Kohle, Erdöl, Erdgas) oder veredelte (Brikett, Koks, Gas, Benzin, Öl) feste, flüssige oder gasförmige Stoffe, die zur wirtsch. Wärmeerzeugung verbrannt werden können. Die B. enthalten als wertvolle Hauptbestandteile Kohlenstoff (Hauptträger der Wärmeentwicklung) und Wasserstoff (wesentlich für die Entzündbarkeit und Brennbarkeit), die mit Sauerstoff verbrennen. – ↑Kernbrennstoffe.

Brennstoffelement, svw. ↑Brennelement.

◆ svw. ↑Brennstoffzelle.

Brennstoffzelle (Brennstoffelement), elektr. Stromquelle, in der durch elektrochem. Oxidation („kalte Verbrennung") eines Brennstoffs (z. B. Wasserstoff, Hydrazin, Methanol) mit [Luft]sauerstoff chem. Energie direkt in elektr. Energie umgewandelt wird. Die B. besteht im Prinzip aus zwei porösen Metallelektroden (z. B. Silber und Nickel), die in einen Elektrolyten (z. B. Schwefelsäure oder Kalilauge) eintauchen. Von außen wird unter Druck Wasserstoff (H_2) an die Zellenanode, Sauerstoff (O_2) an die Zellenkathode herangeführt. Die Wasserstoffmoleküle werden an der Anode in Wasserstoffionen (Protonen, H^+) und Elektronen (e^-) zerlegt, die Protonen strömen durch den Elektrolyten zur Kathode; die Elektronen laden die Anode negativ auf. Die Sauerstoffmoleküle werden an der Kathode durch Aufnahme von Elektronen in Sauerstoffionen (O^{2-}) bzw. Hydroxidionen (OH^-) umgewandelt, wobei sich die Kathode positiv auflädt. So entsteht zw. beiden Elektroden eine Spannung von etwa 1 V. Verbindet man beide Elektroden miteinander durch Anschließen eines elektr. Verbrauchers, so fließen die Elektronen über diesen von der Anode zur Kathode. Gleichzeitig wandern die Hydroxidionen durch den Elektrolyten und vereinigen sich mit den Wasserstoffionen zu Wasser. B. haben ein günstiges Leistungsgewicht; sie wurden u. a. erfolgreich in der Raumfahrt eingesetzt.

Brennweite, Abstand des Brennpunktes von einer Linse, einem Linsensystem oder einem gekrümmten Spiegel, genauer vom Hauptpunkt bei der Gaußschen ↑Abbildung.

Brennwert, bei Heizgeräten (z. B. Ölöfen) die auf eine bestimmte Zeiteinheit bezogene Wärmemengenabgabe, angegeben in kJ/h bzw. kcal/h.

◆ früher als **oberer Heizwert** oder **Verbrennungswärme** bezeichneter Quotient aus der bei vollständiger Verbrennung einer bestimmten Masse eines flüssigen oder festen Brennstoffs freiwerdenden Wärmemenge und der Masse dieser Brennstoffmenge. Voraussetzungen: Temperatur von Brennstoff und Verbrennungsprodukten beträgt 25 °C, gebildetes Wasser ist flüssig, Kohlenstoff wird zu Kohlendioxid und Schwefel zu Schwefeldioxid oxidiert.

◆ in der *Physiologie* die im Stoffwechsel eines Organismus beim Abbau von Eiweißen, Kohlenhydraten und Fetten freiwerdende Energie **(physiolog. Brennwert, biolog. Brennwert).** Der B. beträgt für Eiweiße und Kohlenhydrate 17,2 kJ/g (4,1 kcal/g), für Fett 39 kJ/g (9,3 kcal/g).

Brẹnta, norditalien. Fluß, entspringt sö. von Trient, mündet südl. von Chioggia in einem künstl. Bett in die Adria, 174 km lang.

Brẹntagruppe, Gebirgsgruppe in den südl. Kalkalpen, Italien, im vergletscherten Tosa 3 173 m ü. d. M.

Brentano, lombard. Adelsgeschlecht, urkundl. 1282 erstmals erwähnt; teilte sich im 14. Jh. in die Linien Gnosso, Tremezzo, Toccia (erloschen) und Cimaroli (erloschen). Die Linie Tremezzo war seit dem 17. Jh. in Deutschland ansässig; 1888 als **Brentano di Tremezzo** in den hess. Adelsstand erhoben. Bed.:

B., Bernard von, * Offenbach am Main 15. Okt. 1901, † Wiesbaden 29. Dez. 1964, dt. Schriftsteller. – Bruder von Heinrich von B.; 1933 Emigration in die Schweiz, lebte seit 1949 in Wiesbaden. Schrieb Romane, u. a. „Theodor Chindler" (1936), „Franziska Scheler" (1945), Essays.

B., Bettina, ↑Arnim, Bettina von.

B., Clemens, * Ehrenbreitstein (= Koblenz) 8. Sept. 1778, † Aschaffenburg 28. Juli 1842, dt. Dichter. – Sohn von Maximiliane B., Bruder von Bettina von Arnim; ⚭ 1803 mit S. Mereau. Enge Freundschaft mit A. von Arnim, mit dem er die Volksliedersammlung „Des Knaben Wunderhorn" (3 Bde., 1806–08) herausgab. 1809–18 meist in Berlin, wo Luise Hensel seine Rückkehr zum kath. Glauben bewirkte. 1819–24 lebte er zurückgezogen in Dülmen bei Münster (Westf.) bei der stigmatisierten Nonne Anna Katharina Emmerick, deren Visionen er literarisch frei verarbeitete. Nach ihrem Tod führte er ein unstetes Leben. – B. war einer der bedeutendsten Dichter der Hochromantik, meisterhafter Erzähler in seinen Novellen und in den teils neu-, teils nachgedichteten Märchen. – *Werke:* Geschichte vom braven Kasperl und dem schönen Annerl (E., 1838), Gockel, Hinkel, Gackeleia (Märchen, 1838), Romanzen vom Rosenkranz (vollständig hg. 1912).

B., Franz, * Marienberg (Rhein-Lahn-Kreis) 16. Jan. 1838, † Zürich 17. März 1917, dt. Philosoph und Psychologe. – B., 1864 Priester, 1874–95 Prof. in Wien, trat 1873 aus Protest gegen Lehrentscheidungen aus der kath. Kirche aus. B. schuf die Grundlagen für die Phänomenologie, indem er psych. Phänomene als auf etwas außerhalb des Bewußtseins Liegendes ausgerichtet (intentional) betrachtete. Untersuchungen zur Logik der Sprache. – *Werke:* Vom Ursprung sittl. Erkenntnis (1889), Psychologie vom empir. Standpunkt (3 Bde., 1874–1928), Wahrheit und Evidenz (1930), Religion und Philosophie (1954).

B., Heinrich von, * Offenbach am Main 20. Juni 1904, † Darmstadt 14. Nov. 1964, dt. Politiker. – Mitbegr. der CDU in Hessen, Mgl. des Parlamentar. Rats, 1949–64 MdB, 1949–55 und 1961–64 Fraktionsvors. der CDU/CSU; vertrat als Außenmin. 1955–61 die Außenpolitik Adenauers; gilt als eigtl. Autor der Hallsteindoktrin.

B., Lujo (Ludwig Josef), * Aschaffenburg 18. Dez. 1844, † München 9. Sept. 1931, dt. Nationalökonom. – Bruder von Franz B.; Prof. in Breslau, Straßburg, Wien, Leipzig und München; Mitbegr. des „Vereins für Socialpolitik"; B. zählt zu den Kathedersozialisten; er setzte sich für die Gewerkschaftsbewegung ein. – *Werke:* Die Arbeitergilden der Gegenwart (2 Bde., 1871/72), Die klass. Nationalökonomie (1888), Der wirtschaftende Mensch in der Geschichte (1923).

B., Maximiliane, * Mainz 31. Mai 1756, † Frankfurt am Main 19. Nov. 1793, Jugendfreundin Goethes. – Tochter von Sophie La Roche, Mutter von Clemens B. und Bettina von Arnim.

Brenz, Johannes, * Weil (= Weil der Stadt) 24. Juni 1499, † Stuttgart 11. Sept. 1570, dt. luth. Theologe. – Seit 1522 Prediger in Schwäbisch Hall, führend beteiligt am Aufbau der luth. Landeskirche Württembergs.

Brenz, linker Zufluß der Donau, Bad.-Württ., entfließt dem B.topf (Karstquelle) in Königsbronn auf der Schwäb. Alb, mündet bei Lauingen (Donau); 56 km lang.

Brenzcatechin (1,2-Dihydroxybenzol), giftiges, stark bakterientötend wirkendes, zweiwertiges Phenol; findet Verwendung als photograph. Entwickler und dient zum Färben von Haaren und Pelzen.

Brenztraubensäure (2-Oxopropansäure, 2-Ketopropansäure), $CH_3-CO-COOH$; einfachste, aber wichtigste 2-Oxocarbonsäure. Die B. spielt in einer Reihe von Stoffwechselvorgängen (v. a. in Form ihrer Ester, den ↑ Pyruvaten) eine bed. Rolle als Zwischenprodukt, so v. a. beim Abbau der Kohlenhydrate im Organismus.

Brera, 1651 ff. nach den Plänen von F. M. Richini erbauter Palast in Mailand (ehem. Jesuitenkolleg); beherbergt u. a. die Pinacoteca di B., eine Gemäldegalerie italien. Meisterwerke.

Bresche ↑ Breccie.

Breschnew, Leonid Iljitsch [russ. 'brjɛʒnɪf], * Dneprodserschinsk (Ukraine) 19. Dez. 1906, † Moskau 10. Nov. 1982, sowjet. Politiker. – Seit 1937 hauptamtl. Funktionär der KPdSU; seit 1952 Mgl. des ZK und seit 1957 des Präsidiums der KPdSU; 1960–64, erneut seit 1977 Vors. des Präsidiums des Obersten Sowjets der UdSSR und damit nominelles Staatsoberhaupt; seit Okt. 1964 1. (seit April 1966 General-)Sekretär der KPdSU; außenpolit. v. a. um die Sicherung der Weltmachtstellung der UdSSR und deren Hegemonie in Osteuropa bemüht, innenpolit. Fortsetzung des wirtsch.-techn. Modernisierungsprozesses bei restaurativen Tendenzen.

Breschnew-Doktrin [russ. 'brjeʒnɪf], zur (nachträgl.) Rechtfertigung der militär. Intervention von Staaten des Warschauer Pakts in der ČSSR 1968 von L. I. Breschnew vertretene Doktrin von der „beschränkten Souveränität" und dem „beschränkten Selbstbestimmungsrecht" aller sozialist. Staaten; 1985 aufgegeben.

Brescia [italien. 'breʃʃa], italien. Stadt in der Lombardei, 149 m ü. d. M., 199 000 E. Hauptstadt der Prov. B.; Bischofssitz; Handelshochschule; Museen, Gemäldegalerie, Biblioteca Queriniana; Waffen-, Maschinen-, Kraftfahrzeug- und Flugzeugbau, Bekleidungs- und Elektroind.; alljährl. Ind.messe. – Als **Brixia** Hauptort der gall. Cenomanen. 218 v. Chr. röm. Stützpunkt, 49 v. Chr. Munizipium, seit 27 v. Chr. Kolonie. 452 von Attila zerstört, 6.–8. Jh. Mittelpunkt eines langobard. Hzgt. Nach mehrfachem Herrschaftswechsel war B. 1428–1797 im Besitz der Rep. Venedig und gehörte 1815–59 zu Österreich. – Roman. Alter Dom (Rotonda) (11./12. Jh.) mit Krypta (8. Jh.), Neuer Dom (1604 ff.), Stadtpalast „Loggia" (1492–1574).

Bresgen, Cesar, * Florenz 16. Okt. 1913, † Salzburg 7. April 1988, östr. Komponist. – Prof. am Mozarteum in Salzburg (seit 1939). Komponierte u. a. Jugendopern („Der Igel als Bräutigam", 1949; „Der Mann im Mond", 1958), Orchester-, Kammermusik.

Breslau (poln. Wrocław), Hauptstadt der Woiwodschaft Wrocław in Schlesien, Polen, an der Oder, 119 m ü. d. M., 640 000 E. Sitz eines kath. Erzbischofs, acht Hochschulen, darunter Univ. (gegr. 1811, neu gegr. 1945), Medizin., Wirtschaftsakad., Bibliotheken, Staatsarchiv; Museen (u. a. Schles. Museum); sechs Theater; Zoo. Nahrungsmittelind., Maschinen- und Waggonbau, Werft, Elektroind., Herstellung von Präzisionsinstrumenten u. a.; Flußwerft und -hafen, ✈. – Im 10. Jh. gegr. **(Wortizlawa)** als befestigte Siedlung auf der Dominsel, 1163 Sitz eines Teil-Hzgt. der schles. Piasten. Neben der 1149 erwähnten Stadt (Civitas) wurde um 1225 eine Marktsiedlung nach dt. Recht gegr.; nach Zerstörung durch die Mongolen (1241) Stadtneugründung. Seit Mitte 14. Jh. Mgl. der Hanse. 1335 zur böhm. Krone; 1523 prot., 1526 an Habsburg. Der Dreißigjährige Krieg führte zur Rekatholisierung. 1742 preuß. Im 2. Weltkrieg stark zerstört. Kam 1945 unter poln. Verwaltung. Die Zugehörigkeit zu Polen wurde 1950 durch den Görlitzer Vertrag und 1990 durch den Deutsch-Poln. Grenzvertrag anerkannt. – Nach 1945 sorgfältige Restauration bzw. Rekonstruktion, u.a. Kathedrale Johannes' des Täufers (13.–15. Jh.), got. Pfarrkirche Sankt Elisabeth (14.–16. Jh.), barockes Jesuitenkollegium (1728–42; heute Univ.), Ossolineum (1675–1715), got. Rathaus (13., 14. bis 16. Jh. umgebaut; heute histor. Museum), barocke Patrizierhäuser.

B., Erzbistum, im Jahre 1000 als Suffraganbistum von Gnesen gegründet, es umfaßte das Land beiderseits der oberen Oder. Nach der Säkularisierung wurde B. 1821 erweitert, von Gnesen getrennt und dem Hl. Stuhl direkt unterstellt. 1929/30 wurde B. Erzbistum mit den Suffraganbistümern Berlin, Ermland und der Freien Prälatur Schneidemühl. Seit Juni 1972 gibt es das poln. Erzbistum B. (seit 1976 besetzt), zu dem die Bistümer (zeitweilig Apostol. Administraturen) Cammin-Stettin, Landsberg (Warthe) und Oppeln gehören; der westlich der Oder-Neiße-Linie liegende Teil, vom Erzbischöfl. Amt Görlitz verwaltet, wurde Apostol. Administratur mit Sitz in Görlitz. Das ehem. zu B. gehörende Bistum Berlin wurde gleichzeitig exemt.

Bresse [frz. brɛs], histor. Gebiet in O-Frankreich, Hauptort Bourg-en-Bresse. – Erstmals im 7./8. Jh. genannt; Ende des 14. Jh. im Besitz der Grafen von Savoyen, 1423 Prov. B. mit der Hauptstadt Bourg-en-Bresse; 1538–59 erstmals, 1601 endgültig frz.

Bresson, Robert [frz. brɛ'sõ], * Bromont-Lamothe (Puy-de-Dôme) 25. Sept. 1907, frz. Filmregisseur. – Drehte Filme von großer kompositor. Strenge, u.a. „Affaires publiques" (1934; galt als verschollen, 1993 Kopie aufgefunden), „Tagebuch eines Landpfarrers" (1950), „Der Prozeß der Jeanne d'Arc" (1962), „Mouchette" (1967), „Der Teufel möglicherweise" (1977), „Das Geld" (1983).

Brest, frz. Hafenstadt an der breton. W-Küste, am N-Ufer der 150 km² großen **Rade de Brest,** deren meerwärtige Öffnung nur 2 km breit ist, 156000 E. Univ. (gegr. 1969), ozeanograph. Forschungszentrum, Marinemuseum. Werften; Elektro- und Elektronikind. Kriegs- und Handelshafen; ✈. – Röm. Kastell **Gesocribate,** im 9. Jh. Burg; kam 1240 an die Hzg. der Bretagne; 1342–97 engl., wurde 1491/99 frz.; seit 1515 in Kronbesitz, 1593 Stadtrecht. 1631 Ausbau zum Kriegshafen; im 2. Weltkrieg größter dt. U-Boot-Stützpunkt am Atlantik; schwere alliierte Bombenangriffe. – Schloß (13. Jh.; im 17. Jh. umgestaltet).

B. [russ. brjɛst] (bis 1921 Brest-Litowsk), Gebietshauptstadt an der Mündung des Muchawez in den Bug, Weißrußland, 258000 E. Ingenieurhochschule, PH; Museen, Theater. Nahrungsmittel- und Textilind.; Bahnknotenpunkt (Wechsel der Spurweite) und Hafen; ✈. – Urkundl. erstmals 1017 erwähnt. Nach der 3. Teilung Polens Rußland zugesprochen, 1921–39 polnisch.

Brest-Litowsk ↑Brest.

Brest-Litowsk, Frieden von, erster Friedensschluß im 1. Weltkrieg; in der weißruss. Stadt Brest am 3. März 1918 von der Sowjetregierung und den Mittelmächten unterzeichnet. Rußland verlor durch Preisgabe von Finnland, Livland, Estland und Kurland, Polen, Litauen, Ukraine, Georgien und der armen. Gebiete Kars, Ardahan und Batum ein Territorium von 1,42 Mill. km² mit einer Bev. von über 60 Mill. Menschen und 75% seiner bisherigen Stahl- und Eisenindustrie. Zusätzl. wurde die Sowjetmacht zur Zahlung von 6 Mrd. Goldmark verpflichtet. Im Nov. 1918 für nichtig erklärt.

Brest-Litowsk, Union von, Vereinigung der orth. ukrain. mit der röm.-kath. Kirche zur ↑ruthenischen Kirche. Die Union wurde am 23. Okt. 1595 in Rom geschlossen und auf der Synode in Brest-Litowsk (16.–20. Okt. 1596) bestätigt.

Bretagne [bre'tanjə], größte und westlichste Halbinsel in Frankreich. Zugleich Region, 27208 km², 2,76 Mill. E. Hauptstadt ist Rennes. Die B. ist ein Rumpfgebirge bis zu 384 m Höhe. Die Küste ist felsig und stark gegliedert. Fast rein ozean. Klima; erst im Bekken von Rennes kontinentale Einflüsse; die Winter sind mild und regenreich, die Sommer relativ kühl und trocken; Hecken und Wälle dienen dem Schutz gegen die W-Winde; dünn besiedelt; Streusiedlungen. Intensiv bewirtschaftetes Grünlandgebiet, wichtiger frz. Butter- und Käselieferant; Anbau von Saat- und Frühkartoffeln, Frühgemüse, Artischokken, Tomaten, Erdbeeren; Intensivgeflügelhaltung, Schweine- und Pferdezucht. Die Fischereiwirtschaft konzentriert sich v.a. auf die Häfen Lorient, Douarnenez und Concarneau; Austernzuchten; Tanggewinnung. Abbau von Kaolin, Uran- und Zinnerzen; modernes Gezeitenkraftwerk an der Rance, Kernkraftwerk in den Montagnes d'Arrée; Möbel-, elektrotechn. und elektron. Ind., Maschinen- und Fahrzeugbau. Fremdenverkehr.

Geschichte: Während des Neolithikums eines der Hauptzentren der europ. Megalithkultur. Nach der Mitte des 1. vorchristl. Jt. erfolgte die Einwanderung kelt. Stämme; 56 v. Chr. unterwarf Cäsar die B. (kelt.: **Armorika**) der röm. Herrschaft. Vom 5. Jh. an wanderten kelt. Briten (Bretonen) von Britannien ein. 496 bis etwa 630 unter merowing. Herrschaft, später zeitweise unter lockerer karoling. Oberhoheit (im 8. Jh. die Breton. Mark um Nantes und Rennes), seit 845/846 unabhängiges Territorium; geriet seit Anfang des 10. Jh. unter frz. Lehnshoheit; 952 unter normann. Schutzherrschaft, seit 1113 engl. Lehen, fiel 1166 an das Haus Plantagenet, 1213 an eine kapeting. Nebenlinie; 1532 endgültig zur frz. Krondomäne.

🕮 *Rother, F./Rother, A.: Die B. Köln [14]1988. – Metken, G.: Breton. Reiseb. Mchn. [6]1986. – Poisson, H.: Histoire de la B. St-Brieuc 1966.*

Breton, André [frz. brə'tõ], * Tinchebray (Orne) 19. Febr. 1896, † Paris 28. Sept. 1966, frz. Schriftsteller. – Ausgehend von den Symbolisten, gestaltete er unter dem Einfluß Freuds psychoanalyt., später okkultist. Themen; Theoretiker des Surrealismus („Manifeste du surréalisme", 1924; „Second manifeste du surréalisme", 1930). – *Weitere Werke:* Mont de piété (Ged., 1919), Nadja (Prosa, 1928), Arcane 17 (Ged., 1945), L'art magique (1956).

Bretón de los Herreros, Manuel [span. bre'tɔn de los ɛ'rrɛrɔs], * Quel (Prov. Logroño) 19. Dez. 1796, † Madrid 8. Nov. 1873, span. Dichter. – Schrieb etwa 200 Bühnenstücke (u.a. „A Madrid me vuelvo", 1828), auch Lyriker und Satiriker.

Bretonen, i.e.S. Name der kelt. Briten, die sich seit dem 5. Jh. n. Chr. in der ↑ Bretagne niederließen und mit kelt. Bewohnern verschmolzen; i.w.S. heutige Bewohner der Bretagne, etwa 1 Mill.

bretonische Literatur, die *ältere b. L.* ist von geringer Bed., da schon im MA die polit. und kulturell führenden Bevölkerungsschichten zur frz. Sprache übergingen. Von der *Mitte des 15. Jh.* an existiert eine *mittelbreton. L.* meist religiösen Inhalts: lat. oder frz. Vorbildern nachgestaltete Mysterienspiele, Passionen, Heiligenleben. Im 19. Jh. entstand erstmals eine eigenständige b. L. Bed. sind v.a. die von F.-M. Luzel gesammelten breton. Volkslieder. Die eigtl. Blüte der b. L. fällt ins *20. Jh.* Wichtige Vertreter sind J.-P. Calloc'h, der Dramatiker T. Malmanche und J. Riou v.a. mit Kurzgeschichten, in der Gegenwart u.a. Y. Gwernig (* 1925), P. Denez, R. Huon (* 1922).

bretonische Sprache, zur britann. Gruppe der kelt. Sprachen gehörende Sprache, die im westl. Teil des ehem. Herzogtums der Bretagne (Basse-Bretagne) gesprochen wird. Man unterscheidet *Altbretonisch* (von der Einwanderung bis 1100), *Mittelbretonisch* (1100 bis 1650) und *Neubretonisch* (seit dem 17. Jh.).

Bretten, Stadt im sö. Kraichgau, Bad.-Württ., 170 m ü.d.M., 23 700 E. Melanchthon-Museum; Herstellung von Haushaltsgeräten, Kunststoffverarbeitung. – Aus drei frühma. Siedlungskernen zusammengewachsen, 767 erstmals erwähnt; wurde im 13. Jh. Stadt mit Markt und Münze.

Bretton Woods [engl. 'brɛtən 'wʊdz], Ort in New Hampshire, USA, in den White Mountains. – Nach dem Tagungsort B. W. werden die dort am 23. Juli 1944 geschlossenen Verträge über die Gründung des Internat. Währungsfonds und der Weltbank **Bretton-Woods-Abkommen** genannt.

Brettspiele, Bez. für alle Unterhaltungsspiele, die auf Spielbrettern mit Steinen oder Figuren gespielt werden, z.B. Schach, Mühle, Dame, Halma, Solitär.

Brettwurzeln, seitl. zusammengedrückte, brettförmige Wurzeln, v.a. von trop. Maulbeerbaum- und Sterkuliengewächsen.

Breu (Preu), Jörg, d. Ä., * Augsburg um 1475, † ebd. zw. Mai und Oktober 1537, dt. Maler. – Eines seiner bedeutendsten Werke ist der Passionsaltar in Melk (1501/02). Steht der Donauschule nahe. Das Spätwerk („Geschichte Samsons", um 1530; Basel, Kunstmuseum) ist manieristisch.

Breuel, Birgit, * Hamburg 7. Sept. 1937, dt. Wirtschaftspolitikerin. – Einzelhandelskauffrau; seit 1966 Mgl. der CDU, 1970–78 Abg. in der Hamburger Bürgerschaft, 1976–78 Wirtschaftssprecherin der Hamburger CDU-Bürgerschaftsfraktion; 1978–86 Wirtschaftsmin., 1986–90 Finanzmin. und Min. für Frauenpolitik in Nds. Seit 1990 Vorstandsmgl., seit April 1991 Präs. der Treuhandanstalt in Berlin.

Breuer, Josef ['– –], * Wien 15. Jan. 1842, † ebd. 20. Juni 1925, östr. Arzt. – Untersuchte mit S. Freud die Bed. unverarbeiteter Seeleneindrücke für die Entstehung von Neurosen („Studien über Hysterie", mit S. Freud, 1895).

B., Lee [engl. 'brɔɪə], * Philadelphia 6. Febr. 1937, amerikan. Dramatiker. – In seinen innovativen und experimentellen Stücken adaptiert B. dramat. Vorlagen, z.B. von Sophokles, S. Beckett; bemüht sich um Ausweitung des Theaters auf eine visuelle Performance im Sinne des „total theatre" („Sister Suzie cinema", Erstaufführung 1980), auch Performancegedichte („Hajj", 1982).

B., Marcel Lajos [engl. 'brɔɪə], * Pécs 21. Mai 1902, † New York 1. Juli 1981, amerikan. Architekt ungar. Herkunft. – Studium am Bauhaus. Konstruierte die ersten Stahlrohrstühle. 1937–46 Prof. an der Harvard University in Cambridge (Mass.). Bed. funktionalist. Bauten mit starker plast. Gliederung.
Werke: Haus Harnischmacher in Wiesbaden (1932), UNESCO-Gebäude in Paris (mit P. L. Nervi und B. Zehrfuß; 1953–58), IBM-Forschungszentrum in La Gaude (1960/61), Whitney-Museum of American Art in New York (1963–66).

B., Peter ['– –], * Zwickau (?) um 1472, † ebd. 12. Sept. 1541, dt. Bildschnitzer. – Ausdrucksstarke Werke: „Christus in der Rast" (um 1500; Freiberg, Stadt- und Bergbaumuseum), „Beweinung Christi" in der Marienkirche in Zwickau (um 1502).

Breughel ['brɔʏgəl, niederl. 'brø:xəl], fläm. Malerfamilie, ↑ Bruegel.

Breuil, Henri [frz. brœj], * Mortain (Manche) 28. Febr. 1877, † L'Isle-Adam bei Paris 14. Aug. 1961, frz. Prähistoriker und kath. Geistlicher. – Seit 1910 Prof. in Paris; grundlegende Arbeiten zur Chronologie des Paläolithikums; Begründer der systemat. Erforschung der vorgeschichtl. Kunst.

Breve [lat.], kurzer päpstl. Erlaß.

Breviarium [zu lat. brevis „kurz"], früher Titel für statist. oder jurist. Berichte.

Brevier [lat.], aus mehreren Büchern zum prakt. Gebrauch zusammengestelltes Buch, das das † Stundengebet der röm.-kath. Kirche in der Ordnung des Kirchenjahrs enthält; seit dem 2. Vatikan. Konzil auch in den Landessprachen.

brevi manu [lat.], Abk. b. m. oder br. m., kurzerhand, ohne Förmlichkeiten.

Brevis [lat. „kurze (Note)"], musikal. Notenwert der † Mensuralnotation.

Brewstersches Gesetz [engl. 'bru:stə; nach dem brit. Physiker Sir D. Brewster, * 1781, † 1868], Gesetz, wonach Licht bei der Reflexion an einem nichtabsorbierenden Stoff mit der relativen Brechzahl n linear polarisiert wird, wenn für den Einfallswinkel ε **(Brewsterscher Winkel)** gilt: $\tan\varepsilon = n$.

Breysig, Kurt, * Posen 5. Juli 1866, † Bergholz-Rehbrücke bei Potsdam 16. Juni 1940, dt. Kulturhistoriker. – Schüler G. von Schmollers, 1896–1934 Prof. in Berlin; betrachtete die Geschichte der Menschheit als gesetzmäßig verlaufenden Werdeprozeß. Beeinflußte mit seinen Arbeiten O. Spengler; verfaßte u. a. „Der Stufenbau und die Gesetze der Weltgeschichte" (1905).

Breytenbach, Breyten [afrikaans 'brəi̯tənbax], Pseudonym Jan Blom, * Bonnievale (Kapprov.) 16. Sept. 1939, südafrikan. Schriftsteller. – Schreibt vorwiegend in Afrikaans; lebte ab 1961 in Paris; wurde 1975 in Südafrika verhaftet und zu neun Jahren Haft verurteilt; 1982 nach Frankreich abgeschoben. In der Haft führte er ein Tagebuch, das als „Wahre Bekenntnisse eines Albino-Terroristen" (1984) erschien. – *Weitere Werke:* Lotus (Ged., 1970), Met ander woorde (1973), Kreuz des Südens, schwarzer Brand (Ged. und Prosa, 1974), Augenblicke im Paradies (R., 1976), Schlußakte Südafrika (Ged. und Prosa 1984).

Brězan, Jurij [sorb. 'briɛzan], * Räckelwitz (bei Kamenz) 9. Juni 1916, sorb. Schriftsteller. – Gilt als wichtigster Vertreter der obersorb. Gegenwartsliteratur, schreibt auch in dt. Sprache. Sein Hauptwerk ist die zeitgeschichtl. interessante Romantrilogie „Der Gymnasiast" (1958), „Semester der verlorenen Zeit" (1960), „Mannesjahre" (1964); B. schrieb auch „Bild des Vaters" (R., 1982).

Březina, Otokar [tschech. 'brʒɛzina], eigtl. Václav Jebavý, * Počátky 13. Sept. 1868, † Jaroměřice nad Rokytnou 25. März 1929, tschech. Lyriker. – Zählt zu den führenden tschech. Symbolisten. – *Werke:* Winde von Mittag nach Mitternacht (Ged., 1897), Hände (Ged., 1901), Musik der Quellen (Essay, 1903).

Brianchonscher Satz [frz. briã'ʃõ; nach dem frz. Mathematiker C. Brianchon, * 1783, † 1864], geometr. Lehrsatz: In jedem Tangentensechseck eines regulären Kegelschnittes schneiden die Verbindungslinien der (jeweils durch zwei Ecken getrennten) Gegenecken einander in einem Punkt, dem **Brianchonschen Punkt.**

Briançon [frz. briã'sõ], Stadt in den frz. S-Alpen, osö. von Grenoble, mit 1326 m ü. d. M. eine der höchstgelegenen Städte Europas, 11900 E. Fremdenverkehr. – Von Vauban im 17. und 18. Jh. befestigte Altstadt; Kirche Notre-Dame (1705–18).

Briand, Aristide [frz. bri'ã], * Nantes 28. März 1862, † Paris 7. März 1932, frz. Politiker. – Advokat und Journalist; zw. 1906 und 1932 19 Jahre lang Regierungs-Mgl. als Außenmin. (zuletzt 1925–32) oder Min.präs. (1909–11, 1913, 1915–17, 1921/22, 1925/26, 1929); verließ 1906 die Sozialist. Partei; versuchte nach 1918 durch Abrüstungspolitik und eine Politik der Versöhnung mit Deutschland ein kollektives Sicherheitssystem zu schaffen (u. a. Locarnopakt 1925, Briand-Kellogg-Pakt 1928, Rheinlandräumung 1930); erhielt 1926 zus. mit G. Stresemann den Friedensnobelpreis.

Briand-Kellogg-Pakt [frz. bri'ã, engl. 'kɛlɔg; nach A. Briand und F. B. Kellogg], am 27. Aug. 1928 in Paris durch das Dt. Reich, die USA, Belgien, Frankreich, Großbritannien, Italien, Japan, Polen und die ČSR unterzeichneter völkerrechtl. Vertrag, mit dem der Krieg als Mittel zur Lösung internat. Streitfälle verurteilt und auf ihn als Werkzeug nat. Politik in den zwischenstaatl. Beziehungen verzichtet wurde. Dem Pakt traten zahlr. Staaten, auch die UdSSR, bei (schließl. 63). Sein materieller Inhalt ging in der Satzung der UN auf.

Bridge [brɪtʃ; engl. brɪdʒ], aus dem Whist hervorgegangenes, von vier Personen mit 52 frz. Karten gespieltes Kartenspiel. Die einander gegenübersitzenden Spieler bilden ein Paar, das gegen das andere spielt.

Bridgeport [engl. 'brɪdʒpɔ:t], Hafen- und Ind.stadt am Long Island Sound, nö. von New York, USA, 143000 E. Kath. Bischofssitz; Univ. (gegr. 1927). – 1639 angelegt.

Bridgetown [engl. 'brɪdʒtaʊn], Hauptstadt und -hafen von Barbados, an der SW-Küste, 7500 E. Fremdenverkehr; internat. ✈. – 1627 gegründet.

Bridgman, Percy Williams [engl. 'brɪdʒmən], * Cambridge (Mass.) 21. April 1882,

† Randolph (N. H.) 20. Aug. 1961, amerikan. Physiker und Wissenschaftstheoretiker. – Prof. in Harvard; entwickelte Verfahren zur Erzeugung sehr hoher Drücke (bis zu 425 000 bar) und untersuchte die physikal. Eigenschaften von Flüssigkeiten und Festkörpern unter solchen Bedingungen. Nobelpreis für Physik 1946.

Brie [frz. bri], histor. Gebiet in Frankreich, im Zentrum des Pariser Beckens, zw. Seine im S, Marne im N und Paris im W.

Brie [frz. bri], aromat. Weichkäse, urspr. aus der Landschaft Brie.

Brief [zu vulgärlat. breve (scriptum) „kurzes (Schriftstück); Urkunde"], schriftl. Mitteilung an einen bestimmten Adressaten als Ersatz für mündl. Aussprache. – Zum eigtl. privaten B. trat der offizielle B. für Mitteilungen oder Anweisungen, die der dokumentierenden Schriftform bedürfen (Erlasse usw.), und der nur scheinbar an einen einzelnen Empfänger gerichtete, auf polit. Wirkung berechnete „offene Brief".

Die **Geschichte** des B. reicht bis ins *Altertum* zurück: Zahlr. Original-B. auf Papyrus aus Ägypten und auf Tontafeln aus Mesopotamien (3.–1. Jt.) sind erhalten. Das A. T. hat viele B. überliefert. Größere B.sammlungen sind aus röm. Zeit erhalten, die auch den B. in Versen als literar. Gattung pflegte (Horaz, Ovid). Die B. des *MA* wurden oft von Klerikern an den Höfen und in den Klöstern verfaßt. Den ersten Höhepunkt in der Geschichte des deutschsprachigen B. stellten die Korrespondenz und die Sendschreiben *Luthers* dar. Eine eigenständige, bis in die Gegenwart fortdauernde B.kultur bildete sich seit dem *17. Jh. in Frankreich* (Pascal, Montesquieu, Voltaire) und *Deutschland* im 18. Jh. Nebeneinander entstanden eine subjektive B.sprache, die von *Pietismus* (Spener) und *Empfindsamkeit* (Klopstock) bis zu den *Romantikern* reicht (Brentano), und ein rationaler B.stil aus dem Umkreis der *Aufklärung* (Lessing, Herder, Winckelmann, Lichtenberg), dem die *dt. Klassik* (Goethe, Schiller, Humboldt, Kant, Hegel) und die *Realisten* (Storm, Keller, Fontane) verpflichtet sind. Im *20. Jh.* hat die allg. B.kultur an Boden verloren, bed. Nachlaß-B. gibt es z. B. von Rilke, Hofmannsthal, Musil, T. Mann, Kafka, Else Lasker-Schüler. Eine Neubelebung des B. als literar. Form versuchte H. Böll im Anschluß an A. Camus.

🕮 *Honnefelder, G.: Der B. im Roman. Bonn 1975. – Steinhausen, G.: Gesch. des dt. B. Zur Kulturgesch. des dt. Volkes. Dublin u. Zürich [2]1968. 2 Bde. – Rogge, H.: Fingierte B. als Mittel polit. Satire. Mchn. 1966.*

◆ verschlossene Postsendung in rechteckiger oder Rollenform (bis 1 000 g).

◆ Angebot im Börsenhandel.

Briefadel, im Unterschied zum Uradel der durch Adelsbrief eines Souveräns verliehene Adel.

Briefbombe, Brief mit Sprengstoff, der beim Öffnen explodiert.

Briefdrucksache ↑ Drucksache.

Briefgeheimnis, Grundrecht, zus. mit dem Post- und Fernmeldegeheimnis in Art. 10 GG verbürgt, durch §§ 202, 354 StGB strafrechtl. geschützt. Es betrifft alle schriftl. Mitteilungen von Person zu Person. Gesetzl. Einschränkungen des B.: für nachrichtendienstl. Zwecke und Zwecke der Strafverfolgung (§§ 99, 100 StPO), für Zwecke der Untersuchungshaft, des Konkursverfahrens (§ 121 Konkursordnung) und der Zollnachschau (§ 6 Zollgesetz). Einen ähnl. verfassungsrechtl. Schutz genießt das B. in *Österreich* und in der *Schweiz.*

Briefing [engl. 'bri:fɪŋ; zu lat. brevis „kurz"], aus der engl.-amerikan. Militärsprache übernommener Ausdruck für kurze Einweisung, Lagebesprechung, Unterrichtung.

Briefkurs, Kurs, zu dem ein Wertpapier angeboten wird.

Briefmaler, auf das Malen kleiner Heiligenbilder und Spielkarten, später auch auf das Kolorieren von Drucken (Flugblättern usw.) spezialisierte Maler (15.–18. Jh.).

Briefmarken, aufklebbare Wertzeichen zum Freimachen (Frankieren) von Postsendungen, werden von den Postämtern als Quittungen für vorausbezahlte Postgebühren in verschiedenen Wertstufen (Stückelungen) verkauft, als Dienstmarken jedoch auch im innerdienstl. Verkehr der Post verwendet.

Zu den „allg. Ausgaben" gehören v. a. die Dauer- oder Freimarken, die gewöhnl. über Jahre hinweg an allen Postschaltern eines Landes erhältl. sind. Daneben erscheinen zu bes. Anlässen (Gedenktage, Jubiläen, Ausstellungen, Olymp. Spiele usw.) **Sonderbriefmarken,** die manchmal auch in Form eines Blocks oder Gedenkblattes ausgeführt werden.

Die erste B. im heutigen Sinne wurde 1840 in Großbritannien eingeführt. Noch in den 40er Jahren des vorigen Jh. gaben auch mehrere schweizer. Kt., Brasilien, die USA, die Insel Mauritius, Belgien und Frankreich B. aus. Die erste dt. B. erschien 1849 in Bayern („schwarzer Einser"), es folgten ab 1850 Sachsen, Preußen und andere dt. Bundesstaaten.

🕮 *Brühl, C.: Gesch. der Philatelie. Hildesheim. 1985. – Tröndle, L.: B.kunde. Das Hdb. f. Philatelisten. Mchn. 1978.*

Briefmarkenkunde ↑ Philatelie.

Briefroman, Roman aus einer Folge von Briefen eines oder mehrerer fingierter Verfasser ohne erzählende Verbindungstexte, Vertreter u. a. S. Richardson, Rousseau; der dt.

B. erlebte seinen Höhepunkt in Goethes „Die Leiden des jungen Werthers" (1774).

Briefsteller, urspr. jemand, der für andere Briefe schrieb; seit Mitte des 18. Jh. Titel für ein Buch mit Anleitungen und Mustern für formvollendete Briefe.

Brieftauben (Reisetauben), aus verschiedenen Rassen der Haustaube gezüchtete Tauben von kräftigem, gedrungenem Körperbau mit schlankem Hals und Kopf; B. sind bes. flugtüchtige und ausdauernde Tauben mit ausgeprägtem Heimfindevermögen. Sie legen unter günstigen Bedingungen an einem Tag 800–1 000 km zurück. B. wurden bereits seit dem Altertum zur Nachrichtenübermittlung verwendet, insbes. für militär. Zwecke. Meist wird die auf dünnem Papier oder ähnl. Material aufgezeichnete Nachricht in leichten Kapseln am Bein der B. befestigt.

Briefverteilung, von Hand oder automat. Sortieren und Einordnen der von der Post zu befördernden Briefsendungen. In *automat. Briefverteileranlagen* wird ein Brief in mehreren Schritten bearbeitet: 1. *Aufstellen* entsprechend der Position von Anschrift und Briefmarke. 2. *Stempeln;* fluoreszierende Briefmarken (seit 1962 bei der Deutschen Bundespost) werden mit ultraviolettem Licht abgetastet. 3. *Codierung,* d. h. Aufdrucken fluoreszierender, phosphoreszierender oder magnet. Farbzeichen entsprechend der Postleitzahl; automat. Codierung bei maschinengeschriebenen Zahlen, sonst Bearbeitung von Hand. 4. *Codeabtastung* und automat. Verteilung in entsprechende Fächer.

Briefwahl, in der BR Deutschland zugelassene Form der Stimmabgabe, bei der der Wähler, wenn er am Wahltag nicht am Wahlort anwesend ist oder durch andere Umstände an der persönl. Ausübung des Wahlrechts verhindert ist, seine Stimme nicht im Wahlraum abzugeben braucht, sondern Wahlschein und Stimmzettel in verschlossenen Umschlägen an den Kreiswahlleiter sendet. In *Österreich* gibt es die B. nicht. In der *Schweiz* wird die B. **Stimmabgabe auf dem Korrespondenzwege** genannt.

Brieg (poln. Brzeg), Stadt in Niederschlesien (Polen), an der Oder, 150 m ü. d. M., 38 000 E. Maschinen-, Elektromotorenbau, Nahrungsmittelind. – 1248 Stadtrecht (1327 Magdeburger Recht); wurde dt. besiedelt, 1675 habsburg., 1742 preuß. Im 2. Weltkrieg zu 80 % zerstört. – Ehem. Kirche der Franziskaner (14. Jh.; im 16. Jh. Zeughaus), barocke Pfarrkirche (17./18. Jh.); Renaissanceschloß der Piasten (14. Jh.).

Brienz (BE), Gemeinde im schweizer. Kt. Bern, am NO-Ende des **Brienzer Sees** (29,8 km^2, bis 268 m tief, von der Aare durchflossen), 567 m ü. d. M., 2 600 E. Geigenbau- und Schnitzerschule; Fremdenverkehr.

Brienzer See ↑Brienz.

Bries, volkstümlich für ↑Thymus; beim Kalb auch **Kalbsmilch** genannt.

Brigach, 43 km langer linker Quellfluß der Donau.

Brigade [frz.; zu italien. briga „Streit"], kleinster Großverband aller Truppengattungen, der in der Lage ist, selbständige Kampfaufträge durchzuführen; bis 1918 Verband zweier Regimenter gleicher Waffengattung.
◆ in kommunist. Staaten unter produktionstechn. Gesichtspunkten gebildetes kleinstes Arbeitskollektiv.

Brigadier [brigadi'e:; italien.-frz.], Leiter einer Arbeitsbrigade.

Briganten (lat. Brigantes), zahlenmäßig stärkster Stamm der Kelten in Britannien; 79/80 n. Chr. durch die Römer unterworfen; Hauptort Isurium (= Aldborough).

Briganten [italien.], Bez. für Aufwiegler, Unruhestifter, auch für Straßenräuber und Freibeuter; im 14. Jh. auch für die Söldner.

Brigantier (lat. Brigantii), kelt. Vindelikerstamm am Bodensee mit dem Hauptort Brigantium (= Bregenz).

Brigantine [italien.; zu brigare „kämpfen"], im Spät-MA getragenes, mit Metallplättchen besetztes Panzerhemd aus Leder oder starkem Stoff.

Brigantinus lacus, lat. Name des Bodensees.

Brigantium ↑Bregenz.

Brigg [engl.; Kurzform von italien. brigantino, eigtl. „Raubschiff"], früher ein kleines Segelschiff mit zwei vollgetakelten, d. h. mit Rahsegeln besetzten Masten (Fock- und Großmast) und zusätzl. Gaffelsegel am Großmast. Bei der *Schoner-B.* (*B.schoner;* v. a. in S-Europa auch als *Brigantine* bezeichnet) ist nur der Fockmast vollgetakelt, am Großmast befinden sich Schratsegel (wie beim Schoner).

Brig-Glis, Hauptort des Bez. Brig im schweizer. Kt. Wallis, 681 m ü. d. M., 9 900 E. Maschinenwerkstätten, Teigwaren- und Strickereifabrik. Bahnknoten am Nordeingang des Simplontunnels. – 1215 erstmals erwähnt. – Barocke Kollegiumskirche der Jesuiten (1685) mit Jesuitenkollegium (1663–73); Stockalper-Palast (1658–78).

Briggssche Logarithmen [nach dem engl. Mathematiker H. Briggs, * 1561, † 1630], dekad. Logarithmen zur Basis 10.

Brighella [zu italien. briga „Mühe, Unannehmlichkeit"], Figur der Commedia dell'arte: ein verschlagener Bedienter, der die Ausführung der von ihm angezettelten Intrigen meist dem Arlecchino (Harlekin) überläßt.

Brighton [engl. braıtn], Stadt an der engl. Kanalküste, 146 000 E. Univ. (gegr. 1961), TH, Kunstschule, brit. Spielwarenmesse; Leichtind. – Im 18. Jh. Entwicklung vom Fischerdorf zum Bade- und Kurort (Heilquellen); königl. Wochenendresidenz; 1854 Stadt. – Royal Pavilion (1787, 1815–1823) in pseudooriental. Stil.

Brigid (Brigida, Brigit, Brigitta), hl., * Fochart (= Faugher, Nordirland) um 453, † Kildare 1. Febr. (?) 523, ir. Nationalheilige. – Gründerin des Klosters Kildare; Reliquien in Belém (Portugal). – Fest: 1. Februar.

Brigitta, ir. Heilige, ↑ Brigid.

Brijuni [serbokroat. bri,ju:ni] ↑ Brionische Inseln.

Brikett [niederl.-frz.], aus feinkörnigem Material (z. B. getrockneter Braunkohle, Steinkohlenstaub, Feinerze, Futtermittel) mit oder ohne Bindemittel gepreßter Körper in Quader-, Würfel- oder Eiform. Die B.herstellung **(Brikettierung)** ist bei vielen Rohstoffen, die sich in feinkörniger Form nicht oder schlecht verarbeiten lassen, erforderlich.

Bril (Brill), Paul, * Antwerpen 1554, † Rom 7. Okt. 1626, fläm. Maler. – Seit etwa 1582 in Rom. Bed. sind v. a. seine späteren Landschaftsbilder, die unter dem Einfluß A. Elsheimers entstanden.

Brillant [brıl'jant; frz.; zu briller „glänzen"], in bes. Form (im sog. *Brillantschliff*) geschliffener Diamant, ausgezeichnet durch starke Lichtbrechung und seinen funkelnden Glanz. Die heutige Schlifform des B. entwikkelte sich aus der natürl. oktaedr. Kristallform des Diamanten. Dabei erhält der B. insgesamt 56 geometr. genaue Facetten sowie eine Tafel im Oberteil und eine sog. Kalette im Unterteil. Im Oberteil sind rund um die Tafel insgesamt 32 Facetten geschliffen, die Unterseite weist neben der Kalette 8 untere Hauptfacetten und 16 Rondistfacetten auf. Die Ober- und Unterteil trennende Ebene wird als *Rondistebene* bezeichnet, die umlaufende Kante als **Rondiste.**

Brillantine [brıljan'ti:nə; frz.], kosmet. Präparat zur Fettung und Fixierung der Haare (pflanzl. und Mineralöle).

Brillanz [brıl'jants; frz.], Glanz, Feinheit.

Brillat-Savarin, Jean Anthelme [frz. brijasava'rɛ̃], * Belley (Ain) 1. April 1755, † Paris 2. Febr. 1826, frz. Schriftsteller. – Verfaßte eine „Physiologie des Geschmacks" (1825), ein geistvolles Lehrbuch der zeitgenöss. Tafelfreuden.

Brille [urspr. Bez. für das einzelne Augenglas (nach dem Beryll, der in geschliffener Form als Linse verwendet wurde)], Vorrichtung aus einem Traggestell mit Ohrenbügeln aus Horn, Metall, und/oder Kunststoff und zwei miteinander durch eine „Fassung" oder durch Beschläge verbundenen B.gläsern zum Ausgleich der Fehlsichtigkeiten der Augen und zu ihrem Schutz gegen mechan. Einflüsse oder schädl. Strahlung.

Brillengläser ohne opt. Wirkung (Sichtscheiben): Verwendung als farbige Schutzgläser (z. B. beim Schweißen) und als *Sonnenschutzgläser.* Diese dienen zur Dämpfung des sichtbaren Lichtes und zur Absorption des ultravioletten Strahlenanteils intensiver Sonnenstrahlung. Man unterscheidet zw. durchgefärbten Gläsern, Überfanggläsern und im Vakuum bedampften Gläsern. *Strahlungsschutzgläser* sind vorzugsweise Sichtscheiben mit starker Absorption in den dem Sichtbaren benachbarten Spektralbereichen (Ultraviolett, Infrarot). *Phototrope (lichtempfindl.) Gläser* ohne oder mit opt. Wirkung sind in unbelichtetem Zustand farblos oder leicht getönt (10 % Absorption); unter der Einwirkung der UV-Strahlung des Sonnenlichts erfolgt Schwärzung (bis 60 % Absorption); nach Aufhören der Bestrahlung Rückkehr in den Ausgangszustand mit zeitl. Verzögerung.

Brillengläser mit opt. Wirkung (sphär., zylindr. oder prismat. Gläser; Wirkung gemessen in Dioptrien bzw. Prismendioptrien): *Achsensymmetr. B.gläser* sind: 1. *sphär. Gläser* mit beiderseits kugelförmig gekrümmten Oberflächen, z. B. *Plusgläser* (Konvexgläser) mit sammelnder Wirkung zum Ausgleich von Über- bzw. Weitsichtigkeit oder Alterssichtigkeit und *Minusgläser* (Konkavgläser) mit zerstreuender Wirkung zum Ausgleich von Kurzsichtigkeit; 2. *asphär. Gläser* mit einer nicht kugelförmigen Oberfläche. Die zweite Fläche kann sphärisch oder torisch (tonnenförmig) sein. Verwendung vorzugsweise als Stargläser. *Achsenunsymmetr. B.gläser* sind:

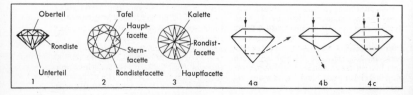

Brillant. Ansicht 1 von der Seite, 2 von oben, 3 von unten, 4 Schliff eines Brillanten: a Unterteil zu dick (Lichtstrahl verläßt den Stein seitlich), b Unterteil zu dünn (Lichtstrahl verläßt den Stein an der Unterseite), c ideales Verhältnis

1. *astigmat. Gläser* mit unterschiedl. Krümmungsradien bzw. Scheitelbrechwerten (Dioptrien) in zwei zueinander senkrechten Meridianschnitten. Diese Differenz wird als Zylinderwirkung bezeichnet. Astigmat. Gläser dienen der Korrektion einer Stabsichtigkeit (Astigmatismus) des Auges. 2. Bei *prismat. Gläsern* ist ein Prisma (Glaskeil) bestimmter Stärke und Basislage aufgeschliffen. Sie dienen zur Unterstützung oder zur Wiederherstellung des binokularen Sehens (Fusion) vorwiegend bei Stellungsanomalien des Auges. 3. Sind in einem B.glas zwei oder drei opt. Wirkungen für verschiedene Sehentfernungen vereinigt, so spricht man von *Zwei-* bzw. *Dreistärkengläsern (Bi-* bzw. *Trifokalgläser).* Die den Sehentfernungen entsprechenden Bereiche des B.glases werden Fern-, Zwischen- und Nahteil genannt. Der Übergang vom Fern- zum Nahteil erfolgt stufenweise, während er bei *Gleitsicht- oder Progressivgläsern* kontinuierlich erfolgt. Diese sog. *Mehrstärkengläser* gleichen bei Alterssichtigen das verringerte Akkommodationsvermögen aus, so daß wieder scharfes Sehen in allen Entfernungen möglich ist. 4. *Lentikulargläser (Tragrandgläser)* weisen starke opt. Plus- oder Minuswirkung auf bei eingeschränktem zentralem Sehteil und dünn geschliffenem Randteil. 5. *Fernrohr-B.* für hochgradig Schwachsichtige haben ein vergrößerndes Fernrohrsystem. Fehlsichtigkeiten sind durch Zusatzlinsen ausgleichbar.

📖 *Reiner, J.: Auge u. B. Stg. [4]1987. – Kühn, G./Roos, W.: Sieben Jh. B. Mchn., Düss. 1968.*

Brillenbär (Andenbär, Tremarctos ornatus), etwa 1,5–1,8 m körperlange pflanzenfressende Bärenart in S-Amerika; Schulterhöhe etwa 75 cm, Schwanz rund 7 cm lang; Fell zottig, schwarz bis schwarzbraun, meist mit gelbl. bis weißl. Zeichnung im Gesicht, die häufig eine brillenähnl. Markierung bildet.

Brillenhämatom, brillenförmig aussehender Bluterguß (Hämatom) in beide Ober- und Unterlider; v. a. bei bestimmten Schädelbasisbrüchen.

Brillensalamander (Salamandrina), Salamandergatt. mit der einzigen gleichnamigen Art *(Salamandrina terdigitata)* im westl. Italien; etwa 7–10 cm lang; Oberseite mattschwarz mit je einem gelbroten Fleck über den Augen.

Brillenschlangen, svw. ↑Kobras.

Brillouin-Streuung [frz. brij'wɛ̃; nach dem frz. Physiker L. Brillouin, * 1889, † 1969], Streuung von Licht an hochfrequenten Schallwellen in Flüssigkeiten und Festkörpern. Bei der *stimulierten B.,* die bei hohen Lichtintensitäten möglich ist, bestehen feste Phasenbeziehungen zw. einfallender und gestreuter Welle.

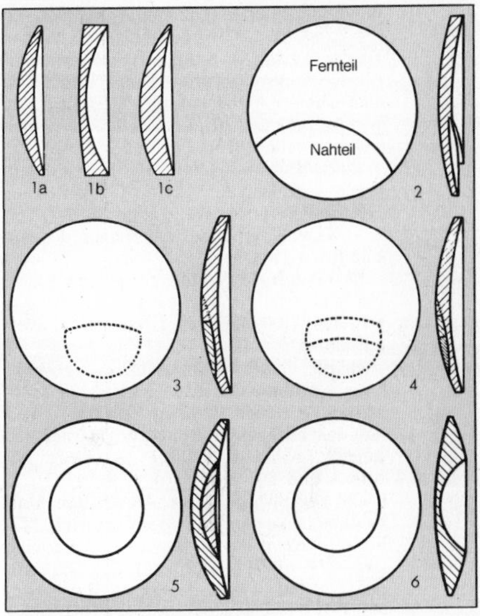

Brille. 1 Sphärische Brillengläser im Schnitt: a Plusglas (sammelnde Wirkung), b Minusglas (zerstreuende Wirkung), c prismatisches Glas (Ausgleich von Stellungsanomalien); 2 Mehrstärken-Brillenglas aus einem Stück; 3 Zweistärkenglas (verschmolzen); 4 Dreistärkenglas (verschmolzen); 5 Lentikularglas mit sammelnder Wirkung; 6 Lentikular mit zerstreuender Wirkung (Lentikularausschliff)

Brilon, Stadt und Luftkurort im nö. Sauerland, NRW, 455 m ü. d. M., 24 200 E. Elektro-, Holz-, metallverarbeitende Ind. – Bei dem 973 gen. B. (heute Altenbrilon) 1184 Anlage des befestigten Orts B., um 1220 Stadt, Mgl. der Hanse, im 15. Jh. führende Stadt im Hzgt. Westfalen. – Propsteikirche (13. bis 14. Jh.), Rathaus (mit barocker Fassade 1752).

Brîncoveanu, Constantin (Brâncoveanu), * 15. Aug. 1654, † Konstantinopel 26. Aug. 1714, Fürst der Walachei (1688–1714). – Behauptete sich über 25 Jahre gegenüber seinen osman. Oberherren, den Habsburgern und Rußland durch geschickte Balancepolitik; im April 1714 von der Pforte abgesetzt und mit seinen Söhnen hingerichtet.

Brindisi, italien. Prov.hauptstadt in Apulien, 93 000 E. Erzbischofssitz; chem. und petrochem. Werke, Nahrungs- und Genußmittelind., Häfen; ✈. – Unter röm. Herrschaft (seit 266 v. Chr.) als **Brundisium** Flottenstützpunkt und Endpunkt der Via Appia; 668 von den Langobarden, 868 aus sarazen. Hand von Kaiser Ludwig II. erobert; 1071 normann.; Einschiffungsplatz für die Kreuzfahrer; 1509 an Spanien, 1860 an Italien. – Castello Svevo von Kaiser Friedrich II. nach 1229 errichtet, später erweitert. Dom (13. und 18. Jh.).

Brinellhärte [nach dem schwed. Metallurgen J. A. Brinell, * 1849, † 1925], Zeichen HB, Einheit für die Härte eines Stoffes, Verhältnis der Kraft *F* zur Oberfläche des entstandenen Eindrucks.

Bringschuld, Schuld, bei der im Ggs. zur Holschuld die Leistung auf Gefahr und Kosten des Schuldners dem Gläubiger zu übermitteln ist.

Brink, André Philippus [afrikaans brənk], * Vrede (Oranje-Freistaat) 29. Mai 1935, südafrikan. Erzähler, Kritiker, Essayist. – Verhalf dem afrikaansen Roman zu internat. Ansehen („Lobola vir die lewe", R., 1962; „Nicolette und der Botschafter", R., 1963); B. bricht sowohl mit literar. Konventionen als auch mit sexuellen, religiösen und polit. Tabus. – *Weitere Werke:* Kennis van die aand (R., 1973; bis 1981 verboten), Die Nilpferdpeitsche (R., 1982), States of Emergency (R., 1988).

Brinkman, Johannes Andreas, * Rotterdam 22. März 1902, † ebd. 6. Mai 1949, niederl. Architekt. – Baute mit L. C. van der Vlugt (* 1894, † 1936) u. a. die Van-Nelle-Fabrik in Rotterdam (1928/29), ein hervorragendes, frühes Beispiel einer funktionalen Stahlbetonkonstruktion. Beide bauten auch das erste scheibenförmige Wohnhochhaus, das Bergpolderhaus in Rotterdam (1934–35).

Brinkmann, Carl, * Tilsit 19. März 1885, † Oberstdorf 20. Mai 1954, dt. Nationalökonom und Soziologe. – Prof. in Heidelberg, Berlin, Erlangen und Tübingen; versuchte, die Nationalökonomie mit der Soziologie und mit Wirtschafts- und Sozialgeschichte zu verknüpfen.
Werke: Nationalökonomie als Sozialwissenschaft (1948), Soziolog. Theorie der Revolution (1948), Wirtschafts- und Sozialgeschichte (^{2}1953).

B., Rolf Dieter, * Vechta 16. April 1940, † London 23. April 1975 (Unfall), dt. Schriftsteller. – Schrieb von der Pop-art beeinflußte Erzählwerke (u. a. Roman „Keiner weiß mehr", 1968) und Gedichte („Die Piloten", 1968; „Gras", 1970).

Brinkmann AG, Martin, dt. Konzern der Tabakwarenind., Sitze Bremen und Hamburg, gegr. 1813.

brio (con brio, brioso) [italien.], musikal. Vortragsbez.: mit Feuer, lebhaft.

Brioche [bri'ɔʃ; frz.], feines Hefegebäck.

Brion, Friederike, * Niederrödern 19. April 1752, † Meißenheim bei Lahr 3. April 1813, Jugendgeliebte Goethes. – Pfarrerstochter, die Goethe in seiner Straßburger Zeit 1770 in Sesenheim kennenlernte (Sesenheimer Lieder und Gedichte).

Brionische Inseln (serbokroat. Brijuni), kroat. Inselgruppe an der Küste des Adriat. Meeres; ehem. Sommerresidenz von Präs. Tito auf der größten Insel Brioni.

brisant [frz.], hochexplosiv, sprengend.

Brisanz [frz.], zertrümmernde Wirkung von Sprengstoffen mit hoher Detonationsgeschwindigkeit.

Brisbane [engl. 'brɪzbən], Hauptstadt von Queensland, Australien, am B. River nahe seiner Mündung in die Korallensee, Metropolitan Area 1,24 Mill. E. Sitz eines anglikan. und eines kath. Erzbischofs; Univ. (gegr. 1909), Nationalgalerie, Museen, Observatorium, zoolog. und botan. Garten. Schwer- und Textilind., Erdölraffinerien, Lebensmittelind.; Hochseehafen; internat. ✈; Fremdenverkehr (Badestrände). – 1824 Anlage einer Strafkolonie (1842 geschlossen). Seit 1859 Hauptstadt.

Brise, leichter Wind, Stärke 2 bis 5 nach Beaufort; günstiger Segelwind.

Brissago, Badeort im schweizer. Kt. Tessin, am W-Ufer des Lago Maggiore, 215 m ü. d. M., 2 000 E. Tabakfabrik. – B. bildete im MA eine eigene Republik, die direkt dem Kaiser unterstand.

Brissot, Jacques Pierre [frz. bri'so], gen. B. de Warville, * Chartres 15. Jan. 1754, † Paris 31. Okt. 1793, frz. Journalist und Revolutionär. – Einer der Führer der Girondisten in der Gesetzgebenden Körperschaft 1791; trat als Vors. des außenpolit. Ausschusses wie danach im Konvent für die Kriegspolitik des revolutionären Frankreich ein; 1793 angeklagt, abgeurteilt und hingerichtet.

Bristol [engl. brɪstl], engl. Stadt oberhalb der Mündung des Avon in das Severnästuar, 388 000 E. Verwaltungssitz der Gft. Avon; anglikan. Bischofssitz; Univ. (gegr. 1909), TH; Theaterhochschule, Museum, Kunstgalerie, zwei Theater; Zoo. Luft- und Raumfahrtind.; Maschinen- und Fahrzeugbau, chem. Ind.; Hafen; ✈. – Frühsächs. und normann. Befestigung; Blüte um 1500–1750 (Monopol für den Zuckerhandel; Sklavenhandel). – Kathedrale (1142 ff., im 14. Jh. erneuert), Theatre Royal (1766), Börse (1743).

Bristol Bay [engl. 'brɪstl 'bɛɪ], Bucht des Beringmeers an der SW-Küste Alaskas.

Bristolkanal [engl. brɪstl], Bucht des Atlantiks zw. walis. S-Küste und Cornwall.

Britannicus, Tiberius Claudius Caesar, * 12. Febr. 41, † kurz vor dem 12. Febr. 55. – Sohn des Kaisers Claudius und der Valeria Messalina; von seiner Stiefmutter Agrippina d. J. zugunsten Neros aus der Nachfolge verdrängt, auf dessen Befehl vergiftet.

Britannien (lat. Britannia), seit Cäsar der lat. Name für England und Schottland. B. war seit dem 6. vorchristl. Jh. den Griechen und Phönikern bekannt; Invasion Cäsars 55 und 54 v. Chr.; 43–50 Eroberung durch Claudius bis zum Humber und Severn, abgeschlossen durch Agricola (78–85); Bau des Hadrianswalls 122, des Antoninuswalls 142. 197 in 2 Prov., im Zuge der Diokletian. Neuordnung Ende 3. Jh. in 4 Prov. unterteilt; seit dem 3. Jh. zunehmende Christianisierung; seit dem Ende des 3. Jh. Invasionen aus Schottland (Pikten) und vom Festland her (Sachsen, Franken, Angeln); nach mehrfacher gewaltsamer Befriedung und Abzug röm. Truppen verstärkte sächs. Invasionen und Niedergang der röm. Kultur; im 5./6. Jh. durch die Angelsachsen erobert.

Briten (lat. Britanni, Britones), Sammelname für die kelt. Einwohner Britanniens im Altertum sowie für die Bewohner Großbritanniens und Nordirlands heute.

Britische Inseln, Inselgruppe in NW-Europa, umfaßt Großbritannien, Irland, Man, Anglesey, Wight, die Hebriden, Shetland- und Orkneyinseln sowie viele kleine Inseln.

Britische Salomoninseln ↑Salomoninseln.

Britisches Museum (engl. The British Museum), Bibliothek und Museum in London, gegr. 1753. Erhielt 1823–57 einen klassizist. Neubau nach Entwürfen von Sir R. Smirke (vollendet von dessen Bruder S. Smirke, der 1855–57 den runden Lesesaal schuf, einen der größten Kuppelbauten der Erde; seitdem erweitert). Die *Bibliothek* besitzt seit 1757 das Pflichtexemplarrecht für das Brit. Reich. Unter den reichen Sammlungen sind bes. berühmt die sog. Elgin Marbles, unter denen sich die Skulpturen des Parthenon in Athen befinden. – ↑Bibliotheken (Übersicht), ↑Museen (Übersicht).

Britisches Reich und Commonwealth [engl. 'kɔmənwɛlθ] (engl. British Empire and Commonwealth), Gemeinschaft des Vereinigten Kgr. von Großbritannien und Nordirland mit den Kronkolonien und sonstigen abhängigen Staaten sowie folgenden unabhängigen Staaten: Antigua und Barbuda, Austral. Bund, Bahamas, Bangladesch, Barbados, Belize, Botswana, Brunei, Dominica, Gambia, Ghana, Grenada, Guyana, Indien, Jamaika, Kanada, Kenia, Kiribati, Lesotho, Malawi, Malaysia, Malediven, Malta, Mauritius, Namibia, Nauru (indirekt), Neuseeland, Nigeria, Pakistan, Papua-Neuguinea, Saint Christopher and Nevis, Saint Lucia, Saint Vincent and the Grenadines, Salomonen, Sambia, Seychellen, Sierra Leone, Simbabwe, Singapur, Sri Lanka, Swasiland, Tansania, Tonga, Trinidad und Tobago, Tuvalu (indirekt), Uganda, Vanuatu, Westsamoa, Zypern.

Ursprünge: Die Grundlagen der engl. Seemacht wurden im 16. Jh. gelegt (u. a. 1588 Sieg über die span. Armada). Es folgte die Zeit der großen engl. Handelskompanien, v. a. der Ostind. Kompanie, die 1600 das Monopol für den engl. Ostindienhandel erhielt und den Grund für das brit. Imperium des 19. Jh. legte. Die Afrikakompanie setzte sich an der Goldküste fest, um sich einen Anteil am Sklavenhandel zu sichern. Die Eroberung Jamaikas 1655 gab England eine sichere Basis im Karib. Meer. An der ind. Küste wurde 1639 Madras gegründet. 1662 fiel Bombay an die engl. Krone. Im 17. Jh. entwickelten sich entlang der nordamerikan. O-Küste Siedlungskolonien, denen die Überbevölkerung in England und die Emigration von Puritanern, Mgl. von Sekten und Katholiken zugute kamen. Nach Virginia (1607) und Massachusetts (1621) wurden Connecticut, Rhode Island, Maine, New Hampshire, Vermont, Maryland, North und South Carolina besiedelt. Die Niederländer wurden aus Nieuw Amsterdam vertrieben, das nun den Namen New York erhielt. W. Penn gründete 1681/82 Pennsylvania. Export und Import der Kolonien waren an die engl. Schiffahrt gebunden.

Von 1688 bis 1815: Nach dem Niedergang der span. und dann der niederl. Seemacht wurde Frankreich der Hauptrivale. Der Span. Erbfolgekrieg (1701–13/14) sicherte England/Großbritannien mit dem Erwerb von Gibraltar den Zugang zum Mittelmeer und verschaffte ihm die Hudson-Bay-Länder, Neufundland und Akadien von Frankreich. Die brit.-frz. Kolonialrivalität entlud sich im Siebenjährigen Krieg (1756–63), der das Ende der frz. Herrschaft in Kanada brachte. Die merkantilist. bestimmte Politik der Londoner Reg. traf auf den offenen Widerstand der 13 Siedlerkolonien in Nordamerika, die sich 1776 als „Vereinigte Staaten von Amerika" für unabhängig erklärten. Im Kampf gegen das revolutionäre Frankreich und Napoleon I. (1793–1815) konnte Großbritannien den Grund für ein neues Kolonialimperium legen: Ceylon (1796), Trinidad (1797), Malta (1800), Tasmanien (1803), Kapstadt (1806). In Indien, das nunmehr Schwerpunkt des brit. Kolonialreiches war, wurde das alte Faktoreiensystem der Kompanien durch polit. Herrschaft ersetzt.

Von 1815 bis 1914: Nach 1815 besaß Großbritannien die absolute Vormachtstellung auf den Weltmeeren. Weitere Stützpunkte wurden Singapur 1819, die Falklandinseln 1833, Aden 1839 und Hongkong 1842. Zunehmend von brit. Siedlern bevölkert wurden Australien (seit 1820) und Neuseeland (seit 1840). Der Welthandel war vorwiegend britisch. Erste verantwortl. Selbstreg. entstanden 1840 für das vereinigte Ober- und Niederkanada, 1852 für Neuseeland, 1855 für Neufundland, Neusüdwales, Victoria und Tasmanien, 1856 für Südaustralien, 1859 für Queensland, 1872 für die Kapkolonie, 1890 für Westaustralien und 1893 für Natal. Die Bez. „Dominion" wurde erstmals 1867 für das vereinigte Kanada gewählt. Weitere Zusammenschlüsse benachbarter Gebiete vollzogen sich 1901 in Australien und 1910 in Südafrika. – Nach dem muslim. Aufstand in Indien (1857/58) gingen Territorium und Eigentum der Ostind. Kompanie, die schon 1833 ihre kommerzielle Monopolstellung verloren hatte, an die brit. Krone über; der Generalgouverneur rückte zum Vizekönig auf. Nach 1871 stand die brit. Politik im Zeichen eines offensiven Imperialismus. Der brit. Premiermin. B. Disraeli suchte über die islam. Welt des Nahen Ostens eine Brücke nach Indien aufzubauen (1875 Ankauf der Sueskanalaktien). Er veranlaßte 1876 die Proklamation der Königin Viktoria zur Kaiserin von Indien. 1878 trat die Türkei Zypern an Großbritannien ab. Nach der Besetzung Ägyptens 1882 war die Mittelmeerroute nach Indien ausreichend gesichert. Im imperialist. Ringen um Afrika sicherte sich Großbritannien zw. 1884 und 1900 Njassaland, Betschuanaland, Rhodesien, Kenia, Uganda und Nigeria. Im Sudan wurde 1898 das angloägypt. Kondominat errichtet. Hinter dieser Machtpolitik standen verbreitete Vorstellungen von der Kap-Kairo-Linie und der Singapur-Kairo-Linie als künftigen Achsen des Imperiums. Die Abkehr von dieser imperialen Machtpolitik bahnte sich mit dem Burenkrieg (1899–1902) an, der heftige Kritik im Mutterland auslöste und die weltpolit. Isolierung Großbritanniens offenbar machte. Die Reg. sah sich genötigt, die Entwicklung zur Selbstreg. der weißen Siedlerkolonien weiterzuführen. 1907 bestanden dann folgende Dominions: Kapland, Kanada, Australien, Neuseeland, Natal, Transvaal und Neufundland. Ihnen gegenüber blieb Indien unter dem Vizekönig.

Von 1914 bis 1939: Die brit. Kriegserklärung 1914 wurde für das ganze Empire ausgesprochen und eine gemeinsame Kriegführung durchgesetzt. Aber die Reichskonferenz von 1917 ließ nur noch ein „Imperial Commonwealth" der autonomen Dominions gelten. Indien erreichte den Zutritt zu den Reichskonferenzen, der Dominionstatus blieb ihm allerdings noch verwehrt. In Versailles 1919 verhandelten und unterzeichneten die Dominions mit; alle, außer Neufundland, wurden Mgl. des Völkerbundes, auch Indien (1920), das auch als Quasi-Dominion den Versailler Friedensvertrag 1919 unterzeichnete. Die Reichskonferenz von 1926 (endgültig das Statut von Westminster 1931) schuf das „British Commonwealth of Nations" mit den Dominions (Irland, Kanada, Neufundland [bis 1934], Australien, Südafrikan. Union und Neuseeland) als „autonomen Gemeinschaften innerhalb des brit. Empire, gleich im Status, in keiner Weise einander in inneren und äußeren Angelegenheiten untergeordnet, obwohl durch eine gemeinsame Bindung an die Krone vereinigt und als Mgl. des Brit. Commonwealth of Nations frei assoziiert" (Balfour). Erweiterte konstitutionelle Befugnisse wurden Kenia, Rhodesien, Birma (1923) und Ceylon (1924) gewährt. Eine parlamentar. Verfassung mit allg. Wahlrecht erhielten 1931 Ceylon und 1937 Birma, das von Indien getrennt wurde. Indien blieb das Hauptproblem, das auch die Londoner Round-Table-Konferenzen 1930–32 mit Vertretern der ind. Nationalbewegung nicht lösen konnten.

Seit 1939: Im 2. Weltkrieg traten die Dominions (mit Ausnahme Irlands) der brit. Kriegserklärung bei. Indien wurde automat. einbezogen, was den scharfen Protest des Indian National Congress hervorrief. 1940 räumte Großbritannien den USA gegen Waffenlieferungen zahlr. Stützpunkte ein. Es verlor durch das jap. Vordringen 1941/42 sämtl. Besitzungen in Ostasien. 1943 erklärte Birma auf jap. Betreiben seine Unabhängigkeit. Nach Indien vermochten die Japaner allerdings nicht vorzudringen. Die USA verbanden ihren Krieg mit einem antikolonialist. Befreiungsprogramm, das ebenso wie die brit.-amerikan. Atlantikcharta (1941) den Emanzipationsbewegungen Auftrieb gab. Nach dem Kriege gewann Großbritannien seine Kolonien und Völkerbundmandate zurück, die nunmehr als „Treuhandgebiete der UN" galten. Der Fortgang der Entkolonisation war aber angesichts der machtpolit. Schwächung Großbritanniens nicht mehr aufzuhalten. Birma wurde endgültig als unabhängige Republik anerkannt und schied aus dem Commonwealth aus (1948). 1947 erhielt Indien seine volle Selbständigkeit. Durch den Ggs. zw. hinduist. Kongreßpartei und Moslemliga bildeten sich zwei Staaten, Indien und Pakistan, die zunächst Dominions, 1950 bzw. 1956 aber Republiken innerhalb des Commonwealth wurden; Pakistan trat 1972 aus. Auch Ceylon erreichte 1948 den Dominionstatus. Aus dem „British Commonwealth of Nations" wurde in der nachkolonialen Ära das „Multiracial Commonwealth", eine neuartige Partnerschaft verschiedener Rassen und Staatsformen, die jedem Mgl. Vorteile bot. In den zwei Jahrzehnten nach 1950 erreichte dann die Mehrzahl der Kolonien ihre Unabhängigkeit. Nur we-

BRITISCHES REICH · KOLONIALE AUSBREITUNG

Maßstab 1:130 000 000

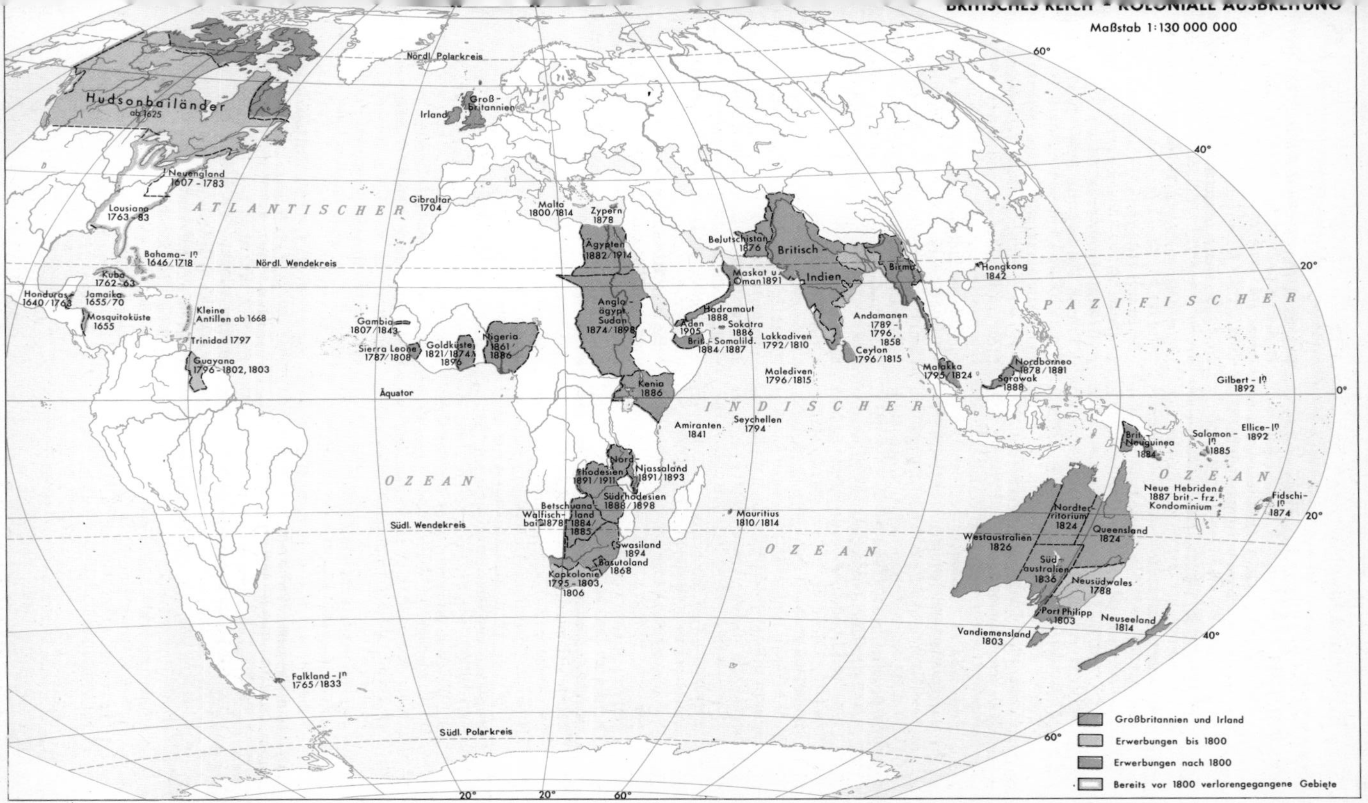

Hudsonbailänder ab 1625
Neuengland 1607 - 1783
Lousiana 1763 - 83
Bahama - In 1646/1718
Kuba 1762 - 63
Jamaika 1655/70
Honduras 1640/1763
Mosquitoküste 1655
Kleine Antillen ab 1668
Trinidad 1797
Guayana 1796 - 1802, 1803
Falkland - In 1765/1833
ATLANTISCHER
OZEAN
Nördl. Polarkreis
Nördl. Wendekreis
Äquator
Südl. Wendekreis
Südl. Polarkreis
Irland
Groß-britannien
Gibraltar 1704
Malta 1800/1814
Zypern 1878
Ägypten 1882/1914
Anglo-ägypt. Sudan 1874/1898
Gambia 1807/1843
Sierra Leone 1787/1808
Goldküste 1821/1874/1896
Nigeria 1861/1886
Kenia 1886
Nord-rhodesien 1891/1911
Njassaland 1891/1893
Südrhodesien 1888/1898
Betschuana-land 1884/1885
Walfisch-bai 1878
Swasiland 1894
Basutoland 1868
Kapkolonie 1795 - 1803, 1806
Beludschistan 1876
Britisch - Indien
Maskat u. Oman 1891
Hadramaut 1888
Aden 1905
Sokotra 1886
Brit. - Somalild. 1884/1887
Lakkadiven 1792/1810
Malediven 1796/1815
Andamanen 1789 - 1796, 1858
Ceylon 1796/1815
Birma
Amiranten 1841
Seychellen 1794
Mauritius 1810/1814
INDISCHER
OZEAN
Hongkong 1842
Malakka 1795/1824
Nordborneo 1878/1881
Sarawak 1888
PAZIFISCHER
OZEAN
Gilbert - In 1892
Ellice - In 1892
Salomon - In 1885
Brit. Neuguinea 1884
Neue Hebriden 1887 brit. - frz. Kondominium
Fidschi - In 1874
Westaustralien 1826
Nordterritorium 1824
Queensland 1824
Süd-australien 1836
Neusüdwales 1788
Port Philipp 1803
Vandiemensland 1803
Neuseeland 1814
60°
40°
20°
0°
20°
40°
60°
20°
20°
60°
Großbritannien und Irland
Erwerbungen bis 1800
Erwerbungen nach 1800
Bereits vor 1800 verlorengegangene Gebiete

nige von ihnen gaben ihre Mitgliedschaft in der Gemeinschaft auf, so Irland (1949) und Südafrika (1961), dessen Apartheidpolitik als mit der Commonwealthidee unvereinbar verurteilt wurde. 1948 räumten die brit. Truppen Palästina, wo der jüd. nat. Rat den Staat Israel proklamierte. 1956 wurde der Sudan nach Aufhebung des angloägypt. Kondominats unabhängige Republik. Zypern wurde 1961 unabhängiges Mgl. des Commonwealth, Malta 1964. Bis 1971 gab Großbritannien alle Schutzgebiete östl. von Sues (ausgenommen Kronkolonie Hongkong, Chagos Islands, Brunei) auf. In Ozeanien wurden 1962 Westsamoa, 1970 Tonga und Fidschi (bis 1987 Mgl. des Commonwealth) unabhängig. – In Amerika wurden nach dem Zerfall der 1958 gegr. Westind. Föderation 1962 Jamaika sowie Trinidad und Tobago unabhängige Mgl., 1966 Guyana und Barbados. – Die größten Veränderungen ergaben sich in Afrika. Nach Auflösung der 1953 gebildeten Föderation Rhodesien und Njassaland (1963) wurden 1964 Nordrhodesien als Republik Sambia und Njassaland unter dem Namen Malawi selbständige Mgl., ebenso Ghana (1960), Nigeria (1960), Tanganjika (1961) und Sansibar (1963), die sich 1964 als Tansania zusammenschlossen, Sierra Leone (1961), Uganda (1962), Kenia (1963), Gambia (1965), Betschuanaland als Botswana (1966), Basutoland als Lesotho (1966), Mauritius (1968) und Swasiland (1969). Das seit 1964 Rhodesien gen. Südrhodesien proklamierte zur Aufrechterhaltung seiner weißen Minderheitsherrschaft 1965 einseitig seine Unabhängigkeit. 1979 übergangsweise erneut unter brit. Herrschaft gestellt, erlangte es im Frühjahr 1980 unter dem Namen Simbabwe seine internat. anerkannte Unabhängigkeit unter einer schwarzen Mehrheitsregierung. 1972 wurde das von Pakistan abgespaltene Bangladesch Mgl. des Commonwealth. Ihre Unabhängigkeit erreichten 1973 die Bahamas, 1974 Grenada, 1975 Papua-Neuguinea, 1976 die Seychellen, 1978 die Salomonen, Dominica und die Gilbert Islands (jetzt Tuvalu), 1979 die Ellice Islands (jetzt Kiribati), Saint Lucia und Saint Vincent and the Grenadines, 1980 die Neuen Hebriden (jetzt Vanuatu), 1981 Belize (bis 1973 Brit.-Honduras), Antigua und Barbuda, 1983 Saint Christopher and Nevis, 1984 Brunei. Innere Autonomie wurde 1966 Hongkong, 1967 den Westind. Assoziierten Staaten und 1968 den Bermudainseln gewährt. Kleine Gebiete wie Montserrat, die Falklandinseln u. a. blieben Kronkolonien (1982 Behauptung der brit. Position im Falklandkrieg gegen Argentinien). 1989 trat Pakistan dem Commonwealth wieder bei; neues Mgl. wurde 1990 das unter UN-Aufsicht zur Unabhängigkeit gelangte Namibia.

🕮 *Lloyd, T. O.: The British Empire 1558–1983. Oxford 1984. – McIntyre, W. D.: The Commonwealth of Nations. Origins and impact, 1869–1971. Minneapolis (Minn.) 1977. – Höpfl, H.: Gesch. Englands u. des Commonwealth. Ffm. ²1973. – Cambridge history of the British Empire. Hg. v. J. H. Rose u. a. London ¹⁻²1929–63. 8 Bde.*

Britisch-Guayana, ehem. brit. Kolonie an der NO-Küste Südamerikas, ↑Guyana.

Britisch-Honduras ↑Belize.

British Aerospace [engl. 'brɪtɪʃ 'ɛərɔspɛɪs], Abk. BAe, brit. Unternehmen der Luft- und Raumfahrtindustrie, Sitz London; umfaßt u. a. die British Aircraft Corporation Ltd. (BAC). – Die BAe entstand 1977 durch Fusion bei gleichzeitiger Verstaatlichung; 1985 wieder vollständig privatisiert.

British Airways [engl. 'brɪtɪʃ 'ɛəwɛɪz] ↑Luftverkehrsgesellschaften (Übersicht).

British-American Tobacco Company Ltd. [engl. 'brɪtɪʃ ə'mɛrɪkən tə'bækoʊ 'kʌmpənɪ 'lɪmɪtɪd], größter Konzern der Tabakwarenind. der Welt, Sitz London.

British Antarctic Territory [engl. 'brɪtɪʃ ænt'ɑktɪk 'tɛrɪtərɪ], brit. Kolonie in der Antarktis, umfaßt die Süd-Orkney-Inseln, die Süd-Shetland-Inseln und einen Sektor des antarkt. Festlands bis zum Südpol (Souveränitätsansprüche hier laut Antarktis-Vertrag eingefroren). Mehrere Forschungsstationen verschiedener Nationen.

British Broadcasting Corporation [engl. 'brɪtɪʃ 'brɔ:dkɑstɪŋ kɔ:pə'rɛɪʃən], Abk. BBC, staatl. brit. Rundfunkgesellschaft; Sitz London; 1922 gegr., war bis 1926 eine privatrechtl. AG („British Broadcasting Company"); 1927 in eine öff.-rechtl. Anstalt umgewandelt. Wird durch Gebühren finanziert; sendet Hörfunk-, seit 1946 auch regelmäßig Fernsehprogramme.

British Columbia [engl. 'brɪtɪʃ kə'lʌmbɪə] (dt. Brit.-Kolumbien), westlichste Prov. Kanadas, 929 730 km², 3,28 Mill. E (1992), 3,53 E/km², Hauptstadt Victoria.

Landesnatur: Im NO hat B. C. Anteil an den Interior Plains, rd. 90% der Fläche liegen aber im Gebirge. Im O steigen die vergletscherten Rocky Mountains bis 3 954 m ü. d. M. (Mount Robson; Naturpark) an. Es folgt eine breite Zone von Plateaus in Höhen über 1 000 m, nach W begrenzt von den **Coast Mountains,** die im Mount Waddington 4 041 m ü. d. M. erreichen. Der durch Fjorde stark gegliederten Küste sind zahlr. Inseln vorgelagert, u. a. Vancouver Island. Das Klima ist im Küstenbereich relativ ausgeglichen mit hohen Niederschlägen; nach O nehmen diese stark ab. Neben Nadelwald kommen Mischwälder mit Schwarzpappeln und Zedern vor. In den Wäldern leben Grizzly- und Schwarzbär.

Bevölkerung, Wirtschaft: Etwa 2% der Bev. sind Indianer, bei den Einwanderern dominieren Briten, gefolgt von Deutschen, Skandinaviern, Franzosen, Niederländern und Ostasiaten. Die Wirtsch. verfügt über ein reiches natürl. Potential: auf dem Waldreichtum basieren Zellulose- und Papierfabriken sowie zahlr. Sägewerke. Abgebaut werden Kupfer-, Zink-, Blei- und Molybdänerze, v. a. im Kootenay-Gebiet und bei Merritt; Eisenerze werden u. a. auf Vancouver Island gewonnen. Erdöl- und Erdgasfelder liegen nördl. des Peace River (Pipeline nach Vancouver); der Abbau von Kohle und die Gewinnung von Gold ist zurückgegangen. Bed. Lachsfischerei und -verarbeitung. Die Plateaus sind v. a. Rinderweideland; am Unterlauf des Fraser River wird Gemüse angebaut. Die Nutzung der Wasserkräfte ließ neue Ind. entstehen, z. B. die Aluminiumhütte in Kitimat. Bed. hat u. a. auch die Nahrungsmittel- und die chem. Industrie.

Verkehr: B. C. verfügt über ein Eisenbahnnetz von rd. 7300 km Länge, darunter zwei transkontinentale Strecken, die den Pazifik bei Vancouver bzw. Prince Rupert erreichen. Das Straßennetz hat eine Länge von 43700 km, dazu gehören Teile des Transkanada Highway im S und des Alaska Highway im N. Internat. ✈ in Vancouver und Victoria.

Geschichte: 1778 nahm J. Cook das Land für die brit. Krone in Besitz; 1858 Beginn der Besiedlung des Festlandes und Gründung der Kolonie B. C.; 1866 Vereinigung mit der 1849 gebildeten Kronkolonie Vancouver Island zur Kronkolonie B. C., die sich 1871 als 6. Prov. dem Kanad. Bund anschloß.

British Council [engl. 'brɪtɪʃ 'kaʊnsl], Einrichtung Großbritanniens zur Förderung und Verbreitung der engl. Sprache und Kultur im Ausland; gegr. 1934, Hauptsitz: London; Sitz des B. C. in der BR Deutschland ist Köln.

British Empire and Commonwealth [engl. 'brɪtɪʃ 'ɛmpaɪə ənd 'kɔmənwɛlθ] ↑ Britisches Reich und Commonwealth.

British Forces Broadcasting Service [engl. 'brɪtɪʃ 'fɔːsɪz 'brɔːdkɑstɪŋ 'səːvɪs], Abk. BFBS, Sender der brit. Truppen in der BR Deutschland mit Sitz in Köln. Entstand 1964 als Nachfolger des „British Forces Network" (Abk. BFN).

British Indian Ocean Territory [engl. 'brɪtɪʃ 'ɪndɪən 'oʊʃən 'tɛrɪtərɪ], unter brit. Verwaltung stehendes Gebiet im westl. Ind. Ozean, 60 km². Umfaßt die südl. der Malediven gelegenen Chagos Islands, nur von Militär bewohnt.

British Leyland Ltd. [engl. 'brɪtɪʃ 'lɛɪlənd 'lɪmɪtɪd], bis 1986 Firmenname des brit. Automobilunternehmens ↑ Rover Group PLC.

British Museum, The [engl. ðə 'brɪtɪʃ mjuː'zɪəm] ↑ Britisches Museum.

British Petroleum Company Ltd. [engl. 'brɪtɪʃ pi'troʊljəm 'kʌmpənɪ 'lɪmɪtɪd], Abk. BP, brit. Erdölkonzern, Sitz London; entstanden 1954 aus der früheren Anglo-Iranian Oil Company (AIOC).

British Steel Corporation [engl. 'brɪtɪʃ 'stiːl kɔːpə'rɛɪʃən], Abk. BSC, staatl. brit. Konzern der Eisen- und Stahlind., Sitz London; entstanden 1967 durch Verstaatlichung und Verschmelzung von 14 Unternehmen der Stahlind.; seit 1988 privatisiert.

British Virgin Islands [engl. 'brɪtɪʃ 'vəːdʒɪn 'aɪləndz] ↑ Jungferninseln.

Britomartis, kret. Göttin, der griech. Artemis wesensverwandt.

Britten, Benjamin [engl. brɪtn], * Lowestoft (Suffolk) 22. Nov. 1913, † Aldeburgh (Suffolk) 4. Dez. 1976, engl. Komponist. – Seine Kompositionen kennzeichnet eine flüssige Schreibweise, verbunden mit techn. Versiertheit, und das Vermögen, mit sparsamen Mitteln Atmosphäre zu umreißen und Wirkung zu erzielen. Bed. auch als Pianist und Dirigent, der alle Uraufführungen seiner Opern selbst leitete.

Opern: Peter Grimes (1945), The rape of Lucretia (1946), Albert Herring (1947), The beggar's opera (1948), Billy Budd (1951), A midsummer night's dream (1960), Owen Wingrave (1971), Der Tod in Venedig (1973). – *Orchesterwerke:* Variationen über ein Thema von Frank Bridge (1937), Simple symphony (1934), The young person's guide to the orchestra (1945, Variationen über ein Thema von Purcell). – *Chorwerke:* War requiem (1962, zur Einweihung der im 2. Weltkrieg zerstörten Kathedrale von Coventry).

Britting, Georg, * Regensburg 17. Febr. 1891, † München 27. April 1964, dt. Schriftsteller. – Schrieb den humorist. Roman „Lebenslauf eines dicken Mannes, der Hamlet hieß" (1932); phantasievolle Lyrik; im Alterswerk Bevorzugung strenger Formen (Ode, Sonett).

Brixen (italien. Bressanone), italien. Stadt und Kurort am Zusammenfluß von Eisack und Rienz, in der Region Trentino-Südtirol. 16200 E. Bischofssitz (seit 992); Priesterseminar; Weinbau. – Im 9. Jh. als **Pressena** bezeugt, 901 an die Bischöfe von Säben, deren Sitz seit dem 10. Jh.; 1805 an Bayern, 1815 wieder an Österreich, 1919 an Italien. – Dom (1745–55; roman. Vorgängerbau), Kreuzgang (um 1200–1360) mit Fresken. Die Arkaden der Laubengasse stammen aus dem MA; fürstbischöfliche Hofburg (um 1270, v. a. 1591–1600).

B., Bistum; urspr. in Säben bestehend, in der 2. Hälfte des 10. Jh. nach B. verlegt. 1803 säkularisiert. 1964 wurde das Bistum **Bozen-**

Brixen (Bolzano-Bressanone) errichtet und der Kirchenprov. Trient unterstellt.

Brixia, antike Stadt, ↑Brescia.

Brjansk, russ. Gebietshauptstadt an der Desna, 452 000 E. 3 Hochschulen; Theater; Dieselmotorenbau, Kammgarnkombinat. – Urkundl. erstmals 1146 erwähnt. Vom 13. Jh. bis Mitte 14. Jh. Hauptstadt eines Teil-Ft., 1356 zum Groß-Ft. Litauen, 1500 zum Groß-Ft. Moskau.

Brjussow, Waleri Jakowlewitsch, * Moskau 13. Dez. 1873, † ebd. 9. Okt. 1924, russ. Dichter. – Als wegweisender Formkünstler Führer der russ. Symbolisten; auch histor. Romane, übersetzte Vergil, Dante, Goethe, Poe und Verlaine.

Brno [tschech. 'brnɔ] ↑Brünn.

Broad Church [engl. 'brɔ:d 'tʃə:tʃ, eigtl. „breite Kirche"] (Broad Church Party), eine der drei Richtungen in der ↑anglikanischen Kirche, gekennzeichnet durch soziale Aktivitäten und religiöse Toleranz.

Broad Peak [engl. 'brɔ:d 'pi:k], Berg im Karakorum; 8 047 m; am 9. Juni 1957 Erstbesteigung.

Broadway [engl. 'brɔ:dwɛɪ „breiter Weg"], eine der Hauptstraßen der Stadt New York, USA, verläuft, z. T. schräg zum Schachbrettgrundriß des Straßennetzes, von der S-Spitze von Manhattan bis zur nördl. Stadtgrenze, etwa 25 km lang; v. a. durch seine Theater bekannt.

Broadwood & Sons, Ltd. [engl. 'brɔ:dwʊd ənd'sʌnz 'lɪmɪtɪd], brit. Klavierfabrik, um 1728 in London gegr.; bis heute eine der führenden Weltfirmen.

Broca, Paul, * Sainte-Foy-la-Grande (bei Bergerac) 28. Juni 1824, † Paris 9. Juli 1880, frz. Chirurg und Anthropologe. – Einer der bedeutendsten Chirurgen seiner Zeit; entdeckte das nach ihm benannte Sprachzentrum im Gehirn.

Broca-Formel [nach P. Broca], Grobregel zur Berechnung des Körpersollgewichtes (in kg) aus der Körperlänge in cm abzügl. 100. Bei einer Körpergröße von 175 cm ergibt sich demnach ein Körpersollgewicht von 75 kg.

Broccoli [italien.], svw. ↑Spargelkohl.

Broch, Hermann, * Wien 1. Nov. 1886, † New Haven (Conn.) 30. Mai 1951, östr. Schriftsteller. – Emigrierte 1938 in die USA. Gehört zu den großen Vertretern des Romans; sein Hauptwerk ist die Trilogie „Die Schlafwandler" („Pasenow oder Die Romantik – 1888", 1931; „Esch oder Die Anarchie – 1903", 1931; „Huguenau oder Die Sachlichkeit – 1918", 1932). – *Weitere Werke:* Der Tod des Vergil (R., 1947), Die Schuldlosen (R., 1950), Der Versucher (R., hg. 1953).

Brochantit [nach dem frz. Mineralogen A. J. F. M. Brochant de Villiers, * 1772, † 1840], smaragdgrünes bis schwärzlichgrünes, durchsichtiges bis durchscheinendes, in körnigen, monoklinen Kristallen auftretendes Mineral, $Cu_4[(OH)_6/SO_4]$; Mohshärte 3,5 bis 4; Dichte 3,97 g/cm³.

Brock, Bazon, * Stolp (Ostpommern) 2. Juni 1936, dt. Aktionskünstler, Kunsttheoretiker. – Betont die Alltagsästhetik, d. h. Kunst als Kulturtechnik im Alltag. Initiator der Besucherschulen der Documenta und aktivierender neuer Lehrformen (action-teaching). Schrieb u. a. „Ästhetik als Vermittlung" (1977) und „Ästhetik gegen erzwungene Unmittelbarkeit" (1986).

Brockdorff, seit 1220 bezeugtes holstein.-dän. Adelsgeschlecht; es bestehen noch Linien in Schleswig-Holstein und Dänemark (seit 1672 bzw. 1838 gräfl.) sowie der 1706 in den Reichsgrafenstand erhobene fränk. Zweig.

B.-Rantzau, Ulrich Graf von, * Schleswig 29. Mai 1869, † Berlin 8. Sept. 1928, dt. Diplomat und Politiker. – Ab Dez. 1918 als Staatssekretär Leiter des Auswärtigen Amtes, danach Außenmin. Febr. bis Juni 1919; trat aus Anlaß der Unterzeichnung des Versailler Vertrages, den er ablehnte, zurück; ging trotz Bedenken gegen den Rapallovertrag als erster Botschafter in die Sowjetunion (1922–28); trug entscheidend zum Zustandekommen des Berliner Vertrages (1926) bei.

Brocken, höchster Berg des Harzes, 1 142 m hoch; besteht aus Granit, seine Kuppe ist unbewaldet. – In der Mythologie als **Blocksberg** Schauplatz der Walpurgisnacht.

Brockhaus (F. A. Brockhaus), Verlag, der 1805 von Friedrich Arnold B. (* 1772, † 1823) in Amsterdam gegründet wurde; ab 1811 in Altenburg, ab 1817/18 in Leipzig, wo auch eine Druckerei angeschlossen wurde. Hauptarbeitsgebiet des seit 1953 in Wiesbaden (nach Enteignung des Leipziger Hauses) wieder als F. A. B. firmierenden Unternehmens sind Lexika; 1809 brachte F. A. B. erstmals ein „Conversations-Lexikon" (6 Bde.) heraus. 1966–74 erschien die 17. Auflage des „Großen Brockhaus" u. d. T. „Brockhaus Enzyklopädie" in 20 Bänden; seit 1986 erscheint in 19. Auflage wieder die „Brockhaus Enzyklopädie" in 24 Bänden, daneben veröffentlicht der Verlag Werke aus Natur-, Erd- und Völkerkunde, Biographien und Musikbücher. 1984 Fusion mit der Bibliographisches Institut AG zur Firma ↑Bibliographisches Institut & F. A. Brockhaus AG (Unternehmenssitz Mannheim).

Brockhouse, Bertram Neville [engl. 'brɔkhaʊs], * Alta 15. Juli 1918, kanad. Physiker. – Erhielt mit C. G. Shull für die „Entwicklung von Neutronenstreuungstechniken für das Studium kondensierter Materie" den Nobelpreis für Physik 1994.

Brockmann, Hans Heinrich, * Altkloster (heute zu Buxtehude) 18. Okt. 1903, † Göttingen 1. Mai 1988, dt. Chemiker. – Prof. in Posen und Göttingen; entwickelte die Adsorptionschromatographie zur Trennung von organ. Verbindungen.

Brod, Max, * Prag 27. Mai 1884, † Tel Aviv-Jaffa 20. Dez. 1968, östr.-israel. Schriftsteller. – Zionist, emigrierte 1939 nach Tel Aviv; Freund Kafkas, dessen Werk er postum herausgab. Schrieb kulturphilosoph. Essays, Romane und Novellen. – *Werke:* Romantrilogie: Tycho Brahes Weg zu Gott (1916), Rëubeni, Fürst der Juden (1925), Galilei in Gefangenschaft (1948); F. Kafka (Biogr., 1937), Streitbares Leben (Autobiogr., 1960, erweitert 1969).

Brodski, Iossif Alexandrowitsch, * Leningrad 24. Mai 1940, russ. Lyriker. – Lebt in den USA (in der Sowjetunion verfolgt und 1972 ausgebürgert), seit 1977 amerikan. Staatsbürger. Gehört zu den großen Vertretern der russ. Lyrik; auch Dramen. 1987 Nobelpreis. – *Werke:* Ausgewählte Gedichte (1966), Röm. Elegien und andere Gedichte (1982), Erinnerungen an Leningrad (1986), Ufer der Verlorenen (Prosa, dt. 1991).

Brodwolf, Jürgen, * Dübendorf (Kt. Zürich) 14. März 1932, schweizerisch-dt. Maler, Graphiker, Zeichner. – Er begann mit figürl. Darstellungen, Tusch- und Radierzyklen. Seit 1959 entstehen v. a. Objekte und Figurinen.

Broederlam, Melchior [niederl. 'bru:dərlam], 1381–1409 in Ypern nachweisbarer niederl. Maler. – Das einzig sichere Werk sind die Altarflügel für die Kartause von Champmol (bei Dijon; 1394–99). In der feinen Lichtbehandlung wohl die bedeutendste niederl. Malerei vor den Brüdern van Eyck.

Broek, Johannes Hendrik van den [niederl. bru:k], * Rotterdam 4. Okt. 1898, † Den Haag 6. Sept. 1978, niederl. Architekt. – 1937 assoziierte er sich mit Jacob Berend Brinkman, 1948 mit J. B. Bakema (* 1914, † 1981), mit dem er entscheidend am Wiederaufbau Rotterdams beteiligt war.

Bröger, Karl, * Nürnberg 10. März 1886, † Erlangen 4. Mai 1944, dt. Lyriker und Erzähler. – Arbeiterdichter; autobiograph. Bericht: „Der Held im Schatten" (1919).

Broglie [frz. brɔj], frz. Adelsgeschlecht, seit dem 13. Jh. in Piemont beheimatet; 1643 kam ein Zweig der Familie nach Frankreich und erhielt 1742 den erbl. Herzogstitel. Aus dieser Familie gingen zahlr. bed. frz. Politiker (u. a. **Achille Léon Victor Herzog von Broglie** [* 1785, † 1870], 1832–36 frz. Außenmin. sowie 1830 und 1835/36 auch Min.präs., und **Albert Victor Herzog von Broglie** [* 1821, † 1901], 1873/74 Min. und 1877 Min.präs.), Heerführer (u. a. die Marschälle **François Marie Herzog von Broglie** [* 1671, † 1745] und **Victor François Herzog von Broglie** [* 1718, † 1804]) sowie Wissenschaftler hervor, u. a.:

B., Louis Victor Prinz von (seit 1960 Herzog), genannt L. de B., * Dieppe 15. Aug. 1892, † Louveciennes bei Paris 19. März 1987, frz. Physiker. – Prof. in Paris. Konzipierte 1923/1924 seine grundlegenden Ideen über den Welle-Teilchen-Dualismus; er führte den Begriff der † Materiewellen ein, mit dem er die Bohrsche Quantenbedingung und das Auftreten stabiler Elektronenbahnen in den Atomen erklären konnte. Gab damit den Anstoß zur Entwicklung der Wellenmechanik durch E. Schrödinger. Nobelpreis für Physik 1929 (zus. mit O. W. Richardson).

B., Maurice 6. Herzog von, genannt M. de B., * Paris 27. April 1875, † Neuilly-sur-Seine 14. Juli 1960, frz. Physiker. – Bruder von Louis Victor Prinz von B.; Mgl. der Académie française; bed. Arbeiten zur Spektroskopie, über Röntgen- und Gammastrahlen.

Brok, tom (ten Brok), ostfries. Häuptlingsgeschlecht des 14./15. Jh.: **Ocko I. tom Brok** (1376–91), machte Aurich zum Mittelpunkt einer ausgedehnten Herrschaft; **Keno II.** (1399–1417) einigte Ostfriesland; **Ocko II.** (1417–27) nannte sich Häuptling von Ostfriesland, unterlag aber 1427 Focko Ukena und starb 1435 als letzter seines Geschlechts.

Brokat [italien., zu broccare „durchwirken"], Seiden- oder Chemiefasergewebe, häufig von Metallfäden durchzogen.

Brokatglas, Glas mit eingeschmolzenen Gold- und Silberfäden.

Brokdorf, Gem. am rechten Ufer der Elbe, 15 km sw. von Itzehoe, Schl.-H., 870 E. Kernkraftwerk (1 290 MW Leistung), dessen Inbetriebnahme gegen zahlreiche Proteste durchgesetzt wurde.

Broken Hill [engl. 'broʊkən 'hıl], Bergbaustadt in Neusüdwales (Australien), 24 000 E. ⚒. Bei B. H. liegen die bedeutendsten silberhaltigen Blei-Zink-Erzlagerstätten Australiens.

Broker ['bro:kər; engl. 'broʊkə], svw. Börsenmakler (angloamerikan. Bereich), in der BR Deutschland v. a. der Makler bei Warentermingeschäften.

Brokkoli [italien.], svw. † Spargelkohl.

Brokoff, Ferdinand Maximilian, * Rothenhaus (= Červený Hrádek) bei Komotau 12. Sept. 1688, † Prag 8. März 1731, böhm. Bildhauer. – Einer der bedeutendsten Bildhauer des böhm. Spätbarock. Schuf in Prag u. a. Figuren für die Karlsbrücke (der „Hl. Franz von Borgia", 1710).

Brom [zu griech. brõmos „Gestank"], chem. Symbol Br, nichtmetall. Element aus der VII. Hauptgruppe des Periodensystems der chem. Elemente; Halogen; Ordnungszahl 35, relative Atommasse 79,904; bei Normaltemperatur ist B. eine dunkelrotbraune Flüssigkeit, die an der Luft giftige Dämpfe entwickelt. Schmelzpunkt −7,2 °C, Siedepunkt 58,78 °C, Dichte 3,12 g/cm³. Im gasförmigen Zustand liegt es als Molekül (Br_2) vor. Seine wäßrige Lösung heißt **Bromwasser.** Entsprechend seiner Stellung im Periodensystem tritt B. in seinen Verbindungen überwiegend einwertig auf (Bromide). Kommt in der Natur nur in Form von Bromiden vor, z. B. im Bromkarnallit der Staßfurter Abraumsalze oder als Magnesiumbromid im Meerwasser. B. ist Ausgangsprodukt für eine große Anzahl von organ. Synthesen (Farbstoffe, Arzneimittel, Lösungsmittel u. a.). In der Form des Silberbromids (AgBr) spielt es in der Photoind. eine wichtige Rolle. Als Additiv zu Antiklopfmitteln wird Äthylenbromid (1,2-Dibromäthan), CH_2Br-CH_2Br, verwendet.

Bromaceton (Brompropanon), eine wasserhelle, flüchtige Verbindung, „Tränengas": $CH_3-CO-CH_2Br$; selbst in großer Verdünnung ruft es noch ein Brennen und Tränen der Augen hervor.

Bromakne ↑Bromvergiftung.

Bromate [griech.], die Salze der Bromsäure (↑Bromsauerstoffsäuren), allg. Formel: Me^IBrO_3.

Brombeere [zu althochdt. brama „Dornstrauch"] (Rubus fruticosus), formenreiche Sammelart der Rosengewächsgatt. Rubus mit zahlr., z. T. schwer unterscheidbaren Kleinarten und vielen Bastarden, in Wäldern und Gebüsch; mit kräftigen Stacheln, gefiederten Blättern und schwarzroten bis schwarzen, glänzenden Sammelsteinfrüchten; zahlr., v. a. in N-Amerika gezüchtete Kultursorten (z. B. ↑Loganbeere), manche auch stachellos.

Bromberg (poln. Bydgoszcz), poln. Stadt nö. von Posen, nahe der Mündung der Brahe in die Weichsel, 373 000 E. Hauptstadt der Woiwodschaft Bydgoszcz. Ingenieur- und landw. Hochschule; Museum, zwei Theater, Philharmonie; Maschinenbau, elektrotechn. Ind., Fahrradherstellung, Schuhfabrik, Nahrungsmittelind.; Binnenhafen (24,7 km langer B.kanal zum Oderzufluß Netze), Verkehrsknotenpunkt. – Entstand im 12. Jh. als Siedlung; 1346 Magdeburger Stadtrecht. Wirtsch. Blüte im 15. und 16. Jh.; 1772–1920 (mit Unterbrechung 1807–15) bei Preußen. – Spätgot. Pfarrkirche (1460–1502).

Bromeliazeen (Bromeliaceae) [zu ↑Bromelie], svw. ↑Ananasgewächse.

Bromelie (Bromelia) [nach dem schwed. Botaniker O. Bromel, * 1639, † 1705], Gatt. der Ananasgewächse mit etwa 35 Arten im trop. Amerika; meist große, ananasähnl., erdbewohnende Rosettenpflanzen; Blätter lang und starr, am Rand mit Dornen besetzt; Blüten in Blütenständen. Die Beerenfrüchte einiger Arten sind eßbar.

Bromfield, Louis [engl. 'brɔmfi:ld], * Mansfield (Ohio) 27. Dez. 1896, † Columbus (Ohio) 18. März 1956, amerikan. Schriftsteller. – Verfasser erfolgreicher Gesellschafts- und Reiseromane, insbes. Indienromane, u. a. „Der große Regen" (1937).

Bromide [griech.], Salze der Bromwasserstoffsäure, die alle das einwertig negative Bromidion Br^- besitzen. Bes. techn. Bedeutung besitzen das Silber- (Photographie), Ammonium- und Kaliumbromid.

Bromierung [griech.], Einführung von Brom in eine organ. Verbindung.

Bromismus [griech.], svw. ↑Bromvergiftung.

Brompräparate, Arzneimittel, deren wirksamer Bestandteil das Bromidion ist. B. dämpfen die Erregbarkeit des Zentralnervensystems und galten lange als ungefährl., leichte Beruhigungsmittel. Bei fortgesetzter Anwendung ist jedoch eine chron. Bromvergiftung möglich. B. sind inzwischen weitgehend durch andere Beruhigungsmittel ersetzt.

Bromsauerstoffsäuren, Verbindungen des Broms, die saure Eigenschaften zeigen und in denen das Brom als Zentralatom negativ geladener Komplexe auftritt. Von der schwachen *Bromsäure(I),* HBrO (hypobromige Säure), sind nur die Salze (Bromate(I)) beständig. Die *Bromsäure(III),* $HBrO_2$ (bromige Säure), und die *Bromsäure(V),* $HBrO_3$, sind nur in wäßriger Lösung beständig; die Salze sind die Bromate(III) bzw. Bromate(V). Die *Bromsäure(VII),* $HBrO_4$ (Perbromsäure), und ihre Salze, die Bromate(VII), sind starke Oxidationsmittel.

Brömsebro [schwed. brœmsə'bru:], Ort in Schweden, 30 km nö. von Karlskrona, 250 E. Im Frieden von B. (1645) am Ende des schwed.-dän. Krieges verlor Dänemark seine Vormachtstellung im Norden.

Bromsilber, svw. Silberbromid (↑Silberhalogenide).

Bromsilberdruck (Rotationsphotographie), Kopierverfahren zur maschinellen Herstellung von photograph. Abzügen (v. a. für Ansichtskarten), bei dem mit Bromsilbergelatine beschichtetes, auf Rollen aufgewickeltes Papier abschnittsweise unter den montierten Halbtonnegativen hindurchgezogen und automat. belichtet und entwickelt wird.

Bromthymolblau, Indikator zur pH-Wert-Bestimmung; geht bei den pH-Werten 6,0 bis 7,6 von Gelb in Blau über.

Bromus [griech.-lat.], svw. ↑Trespe.

Bromvergiftung (Bromismus), Krankheitserscheinungen, die auf einer Überempfindlichkeit des Organismus gegen Brom bzw. Bromverbindungen oder auf einer über längere Zeit erfolgenden Einnahme von Brompräparaten beruhen. Charakterist. sind v. a. Konzentrationsschwäche, Schlaflosigkeit, Halluzinationen, Gewichtsabnahme und Bromakne (Hautausschlag mit entzündeten braunroten Knoten). Auch nach Einatmen von Bromgasen (bes. in der chem. Industrie) kann eine B. auftreten.

Bromwasserstoff, HBr, Wasserstoffverbindung des Broms, bildet ein farbloses, stechend riechendes Gas, dessen wäßrige Lösung als **Bromwasserstoffsäure** bezeichnet wird. Die B.säure ist eine starke Säure, sie löst viele Metalle unter Wasserstoffentwicklung und Bildung von ↑Bromiden.

bronchial [griech.], zu den Ästen der Luftröhre (oder Bronchien) gehörend, diese betreffend.

Bronchialasthma ↑Asthma.

Bronchialkatarrh, svw. ↑Bronchitis.

Bronchialkrebs (Bronchialkarzinom) ↑Lungenkrebs.

Bronchien (Bronchen, Bronchi, Einz.: Bronchus) [griech.], die stärkeren Äste der sich gabelnden Luftröhre der Landwirbeltiere (einschließlich Mensch). Die B. verästeln sich in feine und feinste **Bronchiolen** mit jeweils mehreren blind endenden Alveolen; diese besitzen eine respirator. Membran, an der der Gasaustausch mit dem Blut stattfindet. Die großen B. sind von einer Schleimhaut mit Flimmerepithel ausgekleidet, die durch das Sekret schleimbildender Drüsen befeuchtet wird. Die Muskulatur der durch Knorpel versteiften B.wand kann die B.lichtung in jedem Entfaltungszustand der Lunge aktiv enger oder weiter stellen.

Bronchiolitis [griech.] ↑Bronchitis.

Bronchitis [griech.] (Bronchialkatarrh), Schleimhautentzündung der Luftröhrenäste (Bronchien), oft gleichzeitig auch der Luftröhre **(Tracheobronchitis).** Die **akute Bronchitis,** meist eine Tracheo-B., tritt v. a. bei Unterkühlung des Körpers oder bei vorliegendem Virusinfekt als mehr oder weniger selbständige Erkrankung auf. Die ersten Erscheinungen der akuten B. sind Wundgefühl hinter dem Brustbein, Husten, Auswurf (bes. morgens), Brustschmerzen und allg. Leistungsminderung. Das Fieber steigt über 38 °C an. Die akute B. klingt im allg. innerhalb weniger Tage ab. Die Behandlung besteht v. a. in Inhalationen.

Die **chron. Bronchitis** kann bei wiederholtem Rückfall aus der akuten B. entstehen. Bes. die kalte Jahreszeit, feuchtes Nebelklima, allerg. Reaktionen und chron. Rauch-, Staub- oder Chemikalienreize fördern die chron. Bronchitis. Auch Herzkrankheiten oder Staublungenerkrankungen können mit chron. B. einhergehen. Unter den schädl. chem. Faktoren spielt der Tabakrauch eine bes. Rolle **(Raucherbronchitis).** Haupterscheinung der chron. B. ist der hartnäckige Husten mit schleimigem Auswurf, der oft zum Lungenemphysem (↑Emphysem) mit folgender Einengung der Lungenstrombahn und Rechtsherzschwäche führt.

Die **kapillare Bronchitis** (B. capillaris, **Bronchiolitis)** ist eine akute virusbedingte Entzündung der feinsten Luftröhrenverzweigungen (Bronchiolen); betroffen sind v. a. Kleinkinder, aber auch ältere Menschen. Kennzeichen sind rascher Fieberanstieg und lebensbedrohl. Atemnot (Nasenflügelatmen, keuchende Atmung, Blässe und schließl. Blausucht).

Bronchographie [griech.], Röntgendarstellung der Luftröhrenäste nach Einfüllung eines Röntgenkontrastmittels.

Bronchopneumonie ↑Lungenentzündung.

Bronchoskopie [griech.] (Luftröhrenspiegelung), Betrachtung der Luftröhre und ihrer Verzweigungen mit dem Bronchoskop (↑Endoskope). Die B. dient u. a. der genauen Ortung und Entfernung von Fremdkörpern, zur Früherkennung von Tumoren und zur Entnahme von Gewebsproben.

Bronchospirometrie, Methode der Lungenfunktionsprüfung, bei der v. a. das Atemvolumen, unter Verwendung eines Gasanalysegerätes auch die Sauerstoffaufnahme beider Lungenflügel getrennt geprüft werden können; z. B. zur Voruntersuchung bei Lungenresektionen eingesetzt.

Bronn, Heinrich Georg, * Ziegelhausen (= Heidelberg) 3. März 1800, † Heidelberg 5. Juli 1862, dt. Zoologe und Paläontologe. – Prof. in Heidelberg; Wegbereiter der Abstammungslehre in der Paläontologie; stellte Versteinerungen chronolog. zusammen.

Bronnbach, ehem. Zisterzienserkloster bei Reicholzheim (= Wertheim), Main-Tauber-Kreis, Bad.-Württ.; 1151 gegr., 1803 säkularisiert. Die nach 1157 erbaute Kirche ist eine roman. dreischiffige Basilika. Das Innere wurde später barock ausgestaltet. Nach 1945 von Kapuzinern bezogen.

Bronnen, Arnolt, eigtl. Arnold Bronner, * Wien 19. Aug. 1895, † Berlin 12. Okt. 1959, östr. Schriftsteller. – Einer der Bühnenavantgardisten im Berlin der 20er Jahre, wechselte 1929 von der Linken zur äußersten Rechten über, nach 1945 Kommunist, zuletzt Theaterkritiker in Berlin (Ost). – *Werke:* Vatermord (Dr., 1920), Anarchie in Sillian (Dr., 1924), arnolt bronnen gibt zu protokoll (Autobiogr., 1954), Aisopos (R., 1956).

Bronsart von Schellendorf, Paul, * Danzig 25. Jan. 1832, † Schettnienen bei Braunsberg (Ostpr.) 23. Juni 1891, preuß. General und Min. – Kriegsmin. 1883–89; setzte 1887/88 eine umfassende Reorganisation der Armee durch.

Bronschtein, Leib ↑Trotzki, Leo.

Brønsted, Johannes Nicolaus [dän. 'brœnsdɛð], * Varde 22. Febr. 1879, † Kopenhagen 17. Dez. 1947, dän. Chemiker. – Entwickelte mit N. Bjerrum und unabhängig von T. M. Lowry die nach ihm benannte *B.-Säure-Base-Theorie* (↑Säure-Base-Theorie).

Brontë [engl. 'brɔntı], Anne, *Thornton (Yorkshire) 17. Jan. 1820, †Scarborough (Yorkshire) 28. Mai 1849, engl. Dichterin. – Schrieb einige Gedichte für die Lyrikanthologie ihrer Schwestern Charlotte und Emily Jane und den Roman „Agnes Grey" (1847).
B., Charlotte, *Thornton (Yorkshire) 21. April 1816, †Haworth (Yorkshire) 31. März 1855, engl. Schriftstellerin. – Gab eine Lyrikanthologie (auch mit Gedichten ihrer Schwestern Anne und Emily Jane) heraus. Schrieb vielgelesene Romane, u. a. „Jane Eyre" (1847).
B., Emily Jane, *Thornton (Yorkshire) 30. Juli 1818, †Haworth (Yorkshire) 19. Dez. 1848, engl. Schriftstellerin. – Schwester von Anne und Charlotte B.; Hauptwerk ist der Roman „Wutheringshöhe" (3 Bde., 1847), in dem Motive des Schauerromans durch psycholog. Charakteranalyse verfeinert wurden.

Brontosaurus [griech.] (Apatosaurus), Gatt. ausgestorbener, etwa 20 m langer Dinosaurier im oberen Jura N-Amerikas und Portugals; vordere Extremitäten wesentl. kürzer als die hinteren, Hals außergewöhnl. kräftig, Schädel klein, gestreckt.

Bronx [engl. brɔŋks], nördl. Stadtteil von New York, USA.

Bronze ['brõ:sə; roman.], Sammelbez. für Kupferlegierungen mit mehr als 60 % Kupfergehalt, die nicht als Messing gelten, z. B. *Glocken-B.* (20–30 % Sn). Im engeren Sinne werden Kupfer-Zinn-Legierungen (80–90 % Cu) als B. bezeichnet. B. haben gute Dehnungs- und Bearbeitungseigenschaften, hohe Verschleißfestigkeit und Korrosionsbeständigkeit. – Seit vorgeschichtl. Zeit für Waffen, Geräte, Schmuck und Plastiken verwendet.

Bronzefarben, svw. ↑Bronzepigmente.

Bronzeguß ['brõ:sə], Guß von Gebrauchs-, kunsthandwerkl. und künstler. Gegenständen aus Bronze. Der B. ist seit dem 3. Jt. v. Chr. belegt. Die gebräuchlichsten Gußverfahren sind Herdguß, Schalen- oder Kokillenguß, Wachsausschmelzgußverfahren, Teilformverfahren in Formsand (↑Gießverfahren).

Bronzekrankheit ['brõ:sə] ↑Addison-Krankheit.

Bronzekunst ['brõ:sə], in den verschiedenen Verfahren des Bronzegusses geschaffene Bildwerke.
Frühe Hochkulturen und Antike: Die frühesten Werke entstammen den Hochkulturen des Vorderen Orients (z. B. der akkad. Kopf aus Ninive, 2. Hälfte des 3. Jt. v. Chr.) und der chin. Kunst (2. Jt. v. Chr.). Die antike B. beginnt mit den voll gegossenen minoischen Bronzestatuetten Kretas des 2. Jt. v. Chr. Als Erfinder des Hohlgusses ganzer Statuen gilt Theodoros von Samos (6. Jh. v. Chr.). In der klass. Epoche (5. Jh. v. Chr.) entstanden der Wagenlenker von Delphi und der Gott vom Kap Artemision in Athen. Auch bei den Etruskern und in der röm. Kaiserzeit fand die B. breiteste Anwendung (Reiterstatue des Mark Aurel in Rom).
MA: Eine neue Blütezeit der B. setzte in der *Romanik* ein. Bedeutende Beispiele sind die Bernwardstür in Hildesheim, die Grabplatten des Rudolf von Schwaben im Dom zu Merseburg/Saale sowie der Erzbischöfe Friedrich von Wettin und Wichmann im Dom zu Magdeburg. Kennzeichnend für die B. der *Gotik* sind liturg. Geräte (häufig vergoldet).
Neuere Zeit: In der Renaissance Meisterwerke der B. in Italien (Paradiestür von L. Ghiberti). Bronzestatuen schufen Donatello, Giovanni da Bologna, B. Cellini. In Deutschland beherrschte die in Nürnberg ansässige Familie Vischer fast die gesamte Produktion. Im 17. Jh. sind insbes. H. Gerhard und A. Schlüter (Reiterdenkmal des Großen Kurfürsten) zu nennen, im 20. Jh. A. Rodin, E. Barlach, A. Maillol, H. Moore, A. Giacometti, M. Marini, G. Manzù.
📖 *Vergoldete Bronzen. Hg. v. H. Ottomeyer und P. Proöschel. Mchn. 1986. 2 Bde. – Berman, H.: Encyclopedia of bronzes, sculptors and founders. 1800–1930. Chicago (Ill.) 1974–79. 4 Bde.*

Bronzepigmente ['brõ:sə] (Bronzefarben, Pudermetalle), pulver- oder blättchenförmige Metallpigmente, die als Abfälle in Metallschlägereien anfallen oder aus sehr dünn gewalzten Bändern hergestellt werden. **Aluminiumbronzepigmente** bestehen aus reinem Aluminiumpulver, **Goldbronzepigmente** aus Kupfer- oder Kupfer-Zink-Legierung, **Silberbronzepigmente** aus Kupfer-Zink-Nikkel-Legierung. Durch Erhitzen bilden sie lichtbeständige Anlauffarben, durch Färben mit Teerfarbstoffen **Patentbronzen.**

Bronzezeit ['brõ:sə], Kulturperiode zw. Ende 3. und Anfang 1. Jt. v. Chr., in der Bronze das wichtigste Rohmaterial v. a. für Schmuckgegenstände sowie für Waffen und Werkzeuge war. Im Dreiperiodensystem zw. Stein- und Eisenzeit eingeschoben, kann die B. in ihren räuml. und zeitl. Dimensionen mit diesen jedoch kaum verglichen werden. Eine ausgeprägte B. gab es nur im größten Teil Europas (Kerngebiete: M-Europa, N-Italien, O-Frankreich, S-Skandinavien, Baltikum, Polen, NW-Balkan), in Teilen N-Afrikas (Maghreb, N-Mauretanien, ägypt. Niltal) und in vielen Teilen Asiens (Vorder- und Z-Asien, NW-Indien, S-Sibirien, China, z. T. Hinterindien und Indonesien). Eine durchgehende Periodisierung der B. ist nur im zen-

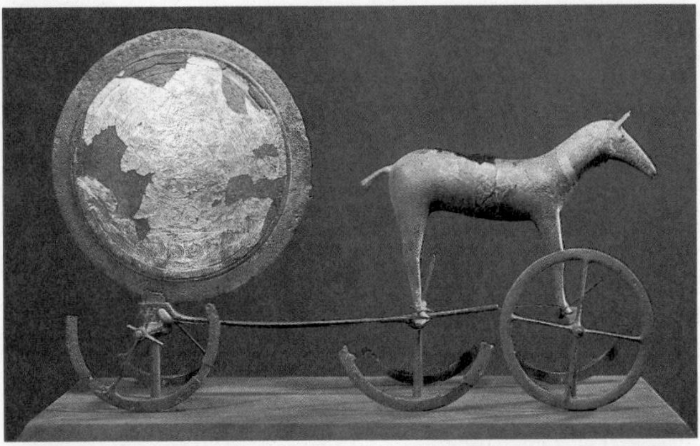

Bronzezeit. Sonnenwagen von Trundholm, Bronze und Goldblech; Dänemark, 14. Jh. v. Chr. (Kopenhagen, Nationalmuseum)

traleurop. Kerngebiet in großen Zügen möglich: frühe B. (Anfang 2. Jt. – 16. Jh.), mittlere B. (16.–13. Jh.) und späte B. (13.–8. Jh.; Urnenfelderzeit). – Wo Bronze zuerst bewußt hergestellt wurde, ist umstritten. Frühe Zentren der B. lagen in Böhmen und M-Deutschland (Aunjetitzer Kultur; Anfang 2. Jt.) und in SW-England (Wessexkultur; wahrscheinl. 1. Hälfte 2. Jt.).
Kennzeichnend für die B. sind eine gewisse soziale Differenzierung (handwerkl. Spezialisierung für Bronzegewinnung und -bearbeitung erforderl.; soziale Hervorhebung einzelner Persönlichkeiten durch die reiche Ausstattung der sog. Fürstengräber belegt) und eine vorwiegend bäuerl. Wirtschaftsform. Unterschiedl. Grabformen (frühe B.: Hockergräber; mittlere B.: überwiegend Hügelgräber; späte B.: Urnenbestattung in Flachgräbern). Zu den Funden (Grabbeigaben, Depot- oder Hortfunde) gehören u. a. Schmuckstücke (Arm-, Bein-, seltener Fingerringe, Anhänger, Nadeln, in der späten B. Fibeln), Waffen (Beile, Äxte, Lanzen- und Pfeilspitzen, Dolche, Dolchstäbe, später Schwerter), seltener und meist erst in der späten B. Rüstungsteile (Helme, Panzer, Beinschienen, Schilde); figurale Kunstwerke selten, getriebene Bronzegefäße in der späten B. häufig. Vorherrschend ist eine abstrakte Ornamentik.
📖 *Müller-Karpe, H.: Hdb. der Vorgeschichte. Bd. 4. Mchn. 1980.*

Bronzino, Agnolo [italien. bron'dzi:no], eigtl. Agnolo di Cosimo, * Monticelli bei Florenz 17. Nov. 1503, † Florenz 23. Nov. 1572, italien. Maler. – Schüler und Mitarbeiter

Bronzezeit. Links: Goldener Halskragen von Gleninsheen, Irland; etwa 14. Jh. v. Chr. (Dublin, Museum); rechts: Prunkäxte, Bronze, die untere Axt mit Goldeinlagen; Dänemark, etwa 12. und 10. Jh. v. Chr. (Kopenhagen, Nationalmuseum)

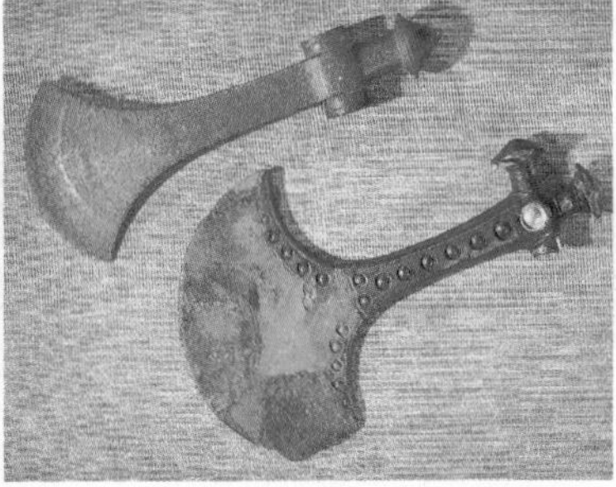

Pontormos; bed. Vertreter des florentin. Manierismus, v. a. hervorragender Porträtist.

Bronzit [brõ'si:t; roman.], faseriges, oft bronzeartig schillerndes Mineral, $(Mg, Fe)_2[Si_2O_6]$, rhomb. Augit; Dichte 3,2–3,5 g/cm³; Mohshärte 5,5.

Brook, Peter [engl. brʊk], * London 21. März 1925, engl. Regisseur. – Exponent des internat. Theaters, auch Opernregie und Verfilmungen; neben Shakespeare-Inszenierungen v. a. zeitgenöss. Theater sowie Theaterexperimente (u. a. in Afrika); dramatisierte das ind. Epos ↑ „Mahabharata" (UA 1985, Welttournee 1988). – *Verfilmungen:* Die Bettleroper (1952; nach John Gay), Die Verfolgung und Ermordung Jean Paul Marats ... (1966; nach Peter Weiss), Die Tragödie der Carmen (1983; nach Georges Bizet).

Brooke, Rupert Chawner [engl. brʊk], * Rugby (Warwickshire) 3. Aug. 1887, ⚔ auf Skiros bei Euböa 23. April 1915, engl. Dichter. – Sein Sonett „The soldier" wurde zum klass. engl. Gedicht des 1. Weltkrieges.

Brooklyn [engl. 'brʊklɪn], Stadtteil von New York, USA, auf Long Island.

Brooks Range [engl. 'brʊks 'rɛɪndʒ] ↑ Alaska (Landesnatur).

Broonzy, William Lee Conley („Big Bill") [engl. 'bru:nzɪ], * Scott (Miss.) 26. Juni 1893, † Chicago 14. Aug. 1958, amerikan. Jazzmusiker. – Wurde v. a. in den 30er Jahren als Bluesgitarrist und sich selbst begleitender Bluessänger bekannt.

Brosamer, Hans, * Fulda (?) kurz vor 1500, † Erfurt (?) nach 1554, dt. Maler, Holzschneider und Kupferstecher. – Zählt mit seinen Kupferstichen zu den Kleinmeistern unter dem Einfluß H. Aldegrevers.

Brosche [zu frz. broche, eigtl. „Spieß"], Anstecknadel aus [Edel]metall, oft mit Steinen verziert. Frühe Formen in der Renaissance. Blütezeit im 19. Jh. (Biedermeier).

Broschüre (Broschur) [frz.], geheftete kleinere Druckschrift, die mit einem Umschlag aus Pappe versehen ist.

Brosio, Manlio Giovanni, * Turin 10. Juli 1897, † ebd. 14. März 1980, italien. Politiker und Diplomat. – Als einer der führenden Liberalen 1943/44 Mgl. des Komitees für Nat. Befreiung; 1946–64 Botschafter, 1964–71 NATO-Generalsekretär.

Brossard, Sébastien de [frz. brɔ'sa:r], ≈ Dompierre (Orne) 12. Sept 1655, † Meaux (Seine-et-Marne) 10. Aug. 1730, frz. Komponist und Musiktheoretiker. – Schrieb das erste frz. Musiklexikon, den bed. „Dictionnaire de musique" (1703).

Brosse, Salomon de [frz. brɔs], * bei Verneuil-sur-Oise 1571, ▭ Paris 9. Dez. 1626, frz. Baumeister. – Als Hofbaumeister Heinrichs IV. und der Maria von Medici in Paris erbaute er u. a. das Palais de Luxembourg (1615–31). Für die Kirche Saint-Gervais-Saint-Protais (1616–21) schuf er die erste barocke Kirchenfassade in Frankreich.

Brot [zu althochdt. prōt, eigtl. „Gegorenes"], aus Getreidemehlen (v. a. Weizen- und Roggenmehl) sowie Wasser und Salz unter Verwendung von Triebmitteln (Hefe, Sauerteig) hergestellte Backwaren. Die Ausgangsstoffe werden gemischt und geknetet. Dabei erfolgt die Teigbildung auf Grund der mechan. Behandlung und infolge der verschiedenen im Mehl enthaltenen Stoffe.

Die Teiglockerung erfolgt durch die biolog. und chem. Wirkung von Hefe oder Sauerteig. Hefe wird v. a. bei der Weizenteigbereitung verwendet. Bei Roggenmehl wird vorwiegend Sauerteiggärung angewandt, die v. a. durch Milchsäurebakterien und Essigsäurebildner bewirkt wird.

Das B. wird im Backofen bei Temperaturen von 100 bis 270 °C gebacken. Zu den Hauptbrotsorten zählen neben dem Misch-B., dem reinen Weizen-B. und dem reinen Roggen-B. die Vollkorn-B. (mit Weizen- oder Roggenschrot; z. B. Graham-B., ein Weizenschrot-B.). *Spezial-B.* müssen mindestens eine der folgenden Voraussetzungen erfüllen: 1. Verarbeitung von Mahlerzeugnissen, die nach bes. Verfahren hergestellt werden (z. B. Steinmetz-B.); 2. Verwendung von Rohstoffen, die allg. nicht üblich sind (z. B. Buttermilch-B.); 3. Verwendung von Mahlerzeugnissen, die nicht dem B.getreide entstammen; 4. Anwendung bes. Backverfahren.

Rechtliches: Nach Aufhebung des Brotgesetzes vom 17. 7. 1930 i. d. F. vom 21. 4. 1969 zum 22. 12. 1981 gelten für die Zusammensetzung von B. die allg. Bestimmungen des Lebensmittelrechts. Das Gewicht eines frischen Brotes muß mindestens 500 g betragen und durch 250 ohne Rest teilbar sein, geschnittenes B. darf nur in Packungen von 125 g oder einem Vielfachen davon, höchstens 3 000 g vertrieben werden.

Geschichte: Vorgänger des B. ist der Fladen. Schon früh wurden die Fladen auf heißen Steinen geröstet. Sauerteig-B. war bereits bei den alten Kulturvölkern des Orients bekannt. In Griechenland wurde die Kunst der B.bereitung verfeinert (Zusatz von Milch, Eiern, Fett, Gewürzen). Die Einführung der Hefe als Triebmittel wird den Galliern zugeschrieben. – Seit dem 8. Jh. wurde in M-Europa der Fladen aus Getreidebrei weitgehend durch das B. verdrängt, das seit dem 12./13. Jh. (v. a. aus Roggenmehl hergestellt) zu einem wichtigen Nahrungsmittel wurde.

B. spielt im *Glauben* und *Brauch* eine große Rolle. Brotschänder (und Geizige) wurden in der Sage bestraft. Dem geweihten B. werden bes. Wirkungen zugeschrieben. Ein anderes, auf das A. T. zurückgehendes Legendenmotiv ist das des immerwährenden Brotes. – B. wurde, meist zusammen mit Salz, als Zeichen der Gastfreundschaft oder bei Hochzeiten als Symbol für Ehe und Familie überreicht.

🕮 *Schäfer, W.: B.backen. Ravensburg [9]1987. – Haffner, E.: B.-Fibel. Ffm. [3]1986. – Niessen, F.: Botschaft des Brotes. Von Brauchtum u. Heiligkeit des Brotes. Kevelaer 1985.*

Broteinheit (BE), Einheit zur Berechnung der Kohlenhydratmenge für die Diät (bei Zuckerkrankheit); 1 BE entspricht 12 g Kohlenhydraten.

Brotfruchtbaum (Artocarpus communis), auf Neuguinea und den Molukken heim. Maulbeergewächs; bis 20 m hoher Baum, weit ausladende Krone; eßbare, stärkereiche, kopfgroße, fast kugelige, bis 2 kg schwere Scheinfrüchte **(Brotfrüchte)** mit ölreichen Samen; in den Tropen häufig kultiviert.

Brot für die Welt, Hilfsaktion der EKD und der ev. Freikirchen, um Not und Elend in der Welt zu mindern. Erstmals 1959 durchgeführt; ruft seit 1961 jährl. zu Spendenaktionen auf; soll neben Katastrophenhilfe konstruktive Hilfe geben; gefördert werden u. a. Sozial-, Gesundheits- und Bildungseinrichtungen in Afrika, Asien und S-Amerika.

Brotkäfer (Stegobium paniceum), etwa 2–3 mm großer, längl.-ovaler, rostroter bis brauner, dicht und fein behaarter Klopfkäfer; Haus- und Vorratsschädling, lebt bes. in Backwaren und anderen Mehlprodukten.

Brotnußbaum (Brosimum alicastrum), Maulbeergewächs im trop. Amerika; Baum mit längl., kleinen Blättern und kugeligen Blütenständen; der Kautschuk enthaltende Milchsaft von jungen Pflanzen ist genießbar; Samen haselnußähnl., werden geröstet oder zu Brot verarbeitet gegessen.

Brotschriften (Textschriften, Werkschriften), im Druckwesen die Schriften, die für den Satz von Büchern, Broschüren und Zeitschriften verwendet werden (mit denen die Drucker „ihr Brot verdienten").

Brotwurzel ↑Jamswurzel.

Brougham, Henry Peter Baron B. and Vaux [engl. brʊm], * Edinburgh 19. Sept. 1778, † Cannes 7. Mai 1868, brit. Politiker und polit. Schriftsteller. – Rechtsanwalt; Mgl. des Unterhauses 1810–12 und 1816–30, Lordkanzler 1830–34; trat für die Abschaffung des Sklavenhandels, die Katholikenemanzipation sowie eine Wahlrechts- und Bildungsreform ein.

Brouwer, Adriaen [niederl. 'brɔuwər], * Oudenaarde 1605 oder 1606, ▭ Antwerpen 1. Febr. 1638, fläm. Maler. – Bed. Genremaler. 1624–30 in Haarlem und dort vermutl. Schüler von F. Hals, seit 1631 in Antwerpen. B. malte neben Landschaften v. a. Bauern- und Volksszenen, von denen bes. die Wirtshaus- und Prügelszenen bekannt sind.

Brown [engl. braʊn], Charles, * Uxbridge (heute zu London) 30. Juni 1827, † Basel 6. Okt. 1905, schweizer. Ingenieur brit. Herkunft. – Erfand u. a. die B.-Sulzersche Ventildampfmaschine; gründete 1871 in Winterthur die „Schweizerische Lokomotiv- und Maschinenfabrik".

B., Charles [Eugène Lancelot], * Winterthur 17. Juni 1863, † Montagnola 2. Mai 1924, schweizer. Elektrotechniker. – Gründete 1891 zus. mit Walter Boveri die Firma B., Boveri & Cie. in Baden (Schweiz).

B., Charlie ↑Peanuts.

B., Clifford, * Wilmington (Del.) 30. Okt. 1930, † Chicago 26. Juni 1956, amerikan. Jazzmusiker. – Brillanter Trompeter des modernen Jazz.

B., Ford Madox, * Calais 16. April 1821, † London 11. Okt. 1893, brit. Maler. – Seit 1844 in London, stieß durch D. G. Rossetti zu den Präraffaeliten.

B., George Alfred, brit. Politiker, ↑George-Brown, Baron of Jevington.

B., Herbert Charles, * London 22. Mai 1912, amerikan. Chemiker brit. Herkunft. – Prof. an der Purdue University in Lafayette (Ind.); bed. Arbeiten in der physikal., anorgan. und organ. Chemie über die Zusammenhänge zw. Molekülstruktur und chem. Verhalten von Stoffen; erhielt 1979 den Nobelpreis für Chemie (mit G. Wittig).

B., James, * bei Toccoa (Ga.) 4. Juni 1929, amerikan. Popmusiker. – Seit 1956 einer der bedeutendsten Soulmusik-Interpreten.

B., John, * Torrington (Conn.) 9. Mai 1800, † Charlestown (W. Va.) 2. Dez. 1859, amerikan. Abolitionist. – Unterstützte flüchtige Sklaven und bekämpfte mit Mord- und Terroraktionen die Sklavenhalter. Beim Überfall auf ein Waffenarsenal in Harpers Ferry (W. Va.) 1859 von Regierungstruppen gestellt, zum Tode verurteilt und gehängt; wurde in den Nordstaaten zum Märtyrer verklärt.

B., Michael Stuart, * New York 13. April 1941, amerikan. Mediziner. – Prof. und Direktor des Zentrums für molekulare Genetik an der Univ. Dallas (Tex.); erhielt 1985 für Forschungen über den Cholesterinstoffwechsel den Nobelpreis für Physiologie oder Medizin (mit J. L. Goldstein).

B., Raymond Matthews („Ray"), * Pittsburgh 13. Okt. 1926, amerikan. Jazzmusiker. – Einer der bedeutendsten Bassisten des modernen Jazz; auch Komponist und Musikverleger.

B., Robert, * Montrose (Schottland) 21. Dez. 1773, † London 10. Juni 1858, brit. Botaniker. – Entdeckte die Nacktsamigkeit bei Nadelhölzern und Palmfarnen. Er erkannte 1831 den Kern als wesentl. Bestandteil der Zelle („nucleus cellulae") und entdeckte 1827 die ↑Brownsche Molekularbewegung.

Brown, Boveri & Cie. AG (BBC) ↑Asea Brown Boveri.

Browne [engl. braʊn], Charles Farrar, * Waterford (Me.) 24. April 1834, † Southampton 6. März 1867, amerikan. Humorist. – Bekannt als Artemus Ward nach einer von ihm erfundenen humorist. Figur.

B., Hablot Knight, Pseudonym Phiz, * Lambeth (= London) 15. Juni 1815, † West Brighton 8. Juli 1882, brit. Zeichner. – Illustrationen zu Werken von C. Dickens.

Browning [engl. 'braʊnɪŋ], Elizabeth Barrett, geb. Barrett, * Coxhoe Hall (Durham) 6. März 1806, † Florenz 29. Juni 1861, engl. Dichterin. – ⚭ mit Robert B. Als bedeutendstes Werk gelten die meisterhaften „Sonette aus dem Portugiesischen" (1847, dt. von Rilke). Sozialkrit. bestimmte Werke, z. B. die Gedichte „The cry of the children" (1841).

B., Robert, * Chamberwell (= London) 7. Mai 1812, † Venedig 12. Dez. 1889, engl. Dichter. – ⚭ mit Elizabeth Barrett B. Seine Werke sind v. a. durch Streben nach Objektivität und bewußte Psychologisierung gekennzeichnet. – *Werke:* Pippa geht vorüber (lyr. Dr., 1841), Die Tragödie einer Seele (Dr., 1846), Dramatis Personae (Ged., 1864), Der Ring und das Buch (Epos, 4 Bde., 1868/69).

Browning [engl. 'brau̯niŋ; nach dem amerikan. Erfinder J. M. Browning, * 1855, † 1926], Pistole mit Selbstladeeinrichtung. Kennzeichen: fester Lauf, hin- und hergleitender Verschluß, Patronenmagazin im Griff.

Brownsche Molekularbewegung [engl. braʊn], erstmals von dem brit. Botaniker R. Brown im Jahre 1827 beschriebene, durch Molekülstöße verursachte unregelmäßige Bewegung kleinster, in einer Flüssigkeit oder einem Gas verteilter Teilchen.

Brown-Séquard, Charles Édouard [frz. brunse'ka:r], * Port Louis (auf Mauritius) 8. April 1817, † Sceaux (bei Paris) 2. April 1894, frz. Neurologe und Physiologe. – Prof. in Paris; arbeitete v. a. über die Physiologie der Nerven und Muskeln sowie über Nerven- und Rückenmarkserkrankungen; er beschrieb die **Brown-Séquard-Halbseitenlähmung,** eine halbseitige Lähmung nach halber Querdurchtrennung des Rückenmarks.

BRT, Abk. für: Bruttoregistertonne (↑Registertonne).

Brubeck, David W. („Dave") [engl. 'bru:bɛk], * Concord (Calif.) 6. Dez. 1920, amerikan. Jazzpianist. – Gründete 1951 das Dave Brubeck Quartett, eines der erfolgreichsten Ensembles des modernen Jazz.

Bruce [engl. bru:s], schott. Adelsgeschlecht anglonormann. Herkunft (11. bis 14. Jh.). Aus ihm stammen die schott. Könige Robert I. (♔ 1306–29) und sein Sohn David II. (♔ 1329–71), mit dem die Familie ausstarb.

Bruce, Sir David [engl. bru:s], * Melbourne 29. Mai 1855, † London 27. Nov. 1931, brit. Mikrobiologe austral. Herkunft. – Entdeckte u. a. den Erreger des Maltafiebers (1887) und gilt als Mitentdecker des Erregers der Schlafkrankheit.

Brucellosen [nach Sir D. Bruce], Sammelbez. für seuchenhaft auftretende, meldepflichtige Erkrankungen bei Tier und Mensch, die durch Bakterien aus der Gatt. Brucella hervorgerufen werden (z. B. ↑Bang-Krankheit, ↑Maltafieber).

Bruce of Melbourne, Stanley Melbourne [engl. 'bru:s əv 'mɛlbən], Viscount (seit 1947), * Melbourne 15. April 1883, † London 25. Aug. 1967, austral. Politiker. – 1923–29 Min.präs. und Außenmin.; 1933–45 Hoher Kommissar (Vertreter des Dominions) in London; seit 1947 Mgl. des brit. Oberhauses.

Bruch, Max, * Köln 6. Jan. 1838, † Berlin 2. Okt. 1920, dt. Komponist. – Mit seinen stilist. an Brahms ausgerichteten Werken war er einer der angesehensten Komponisten seiner Zeit. Von seinen Kompositionen sind heute

Bruchsal. Schloß

das Violinkonzert g-Moll (op. 26, 1868) und „Kol Nidrei“ für Violoncello und Orchester (op. 47, 1881) am bekanntesten.

B., Walter, * Neustadt an der Weinstraße 2. März 1908, † Hannover 5. Mai 1990, dt. Ingenieur und Fernsehpionier. – Entwickelte u. a. das PAL-Farbfernsehsystem, das die auf den Übertragungsstrecken auftretenden Farbfehler automat. korrigiert.

Bruch, Quotient zweier ganzer Zahlen; Schreibweise $\frac{p}{q}$ oder p/q (mit $q \neq 0$); p heißt **Zähler,** q heißt **Nenner.** Einen B. mit dem Zähler 1 (z. B. $^1/_2$, $^1/_3$) nennt man **Stammbruch.** Beim **echten Bruch** (z. B. $^3/_4$) ist der Zähler kleiner, beim **unechten Bruch** (z. B. $^3/_2$) größer als der Nenner. B. mit gleichem Nenner heißen **gleichnamige Brüche** (z.B. $^1/_4$, $^3/_4$), solche mit ungleichen Nennern **ungleichnamige Brüche.** Wichtige **Rechenregeln** der *B.rechnung:* gleichnamige B. werden addiert (subtrahiert), indem man die Zähler addiert (subtrahiert) und den gemeinsamen Nenner beibehält (z. B. $^2/_3 + {}^5/_3 = {}^7/_3$). Ungleichnamige B. werden zunächst durch Erweitern oder Kürzen auf einen gemeinsamen Nenner *(Hauptnenner)* gebracht (z.B. $^1/_2 - {}^1/_3 = {}^3/_6 - {}^2/_6 = {}^1/_6$). B. werden multipliziert, indem man Zähler mit Zähler und Nenner mit Nenner multipliziert (z. B. $^2/_3 \cdot {}^3/_5 = {}^6/_{15}$). Ein B. wird durch einen anderen dividiert, indem man den Dividenden mit dem Kehrwert des Divisors multipliziert (z.B. $^5/_7 : {}^2/_3 = {}^5/_7 \cdot {}^3/_2 = {}^{15}/_{14} = 1\,{}^1/_{14}$). ↑ Dezimalbruch.

◆ Trennung des Kristall- oder Materialgefüges in einem Werkstoff unter Einwirkung äußerer Kräfte. Ein **Trennbruch (Trennungsbruch)** wird durch Normalspannungen bewirkt; seine *B.fläche* verläuft senkrecht zur größeren Normalspannung und sieht körnig, rauh und kristallinisch glänzend aus. Ein **Scherbruch (Schiebungsbruch, Gleitbruch)** tritt auf, wenn die größte auftretende Schubspannung die Scherfestigkeit des Werkstoffs erreicht. Die B.fläche ist matt und oft durch die Gleitung geglättet. Nach dem Verformungsgrad unterscheidet man den **Sprödbruch** (geringe Verformung) und den **Verformungsbruch** (mit starker Brucheinschnürung). Nach der Beanspruchung, die zum B. führt, unterscheidet man den **Zugbruch,** den **Druckbruch,** den **Biegebruch** und den **Torsionsbruch (Verdrehbruch).** Zu hohe Schwingungsbeanspruchung führt zum **Dauerbruch (Dauerschwingungsbruch).**

◆ in der *Mineralogie* das Zerbrechen von Mineralen unter Schlageinwirkung in B.stücke mit unterschiedl. geformten B.flächen. Die Beschaffenheit der B.flächen kann zur Identifizierung des Minerals dienen. Man unterscheidet *muscheligen B., ebenen B., unebenen B., glatten B., faserigen B., splittrigen B.* und *erdigen B.* (zur Geologie ↑ Verwerfung).

◆ in der Medizin: 1. **(Eingeweidebruch, Hernie)** das Hindurchtreten von Teilen der Bauch- oder Brusteingeweide durch eine vorgebildete oder neu entstandene Lücke *(B.pforte),* die u. U. stark verengt sein kann *(B.ring).* Der **innere Eingeweidebruch** entsteht innerhalb der Bauch- oder Brusthöhle selbst, z. B. beim Hindurchtreten von Baucheingeweiden durch einen Zwerchfellspalt in die Brusthöhle (Zwerchfellbruch). Beim **äußeren Eingeweidebruch** tritt der B.inhalt (u. a. Darmschlingen) durch eine Bauchwandlücke als hautüberzogene Ausstülpung des Bauchfells *(B.sack)* geschwulstähnl. an der Körperoberfläche aus. **Angeborene Eingeweidebrüche** kommen bei intrauteriner Fehlentwicklung und Bindegewebsschwäche vor. Der **erworbene Eingeweidebruch** tritt vorwiegend an schwachen Stellen der Bauchwand, häufig im Bereich natürl. Kanäle, auf; dazu gehören der Leistenkanal **(Leistenbruch;** Anzeichen ist eine leicht schmerzhafte Vorwölbung in der Leistengegend, die bes. beim Husten oder Pressen deutl. zu sehen bzw. zu tasten ist), der Nabelring **(Nabelbruch;** entsteht nach Dehnung der Nabelnarbe, beim Kind durch Husten und Schreien, beim Erwachsenen durch Schwangerschaft, Fettleibigkeit u. a.), die Region unterhalb des Leistenbandes **(Schenkelbruch;** v. a. bei Frauen vorkommend, wobei der Bruchsack unterhalb des Leistenbandes austritt) und Zwerchfellücken. Eine lebensgefährl. B.komplikation ist z. B. die *B.einklemmung* infolge Kotstauung und Entzündung; der in der B.pforte eingeklemmte B.sack kann nicht mehr in die Bauchhöhle zurückgleiten und muß operativ behandelt werden.

2. **(Muskelbruch)** Durchtritt eines Muskels durch eine infolge einer Verletzung entstandene Lücke in der anliegenden Bindegewebshülle. 3. **(Knochenbruch, Fraktur)** die vollständige oder teilweise Durchtrennung eines Knochens. Man unterscheidet Dreh-, Biegungs-, Stauchungs-, Abriß- und Abscherbrüche. Beim *offenen B. (komplizierter B.)* sind die Weichteile durchtrennt und die darüber liegende Haut durchbohrt. Die Einrichtung eines gebrochenen Knochens erfolgt unter örtl. oder allg. Betäubung. Zur Ruhigstellung dienen Gipsverband, Dauerzug oder operatives Zusammenfügen (z. B. Knochennagelung). Offene Knochenbrüche erfordern Wundverschluß innerhalb von sechs bis acht Stunden.

◆ svw. Falzbruch (↑ Falzen).

◆ wm. Bez. für einen abgebrochenen grünen Zweig, u. a. am Hut eines Schützen als Symbol für die Inbesitznahme eines erlegten Stück Wildes.

◆ svw. Sumpfland (↑ Moor).

Bruchband, mechan. Hilfsmittel zum Zurückhalten eines Eingeweidebruchs; be-

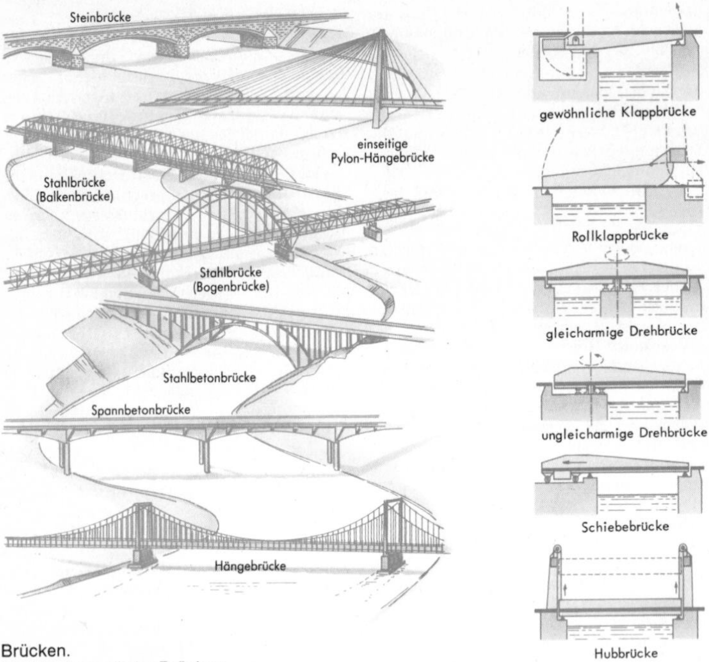

Brücken.
Rechts: bewegliche Brücken

steht aus einem Schenkelriemen mit federndem Stahlband, das ein daran befestigtes Druckkissen auf die Bruchpforte (↑Bruch) preßt.

Bruchfaltengebirge ↑Gebirge.

Bruchfrucht, svw. ↑Gliederfrucht.

Bruchkraut (Tausendkorn, Herniaria), Gatt. der Nelkengewächse mit etwa 25 Arten in Europa und im westl. Asien; niedrige Kräuter oder Halbsträucher mit winzigen unscheinbaren Blüten; in M-Europa 4 Arten.

Bruchsal, Stadt am W-Rand des Kraichgaus, Bad.-Württ., 115 m ü.d.M., 36 500 E. Landesfeuerwehrschule; Bad. Landesbühne, Schloßmuseum. Metallverarbeitende, elektrotechn. und feinmechan. Ind. - Königshof 796 belegt; um 1090 Bau einer bischöfl. Burg; Anfang 13. Jh. Markt- und Stadtrechte. 1676 von frz. Truppen teilweise, 1689 völlig niedergebrannt. Wiederaufbau im 18. Jh., Verlegung der Residenz der Bischöfe von Speyer nach B. (1720). 1803 an Baden. 1945 stark zerstört. - Pfarrkirche Sankt Peter, Grablege der Speyerer Bischöfe (1740-46). Barockschloß (1722 ff.; wiederaufgebaut) mit Treppenhaus von B. Neumann; Schloßgarten (1746). - Abb. S. 66.

Bruchstein, von Felsen abgesprengter, unbearbeiteter Naturstein.

Bruchstufe, durch eine Verwerfung bedingte Geländestufe, bei der der tektonisch gehobene Flügel auch die Stufe bildet.

Bruchteilseigentum ↑Miteigentum.

Bruchteilsgemeinschaft, im Recht eine Gemeinschaft, bei der ein Recht mehreren Personen gemeinschaftl. zu bestimmten Anteilen (ideellen Bruchteilen) zusteht, ohne daß sich die Beteiligten [wie bei einer Gesellschaft] zu einem gemeinsamen Zweck verbunden haben (§ 741 ff. BGB). Hauptfall: Miteigentum [nach Bruchteilen]. Der Anteil eines jeden Teilhabers ist ein Recht am ganzen, ungeteilten Gegenstand, das jedoch durch die gleichartigen Rechte der übrigen Mitberechtigten eingeschränkt wird. Keinen Beschränkungen unterliegt das Anteilsrecht selbst, das veräußert, belastet und gepfändet werden kann.

Bruchteilversicherung, Versicherungsform, bei der ein Bruchteil des Gesamtwertes versichert wird (bes. bei der Einbruchdiebstahlversicherung). Der Bruchteil (häufig zw. 5 und 25%) ist die Höchstgrenze für die Entschädigung durch den Versicherer.

Bruchwald, Gehölzvegetation auf organ. Naßböden in der Verlandungszone von Flachmooren und Gewässern, z.B. Erlenbruch.

Bruchzone, Gebiet großräumiger Verwerfungen.

Brück, Gregor, latinisiert Pontanus, eigtl. Heintze, * Brück (bei Belzig) 1483, † Jena 15. (20.?) Febr. 1557, kursächs. Jurist und Politiker. – 1519 zum kursächs. Hofrat und 1520 zum Kanzler (bis 1529) berufen; Hauptverfasser der Protestation von Speyer (1529), regte die Abfassung des Augsburger Bekenntnisses an, ermöglichte die Gründung des Schmalkald. Bundes, beeinflußte die Konsistorialverfassung der ev. Landeskirchen und das ev. Eherecht.

Bruck an der Leitha, Bezirkshauptstadt 35 km sö. von Wien, Niederösterreich, 158 m ü.d.M., 7100 E. Zuckerfabrik. – Bereits früh besiedelter Platz am Übergang einer Römerstraße über die Leitha, seit dem 11.Jh. Dorf mit Martinskirche, daneben im 13.Jh. Stadtanlage (Festung an der ungar. Grenze); Stadt 1239. – Barocke Pfarrkirche (1696–1702 und 1738–40); Harrachsches Schloß (13.Jh.; 18.–19.Jh. erneuert).

Bruck an der Mur, östr. Bezirkshauptstadt in der Steiermark, 487 m ü.d.M., 16200 E. Bundesförsterschule, -handelsakad.; Kabelherstellung, Papierfabrik. – Früh besiedelt; 860 erstmals genannt; 1263 planmäßige Neuanlage im Schutz der Burg Landskron. – Pfarrkirche (got. umgestaltet); zahlr. Häuser des 16.Jh., „Kornmeßhaus" (1499–1505).

Brücke, Ernst Wilhelm Ritter von, * Berlin 6. Juni 1819, † Wien 7. Jan. 1892, östr. Physiologe dt. Herkunft. – Seit 1849 Prof. in Wien; von bes. Bedeutung waren seine Untersuchungen über Nerven- und Muskelsystem, Blutkreislauf, Verdauung, physikal. und physiolog. Optik, die Physiologie der Körperzelle und die Chemie der Eiweißsubstanzen.

Brücke ↑ Brücken.

◆ (Pons) nur bei Säugetieren (einschließlich Mensch) vorhandener Teil des Hirnstamms mit charakterist. Oberflächenrelief; liegt zw. verlängertem Mark und Mittelhirn.

◆ in der *Zahnmedizin* der Zahnersatz, der eine Zahnlücke überbrückt und dabei vom übrigen Restgebiß gestützt wird.

◆ svw. ↑ Kommandobrücke.

◆ (Meßbrücke) ↑ Brückenschaltung.

◆ beim *Ringen* Verteidigungsmaßnahme: Hohlkreuzstellung mit Fersen und Kopf auf dem Boden.

◆ in der *Bodengymnastik* starkes Rückwärtsbeugen des Rumpfes, bis die Hände den Boden berühren.

◆ kleiner längl. [Orient]teppich.

Brücke, Die, 1905 in Dresden von E. L. Kirchner, E. Heckel und K. Schmidt-Rottluff gegr. Künstlergemeinschaft, der M. Pechstein (1906–12), E. Nolde (1906/07), O. Mueller (seit 1910), C. Amiet u.a. beitraten; Sammelpunkt des dt. Expressionismus. Neben der Malerei wandten sich die Mitglieder v.a. dem Holzschnitt und der Lithographie zu. Die B. übersiedelte 1910 nach Berlin und bestand bis 1913.

Brücken, zur Überführung eines oder mehrerer Verkehrswege über Hindernisse wie z.B. Schluchten, Flüsse oder andere Verkehrswege dienendes Bauwerk. Das Hindernis bestimmt im wesentl. die Stützweite und Höhe der B., mit Ausnahme bewegl. B., die bei nicht ausreichender Höhe durch Drehen, Heben oder Klappen z.B. Schiffen den Weg freigeben. Die Wahl eines B.systems ist vorwiegend durch das vorhandene Geländeprofil, die Baugrundverhältnisse und durch die Art des zu tragenden Verkehrsweges (erforderl. *lichte Weite* und *Höhe*) bestimmt. Ästhet. Gesichtspunkte bei der Einordnung in die Landschaft sind ebenfalls zu beachten. Zur Berechnung der B. sind Lastannahmen festgelegt worden, die in Normen zusammengefaßt sind. Dabei sind u.a. Lastfälle aus Eigenmasse, Verkehr, Temperatur, Wind, Kriechen und Schwinden (bei Beton-B.), Stützensenkung und Vorspannung vom Statiker zu untersuchen. Hauptbestandteile einer B.: *Überbau:* Er überspannt die unter ihm liegende Öffnung; zu ihm zählt man das Haupttragwerk, dessen Lager und die Fahrbahn. *Unterbau:* Besteht aus Widerlagern (Pfeilern) und Fundamenten.

Stahlbrücken: Die wichtigsten Teile einer Stahl-B. sind die *Fahrbahntafel* (Träger der Verkehrslast), abgestützt auf den *Fahrbahnrost* (Längs- und Querträger); dieser wird getragen vom *Hauptträger,* der über Lager und Stützen die Kräfte an die *Unterbauten* (Pfeiler und Widerlager) weiterleitet. Neuerdings gliedert man die Fahrbahn in das Tragwerk der B. ein, indem man die Fahrbahn als *orthotrope Platte* ausbildet. Die Fahrbahn kann dann selbst waagerechte Kräfte aufnehmen und einzelne Verbände können entfallen. Diese Bauweise ist außerordentl. wirtschaftl. und zeichnet sich durch große Stahlersparnisse aus. Nach den Bauweisen unterscheidet man: *Vollwand-B.:* Hauptträger bestehen z.B. aus I- oder IP-Walzträgern oder aus Stegblech und Gurtungen, wobei die Stegbleche ausgesteift sind. *Fachwerk-B.:* Die Fachwerke bestehen aus zug- und druckfesten Stäben, die in den Knoten in der modernen Bauweise steif miteinander verbunden werden; meist bei Stützweiten von 100–250 m, bei Eisenbahn-B. schon ab 50 m angewandt. Bes. bekannt sind K-Fachwerk und Rautenfachwerk. *Schrägseil-B.:* Der Hauptträger wird von büschelförmig oder parallel gespannten Seilen gegen Pylonen abgespannt; die Spannweite beträgt meist zw. 200 und 300 m. *Bogen-B.:* Die Stahlbögen (Spannweiten 30–511 m) erhalten i. d. R. zwei Kämpfergelenke. Die Widerlager müssen erhebl. Horizontalkräfte aufnehmen; daher wird oft ein Zugband in das Bogensystem aufgenommen. *Hänge-B.:* Für größte Weiten vorteilhafte Bauweise. Die Hauptträger hängen an Kabeln oder Ketten *(Ketten-B.),* die über Pylone geführt sind.

Massivbrücken: Nach der Bauweise unterscheidet man vorwiegend: *Bogen-B.:* Sie können als Zweigelenk-, Dreigelenk- oder als eingespannte Gewölbe ausgeführt sein. Kennzeichnend ist die Formgebung nach der Stützlinie. Solange die Stützlinie innerhalb des Kernquerschnittes verläuft, treten nur Druckkräfte im Bogen auf, die über die Kämpfer in die Widerlager abgeleitet werden. Die Fahrbahn wird an den Bogen angehängt oder auf den Bogen aufgeständert. *Balken-B.:* Bei kleineren Spannweiten in Form von frei aufliegenden Balken (oder Plattenbalken) oder durchlaufenden Trägern. *Rahmen-B.:* B. mit lotrechten oder schräggestellten Tragsäulen. Die Balken sind an die Stützen fester eingespannt als bei durchlaufenden Trägern, dadurch ergeben sich größere Stützmomente und kleinere Feldmomente; eine geringfügige Erhöhung der Spannweiten gegenüber Durchlaufträgern ist möglich.

Verbundbrücken: Bei diesen B. bestehen die Hauptträger aus Stahlträgern, verbunden mit einer Betonplatte. Die Verbundwirkung setzt voraus, daß die Schubkräfte in der Berührungsfläche zw. Stahlträger und Betonplatte übertragen werden können. Der Beton übernimmt dann die Druckspannungen, der Stahl die Zugspannungen. Mit Beton ummantelte Walzträger werden als Verbundträger bei breiten Eisenbahn-B. mit kleinen Stützweiten verwendet.

Die **Geschichte** des B.baus führt nach primitiven Anfängen in Form einfacher Balken über *Schwebe-B.* zu ersten gewölbten B. aus Stein, die im Bereich der oriental. Hochkulturen errichtet wurden. *Schiffs-B.* dienten v. a. zu Kriegszwecken. Die Römer erreichten in der Kunst des Baus halbkreisförmig gewölbter B. einen hohen Leistungsstand. Im 6. Jh. v. Chr. entstand die erste röm. *Steinbrücke.* Beispielhaft ist die 136 v. Chr. gebaute Engelsbrücke (Pons Aelius) in Rom. Über *Aquädukte,* meist mehrstöckige Bogenreihen, versorgten die Römer ihre Städte mit Wasser. Bes. ausdrucksvoll ist der im 2. Jh. gebaute Pont du Gard bei Nîmes in Frankreich. In China wurden bereits unter Kaiser Shih Huangdi (♕ 221–209) Kettenhänge-B. gebaut. Erst Mitte des 12. Jh. (1147) entstand die erste große dt. Brücke mit 16 Bogen über die Donau in Regensburg, etwas später die Elbbrücke in Dresden, die Mainbrücke in Würzburg, die Moldaubrücke (Karlsbrücke) in Prag und 1345 die Ponte Vecchio in Florenz. Der Holzbrückenbau erlebte eine neue Blütezeit. Mittels Bogen, Spreng- und Hängewerken wurden die Fahrbahnträger entlastet und dadurch größere lichte Weiten erzielt (Rheinbrücke Schaffhausen, erbaut 1758, Spannweite 110 m).

In Chazelet (Frankreich) wurde 1875 die erste Eisenbetonbrücke der Welt gebaut. Gegen Ende des 19. Jh. wurde der Beton erstmals durch Anspannen der Stahleinlagen vorgespannt *(Spannbetonbauweise).* Das Zeitalter des Stahlbaues begann mit dem Bau der Severnbrücke (1777–79) bei Coalbrook (Großbritannien), der ersten gußeisernen Bogenbrücke (Spannweite rd. 30 m). In weniger als 200 Jahren führte die Entwicklung bis zur 1964 fertiggestellten Verrazano-Narrows-Brücke in New York (Mittelfeld rd. 1 300 m). Neue Materialien und Techniken, verbunden mit den ständig steigenden Anforderungen des modernen Verkehrswesens, bieten dem B.bau noch weite Entwicklungsmöglichkeiten.

📖 *Holst, K. H.: B. aus Stahlbeton u. Spannbeton. Bln. 1985. – Roik, K. u. a.: Schrägseil-B. Bln. 1985. – Weidemann H.: Balkenförmige Stahlbeton- u. Spannbeton-B. Düss. ²1984. 2 Tle.*

Brückenau ↑ Bad Brückenau.

Brückenbindung, zu den Nebenvalenzbindungen zählende chem. Bindung, bei der ein Atom **(Brückenatom)** oder eine Atomgruppe zwei Molekül[rest]e aneinanderbindet oder Assoziationen bewirkt, z. B. ↑ Wasserstoffbrückenbindung.

Brückenechsen (Rhynchocephalia), Ordnung bis etwa 2,5 m langer, langschwänziger, überwiegend landbewohnender Reptilien mit kurzem Hals; Schädel hat im Schläfenbereich zwei Durchbrechungen, zw. denen ein Knochenstück eine „Brücke" zum Schuppenbein bildet; einzige noch lebende Art ↑ Tuatera.

Brückenkopf, im *Militärwesen* Stellung am feindwärts gelegenen Ufer eines Gewässers (Fluß, Kanal, See); die Basis für weitere Kampfhandlungen der eigenen Truppen; i. w. S. Bez. für jeden taktisch oder strategisch wichtigen Stützpunkt, der aus dem Frontverlauf herausragt.

Brückenlegepanzer, gepanzertes Kettenfahrzeug, das eine Brücke in zusammengeklapptem Zustand trägt und sie ohne fremde Hilfe auslegen und einholen kann.

Brückenschaltung (Meßbrücke), elektr. Schaltung zur (genauen) Messung elektr. Wirk- und Blindwiderstände und der

Verlustwinkel von Scheinwiderständen. Bei abgeglichener B. ist die Spannung zw. den Punkten A und B null (Nullverfahren) und das Verhältnis der Scheinwiderstände $Z_1:Z_2 = Z_3:Z_4$. B. können mit Gleichspannung (*Wheatstone-B.* für Wirkwiderstände) oder Wechselspannung betrieben werden (*Wien-B.* für Kapazitäten, *Maxwell-B.* für Induktivitäten, *Schering-B.* für Verlustwinkel von Kapazitäten). B. werden häufig verwendet, da die Vergleichswiderstände genau herzustellen sind und kein kalibriertes Meßinstrument benötigt wird (der Nullindikator I ist ein empfindl. Spannungsmeßgerät).

Bruckner, Anton, *Ansfelden 4. Sept. 1824, †Wien 11. Okt. 1896, östr. Komponist. – 1845 Lehrer im Stift Sankt Florian, 1848 Organist an der Stiftskirche, 1855 Domorganist in Linz, 1868 Prof. am Wiener Konservatorium, 1878 Hoforganist; berühmter Improvisator. Komponierte erst mit 40 Jahren seine ersten vollgültigen Werke. – Von Wagner übernahm B. Harmonik und Instrumentation, die er jedoch völlig selbständig verwendete. Andere Einflüsse kamen von Beethoven und Schubert, daneben auch aus der geistl. Musik des 16. und 17. Jh. Die chorisch-blockhafte Behandlung des Orchesters, die Mischung von Klangfarben hat B. vom Orgelspiel übernommen. Charakterist. für seine Werke sind harmon. Kühnheiten, große Steigerungswellen und rhythm. Energie, die u. a. in den oft vom oberöstr. Volkstanz beeinflußten Scherzi hervortritt, ebenso die kontrapunkt. Verarbeitung der Themen.
Werke: *Orchesterwerke:* 9 Sinfonien. 1. c-Moll (1865/66), 2. c-Moll (1871/72), 3. d-Moll (1873), 4. Es-Dur (1874), 5. B-Dur (1875–78), 6. A-Dur (1879–81), 7. E-Dur (1881–83), 8. c-Moll (1884–87), 9. d-Moll (1887–96, unvollendet). – *Kammermusik:* Streichquintett (1879). – *Geistliche Musik:* 3 Messen (d-Moll 1864, e-Moll 1866, f-Moll 1867), Te Deum (1881), 150. Psalm (1892).
B., Ferdinand, eigtl. Theodor Tagger, *Wien 26. Aug. 1891, †Berlin 5. Dez. 1958, östr.-dt. Dramatiker. – Gründete das Renaissance-Theater in Berlin (1923), ging 1933 wieder nach Österreich, von hier aus Emigration nach Frankreich und in die USA, nach der Rückkehr 1951 Dramaturg in Berlin (West). B. schrieb kraß naturalist., zeit- und gesellschaftskrit. Dramen, im Spätwerk Versdramen, z. T. mit antiken Stoffen, u. a. „Krankheit der Jugend" (1929), „Die Verbrecher" (1929), „Elisabeth von England" (1930), „Das irdene Wägelchen" (1957).

Brückner, Christine, *Schmillinghausen (= Arolsen) 10. Dez. 1921, dt. Schriftstellerin. – Novellen, Dramen, Hörspiele und Romane, u. a. „Nirgendwo ist Poenichen" (R., 1977), „Die Quints" (R., 1985).
B., Eduard, *Jena 29. Juli 1862, †Wien 20. Mai 1927, dt. Geograph und Klimatologe. – Prof. in Bern, Halle/Saale und Wien. Arbeiten über Klimaschwankungen, Gletscherkunde und Glazialmorphologie.

Bruder, männl. Nachkomme im Verhältnis zu den anderen Nachkommen der gleichen Eltern.
◆ *übertragen* Freund, Kamerad, nahestehende Person (so auch in der Bibel).
◆ in der *Religionsgeschichte* Mgl. eines Ordens oder einer Vereinigung (↑Bruderschaften), auch Anrede untereinander (Ordens-B.).
◆ in der *Wirtschafts-* und *Sozialgeschichte* Mgl. einer Vereinigung, z. B. Gesellenbruderschaft, auch Anrede untereinander (Vereins-B.).

Brüdergemeine (Erneuerte Brüderunität, Ev. Brüderkirche, Herrnhuter Brüdergemeine), eine aus dem Pietismus hervorgegangene Religionsgemeinschaft, die die urchristl. Brüderlichkeit verwirklichen will. Keimzelle war die 1722 durch Böhm. bzw. Mähr. Brüder auf den Besitzungen des Grafen ↑Zinzendorf gegr. Siedlung Herrnhut (Oberlausitz). Das rasch erblühende christlich-soziale Gemeinwesen wurde u. a. von den von Zinzendorf verfaßten Statuten (1727) geprägt. Wegen Spannungen zur sächs. Landeskirche kam es 1736 zur Ausweisung Zinzendorfs aus Sachsen (1737 Weihe zum Bischof der Herrnhuter B.); Tochtergründungen von Herrnhut in der Wetterau (Marienborn 1736; Herrnhaag 1738). Nach der 1749 erfolgten Zustimmung zum Augsburger Bekenntnis erlangte die B. in Sachsen staatl. Anerkennung. Durch die äußere Mission (u. a. Grönland, S-Afrika, N-Amerika) wuchs die B. über eine innerkirchl. Erneuerungsbewegung hinaus. Im Mittelpunkt ihrer Theologie steht Christus. Sie pflegt ein enthusiast. Christentum der Tat und ist auf missionar. Gebiet äußerst aktiv. Bes. bekannt sind die von ihr jährl. hg. „Losungen".
📖 *Unitas Fratrum. Zs. für Gesch. u. Gegenwartsfragen, Hg. v. H. Erbe u. a. (seit 1978).*

Brüder Jesu (Herrenbrüder), an mehreren Stellen des N. T. genannte Personen, so z. B. Mark. 6,3: Jakobus, Joses (Joseph), Judas, Simon. Es werden auch Schwestern Jesu, jedoch nicht namentlich, genannt. Daß es sich um entfernte Verwandte Jesu und nicht um leibl. B. J. handele, wird z. T. mit Blick auf das kath. Dogma von der immerwährenden Jungfräulichkeit Marias behauptet.

Brüderlichkeit, im Christentum neben *Bruderliebe* eine unabdingbare Forderung an jeden einzelnen.
◆ ↑Fraternité.

Bruderschaften, *allgemein* eine Gemeinschaft, z. B. im Zunftwesen (Gesellen-B.), im Bergbau (Knappschaft).

Pieter Bruegel d. Ä.
Bauernhochzeit (Ausschnitt);
um 1568 (Wien, Kunsthistorisches Museum)

◆ in der *kath. Kirche* zu freiwilligen Werken der Frömmigkeit, Buße und Nächstenliebe zusammengefaßte Vereinigungen von Laien. Oft veranstalten sie eigene Andachten, Prozessionen und Wallfahrten. Die Ursprünge gehen auf Kollegien von Totenbestattern und Krankenpflegern des 4. Jh. zurück.
◆ in den *ev. Kirchen* die † Kommunitäten.

Brüder und Schwestern des freien Geistes, libertinist. christl. Laienbewegung des 13.–15. Jh. in Süddeutschland, in der Schweiz, den Niederlanden, in Frankreich und Italien. Sie verwarfen die christl. Lehren von Schöpfung und Erlösung und propagierten die „Freiheit des Geistes" des mit Gott mystisch geeinten Menschen.

Brüder vom gemeinsamen Leben (Fraterherren), Ende des 14. Jh. aus der † Devotio moderna hervorgegangener Zusammenschluß von Klerikern und Laien, die sich ohne feierl. Gelübde einem mönch. Leben verpflichteten und v. a. auf schul. Gebiet wirkten.

Bruegel ['brɔʏgəl, niederl. 'brø:xəl] (Breugel, Brueghel), fläm. Malerfamilie. Bed.:
B., Abraham, * Antwerpen 22. Nov. 1631, † Neapel (?) um 1690. – Sohn von Jan B. d. J.; Blumen- und Früchtestilleben.
B., Jan, d. Ä., gen. der „Samt-" oder „Blumen-B.", * Brüssel 1568, † Antwerpen 12. Jan. 1625. – Sohn von Pieter B. d. Ä.; 1592–94 in Rom, dann in Mailand, 1597 Meister in Antwerpen. Malte neben kleinformatigen Landschaften mit Staffage v. a. Blumenstilleben in einem warmen, zarten, „samtigen" Kolorit.
B., Jan, d. J., ≈ Antwerpen 13. Sept. 1601, † ebd. 1. Sept. 1678. – Sohn von Jan B. d. Ä.; malte in der Art seines Vaters.
B., Pieter, d. Ä., gen. der „Bauernbruegel", * Breda (?) zw. 1525 und 1530, † Brüssel 5. Sept. 1569. – 1551 Meister in Antwerpen, 1552/53 Italienreise, 1563 siedelte er nach Brüssel über. Seine Werke können dem Manierismus zugerechnet werden. Seine Landschaften mit Staffage, bibl. Szenen, Szenen aus dem Bauernleben, Monatsbilder, Genreszenen u. a. sind oft mit hintergründiger Bed. befrachtet. – *Werke:* Die Sprichwörter (1559), Der Triumph des Todes (um 1560; Madrid, Prado), Kinderspiele (1560; Wien, Kunsthistor. Museum), Turmbau zu Babel (1563; ebd.), Das Schlaraffenland (1567; München, Alte Pinakothek), Die Parabel von den Blinden (1568; Neapel, Museo e Galleria Nazionale di Capodimonte), Bauernhochzeit (um 1568; Wien, Kunsthistor. Museum).
🕮 *Ertz, K.: J. B. d. Ä. Köln 1981.*
B., Pieter, d. J., gen. der „Höllenbruegel", * Brüssel um 1564, † Antwerpen 1638. – Sohn von Pieter B. d. Ä.; u. a. spukhafte Szenen und Höllenbilder.

Bruges [frz. bry:ʒ], frz. Name für † Brügge.

Brugg, Bezirkshauptort im schweizer. Kt. Aargau an der Aare, 8 900 E. Sitz des schweizer. Bauernsekretariats. Metallverarbeitende Ind., Kabelwerke, Textilind. – 1020 erwähnt;

1284 Stadtrecht. – Spätgot. Stadtkirche (1479–81), Rathaus (15. Jh.), Zeughaus (1673).

Brügge (amtl. Brugge, frz. Bruges), belg. Prov.hauptstadt, 118 000 E. Kath. Bischofssitz; Akad. der Bildenden Künste, Konservatorium, Europakolleg; Museen; der Hafen ist mit Gent, Ostende und Sluis durch Kanäle verbunden, über den 12 km langen **Brügger Seekanal** mit dem Vorhafen Zeebrugge an der Nordsee; Containerumschlag; Fischereihafen, Erdgasterminal; Schiffbau und -reparaturen, Motorenbau, Stahl-, Glas-, elektron. Ind. – Entstand um eine Burg der Grafen von Flandern, die 892 erstmals genannt wird. Anfang 13. Jh. Marktort; bald führende Rolle innerhalb Flanderns; Niedergang durch Versandung der Fahrrinne und Rückgang der flandr. Tuchherstellung. – Frühgotische Kathedrale (13./14. Jh.), Liebfrauenkirche (13.–15. Jh.) mit den Grabmälern Karls des Kühnen und seiner Tochter Maria von Burgund, Heiligblutkapelle (um 1150), spätgot. Jerusalemer Kirche (1427); Beginenhof (gegr. im 13. Jh.). Tuchhallen (13.–15. Jh.) mit dem 85 m hohen Belfried (Ende 13. Jh.), got. Rathaus (14./15. Jh.), Justizpalast (1722–27), ehem. Stadtkanzlei (1533), Johannishospital (13.–15. Jh.), ehem. Gruuthuse-Palast (15. Jh.); drei Stadttore.

Brüggemann, Hans, * Walsrode um 1480, † nach 1523, dt. Bildschnitzer. – Berühmt ist sein für die Klosterkirche in Bordesholm 1521 vollendeter Hochaltar (seit 1666 im Dom von Schleswig).

Brügger Seekanal ↑ Brügge.

Brugmann (Brugman), Karl, * Wiesbaden 16. März 1849, † Leipzig 29. Juni 1919, dt. Sprachwissenschaftler und Indogermanist. – 1882 und erneut seit 1887 Prof. in Leipzig, 1884 in Freiburg im Breisgau. B. vertrat den Grundsatz der ausnahmslosen Geltung der Lautgesetze und begr. damit das Programm der Junggrammatiker; Hauptwerk: „Grundriß der vergleichenden Grammatik der indogerman. Sprachen“ (2 Bde., 1886–92; zweite Bearbeitung 1897–1916).

Brühl, thüring. Adelsgeschlecht; wohl 1344 erstmals urkundl. erwähnt; 1737/38 Erhebung in den Reichsgrafenstand. Bed.:

B., Heinrich Graf von, * Gangloffsömmern (Landkr. Sömmerda) 13. Aug. 1700, † Dresden 28. Okt. 1763, kursächs. Minister. – Setzte 1733 die Wahl Friedrich Augusts II. zum König von Polen (als August III.) durch; 1738 alleiniges Vortragsrecht, 1746 zum Premiermin. ernannt, bestimmte völlig die sächs. Politik; erwarb großen persönl. Reichtum; nach seinem Tod entdeckte man, daß er der Staatskasse 4,6 Mill. Taler schuldete.

Brühl, Stadt sw. von Köln, NRW, 40 700 E. Eisen- und papierverarbeitende Ind., Brauerei. – Um 1180 Burghof, 1284 Burg der Erzbischöfe von Köln, deren bevorzugte Residenz bis ins 16. Jh.; um 1285 Neuanlage der Stadt B. auf gitterförmigem Grundriß; im 18. Jh. kurköln. Nebenresidenz. – Barockschloß Augustusburg (1725 bis 1728; Treppenhaus von B. Neumann) und Jagdschlößchen Falkenlust (1729–40) erklärte die UNESCO zum Weltkulturerbe.

B., Gem. im Rhein-Neckar-Kreis, Bad.-Württ., in der Oberrhein. Tiefebene, 13 600 E. Elektrotechn. Ind.

Bruhns, Nicolaus, * Schwabstedt (bei Husum) Dez. 1665, † Husum 29. März 1697, dt. Komponist, Organist und Violinist. – Schüler von Buxtehude; von seinen für die Zeit vor Bach bed. Werken sind 12 Kirchenkantaten und einige Orgelstücke erhalten.

Bruitismus [bryi'tɪsmʊs; zu frz. bruit „Lärm“], Richtung in der Musik, die das Geräusch als Material in die Komposition einbezieht.

Brukterer (lat. Bructeri), german. Stamm, Ende 1. Jh. v. Chr. zw. Ems und Lippe siedelnd; 4 n. Chr. von den Römern unterworfen; gingen später in den Franken auf.

Brüllaffen (Alouattinae), Unterfam. der Kapuzinerartigen in M- und S-Amerika; Körperlänge bis etwa 70 cm, Schwanz etwa körperlang, als Greiforgan ausgebildet; Gliedmaßen relativ kurz und kräftig, Füße und Hände groß; Kopf flach mit vorspringender Schnauze, Gesicht nackt; Fell dicht und weich; Schildknorpel des Kehlkopfs stark vergrößert, dient der Lautverstärkung der bes. bei den ♂♂ außerordentl. kräftigen, brüllenden Stimme. Bekannte Art: **Schwarzer Brüllaffe** (Alouatta caraya) mit schwarzem Fell, ♀ gelbl.-olivbraun.

Brüllende Vierziger ↑ Brave Westwinde.

Brumaire [frz. bry'mɛ:r „Nebelmonat“], 2. Monat des Kalenders der Frz. Revolution (22., 23. bzw. 24. Okt. bis 20., 21. bzw. 22. Nov.). – Bekannt ist der 18. B. (9. Nov. 1799), der Tag des Staatsstreichs, durch den Napoléon Bonaparte Erster Konsul wurde.

Brummell, George Bryan [engl. 'brʌməl], * London 7. Juni 1778, † Caen (Calvados) 30. März 1840. – Modegeck („Beau Brummell“); zählte zu den Freunden des Prinzen von Wales (des späteren Georg IV.) und gilt als Urbild des Dandy.

Brun I., hl., * Mai 925, † Reims 11. Okt. 965, Erzbischof von Köln (seit 953). – Bruder Ottos I., d. Gr., 951 zum Erzkanzler ernannt; 953 Verwalter des Hzgt. Lothringen; gilt als Schöpfer der otton. Bildungspflege, einer der bedeutendsten Vertreter des otton. Reichskirchensystems.

Brun von Querfurt, hl., genannt Bonifatius, * Querfurt um 974, † in Sudauen (Ostpreußen) 14. Febr. oder 9. März 1009 (erschlagen), sächs. Missionar. – Mit den Ottonen verwandt; seit 998 Benediktiner in Rom; 1004 Erzbischof für die östl. Heiden, missionierte 1003/04 in Ungarn, 1005–07 in Rußland, ab 1008 in Polen. Verfasser mehrerer Viten. – Fest: 9. März.

Brun, Charles le [frz. brœ̃], frz. Maler, ↑Le Brun, Charles.

B., Rudolf, *um 1300, †Zürich 17. Sept. 1360, Ritter, Bürgermeister von Zürich. – Stürzte 1336 v.a. mit Handwerkern den primär vom Kaufmannsstand getragenen Rat Zürichs; wurde nach erzwungener Verfassungsänderung auf Lebenszeit gewählter Bürgermeister; schloß 1351 ein ewiges Bündnis mit den eidgenöss. Waldstätten.

Brunch [engl. brʌntʃ; Kw. aus engl. **br**eakfast „Frühstück" und l**unch** „Mittagessen"], spätes, ausgedehntes, reichl. [Wochenend]frühstück und zugleich Mittagessen.

Brundage, Avery [engl. 'brʌndɪdʒ], *Detroit (Mich.) 28. Sept. 1887, †Garmisch-Partenkirchen 8. Mai 1975, amerikan. Sportfunktionär. – 1952–72 Präs. des Internat. Olymp. Komitees (IOC).

Brundisium, antike Stadt, ↑Brindisi.

Brundtland, Gro Harlem ↑Harlem Brundtland, Gro.

Bruneck (italien. Brunico), Hauptort des italien. Pustertals, Region Trentino-Südtirol, 835 m ü.d.M., 11 600 E. Textil- und Holzind., keram. Werkstätten; Fremdenverkehr. – Burg und Stadt B. wurden bald nach 1250 von Bischof Bruno von Brixen gegr. – Schloß B. (1251, mehrfach erweitert); Stadtmauer mit Tortürmen und einem Rundturm; spätbarocke Spitalkirche (1765); Häuser (15. und 16. Jh.).

Brunei ↑Bandar Seri Begawan.

Brunei

(amtl. Vollform: Negara Brunei Darussalam), Sultanat in SO-Asien, liegt an der NW-Küste von Borneo. **Fläche:** 5 765 km². **Bevölkerung:** 270 000 E (1992), 46,8 E/km². **Hauptstadt:** Bandar Seri Begawan. **Verwaltungsgliederung:** 4 Distrikte. **Amtssprache:** Malaiisch; im Amtsgebrauch auch Englisch. **Nationalfeiertag:** 23. Febr. **Währung:** B.-Dollar (BR$). **Internat. Mitgliedschaften:** UN, Commonwealth, ASEAN. **Zeitzone:** MEZ +7 Stunden.

Landesnatur: Beide Teile des durch den malays. Gliedstaat Sarawak zweigeteilten Sultanats liegen größtenteils in der Küstenebene, der nö. reicht 70 km landeinwärts bis zur Crocker Range in 1 850 m Höhe. B. hat äquatoriales Regenklima; rd. 90% sind mit trop. Regenwald bedeckt.

Bevölkerung: Die Bevölkerung setzt sich zu 65% aus Malaien, zu 20% aus Chinesen, zu 7,9% aus Altmalaien zus., der Rest sind Gastarbeiter. Der Islam ist Staatsreligion.

Wirtschaft, Verkehr: Grundlage der Wirtschaft und Haupteinnahmequelle sind die reichen Erdöl- und Erdgasvorkommen, die Steuerfreiheit und zahlr. moderne soziale Einrichtungen ermöglichen. Von den landw. Produkten werden Kautschuk und Pfeffer exportiert sowie Holz. – Von den 1 233 km Straßen ist die 102 km lange Autostraße von der Hauptstadt nach Kuala Belait die wichtigste. Internat. ✈ bei Bandar Seri Begawan.

Geschichte: Ein hinduist. Reich B. ist seit dem 9. Jh. nachweisbar; gehörte im 14. Jh. zum Reich von Madjapahit; um 1410 islamisiert. Im 16. Jh. geriet der N unter span. Herrschaft; 1841 kam der S an den Briten J. Brooke; das kleine Restsultanat wurde 1888 brit. Protektorat; 1941–45 jap. besetzt; seit 1984 unabhängig.

Politisches System: Die Verfassung von 1959 ist seit 1962 z.T. außer Kraft gesetzt. Staatsoberhaupt ist der Sultan, der dem Parlament nicht verantwortlich ist. Dem Min.rat (Exekutive) sitzt der Sultan vor. Der Gesetzgebende Rat bestand aus 20 vom Volk gewählten Mgl. und dem vom Sultan ernannten Speaker.

Brunelleschi (Brunellesco), Filippo [italien. brunel'leski], *Florenz 1377, †ebd. 15. April 1446, italien. Baumeister. – Hauptvertreter der Frührenaissance in Florenz. Zunächst Goldschmied und Bildhauer. Begann als Baumeister mit der berühmten Zweischalenkuppel des Florentiner Doms (Modell 1418). Die Alte Sakristei in San Lorenzo, die B. 1419 ff. baute, ist der erste Zentralbau der Renaissance. Zur gleichen Zeit begann er auch den Bau des Findelhauses (ältestes Beispiel von bogentragenden Säulen). 1421 ff. erbaute er San Lorenzo. 1430 ff. entstand die Pazzikapelle im 1. Hof von Santa Croce, wohl sein bedeutendstes Werk, ein Zentralbau mit Vorhalle. 1436 begann er den Bau von Santo Spirito, in seinen strengen Maßen der „klass." kirchl. Innenraum der Frührenaissance. B. gilt auch als Entdecker der perspektiv. Konstruktionen.

brünett [frz.], braunhaarig, braunhäutig.

Brunhilde (Brünhild, altnord. Brynhild), german. Sagengestalt. In der nordgerman. Mythologie eine Walküre, die wegen Ungehorsams gegenüber Odin verstoßen und zur Strafe in Schlaf versenkt wird (Märchenmotiv: Dornröschen). – Im ↑„Nibelungenlied" eine Frau mit zauberischen, übermenschl. Kräften (↑Kriemhild).

Brunhilde (Brunichilde), *um 550, †613 (ermordet), fränk. Königin. – Seit 567 ⚭ mit Sigibert I. von Austrien; regierte nach dessen

Ermordung (575) im austras., ab 592 auch im burgund. Teilreich; unterlag dem Bündnis des austras. und burgund. Adels.

Bruni, Leonardo, gen. Aretino, * Arezzo um 1369, † Florenz 9. März 1444, italien. Humanist. – Bekannt als Übersetzer griech. Autoren, als latein. Schriftsteller und Briefschreiber, auch als Verfechter der Volkssprache (Volgare; Biographien Dantes, Petrarcas, Boccaccios in italien. Sprache) und als Historiograph.

Brunico ↑ Bruneck.

brünieren [frz.], sehr dünne, anorgan. Schutzschichten auf Eisen-, Aluminium- oder Kupferwerkstoffen durch Eintauchen in oxidierende Lösungen oder in Salzschmelzen erzeugen.

Brünigpaß ↑ Alpenpässe (Übersicht).

Brüning, Heinrich, * Münster 26. Nov. 1885, † Norwich (Vt.) 30. März 1970, dt. Politiker. – Aus kath. Kaufmannsfamilie; 1921–30 Geschäftsführer des christl. Dt. Gewerkschaftsbundes; 1924–33 MdR (Zentrum); setzte als führender Finanzpolitiker 1925 die Begrenzung des Lohnsteueraufkommens auf 1,2 Mrd. Mark durch (Lex B.); übernahm Ende 1928 fakt. die Führung des Zentrums, 1929 die Leitung der Reichstagsfraktion; 1933 Parteivors.; wurde am 30. März 1930 von Hindenburg zum Reichskanzler eines von Fraktionsbindungen unabhängigen Kabinetts berufen. Nahziel B. war eine Sanierung der Reichsfinanzen, um die Voraussetzungen für die Lösung der Reparationsfrage und zur Bekämpfung der Massenarbeitslosigkeit zu schaffen. Ging ab Sept. 1930 zu einer parlamentar. tolerierten Präsidial-Reg. über, wobei er seine wirtschafts- und finanzpolit. Maßnahmen mit Hilfe von Notverordnungen durchsetzte und sich zur Auflösung des Reichstages bevollmächtigen ließ; schuf bis zum Frühjahr 1932 die wesentl. Voraussetzungen für die Revision der Reparationen; wurde am 30. Mai 1932 auf Betreiben General von Schleichers entlassen. 1934 Flucht in die Niederlande; seit 1935 in den USA (Prof. in Harvard seit 1939); 1951–55 vorübergehend in Deutschland (Prof. in Köln).

📖 *Treviranus, G. R.: Das Ende v. Weimar. H. B. u. seine Zeit. Düss. 1968.*

Brunn, Heinrich von (seit 1882), * Wörlitz 23. Jan. 1822, † Schliersee 23. Juli 1894, dt. Archäologe. – Prof. in München; unternahm u. a. grundlegende Forschungen, anhand literar. Quellen die klass. griech. Vorbilder für die röm. Kopien zu finden.

Brünn (tschech. Brno), Hauptstadt des Südmähr. Bezirks, ČSFR, 219 m ü. d. M., 390 000 E. Kath. Bischofssitz; Univ. (gegr. 1919), TH, landw. Hochschule, Konservatorium; Oper, mehrere Theater, Museen (u. a. Mähr. Museum); Zoo. Textilind., Maschinenbau; internat. Messen; ✈. – Burgsiedlung um 800; ab 1197 Residenz der Markgrafen von Mähren. Im 12./13. Jh. Einwanderung von Deutschen; 1243 Iglauer Stadtrecht. Im 19. Jh. Entwicklung zum Ind.zentrum. – Got. Dom (15. Jh.), got. Kirche des Augustinerklosters (14. Jh.), ehem. Kapuzinerkloster (1656), Jesuitenkirche (1589–1602), barocke Minoritenkirche (1729–33); Altes Rathaus (Spätgotik und Renaissance), Neues Rathaus (ehem. Dominikanerkloster, im 19. Jh. erweitert), Zitadelle (13. Jh.; 1621–1855 östr. Staatsgefängnis); Menin-Stadttor.

Brünne ↑ Rüstung.

Brunnen, techn. Anlage zur Erfassung von Grundwasser[strömen] und Förderung von Trink- und Nutzwasser (bei natürl. B., z. B. den artes. B., tritt Wasser auf Grund seines hydrostat. Überdrucks zutage).

Brunnenarten: Man unterscheidet allg. den *vollkommenen B.,* der durch den Grundwasserleiter bis zur darunter befindl. undurchlässigen Schicht reicht, und den *unvollkommenen B.,* der nur in den Grundwasserleiter eintaucht. Der **Schachtbrunnen** ist eine Anlage, bei der ein gemauerter oder betonierter Schacht von etwa 1 bis 4 m Durchmesser auf die undurchlässige wassertragende Schicht abgeteuft wird. Das Wasser der wasserführenden Schicht tritt in der in diesem Bereich durchlässigen Wandung in das Innere des Schacht-B. ein und wird von dort abgepumpt. Der **Bohrbrunnen (Rohrbrunnen)** wird bis zur wasserführenden Schicht vorgetrieben und mit einem Metallrohr ausgekleidet. Der einfachste Bohr-B. ist der **abessinische Brunnen (Abessinierbrunnen).** Er ist nur für die Entnahme kleiner Wassermengen geeignet. Wegen der Korrosions- und Verkrustungsgefahr baut man heute prakt. nur noch **Kiesfilterbrunnen.** Dabei muß der B. mit einem so großen Bohrdurchmesser hergestellt werden, daß man zw. Filterrohr und Bohrloch eine ausreichend starke Kiesschüttung einbringen kann; sie soll das Eindringen von Sand verhindern. Wenn die Ausdehnung und der Zulauf des Grundwasserstromes es gestatten, wird zur Gewinnung größerer Wassermengen eine *Brunnenreihe (Brunnengalerie)* angelegt. Eine moderne Bauform zur Förderung von Grundwasser aus nicht zu großer Tiefe ist der **Horizontalfilterbrunnen.** Im Ggs. zur B.reihe bietet er die Vorteile einer großen betriebl. Einheit (Tagesleistung bis zu 30 000 m^3). Der Horizontalfilter-B. besteht aus einem senkrechten Schacht mit meist 4 m Durchmesser. Die Schachttiefe beträgt je nach der Tiefe der günstigsten wasserführenden Schicht 10 bis 40 m. Oberhalb des Schachtgrundes gehen sternförmig waagerecht in die wasserführende Schicht vorgetriebene Fassungsrohre vom

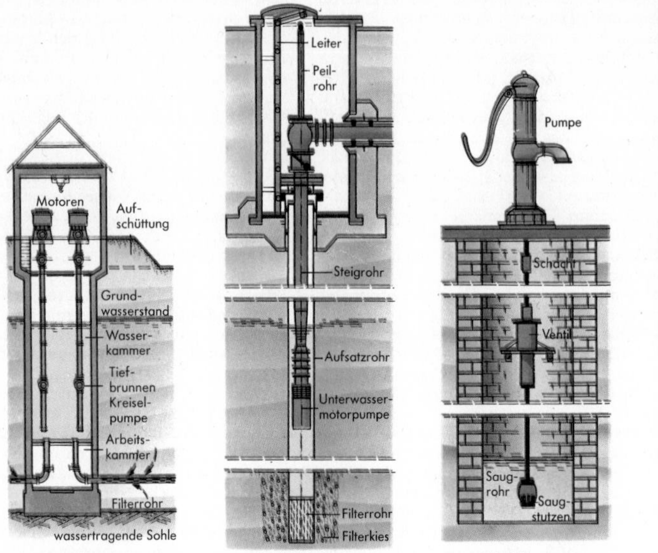

Horizontalfilterbrunnen Vertikalfilterbrunnen Schachtbrunnen

Schachtmantel aus. Jedes Fassungsrohr ist im B.inneren mit einem Schieber verschließbar, so daß der Wasserzufluß geregelt werden kann. Der Schacht wird zur Erdoberfläche meist durch ein Pumpenhaus abgeschlossen. **Geschichte:** Seit der Jungsteinzeit sind in M-Europa *Schacht-B.* mit hölzernen Einfassungen belegt. Als Formen finden sich neben dem *Schöpf-* oder *Zieh-B.* der *Röhren-* oder *Lauf-B.* Der städt. B. wurde schon im 6. Jh. v. Chr. in griech. Ansiedlungen architekton. gestaltet (oft als B.haus), das röm. Nymphäum war reich verziert. Der *Schalen-* oder *Trog-B.* fand in der röm. Stadt Aufstellung, im Atrium christl. Basiliken, im islam. Kulturkreis, im MA in den B.häusern an den Kreuzgängen der Klöster und als Markt-B. Typ. ist der *Stock-B.* aus mehreren Schalen (Maulbronn, Goslar). In der Gotik steht neben ihm auch die Form des Stock- oder Röhren-B. als turmartiges Gebilde mit Fialen und Maßwerk sowie Figuren inmitten eines runden oder polygonalen Beckens (Nürnberg, Schöner Brunnen, 1385–96). In der Renaissance trat das figurenbekrönte Säulenmotiv an seine Stelle. Der Schalen- oder Trog-B. wie der Stock-B. wurden in Renaissance und Barock zur Figurenkomposition, beliebt waren auch Felsenmotive. Im 17. und 18. Jh. wurden der *Spring-B.* und die *Fontäne* entwickelt (Gartenkunst). Im 19. Jh. verlor der B. seine eigentl. Funktion, er wird dennoch z. B. als Teil architekturbezogener Kunst bis heute verwendet.

🕮 *B.architektur. Bearb. v. T. Schloz u. a. Stg. ²1989. – Boeminghaus, D.: Wasser im Stadtbild. B.objekte, Anlagen. Mchn. 1980. – Bieske, E./Bieske, E.: Bohr-B. Mchn. u. Wien ⁶1973. – Bieske, E.: Hdb. des B.baus. Köln 1956–65. 3 Bde.*

Brunnenfaden (Crenotrix polyspora), fadenförmig wachsendes Bakterium. In eisen- und manganhaltigem Wasser lagern sich die entsprechenden Hydroxide in der das Bakterium umgebenden Scheide ab. Massenentwicklung in Wasserleitungen **(Brunnenpest).**

Brunnenhaus ↑Brunnen.

Brunnenkrebse (Höhlenkrebse, Niphargus), Gatt. der Flohkrebse mit rd. 50, bis etwa 3 cm langen, farblosen, augenlosen Arten, davon etwa 10 einheimisch. Die B. leben gewöhnl. unterird. in Höhlengewässern, Brunnen, Quellen und im Grundwasser.

Brunnenkresse (Nasturtium), weltweit verbreitete Gatt. der Kreuzblütler mit etwa 40 Arten; Stauden mit gefiederten Stengelblättern; Blüten in Trauben mit weißen, sich lila verfärbenden Kronblättern. Einheim. 2 Arten in Quellen und Bächen: **Echte Brunnenkresse** (Nasturtium officinale), deren in rundl. Lappen gefiederte Blätter (auch im Winter) einen schmackhaften Salat liefern; **Kleinblättrige Brunnenkresse** (Nasturtium microphyllum) mit im Winter rotbraunem Laub.

Brunnenmolche (Typhlomolge), Gatt. der Lungenlosen Salamander mit 2 Arten, darunter der bis etwa 13,5 cm lange **Texanische Brunnenmolch** (Typhlomolge rathbuni) in Brunnenschächten und Höhlengewässern SW-Texas'; Augen unter der Haut liegend; Gliedmaßen außergewöhnl. lang und dünn.

Brunnenmoose (Bachmoose, Fontinalaceae), Fam. der Laubmoose mit etwa 70 Arten; v. a. in den Süßgewässern der gemäßigten und wärmeren Zonen der Nordhalbkugel. Der bekannteste Vertreter in M-Europa ist das reich verzweigte, bis 30 cm hohe, vorwiegend in fließenden Gewässern vorkommende **Gemeine Brunnenmoos** (Fontinalis antipyretica).

Brunnenpest ↑Brunnenfaden.

Brunnenvergiftung, zum *Strafrecht* ↑gemeingefährliche Vergiftung.
◆ svw. Verleumdung; hinterlistige, ehrenrührige Kampfmaßnahmen, bes. in der Politik.

Brunner, Emil, * Winterthur 23. Dez. 1889, † Zürich 6. April 1966, schweizer. ev. Theologe. – 1924–53 Prof. für systemat. und prakt. Theologie in Zürich; Mitbegr. der ↑dialektischen Theologie, die er teilweise im Ggs. zu K. Barth weiterführte. Seine Ethik steht unter dem Motto „Ordnung" und „Gerechtigkeit". – *Werke:* Der Mittler (1927), Der Mensch im Widerspruch (1937), Dogmatik (3 Bde., 1946–60).

B., Otto, * Mödling 21. April 1898, † Hamburg 12. Juni 1982, östr. Historiker. – Prof. in Wien und Hamburg; Werke zur Verfassungs- und Sozialgeschichte des Spät-MA und der frühen Neuzeit, u. a. „Land und Herrschaft" (1939).

Bruno I. ↑Brun I., hl.

Bruno von Köln (B. der Kartäuser), hl., * Köln um 1032, † in der Kartause San Stefano (Kalabrien) 6. Okt. 1101, Stifter des Kartäuserordens. – Gründete im Felsengebiet Cartusia bei Grenoble 1084 die erste Kartause (La Grande ↑Chartreuse), aus der der Orden der ↑Kartäuser entstand. – Fest: 6. Oktober.

Bruno von Querfurt, hl., ↑Brun von Querfurt, hl.

Bruno, Giordano, Taufname Filippo B., * Nola bei Neapel 1548, † Rom 17. Febr. 1600, italien. Naturphilosoph. – 1563 Dominikaner in Neapel; fiel 1592 durch Verrat in die Hände der Inquisition, die ihm v. a. wegen seiner Lehren von der Unendlichkeit der Welt und der Vielheit und Gleichwertigkeit der Weltsysteme den Prozeß machte. Er wurde nach siebenjähriger Haft verbrannt. – B. schließt die Unendlichkeit des Weltalls aus der Unendlichkeit Gottes, die die Annahme verbiete, Gott könne nur Endliches geschaffen haben. – Neben philosoph. Abhandlungen, Lehrgedichten und Dialogen stehen Sonette und eine Komödie („Il candeleio", 1582).

Brunsberg ↑Braunsberg (Ostpr.).

Brunsbüttel, Stadt an der Mündung des Nord-Ostsee-Kanals in die Unterelbe, Schl.-H., 12 900 E. Radarstation, Lotsendienst, Fährverkehr, petrochem. Ind., Phosphatwerk, Stahl- und Leichtmetallind., Kernkraftwerk; Hafen- und Schleusenanlagen. – 1907–70 **Brunsbüttelkoog;** 1949 Stadt.

Brunst [zu althochdt. brunst „Brand, Glut"] (Brunft, Östrus), bei Säugetieren ein durch Sexualhormone gesteuerter, period. auftretender Zustand geschlechtl. Erregbarkeit und Paarungsbereitschaft. Die B. tritt entweder nur einmal jährl. oder mehrmals jährl. in bestimmten Abständen auf. Die B. ist u. a. von der Reifung der Geschlechtszellen abhängig und äußert sich in bes. Ausprägungen der sekundären Geschlechtsmerkmale sowie in bes. Verhaltensweisen, Paarungsrufen oder in der Produktion stark duftender Locksubstanzen. In der Jägersprache wird die B. des Raubwildes **Ranzzeit,** des Schwarzwildes **Rauschzeit,** die der Hasen und Kaninchen **Rammelzeit** genannt. – ↑Balz.

Brüsewitz, Oskar, * Willkischken (Litauen) 30. Mai 1929, † (Selbstverbrennung) Zeitz 18. Aug. 1976, Pfarrer. – Sein Tod galt als Protest gegen die Unterdrückung der christl. Erziehung in der damaligen DDR. – **Brüsewitz-Zentrum,** 1977 in Bad Oeynhausen zur Information über Verletzung der Menschenrechte in der DDR gegründet.

brüsk [italien.-frz.], schroff, barsch, rücksichtslos; **brüskieren,** vor den Kopf stoßen.

Brussa (Bursa) ↑Orientteppiche (Übersicht).

Brüssel (amtl. frz. Bruxelles, niederl. Brussel), Haupt- und Residenzstadt sowie Region Belgiens, Verwaltungssitz der Prov. Brabant, an der Zenne, 15 bis 74 m ü. d. M., 136 000 E. Die Agglomeration Groß-B. hat 970 000 E. Sitz aller zentralen Verwaltungsstellen, Hauptsitz der Institutionen der EG, Sitz der NATO, Synode der Prot. Kirche in Belgien; zwei Univ. (gegr. 1834 und 1970), staatl. Fakultät für Veterinärmedizin, theolog. Fakultät, Handelshochschulen, Konservatorium, Militärschule, militärgeograph. Institut, Sternwarte, meteorolog. Inst.; Museen, Archive, Nationalbibliothek, Nationaloper, Nationaltheater; Effektenbörse, internat. Messen; Weltausstellung 1958; Maschinen- und Apparatebau, Textil-, Druckerei-, Photo-, Möbel-, Papier- und chem. Ind.; Teppichherstellung, Leder- und Tabakverarbeitung, Nahrungsmittelind. Hafen; U-Bahn (seit 1976); internat. ✈.

Geschichte: Ab Ende 7. Jh. belegt; Ende 10. Jh. Bau einer Burg, Keimzelle der städt. Siedlung (Handelsposten); im 15./16. Jh. Hauptstadt der burgund. Niederlande (höchste kulturelle Blüte). Führende Rolle im Kampf der aufständ. Niederlande gegen die span. Herrschaft, ab 1578 Hauptstadt der Generalstaaten. 1713–94 östr., danach unter frz. Herrschaft; 1815 als 2. Hauptstadt zum Vereinigten Kgr. der Niederlande. Von B. ging 1830 die Revolution aus, die zur Unabhängigkeit Belgiens führte. In beiden Weltkriegen von dt. Truppen besetzt.

Brüssel. Maison du Roi (1875–85)

Bauten: Kathedrale Saint-Michel (ehem. Stiftskirche Saint-Gudule, 1226–1665), Notre-Dame-de-la-Chapelle (12./13. und 15. Jh.), Notre-Dame-des-Victoires (15. Jh.); Notre-Dame-de-Bon-Secours (1664–69) und Saint-Jean-Baptiste-au-Béguinage (1657 bis 1676); Rathaus (1402–50), zahlr. Zunfthäuser sowie das Maison du Roi am histor. Marktplatz. Klassizist. Königl. Platz (Ende 18. Jh.) mit Repräsentativbauten. Justizpalast (1866–83), Börse (1871–73), Königl. Schloß (1740–87; mehrfach verändert), Palast der Nationen (1779–83), die Galerien Saint-Hubert (1846/47, erste überdachte Ladengalerie Europas), 102 m hohes Atomium (1958).

Brüsseler Pakt ↑Westeuropäische Union.

Brüsseler Spitzen, seit dem 17. Jh. in Brüssel geklöppelte oder genähte Spitzen, die aus einzelnen Mustermotiven zusammengesetzt und dabei durch Stäbe auf einem Tüllgrund verbunden werden.

Brüsseler Vertrag ↑Westeuropäische Union.

Brussilow, Alexei Alexejewitsch, * Tiflis 31. Aug. 1853, † Moskau 17. März 1926, russ. General. – Leitete 1916 an der SW-Front die nach ihm benannte erfolgreiche russ. Offensive in Galizien und Wolynien; 1917 Oberbefehlshaber des Heeres.

Brust, (Pectus) bei Mensch und Wirbeltieren der obere oder vordere Teil des Rumpfes, bei Gliederfüßern der mittlere, gegen Kopf und Hinterleib abgegrenzte Teil des Körpers. B. i. w. S. ist der Teil des menschl. Rumpfes, dessen Skelett vom ↑Brustkorb gebildet wird; i. e. S.: die vordere Wand des B.korbes, auch die weibl. ↑Brustdrüsen.

Brustbein (Sternum), in der vorderen Mitte des Brustkorbs der meisten Wirbeltiere gelegene knorpelige oder verknöcherte, schildförmige Bildung; beim Menschen ist das B. ein längl., platter Knochen zur Befestigung des Schlüsselbeins und der oberen Rippen; bildet den vorderen Abschluß des Brustkorbs. – Das B. ist eine wichtige Blutbildungsstätte. Bei Blutkrankheiten führt man hier von außen die ↑Sternalpunktion zur Diagnose durch.

Brustdrüsen (Mammae), bei Menschen und einigen Säugetieren (z. B. Primaten, Fledermäusen, Elefanten) vorkommende bruständige Drüsen mit äußerer Sekretion (↑Milchdrüsen). Die B. des Menschen bestehen aus je 15–20 einzelnen Drüsenläppchen, die von Fett- und Bindegewebe umgeben sind und so die eigentl. **Brüste** bilden. Zw. den Brüsten befindet sich eine Vertiefung, der Busen. Die **Brustwarzen** (Mamillae), in denen die Ausführgänge der Milchdrüsen münden, können sich durch glatte Muskulatur aufrichten (↑erogene Zonen). Die Brustwarze wird vom **Warzenhof** umgeben, der durch das Sekret zahlr. Talgdrüsen geschmeidig gehalten wird.

Brustdrüsenentzündung (Mastitis), in 98 % der Fälle während des Stillens auftretende, durch Infektion verursachte Entzündung der Brustdrüse der Frau; kann bis zur Abszeßbildung führen. Zur Verhütung der B. sind gründl. Brustpflege gegen Schrundenbildung und peinl. Sauberkeit während des Stillens notwendig.

Brustfell (Pleura), spiegelglatte und glänzende Auskleidung der Brusthöhle *(Rippenfell)* und Überkleidung der Lungen *(Lungenfell)*. Beide Teile bzw. Blätter umschließen einen mit Flüssigkeit gefüllten Spaltraum *(Pleurahöhle)*.

Brustfellentzündung, svw. ↑Rippenfellentzündung.

Brustfellerguß, svw. ↑Pleuraerguß.

Brustfellhöhle, svw. ↑Pleurahöhle.

Brustflossen ↑Flossen.

Brusthöhle, der vom Brustkorb umschlossene, gegen die Bauchhöhle durch das Zwerchfell begrenzte Raum.

Brustkorb (Thorax), knöchernes korbförmiges Gerüst der Brust der Wirbeltiere (einschließl. Mensch), das von den Brustwirbeln, Rippen und dem Brustbein gebildet wird und das die in die Brusthöhle eingebetteten Lungen, das Herz, die Hauptschlagadern, die Luft- und die Speiseröhre umschließt. Beim Menschen setzt sich der B. aus 12 mit den Brustwirbeln zweimal gelenkig verbundenen, paarigen Rippen zusammen, wobei die oberen 7 Rippen direkt am Brustbein ansetzen, während die nachfolgenden 3 auf jeder Seite mit der 7. Rippe in Verbindung stehen. Die 11. und 12. Rippe enden frei. – Die durch Bänder geschützten Gelenke zw. den Rippen und Wirbelkörpern und die knorpeligen Rippenansätze am Brustbein ermöglichen die Atembewegungen. Der B. vergrößert und verkleinert sich bei der Atmung.

Brustkrebs (Mammakarzinom), in 99% aller Fälle bei Frauen auftretende bösartige Geschwulst der Brustdrüse, die meist vom Drüsenepithel ausgeht. I. d. R. beginnt der B. unmerkl. im Innern der Brust, in der man einen (fast immer) schmerzlosen kleinen, harten, gegen das übrige Drüsengewebe nicht verschiebbaren Knoten ertasten kann, der nur allmähl. weiterwächst. Oft verwächst die Haut über dem Krebsknoten und sieht dann (wie manchmal auch die Brustwarze) wie eingezogen aus. Schließl. wird die Haut durchbrochen, und es entsteht durch Gewebszerfall und Infektion ein Krebsgeschwür. Schon frühzeitig werden die benachbarten Lymphknoten am äußeren Rand des Brustmuskels und in der Achselhöhle von den Krebszellen befallen, die von dort bis zu entfernteren Lymphknoten in der Schlüsselbeingrube, unter dem Schulterblatt und (selten) im Inneren des Brustkorbs vordringen.
Primäre Maßnahmen gegen den B. sind die operative Entfernung der erkrankten Brustdrüse, ggf. auch der Lymphknoten in der Achselhöhle. Daneben bewährten sich langfristige Behandlungen mit Hormonen sowie mit Zytostatika.

Brustkreuz ↑Pektorale.

Brustschwimmen ↑Schwimmen.

Bruststimme (Brustregister), Bez. für die tiefe Lage der menschl. Stimme, bei der hauptsächlich die Brustwand in Schwingungen gerät, im Ggs. zur Kopfstimme.

Brüstung, Geländer an Balkons, Brükken; der Wandteil unterhalb eines Fensters.

Brustwarze ↑Brustdrüsen, ↑Zitze.

Brustwerk, ein mit kleineren Pfeifen besetztes Werk der Orgel, das unterhalb des Hauptwerks angebracht ist.

Brustwurz, svw. ↑Engelwurz.

brut [bryt; lat.-frz.] ↑Schaumwein.

Brut, die aus den abgelegten Eiern schlüpfende Nachkommenschaft v. a. bei Vögeln, Fischen und staatenbildenden Insekten (hier nur die Larven).

Brutalismus [lat.], Richtung der modernen Architektur. Das Erscheinungsbild der Bauten soll unmittelbar von Material und Funktion der Bauelemente bestimmt sein, d. h. Konstruktion, Material und techn. Installation bleiben unverhüllt. Zuerst in England (A. und P. Smithson, Secondary School in Hunstanton, 1954). Um 1956 wurde der Begriff auf Le Corbusiers Ausdruck „béton brut“ (Beton mit den Spuren der Verschalung) bezogen. Elemente des B. finden sich in der modernen Architektur (z. B. Centre Georges Pompidou in Paris von R. Piano und R. Rogers, eröffnet 1977).

Brutalität [lat.], rohes Verhalten, Gefühllosigkeit, Gewalttätigkeit; dazu: **brutal.**

Brutapparat, elektr. beheizte Anlage, in der bis mehrere tausend Eier zugleich bei bestimmter Temperatur bebrütet werden.

Brutbeutel (Marsupium), bei den Beuteltieren in der unteren Bauchregion des Muttertiers gelegene Hautfalte zur Aufnahme der Neugeborenen.

Brutblatt (Bryophyllum), Gatt. der Dickblattgewächse mit über 20 Arten auf Madagaskar und 1 Art in den Tropen; Stauden, Halbsträucher oder Sträucher; Blätter am Rande meist Brutknospen bildend; Blüten hängend, in Blütenständen; Zierpflanzen.

Brüten, bei Vögeln die Übertragung der Körperwärme von einem Elterntier (meist vom ♀) auf das Eigelege, damit sich die Keime zu schlüpfreifen Jungtieren entwickeln können.

Brutfleck, bei Vögeln während der Brutzeit durch Ausfallen von Federn am Bauch entstehende nackte Hautstelle, die bes. gut durchblutet wird und die Eier direkt der Körpertemperatur aussetzt.

Brutfürsorge, Vorsorgemaßnahmen der Elterntiere für ihre Nachkommenschaft, die mit dem Zeitpunkt der Eiablage oder dem Absetzen der Jungen beendet sind. Alle weiteren pfleger. Maßnahmen werden als ↑Brutpflege bezeichnet. Die wichtigste Form der B. ist die Eiablage an geeigneten Orten.

Brutkasten, svw. ↑Inkubator.

Brutknospen (Bulbillen), mit Reservestoffen angereicherte zwiebel- (Brutzwiebeln) oder knollenartige (Brutknöllchen), zur Ausbildung von Seitenwurzeln befähigte Knospen, die sich ablösen und der vegetativen Vermehrung dienen.

Brutkörper, Fortpflanzungseinheiten in Form von Thallus- bzw. Sproßteilen oder Seitensprossen bei Algen, Leber- und Laubmoosen, Farn- und Samenpflanzen.

Brutparasitismus, in der Zoologie 1. die Erscheinung, daß manche ♀ Vögel (z. B. der Kuckuck) unter Ausnutzung des Brutpflegeinstinktes einer anderen Vogelart dieser das Ausbrüten der Eier und die Aufzucht der Jungtiere überlassen; 2. das Schmarotzen von Insekten oder deren Larven in den Eiern oder Larven anderer Insekten.

Brutpflege (Neomelie), in der Zoologie Bez. für alle angeborenen Verhaltensweisen der ♀ und ♂ Elterntiere, die der Aufzucht, Pflege und dem Schutz der Nachkommen dienen. Die B. beginnt nach der Eiablage bzw. nach dem Absetzen der Jungen und folgt der ↑Brutfürsorge. Sie bezieht sich auf die Bewachung und Versorgung der Eier bzw. der Brut, das Herbeischaffen von Nahrung, das Füttern der Larven durch Arbeiterinnen bei staatenbildenden Insekten, das Sauberhalten und den Unterricht in typ. Verhaltensweisen des Nahrungserwerbs.

Brutreaktor ↑Kernreaktor.

Brutschrank, elektr. beheizbarer Laborschrank, dessen Innentemperatur von einem Thermostaten konstant gehalten wird; dient v. a. zur Aufzucht von Mikroorganismen.

Bruttium, antiker Name Kalabriens; nach den **Bruttiern** ben., die nach 356 v. Chr. griech. Kolonien eroberten, 300–295 gegen Syrakus, 278–275 gegen Rom kämpften; 272 von Rom unterworfen.

brutto [lat.-italien.], roh, ohne Abzug (gerechnet), mit Verpackung (gewogen).

brutto für netto, Handelsklausel, der zufolge sich der Preis der Ware nach dem Bruttogewicht richtet.

Bruttogewicht, Gewicht der Ware einschließlich Verpackung.

Bruttogewinn, in der Gewinn-und-Verlust-Rechnung svw. Rohgewinn.

Bruttoinlandsprodukt ↑Sozialprodukt.

Bruttoinvestition, Gesamtinvestition einer Volkswirtschaft in einer Periode. Die B. umfaßt die Bruttoanlageinvestition und die Vorratsinvestition. Die B., vermindert um die Ersatzinvestition, ergibt die Nettoinvestition.

Bruttoproduktionswert, Summe aus 1. den zu Marktpreisen bewerteten Gütern und Dienstleistungen, die ein Wirtschaftssubjekt in einer Periode anderen in- und ausländ. Wirtschaftssubjekten verkauft; 2. dem zu Herstellungskosten bewerteten Mehrbestand an eigenen Halb- und Fertigerzeugnissen; 3. den zu Herstellungskosten bewerteten selbsterstellten Anlagen. Nach Abzug der Vorleistungen erhält man den Nettoproduktionswert, die sog. **Bruttowertschöpfung.**

Bruttoraumzahl, Abk. BRZ, Schiffsvermessungsbegriff, der im Juli 1982 weltweit die bisher übl. Bruttoregistertonne (BRT) ablöste. Während bei der Vermessung nach BRT die Maße der Innenkanten der Räume genommen wurden, wird nun nach der BRZ alles von der Außenhaut des Schiffes her bemessen. Als **Nettoraumzahl** (Abk. NRZ) wurde das 0,3fache der BRZ festgelegt.

Bruttoregistertonne ↑Registertonne.

Bruttosozialprodukt ↑Sozialprodukt.

Bruttovermögen (Rohvermögen), Gesamtwert der Vermögensbestände eines Wirtschaftssubjekts ohne Berücksichtigung der auf diesem Vermögen lastenden Schulden.

Bruttowertschöpfung ↑Bruttoproduktionswert.

Brutus, Beiname des röm. Geschlechts der Junier; bekannt v. a.:

B., Decimus Junius B. Albinus, * um 81, † 43, röm. Offizier. – Vertrauter Cäsars, 48–46 Statthalter in Gallien; designierter Konsul für 42; nahm an der Verschwörung gegen Cäsar teil; kämpfte im sog. Mutinens. Krieg ab 44 gegen M. Antonius, der ihn ermorden ließ.

B., Lucius Junius, nach röm. Überlieferung Begr. der röm. Republik (509 v. Chr.). – Er und Tarquinius Collatinus waren die ersten Konsuln.

B., Marcus Junius, * 85, † bei Philippi (Makedonien) etwa Mitte Nov. 42 (Selbstmord), röm. Politiker. – Trat im Bürgerkrieg auf die Seite des Pompejus; war an der Verschwörung gegen Cäsar und dessen Ermordung maßgeblich beteiligt; unterlag Antonius 42 bei Philippi.

Brutzwiebeln ↑Brutknospen.

Brüx (tschech. Most), tschech. Stadt an der Biela, 70 000 E. Zentrum des nordböhm. Braunkohlenreviers (Tagebau); chem. Ind. – 1273 Stadt. B. wurde seit 1967 zum größten Teil abgerissen und sö. auf flözfreiem Gelände als *Neu-Brüx* (tschech. Nový Most) wieder aufgebaut. Die spätgot. Dekanalkirche (1517–40) wurde 1975 dabei um 841 m verschoben.

Bruxelles [frz. bry'sɛl] ↑Brüssel.

Bruyère, La ↑La Bruyère, Jean de.

Bruyèreholz [bry'jɛːr; frz./dt.], Handelsbez. für ein hell- bis rotbraunes, bis kopfgroß verdicktes, häufig schön gemasertes Wurzelholz der Baumheide, aus dem v. a. Tabakspfeifen hergestellt werden.

Bruyn [brɔyn], Bartholomäus, d. Ä., * Wesel (?) 1493, † Köln 1555, dt. Maler. – Seit 1515 in Köln tätig. Vertreter eines niederländ. beeinflußten Manierismus. Altarbilder und v. a. treffende Porträts.

B., Günter de, * Berlin 1. Nov. 1926, dt. Schriftsteller. – Schrieb krit.-satir. Erzählungen, u. a. „Ein schwarzer, abgrundtiefer See" (1962), „Babylon" (1986), und Romane, u. a.

„Buridans Esel" (1968), „Preisverleihung" (1972), über die Verhältnisse in der DDR. – *Weitere Werke:* Das Leben des Jean Paul Friedrich Richter (Biogr., 1975), Jubelschreie, Trauergesänge. Deutsche Befindlichkeiten (1991).

Bryan, William Jennings [engl. 'braɪən], * Salem (Ill.) 19. März 1860, † Dayton (Tenn.) 26. Juli 1925, amerikan. Politiker. – Rechtsanwalt; unterlag in den Präsidentschaftswahlen 1896, 1900 und 1908 als Kandidat der Demokraten; 1913–15 Außenminister.

Bryant, William Cullen [engl. 'braɪənt], * Cummington (Mass.) 3. Nov. 1794, † New York 12. Juni 1878, amerikan. Lyriker. – Seine Gedichte sind v. a. Reflexionen über Leben und Tod („Thanatopsis", 1811).

Bryan-Verträge [engl. 'braɪən] (amerikan. Friedensverträge), auf Betreiben von W. J. Bryan 1913/14 zw. den USA und 21 anderen Staaten geschlossenes völkerrechtl. Abkommen zur Vermeidung krieger. Auseinandersetzungen; gelten zumeist noch heute.

Bryaxis, griech. Bildhauer des 4. Jh. v. Chr. – Schuf u. a. vermutl. die Friese der Nordseite des Mausoleums von Halikarnassos (heute im Brit. Museum, London).

Brygos, att. Töpfer, tätig etwa 500–470. Mit ihm ident. ist vielleicht der sog. **Brygosmaler** (etwa 495–470), einer der Hauptmeister der strengen, rotfigurigen Vasenmalerei.

Bryologie [griech.] (Mooskunde), Wissenschaft und Lehre von den Moosen.

Bryophyten [griech.], svw. ↑ Moose.

Bryozoa [griech.], svw. ↑ Moostierchen.

BRZ, Abk. für: ↑ **B**rutto**r**aum**z**ahl.

Brzeg [bʒɛk] ↑ Brieg.

BSE-Seuche (bovine spongiforme Enzephalopathie), stets tödlich verlaufende Infektionskrankheit der Rinder. Der Erreger ist ein virusähnl. Agens und mit dem der ↑ Traberkrankheit (Scrapie) der Schafe verwandt. Nach einer Inkubationszeit von 2–8 Jahren bilden sich typ. Veränderungen im Gehirn (schwammige Strukturen). Weitere Symptome sind zunehmende Verhaltens- und Bewegungsstörungen. Als Übertragungsweg ist bisher nur die Verfütterung von Tierkörpermehl (von Schafen) nachgewiesen, das nicht ausreichend hitzebehandelt war. Hinweise für eine Übertragung auf den Menschen gibt es nicht.

BSP, Abk. für: **B**rutto**s**ozial**p**rodukt.

Btx (BTX), Abk. für: ↑ **B**ildschirm**t**e**x**t.

BTX-Aromaten ↑ aromatische Ringverbindungen.

bu, Einheitenzeichen für ↑ Bushel.

Bubastis, Hauptstadt des 18. unterägypt. Gaues, im östl. Nildelta; Ruinen mehrerer Tempel vom 3. bis 1. Jahrtausend.

Bubblespeicher ['bʌbl], svw. Magnetblasenspeicher (↑ Magnetspeicher).

Buber, Martin (Mordechai), * Wien 8. Febr. 1878, † Jerusalem 13. Juni 1965, jüd. Religionsphilosoph. – Studium bei W. Dilthey und G. Simmel. Erforschte den ostjüd. Chassidismus. Gab die Zeitschriften „Der Jude" (1916–24) und „Die Kreatur" (1926–30, mit J. Wittig und V. von Weizsäcker) heraus. Begann 1925 mit F. Rosenzweig eine neue Übersetzung des A. T. ins Deutsche, die er nach dessen Tod 1929 allein weiterführte und nach gründl. Revision älterer Teile abschloß („Die Schrift", 20 Bde., 1926–38; neubearb. Ausg. 4 Bde., 1954–62). B. lehrte 1923–33 (Entlassung) jüd. Religionswissenschaft und Ethik an der Univ. Frankfurt am Main. Sein Buch „Ich und Du" (1923) befruchtete auch christl. Theologie und Ethik. Ging 1938 nach Palästina, wo er bis 1951 Philosophie und Soziologie lehrte, 1952 erhielt er den Friedenspreis des Dt. Buchhandels, 1963 den Erasmus-Preis. – *Weitere Werke:* Begegnung, Autobiograph. Fragmente (1960), Der Jude und sein Judentum (1963), Nachlese (1965).

Biser, E.: B. für Christen. Freib. 1988. – Oberparleitner, H.: M. B. u. die Philosopie. Ffm. 1983. – Kohn, H.: M. B. Sein Werk u. seine Zeit. Wsb. 41979.

Buber-Neumann, Margarete, * Potsdam 21. Okt. 1901, † Frankfurt am Main 6. Nov. 1989, dt. Schriftstellerin und Publizistin. – 1926 Mgl. der KPD; emigrierte 1935 in die UdSSR; 1938–40 in einem sibir. Zwangsarbeitslager, wurde 1940 der SS übergeben und im KZ Ravensbrück interniert. Schrieb v. a. über ihr Leben, u. a. „Als Gefangene bei Stalin und Hitler" (1949), „Von Potsdam nach Moskau. Stationen eines Irrweges" (1957).

Bubikopf, kurzgeschnittene Damenfrisur der 1920er Jahre.

Bubis, Ignatz, * 12. Jan. 1927, Unternehmer. – Seit Sept. 1992 Vors. des Zentralrats der Juden in Deutschland.

Bubnoff, Serge von, * Petersburg 27. Juli 1888, † Berlin 16. Nov. 1957, dt. Geologe und Paläontologe. – Prof. in Breslau, Greifswald und Berlin (Ost). Arbeiten zur Lagerstättenkunde, Tektonik und Geologie des kristallinen Grundgebirges, zur regionalen Geologie Europas und zur Entwicklungsgeschichte der Erde.

Bubo [lat.], svw. ↑ Uhus.

Bubo (Mrz. Bubonen) [griech.], entzündl. Schwellung der Lymphknoten, bes. in der Leistenbeuge, bei Geschlechtskrankheiten, Furunkulose und Pest.

Bubonenpest ↑ Pest.

Bucaramanga, Hauptstadt des Dep. Santander in Kolumbien, auf der W-Abdachung der Ostkordillere, 1018 m ü. d. M., 364 000 E. Bischofssitz; Univ. (gegr. 1948), Metallind., Tabakind., ✈. – Gegr. 1622.

Bucchero ['bʊkero; italien.], etrusk. Vasengattung; schwarze Tongefäße mit Reliefs oder eingeritztem Dekor (8.–4. Jh.).

Bucelin, Gabriel ['bʊtsəli:n], eigtl. G. Butzlin, * Diessenhofen (Thurgau) 29. Dez. 1599, † Weingarten 9. Juni 1681, schweizer. Historiker und Genealoge. – Benediktiner (seit 1617); 1651–81 Prior in Sankt Johann in Feldkirch; Verfasser u. a. von „Germania topo-chrono-stemmatographica sacra et profana" (4 Bde., 1655–78).

Bucer, Martin ['bʊtsər], eigtl. M. Butzer, * Schlettstadt 11. Nov. 1491, † Cambridge 1. März 1551, dt. Reformator und Humanist. – Dominikaner, wurde 1518 Anhänger der Reformation. Verfaßte für den Augsburger Reichstag 1530 die „Confessio Tetrapolitana" und brachte 1536 die Wittenberger Konkordie als Verständigung zw. Luther und den Oberdeutschen zustande. War um die Einheit der ev. Bekenntnisse bemüht. Als Gegner des Augsburger Interims mußte er 1548 Straßburg verlassen und folgte einem Ruf des Erzbischofs Thomas Cranmer von Canterbury nach England; dort Prof. in Cambridge.

Buch, Leopold von, Frhr. von Gellmersdorf, * Schloß Stolpe bei Angermünde 26. April 1774, † Berlin 4. März 1853, dt. Geologe. – Erforschte den Vulkanismus; gab 1826 die erste „geognost. Karte Deutschlands" heraus; prägte den Begriff „Leitfossil".

Buch [zu althochdt. buoh „zusammengeheftete Buchenholztafeln" (auf denen man schrieb)], mehrere, zu einem Ganzen zusammengeheftete bedruckte, beschriebene oder auch leere Blätter, die in einen B.einband (Buchdecke) eingebunden sind; auch das geheftete oder klebegebundene (Broschüre, Taschenbuch) literar. Erzeugnis.

Geschichte: Im Vorderen Orient wurden seit etwa 3000 v. Chr. Schriftzeichen in Tontafeln eingedrückt, die dann getrocknet und manchmal gebrannt wurden. Ein weiterer Beschreibstoff war Leder. In Indien wurden Blätter benutzt, in China mindestens seit 1300 v. Chr. mit Bambus zusammengehaltene Bambus- oder Holzstreifen. Die frühesten erhaltenen Dokumente auf pflanzl. Beschreibstoff sind die Papyri. Zunächst wurden Einzelblätter verwendet, seit dem 2. Jt. v. Chr. finden sich B.rollen aus aneinandergeklebten Einzelblättern. In Kleinasien wurde seit 2. Jh. v. Chr. Pergament zur B.herstellung verwendet. Schreibtafeln sind schon bei Homer bezeugt, mit Wachs bezogene bei Herodot (5. Jh. v. Chr.). Diese Tafeln wurden an der linken Längsseite zusammengebunden oder mit Scharnieren, Ringen und Riemen zusammengehalten. Seit etwa Christi Geburt wurden auch Papyrus- und Pergamenthefte (Kodizes) angelegt. Ein Kodex besteht aus einer Vielzahl gleich großer Pergamentblätter, die, in der Mitte gefaltet, ineinandergelegt und mit Faden geheftet und zw. Holzdeckeln oder -rahmen eingebunden sind.

Das Papier wurde zwar schon im 2. Jh. v. Chr. in China erfunden, aber erst im 8. Jh. n. Chr. wurde die Technik der Papierherstellung von den Arabern übernommen und gelangte mit ihnen nach S-Europa. Im 15. Jh. bestand ein Großteil der Handschriften bereits aus Papier, nach der Erfindung des Buchdrucks wurde das Pergament rasch durch das billigere Papier verdrängt: seit 1500 etwa hatte das B. weitgehend seine heute noch übl. Gestalt.

Die Neuzeit der B.geschichte beginnt mit Gutenbergs Bibeldruck (1455). Gutenberg druckte i. d. R. Auflagen von 150–200 Exemplaren. Nach 1480 stieg die Auflagenhöhe teilweise auf 1000; von Luthers Übersetzung des N. T. (Septemberbibel) wurden 1522 schon 5 000 Exemplare gedruckt. 1522–34 gab es 85 Ausgaben von Luthers N. T.; zw. 1534 und 1574 wurden 100 000 Exemplare der vollständigen Bibelübersetzung Luthers verkauft. Neben die religiösen Inkunabeln traten bald wiss. Werke und Dichtungen.

Das B. ist bis heute ein wichtiger Träger der geistigen Kommunikation, des Austausches von Ideen und Informationen geblieben, trotz des Aufkommens von Hörfunk, Fernsehen, Datenverarbeitung. – ↑ Buchkunst.

📖 *Funke, F.: B.kunde. Ein Überblick über die Gesch. des B.- u. Schriftwesens. Mchn. ⁴1978. – Presser, H.: Das Buch vom B. 5 000 Jahre B.gesch. Hannover ²1978.*

Buchanan [engl. bju:'kænən], George, * Killearn (Stirlingshire) Febr. 1506, † Edinburgh 29. Sept. 1582, schott. Humanist. – Wurde in Schottland wegen seiner gegen die Franziskaner gerichteten satir. Schriften als Ketzer verurteilt und mußte fliehen (über Paris nach Bordeaux). Nach seiner Rückkehr trat er 1561 zum Protestantismus über; Gegner Maria Stuarts; verfocht die Lehre vom Tyrannenmord. Schrieb ein bed. Werk über die Geschichte Schottlands („Rerum Scoticarum historia", 1582), daneben auch lat. Tragödien und Psalmenparaphrasen.

B., James, * Stony Batter bei Mercersburg (Pa.) 23. April 1791, † Wheatland (Pa.) 1. Juni 1868, 15. Präs. der USA (1857–61). – Jurist; 1820–31 als Demokrat Kongreß-Abg.; 1834–45 Senator für Pennsylvania; Außenmin. 1845–49; brachte viel Sympathien für die Einstellung der Südstaaten (z. B. Sklaverei) auf, focht aber im Sezessionskrieg auf seiten der Union.

B., James McGill, * Murfreesboro (Tenn.) 2. Okt. 1919, amerikan. Wirtschaftswissenschaftler. – Seit 1963 Direktor des von ihm gegr. Center for Study of Public Choise (heute Teil der Univ. Fairfax bei Washington), seit

1983 Prof. an der George-Mason-Univ. im US-Staat Virginia; erhielt für die „Entwicklung der kontakttheoret. und konstitutionellen Grundlagen der ökonom. Beschlußfassung" 1986 den sog. Nobelpreis für Wirtschaftswissenschaften.

Buchanan [engl. bju:'kænən], liberian. Bez.hauptstadt an der Mündung des Saint John River in den Atlantik, 24300 E. Endpunkt der Erzbahn aus den Nimbabergen, Eisenerzaufbereitung und -verschiffung; Fischerei; ✈. – 1837 gegründet.

Buchara, Gebietshauptstadt und Mittelpunkt einer gleichnamigen Oase in der Sandwüste Kysylkum, Usbekistan, 224000 E. PH, Theater; Verarbeitung von Baumwolle und Naturseide, Bearbeitung von Karakulschaffellen; Kunsthandwerk; bei B. Erdgasgewinnung; ✈. – Als Mittelpunkt Transoxaniens mindestens seit dem 7. Jh. v. Chr. besiedelt; urkundl. erstmals im 6. Jh. n. Chr. erwähnt. 709 unter arab. Herrschaft (Sitz eines Emirats innerhalb der Prov. Chorasan). 892 Hauptstadt eines Reichs, das sich vom Kasp. Meer bis zum Indus erstreckte; 999 türkisch. 1220 Eroberung durch Dschingis-Khan, um 1370 durch Timur-Leng und 1500 durch die usbek. Schaibaniden. Abd Allah II. (1556–98) baute die Stadt zur Residenz aus. Sitz eines unabhängigen Khanats bis zur russ. Eroberung des Gebiets B. 1868. – Ismail-Samani-Mausoleum (Ende des 9. Jh. n. Chr.), Kaljan-Moschee (1514), Minarett von 1127, Ulug-Beg-Medrese (1417/18; 1585 renoviert), Miri-Arab-Medrese (1535/36), Abdulasis-Khan-Medrese (1651/52).

Buchara (Bochara) ↑Orientteppiche (Übersicht).

Bucharin, Nikolai Iwanowitsch, * Moskau 9. Okt. 1888, † ebd. 15. März 1938, sowjet. Politiker und Wirtschaftstheoretiker. – Seit 1906 Mgl. des linken Flügels der Sozialdemokrat. Arbeiterpartei; 1911 Verbannung nach Sibirien und Flucht nach Deutschland; in der Oktoberrevolution Leiter des bolschewist. Aufstandes in Moskau, enger Kampfgenosse Lenins (ZK-Mgl. und Chefredakteur der „Prawda" seit 1917); unterstützte als Mgl. des Politbüros (seit 1924) und Vors. der Komintern (seit 1926) zunächst den Kurs Stalins, wandte sich dann jedoch gegen dessen Zwangskollektivierungs- und Industrialisierungspläne; von Stalin ausgeschaltet, verlor 1929 sämtl. polit. Ämter; 1937 verhaftet, nach Schauprozeß hingerichtet; zahlr. Arbeiten zu ökonom. und polit. Fragen, u. a. „Theorie des histor. Materialismus" (1922). 1988 postum rehabilitiert.

Buchau, Bad ↑Bad Buchau.

Buchbesprechung ↑Rezension.

Buchbinderei, Handwerks- oder Ind.-betrieb, in dem die abschließenden Arbeitsgänge der Buchfertigung durchgeführt werden. Bei der Buchherstellung unterscheidet man nach Ausführung der Druckarbeiten drei Phasen: 1. die Buchblockherstellung, 2. die Deckenherstellung und 3. das Vereinigen *(Einhängen)* von Buchblock und Decke.

In der **Handbuchbinderei** erfolgt die Einzelanfertigung meist wertvoller Bücher in Arbeitsgängen, die stark handwerklich ausgerichtet sind. Der auf Vollständigkeit geprüfte *(kollationierte)* Buchblock, an dem durch Kleben der Vor- und Hintersatz an den ersten und letzten Bogen bereits befestigt ist, wird auf der Heftlade auf Gaze oder Kordel geheftet, durch Rückenrunden weiterbearbeitet, in die Decke eingehängt und abgepreßt.

In der **industriellen Buchbinderei** werden Bücher maschinell gebunden:

Die aus der Druckerei angelieferten bedruckten Bogen (Rohbogen) werden zunächst in einer *Rüttelanlage* Kante auf Kante gebracht. Nach dem Schneiden in der *Schneidmaschine* werden die Rohbogen in *Schwert-* oder *Stauchfalzmaschinen* bzw. Kombinationen davon so oft gefaltet, bis sich das Rohformat des Buches und die richtige Reihenfolge der Seitenzahlen ergibt.

Der erste Bogen eines Buches enthält z. B. die Seiten 1–16 oder auch 1–36 und wird als Signatur 1 bezeichnet; der zweite Bogen enthält die Seiten 17–32 oder auch 37 bis 72 (Signatur 2) usw. Diese verschiedenen gefalzten Signaturen werden auf der Zusammentragmaschine zum kompletten Buchblock zusammengelegt. Die Kontrolle der Vollständigkeit *(Kollationierung)* erfolgt durch Prüfen der auf jedem Falzbogen aufgedruckten *Flattermarke.* Das Verbinden der Falzbogen untereinander erfolgt i. d. R. durch Fadenheften oder Klebebinden. Zur engeren Verbindung der Falzbogen untereinander werden die Buchblöcke am Rücken geleimt. Es folgt das Beschneiden der Blöcke im *Dreischneider.* Dann wandert der Buchblock weiter in die *Schnittfärbemaschine,* die den Farbschnitt am Kopf des Buchblocks anbringt, in die *Rundemaschine,* in der der Rücken des Buches gerundet wird, und in die *Kap(i)tal-* und *Hinterklebemaschine.* Dort werden vollautomat. ein rückenverstärkendes Papier und das kopf- und fußverzierende Kap(i)talband angebracht.

In der *Einhängemaschine* wird der Buchblock in die in gesonderten Arbeitsgängen gefertigte Decke eingehängt. Die Buchdecke wird voll- oder halbautomat. auf der *Deckenmaschine* aus zwei im Format dem Buchblock angepaßten Pappen, der Rückeneinlage und dem Bezugstoff (z. B. Leinengewebe, kunststoffbeschichtete Pappe) mit Heißleim hergestellt. Beim Einhängen wird der Buchblock auf ein Schwert aufgeschoben, das den Buchblock zw. den Leimwalzen hindurchführt (wobei die beiden äußeren Seiten des Blocks mit Leim benetzt werden) und ihn dann in die Decke drückt. Das Buch wird kurz vorgepreßt, um dann im großen Stapel in der Stockpresse unter Druck zu trocknen. Es folgen nun noch das Falzeinbrennen (Gelenk, Verbindung Rücken-Decke), das Nachsehen, das Umlegen des Schutzumschlags und das Verpacken des Buches (meist in Schrumpffolie). Beim **Klebebindeverfahren,** einem Buchbindeverfahren bes. für Taschenbücher, Kataloge o. ä., werden die beschnittenen Buchblöcke am Rücken mit einer Spezialleimung versehen.

🕮 *Wiese, F.: Der Bucheinband. Eine Arbeitskunde. Hannover* [6]*1983.*

Buchblock, aus Blättern oder Falzbogen bestehender, gehefteter bzw. klebegebundener, beschnittener Teil des Buches; wird mit der Buchdecke verbunden.

Buchdecke, starrer Einband, der den Buchblock umgibt. – ↑Buchbinderei.

Buch der Natur, seit Augustinus in der christl. Literatur des MA gebräuchl. Metapher zur Bez. der physikal. Welt als einer „zweiten Schrift", durch die sich Gott neben der Hl. Schrift dem Menschen mitteilt.

Buch der Weisheit ↑Weisheit.

Buch des Lebens ↑Lebensbuch.

Buchdruck, ältestes, in der heutigen Form auf die um 1440 erfolgte Erfindung Gutenbergs zurückgehendes Druckverfahren. Der B. zählt zur Gruppe der Hochdruckverfahren, d.h., der Druck erfolgt von einer Druckform, bei der die druckenden Stellen erhöht liegen. Derartige Hochdruckformen werden aus Drucktypen, Gußzeilen, Druckplatten zusammengesetzt. Beim Rotationsdruck werden um den Plattenzylinder der Rotationsdruckmaschine halbrunde Stereos oder Wickeldruckplatten befestigt.

Beim Druckvorgang werden die erhabenen Stellen der Druckplatte mit Druckfarbe eingefärbt und durch Anpressen auf den Bedruckstoff (v. a. Papier) übertragen. Die Wahl der Druckmaschine hängt von Auflagenhöhe u. a. ab. Akzidenzdruck in kleiner Auflage erfolgt mit Tiegeldruckmaschinen, der anspruchsvolle Werk- und Bilderdruck mit Flachform-Zylinderdruckmaschinen; Großauflagen (v. a. Zeitungen und Zeitschriften) werden mit Rotationsdruckmaschinen (sog. *Rotations-B.*), Bücher auch im Offset- und Tiefdruckverfahren gedruckt.

Geschichte: Obgleich bereits im Altertum in Ägypten und Rom eingefärbte Stein- und Metallstempel verwendet wurden und bis ins MA überkommen sind, ist der Beginn des B. in China zu suchen, wo bereits vor mehr als 1200 Jahren die Technik des Tafel- oder Blockdruckes bekannt war. Im 11. Jh. begann man mit bewegl. Lettern aus Ton zu drucken. Über die Araber gelangte die Technik des Tafeldrucks nach W-Europa (Ende des 14. Jh.). Sie wurde aber bereits kurze Zeit später durch den B. mit bewegl. Lettern aus Metall verdrängt. Gutenberg unternahm seit etwa 1436 in Straßburg, ab 1440 in Mainz Versuche mit einzelnen, beliebig zusammensetzbaren sog. Typenstempeln und druckte etwa ab 1445 mit Hilfe einer von ihm entwickelten Druckerpresse. Seine Leistung lag in der Bewältigung des Problems des Letterngusses und des Druckens. Die Typenstempel waren zunächst aus Holz, dann aus Blei, später auch aus Eisen oder Kupfer. Die neue Technik verbreitete sich schnell über ganz Europa: Druckereien entstanden u. a. in Venedig, Paris, Leiden, Amsterdam, Basel und London. – Die ersten Drucker bemühten sich, die handgeschriebenen Bücher nachzuahmen. Erst in den folgenden Jahrzehnten wurde es allg. üblich, alle Elemente des Buches mechanisch zu vervielfältigen. Um 1570 war die Umstellung von der Handschrift auf den B. vollzogen. Von nun an vervollkommnete sich v. a. das techn. Verfahren des B., bes. seit Ende des 19. Jh. – ↑Drucken.

🕮 *Presser, H.: Buch u. Druck. Krefeld 1974.* – ↑*Buch.*

Buchdrucker (Ips typographus), etwa 4–6 mm großer, rötl. bis schwarzbrauner, leicht gelb behaarter Borkenkäfer. Durch Fraß der Larven im Bast entsteht das für den B. kennzeichnende, sehr regelmäßige Fraßbild zw. Splintholz und Borke; Forstschädling.

Buche, (Fagus) Gatt. der Buchengewächse mit etwa 10 Arten in der gemäßigten Zone der nördl. Halbkugel; sommergrüne Bäume mit ungeteilten, ganzrandigen oder fein gezähnten Blättern, kugelig gebüschelten Blüten und dreikantigen Früchten (Bucheckern); wichtige Holzpflanzen: ↑Rotbuche sowie **Amerikan. Buche** (Fagus grandiflora) in N-Amerika; Holz mit weißem Splint und rotem Kern, schwer, sehr fest, zäh, sehr dauerhaft; **Orientbuche** (Kaukasus-B., Fagus orientalis) im sö. Europa und in Vorderasien, Blätter vorn verbreitert.

◆ Bez. für das Nutzholz einiger Buchenarten (↑Hölzer, Übersicht).

Bucheckern (Bucheln, Buchelkerne), Früchte der Rotbuche; 12–22 mm lange, einsamige, scharf dreikantige, glänzend braune Nußfrüchte, die zu zweien in einem bei der Reife holzigen, sich mit 4 bestachelten Klappen öffnenden Fruchtbecher sitzen; Samen reich an Öl (bis 43 %), Stärke und Eiweiß.

Bucheinband, aus Buchblock und Buchdecke bestehendes Erzeugnis in Form eines Buches. Bei den Prachtbänden der karolingisch-otton. Zeit ist der vordere Holz-

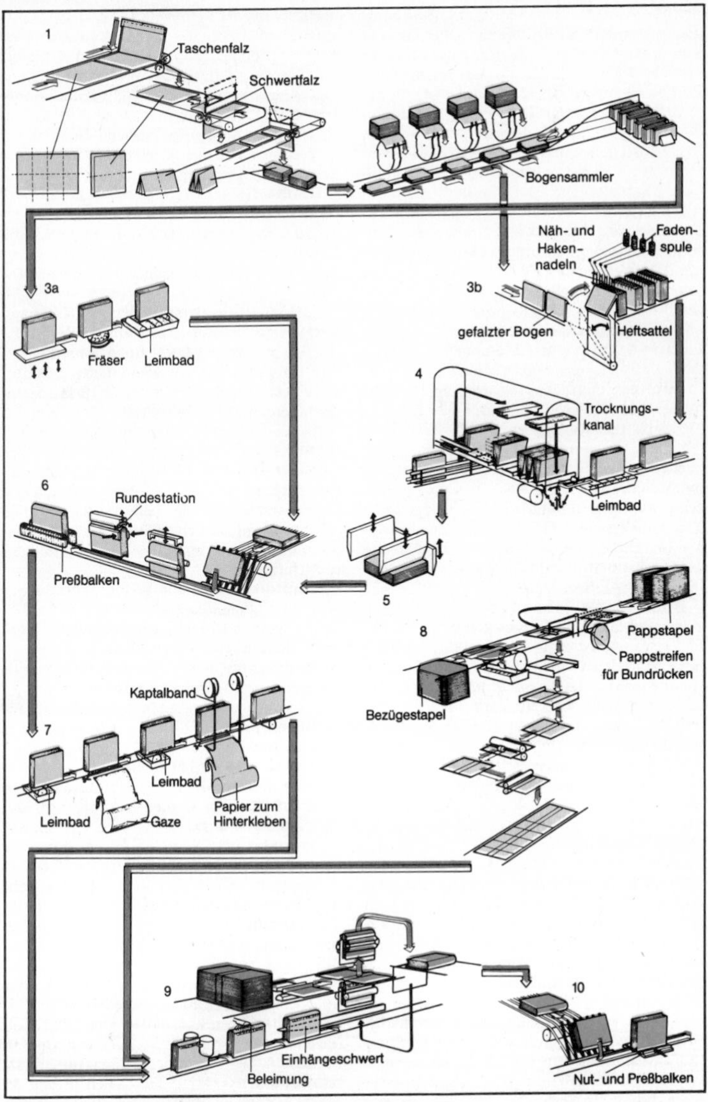

Buchbinderei. Schematische Darstellung der Fertigungsstraße einer Buchbinderei mit den Fertigungsstadien: 1 falzen, 2 zusammentragen, 3 a klebebinden, 3 b fadenheften, 4 beleimen und trocknen, 5 runden, 6 begazen und kaptalen, 7 Dreimesserschnitt, 8 Decken anfertigen, 9 einhängen, 10 Falz einbrennen deckel oft mit getriebenem Goldblech überzogen und mit edlen Steinen, Perlen und Email geschmückt; sonst bezog man ihn mit gestempeltem Wildleder. In der hochroman. Zeit verwendete man Kalb- und Ziegenleder und Stempel von großem Formenreichtum, bei den spätgot. Einbänden (Kalb- oder Schweinsleder) setzte die Verwendung von Rollen und Platten anstelle von Einzelstempeln ein. Unter dem Einfluß islam. Einbandtechnik (feines Maroquin, Pappe anstelle des Holzdeckels, Vergoldung, Arabesken- und Maureskenschmuckformen) entwickelte sich der künstler. hochstehende europ. Renaissance-B. Die Einbandkunst behauptete auch im 17. und 18. Jh. einen hohen Stand (v. a. auch Silbereinbände, die schon seit dem späteren MA üblich waren), erneut im Jugendstil.

buchen, eintragen, registrieren; bezeichnet sowohl die Bestellung durch den Kunden als auch die Registrierung der Bestellung (Buchung).

Buchengallmücke (Buchenblattgallmücke, Mikiola fagi), etwa 4–5 mm große, schwarzbraune Gallmücke. Das ♀ legt seine Eier an Blatt- und Triebknospen der Rotbuche ab. Die Larve erzeugt auf der Oberseite der Buchenblätter anfangs grüne, später rötl. bis bräunl. Gallen.

Buchengewächse (Fagaceae), Fam. zweikeimblättriger Holzgewächse mit 7 Gatt. und etwa 600 Arten in den gemäßigten Breiten und in den Tropen; Früchte einzeln oder gruppenweise von einem Fruchtbecher umgeben; wichtige Nutzpflanzen: ↑ Buche, ↑ Eiche, ↑ Edelkastanie.

Buchenland ↑ Bukowina.

Buchen (Odenwald), Stadt an der Grenze des Odenwalds gegen das Bauland, Bad.-Württ., 14 800 E. Maschinenbau, Holz-, Metall-, Kunststoffind. – 774 erstmals gen., um 1255 Stadtrecht. – Spätgot. Stadtpfarrkirche (1503–07), Rathaus (1717–23).

Buchenrotschwanz (Rotschwanz, Dasychira pudibunda), etwa 4 (♂) bis 5 (♀) cm spannender einheim. Schmetterling; Vorderflügel weißgrau mit mehreren dunklen Querbinden und Flecken, Hinterflügel weißlich mit weniger deutl. dunkler Fleckung, ♂ insgesamt dunkler als ♀; Larven verursachen im Herbst zuweilen Kahlfraß in Buchenwäldern.

Buchenwald, großes nat.-soz. Konzentrationslager auf dem Ettersberg bei Weimar für Kriminelle und aus rass., religiösen oder polit. Gründen Verfolgte; 1937–45 wurden rd. 240 000 Menschen aus 32 Nationen nach B. verschleppt; von ihnen fanden dort schätzungsweise 56 500 den Tod; nach Kriegsende bis 1950 von der sowjet. Besatzungsmacht als Internierungslager benutzt; heute Mahnmal und Gedenkstätte.

Buchenzeit ↑ Holozän (Übersicht).

Bucher, Lothar, * Neustettin 25. Okt. 1817, † Glion bei Montreux 12. Okt. 1892, dt. Publizist und Politiker. – 1848 radikaldemokrat. Abg. der preuß. Nationalversammlung, 1849 der 2. Kammer; 1850–61 in London im Exil; 1864–86 enger Mitarbeiter Bismarcks, half diesem bei der Niederschrift der „Gedanken und Erinnerungen".

Bücherbohrer (Bücherwurm, Ptilinus pectinicornis), etwa 4–5 mm langer, schwarzer oder brauner Klopfkäfer. Der B. (auch die Larven) befällt häufig Möbel und durchbohrt hölzerne Geräte und Bücher mit Holzeinbänden.

Büchergilde Gutenberg, 1924 vom gewerkschaftl. organisierten Verband der Buchdrucker in Leipzig gegr. Buchgemeinschaft, 1947 in Frankfurt am Main neugegründet; seit Febr. 1991 im Besitz des DGB (52,53 %), der Beteiligungsgesellschaft für Gemeinwirtschaft (43,38 %) und der IG Medien (4,09 %).

Bücherläuse (Troctidae), weltweit verbreitete Fam. sehr kleiner, abgeflachter, meist flügelloser Staubläuse; befallen feucht gelagerte Nahrungsmittelvorräte, alte Bücher, Papier und Tapeten, auch Insektensammlungen und Herbarien.

Bücher Mose, die ersten fünf Bücher des A. T. (↑ Pentateuch). – Ein sog. *6.* und *7. Buch Mosis (Moses),* wahrscheinlich 1849 erstmals gedruckt, gilt als Zauberbuch.

Buchersitzung (Tabularersitzung), endgültiger Erwerb eines Grundstücks durch jemanden, der zu Unrecht 30 Jahre lang als Eigentümer im Grundbuch eingetragen war und während dieser Zeit das Grundstück im Eigenbesitz gehabt hat (§ 900 BGB).

Bücherskorpion (Chelifer cancroides), etwa 2,5–4,5 mm großer, bräunl., weltweit verbreiteter Afterskorpion; lebt v. a. in Bücherregalen und Herbarien, ernährt sich hauptsächlich von Staubläusen.

Bücherverbot, im kath. Kirchenrecht das (bis 1966 geltende) Verbot von Büchern, die gegen die kath. Glaubens- und Sittenlehre verstoßen; auch Index librorum prohibitorum.

Bücherverbrennung, aus Anlaß eines polit. oder kirchl. Bücherverbots oder als Zeichen eines Protests geübte Demonstration (bes. seit der Inquisition); 1817 verbrannten Studenten beim Wartburgfest reaktionäre Literatur; am 10. Mai 1933 wurden in den dt. Univ.städten die Bücher verfemter Autoren (u. a. Feuchtwanger, S. Freud, E. Kästner, Kisch, H. Mann, Remarque, Tucholsky, A. Zweig) verbrannt.

Buchfink (Fringilla coelebs), etwa 15 cm große Finkenart in Europa, N-Afrika und Teilen W-Asiens; auffallende weiße Flügelbinde und weiße äußere Steuerfedern; ♂ mit schieferblauem Scheitel und Nacken, kastanienbraunem Rücken, grünl. Bürzel und zimtfarbener Unterseite; ♀ unscheinbar olivbraun, unterseits heller.

Buchformat, Größe von Büchern, in der techn. Herstellung Breite × Höhe, in Bibliotheken Höhe × Breite. Die bibliographischen B. werden nach der Zahl der beim Falzen entstehenden Blätter bezeichnet als *Folio* (2°, 2 Blätter), *Quart* (4°, 4 Blätter), *Oktav* (8°, 8 Blätter), *Duodez* (12°, 12 Blätter), *Sedez* (16°, 16 Blätter) oder, auf die Höhe des Buchrückens bezogen, in Zentimetern angegeben: bis 15 cm Sedez, bis 18,5 cm Klein-Oktav, bis 22,5 cm Oktav, bis 25 cm Groß-Oktav, bis 30 cm Lexikon-Oktav, bis 35 cm Quart, bis 40 cm Groß-Quart, bis 45 cm Folio, darüber Groß-Folio.

Buchführung (Buchhaltung), zeitlich und sachlich geordnete, lückenlose Aufzeichnung aller erfolgs- und vermögenswirksamen Geschäftsvorfälle. Die B. umfaßt das Sammeln von Belegen, das Formulieren von Buchungssätzen, die Eintragung auf Konten, den Abschluß der Konten (Ermittlung der Salden) zum Ende einer Periode und das Aufstellen des Periodenabschlusses. Einen Überblick über die geführten Konten und die Prinzipien, nach denen sie eingeteilt werden, gibt der Kontenplan. Formal werden die Konten in Kontenklassen, -gruppen und -arten eingeteilt und mit Dezimalzahlen gekennzeichnet. Die B. umfaßt als Teilbereiche die Finanz- (Geschäfts-) und die Betriebsbuchhaltung. Die **Finanzbuchhaltung** dient der Aufzeichnung der Außenbeziehungen einer Betriebswirtschaft. Zur Durchführung dieser laufenden Registrierung sind eine Zahlungs- und eine Leistungskontenreihe (Geld- und Finanz- bzw. Ein- und Verkaufskonten) erforderlich. Die **Betriebsbuchhaltung** löst sich von den betriebl. Zahlungsströmen, indem sie unmittelbar auf den innerbetriebl., leistungsbezogenen Werteverzehr gerichtet ist. An die Stelle der Erfolgskomponenten Aufwand und Ertrag treten die kalkulator. Begriffe Kosten und Leistungen (↑ Kalkulation, ↑ Kostenrechnung). – Generell zu unterscheiden sind die kameralist., die einfache und die doppelte Buchführung.
Die **kameralist. Buchführung** (auch Verwaltungs- oder Behörden-B. genannt) verzeichnet Einnahmen und Ausgaben und ermittelt in Form eines Soll-Ist-Vergleichs die Abweichungen von den jeweiligen [Haushalts]plänen. Die **einfache Buchführung** stellt eine reine Bestandsverrechung dar, welche nur die eingetretenen Veränderungen der Vermögensposten in chronolog. Reihenfolge festhält. Dabei besteht jede Buchung lediglich in einer Last- oder Gutschrift. Der Erfolg wird durch Gegenüberstellung des Reinvermögens (Eigenkapital) am Anfang und am Ende einer Rechnungsperiode ermittelt, ohne die einzelnen Erfolgskomponenten (Aufwand und Ertrag) zu berücksichtigen. Die **doppelte Buchführung (Doppik)** ermittelt den Erfolg einmal durch Bestandsvergleich (Bilanz) und andererseits durch eine eigenständige Aufwands- und-Ertrags-Rechnung. Jeder Geschäftsvorfall hat dabei zwei wertgleiche Buchungen (Soll- und Habenbuchung) zur Folge. Die doppelte B. umfaßt somit zwei Kontenreihen, die Bestandskonten (Vermögens- und Kapitalwerte) und die Erfolgskonten (Aufwand und Ertrag).
Die B.vorschriften umfassen die Buchführungspflicht und die Grundsätze ordnungsmäßiger Buchführung. Die allg. **Buchführungspflicht** wird im HGB § 238 Abs. 1 definiert; jeder Kaufmann ist verpflichtet, Bücher zu führen und in diesen seine Handelsgeschäfte und die Lage seines Vermögens ersichtlich zu machen. Eine steuerl. B.pflicht besteht seit Inkrafttreten der Abgabenordnung (AO) 1919.
📖 *Bähr, G./Fischer-Winkelmann, W. F.: B. u. Jahresabschluß. Wsb. ^{3}1990. – Hesse, K.: B. u. Bilanz. Bln. ^{8}1988.*

Buchgeld, svw. ↑ Giralgeld.

Buchgemeinschaft (Buchgemeinde, Buchklub, Lesering), verlagsartiges Unternehmen, das für seine Bücher (auch Schallplatten) Käufer sucht, die sich meist ähnlich den Abonnenten von Zeitschriften für eine bestimmte Mindestzeit – meist ein Jahr – zur Abnahme einer festgelegten Anzahl von Büchern verpflichten. Die von der B. angebotenen Bücher sind i. d. R. vorher bereits in einem Verlag erschienen, von dem die betreffende B. eine Lizenz erworben hat. U. a. „Bertelsmann Club", „Dt. Bücherbund", „Dt. Buch-Gemeinschaft", „Buchgemeinschaft Donauland" (Wien), alle Bertelsmann, Büchergilde Gutenberg, B. „Ex Libris" (Schweiz), „Book-of-the-Month-Club" (USA).

Buchgewinn, der sich bei Abschluß der Handelsbücher am Ende einer Periode ergebende Gewinn eines Unternehmens.

Buchhalter, Beruf mit kaufmänn. Ausbildung (z. B. Ind.-Kaufmann), Fachkraft für alle im Rahmen der Buchführung anfallenden Tätigkeiten, oft spezialisiert (Lohn-B., Kontokorrent-B.). Zusätzl. Kenntnisse erfordert die Tätigkeit als Bilanzbuchhalter, der den Jahresabschluß erstellt.

Buchhaltung, svw. ↑ Buchführung.

Buchhandel, Wirtschaftszweig, der durch Herstellung, Vervielfältigung und Verbreitung von Büchern jeder Art deren wirtsch. Nutzung ermöglicht. Gegenstände des B. sind durch graph., photomechan. und phonograph. Vervielfältigung marktfähig gemachte geistige Erzeugnisse, insbes. Bücher und Zeitschriften, ferner Landkarten, Atlanten, Globen, Kalender, Kunstblätter, Lehr- und Lernmittel, Spiele, Musikalien, Schallplatten u. a. Bild- und Tonträger sowie sonstige der Information und Unterhaltung dienende Medien, elektron. Verlagsprodukte, Papier-, Schreib- und Büroartikel.

Struktur: Der dt. B. ist als mehrstufiges System strukturiert mit herstellendem B. (Verlag), verbreitendem B. (v.a. Sortiment), Zwischen-B. und den Buchgemeinschaften. Der **Verlagsbuchhandel** entscheidet über die Produktion der zu veröffentlichenden Manuskripte. Der Verlag erwirbt durch Vertrag mit dem Autor das Recht zur wirtsch. Verwendung des „geistigen Eigentums" des Urhebers und nutzt das Verlagsrecht außer zur Buchveröffentlichung auch zur Verbreitung des Werks durch Datenträger, Hörfunk, Fernsehen, Presseabdruck, Bühnenaufführung, Verfilmung, Übersetzung usw. *(Nebenrechte).* Mit der techn. Herstellung seiner Erzeugnisse beauftragt der Verlag fremde oder auch eigene Betriebe (graph. Gewerbe). Er bestimmt über die Buchgestalt, setzt den Verkaufspreis fest (Preisbindung) und bestimmt den Händlerrabatt.

Der **verbreitende Buchhandel** bezieht die fertigen Verlagserzeugnisse direkt beim Verlag oder über den Zwischen-B., er ist die Einzelhandelsstufe zum Verkauf an den Endabnehmer. Die wesentlichste Form ist der *Sortiments-B.* mit offenem Ladengeschäft. Weitere Betriebsformen sind der *Reise-B.*, der seine Kunden durch reisende Buchvertreter anspricht, der *Versand-B.*, der *Buch- und Zeitschriftenhandel,* der *Bahnhofs-B.*, der *Warenhaus-B.* sowie das *Antiquariat,* ferner der *Kunst-* und der *Musikalienhandel.*

Der **Zwischenbuchhandel** dient einem Teil der Sortimentseinkäufe. Seine Betriebsformen sind der Groß-B., der Kommissions-B., das Barsortiment und das Großantiquariat.

Organisation: Spitzenorganisation des B. in der BR Deutschland ist der ↑Börsenverein des Deutschen Buchhandels e.V., Frankfurt am Main. Als dessen Verlag gibt die *Buchhändler-Vereinigung GmbH* in Frankfurt am Main als Fachorgan des B. das Börsenblatt für den dt. B., die „Dt. Bibliographie", das „Adreßbuch des dt. B.", die „Schriftenreihe des Börsenvereins", das „Verzeichnis lieferbarer Bücher (VLB)" und andere Fachveröffentlichungen heraus.

Geschichte: In der Antike bestand bei Ägyptern, Griechen und Römern als Vorläufer des B. der Verkauf von Wachsplatten und Papyrusrollen. Im 13. Jh. tauchten in Univ.städten Buchhändler (lat. stationarii) auf, die Andachts-, Gedicht- und Arzneibücher in Abschriften vertrieben. Einen eigtl. B. gibt es erst seit Erfindung der Buchdruckerkunst (um 1440), die die Herstellung des Buches als Massenware ermöglichte. Die „Druckerverleger" vertrieben ihre Erzeugnisse zunächst selbst. Hauptumschlagplatz der Buchproduktion wurden die Buchmessen in Frankfurt am Main und Leipzig. Die Zunahme des Interesses am Lesen beim Mittelstand seit dem 18. Jh., die Ausbreitung der Schulpflicht, schließlich die Aufhebung der Verlagsprivilegien im Dt. Reich 1867 und die Einführung einer begrenzten Schutzfrist bewirkten eine beträchtl. Zunahme an Neuerscheinungen und Auflagen. Dem Rückgang der Entwicklung im B. unmittelbar nach dem 2. Weltkrieg folgte ein bis heute andauernder Wiederanstieg. Zunehmend attraktiver werden Investitionen im elektron. Bereich.

🕮 *Wittmann, R.: Gesch. des dt. B. Mchn. 1991. – Buch u. B. in Zahlen. Ausg. 1989. Hg. v. Börsenverein des Dt. B. e.V. Ffm. 1989. – Hdb. des B. Hg. v. P. Meyer-Dohm u. W. Strauß. Hamb. 1–2 1974–77. 4 Bde.*

Buchhändler-Abrechnungs-Gesellschaft mbH, Abk. BAG, vom Verein für buchhändler. Abrechnungsverkehr e.V. und der Buchhändler-Vereinigung GmbH, beide Frankfurt am Main, gemeinsam getragene Clearinggesellschaft zur Rationalisierung der Abrechnungen und Zahlungen innerhalb des Buchhandels, Sitz Frankfurt am Main, gegr. 1953 als Nachfolgegesellschaft der 1922 in Leipzig gegr. BAG.

Buchheim, Lothar-Günther, * Weimar 6. Febr. 1918, dt. Schriftsteller. – Gründete einen Kunstbuchverlag; schrieb u.a. den Kriegsroman „Das Boot" (1973, verfilmt 1981) sowie „Der Luxusliner" (R., 1980).

Buchheister, Carl, * Hannover 17. Okt. 1890, † ebd. 2. Febr. 1964, dt. Maler. – Einer der Pioniere der abstrakten Malerei. 1923–26 lyr., 1926–34 konstruktivist. Bilder, in denen er die Farbwerte z.T. durch Materialwerte ersetzt, nach 1945 Bilder des abstrakten Expressionismus und Materialbilder.

Buchillustration, die Ausstattung gedruckter Bücher mit Bildern auf der Textseite oder auf bes. Blättern bzw. Seiten. – Nach der Erfindung des Buchdrucks im *15. Jh.* werden v.a. die volkssprachl. Bücher mit z.T. kolorierten Holzschnitten ausgestattet. In Frankreich werden die Livres d'heures (Stundenbücher) mit Metallschnitten illustriert. Die „Hypnerotomachia Poliphili" des F. Colonna (Venedig 1499) gilt als schönstes Holzschnittbuch der italien. Renaissance. – Im *16. Jh.* sind die von Kaiser Maximilian angeregten Prunkwerke mit Holzschnitten, u.a. von A. Dürer, H. Schäufelein, ausgestattet. Neben Bibeln (Lutherbibel durch G. Lemberger) werden naturwiss. Werke illustriert. Der Holzschnitt wird nach und nach vom Kupferstich abgelöst. – Im *17. Jh.* entstehen, so von der Familie Merian u. a., topograph. Kupferstichwerke. Dem barocken Lebensgefühl entsprechen die Festbücher. Zahlr. naturwiss. Werke und Reisebücher werden illustriert. Die Ausgaben dt. Romane und Dramen haben meist nur sog. Titelkupfer. – Im *18. Jh.* (Rokoko) werden v. a. auch Kaltnadel und Aquatinta benutzt. In der dt. B. sind die Radierungen D. Chodowieckis populär, in der Schweiz illustriert S. Gessner seine Werke. In England sind die Bilderfolgen von Hogarth Höhepunkt gesellschaftskrit. Illustration. – W. Blake, der als Vorläufer des Surrealismus gilt, leitet mit seinen Radierungen hinüber ins *19. Jh.*, das neue Techniken (Holzstich, Stahlstich, Lithographie und photomechan. Reproduktionsverfahren) einbezieht. Große Mode sind illustrierte Zeitschriften, für die bekannte Künstler wie E. Delacroix, G. Doré, H. Daumier arbeiten. In der Schweiz wirken R. Toepffer und M. Disteli („Münchhausen"). Auch viele bed. dt. Maler arbeiten für die B., so A. von Menzel, M. von Schwind, L. Richter. Eine wichtige illustrierte Zeitschrift sind die „Fliegenden Blätter", eine bekannte Serie die „Münchener Bilderbogen". W. Busch erlangt durch seine Bildergeschichten ebenso große Popularität wie der Arzt H. Hoffmann mit seinem „Struwwelpeter" (↑ Bilderbuch). Eine Wende erfolgt *Ende des 19. Jh.* von England aus. Der Holzschnitt wird neu belebt, das Buch als Gesamtkunstwerk aufgefaßt. – Auch im *20. Jh.* widmen sich führende Künstler der B., u. a. M. Slevogt, L. Corinth, E. Barlach, O. Kokoschka, HAP Grieshaber, H. Antes, P. Picasso, J. Miró, S. Dalí.

🕮 *Geck, E.: Grundzüge der Gesch. der B. Darmst. 1982.*

Buchklub, svw. ↑ Buchgemeinschaft.

Buchkredit, ein sich im laufenden Geschäftsverkehr ergebender, in den Büchern erscheinender Kredit, meist als Kontokorrentkredit.

Buchkunst, die künstler. Gesamtgestaltung eines Buches von der typograph. Gestaltung über Buchschmuck (Vignetten) und -illustration bis zur Einbandgestaltung. Die B. mittelalterl. Handschriften und Frühdrucke wurde vorbildlich für die **Buchkunstbewegung** Ende des 19. Jh. (Kelmscott Press von W. Morris, 1890–98), die B. des Jugendstils der Jh.wende und z. T. die Bestrebungen moderner Kunstschulen des 1. Drittels des 20. Jh. (Bauhaus).

Buchmacher, aus dem engl. Begriff „book-maker" übernommene Bez. für einen Unternehmer, der Wetten auf jegl. Ereignisse mit unbestimmtem Ausgang als Risikoträger annimmt; er ist Kontrahent, nicht Vermittler des Wettenden.

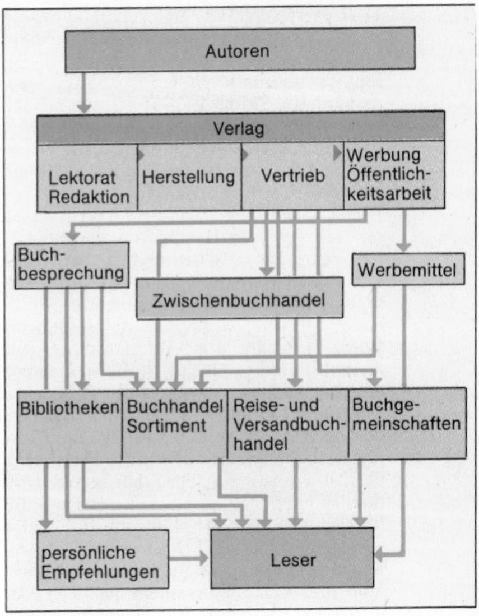

Buchhhandel. Der Weg eines Buches vom Manuskript zum Leser (schematisch)

Buchmalerei (Buchillumination, Miniaturmalerei), Bildschmuck einer Handschrift. Zur B. rechnen Bild und Ornament: Hauptminiatur sowie Zier der Anfangsbuchstaben (Initial), des Zeilenausgangs und des Blattrandes. Als künstler. Techniken kommen vor: Federzeichnung, aquarellierende Tönung, Grisaille und Deckfarbenmalerei, mit der zus. auch Blattgold verwendet wird. Die ma. B. knüpft v. a. an die Spätantike an. Insulare und merowing. Schulen schufen im 7. und 8. Jh. einen eigenen Stil (kelt. und syrisch-kopt. Vorbilder). In ir. Handschriften wurde die Initialzier entwickelt. Die Aufträge für die Illuminierung liturg. Texte in der Zeit Karls d. Gr. ließen bed. Schulen in Aachen, Reims, Metz und in NO-Frankreich die frankosächs. Schule entstehen. Unter den sächs. Kaisern traten die Reichenau, Köln, Trier-Echternach, Salzburg, Regensburg, Hildesheim und Fulda hervor. Otton. Schulen entfernten sich seit Anfang des 11. Jh. von der illusionist. Raum- und Körperdarstellung spätantiker Tradition (die Reichenau, Köln, Echternach). Die engl. Schulen von Winchester und Canterbury steigern Anregungen aus der karoling. B. zu maler. und graph. Ausdruck großer Erregtheit (Benedictional of Saint Aethelwold, 975–80; London, Brit. Library [Brit. Museum]). In der 2. Hälfte des

11. Jh. verfestigt sich die Kontur allgemein zum Flächenmuster (Albanipsalter, wohl vor 1123; Hildesheim, Sankt Godehard). In Europa gewinnt im 12. Jh. v. a. der antikisierende byzantin. Stil an Einfluß (Große Heidelberger Liederhandschrift, frühes 14. Jh.; Heidelberg, Universitätsbibliothek). Die stilist. Entwicklung wird in der Zeit zw. 1200 und 1400 (Gotik) vom Pariser Hof getragen. Jean Pucelle übernimmt Elemente italien. Tafelmalerei. Für Jean Herzog von Berry (1416) und seine Livres d'heures (Stundenbücher und Psalter waren seit Mitte des 13. Jh. verbreitet) arbeiteten die bedeutendsten Buchmaler der Zeit: Jacquemart de Hesdin, die Brüder Limburg u. a. Alttestamentl. sowie mytholog. und geschichtl. Stoffe werden von den Buchmalern des 13./14. Jh. und des 1. Drittels des 15. Jh. in ritterlich-höf. Szenerie der eigenen Zeit vergegenwärtigt. Im 15. Jh. ragt Jean Fouquet mit seinen flämisch beeinflußten realist. Stilelementen hervor (Antiquités judaïques, wohl 1470–76; Paris, Bibliothèque Nationale), aber auch die Schulen von Gent und Brügge (Breviarium Grimani; Meister der Maria von Burgund). In der mozarab. und roman. B. Spaniens des 10.–12. Jh. überwiegt ein naturferner Flächenstil. Die italien. B. zeigt in der 2. Hälfte des 14. Jh. bed. Beispiele von Naturstudium. Im 15. Jh. tritt Florenz mit der humanist. Buchdekoration hervor.

🕮 *Boeckler, A.: Dt. B. Königstein ³1990. – Weitzmann, K.: Spätantike u. frühchristl. B. Dt. Übers. Mchn. 1977. – Ancona, P./Aeschlimann, E.: Die Kunst der B. Dt. Übers. Köln 1969.*

Buchman, Frank Nathan David [engl. 'bʊkmən], * Pennsburg (Penn.) 4. Juni 1878, † Freudenstadt 7. Aug. 1961, amerikan. luth. Theologe schweizer. Herkunft. – 1921 Gründer der ↑ Oxfordgruppenbewegung.

Büchmann, Georg, * Berlin 4. Jan. 1822, † ebd. 24. Febr. 1884, dt. Philologe. – 1864 Hg. der Zitatensammlung „Geflügelte Worte. Der Citatenschatz des dt. Volkes" (³⁶1986).

Buchmesse ↑ Frankfurter Buchmesse, ↑ Leipziger Buchmesse.

Buch mit sieben Siegeln, nach Apk. 5,1 Bez. für schwer Begreifbares.

Buchner, Eduard, * München 20. Mai 1860, † Focşani (Rumänien) 13. Aug. 1917, dt. Chemiker. – Prof. u. a. in Berlin, Breslau und Würzburg. Entdeckte 1897, daß die alkohol. Gärung des Zuckers durch ein in der Zelle enthaltenes Enzym, die Zymase, bewirkt wird; 1907 Nobelpreis für Chemie.

Büchner, Georg, * Goddelau bei Darmstadt 17. Okt. 1813, † Zürich 19. Febr. 1837, dt. Dramatiker. – Mußte wegen seiner revolutionären Flugschrift „Der hess. Landbote" (1834) im Frühjahr 1835 nach Straßburg fliehen; seit Oktober 1836 Privatdozent für Medizin in Zürich.
B. steht als Dramatiker zw. Romantik und Realismus. Durch die psycholog. Durchleuchtung der Personen und ihrer Handlungen (Revolutionstragödie „Dantons Tod", 1835, Uraufführung 1912), die scharfe Hervorhebung des Sozialen (Dramenfragment „Woyzeck", 1836, Uraufführung 1913; Oper „Wozzeck" von Alban Berg, 1925) und seine neuartigen stilist. und dramaturg. Mittel ist B. neben Grabbe der bedeutendste Bahnbrecher des neuen Dramas. Seine Technik kann als Vorwegnahme des ep. Stils gelten; entsprechend modern erscheint die Auflösung des klass. Dialogs zu expressionistisch wirkenden Monologfetzen. – *Werke:* Leonce und Lena (Dr., 1836, Uraufführung 1885), Lenz (Nov.-fragment, Nachlaß).

B., Ludwig, * Darmstadt 29. März 1824, † ebd. 1. Mai 1899, dt. Arzt und Philosoph. – Bruder von Georg B.; prakt. Arzt in Darmstadt. Vertrat in seinem weitverbreiteten Hauptwerk „Kraft und Stoff" (1855, in 15 Sprachen übersetzt) einen radikalen Materialismus; propagierte den Darwinismus.

Büchner-Preis ↑ Georg-Büchner-Preis.

Buchrolle, die älteste, im Altertum gebräuchl. Form des Buchs. Die B. (liber, volumen, rotulus) bestand aus Papyrus- oder Pergamentblättern, die zu langen Bahnen aneinandergeklebt und in Spalten (Kolumnen) in der Breite der einzelnen Blätter parallel den Längsseiten beschrieben wurden.

Buchsbaum [lat./dt.] (Buxus), Gatt. der Buchsgewächse mit etwa 40 Arten, vom atlant. Europa und dem Mittelmeergebiet bis nach Japan verbreitet; immergrüne Sträucher oder kleine Bäume; Blätter lederartig, Kapselfrüchte mit 3 Hörnern. Bekannte Arten: **Immergrüner Buchsbaum** (Buxus sempervirens), heimisch im Mittelmeergebiet und in W-Europa; 0,5 bis (selten) 8 m hoher, dichter Strauch; **Japanischer Buchsbaum** (Buxus microphylla), heimisch in Japan, 1–2 m hoch, Zierstrauch.

Buchschriften, Schriftarten, die in ma. handgeschriebenen Büchern (Kodizes) – im Unterschied zu den Geschäfts- und Urkundenschriften, den Kursiven – bzw. in gedruckten Büchern verwendet wurden.

Buchschulden, Verbindlichkeiten, die lediglich in den Büchern eines Kaufmanns oder in einem Staatsschuldenbuch eingetragen und nicht in Wertpapieren verbrieft sind.

Buchse [oberdt. (zu ↑ Büchse)], Hohlzylinder aus Metall oder Kunststoff; dient bes. zur Lagerung von Wellen und Achsen *(Lager-B.),* zur Lagesicherung von Teilen *(Distanz-, Paß-B.),* als Verschleißteil bei Berührungsdichtungen *(Lauf-B.),* zur Führung (*Führungs-B.* oder bei Bohrern *Bohr-B.*).

Buchmalerei.
Links: Wiener Genesis, Abraham und Melchisedek (Ausschnitt); 6. Jh. (Wien, Österreichische Nationalbibliothek)
Unten: Darstellung eines Ritters im Bade aus der Großen Heidelberger Liederhandschrift; Anfang des 14. Jh. (Heidelberg, Universitätsbibliothek)

◆ (Steckbuchse) Teil einer lösbaren elektr. Verbindung.

Büchse [zu griech.-lat. pyxis „Dose aus Buchsbaumholz"], Gewehr (speziell Jagdgewehr) mit gezogenem Lauf zum Verschießen von Kugelgeschossen aus Patronen (im Ggs. zu der zum Schrotschuß bestimmten Flinte). Gewehre mit zwei Läufen werden als **Doppelbüchse** bezeichnet, speziell solche mit zwei übereinanderliegenden Büchsenläufen als **Bock[doppel]büchsen.** Bei einer **Büchsflinte** sind ein Büchsenlauf und ein Flintenlauf miteinander verbunden (bei der **Bockbüchsflinte** übereinander).

◆ svw. ↑ Dose.

Büchsenlicht (Schußlicht), wm. Bez. für den Zeitabschnitt der Morgen- und Abenddämmerung, der dem Jäger eine gerade noch ausreichende Helligkeit zum Schießen bietet.

Büchsflinte ↑ Büchse.

Buchsgewächse [lat./dt.] (Buxaceae), Fam. zweikeimblättriger, meist immergrüner Holzgewächse; 6 Gatt. mit etwa 60 Arten, v. a. in gemäßigten und subtrop. Gebieten der Alten Welt; Blätter meist ledrig und ganzrandig; als Zierpflanzen werden manche Arten von ↑ Buchsbaum, ↑ Pachysandra und ↑ Sarcococca kultiviert.

Buchs (SG), Hauptort des schweizer. Bez. Werdenberg nahe der liechtenstein. Grenze, Kt. Sankt Gallen, 9 100 E. Verkehrsknotenpunkt, Grenzbahnhof an der Strecke Zürich-Innsbruck.

Buchstabe [zu gleichbedeutend althochdt. buohstap (Bez. für das im Unterschied zum Runenstab im Buch verwendete lat. Schriftzeichen)], Schriftzeichen zur graph. Wiedergabe sprachl. Einheiten. – Bes. geheiligten B. wurden im Volksglauben Schutz- und Abwehrkräfte zugeschrieben.

buchstabieren, die Buchstaben eines Wortes in der Reihenfolge angeben, in der sie in dem betreffenden Wort auftreten.

Buchstabiermethode, bis ins 19. Jh. übl. Form des ↑ Leseunterrichts.

Buchteln [tschech.], Mehlspeise aus Hefeteig, mit Pflaumenmus oder Mohn gefüllt, in gefetteter Pfanne gebacken.

Buchung, 1. in der Buchführung das Verbuchen (Eintragen) von Belegen auf Konten; 2. Registrierung einer Bestellung.

Buchungsbeleg, zur buchhalter. Erfassung eines Geschäftsvorfalls dienende Unterlage.

Buchungsmaschinen, Büromaschinen zum Verbuchen von vermögensändernden

Geschäftsbelegen sowie für andere Buchungsarbeiten (z. B. Lohnberechnung, Lagerbuchhaltung, Bankkontenführung). Man unterscheidet *Buchungs-Schreibmaschinen* ohne Rechenwerke und *Registrier-Buchungsautomaten (Buchungsregistrierkassen)* mit Rechen-, Saldier- und Speicherwerken. *Elektron. Buchungsautomaten* besitzen Speicher für Programme und Daten, komfortable Rechenwerke und Geräte zur Datenaufzeichnung. B. sind heute weitgehend ersetzt durch Bürocomputer oder zentrale EDV-Anlagen.

Buchungssatz, knappe Anweisung zur Buchung eines relevanten Geschäftsvorfalls. Der B. hat die allg. Form: zu belastendes Konto an zu erkennendes Konto.

Buchwald, Art[hur], * Mount Vernon (N. Y.) 20. Okt. 1925, amerikan. Journalist. – Bekannt durch humoristisch-satir. Kolumnen für „New York Herald Tribune" (Paris-Ausgabe) und „The Washington Post".

Buchweizen (Heide[n]korn, Fagopyrum), Gatt. der Knöterichgewächse mit zwei einjährigen Arten, am bekanntesten der **Echte Buchweizen** (Fagopyrum esculentum); kultiviert in Asien und M-Europa; bis 60 cm hoch, Nußfrüchte etwa 5 mm lang, scharf dreikantig, zugespitzt; die enthülsten Samen werden v. a. als Rohkost, Suppeneinlage und als B.grütze verwendet.

Buchwert, der Ansatz, mit dem Anlage- und Umlaufvermögen in den Büchern und Bilanzen eines Kaufmanns verzeichnet sind.

Buck, Pearl S[ydenstricker] [engl. bʌk], Pseud. John Sedges, * Hillsboro (W. Va.) 26. Juni 1892, † Danby (Vt.) 6. März 1973, amerikan. Schriftstellerin. – Tochter eines Missionars, in China aufgewachsen; 1922–32 Prof. für engl. Literatur in Nanking. B. schildert v. a. den chin. Menschen im Konflikt zw. Tradition und Moderne. Nobelpreis 1938. – *Werke:* Ostwind-Westwind (R., 1930), Land der Hoffnung, Land der Trauer (R., 1939), Die Frauen des Hauses Wu (R., 1946), Der Regenbogen (R., 1975).

Bückeberge, Höhenzug des Weserberglandes, zw. Bad Eilsen und dem Deister, Nds., bis 367 m hoch.

Bückeburg, Stadt am N-Fuß des Wesergebirges, Nds., 19 600 E. Ev.-luth. Landesbischofssitz; Niedersächs. Staatsarchiv; Geräte-, Maschinen- und Fahrzeugbau; keram. Ind. – Vor 1300 Bau einer Wasserburg am Hellweg, Keimzelle der Siedlung. Nach Bränden (1541 und 1586) Neuanlage. 1609 Stadt. Bis 1946 Hauptstadt des Landes Schaumburg-Lippe. – Stadtkirche (1611–15), Schloß (14. und 16. Jh.), z. T. Weserrenaissance.

Buckel ↑ Kyphose.

Buckelfliegen (Rennfliegen, Phoridae), Fam. der Fliegen mit über 1 500 etwa 0,5–6 mm großen Arten. Die B. fliegen wenig, sie laufen mit ruckartigen, schnellen Bewegungen.

Buckelquader, Hausteine, die an der Vorderseite nur roh (daher bucklig) bearbeitet wurden. – ↑ Bossenwerk.

Buckelrind, svw. ↑ Zebu.

Buckelwal (Megaptera novaeangliae), etwa 11,5–15 m langer, etwa 29 t schwerer Furchenwal; am Kopf und an den Flossen knotige Hautverdickungen, auf denen 1–2 Borsten stehen; Oberseite schwarz, Unterseite heller; auf jeder Seite des Oberkiefers etwa 400 bis etwa 60 cm lange Barten; vorwiegend in küstennahen Gewässern.

Buckelzikaden (Buckelzirpen, Membracidae), weltweit verbreitete Zikadenfam. mit rund 3 000 meist bizarr gestalteten, teilweise bunt gezeichneten, kleinen bis mittelgroßen Arten; einheimisch ist die ↑ Dornzikade.

Buckingham [engl. 'bʌkɪŋəm], engl. Earl- und Herzogstitel, zuerst belegt Ende 11. Jh., Herzogstitel in den Familien Stafford 1444–1521, Villiers 1623–87, Sheffield 1703–1739, Grenville (Herzöge von B. und Chandos) 1822–89.

Buckingham Palace [engl. 'bʌkɪŋəm 'pælɪs], seit 1837 Residenz der engl. Könige in London (Westminster), 1703 als Landhaus für den Herzog von Buckingham erbaut, mehrmals erweitert.

Buckinghamshire [engl. 'bʌkɪŋəmʃɪə], südostengl. Grafschaft.

Bückler, Johann ↑ Schinderhannes.

Bucklige Welt, Hügelland in Niederösterreich und im Burgenland.

Bückling [niederdt.] (Pökling), Handelsbez. für den eingesalzenen und anschließend bei starker Hitze geräucherten Hering.

Buckow [-ko:], Stadt in der Märk. Schweiz, Brandenburg, 2 000 E. Erholungsort. – 1225 als Grenzfeste mit slaw. Siedlung gegründet.

Buckram, svw. ↑ Bougram.

Buckwitz, Harry, * München 31. März 1904, † Zürich 27. Dez. 1987, dt. Theaterintendant und Regisseur. – 1945–51 Direktor der Münchener Kammerspiele, 1951–68 Generalintendant der Städt. Bühnen Frankfurt am Main, 1970–77 künstler. Direktor des Schauspielhauses Zürich.

București [rumän. buku'reʃtj] ↑ Bukarest.

Buda ↑ Budapest.

Budaeus, eigtl. Guillaume Budé, * Paris 26. Jan. 1468, † ebd. 23. Aug. 1540, frz. Humanist. – Legte den Grundstock der späteren Bibliothèque Nationale. Grundlegende Werke zur Erforschung des röm. Rechts, des Maß- und Münzsystems sowie der Gräzistik.

Budapest [ungar. 'budɔpɛʃt], Hauptstadt von Ungarn, auf beiden Seiten der Donau,

2,1 Mill. E. Ungar. Akad. der Wiss., 6 Univ., zahlr. andere Hochschulen; Nationalbibliothek; Museen, u.a. das Nationalmuseum, 2 Opernhäuser, Theater, Freilichtbühnen; botan. Garten; Zoo. - Wichtigste Ind.stadt Ungarns; Messen, Festspiele, über 50 Thermalheilquellen. Größter Verkehrsknotenpunkt in Ungarn. Hafenanlagen, u.a. Freihafen für die internat. Donauschiffahrt; 6 große Straßenbrücken, 2 Eisenbahnbrücken, zweitälteste U-Bahn (nach London) in Europa (seit 1896); internat. ✈.

Geschichte: 1873 durch die Zusammenlegung der beiden 1148 erstmals erwähnten Städte **Buda** und **Pest** entstanden. Schon früh besiedelt: röm. Legionslager **Aquincum** am pannon. Limes, 124 n.Chr. Stadtrecht, 184 Residenz der Statthalter der Prov. Pannonina inferior. Im 10.Jh. erstes Herrschaftszentrum der Magyaren. 1241 von den Mongolen zerstört. Im 13.Jh. Wiederaufbau der beiden Städte, erste königl. Burg (seit Mitte 14.Jh. ständige Residenz der ungar. Könige); 1541 endgültig durch die Osmanen erobert. Buda war Sitz eines Paschas; 1686 Vertreibung der Osmanen. Im 18.Jh. wurde Buda wieder Hauptstadt Ungarns. 1848 waren Buda und Pest Zentren des ungar. Vormärz. 1872 als B. Hauptstadt der transleithan. Reichshälfte; im 2. Weltkrieg und beim Aufstand 1956 schwere Schäden.

Bauten: In *Aquincum* Überreste aus röm. Zeit, u.a. Amphitheater, Thermen, Grabstelen und Sarkophage. In *Pest:* urspr. roman., im 15.Jh. gotisch erneuerte Pfarrkirche (während der osman. Zeit Moschee, 1725-40 barockisiert), klassizist. Nationalmuseum (1837-47; seit 1978 wieder im Besitz der Stephanskrone), Kunstgewerbemuseum (1893 bis 1896; Jugendstil), Staatsoper (1875-84), neugot. Parlament (1884-1904). In *Buda:* spätbarocke Sankt-Anna-Pfarrkirche (1740 bis 1770), Franziskanerkirche (1753-70), türk. Bäder, Burgberg mit der Matthiaskirche (13.-15.Jh.; 16./17.Jh. Moschee), Altes Rathaus (1692-1744: jetzt Burgmuseum), neuroman. Fischerbastei (1901/02). Das Burgviertel in Buda wurde von der UNESCO zum Weltkulturerbe erklärt.

📖 *Bollweg, E.: B. Köln [5]1988. - Tóth-Epstein, E.: Histor. Enzyklop. v. B. Budapest 1974.*

Budd-Chiari-Syndrom [bʌd-; nach dem brit. Internisten G. Budd (* 1808, † 1882) und dem Pathologen H. Chiari (* 1851, † 1916)], durch Verschluß der Lebervenen, z.B. infolge Tumoreinbruchs und Thrombose, gelegentlich nach langfristiger Einnahme empfängnisverhütender Hormone („Pille") bedingtes Krankheitsbild; Kennzeichen sind Oberbauchschmerzen und Bauchwassersucht.

Buddha [Sanskrit „der Erwachte, der Erleuchtete"] (tibet. Sangsgyas, chin. Fo, jap. Butsu) (Ehrentitel des Siddhartha Gautama), * Kapilawastu 560, † bei Kusinara vermutl. 480 v.Chr. (neuere Forschungen datieren auch 100 Jahre später), Stifter des Buddhismus. - B. stammte aus dem Adelsgeschlecht der Schakja von Kapilawastu, daher auch **Schakjamuni** („weiser Einsiedler der Schakjas") gen. Eine häufige Selbstbez. war **Tathagata** („der so [d.h. auf dem Heilsweg] Gegangene").

Buddha. Kolossalfigur; 1252 (Kamakura)

Im Luxus lebend, beeindruckten den B. die Begegnungen mit einem Alten, einem Kranken, einem Toten und einem Mönch so sehr, daß er, um die Vergänglichkeit der Welt als Asket zu überwinden, mit 29 Jahren nachts heimlich seine Familie verließ. Strenge Askese, die ihn an den Rand des Todes führte, brachte ihn der Erleuchtung nicht näher. Erst als er einen „mittleren Weg" zw. Überfluß und Askese wählte, erlangte er im Alter von 35 Jahren unter einem Feigenbaum bei Bodh Gaya die Erleuchtung (bodhi). Nach einer Predigt im Wildpark Isipatana bei Varanasi (Benares) gründete B. mit 5 Asketen einen Mönchsorden und zog mit seinen ersten Anhängern in Nordindien lehrend umher. Beim Ort Kusinara erkrankte B. an Ruhr und starb. Später wurde sein Leben und Wirken mit vielen Legenden ausgeschmückt. - Neben dem histor. Siddhartha Gautama kennt der Buddhismus auch andere Verkünder seiner Lehre in Vergangenheit und Zukunft, die aus eigener Kraft zur Erleuchtung gelangt sind. Der Name des nächsten B. ist **Maitreja.**

📖 *Oldenberg, H.: B. Sein Leben, seine Lehre, seine Gemeinde. 1881, Nachdr. Essen 1983.*

Buddhismus, Weltreligion, ben. nach ihrem Stifter Buddha; sie beruht auf dessen Lehre und Ordensgründung. Die erste Predigt Buddhas, in der traditionellen Formulierung das „Inbewegungsetzen des Rades der Lehre", war nicht allein der Anfang der Ausbreitung buddhist. Gedanken, sondern zugleich die Begründung der *Ordensgemeinschaft* buddhist. Mönche (des **Sangha**), denen Buddha nach seiner Predigt die erbetene Mönchsweihe erteilte. Erst nach anfängl. Ablehnung nahm Buddha auch Frauen in seinen Orden auf. Nicht den strengen Gesetzen des Mönchtums unterworfen sind die Laienanhänger.

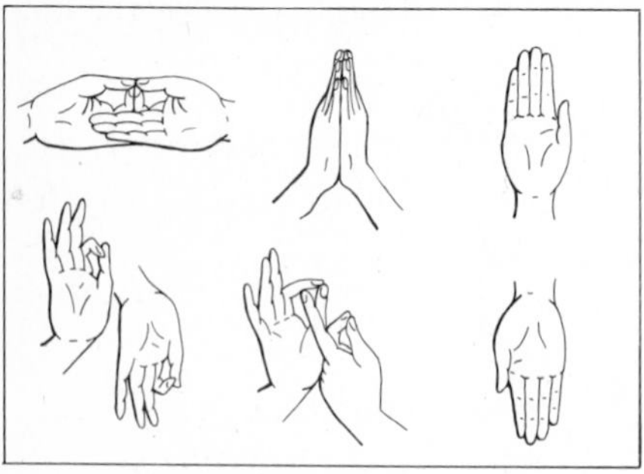

Buddhismus. Symbolische Gesten.
Oben (von links): Meditation, Gebet, Schutzgewährung;
unten (von links): zwei Gesten des Lehrens, Wunscherfüllung

Die *Lehre* Buddhas war häretisch gegenüber dem ↑Brahmanismus, insofern sie mit der religiösen Autorität des ↑Weda brach. Buddha übernahm jedoch die Wiedergeburtslehre. Das gleiche gilt für die qualitative Bestimmung jeder neuen Existenz durch ↑Karma; je nach gutem oder bösem Karma, das durch gute oder böse Taten angesammelt wird, kommt der Mensch nach seinem Tode in eine neue, gute oder schlechte Existenz. Doch distanzierte sich Buddha von der Erlösungslehre der ↑Upanischaden, indem er den Gedanken von der Erlösung durch die Erkenntnis der Identität von ↑Brahman und ↑Atman ersetzte durch den Gedanken des Nirwana, des „Verwehens", der Vernichtung des Leidens, des Verlöschens des „Durstes", d.h. der Lebensgier. Im Mittelpunkt der Predigt des Buddha stehen dementsprechend die „vier edlen Wahrheiten": die edle Wahrheit vom Leiden, von der Entstehung des Leidens, der Vernichtung des Leidens und dem zur Vernichtung des Leidens führenden Weg. Dieser Weg ist der „edle, achtteilige Pfad": rechte Anschauung, rechtes Wollen, rechtes Reden, rechtes Tun, rechtes Leben, rechtes Streben, rechtes Gedenken, rechtes Sichversenken.

Die buddhist. *Ethik* steht im Dienst der Selbsterlösung. Diesem Ziel dienen die Forderungen der Gewaltlosigkeit (Ahimsa), der mitleidigen Liebe (Maitri) sowie der Enthaltsamkeit. Da Buddha sowohl kult. Handlungen als auch metaphys. Fragen bewußt ablehnte, wurde und wird die Frage diskutiert, ob der Urbuddhismus eine *Religion* ist, da Gott oder *Götter* keine absolute oder überwertige Qualität besitzen, insofern Buddha die Existenz der Götter zwar nicht geleugnet, sie aber als erlösungsbedürftig gekennzeichnet und der Existenzweise des Mönches wertmäßig untergeordnet hat.

Der *ind. B.* erfuhr unter der Herrschaft des Königs Aschoka (♔ 268–227) eine Blütezeit. Doch waren bereits auf dem Konzil zu Vaischali (um 380 v. Chr.) erhebl. Differenzen innerhalb des Ordens zutage getreten. Sie führten zur Spaltung in die beiden Richtungen („Fahrzeuge") des ↑Hinajana-Buddhismus und ↑Mahajana-Buddhismus, die seitdem in ihrer Lehre und Ausbreitungsgeschichte unterschiedl. Wege gingen.

📖 *Ikeda, D.: Der chines. B. Bln. 1990. – Conze, E.: Der B. Dt. Übers. Stg. [7]1981. – B. der Gegenwart. Hg. v. H. Dumoulin. Freib. u.a. 1970. – Schlingloff, D.: Die Religion des B. Bln. 1962–63. 2 Bde.*

buddhistische Kunst, die vom Buddhismus geprägte Kunst in Indien, Indonesien, Hinterindien, Z- und O-Asien (Entfaltungs- und Blütezeit von etwa 200 v. Chr. bis 1500 n. Chr.). Fast jedem Kunstwerk liegt letztlich ein ind. Prototyp zugrunde, denn von Indien strahlte die b. K. seit der Guptaperiode (4.–7. Jh.) nach allen Richtungen aus. Für den Sakralbau ist hier insbes. der Stupa zu nennen, Malerei und Bildnerei entwickeln feste ikonograph. Traditionen.

Ikonographie: Neben der Gestalt des Buddha wird in der b. K. eine ganze Hierarchie hl. Gestalten dargestellt. Eine Dreiergruppe bildet oft Buddha mit zwei Bodhisattwas. Sie werden meist in ind. Fürstentracht und auch einzeln dargestellt (bes. ↑Awalokiteschwara). Die Dreiergruppe wird häufig vergrößert durch zwei Jünger des Buddha in Mönchstracht. Vier Himmelskönige (Lokapalas), als Krieger gepanzert, schützen Buddha und die Lehre nach den vier Himmelsrichtungen; zwei ebenfalls dräuende Athletengestalten haben als Torwächter (Dwarapalas) dieselbe Aufgabe. Über dem Buddha oder einer anderen hl. Gestalt bringen himml. Wesen (Apsaras) ihre Verehrung mit Blumen und Musik dar. Weisheitskönige (Widjaradschas) ver-

Buddhistische Kunst. Großer Stupa; 3. Jh. v. Chr. bis 1. Jh. n. Chr. (Sanchi)

körpern in dämon. Erscheinung die Weisheit des Buddha Wairotschana. Aus dem ind. Pantheon gingen eine Reihe von Götterfiguren als Glückbringer und Nothelfer in die b. K. ein, u. a. Brahma und Indra. Auch der Mensch wird von der b. K. dargestellt: Auf höchster Stufe stehen die bereits erleuchteten Arhats (Schüler des Buddha). Bilder der großen Patriarchen entstanden, z. B. des Bodhidharma (Daruma), des Begründers des Zen-Buddhismus. Die buddhist. Gestalten oder auch ihre Symbole können nach bestimmten Schemata (in einem Mandala) geometrisch angeordnet werden und stellen dann ein Abbild des Weltganzen dar.

🕮 *Seckel, D.: Kunst des Buddhismus. Baden-Baden ^{2}1980. – Plaeschke, H.: B. K.: Das Erbe Indiens. Wien u. a. ^{2}1975.*

Buddleja [nach dem brit. Botaniker A. Buddle, * 1660, † 1715], svw. ↑ Schmetterlingsstrauch.

Budé, Guillaume [frz. by'de], frz. Humanist, ↑ Budaeus.

Budget [bʏ'dʒe:; frz.-engl.; zu lat. bulga „lederner Geldsack"], Haushalt einer Körperschaft des öffentl. Rechts.

budgetieren [bʏdʒe...], ein Budget aufstellen.

Budgetrecht [bʏ'dʒe:], Befugnis der gesetzgebenden Körperschaft (Parlament), die für einen bestimmten Zeitraum erwarteten Staatseinnahmen und -ausgaben (Haushaltsplan) durch Gesetz zu beschließen. Das B. dient der Kontrolle der Regierung. – ↑ Haushaltsrecht.

Büdingen, Stadt und Luftkurort nö. von Frankfurt am Main, Hessen, 135 m ü. d. M., 16 900 E. Akkumulatorenfabrik, Fertighausbau, Holzverarbeitung, Textilind. – B. entstand um eine ins 12. Jh. zurückreichende Wasserburg; 1330 Stadtrecht. – Remigiuskirche (um 1047); Stadtkirche (1476–91); Schloß (ehem. stauf. Wasserburg, nach 1160; ausgebaut im 15./16. Jh.); spätgot. Rathaus. Wohnhäuser des 15.–18. Jahrhunderts.

Büdinger Wald, Landschaft am S-Rand des Vogelsberges, Hessen, nach W und SW hin von einer etwa 100 m hohen Landstufe begrenzt.

Budjonny, Semjon Michailowitsch, * Kosjurin (Gebiet Rostow am Don) 25. April 1883, † Moskau 26. Okt. 1973, sowjet. Marschall (1935). – 1919–21 erfolgreicher Reiterführer der Bolschewiki im Kampf gegen die

Buddhistische Kunst. Bodhisattwa Padmapani; 7. Jh. n. Chr. (Ajanta)

„Weißen"; befehligte im 2. Weltkrieg u. a. die Truppen an der SW-Front (1941); 1939–52 Mgl. des ZK der KPdSU.

Budo [jap.], Oberbegriff für alle jap. Zweikampfkünste mit wertbildenden geistigen und erzieher. Inhalten (z. B. Judo, Karate), die heute als Kampfsport- oder Selbstverteidigungssysteme verbreitet sind.

Budweis (tschech. České Budějovice), Hauptstadt des Südböhm. Bezirks, ČSFR, an der Mündung der Maltsch in die Moldau, 97 000 E. Kath. Bischofssitz, pädagog. Inst.; Maschinenbau, Holz-, Papier-, Bleistift- und Nahrungsmittelind. – 1265 gegr. mit allen städt. Rechten; 1641 stark zerstört. 1827 wurde die erste Pferdebahn Europas (auf Holzschienen) von Linz nach B. eröffnet. – Got. Marienkirche (13. Jh.), Dom (1649) mit 72 m hohem Glockenturm, ehem. Salzhaus mit spätgot. Treppengiebel (1531), ehem. Fleischbänke (16. Jh.), Barockrathaus (1727–31), Bischofspalast (18. Jh.); Rabensteiner Turm (14./15. Jh.).

Buenaventura, kolumbian. Hafenstadt in der Bahía de B. des Pazifiks, 166 000 E. Fischerei; Tanninfabrik, Sägewerke, Nahrungsmittelind. – Gegr. 1540.

Buenos Aires, Hauptstadt von Argentinien, am Río de la Plata, 2,92 Mill. E; zweitgrößte Stadt der südl. Erdhälfte (Groß-B. A. 9,97 Mill. E). Sitz des Parlamentes und der Bundesregierung, eines Erzbischofs und wiss. Gesellschaften; Nationalbibliothek, Nationalarchiv; zwei staatl. Univ. (gegr. 1821 und 1959), 6 private Univ., TH, Konservatorium, Kunsthochschule, Goethe-Inst., Museen, botan. und zoolog. Garten; viele Theater. Automobilwerke, Textil-, Nahrungs- und Genußmittelind., Holzverarbeitung, chem. Werke. Im Verkehr mit Übersee sind die Häfen von B. A. führend; städt. und internat. ✈. – Puerta de Nuestra Señora Santa María del Buen Aire wurde 1536 gegr., 1541 zwangen Indianerüberfälle die Siedler zum Rückzug. Zweite Stadtgründung 1580; 1776 zur Hauptstadt des neugebildeten Vize-Kgr. Río de la Plata erhoben. 1810 Zentrum der Unabhängigkeitsrevolution gegen Spanien, 1880 Hauptstadt der Republik Argentinien. – Die urspr. Stadtanlage von 1580 folgt dem in den span. Kolonien verbindl. Schachbrettschema. Kathedrale (1755–1823), Cabildo (Sitz des Bürgerrats; 1725–51, mehrfach umgestaltet).

B. A., argentin. Provinz in der Pampa húmeda, an der Atlantikküste, südl. des Río de la Plata und des unteren Paraná, 307 571 km², 12,6 Mill. E (1989), Hauptstadt La Plata. Während das Gebiet um Groß-Buenos Aires weitgehend industrialisiert ist, bildet der Rest ein teilweise intensiv genutztes Landw.gebiet.

Buenos Aires, Lago, größter See Patagoniens (Chile und Argentinien), 150 km lang, 2 240 km², 217 m ü. d. M.; entwässert über den Río Baker zum Pazifik.

Büfett [by'fɛt, by'fe:; frz.], (Buffet, östr. auch Büffet) Geschirrschrank, Anrichtetisch, Schanktisch.

Buff, Charlotte, * Wetzlar 11. Jan. 1753, † Hannover 16. Jan. 1828. – 1772 Freundin Goethes in Wetzlar; heiratete 1773 J. C. Kestner; in vielen Zügen Vorbild für die Lotte in Goethes „Werther"; ihr Wiedersehen mit Goethe 1816 in Weimar wurde von T. Mann in dem Roman „Lotte in Weimar" dichterisch gestaltet (1939, verfilmt 1975).

Buffa [lat.-italien.], Bez. für Schwank, Posse, Opera buffa.

Buffalo [engl. 'bʌfəloʊ], Stadt im Bundesstaat New York, USA, am O-Ufer des Eriesees, 339 000 E. Kath. Bischofssitz; Colleges, Kunstakad., Bibliotheken, Museen; einer der Haupthäfen des Sankt-Lorenz-Seeweges; Nahrungsmittelind., Maschinen-, Auto- und Flugzeugbau, Eisen- und Stahlgewinnung. – 1687 frz. Gründung von Fort Niagara; die Siedlung entstand erst Ende des 18. Jahrhunderts.

Buffalo Bill [engl. 'bʌfəloʊ 'bil], eigtl. William Frederick Cody, * Scott County (Iowa) 26. Febr. 1846, † Denver (Colo.) 10. Jan. 1917, amerikan. Pionier und Offizier. – Erhielt seinen Namen durch seine Fertigkeit im Erlegen von Bisons als Versorgungsleiter beim Bau der Pazifikbahn 1867/68; seit 1883 in den USA und in Europa bekannt durch seine „Wildwestschau".

Buffalogras [engl. 'bʌfəloʊ] (Büffelgras, Buchloe dactyloides), in den Kurzgrasprärien der mittleren USA vorherrschendes und bestandbildendes Süßgras.

Büffel [griech.], zusammenfassende Bez. für 2 Gatt. der Rinder in Asien und Afrika; Körper relativ plump, massig, Körperlänge etwa 1,8–3 m, Hörner nach hinten gerichtet oder seitlich stark ausladend; Gatt. *Asiat. B.* (Bubalus) mit den Arten ↑ Anoa, ↑ Wasserbüffel; Gatt. *Afrikan. B.* (Syncerus) mit der einzigen Art ↑ Kaffernbüffel.

Büffelbeere (Shepherdia), Gatt. der Ölweidengewächse mit 3 Arten in N-Amerika; zweihäusige Sträucher oder bis 6 m hohe Bäume mit längl. Blättern; Beerenfrüchte gelblichrot bis braunrot, die der *Silber-B.* (Shepherdia argentea) säuerlich, eßbar.

Buffet, Bernard [frz. by'fɛ], * Paris 10. Juli 1928, frz. Maler und Graphiker. – Hart konturierte, von Verlassenheit geprägte Bildnisse, Stilleben, Straßenszenen; schuf auch riesige Insektenplastiken.

Buffo [lat.-italien.], Sänger kom. Rollen in der Oper (Opera buffa), nach Stimmlagen unterschieden in Baß-B. und Tenor-Buffo.

Buffon, Georges Louis Leclerc, Graf von [frz. by'fõ], * Montbard (Côte-d'Or) 7. Sept.

1707, † Paris 16. April 1788, frz. Naturforscher. - Direktor des Jardin des Plantes in Paris; Verfasser einer berühmten 44bändigen „Histoire naturelle générale et particulière". B. lehnte im Ggs. zu Linné ein künstl. System in der Natur ab; nahm vielfach Gedanken der modernen Entwicklungstheorie voraus.

Bufo [lat.], Gatt. der Kröten mit rd. 250 Arten; Körper rundlich, flach, mit ziemlich kurzen Gliedmaßen, mit Schwimmhäuten; Haut meist warzig; 3 einheim. Arten: † Erdkröte, † Kreuzkröte, † Wechselkröte.

Bufotoxine, svw. † Krötengifte.

Bug (russ. Sapadny B. „Westl. B."), linker Nebenfluß des Narew (Ukraine, Weißrußland und Polen), entspringt auf der Wolyn.-Podol. Platte, bildet z. T. die Grenze Weißrußlands und der Ukraine gegen Polen, mündet nördlich von Warschau, 772 km lang, 300 km schiffbar; Verbindung zum Dnjepr und zur Memel.

Bug, vorderster, spitz zulaufender Teil eines Schiffes, auch Vorderteil eines Flugzeuges.

Bug, Südlicher † Südlicher Bug.

Bugajew, Boris Nikolajewitsch † Bely, Andrei.

Buganda, ehem. Kgr. in Z-Uganda, nw. des Victoriasees; einer der † Himastaaten, um 1500 gegr.; der König (Kabaka) herrschte absolutistisch bis in die Kolonialzeit (1894); 1962-67 der wichtigste, weitgehend selbständige Bundesstaat Ugandas.

Bugatti, Ettore [italien. bu'gatti, frz. byga'ti], * Mailand 15. Sept. 1881, † Paris 21. Aug. 1947, frz. Automobilkonstrukteur italien. Herkunft. - Baute die ersten Kompressorrennwagen und erzielte selbst bed. Erfolge im Rennsport.

Bügeleisen, Vorrichtung zum Bügeln (Plätten) von Textilien. Heute durchweg *elektr. B.;* Leistungsaufnahme bis 1 000 Watt. Temperaturregelung über Thermostat und Einstellknopf (Nylon, Seide, Wolle, Baumwolle, Leinen). Elektr. *Dampf-B.* mit kleinem Wasserbehälter (nur entmineralisiertes bzw. destilliertes Wasser verwenden!). Auf Knopfdruck tritt Dampf aus Düsen in der (polierten) Bodenplatte und dämpft das Bügelgut.

Bügelhorn, Sammelbez. für Blechblasinstrumente mit weitem, kon. Rohr und Kesselmundstück, z. B. Flügel-, Alt-, Tenorhorn, Bariton, Tuba, Helikon, Sousaphon.

Bügelmaschine, unter hohem Anpreßdruck wird das Bügelgut von einer stoffbespannten, angetriebenen Bügelwalze über eine elektrisch beheizte, muldenförmige Platte transportiert; Walzen- bzw. Arbeitsbreite 60-90 cm.

Bügelmeßschraube † Meßschraube.

bügeln (plätten), ein textiles Gewebe durch Anwendung von Wärme, Feuchtigkeit und Druck glattmachen oder ihm eine bes. Form geben (dressieren; z. B. eine Hose mit einer Bügelfalte versehen).

Bügelsäge † Säge.

Bugenhagen, Johannes, * Wollin 24. Juni 1485, † Wittenberg 19. April 1558, norddt. Reformator. - 1509 Priester; 1523 Pfarrer, 1533 Prof. in Wittenberg. Mitarbeiter Luthers, Verfasser zahlr. Kirchenordnungen.

Buggy ['bagi, 'bʊgi; engl. 'bʌgɪ], leichter, einspänniger, meist offener Wagen; in England urspr. mit zwei, in den USA mit vier hohen Rädern.

◆ in den USA entwickelter Kfz-Typ: geländegängiges Freizeitauto, sog. „fun car", mit offener Karosserie [mit Überrollbügel].

Bugholzmöbel, Möbel (insbes. Sitzmöbel) aus Holzteilen, die nach dem Dämpfen gebogen wurden.

Bugi, jungmalaiisches Kulturvolk in SW-Celebes und auf Borneo; etwa 3 Mill., Muslime; Ackerbau (Reis), hochentwickelte Segelschiffahrt.

Bugsierschiff [niederl./dt.], kleines Schiff zum Schleppen großer Hochseeschiffe im Hafenbereich.

Bugspriet, schräg über den Bug hinausragendes Rundholz bei Segelschiffen; trägt den Klüverbaum, an dem die Stage des Fockmastes befestigt sind.

Bugstrahlruder † Ruder.

Bugwulst (Taylor-Wulst), birnenförmig ausgebildete Vorstevenform unterhalb der Wasserlinie von Seeschiffen; verringert den Wasserwiderstand des Schiffskörpers.

Buhl, Hermann, * Innsbruck 21. Sept. 1924, † am Chagolisa (Indien) 27. Juni 1957 (abgestürzt), östr. Bergsteiger. - Bezwang als erster am 3. Juli 1953 im Alleingang den Nanga Parbat, 1957 den Broad Peak.

Bühl, Stadt sw. von Baden-Baden, Bad.-Württ., 23 300 E. Marktort für das agrar. Umland (Zwetschgenspezialkulturen); chem., Elektro-, metallverarbeitende Ind. - 1283 erstmals erwähnt, 1835 Stadt.

Buhle, urspr. Koseform für Bruder, dann Bez. für nahen Verwandten, schließlich für den Geliebten (die Geliebte; auch *Buhlerin*).

Bühler, Charlotte, * Berlin 20. Dez. 1893, † Stuttgart 3. Febr. 1974, dt. Psychologin. - ∞ mit Karl B.; u. a. Prof. in Wien (1929-38) und Los Angeles (ab 1945); experimentelle Untersuchungen zur Kindes- und Jugendpsychologie und Studien zur Erforschung des menschl. Lebenslaufs. Schuf mit H. Hetzer die ersten, dem Kleinkindalter angepaßten Entwicklungs- bzw. Intelligenztests (*B.-Hetzer-Tests,* Baby-Tests) zur Prüfung von frühkindl. Verhaltensrichtungen. - *Hauptwerke:* Kleinkindertests (1932; zus. mit H. Hetzer), Der menschl. Lebenslauf als psycholog. Problem (1933), Prakt. Kinderpsychologie

(1938), Psychologie im Leben unserer Zeit (1962).

B., Karl, * Meckesheim (Baden) 27. Mai 1879, † Los Angeles 24. Okt. 1963, dt. Psychologe. – ⚭ mit Charlotte B.; Prof. in München, Dresden, Wien (1922–38), emigrierte 1939 in die USA. Bed. Arbeiten auf den Gebieten der Denk- und Willenspsychologie, der Gestaltpsychologie, der Kinder- und Tierpsychologie und der Sprachtheorie (Systematisierung der Sprach- und Ausdrucksphänomene, ↑ Organonmodell). – *Hauptwerke:* Abriß der geistigen Entwicklung des Kindes (1918), Ausdruckstheorie (1933), Sprachtheorie (1934).

Buhne [niederdt.] (Abweiser), ins Flußbett oder Meer hineinragender Dammkörper zur Strömungsregulierung und zum Uferschutz.

Bühne, eine gegen den Zuschauerraum abgegrenzte, meist erhöhte Spielfläche für szen. Darstellungen. – Zur Geschichte der Bühne und der Bühnentechnik ↑ Theater.

Bühnenaussprache (Bühnensprache), die auf der Bühne vorgeschriebene reine Aussprache, umfassender auch Hochsprache gen. Für das dt. Sprachgebiet wurde nach früheren Versuchen (u. a. von Goethe) die B. von T. Siebs in dem Werk „Dt. B." 1898 publiziert.

Bühnenbearbeitung, Abänderung einer dramat. Dichtung durch Kürzung, Zusammenziehung, Ergänzung von Szenen für eine Aufführung.

Bühnenbild, einer bestimmten Inszenierung entsprechende künstler. Gestaltung des Bühnenraumes mit Hilfe von Malerei, architekton. und techn. Mitteln und Requisiten. Ob im antiken Theater die Skene bereits illusionistisch ausgestaltet wurde, ist umstritten. Die Bühnen des MA und zum größten Teil auch noch des 16. Jh. begnügten sich meist mit der Andeutung der räuml. Verhältnisse; an Requisiten wurden Thron, Tisch u. a. verwendet. Die neuzeitl. Illusionsbühne (als Guckkastenbühne) wurde im Italien der Renaissance v. a. für die prunkvolle Ausstattung der Opern entwickelt. Die Szene war perspektivisch gemalt (zunächst Zentralperspektive, seit dem 18. Jh. Winkelperspektive mit mehreren Fluchtpunkten); rückwärtiger Abschluß durch den Prospekt, seitl. durch Kulissen. Die Bühnenmaschinerie wurde ausgebaut (Flugapparate, Versenkungen u. a.), bes. im Barock. Der Forderung der Einheit des Orts der frz. Klassik entsprach eine Vereinfachung des B., wie es erneut im frühen 19. Jh. versucht wurde. Die Meininger waren um die histor. Authentizität der Dekorationen und Kostüme bemüht, der Naturalismus um die photographisch exakte Wiedergabe der Wirklichkeit. Im 20. Jh. Rückgriff auf die klassizist. Bühnenarchitektur: einfache geometr. Figuren (Scheiben) als Grundformen der Spielfläche, bewegl. Lichtregie, Treppenbühnen seit dem Expressionismus; Offenlegung der Bühnenmaschinerie seit Brecht (als Desillusionierung). Weitgehender Verzicht auf Dekoration steht heute neben traditionelleren Formen.

Bühnenhaus, Teil des Theatergebäudes, der die Bühne enthält, sowie Ankleide-, Aufenthalts-, Probe-, Lagerräume, Werkstätten.

Bühnenmusik, die zu einem Bühnenwerk (Schauspiel, Oper, Operette) gehörende Musik, die selbst einen Teil der Handlung bildet oder in enger Beziehung zu ihr steht. In der Oper und Operette eine auf der Bühne gespielte Musizierszene (z. B. die Tanzszene in W. A. Mozarts „Don Giovanni"), im Schauspiel die **Inzidenzmusik,** eine für den Handlungsablauf unentbehrl. musikal. Beigabe wie Fanfaren, Märsche, Tanz- oder Liedeinlagen (z. B. Gesang der Ophelia in Shakespeares „Hamlet"). B. wird auf oder hinter der Bühne oder, wenn das Musizieren auf der Szene vorgetäuscht wird, im Orchesterraum gespielt. Zur B. wird meist auch die **Schauspielmusik** gezählt, die die Akte eines Dramas mit Ouvertüre, Zwischenakt- und Schlußmusik umrahmt und Teile der Handlung untermalt oder ausdeutet.

Bühnensprache, svw. ↑ Bühnenaussprache.

Bührer, Jakob, * Zürich 8. Nov. 1882, † Locarno 22. Nov. 1975, schweizer. Schriftsteller. – Setzte sich in seinen satir. Romanen und Dramen kritisch mit der bürgerl. Gesellschaft der Schweiz auseinander.

Buick, David Dunbar [engl. 'bju:ɪk], * in Schottland 17. Sept. 1854, † Detroit 5. März 1929, amerikan. Ingenieur und Industrieller. – Erfand ein Verfahren, Metall mit Porzellan zu überziehen; gründete 1903 die Buick Motor Car Company (jetzt in der General Motors Corporation).

Builder [engl. bɪldə], aus dem Amerikan. übernommene Bez. für Substanzen, die Waschmitteln zur Verbesserung der Waschwirkung zugesetzt werden (z. B. Soda, Alkaliphosphate und Alkalisilicate).

Built-in-flexibility [engl. 'bɪlt-ɪnflɛksɪ'bɪlɪtɪ „eingebaute Anpassungsfähigkeit"], in das System öff. Einnahmen und Ausgaben eingebaute Mechanismen, die ohne erneute Entscheidungen des Gesetzgebers oder der Verwaltung bewirken (daher sog. „automat." Stabilisatoren), daß in Phasen der Rezession z. B. durch hohe staatl. Leistungen aus der Arbeitslosenversicherung die private Nachfrage angeregt wird, in Phasen der Hochkonjunktur große (stabilisierend wirkende) Überschüsse bei den Sozialversicherungsträgern entstehen. Ähnliches gilt für die Progression im Einkommensteuertarif (Rezession:

Steuereinnahmen steigen langsamer als die privaten Einkommen; Hochkonjunktur: private Nachfrage wird durch schnell steigende Steuer vermindert).

Buin, Piz, Doppelgipfel in der Silvrettagruppe, auf der östr.-schweizer. Grenze, 3 312 bzw. 3 255 m hoch, auf der Nordseite vergletschert.

Buisson, Ferdinand [frz. bɥi'sõ], * Paris 20. Dez. 1841, † Thieuloy-Saint-Antoine (Oise) 16. Febr. 1932, frz. Pädagoge und Politiker. – 1896–1906 Prof. an der Sorbonne; trat als radikalsozialist. Abg. 1902–24 maßgeblich für die Trennung von Staat und Kirche ein; Mitbegr. und langjähriger Vors. der frz. Liga der Menschenrechte; erhielt 1927 mit L. Quidde den Friedensnobelpreis.

Buitenzorg [niederl. 'bœỹtənzɔrx] ↑ Bogor.

Bujiden (Buwaihiden), pers. Dyn., herrschte 945–1055.

Bujumbura [frz. buʒumbu'ra], Hauptstadt von Burundi am Tanganjikasee, 275 000 E. Kultur- und Wirtsch.zentrum des Landes, Sitz eines kath. und eines luth. Bischofs; Univ. (gegr. 1960), Verwaltungshochschule. Textil- und Nahrungsmittelind., Metallverarbeitung u. a., Hafen; internat. ✈.

Bukanier [frz.] ↑ Flibustier.

Bukarest (rumän. Bucureşti), Hauptstadt Rumäniens, 1,98 Mill. E, städt. Agglomeration 2,29 Mill. E. Sitz der Regierung und ihrer Organe, des Patriarchen und Metropoliten der rumänisch-orth. Kirche sowie eines kath. Erzbischofs; Univ. (gegr. 1864), TH; Akad. der Wiss., Bibliotheken, Staatsarchiv, mehrere Theater, Opern- und Operettenhäuser, Staatsphilharmonie, 2 Symphonieorchester; Gemäldegalerie, Museen, u. a. Freilichtmuseum (Dorfmuseum, gegr. 1936); Maschinenbau, metallverarbeitende, elektrotechn., chem., polygraph. Ind.; zwei ✈. – Neolith. Siedlungsspuren; Reste dak. und röm. Niederlassungen. Marktflecken wohl im 13. Jh.; 1459 erstmals urkundlich erwähnt; im 15./16. Jh. Mittelpunkt der Walachei. 1595 von den Osmanen niedergebrannt, im 17. Jh. wiederaufgebaut. 1821 nach dem Volksaufstand unter Tudor Vladimirescu Mittelpunkt des revolutionären Geschehens. Zentrum der Revolution von 1848 und des Kampfes um die Vereinigung der rumän. Fürstentümer; seit 1862 Hauptstadt. Zerstörung im 2. Weltkrieg und durch Erdbeben 1977. Um die Jahreswende 1989/90 eines der Zentren des Volksaufstandes gegen das Ceauşescu-Regime. – Curtea-Veche-Kirche (1545–54), Patriarchalkirche (1654–58), Stavropoleoskirche (1724 bis 1730), Schloß Mogoşoaia (1688–1702; Brîncoveanustil), neoklassizist. Königsschloß (1930–37), Athenäum (1886–88), Justizpalast (1890–95), Parlamentsgebäude (1907).

Bukavu, Regionshauptstadt in Zaire, am Kiwusee, 1 500 m ü. d. M., 209 000 E. Kath. Erzbischofssitz; geolog. Museum, botan. Garten; Nahrungsmittel-, Textil-, Pharmaind.; Straßenknotenpunkt, Hafen, internat. ✈; Fremdenverkehr. – 1922 gegründet.

Buke [jap. 'bu,ke, bu'ke], die Familien des jap. Kriegsadels im Ggs. zu denen des Hofadels (↑ Kuge); vom 12. Jh. bis zum Ende der Feudalzeit (1868) politisch führende Schicht in Japan, an deren Spitze der Shōgun mit seiner Familie stand.

Bukett [frz.], Blumenstrauß.

◆ (Blume) Duft- und Geschmacksstoffe des Weins.

Bükkgebirge, zentraler Teil des Nordungar. Mittelgebirges, höchste Erhebung Istállóskő (958 m).

bukolische Dichtung [zu griech. būkolikós „die Hirten betreffend, ländlich"] (Bukolik, Hirtendichtung), Dichtung, die ein Bild vom beschaul. Dasein bedürfnisloser Hirten in einer liebl. Landschaft (seit Vergil „Arcadia" gen., deshalb auch Bez. **arkadische Poesie**) entwirft. Theokrit ist der erste bed. Vertreter in der griech., Vergil der bedeutendste in der röm. Literatur („Bucolica"). Der bukol. Roman entstand im Hellenismus (erhalten ist nur „Daphnis und Chloe" von Longos). Die b. D. lebte wieder auf in der italien. Renaissance, u. a. bei Petrarca.

Bukowina [russ. buka'vinɐ] (Buchenland), Gebiet am Osthang der Waldkarpaten, im Quellgebiet von Pruth und Sereth mit (1850–1918) 10 442 km²; der N gehört zur Ukraine, der S zu Rumänien. – Im späten 14. Jh. brachte das Ft. Moldau die B. unter seine Kontrolle. Nach dem russisch-türk. Krieg (1768–74) gestand Rußland 1774 die Besetzung der B. durch Österreich zu, 1775 unter östr. Militärverwaltung, ab 1782 Einwanderung von Rumänen, Ukrainern und Deutschen. 1850 erhielt das Hzgt. im Rahmen der Doppelmonarchie den Status eines Kronlandes. 1918 Anschluß an Rumänien; 1940 besetzte die UdSSR die Nord-B.; 1941 gliederte sich Rumänien die Nord-B. wieder ein, mußte sie jedoch 1947 an die UdSSR abtreten, die das Gebiet 1944 besetzt hatte.

Bukowski, Charles, * Andernach am Rhein 16. Aug. 1920, † San Pedro (Calif.) 9. März 1994, amerikan. Schriftsteller. – Schrieb in knapper, drast. Sprache Stories, Romane und Gedichte über das Leben in den Randzonen der amerikan. Gesellschaft (u. a. „Gedichte, die einer schrieb, bevor er im 8. Stockwerk aus dem Fenster sprang", 1968; „Der Mann mit der Ledertasche", R., 1971; „Stories vom verschütteten Leben", 1984).

Bukranion [griech.], v. a. röm. Dekorationsmotiv in Gestalt eines gemalten oder skulptierten Rinderkopfes oder -schädels.

Bülach, Hauptort des schweizer. Bez. B., Kt. Zürich, im unteren Glattal, 13 100 E. Bahnknotenpunkt, metallverarbeitende Ind., Glashütte; Weinbau.

Bulatović, Miodrag [serbokroat. bu,la:tɔvitɕ], * Okladi bei Bijelo Polje (Montenegro) 20. Febr. 1930, † Igalo (Montenegro) 15. März 1991, serb. Schriftsteller. – Setzt sich in seinem schonungslosen Erzählwerk mit Kriegszeit und der jüngeren Vergangenheit auseinander. – *Werke:* Der rote Hahn fliegt himmelwärts (R., 1959), Der Held auf dem Rücken des Esels (R., 1964), Godot ist gekommen (Dr., 1965), Der Krieg war besser (R., 1968), Der fünfte Finger (R., 1977).

Bulawayo [engl. bʊlə'wɛɪoʊ], Prov.-hauptstadt in SW-Simbabwe, 1 360 m ü. d. M., 415 000 E. Hauptstadt von Matabeleland, Sitz eines anglikan. Bischofs; Nationalmuseum, internat. Handelsmesse, Textilind., Herstellung von landw. Geräten; nahebei Asbestabbau und Goldgewinnung; internat. ✈. – 1894 gegr.; wurde 1943 City.

Bulbärparalyse [griech.], Lähmung der Lippen-, Zungen-, Gaumen- und Kehlkopfmuskeln infolge Schädigung oder Erkrankung der motor. Hirnnervenkerne im verlängerten Mark. Anzeichen der B. sind verlangsamte, kloßige Sprache **(Bulbärsprache),** Kau- und Schluckbeschwerden, Heiserkeit, zuweilen auch Stummheit.

Bulben [griech.], Bez. für knollige, zwiebelähnl. Pflanzenorgane, v. a. bei Orchideen.

Bulbillen [griech.], svw. ↑ Brutknospen.

Bülbüls [arab.-pers.] (Pycnonotidae), Fam. der Singvögel mit rd. 110 sperlings- bis amselgroßen Arten in den Tropen und Subtropen Afrikas und Asiens; Färbung unauffällig. Als Stubenvogel wird der **Rotohrbülbül** (Pycnonotus jocosus) mit weiß und rot gefärbten Ohrdecken gehalten.

Bulbus [griech.], in der *Anatomie* Anschwellung, kugliges Organ, z. B. *B. oculi* („Augapfel").
◆ in der *Botanik* ↑ Zwiebel.

Bule [griech.], Bez. für die mit verschiedener Funktion in fast allen altgriech. Staaten nachweisbare Ratsversammlung; Funktionen: u. a. Beaufsichtigung der Staatsverwaltung, Vertretung des Staates nach außen, bes. Staatsgerichtshof. In Athen bestand die B. unter Solon aus 400 gewählten Mgl. **(Buleuten),** nach der Reform des Kleisthenes aus 500 Ratsherrn.

Bulette [zu frz. boulette „kleine Kugel"], svw. ↑ Frikadelle.

Buleuten [griech.] ↑ Bule.

Bulfinch, Charles [engl. 'bʊlfɪntʃ], * Boston 8. Aug. 1763, † ebd. 4. April 1844, amerikan. Architekt. – Sein architekton. Stil wurde weitgehend vom engl. Palladianismus bestimmt. Bauleiter des Kapitols in Washington 1817–30. Sein bedeutendster Bau ist wohl das Maine State Capitol in Augusta (1829/1830).

Bulgakow, Michail Afanasjewitsch, * Kiew 15. Mai 1891, † Moskau 10. März 1940, russ. Schriftsteller. – Von Gogol beeinflußter, oft wegen seiner objektiven Darstellung des sowjet. Alltags angegriffener satir. Erzähler; erst seit den 1960er Jahren anerkannt. – *Werke:* Die weiße Garde (R., 1925), Hundeherz (E., 1925; hg. 1968; hg. in der Sowjetunion 1987), Die Tage der Geschwister Turbin (Dr., 1926), Der Meister und Margarita (R., entstanden 1928–40, hg. postum 1966/1967, vollständig 1974).

Bulganin, Nikolai Alexandrowitsch, * Nischni Nowgorod 11. Juni 1895, † Moskau 24. Febr. 1975, sowjet. Politiker. – Leitende Positionen in Stalins Partei- und Staatsapparat; seit 1937 Mgl. des ZK, seit 1948 des Politbüros der KPdSU (B); 1947 Marschall der Sowjetunion, 1947–49 und 1952–55 Verteidigungsmin., seit 1955 Min.präs.; 1958 amtsenthoben und aus dem Politbüro ausgeschlossen (1961 auch aus dem ZK).

Bulgaren, südslaw. Volk; etwa 8,7 Mill.; im 7. Jh. durch Mischung aus Innerasien stammender protobulgar. Turkvölker mit slaw., thrak. und awar. Ansässigen entstanden; zumeist Bulgarisch-Orthodoxe, wenige sind Muslime.

Bulgarien

(amtl. Vollform: Republika Balgarija), Republik in SO-Europa, zw. 44° 13′ und 41° 14′ n. Br. sowie 22° 22′ und 28° 37′ ö. L. **Staatsgebiet:** Umfaßt einen Teil der östl. Balkanhalbinsel südl. der Donau; B. grenzt im N an Rumänien, im O an das Schwarze Meer, im SO an die Türkei, im S an Griechenland und im W an Serbien und Makedonien. **Fläche:** 110 912 km². **Bevölkerung:** 9,0 Mill. E (1992), 81 E/km². **Hauptstadt:** Sofia. **Verwaltungsgliederung:** 9 Regionen. **Amtssprache:** Bulgarisch. **Nationalfeiertag:** 9. Sept. **Währung:** 1 Lew (Lw) = 100 Stótinki (St). **Internat. Mitgliedschaften:** UN. **Zeitzone:** Osteurop. Zeit, d. i. MEZ + 1 Stunde.

Landesnatur: B. hat Anteil an mehreren von O nach W verlaufenden Landschaftsräumen. Von N nach S folgen auf die breite Donauebene das Donauhügelland (zw. 100 und 400 m ü. d. M.), der Vorbalkan (zw. 100 und fast 1 500 m ü. d. M.) und der Balkan (im Botew 2 376 m hoch). Seiner S-Flanke ist der Gebirgszug der Sredna gora angegliedert. Im mittleren Abschnitt geht sie in die weite Maritzaniederung über. Südlich der Maritza erhebt sich die Thrak. Masse, gegliedert in mehrere Gebirge.

Klima: B. liegt im Übergangsgebiet vom mittelmeer. zum osteurop. Kontinentalklima; die Sommer sind heiß und trocken, die Winter kalt oder kühlregnerisch.
Bevölkerung: 85% der Bev. sind Bulgaren, 8% Türken, 2,5% Rumänen, sonst Makedonier, Roma, Juden und Armenier. Die Mehrzahl der Gläubigen (⅓ der Bev.) bekennt sich zur orth. bulgar. Nationalkirche, daneben gibt es Muslime, Katholiken, Protestanten und Juden. Schulpflicht besteht von 7–18 Jahren. B. verfügt über 3 Univ.
Wirtschaft: Das in B. gescheiterte sozialist. Wirtschaftssystem mit uneffektiven Produktionsmethoden hinterließ eine zerrüttete Wirtschaft. Trotz starker Industrialisierung nach 1945 ist der landw. Sektor weiterhin bedeutend. Groß ist der Anteil an Sonderkulturen, u.a. Sonnenblumen, Baumwolle, Tomaten, Paprika, Reis, Wein, Rosen, Tabak, Lavendel. Viehzucht wird v.a. in den Gebirgen betrieben. Das Schwergewicht der Ind. liegt auf Maschinenbau und Hüttenwesen, das die im Land geförderten Erze aufbereitet, ferner auf Elektronik und Elektrotechnik, Leichtmetall- und chem. Ind.; Erdölraffinerie und petrochem. Ind. in Burgas. Bed. sind Nahrungs- und Genußmittelind. sowie Textil- und Bekleidungsind. Erdöl und Erdgas werden im NW und an der Schwarzmeerküste gefördert. Der Tourismus ist eine wichtige Einnahmequelle.
Außenhandel: Die UdSSR war 1990 der wichtigste Handelspartner, von den EG-Ländern stand Deutschland an 1. Stelle. Wichtigste Ausfuhrgüter sind Lebensmittel, Nichteisenmetalle und -erze, Tabak, Textilien, Lederwaren, Maschinen; eingeführt werden Maschinen und Ausrüstungen, Erdöl, -gas, Stahl, Rohstoffe, Chemikalien.
Verkehr: Das Eisenbahnnetz hat eine Länge von 4300 km (1989), das Straßennetz ist 36897 km lang. Die Binnenschiffahrt beschränkt sich auf die Donau (Häfen Lom und Russe). Wichtigste Seehäfen sind Warna und Burgas. Die staatl. Luftverkehrsgesellschaft BALKAN bedient 11 inländ. ✈, davon internat. ✈ bei Sofia, Plowdiw, Warna und Burgas.
Geschichte: Erstes historisch faßbares Volk auf dem Gebiet des heutigen B. sind die Thraker. Sie wurden teilweise verdrängt von den Illyrern, kulturell beeinflußt von den Griechen und im 5. Jh. v. Chr. in das Makedon. Reich einbezogen. Im 2. Jh. kam das heutige B. unter röm. Herrschaft. Das Byzantin. Reich mußte die Gründung des 1. Bulgar. Reiches nach einer schweren Niederlage 681 vertraglich anerkennen. Der byzantin. Einfluß führte zur Annahme des orth. Christentums durch Boris I. (864) und zur Einführung der kyrill. Schrift. Unter Simeon I., d. Gr. (♔ 893–927), erreichte das 1. Bulgar. Reich seine größte Macht und Ausdehnung (Titel „Zar der Bulgaren" seit 918, Erhebung des bulgar. Erzbischofs zum Patriarchen). Unter seinen Nachfolgern zerfiel das Reich. B. wurde Byzanz einverleibt und kirchlich dem Erzbistum Ochrid unterstellt. Das 2. Bulgar. Reich entstand nach einem Aufstand unter der Führung der Brüder Peter und Iwan Assen (1185). Die Dyn. der Assen konnte den territorialen Bestand des 1. Bulgar. Reiches nahezu wiederherstellen. Nach der Schlacht bei Welbaschd (= Kjustendil) geriet B. 1330 unter serb. Einfluß. Zugleich löste es sich in mehrere Teilreiche auf und wurde 1393 Teil des Osman. Reiches. Erst im 18. Jh. setzte die Wiedergeburt bulgar. Selbstbewußtseins ein. Die erfolgreichen Freiheitskämpfe der Griechen, Serben und Rumänen sowie die Wirkung der russisch-türk. Kriege führten auch in B. zur Bildung bewaffneter Freischärlergruppen. Blutig niedergeschlagene Aufstände führten schließl. zum russisch-türk. Krieg von 1877/78, in dessen Ergebnis (Berliner Kongreß) ein tributäres Ft. entstand. Süd-B. verblieb als autonome Prov. Ostrumelien beim Osman. Reich. Das Ft. B. erhielt unter russ. Ägide eine liberale Verfassung, Alexander von Battenberg wurde zum Fürsten gewählt. Die nat. bulgar. Bestrebungen Alexanders I. führten zur Gegnerschaft Rußlands und schließlich zum Thronverzicht des Fürsten (1886). Als sein Nachfolger wurde 1887 Ferdinand von Sachsen-Coburg-Gotha gewählt, dem es 1908 gelang, die formelle Unabhängigkeit von B. durchzusetzen und sich zum Zaren krönen zu lassen. Als treibende Kraft des Balkanbundes (1912) trug B. die Hauptlast des 1. Balkankrieges und begann den 2. Balkankrieg gegen Serbien und Griechenland (1913). Die bulgar. Armeen wurden jedoch geschlagen. In den Friedensverträgen von Bukarest und Konstantinopel verlor B. große Teile der im 1. Balkankrieg gewonnenen Territorien, zusätzlich die Süddobrudscha an Rumänien. Im 1. Weltkrieg schloß sich B. 1915 den Mittelmächten an und besetzte die von ihm beanspruchten Gebiete. Der Vertrag von Neuilly nahm B. 1919 diese Gebiete wieder ab.
Unter Zar Boris III. (1918–43) kam es im Juni 1923 zu einem Staatsstreich und zur Ermordung von Min.präs. A. Stamboliski. Im Sept. wurde ein kommunist. Aufstand unter W. Kolarow und G. Dimitrow zum Sturz der Reg. A. Zankow niedergeworfen. Nach einem Militärputsch 1934 kam es zur Auflösung der polit. Parteien. Seit 1935 regierte Boris III. durch persönl. Beauftragte. 1940 erwirkte B. die Rückgabe der Süddobrudscha von Rumänien, 1941 schloß sich B. dem Dreimächtepakt an und wurde von dt. Truppen besetzt.

Im Sept. 1944 marschierte die Rote Armee in B. ein, das nach einem Putsch der Vaterländ. Front am 28. Okt. in den Krieg gegen Deutschland eintrat. In den Wahlen von 1945 erhielt die Vaterländ. Front, in der die Kommunisten die Oberhand gewonnen hatten, 88,2% der Stimmen. 1948 erfolgte die Vereinigung der Bulgar. KP mit der Bulgar. Sozialdemokrat. Partei. Nach der Regierung K. Georgiew (1944–46), unter der eine Bodenreform durchgeführt wurde, leiteten G. Dimitrow (1946–49), W. Kolarow (1949–50) und W. Tscherwenkow (1950–56) die Reg. Letzterer wurde als Vertreter des Personenkults im Zuge der Entstalinisierung von A. Jugow (1956–62) abgelöst, der aus ähnl. Gründen seine Ämter auf dem VIII. Parteikongreß an T. Schiwkow (1962) verlor. In der Folge arbeitete B. wirtsch. und politisch sehr eng mit der Sowjetunion zusammen. Die Politik Schiwkows in der 2. Hälfte der 1970er Jahre wurde durch eine v.a. wirtschaftlich motivierte Anlehnung an die Sowjetunion geprägt. Die bulgar. Außenpolitik dieser Zeit war v.a. durch die Verbesserung der Beziehungen zu Jugoslawien gekennzeichnet. Die von Schiwkow betriebene minderheitenfeindl. Politik (ab Mitte der 1980er Jahre verstärkte Zwangsbulgarisierung der türkischstämmigen Bevölkerung) löste ab Mai 1989 schwere Unruhen sowie die Ausreise Hunderttausender bulgar. Türken aus. Orientiert an Reformbestrebungen in der Sowjetunion und anderen Ostblockstaaten, erzwangen oppositionelle Kräfte am 10. Nov. 1989 den Rücktritt Schiwkows als Generalsekretär der Bulgar. KP (am 17. Nov. als Vorsitzender des Staatsrates entbunden). P. Mladenow, sein Nachfolger als Generalsekretär (bis Febr. 1990) und Staatsratsvorsitzender (April/Aug. 1990 Staatspräs.), versuchte, mit der Verkündung eines „neuen Kurses" die sich formierende Reform- und Bürgerrechtsbewegung unter Kontrolle zu bringen. Im Jan. 1990 billigten die Abgeordneten des Parlaments eine Deklaration zur Nationalitätenfrage, die die Rechte der türk. Minderheit wieder herstellte, bei der bulgar. Bevölkerungsmehrheit jedoch nationalistisch motivierte Massenaktionen auslöste. Am 15. Jan. 1990 annullierte das Parlament den verfassungsrechtlich festgeschriebenen Führungsanspruch der Bulgar. KP (seit März 1990 Bulgar. Sozialist. Partei, BSP); eine Verfassungsänderung ermöglichte die Bildung von Parteien. Anfang Febr. 1990 wurde A. Lukanow Min.präs. Die Parlamentswahlen im Juni 1990 brachten der BSP die absolute Mehrheit. Ihre wiederholten Bemühungen, eine überparteil. Regierung zu bilden, scheiterten an der Ablehnung der Oppositionsparteien (bes. UDK). Staatspräs. ist seit 1. Aug. 1990 S. Schelew (bestätigt bei der Präs.wahl im Jan. 1992). Nach dem Rücktritt der Reg. im Aug. gelang es Lukanow nicht, eine „Reg. der nat. Einheit" unter Einschluß der Opposition zusammenzustellen, um der tiefen Wirtschaftskrise und den wachsenden sozialen Spannungen zu begegnen. Nach dreiwöchigen Protesten der parlamentar. und außerparlamentar. Opposition (bes. der Gewerkschaften, zuletzt Generalstreik) trat er Ende Nov. 1990 zurück. Die im Dez. 1990 unter dem parteilosen D. Popow gebildete Koalitionsreg. von UDK und BSP stand v.a. vor der Aufgabe, den akuten wirtschaftl. Notstand zu beheben. Ein von allen Parteien am 3. Jan. 1991 unterschriebenes „Abkommen zum friedl. Übergang zur Demokratie" legte die einzelnen Reformschritte in Wirtschaft (v.a. Privatisierung) und Gesellschaft fest. Am 12. Juli 1991 nahm das mehrheitlich kommunist. Parlament die 1. nichtkommunist. Verfassung B. an. Am 17. Juli wurde das Parlament aufgelöst. Bei den Wahlen im Okt. 1991 setzte sich die UDK durch. Die von ihr mit der BSP gebildete Koalitionsreg. brach Ende 1992 auseinander. Ein von dem parteilosen L. Berow geführtes Expertenkabinett scheiterte im Sept. 1994. Nachdem etliche Versuche, eine Reg. zu bilden, gescheitert waren, löste Präs. Schelew Mitte Okt. 1994 das Parlament auf und schrieb Neuwahlen für Dez. aus, aus denen die BSP mit einer absoluten Mehrheit als Sieger hervorging.

Politisches System: Die Verfassung vom 12. Juli 1991 erklärt B. zur parlamentar. Republik, zu einem demokrat. sozialen Rechtsstaat mit polit. Pluralismus und marktwirt. System, *Staatsoberhaupt* mit beschränkten Vollmachten ist der aus direkter Volkswahl hervorgehende Präs. (Amtszeit 5 Jahre). Oberstes Organ der *Exekutive* ist das Kabinett unter Vorsitz des Min.präs., das vom Parlament eingesetzt wird und ihm verantwortlich ist. Die Volksversammlung (240 Abg.) als *Legislative* und höchstes Vertretungsorgan wird für jeweils 4 Jahre gewählt. Die *Parteien*landschaft befindet sich im Prozeß der Umprofilierung. Die im alten polit. System herrschende Bulgar. Kommunist. Partei hat sich 1990 in Bulgar. Sozialist. Partei (BSP) umbenannt und ihren Führungsanspruch aufgegeben. Unter den neuen demokrat. Parteien und Bewegungen dominieren die Union der Demokrat. Kräfte (SDS bzw. UDK; in 3 Fraktionen gespalten), die Bewegung für Rechte und Freiheiten (der türk. und muslim. Bev.) sowie der Bulgar. Nat. Bauernbund (BZNS). *Verwaltungsmäßig* ist B. in 9 Regionen untergliedert, die begrenzte Selbstverwaltung besitzen. *Das Rechtswesen* mit einem dreistufigen Gerichtssystem (an der Spitze stehen das Oberste Kassations- und das

Oberste Verwaltungsgericht) wird umgestaltet, u. a. ist die Bildung eines Verfassungsgerichts vorgesehen.

🕮 *Hess, G.: B. Landeskundl.-geograph. Überblick. Lpz. ²1985.*

bulgarische Kunst, aus thrak. Zeit sind Fürstengräber erhalten (Kasanlak). Frühbyzantin. Kirchen finden sich in Sofia, Nessebar, Goljamo Belowo und Perutschiza. Nach der Christianisierung der Bulgaren setzte sich der byzantin. Einfluß auf allen Gebieten der Kunst durch. Der interessanteste Kirchenbau ist die Rundkirche von Preslaw (10. Jh.; Ruine). Nur in Bulgarien hat sich ein zweistöckiger (byzantin.) Kirchentypus erhalten (Batschkowo, Bojana). Einige Kirchen in Nessebar gehören stilistisch der mittelbyzantin. Architektur an, dem Übergang von der Kuppelbasilika zur Kreuzkuppelkirche. Die Zeugnisse des 2. Bulgar. Reiches sind bis auf wenige Wandmalereien im Komnenenstil (Kloster Bojana, 1259) zerstört. Fresken im Paläologenstil finden sich in der Höhlenkirche von Iwanowo bei Russe (14. Jh.). Vom 15.–18. Jh. wurde die b. K. von der Mönchskunst des Athos bestimmt. Als spezifisch bulgarisch-makedon. Kunst entwickelte sich die Holzschnitzerei (Schulen von Debar und Samokow). N. Petrow (* 1881, † 1916) gilt als Begründer der modernen b. K.; ihm zur Seite stellten sich u. a. S. Skitnik (* 1883, † 1943) und W. Dimitrow-Maistora (* 1882, † 1960). Künstler der nachfolgenden Generation sind u. a. S. Russew (* 1933), D. Kirow (* 1935), T. Sokerow (* 1943), S. Stoilow (* 1944).

🕮 *Kunstdenkmäler in Bulgarien. Hg. von R. Hootz. Mchn. 1983. – Boschkow, A.: Die bulgar. Malerei. Von den Anfängen bis zum 19. Jh. Dt. Übers. Recklinghausen 1969.*

bulgarische Literatur, die *ältere b. L.* knüpft an das kirchlich-literar. Wirken der beiden Slawenlehrer Kyrillos und Methodios (↑ Altkirchenslawisch) an und ist v. a. durch geistl. Inhalte gekennzeichnet. Erste Blüte unter dem bulgar. Zaren Simeon d. Gr. (♔ 893–927). Vom 12.–14. Jh. kam neben der geistl. Dichtung (Apokryphen, Heiligendichtung) auch weltl. Literatur auf (z. B. Trojaroman, Alexanderroman). Bis ins 17. Jh. gab es keine bed. literar. Leistungen mehr. Unberührt davon aber entwickelte sich eine reiche Volksdichtung. Die *neuere b. L.* setzte im Zuge einer nat. Wiedergeburt ein; sie diente zunächst dem Befreiungskampf gegen die osman. Herrschaft und verherrlichte nach 1878 den nat. Sieg. Zu nennen sind v. a. P. R. Slaweikow, C. Botew, I. Wasow und A. J. Konstantinow, der sich von dem Pathos der Freiheitsdichtung distanzierte. Westl. Einflüssen öffnen sich um die Jh.wende die Symbolisten P. Slaweikow und P. Jaworow; in den 1920er Jahren sind die Prosaisten E. Pelin und J. Jowkow zu nennen. Die *b. L. nach dem 2. Weltkrieg* ist wesentlich vom sozialist. Realismus bestimmt (S. Z. Daskalow, D. Dimow, D. Talew), wird jedoch zunehmend eigenständiger, so in der Dorfprosa (G. D. Raditschkow), im histor. Roman (D. S. Futschedschiew, P. Weschinow) und in der Dramatik.

🕮 *A biobibliographical handbook of Bulgarian authors. Hg. v. K. L. Black. Engl. Übers. Columbus 1981.*

bulgarische Musik, bis zur Befreiung von der osman. Herrschaft 1878 weitestgehend beschränkt auf Volksmusik und einstimmigen Kirchengesang. Die noch heute lebendige bulgar. Volksmusik ist Spiegel der musikal. Kultur der Südslawen. Der einstimmige Kirchengesang nahm seinen Anfang mit den Missionaren Kyrillos und Methodios und deren Schülern (v. a. Kliment) im 9. Jh. Als das Land 1018 unter die Herrschaft der Byzantiner fiel, wurde auch deren Choraltradition übernommen und in den folgenden Jh. gepflegt. Mit der Wiedererlangung der bulgar. Selbständigkeit im Jahre 1878 beginnt die Ausbildung der bulgar. Kunstmusik, deren erster großer Vertreter der Dvořák-Schüler Dobri Christow (* 1875, † 1941) wurde. Die Vertreter der Avantgarde verbinden einheim. Volksmusikelemente mit Einflüssen westl. Kompositionstendenzen.

bulgarische Sprache, kyrillisch geschriebene Sprache, die in Bulgarien gesprochen wird und zur südslaw. Sprachgruppe gehört. Bulgar. Sprachkolonien bestehen dazu in N-Griechenland, W-Makedonien, Rumänien und Bessarabien. Die ersten *altbulgar.* Sprachdenkmäler sind aus dem 10. Jh. überliefert (↑ Altkirchenslawisch). Die *mittelbulgar.* Phase umfaßt das 12.–14. Jh. (Übergang zur neubulgar. synthet. Deklination). Der Türkeneinfall (Ende des 14. Jh.) unterbrach die sprachkulturelle Entwicklung für fast 500 Jahre (1878). Das *Neubulgar.*, das sprachlich mit dem 15. Jh. im wesentlichen ausgebildet war, wurde erst im Zuge der nat. Wiedergeburt des 19. Jh. zur Schriftsprache erhoben.

Bulimie [griech.] ↑ Heißhunger.

Bulkcarrier [engl. 'bʌlkkærıə] ↑ Massengutfrachter.

Bull, John [engl. bʊl], * in Somerset (?) um 1562, † Antwerpen 12. oder 13. März 1628, engl. Komponist. – Schrieb 145 Virginalstükke (45 im „Fitzwilliam Virginal Book"), Anthems und Lamentationen.

B., John ↑ John Bull.

B., Olaf [norweg. bʉl], * Kristiania 10. Nov. 1883, † Oslo 23. Juni 1933, norweg. Lyriker. – Schrieb sprachlich und formal vollendete Gedichte abseits aller literar. Strömungen, z. T. mit pessimist. Grundton.

Bull (Compagnie des Machines B., Abk. CMB) [frz. byl], frz. Unternehmen der Computerind., gegr. 1935, ben. nach dem norweg. Ingenieur F. R. Bull.

Bulla [lat.], hohle Amulettkapsel (rund, herz- oder halbmondförmig) aus Metall oder Leder, die im antiken Rom von Knaben bis zur Mündigkeit, von Mädchen bis zur Heirat und von Triumphatoren getragen wurde.

Bullant, Jean [frz. by'lã], * Écouen (Val-d'Oise) um 1515, † ebd. 13. Okt. 1578, frz. Baumeister. - 1557-59 und seit 1570 Leiter der königl. Bauten u. a. bei den Tuilerien, in Fontainebleau und in Chambord. Außerdem Schloß Écouen (1556) und als Höhepunkt das Schloß von Chantilly (1567).

Bullauge [niederdt.], dick verglastes, rundes Schiffsfenster.

Bulldogge [engl.] (Englische Bulldogge), kurzhaarige, gedrungene, schwerfällig wirkende, jedoch bewegliche und temperamentvolle engl. Hunderasse (Schulterhöhe 40-45 cm, Zwergform 35-40 cm); mit großem, viereckigem Schädel und verkürztem Schnauzenteil; tief herabhängende Oberlefzen.

Bulldozer [...do:zər; engl.], schwere Planierraupe für Erdbewegungen.

Bulle [lat.], Siegel aus Metall von kreisrunder Form. **Goldbullen** waren den Herrschern vorbehalten und wurden zur Besiegelung bes. feierl. und wichtiger Urkunden v. a. byzantin. und abendländ. Kaiser (seit Justinian bzw. Karl d. Gr.) verwendet. **Silberbullen** sind nur vereinzelt nachweisbar, v. a. in Byzanz und Venedig (16./17. Jh.). **Bleibullen** waren in Südeuropa die geläufigste Siegelform, auch im byzantin. Bereich und seit dem 6. Jh. in der päpstl. Kanzlei. Befestigt wurden die B. an der Urkunde mit Seiden- oder Hanffäden, auch mit Lederriemen.

◆ mit einer B. versiegelte Urkunde, v. a. bestimmte Gruppen der Papsturkunden. Sie betreffen die wichtigsten Rechtsakte des Hl. Stuhls (z. B. Errichtung und Umschreibung von Bistümern, Kanonisationen).

Bulle, männl. geschlechtsreifes Tier bei Rindern, Giraffen, Antilopen, Elefanten, Nashörnern, Flußpferden u. a.: bei Hausrindern häufig als **Stier** bezeichnet.

Bulletin [byl'tɛ̃:; lat.-frz.], amtl. Bekanntmachung, Tagesbericht; auch regelmäßiger Bericht über die Sitzungen wiss. Gesellschaften und Titel wiss. Zeitschriften.

Bullinger, Heinrich, * Bremgarten (AG) 18. Juli 1504, † Zürich 17. Sept. 1575, schweizer. ref. Theologe, Historiker und Kirchenführer. - 1531 Nachfolger Zwinglis als Leiter der Züricher Kirche; verfaßte die Confessio Helvetica posterior (1566).

Bullterrier [engl.], aus Bulldoggen und Terriern gezüchteter mittelgroßer, kurzhaariger, kräftiger engl. Rassehund mit spitzen Stehohren und Hängerute; Kopf lang, mit breiter Stirn.

Bully [engl. 'bʊlɪ], das von zwei Spielern ausgeführte Anspiel beim Hockey, Roll- und Eishockeyspiel (hier offiziell Einwurf).

Bülow ['by:lo], mecklenburg. Adelsgeschlecht; seit 1229 urkundlich bezeugt; bed.:

B., Bernhard Heinrich Martin Fürst von (seit 1905), * Klein-Flottbek (= Hamburg) 3. Mai 1849, † Rom 28. Okt. 1929, dt. Politiker. - Seit 1874 im diplomat. Dienst; 1897 Staatssekretär im Auswärtigen Amt; 1900 zum Reichskanzler und preuß. Min.präs. berufen. Verkörperte mit seiner Außenpolitik den Drang des industriellen Deutschland zur Weltgeltung und das Bestreben der alten Machteliten, das bestehende Gesellschaftsgefüge zu bewahren. Seine unentschlossene Haltung gegenüber Großbritannien und Rußland führte zus. mit dem Flottenbau zur weltpolit. Isolierung des Dt. Reiches. Innenpolitisch trat B. durch die Bildung des konservativ-liberalen „B.-Blocks" im Reichstag hervor. Demissionierte nach Schwächung seiner Position auf Grund der Daily-Telegraph-Affäre, nach Zerbrechen des „B.-Blocks" an der Wahlrechtsreform sowie Ablehnung der Reichsfinanzreform 1909. Bed. seine „Denkwürdigkeiten" (4 Bde., postum 1930-31).

B., Friedrich Wilhelm Graf (seit 1814) B. von Dennewitz, * Falkenberg (Altmark) 16. Febr. 1755, † Königsberg (Pr) 25. Febr. 1816, preuß. General. - Generalmajor seit 1808; bereitete als Generalgouverneur in Ost- und Westpreußen seit 1812 die preuß. Erhebung gegen Napoleon I. vor; zeichnete sich 1813 durch Siege bei Großbeeren und Dennewitz sowie in der Völkerschlacht bei Leipzig aus.

B., Hans Graf von (1810/16), * Essenrode (Landkr. Gifhorn) 14. Juli 1774, † Bad Landeck i. Schl. [in Schlesien] 11. Aug. 1825, preuß. Minister. - Führte als Finanzmin. 1808-11 unter König Jérôme von Westfalen eine erfolgreiche Steuerreform durch; 1813-17 preuß. Finanzmin., seit 1817 Min. für Handel und Gewerbe.

B., Hans Guido Frhr. von, * Dresden 8. Jan. 1830, † Kairo 12. Febr. 1894, dt. Pianist und Dirigent. - Heiratete 1857 F. Liszts Tochter Cosima, die ihn 1868 wegen R. Wagner verließ; 1867 Hofkapellmeister in München, 1877-79 Hofkapellmeister in Hannover, 1880-85 Hofmusikintendant in Meiningen; 1887 Leiter der Abonnementskonzerte in Hamburg und Dirigent der Berliner Philharmoniker. Detaillierte Werkdeutung und seine orchestererzieher. Arbeit machten B. zu einem richtungweisenden Dirigenten.

B., Vicco von ↑ Loriot.

Bultmann, Rudolf Karl, * Wiefelstede 20. Aug. 1884, † Marburg 30. Juli 1976, dt. ev. Theologe. - 1916 Prof. in Breslau, 1920 in Gießen, 1921 in Marburg; Schüler von J. G. W. Herrmann, führender Vertreter der

↑dialektischen Theologie. Im Zusammenhang mit der Anwendung historisch-krit. Methoden entwickelt er die „existentiale Interpretation", die durch den Aufsatz „N.T. und Mythologie" (1941, Nachdr. [3]1988) als Programm der ↑Entmythologisierung bekannt wurde, die versuchte, die Botschaft des N.T. vom Kreuz und der Auferstehung Christi aus dem myth. Weltbild herauszulösen und das in der Bibel „zum Ausdruck kommende Verständnis der menschl. Existenz" herauszuarbeiten: Reden über Gott ist nur als Reden über den Menschen möglich.
Werke: Die Geschichte der synopt. Tradition (1921, [9]1979), Jesus (1926, Neuauflage 1988), Das Johannes-Evangelium (1941, [21]1986 u.d.T. Das Evangelium des Johannes), Das Urchristentum im Rahmen der antiken Religionen (1949, [5]1986 u.d.T. Das Urchristentum), Theologie des N.T. (1953, [9]1984), Die drei Johannesbriefe (1957, [8]1969).
📖 *R. B. Werk u. Wirkung. Hg. v. B. Jaspert. Wsb. 1984. – Fuchs, E.: Hermeneutik. Tüb. [4]1970. – Marlé, R.: B. u. die Interpretation des N.T. Dt. Übers. Paderborn [2]1967. – Schmithals, W.: Die Theologie R. Bultmanns. Tüb. [2]1967.*

Bulwer-Lytton, Edward George Earle Lytton, Baron Lytton of Knebworth (seit 1866) [engl. 'bʊlwə 'lɪtn], *London 25. Mai 1803, †Torquay 18. Jan. 1873, engl. Schriftsteller und Politiker. – Erfolgreich waren seine Bühnenstücke und histor. Romane („Die letzten Tage von Pompeji", 1834; „Rienzi, der letzte Tribun", 1835, hiernach schuf Wagner seine Oper); Gesellschaftsromane sind „Dein Roman: 60 Spielarten engl. Lebens" (1851/52), „Was wird er damit machen" (1858).

Bumbry, Grace [engl. 'bʌmbrɪ], *Saint Louis (Mo.) 4. Jan. 1937, amerikan. Sängerin (Mezzosopran). – Sang 1961 als erste Farbige in Bayreuth die Venus in R. Wagners Oper „Tannhäuser"; auch Liedinterpretin.

Bumerang ['bu:məraŋ, 'bʊ...; austral.-engl.], gewinkeltes oder leicht gebogenes Wurfholz der Eingeborenen Australiens (nicht bei allen Stämmen vorkommend), auch Sportgerät. Die Bauart ermöglicht, daß der B. zum Werfer zurückkehrt (jedoch nicht bei allen Arten).

Buna (Wz) [Kw. aus **Bu**tadien und **Na**trium], Handelsname für eine Reihe von Synthesekautschukarten (Buna SR, Buna AP u.a.); urspr. Bez. für ein aus Butadien mit Natrium als Katalysator hergestelltes Polymerisat.

Bunche, Ralph Johnson [engl. bʌntʃ], *Detroit (Mich.) 7. Aug. 1904, †New York 9. Dez. 1971, amerikan. Diplomat. – Seit 1949 im Dienst der UN; vermittelte im 1. Israelisch-Arab. Krieg 1949 einen Waffenstillstand; erhielt 1950 den Friedensnobelpreis.

Bund, in der *Theologie* das bes. Verhältnis des Gottes Israels, Jahwe, zu seinem Volk, aber auch Zentralbegriff für das Verhältnis von Gott und Mensch und der Menschen untereinander. Nach christl. Glauben schloß Gott in Christus den ↑Neuen Bund, der aller Welt angeboten wird.
◆ in der *Soziologie* von H. Schmalenbach definierte Grundform sozialer Gruppen, die zw. den Erscheinungen „Gemeinschaft" und „Gesellschaft" steht. Hauptmerkmale sind die auf gemeinsamer Wert- und Zielorientierung beruhenden engen Beziehungen der B.mgl. untereinander sowie ihre bedingungslose Unterordnung unter die Führungsinstanzen des Bundes.
◆ bei Bundesstaaten Bez. für den Zentralstaat im Gegensatz zu den Gliedstaaten (Ländern).
◆ (Bünde) Querleisten auf dem Griffbrett von Saiteninstrumenten, die die Saiten abteilen und das saubere Greifen eines Tons erleichtern (z.B. bei der Gitarre).
◆ umgangssprachl. kurz für: Bundeswehr.

Bund, Der, schweizer. Zeitung, ↑Zeitungen (Übersicht).

BUND, Abk. für: ↑**B**und für **U**mwelt und **N**aturschutz **D**eutschland e.V.

Bund der Deutschen Katholischen Jugend, Abk. BDKJ, 1947 gegr. Dachorganisation der Verbände der dt. kath. Jugend.

Bund der Evangelischen Kirchen in der Deutschen Demokratischen Republik, am 10. Juni 1969 verkündeter und in Kraft getretener Zusammenschluß der 8 ev. Kirchen in der DDR in organisator. Loslösung von der EKD. Organe waren die Synode (Theologen und Laien) und die Kirchenkonferenz. Seit Aug. 1990 nur noch „Bund der Ev. Kirchen" gen., wurde 1991 mit der EKD vereinigt. Obwohl die Ev. Kirchen lange Zeit

Bumerang. Formen verschiedener Bumerange der Eingeborenen Australiens (links gewöhnliches Wurfholz)

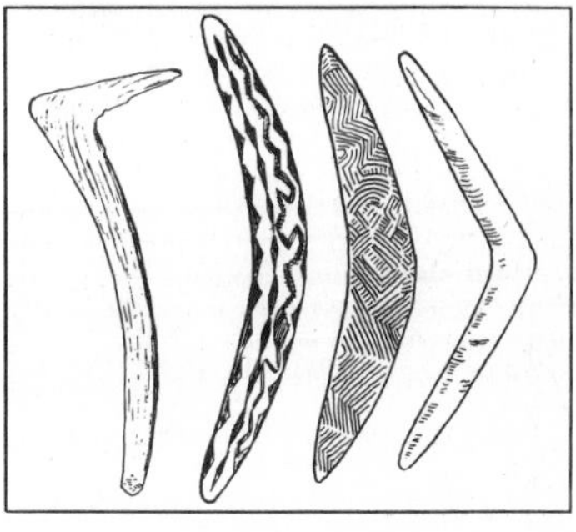

Schutz und Entfaltungsmöglichkeiten für oppositionelle Bewegungen boten und großen Anteil an der friedl. Revolution im Herbst 1989 in der DDR hatten, wurde zuletzt (z. B. Synode von Leipzig, Sept. 1990) auch selbstkritisch über die Haltung zum SED-Staat nachgedacht.

Bund der Kommunisten, polit. Organisation dt.-sprachiger Intellektueller, Handwerker und Arbeiter 1847–52, aus dem „Bund der Gerechten" (seit 1837) entstanden; war vor und nach der Revolution von 1848 und 1849 v. a. in London, Brüssel, Paris und in der Schweiz verbreitet: programmatisch seit 1847 wesentlich von Marx und Engels geprägt; erhielt mit dem Kommunist. Manifest eine wirksame Theorie.

Bund der Landwirte, Abk. BdL, 1893 gegr. einflußreichster Interessenverband im Dt. Kaiserreich mit dem Ziel, die durch den Industrialisierungsprozeß gefährdete Vormachtstellung der Landw. in Politik und Wirtschaft zu verteidigen; rückte mit stark antisemitisch geprägter und gegen Liberalismus und Pluralismus gerichteter Propaganda in die Nähe vorfaschist. Bewegungen; ging 1921 im Reichslandbund auf.

◆ Abk. BdL, zur Interessenwahrnehmung sudetendeutscher Bauern in der ČSR 1919 gegr. polit. Partei; löste sich 1938 zugunsten der Sudetendeutschen Partei auf.

Bund der Sozialdemokratischen Parteien der Europäischen Gemeinschaft, 1974 gegr. Zusammenschluß der nat. Mitgliedsparteien der Sozialist. Internationale in den Mgl.staaten der EG; hervorgegangen aus dem seit 1957 bestehenden Verbindungsbüro der sozialist. und sozialdemokrat. Parteien der EWG- bzw. EG-Mitgliedsstaaten.

Bund der Steuerzahler e. V., parteipolitisch neutraler, unabhängiger, gemeinnütziger Verein, der die Interessen der Steuerzahler dem Staat gegenüber vertritt; gegr. 1949, Sitz Wiesbaden.

Bund der Vertriebenen, Vereinigte Landsmannschaften und Landesverbände, Abk. BdV, 1957 durch den Zusammenschluß des **Bundes der vertriebenen Deutschen** und des **Verbandes der Landsmannschaften** gebildete Spitzenorganisation der Heimatvertriebenen; umfaßt 21 Bundeslandsmannschaften und 11 Landesverbände. Sitz: Bonn.

Bund Deutscher Architekten, Abk. BDA, Spitzenorganisation der freischaffenden dt. Architekten mit Sitz in Bonn.

Bund Deutscher Mädel ↑Hitlerjugend.

Bund Deutscher Offiziere, 1943 gegr. Organisation dt. Offiziere in sowjet. Kriegsgefangenschaft unter Vorsitz des Generals W. von Seydlitz. Rief neben dem Nationalkomitee Freies Deutschland die Offiziere der Wehrmacht zur Beendigung des Krieges durch Widerstand gegen Hitler auf; im Nov. 1945 aufgelöst.

Bund Deutscher Pfadfinder ↑Pfadfinder.

Bünde, Stadt im Ravensberger Hügelland, NRW, 39 100 E. Tabak- und Zigarrenmuseum; Zigarrenind. u. a. – Im 9. Jh. zuerst erwähnt, 1719 Stadtrecht. – Stadtkirche (13. Jh.), Fachwerkhäuser (18. und 19. Jh.).

Bündelpfeiler, in der got. Baukunst Pfeiler, um dessen Kern ↑Dienste angeordnet sind.

Bund entschiedener Schulreformer, 1919–33 in Deutschland bestehende pädagog. Vereinigung mit sozialrevolutionären Tendenzen, die sich für die elast. ↑Einheitsschule, die eine Lebens- bzw. Produktionsschule (↑Arbeitsschule) sein sollte, sowie für einheitl. Lehrerbildung an Hochschulen, Schulgeldfreiheit u. a. einsetzte.

Bundesadler ↑Hoheitszeichen.

Bundesakademie für öffentliche Verwaltung, 1969 im Geschäftsbereich des Bundesmin. des Innern errichtete Fortbildungsstätte für Angehörige der öffentl. Verwaltung; Sitz Bonn.

Bundesakte ↑Deutsche Bundesakte.

Bundesämter, durch einen das Fachgebiet kennzeichnenden Zusatz ergänzte Bez. für zahlr. Bundesoberbehörden (↑Übersicht). In *Österreich* sind die B. eigene Behörden des Bundes, die regelmäßig einem Bundesmin. untergeordnet sind und für Vollzugsaufgaben zuständig sind. In der *Schweiz* sind B. den Departementen nachgeordnete Verwaltungseinheiten.

Bundes-Angestelltentarifvertrag, Abk. BAT, Tarifvertrag vom 23. 2. 1961 zw. dem Bund, der Tarifgemeinschaft dt. Länder und der Vereinigung kommunaler Arbeitgeberverbände einerseits sowie der DAG und der Gewerkschaft ÖTV andererseits zur Regelung der Rechtsverhältnisse der Angestellten von Bund, Ländern und Gemeinden in der BR Deutschland (ausgenommen Angestellte der Dt. Bundesbahn und der Dt. Bundespost). Seit dem 1. April 1961 in Kraft. In den neuen Bundesländern gilt der BAT Ost. Arbeitsverhältnisse auf der Grundlage des BAT sind privatrechtliche Rechtsverhältnisse.

Bundesanleihen, [Inhaber]schuldverschreibungen der BR Deutschland oder der Sondervermögen des Bundes; i. w. S. auch der Dt. Bundesbahn, Dt. Bundespost und anderer Sondervermögen des Bundes. Die Emission erfolgt durch das Bundesanleihekonsortium unter Führung der Dt. Bundesbank (ohne Quote).

Bundesämter (B), Bundesanstalten (BA), Bundesforschungsanstalten (BFA), Bundesinstitute (BI) oder Einrichtungen mit ähnlichem Status in der Bundesrepublik Deutschland
(Auswahl; geordnet nach den Geschäftsbereichen der Bundesministerien)

Arbeit und Sozialordnung:
Bundesversicherungsamt, Berlin
BA für Arbeitsschutz und Unfallforschung, Dortmund
BA für Arbeit, Nürnberg

Auswärtiges:
Deutsches Archäologisches Institut, Berlin (Zentraldirektion)

Bildung, Wissenschaft, Forschung und Technologie:
BI für Berufsbildung, Berlin
Deutsches Historisches Institut, Paris
Deutsches Historisches Institut, Rom
Kunsthistorisches Institut, Florenz
Biologische Anstalt Helgoland, Hamburg

Ernährung, Landwirtschaft und Forsten:
B für Ernährung und Forstwirtschaft, Frankfurt a. M.
Bundessortenamt, Hannover
BFA für Landwirtschaft, Braunschweig
Biolog. BA für Land- und Forstwirtschaft, Braunschweig
BA für Milchforschung, Kiel
BFA für Fischerei, Hamburg
BFA für Forst- und Holzwirtschaft, Hamburg
BFA für Getreide- und Kartoffelverarbeitung, Detmold
BFA für Viruskrankheiten der Tiere, Tübingen
BFA für Rebenzüchtung Geilweilerhof, Siebeldingen
BA für Fleischforschung, Kulmbach
BFA für Ernährung, Karlsruhe
BFA für gartenbaul. Pflanzenzüchtung, Ahrensburg
BA für Fettforschung, Münster
BA für landwirtschaftl. Marktordnung, Frankfurt a. M.

Finanzen:
Bundesmonopolverwaltung für Branntwein/Bundesmonopolamt, Offenbach a. M.
Bundesschuldenverwaltung, Bad Homburg v. d. Höhe
B für Finanzen, Bonn
Bundesaufsichtsamt für das Kreditwesen, Berlin
Bundesaufsichtsamt für das Versicherungswesen, Berlin
Versorgungsanstalt des Bundes und der Länder, Karlsruhe
Kreditanstalt für Wiederaufbau, Frankfurt a. M.

Inneres:
Statistisches Bundesamt, Wiesbaden
Bundesverwaltungsamt, Köln
Bundesarchiv, Koblenz
Institut für Angewandte Geodäsie, Frankfurt a. M.
Bundeszentrale für polit. Bildung, Bonn
BI für ostwissenschaftl. und internat. Studien, Köln
BI für Sportwissenschaft, Köln
B für die Anerkennung ausländ. Flüchtlinge, Zirndorf
B für Verfassungsschutz, Köln
B für Zivilschutz, Bonn
Bundeskriminalamt, Wiesbaden
Akademie für zivile Verteidigung, Bonn
Bundesausgleichsamt, Bad Homburg v. d. Höhe
BI für Bevölkerungsforschung, Wiesbaden

Familie, Senioren, Frauen und Jugend:
B für den Zivildienst, Köln
Bundesprüfstelle für jugendgefährdende Schriften, Bonn

Gesundheit:
B für Sera und Impfstoffe, Paul-Ehrlich-Institut, Frankfurt a. M.
Bundeszentrale für gesundheitl. Aufklärung, Köln

Justiz:
Deutsches Patentamt, München

Post- und Telekommunikation:
Posttechn. Zentralamt, Darmstadt
Fernmeldetechn. Zentralamt, Darmstadt

Raumordnung, Bauwesen und Städtebau:
BFA für Landeskunde und Raumordnung, Bonn
Bundesbaudirektion, Berlin

Umwelt, Naturschutz und Reaktorsicherheit:
Umweltbundesamt, Berlin
BFA für Naturschutz und Landschaftsökologie, Bonn
B für Strahlenschutz, Salzgitter

Bundesämter (B), Bundesanstalten (BA), Bundesforschungsanstalten (BFA), Bundesinstitute (BI) oder Einrichtungen mit ähnlichem Status in der Bundesrepublik Deutschland
(Fortsetzung)

Verkehr:
Deutscher Wetterdienst, Offenbach a. M.
BA für den Güterfernverkehr, Köln
Kraftfahrt-B, Flensburg
Deutsches Hydrographisches Institut, Hamburg
Luftfahrt-B, Braunschweig
BA für Straßenwesen, Köln
BA für Gewässerkunde, Koblenz
BA für Wasserbau, Karlsruhe
Bundesoberseeamt, Hamburg

Verteidigung:
B für Wehrtechnik und Beschaffung, Koblenz
Bundeswehrverwaltungsamt, Bonn
Bundessprachenamt, Hürth
Militärgeographisches Amt, Bonn
Militärgeschichtl. Forschungsamt, Freiburg i. Br.

Wirtschaft:
Physikalisch-Technische BA, Braunschweig
B für gewerbliche Wirtschaft, Eschborn
Bundesstelle für Außenhandelsinformation, Köln
Bundeskartellamt, Berlin
BA für Materialprüfung, Berlin
BA für Geowissenschaften und Rohstoffe, Hannover

Bundesanstalten, in der BR Deutschland Einrichtungen des Bundes mit bestimmten Verwaltungs- oder Forschungsaufgaben. U. a. Bundesanstalt für Arbeitsschutz und Unfallforschung (Dortmund), Bundesanstalt für Flugsicherung (Frankfurt am Main).

Bundesanstalt für Arbeit, Abk. BA, Körperschaft des öffentl. Rechts mit Selbstverwaltung im Geschäftsbereich des Bundesmin. für Arbeit und Sozialordnung; Sitz Nürnberg, errichtet 1952 als **Bundesanstalt für Arbeitsvermittlung und Arbeitslosenversicherung,** seit 1969 jetziger Name. Nach dem ↑Arbeitsförderungsgesetz obliegen der BA u. a. die Arbeitslosenunterstützung, die Berufsberatung, die Arbeitsvermittlung. Der Hauptstelle unterstellt sind Landesarbeitsämter, Arbeitsämter, Nebenstellen und andere Dienststellen (u. a. die Fachhochschule Mannheim). Die wichtigsten Aufgaben werden durch Selbstverwaltungsorgane gelöst, die sich auf der oberen Ebene zu je einem Drittel aus Vertretern der Arbeitnehmer, der Arbeitgeber und der öffentl. Körperschaften (Bund, Länder und Gemeinden) zusammensetzen, die Amtsdauer beträgt 6 Jahre. Finanzielle Grundlage der Dienste und Leistungen der BA sind die Beiträge zur Arbeitslosenversicherung. – Der BA obliegt unter der Bez. **„Kindergeldkasse"** die Durchführung des Bundeskindergeldgesetzes.

Bundesanwalt, 1. Angehöriger der Bundesanwaltschaft beim Bundesgerichtshof; 2. der Vertreter des Oberbundesanwaltes beim Bundesverwaltungsgericht.

In der *Schweiz* ist der B., der vom Bundesrat gewählt wird und unter dessen Aufsicht und Leitung steht, Chef der **Bundesanwaltschaft,** einer Abteilung des eidgenöss. Justiz- und Polizeidepartements. Er ist v. a. in Bundesstrafsachen als Staatsanwalt tätig; des weiteren leitet er die Spionageabwehr.

Bundesanwaltschaft, staatsrechtliche Bezeichnung für Rechtspflegeorgane, 1. den *Generalbundesanwalt* beim Bundesgerichtshof als selbständiges Glied der Staatsanwaltschaft; zuständig sowohl in den Strafsachen, die zur Zuständigkeit des Bundesgerichtshofs gehören als auch in den zur Zuständigkeit der Oberlandesgerichte im ersten Rechtszug gehörenden Strafsachen (Staatsschutzdelikte); 2. den *Oberbundesanwalt* (tätig als Vertreter des öffentlichen Interesses), 3. den *Bundesdisziplinaranwalt,* 4. den *Bundeswehrdisziplinaranwalt* (alle beim Bundesverwaltungsgericht).

Bundesanzeiger, Abk. BAnz., vom Bundesmin. der Justiz auf kommerzieller Basis herausgegebenes Publikationsorgan, das werktäglich außer montags erscheint. Der B. bringt in seinem amtl. Teil Verkündungen, Bekanntmachungen von Behörden, [staatl.] Ausschreibungen und Sonstiges. Der nichtamtl. Teil enthält im wesentlichen Parlamentsberichterstattung über Bundestag und Bundesrat. Im Teil „gerichtl. und sonstige Bekanntmachungen" werden u. a. öffentl. Zustellungen und Aufforderungen der Gerichte sowie Bekanntmachungen von Handelsgesellschaften veröffentlicht. Die **Zen-**

tralhandelsregister-Beilage enthält die Publikation der Eintragungen in das Handelsregister.

Bundesapothekerkammer ↑Apothekerkammer.

Bundesarbeitsgemeinschaft der Freien Wohlfahrtspflege e.V., 1950 gegr. Zusammenschluß der Spitzenverbände der freien Wohlfahrtspflege zur Koordinierung der Arbeit der angeschlossenen Verbände und Mitwirkung an der Sozialgesetzgebung; Sitz: Bonn.

Bundesarbeitsgericht, Abk. BAG, oberster Gerichtshof des Bundes auf dem Gebiet der Arbeitsgerichtsbarkeit; Sitz: Kassel.

Bundesarchiv, zentrales Archiv für die BR Deutschland; untersteht dem Bundesmin. des Innern; 1952 errichtet, Sitz: Koblenz; verwahrt das zur dauernden Aufbewahrung bestimmte Schriftgut der Bundesregierung, der obersten und oberen Bundesbehörden, die Akten der ehem. zonalen und bizonalen Verwaltungen und des Vereinigten Wirtschaftsgebietes; die Archivalien des Dt. Bundes und des Dt. Reiches bis 1945, der Wehrmacht und der abgetrennten dt. Gebiete; Archivgut von Verbänden und Institutionen mit überregionaler Bedeutung und der ehem. polit. Parteien, Nachlässe bed. Persönlichkeiten, Quellen zur Zeitgeschichte, Dokumentarfilme u. a.; zahlr. Veröffentlichungen.

Bundesärztekammer ↑Ärztekammern.

Bundesassisen, schweizer. Schwurgericht, bestehend aus den 3 Richtern der Kriminalkammer des Bundesgerichts und 12 Geschworenen, das über bestimmte schwere Straftaten urteilt.

Bundesaufsicht, in der BR Deutschland die Befugnis der Bundesregierung, die Ausführung der BG durch die Länder zu beaufsichtigen (Art. 84-85 GG). Führen die Länder die BG *als eigene Angelegenheit* aus, so erstreckt sich die Aufsicht darauf, daß die Länder die BG dem geltenden Recht gemäß ausführen. Führen die Länder die BG *im Auftrag des Bundes* aus, so erstreckt sich die B. auf die Gesetzmäßigkeit und Zweckmäßigkeit der Ausführung.

Bundesauftragsverwaltung ↑Auftragsverwaltung.

Bundesausbildungsförderungsgesetz, Abk. BAföG, ↑Ausbildungsförderung.

Bundesausgleichsamt ↑Bundesämter (Übersicht).

Bundesautobahnen ↑Autobahn.

Bundesbahn ↑Deutsche Bundesbahn.

Bundesbahnen ↑Österreichische Bundesbahnen, ↑Schweizerische Bundesbahnen.

Bundesbank ↑Deutsche Bundesbank.

Bundesbaudirektion, 1950 errichtete Bundesoberbehörde mit Sitz in Berlin, im Geschäftsbereich des Bundesmin. für Raumordnung, Bauwesen und Städtebau. Aufgabenbereich: Bearbeitung von Bauangelegenheiten des Bundespräs., Bundesrates, Bundeskanzlers und der Bundesmin. sowie des Bundes im Ausland.

Bundesbaugesetz ↑Baugesetzbuch.

Bundesbeauftragter für den Zivildienst, durch Kabinettsbeschluß 1970 eingeführte Dienststelle im Bundesmin. für Arbeit und Sozialordnung; Aufgaben: Betreuung der Zivildienstpflichtigen und Fachaufsicht über die Verwaltung des zivilen Ersatzdienstes.

Bundesbehörden, zum dt. Recht ↑Bundesverwaltung.

Nach *östr. Verfassungsrecht* sind B. Verwaltungsorgane, deren Errichtung und Organisation dem Bunde zukommt. Im *schweizer. Recht* sind die B. die Bundesversammlung, der Bundesrat, die Bundeskanzlei, die Bundesgerichte sowie die Ministerien (Departemente) u. a.

Bundesbeteiligungen, kapitalmäßige Beteiligungen des Bundes bzw. seiner Sondervermögen an Unternehmen. B. bestehen in öff.-rechtl. Rechtsform (Anstalt des öff. Rechts) oder in privatrechtl. Rechtsform (i. d. R. als Kapitalgesellschaft).

Bundesblatt, in der Schweiz Organ zur Veröffentlichung von Botschaften des Bundesrates an die Bundesversammlung (Gesetzentwürfe) und der Beschlüsse der Bundesversammlung, gegen welche das Referendum ergriffen werden kann.

Bundesbürgschaften (Bundesgarantien), in der BR Deutschland Bürgschaftsübernahmen bzw. Garantieübernahmen des Bundes gegenüber Kreditgebern (bes. Banken) zur Absicherung privatwirtschaftlich nicht versicherbarer wirtsch. und polit. Risiken v. a. im Außenwirtschaftsbereich (z. B. Zahlungsunfähigkeit des Schuldners).

Bundesdistrikt (Bundesterritorium), in einigen Bundesstaaten ein bundesunmittelbares, zu keinem der Bundesstaaten (Bundesländer) gehörendes Territorium, das Sitz der Bundesbehörden (Hauptstadt) ist und einer Sonderverwaltung untersteht, z. B. in den USA der *District of Columbia* (Washington, D. C.).

Bundesdisziplinaranwalt, der Dienstaufsicht des Bundesmin. des Innern unterstehender Beamter, Sitz: Frankfurt am Main, mit der Aufgabe, die einheitl. Ausübung der Disziplinargewalt zu sichern sowie die Interessen des öffentl. Dienstes und der Allgemeinheit in jeder Lage des Disziplinarverfahrens wahrzunehmen.

Bundesdisziplinargericht ↑Disziplinargerichtsbarkeit.

Bundesdruckerei, dem Bundesmin. für Post und Telekommunikation unterstehender

Betrieb des Bundes mit Sitz in Berlin und mehreren Fertigungsstätten in der BR Deutschland. Die B. führt Aufträge des Bundes und der Länder aus (u. a. Druck von Banknoten, Postwertzeichen und Gesetzblättern).

bundeseigene Verwaltung (bundesunmittelbare Verwaltung), in Deutschland der Vollzug von BG durch eigene Behörden des Bundes (Art. 86 GG). In b. V. werden z. B. geführt: der auswärtige Dienst, die Bundesfinanzverwaltung, die Dt. Bundesbahn, die Dt. Bundespost, die Verwaltung der Bundeswasserstraßen und der Schiffahrt.

Bundesentschädigungsgesetz, Abk. BEG, Kurzbez. für das „Gesetz zur Entschädigung für Opfer der nat.soz. Verfolgung" vom 29. 6. 1956, u. a. geändert durch das sog. Bundesentschädigungsschlußgesetz vom 14. 9. 1965; regelt im wesentlichen die ↑Wiedergutmachung.

Bundesexekution, im Dt. Bund gemäß Art. 31 der Wiener Schlußakte von 1820 in Verbindung mit der Exekutionsordnung von 1820 ein Mittel zur Vollstreckung gerichtl. und gerichtsähnl. Entscheidungen sowie zum Vollzug der Bundesakte und anderer Grundgesetze des Bundes, von Bundesbeschlüssen und Bundesgarantien gegen „pflichtwidrige" Bundesglieder. Die B. bestand in der mögl. militär. Besetzung eines Gliedstaats oder auch der Suspension der Regierungsgewalt des Landesherren. Exekutionsbeschlüsse wurden u. a. 1830 gefaßt gegen Karl II., Herzog von Braunschweig, 1834 gegen die Freie Stadt Frankfurt. Von der B. zu trennen ist die ↑Bundesintervention. Zum geltenden Recht ↑Bundeszwang. Im *östr. Verfassungsrecht* ist eine B. gegen die Länder nicht vorgesehen. In der *Schweiz* kann der Bundesrat, um die Kt. zur Erfüllung ihrer bundesmäßigen Verpflichtungen zu zwingen, mit Zustimmung der Bundesversammlung die notwendigen VO zur Ausführung des Bundesrechts erlassen, Bundessubventionen zurückhalten und [sogar militär.] Gewalt anwenden.

Bundesfernstraßen, öffentl. Straßen, die ein zusammenhängendes Verkehrsnetz bilden und einem weiträumigen Verkehr dienen. Sie gliedern sich in Bundesautobahnen und Bundesstraßen [einschließlich der Ortsdurchfahrten]. Eigentümer der B. und Träger der Baulast ist der Bund (B.gesetz i. d. F. vom 1. 10. 1974). Verwaltet werden die B. im Auftrag des Bundes von den Ländern.

Bundesfestungen, Festungen des Dt. Bundes: zunächst Luxemburg und Landau in der Pfalz, später kamen Mainz (1815), Rastatt (1840) und Ulm (1842) hinzu.

Bundesfinanzhof, Abk. BFH, oberster Gerichtshof des Bundes auf dem Gebiet der Finanzgerichtsbarkeit, Sitz: München.

Bundesflagge ↑Hoheitszeichen.

Bundesforschungsanstalten, Einrichtungen des Bundes mit bestimmten Forschungsaufgaben. U. a. Bundesforschungsanstalt für Fischerei (Hamburg).

Bundesfürsten, die Landesherren der dt. Einzelstaaten 1871–1918; regierten im wesentlichen als konstitutionelle Monarchen, hatten mit Ausnahme des preuß. Königs jedoch die eigtl. Attribute der Souveränität eingebüßt.

Bundesgarantien ↑Bundesbürgschaften.

Bundesgartenschau ↑Gartenbauausstellungen.

Bundesgendarmerie, in Österreich ein uniformierter, bewaffneter, militärisch organisierter Zivilwachkörper zur Aufrechterhaltung der öff. Ruhe, Ordnung und Sicherheit. Die B. wird durch das im Bundesmin. für Inneres eingerichtete **Gendarmeriezentralkommando** geleitet.

Bundesgenossenkrieg, Krieg Athens 357–355 gegen die vom 2. Att. Seebund abgefallenen Mgl.staaten Chios, Kos, Rhodos, Byzanz; durch die Niederlage Athens in Ionien und ein pers. Ultimatum beendet.

◆ Krieg Philipps V. von Makedonien und des Achäischen Bundes 220–217 gegen den Ätol. Bund und Sparta; führte zum Frieden von Naupaktos.

◆ (Mars. Krieg) der 91–89 bzw. 82 geführte Krieg Roms gegen seine italischen Bundesgenossen, provoziert durch die Forderung der Bundesgenossen nach dem röm. Bürgerrecht. Nach anfängl. Niederlagen lenkte Rom rasch ein. Alle Italiker südlich des Po erhielten das Bürgerrecht (↑Foederati).

Bundesgerichte, in Bundesstaaten Gerichte des Gesamtstaates, die organisatorisch [und oft auch im Instanzenzug] unabhängig neben den Gerichten der Einzelstaaten bestehen. In der BR Deutschland sind gemäß Art. 92, 95, 96 GG B. die obersten Gerichtshöfe des Bundes (Bundesarbeitsgericht, Bundesfinanzhof, Bundesgerichtshof, Bundessozialgericht, Bundesverwaltungsgericht), der Gemeinsame Senat der obersten Gerichtshöfe des Bundes sowie das Bundespatentgericht, das Bundesdisziplinargericht und die Truppendienstgerichte. Einen bes. Platz unter den Gerichten des Bundes nimmt das Bundesverfassungsgericht ein.

Nach *östr. Recht* ist die Ausübung der Gerichtsbarkeit ausschließlich Sache des Bundes; alle in Österreich bestehenden Gerichte sind daher B. In der *Schweiz* sind höchste Gerichte: 1. das **Bundesgericht,** Sitz: Lausanne, entscheidet letztinstanzlich in Zivil- und Strafsachen, über Streitigkeiten zw. Bund und Kantonen, zw. den Kantonen untereinander sowie zw. Privatpersonen und Bund oder Kantonen und 2. das **Eidgenössische Versicherungsgericht,** Sitz: Luzern, das als organisatorisch selbständige Sozialversicherungsabteilung des Bundesgerichts gilt.

Bundesgerichtshof, Abk. BGH, oberster Gerichtshof des Bundes im Bereich der ordentl. Gerichtsbarkeit, Sitz: Karlsruhe. Der BGH ist mit dem Präs., den Senatspräs. als Vors. der einzelnen Senate und Richtern [am B.] besetzt; diese werden durch den Bundesmin. der Justiz gemeinsam mit dem Richterwahlausschuß berufen und vom Bundespräs. ernannt. Der BGH gliedert sich in Zivil- und Strafsenate, jeweils mit 5 Mgl. einschließlich des Vors. besetzt. Daneben bestehen Fachsenate u. a. für Anwalts-, Patentanwalts-, Steuerberater-, Wirtschaftsprüfer- und Notarsachen sowie das Dienstgericht für die Bundesrichter. Zur Zuständigkeit des BGH ↑ordentliche Gerichtsbarkeit (Übersicht).
Beim BGH bestehen ein **Großer Senat für Zivilsachen** sowie ein **Großer Senat für Strafsachen,** die dann entscheiden, wenn in einer Rechtsfrage ein Senat von der Entscheidung eines anderen Senats abweichen will oder wenn es sich um eine Rechtsfrage von grundsätzl. Bed. handelt und für die Fortbildung des Rechts oder die Sicherung einer einheitl. Rechtsprechung die Entscheidung des Großen Senats erforderlich ist. Will ein Zivilsenat von der Entscheidung eines Strafsenats (oder Großen Senats für Strafsachen) oder ein Strafsenat von der eines Zivilsenats (oder Großen Senats für Zivilsachen) bzw. ein Senat von den Vereinigten Großen Senaten abweichen, so entscheiden die **Vereinigten Großen Senate.**

Bundesgesellschaften, privatwirtsch. geführte Kapitalgesellschaften, deren Aktien i. d. R. überwiegend im Besitz der BR Deutschland sind.

Bundesgesetzblatt, Abk. BGBl., Verkündungsblatt für Gesetze und für Rechtsverordnungen (RVO) der BR Deutschland, herausgegeben vom Bundesmin. der Justiz. Die erste Ausgabe vom 23. 5. 1949 enthielt das GG. Das B. erscheint in drei Teilen; Teil I enthält Gesetze, Rechtsverordnungen, Anordnungen; Teil II enthält völkerrechtl. Vereinbarungen; Teil III enthält eine Sammlung des nach der Rechtsbereinigung fortgeltenden Bundesrechts. – Vorläufer war 1871 bis 1945 das **Reichsgesetzblatt** (RGBl.).
In *Österreich* ist das B. (Abk. BGBl.) das Verkündungsblatt für Bundesgesetze, Staatsverträge und Rechtsverordnungen des Bundes. In der *Schweiz* das Bundesblatt.

Bundesgesetze, Rechtsnormen, die in einem Bundesstaat von den gesetzgebenden Organen des Bundes erlassen werden (↑Gesetzgebung).

Bundesgrenzschutz, Abk. BGS, 1951 errichtete, dem Bundesmin. des Innern unterstellte Sonderpolizei des Bundes zum Schutz des Bundesgebietes gegen verbotene Grenzübertritte und sonstige Störungen der öffentl. Ordnung im Grenzgebiet bis zu einer Tiefe von 30 km und zum Einsatz in gesetzlich geregelten Fällen (BundesgrenzschutzG vom 18. 8. 1972). Im Verteidigungsfall und in Fällen des inneren Notstandes kann der B. im gesamten Bundesgebiet als Polizeitruppe eingesetzt werden. Im Verteidigungsfall haben die Beamten Kombattantenstatus. Der B. setzt sich zusammen aus der **Grenzschutztruppe** und dem **Grenzschutzeinzeldienst.** Eine Spezialeinheit des B. zur Bekämpfung des Terrorismus ist die 1972 gebildete **Grenzschutzgruppe 9 (GSG 9),** die aus Freiwilligen besteht und mit modernsten Geräten und Waffen ausgerüstet ist. – Gemäß dem „Ges. zur Übertragung der Aufgaben der Bahnpolizei und der Luftsicherheit auf den B.“ vom 23. 1. 1992 übernahm der B. am 1. 4. 1992 die Aufgaben der Bahnpolizei, die in das Bundesinnenministerium eingegliedert wurde.

Bundeshauptkasse, die dem Bundesmin. der Finanzen unterstehende Zentralkasse, bei der laufend alle Einnahmen des Bundes zusammengefaßt werden und die alle Bedarfsstellen für ihre Bundesausgaben mit Geld versorgt sowie alle Haushaltseinnahmen und -ausgaben abrechnet und die Gesamtrechnung erstellt.

Bundeshaus, Bez. 1. in der BR Deutschland für das Gebäude des Dt. Bundestags in Bonn, 2. in der Schweiz für den Tagungsort der eidgenöss. Räte.

Bundesheer, das Heer eines Bundesstaates. In *Österreich* die vom Bund unterhaltene, militärisch organisierte Wehrmacht, deren Aufgaben der Schutz der Grenze der Republik *(Neutralitätsschutz)* und die Assistenzleistung (die Mitwirkung des B. zum Schutz der verfassungsmäßigen Einrichtungen, zur Aufrechterhaltung der Ordnung und Sicherheit im Innern und zur Hilfeleistung bei Katastrophen) sind.

Bundesinstitute, Einrichtungen des Bundes mit vorwiegend wiss. Aufgaben. U. a. Bundesinst. für Berufsbildung (Berlin), Bundesinst. für Bev.forschung (Wiesbaden).

Bundesintervention, im Dt. Bund gemäß Art. 26 der Wiener Schlußakte in Verbindung mit der Exekutionsordnung von 1820 ein Mittel der – auch unerbetenen – Bundeshilfe zur Abwehr innerer Unruhen.

Bundesjugendplan, 1950 eingeleitetes Programm der Bundesregierung, das im Zusammenwirken mit den Ländern (Landesjugendpläne), Gemeinden und Gemeindeverbänden sowie den Trägern der freien Jugendhilfe u. a. die polit., kulturelle, sportl., die soziale und berufsbezogene Bildung der Jugend, internat. Jugendarbeit sowie die Jugendarbeit zentraler Organisationen fördert.

Bundesjugendring ↑Deutscher Bundesjugendring.

Bundesjugendspiele, seit 1951 von Schulen, Sport- und Jugendverbänden durchgeführte sportl. Wettkämpfe im Geräteturnen, im Schwimmen und in der Leichtathletik (seit 1980 bis zur Klasse 10 verbindlich).

Bundeskammer der gewerblichen Wirtschaft, in Österreich die zentrale Interessenvertretung von Unternehmen des Gewerbes, der Industrie, des Handels, des Kredit- und Versicherungswesens, des Verkehrs sowie des Fremdenverkehrs. Die B. ist die wichtigste Arbeitgebervertretung bei tarifvertragl. Verhandlungen.

Bundeskanzlei, in der Schweiz die dem Bundespräs. unterstellte Kanzlei der Bundesversammlung und des Bundesrates, an deren Spitze der Bundeskanzler steht. Sie ist u. a. damit beauftragt, die eidgenöss. Wahlen und Abstimmungen zu organisieren.

Bundeskanzler, im *Norddt. Bund* (1867–71) der durch das Bundespräsidium ernannte Vors. des Bundesrats und Leiter der Bundesexekutive. Faktisch war das Amt mit dem des preuß. Außenmin. und Min.präs. verbunden. In der *BR Deutschland* ist der B. Leiter der Bundesregierung; er wird vom Bundestag auf Vorschlag des Bundespräs. ohne Aussprache auf die Dauer der Legislaturperiode (meist 4 Jahre) gewählt (Art. 63 GG). Der B. muß nicht Mgl. des Bundestages sein. Zum B. gewählt ist, wer die Stimmen der Mehrheit der Mgl. des Bundestages auf sich vereinigt. Wird der Vorgeschlagene nicht gewählt, so kann der Bundestag innerhalb von 14 Tagen mit einer entsprechenden Mehrheit einen B. wählen. Kommt auch innerhalb dieser Frist keine Wahl zustande, so findet ein neuer Wahlgang statt, in dem der gewählt ist, der die meisten Stimmen erhält. Der Bundespräs. muß den Gewählten innerhalb von 7 Tagen ernennen, wenn dieser die Mehrheit des Bundestages erhalten hat; erreichte er diese Stimmenzahl nicht, kann ihn der Bundespräs. entweder ernennen oder den Bundestag auflösen. Die übrigen Mgl. der Bundesregierung werden auf Vorschlag des B. vom Bundespräs. ernannt und entlassen (Art. 64 GG). Der B. bestimmt die Richtlinien der Politik und trägt dafür die Verantwortung; er leitet die Geschäfte der Bundesregierung. Zu den Kompetenzen des B. gehört, daß er im Verteidigungsfall die Befehls- und Kommandogewalt über die Streitkräfte hat, die sonst beim Bundesmin. der Verteidigung liegt. Der B. ernennt einen Bundesmin. zu seinem Stellvertreter (Vizekanzler). Nach Art. 69 GG endigt das Amt des B. mit dem Zusammentritt eines neuen Bundestages. Der Bundestag kann dem B. nur dadurch das Mißtrauen aussprechen, daß er mit der Mehrheit seiner Mgl. einen Nachfolger wählt und den Bundespräs. ersucht, den B. zu entlassen; der Bundespräs. muß diesem Ersuchen entsprechen. Zw. Antrag und Wahl müssen 48 Stunden liegen **(konstruktives Mißtrauensvotum).** Findet ein Antrag des B., ihm das Vertrauen auszusprechen, nicht die Zustimmung der Mehrheit der Mgl. des Bundestages, so kann der Bundespräs. auf Vorschlag des B. innerhalb von 21 Tagen den Bundestag auflösen. In *Österreich* ist der B. der Vors. der Bundesregierung, die als Kollegialorgan die Staatsgeschäfte leitet. Er wird vom Bundespräs. ernannt. In der *Schweiz* wird der Vorsteher der Bundeskanzlei als B. bezeichnet. Er wird von der Bundesversammlung gleichzeitig mit dem Bundesrat für 4 Jahre gewählt.

Bundeskanzleramt, Abk. BK, das dem Bundeskanzler unterstellte zentrale Planungs-, Lenkungs- und Koordinierungsorgan, dessen der Bundeskanzler sich zur Vorbereitung und Durchführung seiner Aufgaben bedient (Vorläufer: Reichskanzlei). In *Österreich* ist das B. die vom Bundeskanzler geleitete Behörde, die instanzen- und organisationsmäßig den Charakter eines Bundesministeriums hat.

Bundeskartellamt ↑Bundesämter (Übersicht), ↑Kartellrecht.

Bundesknappschaft, Körperschaft des öffentl. Rechts; Sitz: Bochum; Trägerin der Knappschaftsversicherung.

Bundeskriminalamt ↑Bundesämter (Übersicht).

Bundeslade, altisraelit. Heiligtum (bis 587 v. Chr.); Kasten (Lade) aus Akazienholz (5. Mos. 10, 1 ff. u. a.) mit den hölzernen Gesetzestafeln.

Bundesländer, die Gliedstaaten eines Bundesstaates; im GG als Länder bezeichnet.

Bundesliga, in der BR Deutschland in zahlr. Sportarten bestehende höchste Spielklasse, u. a. im Fußball (geteilt in 1. und 2. B.).

Bundesminister ↑Bundesregierung.

Bundesministerien, in einem Bundesstaat die für jeweils einen bestimmten Geschäftsbereich zuständigen obersten Verwaltungsbehörden.
In der *BR Deutschland* steht an der Spitze eines B. ein Bundesmin. Die Ministerialverwaltung wird von einem oder mehreren Staatssekretären geleitet (↑parlamentarischer Staatssekretär). Jedes B. gliedert sich in Abteilungen, Unterabteilungen und Referate. Die Verteilung der Dienstgeschäfte und die Aufteilung des Personals bestimmt der Geschäftsverteilungsplan. Zum Geschäftsbereich eines B. gehören auch Bundesoberbehörden, Bundesanstalten und -institute. Die Zahl der B. wird von der Bundesregierung bestimmt.

Bundesministerien der Bundesrepublik Deutschland	
Bundesministerium* (B.)	Hauptzuständigkeitsbereiche
Auswärtiges Amt (AA)	↑auswärtige Angelegenheiten
B. der Finanzen (BMF)	Bundeshaushalt; oberste Leitung der Bundesfinanzbehörden; Regelung der finanziellen Beziehungen zw. Bund und Ländern; Verwaltung der Bundeshauptkasse; finanzielle Maßnahmen zur Liquidation des Krieges (einschl. Wiedergutmachung), Durchführung des Lastenausgleichs; Währungs-, Geld- und Kreditpolitik
B. der Justiz (BMJ)	Justizgesetzgebung, Rechtswesen des Bundes, Überprüfung von Gesetz- und Verordnungsentwürfen anderer B. auf Einhaltung der Rechts- und Verfassungsmäßigkeit, Vorbereitung der Wahl der Bundesrichter beim Bundesverfassungsgericht und bei allen obersten Gerichtshöfen des Bundes
B. der Verteidigung (BMVtdg)	Verteidigungsfragen, Bundeswehr
B. des Innern (BMI)	Verfassungsrecht, Staatsrecht, allg. Verwaltung, Verwaltungsgerichtsbarkeit, Verfassungsschutz, zivile Verteidigung, Rechtsverhältnisse in der öff. Verwaltung, Sportangelegenheiten, Medienpolitik, Statistik, öff. Fürsorge, Raumordnung und Kommunalwesen
B. für Arbeit und Sozialordnung (BMA)	Versorgung der Kriegsbeschädigten und Kriegshinterbliebenen, Arbeitsrecht einschl. Betriebsverfassung, Arbeitsschutz, Arbeitsvermittlung, Sozialversicherung einschl. Arbeitslosenversicherung, Absicherung bei Pflegebedürftigkeit, Technik in Medizin und Krankenhaus, Gebührenrecht für Ärzte u. a. Gesundheitsberufe
B. für Bildung, Wissenschaft, Forschung und Technologie (BMBWFT)	Grundsatzfragen in Wissenschaftsförderung, Bildungsplanung und -forschung; Ausbildungsförderung, berufl. Bildung, Rahmengesetzgebung für das Hochschulwesen; Koordination der Forschung im Zuständigkeitsbereich des Bundes, Grundlagenforschung; Förderung der technolog. Entwicklung, der Datenverarbeitung, Kernforschung, Weltraumforschung
B. für Post und Telekommunikation (BMPT)	Unternehmensbereiche Postdienst, Postbank, Telekom der ehem. einheitl. Dt. Bundespost
B. für Ernährung, Landwirtschaft und Forsten (BML)	Ernährungs-, Land- und Forstwirtschaft, Fischereiwesen
B. für Familie, Senioren, Jugend und Frauen (BMFSJF)	Schutz der Familie, Ehe- und Familienrecht, familienpolit. Fragen (Steuer-, Sozial- und Wohnungsbaupolitik), Kindergeldgesetzgebung, Jugendhilfe, Jugendschutz, Frauenfragen, Gleichberechtigung
B. für Gesundheit (BMG)	Gesundheit, Krankenversicherung, Human- und Veterinärmedizin, Arzneimittel, Apothekenwesen, Verbraucherschutz, Lebensmittelwesen
B. für Raumordnung, Bauwesen und Städtebau (BMBau)	Städtebau, Wohnungsbau, Siedlungswesen, Wohnungswirtschaft, Bauten auf dem Gebiet des Zivilschutzes
B. für Verkehr (BMV)	Eisenbahnwesen, Straßenverkehr, Binnenschiffahrt, Seeverkehr, Luftfahrt, Straßenbau, Wasserbau, Wetterdienst
B. für Wirtschaft (BMWi)	Wirtschaftspolitik und -verwaltung (europ. zwischenstaatl. wirtsch. Zusammenarbeit u. a.)

* Frühere Namen von umbenannten Ministerien sind unter „Bundesregierung" in der Übersicht „Kabinette der Bundesrepublik Deutschland" verzeichnet.

Bundesministerien der Bundesrepublik Deutschland (Fortsetzung)	
Bundesministerium* (B.)	Hauptzuständigkeitsbereiche
B. für wirtschaftliche Zusammenarbeit (BMZ)	wirtsch. Zusammenarbeit mit dem Ausland, v.a. mit Entwicklungsländern, Grundsätze, Programm und Koordination der Entwicklungspolitik; Durchführung der Techn. Hilfe
B. für Umwelt, Naturschutz und Reaktorsicherheit	Reaktorsicherheit, Umweltgrundsatzangelegenheiten

* Frühere Namen von umbenannten Ministerien sind unter „Bundesregierung" in der Übersicht „Kabinette der Bundesrepublik Deutschland" verzeichnet.

Bundesmonopolverwaltung für Branntwein ↑Branntweinmonopol.

Bundesnachrichtendienst, Abk. BND, aus der „Organisation Gehlen" hervorgegangener, dem Bundeskanzleramt unterstehender Geheimdienst. Aufgaben: Beschaffung von Nachrichten aus dem Ausland, ferner Spionageabwehr und Gegenspionage. Bestimmte Befugnisse sind im BND-Gesetz vom 20. Dez. 1990 geregelt. Sitz: Pullach bei München. Der B. unterliegt nur in beschränktem Umfang einer parlamentar. Kontrolle.

Bundesoberbehörden ↑Bundesverwaltung.

Bundesoberseeamt ↑Bundesämter (Übersicht).

Bundespatentgericht, 1961 gebildetes Bundesgericht u.a. für Entscheidungen über Beschwerden gegen Beschlüsse des Patentamtes sowie über Klagen auf Nichtigerklärung oder Zurücknahme von Patenten; Sitz München.

Bundespolizei, in Österreich die Polizeibehörden des Bundes. Die B. und die auf Landesebene tätigen Sicherheitsdirektionen unterstehen dem Bundesmin. für Inneres.

Bundespost ↑Deutsche Bundespost.

Bundespräsident, das Staatsoberhaupt eines Bundesstaates.
In der *BR Deutschland* wird der B. ohne Aussprache von der Bundesversammlung gewählt. Wählbar ist jeder Deutsche, der das Wahlrecht zum Bundestag besitzt und das 40. Lebensjahr vollendet hat. Die Amtszeit des B. dauert 5 Jahre; einmalige anschließende Wiederwahl ist zulässig. Zur Wahl des B. tritt die Bundesversammlung spätestens 30 Tage vor Ablauf der Amtszeit des B., bei vorzeitiger Beendigung spätestens 30 Tage nach diesem Zeitpunkt zusammen. Als B. ist gewählt, wer die Stimmen der Mehrheit der Mgl. der Bundesversammlung erhält. Wenn diese Mehrheit in zwei Wahlgängen von keinem der Bewerber erreicht wird, ist gewählt, wer in einem dritten Wahlgang die meisten Stimmen erhält. Der B. darf weder der Regierung noch einer gesetzgebenden Körperschaft des Bundes oder eines Landes angehören. Die Befugnisse des B. werden im Falle seiner Verhinderung oder bei vorzeitiger Beendigung des Amtes vom Präs. des Bundesrats wahrgenommen.
Befugnisse: Völkerrechtl. Vertretung der BR Deutschland; Abschluß von Verträgen des Bundes mit auswärtigen Staaten; Vorschlagsrecht für die Wahl des Bundeskanzlers, dessen Ernennung und Entlassung (auf Ersuchen des Bundestages); Ernennung und Entlassung der Bundesmin. auf Vorschlag des Bundeskanzlers; Einberufung des Bundestags und dessen Auflösung (in bestimmten Ausnahmefällen); Ernennung und Entlassung der Bundesrichter, Bundesbeamten, Offiziere und Unteroffiziere, soweit gesetzlich nichts anderes bestimmt ist; Recht der Begnadigung im Einzelfall; Ehrungen; Ausfertigung und Verkündung der Bundesgesetze; Erklärung des Gesetzgebungsnotstandes entsprechend Art. 81 GG.
Anordnungen und Verfügungen des B. bedürfen i.d.R. zu ihrer Gültigkeit der Gegenzeichnung durch den Bundeskanzler oder den zuständigen Bundesmin. Der Bundestag oder der Bundesrat können den B. wegen vorsätzl. Verletzung des GG oder eines anderen Bundesgesetzes mit Zweidrittelmehrheit vor dem Bundesverfassungsgericht anklagen, das den B. nach einem Schuldspruch des Amts entheben kann. Dem B. steht zur Durchführung seiner Aufgaben das **Bundespräsidialamt** zur Verfügung, das von einem Staatssekretär geleitet wird und in Referate gegliedert ist.
B. der BR Deutschland: T. Heuss (1949–59), H. Lübke (1959–69), G. Heinemann (1969–74), W. Scheel (1974–79), K. Carstens (1979–84), R. von Weizsäcker (seit 1984).
In *Österreich* wird der B. als Staatsoberhaupt vom Volk gewählt und hat eine ähnl. verfassungsrechtl. Stellung wie der B. in der BR Deutschland.

In der *Schweiz* vertritt der B. den Staat nach außen und führt den Vorsitz im Bundesrat. Das Amt wechselt jährlich nach dem Dienstalter, eine unmittelbare Wiederwahl ist ausgeschlossen.

🕮 *Hartmann, J./Kempf, U.: Staatsoberhäupter in westl. Demokratien. Wsb. 1989.*

Bundespräsidialamt ↑Bundespräsident.

Bundespressekonferenz, Vereinigung von über 500 Bonner Korrespondenten dt. Zeitungen, Zeitschriften, Nachrichtenagenturen und Rundfunkanstalten; tritt dreimal wöchentlich zusammen, i. d. R. mit dem Regierungssprecher als Gast der Journalisten. Neben der B. gibt es den **Verein der Auslandspresse** in Bonn mit rd. 350 Mitgliedern.

Bundesprüfstelle für jugendgefährdende Schriften, Abk. BPS, Behörde des Bundesmin. für Frauen und Jugend; zuständig für den publizist. Jugendschutz; wird nur auf Antrag tätig.

Bundesrat, föderatives Verfassungsorgan eines Bundesstaates, durch das die Gliedstaaten bei der Gesetzgebung und Verwaltung des Bundes mitwirken.

Im *Norddeutschen Bund* (1867–71) und im *Deutschen Reich* (1871–1918) bestand der B. als oberstes Bundesorgan aus den Vertretern der Mgl. des Bundes. Er umfaßte 1911 61 Stimmen (einschl. Elsaß-Lothringen; davon entfielen auf Preußen 17 Stimmen). Die Reichsgesetzgebung wurde durch B. und Reichstag ausgeübt. Den Vorsitz im B. und die Leitung der Geschäfte hatte der Reichskanzler, der vom Kaiser ernannt wurde.

In der *BR Deutschland* besteht der B. aus Mgl. der Länderregierungen, die diese bestellen und abberufen. Die B.mitglieder der gleichen Regierung können einander vertreten; sie sind im Plenum und in den Ausschüssen (außer im Gemeinsamen Ausschuß und im Vermittlungsausschuß) an die Weisungen ihrer Regierungen gebunden. Jedes Land hat mindestens 3 Stimmen. Länder mit mehr als 2 Mill. E 4, Länder mit mehr als 6 Mill. E 5, Länder mit mehr als 7 Mill. E 6 Stimmen. Jedes Land kann so viele Mgl. entsenden, wie es Stimmen hat. Die Stimmen eines Landes können nur einheitlich abgegeben werden. Der Präs. des B. vertritt den Bundespräs. im Falle seiner Verhinderung oder bei vorzeitiger Beendigung des Amtes. Der B. verhandelt nach Vorberatung durch seine Ausschüsse öff. und faßt Beschlüsse mit der Mehrheit seiner Stimmen. Er wählt ein Drittel der Mgl. des Gemeinsamen Ausschusses sowie die Hälfte der Bundesverfassungsrichter und ist zur Präsidentenanklage befugt. Die Mgl. des B. haben jederzeit Zutritt und Rederecht im Bundestag. Eine gleichzeitige Mitgliedschaft in B. und Bundestag ist ausgeschlossen.

Eine starke Stellung hat der B. im ↑Gesetzgebungsverfahren; für einen Teil der Gesetze ist seine Zustimmung erforderlich, bei den übrigen kann sein Einspruch vom Bundestag überwunden werden. Auch beim Erlaß bestimmter Rechtsverordnungen und Verwaltungsvorschriften ist die Bundesregierung an die Zustimmung des B. gebunden. Weitere Zuständigkeiten besitzt der B. im Gesetzgebungsnotstand und bei anderen Notstandsfällen, bes. im Verteidigungsfall.

In *Österreich* vertritt der B. als 2. Kammer ebenfalls die Länderinteressen (↑Österreich, politisches System).

In der *Schweiz* vertritt der ↑Ständerat die Kantone. Als B. wird die Bundesregierung bezeichnet (↑Schweiz, politisches System).

Bundesräte, in der Schweiz die Mgl. der Regierung des Bundes.

Bundesrechnungshof, Abk. BRH, 1950 eingerichtete selbständige oberste Bundesbehörde; Sitz: Frankfurt am Main. Der B. ist nur dem Gesetz unterworfen, die Bundesregierung hat ihm gegenüber keine Weisungsbefugnis; die Mgl. des B. besitzen richterl. Unabhängigkeit. Der B. prüft auf Grund Art. 114 Abs. 2 GG alle Einnahmen und Ausgaben, das Vermögen und die Schulden des Bundes und überwacht die Haushalts- und Wirtschaftsführung der Bundesbehörden und jener Stellen, die Bundesmittel erhalten (Sozialversicherung, Arbeitslosenversicherung usw.).

Bundesrecht, die in einem Bundesstaat vom Bund erlassenen Rechtsvorschriften (Bundesverfassung, Bundesgesetze, Bundesrechtsverordnungen). In der BR Deutschland gilt ein Teil des ehem. Reichsrechts als B. fort (Art. 124, 125 GG).

Bundesregierung, oberstes kollegiales Organ der Exekutive eines Bundesstaats.

In der *BR Deutschland* besteht die B. aus dem Bundeskanzler und den Bundesmin. (Art. 62 GG). Der Bundeskanzler bestimmt die Richtlinien der Politik und trägt dafür die Verantwortung gegenüber dem Bundestag **(Kanzlerprinzip).** Der B. obliegt die polit. Leitung des Staates; sie entscheidet über alle Angelegenheiten von allg. innen- und außenpolit., wirtsch., sozialer, finanzieller oder kultureller Bed., bes. über Meinungsverschiedenheiten zw. den Min. über Gesetzentwürfe und über bestimmte Ernennungen **(Kollegialprinzip).** Die B. ist in ihrer Amtsführung vom Vertrauen des Bundestages abhängig. Gestürzt werden kann sie jedoch nur dadurch, daß der Bundestag mit der Mehrheit seiner Mgl. einen neuen Bundeskanzler wählt und damit die gesamte B. zum Rücktritt zwingt (konstruktives Mißtrauensvotum). Einzelne Min. dagegen können vom Bundestag nicht gestürzt werden. Die Mgl. der B. müssen dem

Bundestag und dem Bundesrat auf Verlangen Rede und Antwort stehen (Interpellationsrecht), haben ihrerseits zu allen Sitzungen des Bundestages und des Bundesrates sowie ihrer Ausschüsse Zutritt und müssen jederzeit gehört werden. Der Bundeskanzler schlägt die Min. dem Bundespräs. zur Ernennung und Entlassung vor, leitet die Geschäfte der B. nach einer vom Kollegium beschlossenen und vom Bundespräs. genehmigten Geschäftsordnung. Innerhalb dieser Richtlinien leitet jeder Min. seinen Geschäftsbereich selbständig und unter eigener Verantwortung **(Ressortprinzip).**
Nach *östr. Verfassungsrecht* ist die B. das mit den obersten Verwaltungsgeschäften des Bundes betraute Kollegialorgan (↑Österreich, politisches System). In der *Schweiz* entspricht der B. der Bundesrat.

Bundesrepublik Deutschland, Staat in Mitteleuropa, bestand von 1949 bis zum 2. Okt. 1990 aus den Bundesländern Baden-Württemberg, Bayern, Bremen, Hamburg, Hessen, Niedersachsen, Nordrhein-Westfalen, Rheinland-Pfalz, Saarland (seit 1957), Schleswig-Holstein und – mit einem Sonderstatus wegen alliierter Vorbehaltsrechte – Berlin (West). Im Zuge der polit. Umwälzungen in Osteuropa seit 1989 kam es zwischen der BR Deutschland und dem zweiten dt. Staat, der ↑Deutschen Demokratischen Republik, zunächst zu Verhandlungen über eine Wirtschafts-, Währungs- und Sozialunion und dann über einen Beitritt der DDR zur BR Deutschland, der zum 3. Okt. 1990 erfolgte. Nach dem erfolgreichen Abschluß und der Ratifizierung des ↑Zwei-plus-Vier-Vertrages durch die Siegermächte des 2. Weltkrieges und die Parlamente der beiden dt. Staaten erhielt die um die DDR erweiterte BR Deutschland ihre volle Souveränität zurück. – ↑Deutschland, ↑deutsche Geschichte.

📖 *Schäfers, B.: Sozialstruktur u. Wandel der B. D. Stg. Neuaufl. 1991. – Obzog, G./Liese, H. J.: Die polit. Parteien in der B. D. Mchn. ¹⁸1990. – Steffahn, H.-D.: Von Bismarck bis heute. Stg. 1990. – Geographie Deutschlands. Hg. v. W. Tietze, K. A. Boesler, H. J. Klink u. G. Voppel. Stg. 1990. – Geschichte der B. D. Hg. v. K. D. Bracher, T. Eschenburg u. a. Mchn. 1989. 5 Bde. – Claessens, D. u. a.: Sozialkunde der B. D. Düss. u. Köln. Neuausg. 1989. – Lehmann, Hans Georg: Chronik der B. D. 1945/49–1983. Mchn. ³1989. – Sontheimer, K.: Grundzüge des polit. Systems der B. D. Mchn. ⁵1989. – Hesse, K.: Grundzüge des Verfassungsrechts der B. D. Karlsruhe ¹⁶1988. – Fuchs, G.: Die B. D. Stg. ⁴1989. – Beyme, K.: Das polit. System der B. D. Mchn. ⁵1987. – Henningsen, D.: Einführung in die Geologie der BR Deutschland. Stg. ³1986. – Jesse, E.: Die Demokratie der B. D. Bln. ⁷1986. – Schuon, T.: Wirtschafts- u. Sozialgesch. der B. D. Stg. 1979. – Sontheimer, K.: Die verunsicherte Republik. Mchn. 1979.*

Bundesrichter, nichtamtl. Bez. für Richter an den obersten Bundesgerichten.

Bundesschatzbrief, im Jan. 1969 von der Regierung der BR Deutschland am Kapitalmarkt eingeführtes (Inhaber-)Wertrecht. Der B. ist ein Sparbrief mit bes. Eigenschaften (Laufzeit 6 bzw. 7 Jahre, Mindestnennbetrag 100 DM, Zinssatz ansteigend): er soll einerseits der Eigentums- und Vermögensbildung der Bev., andererseits der Kapitalbeschaffung für öffentl. Investitionen dienen.

Bundes-Seuchengesetz, Gesetz zur Verhütung und Bekämpfung übertragbarer Krankheiten beim Menschen i. d. F. vom 18. 12. 1979; enthält Vorschriften über meldepflichtige Krankheiten, über die Verhütung übertragbarer Krankheiten und deren Bekämpfung und bes. Vorschriften für Schulen und sonstige Gemeinschaftseinrichtungen.

Bundessicherheitsrat, Abk. BSR, Ausschuß der Reg. der BR Deutschland, 1955–69 **Bundesverteidigungsrat.** Der BSR berät die Bundesregierung in Fragen der Sicherheitspolitik, bes. der Verteidigung und der Abrüstung; der Vorsitz liegt beim Bundeskanzler oder seinem Stellvertreter.

Bundessiegel, Amtssiegel für alle Bundesbehörden. Das *große B.* zeigt den von einem Kranz umgebenen Bundesadler; das *kleine B.* zeigt den Bundesadler und das Signum der siegelführenden Behörde.

Bundessozialgericht, Abk. BSG, oberster Gerichtshof des Bundes auf dem Gebiet der Sozialgerichtsbarkeit; Sitz: Kassel.

Bundessozialhilfegesetz ↑Sozialhilfe.

Bundesstaat, 1. eine staatsrechtl. Verbindung mehrerer Staaten in der Weise, daß ein neuer Staat entsteht (Gesamtstaat), die Gliedstaaten jedoch weiterhin ihre Staatseigenschaft behalten (↑Föderalismus). Im B. haben sowohl die Gliedstaaten als auch der Gesamtstaat eigene, unabgeleitete Staatsgewalt, d. h., die Gliedstaaten leiten ihre Staatsgewalt nicht vom Gesamtstaat ab, sie sind ihm nicht untergeordnet. Die Staatsgewalt ist durch die jeweilige Verfassung zw. Gesamtstaat und Gliedstaaten aufgeteilt. Diese sind zur **Bundestreue** verpflichtet, d. h. alle an dem Bündnis Beteiligten haben zu seiner Festigung und zur Wahrung seiner und der Belange seiner Glieder beizutragen. Ein B. kann durch einen Bündnisvertrag der Gliedstaaten (so die Gründung des Dt. Reiches 1871) oder durch die verfassunggebende Gewalt des Volkes (so die Gründung der Weimarer Republik 1919 und die Gründung der BR Deutschland 1949) entstehen. 2. auch Bez. für die Gliedstaaten des Gesamtstaats.

BUNDESREGIERUNG

Kabinette der Bundesrepublik Deutschland (seit 1949)

Kabinette	konstituiert	Koalition	Bundeskanzler	Vizekanzler
1. K.:	15. 9. 1949	CDU, CSU, FDP, DP	K. Adenauer CDU	F. Blücher FDP
2. K.:	20. 10. 1953	CDU, CSU, FDP, DP, GB/BHE[1]	K. Adenauer CDU	F. Blücher FDP/FVP
3. K.:	28. 10. 1957	CDU, CSU, DP[2]	K. Adenauer CDU	L. Erhard CDU
4. K.:	14. 11. 1961	CDU, CSU, FDP	K. Adenauer CDU	L. Erhard CDU
5. K.:	14. 12. 1962	CDU, CSU, FDP	K. Adenauer CDU	L. Erhard CDU
6. K.:	17. 10. 1963	CDU, CSU, FDP	L. Erhard CDU	E. Mende FDP
7. K.:	26. 10. 1965	CDU, CSU, FDP	L. Erhard CDU	E. Mende FDP
8. K.:	1. 12. 1966	CDU, CSU, SPD	K. G. Kiesinger CDU	W. Brandt SPD
9. K.:	21. 10. 1969	SPD, FDP	W. Brandt SPD	W. Scheel FDP
10. K.:	15. 12. 1972	SPD, FDP	W. Brandt SPD	W. Scheel FDP
11. K.:	16. 5. 1974	SPD, FDP	H. Schmidt SPD	H.-D. Genscher FDP
12. K.:	15. 12. 1976	SPD, FDP	H. Schmidt SPD	H.-D. Genscher FDP
13. K.:	5. 11. 1980	SPD, FDP[3]	H. Schmidt SPD	H.-D. Genscher FDP
14. K.:	4. 10. 1982	CDU, CSU, FDP	H. Kohl CDU	H.-D. Genscher FDP
15. K.:	30. 3. 1983	CDU, CSU, FDP	H. Kohl CDU	H.-D. Genscher FDP
16. K.:	12. 3. 1987	CDU, CSU, FDP	H. Kohl CDU	H.-D. Genscher FDP
17. K.:	17. 1. 1991	CDU, CSU, FDP	H. Kohl CDU	H.-D. Genscher FDP ab Mai 92 J. Möllemann FDP ab Jan. 93 K. Kinkel FDP
18. K.:	17. 11. 1994	CDU, CSU, FDP	H. Kohl CDU	K. Kinkel FDP

Kabinette	B.-Min. des Auswärtigen[4]	B.-Min. des Innern	B.-Min. der Justiz	B.-Min. der Verteidigung
1. K.:	K. Adenauer CDU	G. Heinemann CDU; ab 11. 10. 50 R. Lehr CDU	T. Dehler FDP	–
2. K.:	K. Adenauer CDU; ab 7. 6. 55 H. v. Brentano CDU	G. Schröder CDU	F. Neumayer FDP (Febr. 56 FVP); ab 16. 10. 56 H.-J. v. Merkatz DP	T. Blank CDU; ab 16. 10. 56 F. J. Strauß CSU
3. K.:	H. v. Brentano CDU bis 17. 10. 61	G. Schröder CDU	F. Schäffer CSU	F. J. Strauß CSU
4. K.:	G. Schröder CDU	H. Höcherl CSU	W. Stammberger FDP	F. J. Strauß CSU
5. K.:	G. Schröder CDU	H. Höcherl CSU	E. Bucher FDP	F. J. Strauß CSU; ab 9. 1. 63 K.-U. v. Hassel CDU
6. K.:	G. Schröder CDU	H. Höcherl CSU	E. Bucher FDP	K.-U. v. Hassel CDU
7. K.:	G. Schröder CDU	P. Lücke CDU	R. Jaeger CSU	K.-U. v. Hassel CDU
8. K.:	W. Brandt SPD	P. Lücke CDU; ab 2. 4. 68 E. Benda CDU	G. Heinemann SPD; ab 26. 3. 69 H. Ehmke SPD	G. Schröder CDU
9. K.:	W. Scheel FDP	H.-D. Genscher FDP	G. Jahn SPD	H. Schmidt SPD; ab 7. 7. 72 G. Leber SPD
10. K.:	W. Scheel FDP	H.-D. Genscher FDP	G. Jahn SPD	G. Leber SPD
11. K.:	H.-D. Genscher FDP	W. Maihofer FDP	H.-J. Vogel SPD	G. Leber SPD
12. K.:	H.-D. Genscher FDP	W. Maihofer FDP; ab 8. 6. 78 G. R. Baum FDP	H.-J. Vogel SPD	G. Leber SPD; ab 16. 2. 78 H. Apel SPD
13. K.:	H.-D. Genscher FDP; ab 17. 9. 82 H. Schmidt SPD	G. R. Baum FDP; ab 17. 9. 82 J. Schmude SPD	H.-J. Vogel SPD; ab 28. 1. 81 J. Schmude SPD	H. Apel SPD

[1] nach der Kabinettsumbildung am 16. 10. 1956 CDU, CSU, FVP, DP; [2] ab 1. 7. 1960 CDU, CSU; [3] ab 17. 9. 1982 SPD-Minderheitskabinett; [4] seit 15. 3. 1951.

BUNDESREGIERUNG

Kabinette der Bundesrepublik Deutschland (seit 1949)
(Fortsetzung)

Kabinette	B.-Min. des Auswärtigen[4]	B.-Min. des Innern	B.-Min. der Justiz	B.-Min. der Verteidigung
14. K.:	H.-D. Genscher FDP	F. Zimmermann CSU	H. A. Engelhard FDP	M. Wörner CDU
15. K.:	H.-D. Genscher FDP	F. Zimmermann CSU	H. A. Engelhard FDP	M. Wörner CDU
16. K.:	H.-D. Genscher FDP	F. Zimmermann CSU; ab 21. 4. 89 W. Schäuble CDU	H. A. Engelhard FDP	M. Wörner CDU; ab 18. 5. 88 R. Scholz CDU; ab 21. 4. 89 G. Stoltenberg CDU
17. K.:	H.-D. Genscher FDP ab 18. 5. 92 K. Kinkel FDP	W. Schäuble CDU ab 26. 11. 91 R. Seiters CDU ab 7. 7. 93 M. Kanther CDU	K. Kinkel FDP ab 18. 5. 92 S. Leutheusser-Schnarrenberger FDP	G. Stoltenberg CDU ab 1. 4. 92 V. Rühe CDU
18. K.:	K. Kinkel FDP	M. Kanther CDU	S. Leutheusser-Schnarrenberger FDP	V. Rühe CDU

Kabinette:	B.-Min. für Forschung und Technologie[5]
10. K.:	H. Ehmke SPD
11. K.:	H. Matthöfer SPD
12. K.:	H. Matthöfer SPD; ab 16. 2. 78 V. Hauff SPD
13. K.:	A. v. Bülow SPD
14. K.:	H. Riesenhuber CDU
15. K.:	H. Riesenhuber CDU
16. K.:	H. Riesenhuber CDU
17. K.:	H. Riesenhuber CDU ab 21. 1. 93 M. Wissmann CDU ab 13. 5. 93 P. Krüger CDU
18. K.:	J. Rüttgers CDU

Kabinette	B.-Min. der Finanzen[6]	B.-Min. für Wirtschaft	B.-Min. für Arbeit u. Sozialordnung	B.-Min. für Ernährung, Landw. u. Forsten
1. K.:	F. Schäffer CSU	L. Erhard CDU	A. Storch CDU	W. Niklas CSU
2. K.:	F. Schäffer CSU	L. Erhard CDU	A. Storch CDU	H. Lübke CDU
3. K.:	F. Etzel CDU	L. Erhard CDU	T. Blank CDU	H. Lübke CDU; ab 29. 9. 59 W. Schwarz CDU
4. K.:	K. H. Starke FDP	L. Erhard CDU	T. Blank CDU	W. Schwarz CDU
5. K.:	R. Dahlgrün FDP	L. Erhard CDU	T. Blank CDU	W. Schwarz CDU
6. K.:	R. Dahlgrün FDP	K. Schmücker CDU	T. Blank CDU	W. Schwarz CDU
7. K.:	R. Dahlgrün FDP; ab 4. 11. 66 K. Schmücker CDU	K. Schmücker CDU	H. Katzer CDU	H. Höcherl CSU
8. K.:	F. J. Strauß CSU	K. Schiller SPD	H. Katzer CDU	H. Höcherl CSU
9. K.:	A. Möller SPD; ab 13. 5. 71 K. Schiller SPD; ab 7. 7. 72 H. Schmidt SPD	K. Schiller SPD	W. Arendt SPD	J. Ertl FDP
10. K.:	H. Schmidt SPD	H. Friderichs FDP	W. Arendt SPD	J. Ertl FDP
11. K.:	H. Apel SPD	H. Friderichs FDP	W. Arendt SPD	J. Ertl FDP
12. K.:	H. Apel SPD; ab 16. 2. 78 H. Matthöfer SPD	H. Friderichs FDP; ab 7. 10. 77 O. Graf Lambsdorff FDP	H. Ehrenberg SPD	J. Ertl FDP
13. K.:	H. Matthöfer SPD; ab 28. 4. 82 M. Lahnstein SPD	O. Graf Lambsdorff FDP; ab 17. 9. 82 M. Lahnstein SPD	H. Ehrenberg SPD; ab 28. 4. 82 H. Westphal SPD	J. Ertl FDP; ab 17. 9. 82 B. Engholm SPD
14. K.:	G. Stoltenberg CDU	O. Graf Lambsdorff FDP	N. Blüm CDU	J. Ertl FDP

[4] seit 15. 3. 1951; [5] seit 1994 mit Bildung und Wiss. zusammengelegt; [6] Mai 1971 – Dez. 1972 mit Wirtschaft vereinigt.

BUNDESREGIERUNG

Kabinette der Bundesrepublik Deutschland (seit 1949)
(Fortsetzung)

Kabinette	B.-Min. der Finanzen[6]	B.-Min. für Wirtschaft	B.-Min. für Arbeit u. Sozialordnung	B.-Min. für Ernährung, Landw. u. Forsten
15. K.:	G. Stoltenberg CDU	O. Graf Lambsdorff FDP; ab 27.6.84 M. Bangemann FDP	N. Blüm CDU	I. Kiechle CSU
16. K.:	G. Stoltenberg CDU; ab 21.4.89 Th. Waigel CSU	M. Bangemann FDP; ab 9.12.88 W. Haussmann FDP	N. Blüm CDU	I. Kiechle CSU
17. K.:	Th. Waigel CSU	J. Möllemann FDP ab 21.1.93 G. Rexrodt FDP	N. Blüm CDU	I. Kiechle CSU ab 21.1.93 J. Borchert CDU
18. K.:	Th. Waigel CSU	G. Rexrodt FDP	N. Blüm CDU	J. Borchert CDU

Kabinette	B.-Min. für Post u. Telekommunikation[7]	B.-Min. für Verkehr	B.-Min. für das Gesundheitswesen[8]	B.-Min. für Frauen u. Jugend[9]
1. K.:	K. H. Schuberth CSU	H.-C. Seebohm DP		
2. K.:	S. Balke (1.1.54 CSU); ab 13.1.56 E. Lemmer CDU	H.-C. Seebohm DP		F.-J. Wuermeling CDU
3. K.:	R. Stücklen CSU	H.-C. Seebohm (20.9.60 CDU)		F.-J. Wuermeling CDU
4. K.:	R. Stücklen CSU	H.-C. Seebohm CDU	E. Schwarzhaupt CDU	F.-J. Wuermeling CDU
5. K.:	R. Stücklen CSU	H.-C. Seebohm CDU	E. Schwarzhaupt CDU	B. Heck CDU
6. K.:	R. Stücklen CSU	H.-C. Seebohm CDU	E. Schwarzhaupt CDU	B. Heck CDU
7. K.:	R. Stücklen CSU	H.-C. Seebohm CDU	E. Schwarzhaupt CDU	B. Heck CDU
8. K.:	W. Dollinger CSU	G. Leber SPD	K. Strobel SPD	B. Heck CDU; ab 2.10.68 Ä. Brauksiepe CDU
9. K.:	G. Leber SPD; ab 7.7.72 L. Lauritzen SPD	G. Leber SPD; ab 7.7.72 L. Lauritzen SPD		K. Strobel SPD
10. K.:	H. Ehmke SPD	L. Lauritzen SPD		K. Focke SPD
11. K.:	K. Gscheidle SPD	K. Gscheidle SPD		K. Focke SPD
12. K.:	K. Gscheidle SPD	K. Gscheidle SPD		A. Huber SPD
13. K.:	K. Gscheidle SPD; ab 28.4.82 H. Matthöfer SPD	V. Hauff SPD		A. Huber SPD; ab 28.4.82 A. Fuchs SPD
14. K.:	C. Schwarz-Schilling CDU	W. Dollinger CSU		H. Geißler CDU
15. K.:	C. Schwarz-Schilling CDU	W. Dollinger CSU		H. Geißler CDU; ab 26.9.85 R. Süssmuth CDU
16. K.:	C. Schwarz-Schilling CDU	J. Warnke CSU; ab 21.4.89 F. Zimmermann CSU		R. Süssmuth CDU; ab 9.12.88 U. Lehr CDU
17. K.:	C. Schwarz-Schilling CDU bis 17.12.92, ab 21.1.93 W. Bötsch CSU	G. Krause CDU, ab 13.5.93 M. Wissmann CDU	G. Hasselfeldt CSU, ab 6.5.92 H. Seehofer CSU	A. Merkel CDU
18. K.:	W. Bötsch CSU	M. Wissmann CDU	H. Seehofer CSU	C. Nolte CDU

[6] Mai 1971–Dez. 1972 mit Wirtschaft vereinigt; [7] 1949–53: Angelegenheiten des Fernmeldewesens, bis 1989 Post- und Fernmeldewesen; [8] 1961–69, 1991 als B.-Min. für Gesundheit neu errichtet; [9] 1953–57: Familienfragen, 1957–63: Familien- und Jugendfragen, 1963–69: Familie und Jugend, 1969–86: Jugend, Familie und Gesundheit, 1986–91: Jugend, Familie, Frauen und Gesundheit; seit 1994 Familie, Senioren, Frauen und Jugend.

BUNDESREGIERUNG

Kabinette der Bundesrepublik Deutschland (seit 1949)
(Fortsetzung)

Kabinette	B.-Min. für Familie und Senioren[10]
17. K.:	H. Rönsch CDU

Kabinette	B.-Min. für Raumordnung, Bauwesen u. Städtebau[11]	B.-Min. für Bildung u. Wissenschaft[12]	B.-Min. für wirtschaftl. Zusammenarbeit[13]	B.-Min. für innerdeutsche Beziehungen[14]
1. K.:	E. Wildermuth FDP †9.3.52; ab 16.7.52 F. Neumayer FDP		F. Blücher FDP	J. Kaiser CDU
2. K.:	V.-E. Preusker FDP (Febr. 56 FVP)	F. J. Strauß CSU; ab 16.10.56 S. Balke CSU	F. Blücher FDP (Febr. 56 FVP)	J. Kaiser CDU
3. K.:	P. Lücke CDU	S. Balke CSU		E. Lemmer CDU
4. K.:	P. Lücke CDU	S. Balke CSU	W. Scheel FDP	E. Lemmer CDU
5. K.:	P. Lücke CDU	H. Lenz FDP	W. Scheel FDP	R. Barzel CDU
6. K.:	P. Lücke CDU	H. Lenz FDP	W. Scheel FDP	E. Mende FDP
7. K.:	E. Bucher FDP; ab 4.11.66 B. Heck CDU	G. Stoltenberg CDU	W. Scheel FDP; ab 4.11.66 W. Dollinger CSU	E. Mende FDP; ab 8.11.66 J. B. Gradl CDU
8. K.:	L. Lauritzen SPD	G. Stoltenberg CDU	H. J. Wischnewski SPD; ab 2.10.68 E. Eppler SPD	H. Wehner SPD
9. K.:	L. Lauritzen SPD	H. Leussink; ab 15.3.72 K. v. Dohnanyi SPD	E. Eppler SPD	E. Franke SPD
10. K.:	H.-J. Vogel SPD	K. v. Dohnanyi SPD	E. Eppler SPD	E. Franke SPD
11. K.:	K. Ravens SPD	H. Rohde SPD	E. Eppler SPD; ab 8.7.74 E. K. Bahr SPD	E. Franke SPD
12. K.:	K. Ravens SPD; ab 16.2.78 D. Haack SPD	H. Rohde SPD; ab 16.2.78 J. Schmude SPD	M. Schlei SPD; ab 16.2.78 R. Offergeld SPD	E. Franke SPD
13. K.:	D. Haack SPD	J. Schmude SPD; ab 28.1.81 B. Engholm SPD	R. Offergeld SPD	E. Franke SPD
14. K.:	O. Schneider CSU	D. Wilms CDU	J. Warnke CSU	R. Barzel CDU
15. K.:	O. Schneider CSU	D. Wilms CDU	J. Warnke CSU	H. Windelen CDU
16. K.:	O. Schneider CSU; ab 21.4.89 G. Hasselfeldt CSU	J. W. Möllemann FDP	H. Klein CSU; ab 21.4.89 J. Warnke CSU	D. Wilms CDU
17. K.:	I. Schwaetzer FDP	R. Ortleb FDP, ab 4.2.94 K. Laermann FDP	C.-D. Spranger CSU	
18. K.:	K. Töpfer CDU		C.-D. Spranger CSU	

[10] nur 1991–94 bestehend; [11] 1949–61: Wohnungsbau, 1961–69: Wohnungswesen, Städtebau und Raumordnung, 1969–72: Städtebau und Wohnungswesen; [12] gegründet am 20. 10. 1955, bis 1957: Atomfragen, 1957–62: Atomenergie und Wasserwirtschaft, 1962–69: Wiss. Forschung; seit 1994 mit Forschung und Technologie zusammengelegt; [13] 1949–53: Angelegenheiten des Marshall-Planes; [14] 1949–69: gesamtdt. Fragen, 1991 aufgelöst.

BUNDESREGIERUNG

Kabinette der Bundesrepublik Deutschland (seit 1949)
(Fortsetzung)

Kabinette	B.-Min. für Vertriebene, Flüchtlinge und Kriegsgeschädigte [15]	B.-Min. für Angelegenheiten des Bundesrates u. der Länder [16]	Bundesschatzministerium [17]	B.-Min. für besondere Aufgaben [18]
1. K.:	H. Lukaschek CDU	H. Hellwege DP		
2. K.:	T. Oberländer GB/BHE (März 56 CDU)	H. Hellwege DP; ab 7.6.55 H.-J. v. Merkatz DP		R. Tillmanns CDU † 12.11.55; H. Schäfer FDP [19] (Febr. 56 FVP) W. Kraft GB/BHE [19] (Juli 55 CDU) F. J. Strauß CSU bis 19.10.55
3. K.:	T. Oberländer CDU bis 4.5.60; ab 27.10.60 H.-J. v. Merkatz DP (24.8.60 CDU)	H.-J. v. Merkatz DP (24.8.60 CDU)	H. Lindrath CDU † 27.2.60; ab 8.4.60 H. Wilhelmi CDU	
4. K.:	W. Mischnick FDP	H.-J. v. Merkatz CDU	H. Lenz FDP	H. Krone CDU
5. K.:	W. Mischnick FDP	A. Niederalt CSU	W. Dollinger CSU	H. Krone CDU
6. K.:	K. H. Krüger CDU; ab 17.2.64 E. Lemmer CDU	A. Niederalt CSU	W. Dollinger CSU	H. Krone CDU; L. Westrick CDU [20] (ab 15.6.64) H. Krone CDU
7. K.:	J. B. Gradl CDU	A. Niederalt CSU	W. Dollinger CSU	L. Westrick CDU
8. K.:	K.-U. v. Hassel CDU; ab 7.2.69 H. Windelen CDU	C. Schmid SPD	K. Schmücker CDU	
9. K.:				H. Ehmke SPD [20]
10. K.:				E. K. Bahr SPD u. W. Maihofer FDP
16. K.:				W. Schäuble CDU; ab 21.4.89 R. Seiters CDU [20] H. Klein CSU
17. K.:				R. Seiters CDU [20]; ab 26.11.91 F. Bohl CDU
18. K.:				F. Bohl CDU

Kabinette	B.-Min. für Umwelt, Naturschutz u. Reaktorsicherheit [21]
15. K.:	W. Wallmann CDU
16. K.:	W. Wallmann CDU, ab 7.5.87 K. Töpfer CDU
17. K.:	K. Töpfer CDU
18. K.:	A. Merkel CDU

[15] 1969 aufgehoben; [16] 1949–57: Angelegenheiten des Bundesrates, 1969 aufgehoben; [17] 1957–62: wirtsch. Besitz des Bundes, 1969 aufgehoben; [18] 1964–66: Sonderaufgaben und Verteidigungsrat; [19] ausgeschieden bei Umbildung des Kabinetts am 16. 10. 1956; [20] Chef des Bundeskanzleramts; [21] ab 6. 6. 1986.

Bundesstrafprozeß, in der Schweiz das rechtlich geregelte Verfahren, in dem die der Gerichtsbarkeit des Bundes (Bundesassisen, Bundesstrafgericht, Bundesverwaltung) unterstellten Verbrechen, Vergehen und Übertretungen verfolgt und beurteilt werden.

Bundesstraßen ↑ Bundesfernstraßen.

Bundestag, im *Dt. Bund* (1815–66) Bez. für die ↑ Bundesversammlung.

◆ (Dt. Bundestag) in der *BR Deutschland* die aus allg., freien, geheimen, unmittelbaren und gleichen Wahlen hervorgegangene

BUNDESTAG
Ergebnisse der Bundestagswahlen 1949–94 (bis 1987 ohne Berlin [West])

Wahlen:	14. Aug. 1949		6. Sept. 1953		15. Sept. 1957		17. Sept. 1961	
Wahlberechtigte (Mill.):	31,2		33,1		35,4		37,4	
Wahlbeteiligung (%):	78,5		85,8		87,8		87,7	
	Stimmen in %	Mandate	Stimmen in %	Mandate	Stimmen in %	Mandate	Stimmen in %	Mandate
CDU/CSU	31,0	139	45,2	243	50,2	270	45,3	242
SPD	29,2	131	28,8	151	31,8	169	36,2	190
FDP	11,9	52	9,5	48	7,7	41	12,8	67
DP, ab 1961 GDP	4,0	17	3,3	15	3,4	17	2,8	–
GB/BHE	–	–	5,9	27	4,6	–	–	–
Zentrum	3,1	10	0,8	3	0,3	–	–	–
Bayernpartei (BP)	4,2	17	1,7	–	0,5	–	–	–
KPD	5,7	15	2,2	–	–	–	–	–
DFU	–	–	–	–	–	–	1,9	–
DRP	1,8	5	1,1	–	1,0	–	0,8	–
sonstige	9,1	16	1,5	–	0,5	–	0,2	–
insgesamt	100	402	100	487	100	497	100	499

Wahlen:	19. Sept. 1965		28. Sept. 1969		19. Nov. 1972		3. Okt. 1976	
Wahlberechtigte (Mill.):	38,5		38,6		41,4		42,1	
Wahlbeteiligung (%):	86,8		86,7		91,1		90,7	
	Stimmen in %	Mandate	Stimmen in %	Mandate	Stimmen in %	Mandate	Stimmen in %	Mandate
CDU/CSU	47,6	245	46,1	242	44,9	225	48,6	243
SPD	39,3	202	42,7	224	45,8	230	42,6	214
FDP	9,5	49	5,8	30	8,4	41	7,9	39
GDP	–	–	0,1	–	–	–	–	–
Bayernpartei (BP)	–	–	0,2	–	–	–	–	–
DFU	1,3	–	–	–	–	–	–	–
DKP	–	–	–	–	0,3	–	0,3	–
NPD	2,0	–	4,3	–	0,6	–	0,3	–
sonstige	0,3	–	0,8	–	–	–	0,3	–
insgesamt	100	496	100	496	100	496	100	496

Wahlen:	5. Okt. 1980		6. März 1983		25. Jan. 1987		2. Dez. 1990[1]	
Wahlberechtigte (Mill.):	43,2		44,1		45,3		60,4	
Wahlbeteiligung (%):	88,6		89,1		84,3		77,8	
	Stimmen in %	Mandate	Stimmen in %	Mandate	Stimmen in %	Mandate	Stimmen in %	Mandate
CDU/CSU	44,5	226	48,8	244	44,3	223	43,8	319
SPD	42,9	218	38,2	193	37,0	186	33,5	239
FDP	10,6	53	7,0	34	9,1	46	11,0	79

[1] Erste gesamtdeutsche Wahlen (Ergebnisse für den Wahlbereich Ost: CDU 41,8 %, SPD 24,3 %, FDP 12,9 %, PDS 11,1 %, Bündnis 90/Grüne 6,0 %, DSU 1,0 %, Die Grünen 0,1 %)

BUNDESTAG

Ergebnisse der Bundestagswahlen 1949–90 (Fortsetzung)

Wahlen:	5. Okt. 1980		6. März 1983		25. Jan. 1987		2. Dez. 1990[1]	
	Stimmen in %	Mandate	Stimmen in %	Mandate	Stimmen in %	Mandate	Stimmen in %	Mandate
Grüne	1,5	–	5,6	27	8,3	42	3,9	–
Bündnis '90/Grüne	–	–	–	–	–	–	1,2	8
PDS	–	–	–	–	–	–	2,4	17
DKP	0,2	–	0,2	–	–	–	–	–
NPD	0,2	–	0,2	–	0,6	–	–	–
sonstige	0,1	–	0,1	–	0,7	–	4,2	–
insgesamt	100	497	100	498	100	497	100	662

Wahlen:	16. Okt. 1994	
Wahlberechtigte (Mill.):	60,4	
Wahlbeteiligung (%):	79,1	
	Stimmen in %	Mandate
CDU/CSU	41,5	294
SPD	36,4	252
FDP	6,9	47
Grüne	–	–
Bündnis '90/Die Grünen	7,3	49
PDS	4,4	30
sonstige	1,6	–
insgesamt	100	672

[1] Erste gesamtdeutsche Wahlen (Ergebnisse für den Wahlbereich Ost: CDU 41,8%, SPD 24,3%, FDP 12,9%, PDS 11,1%, Bündnis 90/Grüne 6,0%, DSU 1,0%, Die Grünen 0,1%)

Volksvertretung. Der B. wählt den Bundeskanzler und kann diesen stürzen, stellt die Hälfte der Mgl. der Bundesversammlung und ⅔ der Mgl. des Gemeinsamen Ausschusses, ist zur Präs.anklage befugt, wählt die Hälfte der Bundesverfassungsrichter und entsendet Mgl. in den Richterwahlausschuß, der die Bundesrichter wählt. Er ist das zentrale Organ der polit. Willensbildung und das oberste Gesetzgebungsorgan, ermächtigt die Reg. zum Erlaß von Rechtsverordnungen, stellt durch Gesetz den Haushaltsplan fest, erteilt die Zustimmung zu völkerrechtl. Verträgen (durch *Ratifikationsgesetz*) und entscheidet im Verteidigungsfall. Als oberstes Kontrollorgan hat er die Bundesregierung einschl. der ihr unterstellten Verwaltung zu überwachen. Er hat das Recht, jedes Mgl. der Bundesregierung einer Befragung zu unterziehen (Interpellationsrecht) sowie parlamentar. Untersuchungen durchzuführen. Der B. beruft den ↑Wehrbeauftragten. Die Abhörpraxis der Exekutive wird durch bes. Kontrollorgane überwacht. Bei der Kontrolle über das Haushaltsgebaren der Reg. wird der B. durch den Bundesrechnungshof unterstützt. Dem B. gehören (seit Dez. 1990) 662 Abg. an, die zur Hälfte direkt, zur Hälfte über Listen gewählt werden (zu mögl. Überhangmandaten ↑Wahlen). Die einer Partei zugehörigen Abg. bilden innerhalb des B. eine Fraktion, wenn ihre Zahl mindestens 5% der Mgl. des B. beträgt (§ 10 Geschäftsordnung des B., ansonsten Gruppenstatus möglich). Die *Wahlperiode* dauert i. d. R. 4 Jahre, kann aber vorher durch Auflösung des B. enden. Der B. nimmt die Wahlprüfung vor, gibt sich eine Geschäftsordnung und wählt seine Organe (Präsident, Präsidium, Ältestenrat, Schriftführer, Ausschüsse). Das Plenum verhandelt öffentlich, die Ausschüsse dagegen tagen grundsätzlich nicht öffentlich. – ↑Parlamentarismus.

Bundesverband Bürgerinitiativen Umweltschutz e.V., Abk. BBU, 1972 in

Mörfelden-Walldorf gegr. Zusammenschluß von rund 1 000 Bürgerinitiativen und zahlreichen Einzelmitgliedern, der die Erhaltung und Wiederherstellung der natürl. Lebensgrundlagen, den Schutz der Natur und der durch Umweltgefahren bedrohten öffentl. Gesundheit anstrebt; Sitz: Frankfurt am Main. Angeschlossen ist dem BBU das Umweltwissenschaftl. Inst. in Stuttgart.

Bundesverband der Deutschen Industrie e. V., Abk. BDI, Spitzenorganisation der Ind.fachverbände in der BR Deutschland; Sitz: Köln, gegr. 1949, vertritt die wirtsch. und wirtschaftspolit. Interessen der dt. Industrie.

Bundesverband für den Selbstschutz, Abk. BVS, bundesunmittelbare Körperschaft des öffentl. Rechts (seit 1960); Sitz: Köln; untersteht der Aufsicht des Bundesmin. des Innern; Aufgabe: Aufklärung der Bev. über die Wirkung von Angriffswaffen und über Schutzmöglichkeiten.

Bundesverdienstkreuz ↑Verdienstorden der Bundesrepublik Deutschland.

Bundesvereinigung der Deutschen Arbeitgeberverbände e. V., Abk. BDA, Spitzenorganisation der ↑Arbeitgeberverbände in der BR Deutschland; Sitz: Köln.

Bundesverfassungsgericht, Abk. BVerfG, BVG, ein allen übrigen Verfassungsorganen gegenüber selbständiger Gerichtshof des Bundes; errichtet am 7. 9. 1951; Sitz: Karlsruhe. Seine Entscheidungen binden alle anderen staatl. Organe, auch den Bundestag. Das B. ist selbst Verfassungsorgan. Die Zuständigkeiten des B. und die Grundzüge der Richterwahl sind im GG (Art. 93, 94) geregelt, die Rechtsstellung der Richter, die Verfassung und das Verfahren des Gerichts im Gesetz über das B. i. d. F. vom 12. 12. 1985. Am B. bestehen 2 Senate, die mit je 8 Richtern besetzt sind. Die beiden Senate zusammen bilden das Plenum des B., das zuständig ist, wenn ein Senat in einer Rechtsfrage von der Meinung des anderen Senats abweichen will. Die Richter werden je zur Hälfte vom Bundestag (indirekte Wahl) und Bundesrat (direkte Wahl mit Zweidrittelmehrheit) gewählt, vom Bundespräs. ernannt und vereidigt. 3 Richter jedes Senats werden aus der Zahl der Richter an den obersten Gerichtshöfen gewählt. Den Präs. des B. und seinen Stellvertreter wählen Bundestag und Bundesrat im Wechsel. Die Amtszeit der Richter dauert 12 Jahre; eine anschließende oder spätere Wiederwahl ist ausgeschlossen. – ↑Verfassungsgerichtsbarkeit.

Bundes-Verfassungsgesetz, Abk. B-VG, Bez. für die geltende östr. Verfassung (B-VG vom 1. 10. 1920 i. d. F. von 1929).

Bundesversammlung, im *Deutschen Bund* (1815–66; auch Bundestag gen.) Bundesorgan (Sitz Frankfurt am Main), das die auswärtigen, militär. und inneren Angelegenheiten des Bundes unter dem Bundespräsidium Österreichs besorgte. In der B. waren alle Gliedstaaten durch Bevollmächtigte im Range von Gesandten vertreten, die nur nach den Instruktionen ihrer Regierungen abstimmen konnten. – In der *BR Deutschland* ist die B. das Organ, das den Bundespräs. wählt (Art. 54 GG). Die B. besteht aus den Mgl. des Dt. Bundestages und einer gleichen Anzahl von Mgl., die von den Volksvertretungen der Länder nach den Grundsätzen der Verhältniswahl gewählt werden. Sie wird vom Präs. des Bundestages einberufen. – Für *Österreich* und die *Schweiz* ↑Österreich (polit. System), ↑Schweiz (polit. System).

Bundesversicherungsamt ↑Bundesämter (Übersicht).

Bundesversicherungsanstalt für Angestellte, Abk. BfA, Körperschaft des öff. Rechts mit dem Recht der Selbstverwaltung, Träger der gesetzl. Rentenversicherung der Angestellten in der BR Deutschland; Sitz: Berlin. Die Organe der BfA sind *Vertreterversammlung* und *Vorstand,* die je zur Hälfte aus Vertretern der Versicherten und der Arbeitgeber bestehen.

Bundesvertriebenengesetz, Abk. BVFG, Kurzbez. für das Gesetz über die Angelegenheiten der Vertriebenen und Flüchtlinge i. d. F. vom 3. 9. 1971 (↑Lastenausgleich, ↑Vertriebene).

Bundesverwaltung, im Recht der BR Deutschland 1. der Vollzug von BG und die sonstige, sog. „gesetzesfreie" Verwaltung durch eigene Behörden des Bundes **(bundesunmittelbare Verwaltung)** oder durch Körperschaften und Anstalten des öff. Rechts, die der Aufsicht des Bundes unterstehen **(mittelbare Bundesverwaltung);** 2. die Gesamtheit der Behörden des Bundes. Das GG weist das Schwergewicht der Verwaltung den Ländern zu; daher ist die B. eher die Ausnahme. Die B. im vorgenannten Sinne hat je nach Verwaltungszweig einen ein- bis dreistufigen Behördenaufbau. Die Zentralstufe besteht aus den **obersten Bundesbehörden,** die keiner anderen Behörde unterstellt sind (Bundespräsidialamt, Bundeskanzleramt, Bundesministerien und Bundesrechnungshof), und den **sonstigen Zentralbehörden,** die einer obersten Bundesbehörde unterstellt sind und deren örtl. Zuständigkeit sich auf das ganze Bundesgebiet erstreckt (Bundesoberbehörden, Bundesämter, Bundesstellen, Bundesinstitute, nicht rechtsfähige Bundesanstalten). Im Gegensatz dazu erstreckt sich die örtl. Zuständigkeit der Behörden der **Mittelstufe** (z. B. Oberfinanzdirektion, Bundesbahndirektion) und **Unterstufe** (z. B. Hauptzollämter, Postämter) jeweils nur auf einen Teil des Bundesgebiets.

Nach *östr. Recht* ist B. die Vollziehung des Bundesrechts durch Verwaltungsbehörden. Man unterscheidet: 1. *unmittelbare B.*, deren Träger eigene Bundesbehörden sind (z. B. Finanzamt, Bundespolizei); 2. *mittelbare B.*, die vom Landeshauptmann und den ihm unterstellten Landesbehörden besorgt wird.
In der *Schweiz* ist B. die Staatstätigkeit auf dem Gebiet der öffentl. Verwaltung, soweit sie von Bundesbehörden ausgeübt wird; sie umfaßt: auswärtige, Militär-, Finanz-, Justiz- und innere Verwaltung.

Bundesverwaltungsgericht, Abk. BVerwG, BVG, oberster Gerichtshof des Bundes auf dem Gebiet der allg. Verwaltungsgerichtsbarkeit sowie der Disziplinargerichtsbarkeit des Bundes und der Wehrdienstgerichtsbarkeit; 1952 errichtet, Sitz Berlin.

Bundeswahlgesetz, Gesetz vom 7. 5. 1956 i. d. F. vom 1. 9. 1975 mit der Bundeswahlordnung vom 28. 8. 1985 i. d. F. der Bekanntmachung vom 7. 12. 1989, in dem für die Bundestagswahlen das Wahlsystem, die Wahlorgane, Wahlrecht und Wählbarkeit, Vorbereitung der Wahl, Wahlhandlung, Feststellung des Wahlergebnisses sowie Erwerb und Verlust der Mitgliedschaft im Bundestag geregelt werden.

Bundeswahlleiter, vom Bundesmin. des Innern ernanntes Wahlorgan zur Vorbereitung und Durchführung von Wahlen zum Dt. Bundestag; der B. ist zugleich Vors. des **Bundeswahlausschusses,** dem weitere vom B. berufene Wahlberechtigte angehören.

Bundeswasserstraßen, die gemäß Art. 89 GG in Eigentum und Verwaltung des Bundes stehenden schiffbaren Flüsse, Seen, Kanäle und Küstengewässer (Binnenwasserstraßen und Seewasserstraßen). Bau, Unterhaltung und Verwaltung der B. besorgen Behörden des Bundes.

Bundeswehr, Bez. für die Streitkräfte der BR Deutschland. Der Aufbau erfolgte nach dem 5. Mai 1955; die verfassungsrechtl. Voraussetzungen wurden durch Grundgesetzänderungen vom 26. 3. 1954 und vom 19. 3. 1956 geschaffen. Zunächst nur Freiwillige; ab 1956 jedoch allg. Wehrpflicht; die Angehörigen der B. sind entweder *Wehrpflichtige, Soldaten auf Zeit* oder *Berufssoldaten*. Die zahlenmäßige Stärke der B. beträgt 340 000 Mann, das Anwachsen um bis zu 30 000 auf die internat. verbindlich festgelegte Höchststärke von 370 000 Mann ist jederzeit möglich. Die B. gliedert sich in Heer, Luftwaffe, Marine, Sanitäts- und Gesundheitswesen sowie Zentrale Militär. B.dienststellen. Befehls- und Kommandogewalt hat gemäß Artikel 65a GG der Bundesminister der Verteidigung, im Verteidigungsfall der Bundeskanzler; ihm untersteht der Generalinspekteur der B. mit dem Führungsstab der Streitkräfte; bes. Aufgaben hinsichtlich der B. haben die B.verwaltung und der Wehrbeauftragte des Bundestages. Dem Führungsstab des **Heeres** im Bundesministerium der Verteidigung unterstehen das *Heeresamt* (zuständig für die Schulen und Lehrtruppen des Heeres, das Erarbeiten von Grundlagen für Führungs-, Kampf- und Einsatzgrundsätze, für Rüstung, Ausbildung, dienstl. Anweisung an die Korps, das *Heeresführungskommando* und das *Heeresunterstützungskommando*. Gegliedert ist das Heer in 3 Korps (inklusive Korps-Verfügungs- und Versorgungstruppen) mit insges. 8 Wehrbereichskommandos/Divisionen (4 Panzerdivisionen, 3 Panzergrenadierdivisionen, 1 Gebirgsdivision einschl. Divisionstruppen). Unterhalb der WBK/Div-Ebene gibt es 19 mechanisierte und 4 leichte Brigaden, 3 Logistik-, 3 Sanitäts-, 4 Führungsunterstützungs- und 8 Pionierbrigaden, je 1 Heeresflieger- und Fernmeldeelektron. Aufklärungsbrigade, die Dt.-Frz. Brigade sowie 46 Verteidigungsbezirkskommandos. Dem Führungsstab der **Luftwaffe** im Bundesministerium der Verteidigung sind das *Luftwaffenamt* (zuständig für zentrale Luftwaffenaufgaben: Ausbildung, Rüstung, Transport, Sanitätswesen u. a.), das *Luftwaffenführungskommando* (ihm unterstehen die Einsatzverbände der Luftwaffe, zusammengefaßt in 4 Luftwaffendivisionen) und das *Luftwaffenunterstützungskommando* (die logist. Verbände und Dienststellen der Luftwaffe) unterstellt. Die Luftwaffe besitzt etwa 400 Kampfflugzeuge. Dem Führungsstab der **Marine** im Bundesverteidigungsministerium unterstehen das *Marineamt* (zuständig für Ausbildung, Rüstung und Sanitätsdienst in der Marine), das *Flottenkommando* (alle Kampfeinheiten, die schwimmenden Unterstützungseinheiten der Marine sowie Einrichtungen auf dem Festland, die für deren Einsatzführung notwendig sind) und das *Marineunterstützungskommando* (dem die Aufrechterhaltung der materiellen Einsatzbereitschaft der Marinestreitkräfte obliegt). Die Marine verfügt über rd. 180 schwimmende Einheiten. Dem Inspekteur des **Sanitäts- und Gesundheitswesens** im Bundesministerium der Verteidigung untersteht als Fachvorgesetztem der Sanitätsdienst in den Teilstreitkräften und in den Zentralen Militär. B.dienststellen. Er ist zugleich unmittelbarer truppendienstl. Vorgesetzter des *Sanitätsamtes der B.* als der Kommandobehörde für die nachgeordneten zentralen Sanitätsdienststellen der B. Unter den **Zentralen Militärischen Bundeswehr-Dienststellen,** die dem Stellvertreter des Generalinspekteurs der B. unterstellt sind und mit den Streitkräften gemeinsame Aufgaben wahrnehmen, hat das *Streit-*

kräfteamt eine bes. Stellung. – Bis Ende 1994 wurden die Eingliederung ehem. Angehöriger der Nationalen Volksarmee der DDR sowie die Umgliederung entsprechender Truppenteile abgeschlossen, das übernommene Material gemäß KSE-Vertrag zerstört oder ans Ausland abgegeben.

Bundeswehrhochschulen ↑Universitäten der Bundeswehr.

Bundeswehrverwaltung, zivile, für alle Teilstreitkräfte der Bundeswehr zuständige, dem Verteidigungsmin. unterstehende Verwaltung. Die B. dient den Aufgaben des Personalwesens und der unmittelbaren Dekkung des Sachbedarfs der Streitkräfte. Die Aufgaben der B. werden wahrgenommen vom **Bundeswehrverwaltungsamt,** mit nachgeordneten Behörden, von den **Wehrbereichsverwaltungen** mit nachgeordneten Behörden der unteren Verwaltungsstufe, von der **Bundesakademie für Wehrverwaltung und Wehrtechnik,** vom **Bundessprachenamt,** den **Bundeswehrverwaltungsschulen** I bis IV, vom **Bundesamt für Wehrtechnik und Beschaffung** und im Bereich der Streitkräfte von sog. „Abteilungen Verwaltung“.

Bundeszentrale für politische Bildung, seit 1963 Bez. für die 1952 gegr. Bundeszentrale für Heimatdienst, eine dem Bundesmin. des Innern unterstellte, nicht rechtsfähige Bundesanstalt; betreibt insbes. finanzielle Unterstützung und Förderung von polit. Tagungen, Lehrgängen, Veröffentlichungen. Hg. der polit. Wochenzeitung „Das Parlament“ und der „Informationen zur polit. Bildung“.

Bundeszentralregister, zentrales Register für die BR Deutschland, das in Berlin vom Generalbundesanwalt beim Bundesgerichtshof geführt wird. In das B. werden u. a. eingetragen: strafgerichtl. Verurteilungen, Entmündigungen, bestimmte Entscheidungen von Verwaltungsbehörden, Vermerke über die Schuldunfähigkeit, Verurteilungen in Verbindung mit Betäubungsmittelabhängigkeit. In das **Erziehungsregister** werden Entscheidungen der Jugend- und Vormundschaftsgerichte aufgenommen, die keinen Strafcharakter haben (z. B. Fürsorgeerziehung). Das B. erteilt jeder Person auf Antrag ein Zeugnis über den sie betreffenden Inhalt des Zentralregisters **(Führungszeugnis).** Eintragungen über strafgerichtl. Verurteilungen werden nach Ablauf einer bestimmten Frist getilgt. Rechtsgrundlage für das B. ist das BundeszentralregisterG i. d. F. vom 21. 9. 1984. Eintragungen des beim Generalstaatsanwalt der DDR geführten Strafregisters werden in das B. übernommen.

Bundeszwang, in der BR Deutschland nach Art. 37 GG das Recht des Bundes, ein Land, das die ihm nach dem GG oder einem anderen Bundesgesetz obliegenden Bundespflichten nicht erfüllt, durch geeignete Maßnahmen mit Zustimmung des Bundesrats dazu zu zwingen, seinen Pflichten nachzukommen. Zur Durchführung des B. hat die Bundesreg. oder ihr Beauftragter das Weisungsrecht gegenüber allen Ländern und ihren Behörden. Gegen seine Durchführung kann das Bundesverfassungsgericht angerufen werden.

Bund Freier Demokraten, am 12. Febr. 1990 gegr. Wahlbündnis liberaler Parteien in der damaligen DDR (Liberal-Demokrat. Partei [LDP], Dt. Forumpartei [DFP] und DDR-FDP); erreichte bei den Volkskammerwahlen am 18. März 1990 5,27 % der Stimmen; eine geplante anschließende Vereinigung zu einer Partei kam nicht zustande.

Bund Freier Demokraten – Die Liberalen, seit dem 27. März 1990 Name der Liberal-Demokrat. Partei in der DDR (vormals Liberal-Demokrat. Partei Deutschlands); ihm trat am 28. März 1990 kooperativ die National-Demokrat. Partei Deutschlands und im Juni 1990 endgültig auch die Dt. Forumpartei bei; am 11./12. Aug. 1990 Vereinigung mit der Freien Demokrat. Partei.

Bund für Umwelt und Naturschutz Deutschland e. V., Abk. BUND, Organisation zur Förderung des ökolog. Verständnisses, Sitz Bonn; rd. 185 000 Mgl. (1990).

bündig, in ein und derselben Ebene liegend, nicht überstehend.

bündische Jugend ↑Jugendbewegung.

Bund-Länder-Kommission für Bildungsplanung und Forschungsförderung, Abk. BLK, 1970 durch Verwaltungsabkommen zw. Bund und Ländern errichtet; Sitz: Bonn. Mgl. sind die Länder und 7 Vertreter der Bundesregierung. Bis 1973 erarbeitete die Kommission den Bildungsgesamtplan und das Bildungsbudget bis 1985, seither Ausarbeitung von mittelfristigen Stufenplänen (berufl. Bildung, Weiterbildung).

Bündnis, völkerrechtl. Vertrag zw. souveränen Staaten über die Leistung von Beistand im Kriegsfall bzw. über eine wechselseitige Verteidigung im Falle eines Angriffs durch einen oder mehrere Drittstaaten.

Bündnisfall, Sonderfall des äußeren Notstands (↑Ausnahmezustand), der die Bundesreg. ermächtigt, ohne vorherige Einschaltung des Bundestages Notstandsrecht auf der Grundlage und nach Maßgabe eines Beschlusses anzuwenden, der von einem internat. Organ im Rahmen eines Bündnisvertrages mit Zustimmung der Bundesreg. gefaßt worden ist (Art. 80a Abs. 3 GG). Im B. darf die Reg. die sog. einfachen Notstandsgesetze anwenden.

Bündnis 90, am 7. Febr. 1990 gegr. Zusammenschluß verschiedener Bürgerrechtsbewegungen (u. a. Neues Forum, Demokratie

Jetzt) der DDR, der bei den Wahlen zur Volkskammer am 18. März 1990 12 Sitze errang. Im Aug. 1990 schloß sich das B. 90 mit der „Grünen Partei“ der DDR zu einem Wahlbündnis **Bündnis 90/Grüne** zusammen, das keinen Parteicharakter trug. Bei der Bundestagswahl am 2. Dez. 1990 im Wahlgebiet Ost angetreten, erzielte es 8 Mandate. Im Sept. 1991 wurde das Wahlbündnis wieder gelöst. Die polit. Nähe zu den Grünen der alten Bundesländer führte im Mai 1993 auf dem Leipziger Vereinigungsparteitag zur Fusion von B. 90 und den Grünen unter dem Parteinamen ↑Bündnis 90/Die Grünen.

Bündnis 90/Die Grünen, aus dem Zusammenschluß des Bündnis 90 mit den Grünen im Mai 1993 hervorgegangene polit. Partei; rd. 40000 Mgl.; in der Nachfolge des Bündnis 90/Grüne errang die neue Partei bei der Bundestagswahl vom 16. Okt. 1994 7,3% der Stimmen und zog mit 49 Mandaten als drittstärkste Fraktion in den Bundestag ein.

Bundschuh, mit Riemen zu schnürende, knöchelbedeckende Fußbekleidung der Bauern des späten Mittelalters.

◆ in der 1. Hälfte 15. Jh. Name und Feldzeichen aufständ. Bauernverbände; erster großer B.aufstand 1493 in Schlettstadt, 1502 Bistum Speyer, 1513 Breisgau, 1517 Oberrhein (unter Führung von Joß Fritz).

Bundsteg, in der Buchherstellung der zw. zwei Kolumnen liegende unbedruckt bleibende Raum, der nach dem Falzen am Buchrücken liegt.

Bungalow [...lo; ind.-engl.], freistehendes eingeschossiges Wohnhaus mit Flachdach.

Bunin, Iwan Alexejewitsch, * Woronesch 22. Okt. 1870, † Paris 8. Nov. 1953, russ. Dichter. – Emigrierte 1920 nach Frankreich. Schrieb Lyrik sowie Erzählwerke, mit denen er an die russ. Tradition Puschkins, Gontscharows und Turgenjews und den frz. realist. Roman anknüpfte. Im Spätwerk abstrakte, visionäre, pessimist. Eindrücke. Nobelpreis 1933. – *Werke:* Das Dorf (R., 1910), Suchodol (R., 1912), Die Grammatik der Liebe (En., 1915), Der Herr aus San Francisco (Nov., 1916), Im Anbruch der Tage. Arsenjews Leben (R., erschienen 1927–39).

Bunker [engl.], meist unterird. Schutzanlage für militär. Zwecke und für die Zivilbev. (heute vorwiegend aus Stahlbeton).

◆ großer Behälter zur Lagerung pulveriger, körniger oder flüssiger Stoffe (z. B. Bunkerkohle oder Bunkeröle auf Schiffen).

Bunsen, [Christian] Karl [Josias] Frhr. von, * Korbach 25. Aug. 1791, † Bonn 28. Nov. 1860, preuß. Diplomat und Gelehrter. – 1824–38 preuß. Gesandter beim Vatikan; wurde 1829 Generalsekretär des mit seiner Hilfe neu errichteten archäolog. Inst. in Rom; seit 1842 Botschafter in London; unterzeichnete 1852 das Londoner Protokoll über Schleswig-Holstein; erhielt 1854 seinen Abschied.

B., Robert Wilhelm, * Göttingen 30. März 1811, † Heidelberg 16. Aug. 1899, dt. Chemiker. – Prof. in Marburg, Breslau und Heidelberg; entwickelte 1859 zus. mit G. Kirchhoff die ↑Spektralanalyse, mit deren Hilfe ihnen die Entdeckung des Cäsiums (1860) und Rubidiums (1861) gelang; erfand das Eiskalorimeter (1870), die Wasserstrahlpumpe, das Fettfleckphotometer und den ↑Bunsenbrenner; begr. die Jodometrie. Ihm zu Ehren wurde 1901 die „Dt. Elektrotechn. Gesellschaft“ in „Dt. Bunsengesellschaft für angewandte physikal. Chemie und Elektrochemie“ umbenannt.

Bunsenbrenner [nach R. W. Bunsen], 1855 erfundener Leuchtgasbrenner, bei dem das aus einer Düse ausströmende Gas die Verbrennungsluft durch eine verstellbare Öffnung ansaugt.

Bunsen-Element [nach R. W. Bunsen], ein galvan. Element (Primärelement) mit amalgamierter Zinkanode, die in verdünnte Schwefelsäure taucht, und einer in Salpetersäure tauchenden Kohlekathode; Spannung bis 1,96 V je nach Säuregehalt.

Buntbarsche (Zichliden, Cichlidae), Fam. der Barschfische mit rund 600, etwa 3–60 cm langen Arten in S-, M- und im südl. N-Amerika, in Afrika sowie im südl. Indien; leben überwiegend im Süßwasser; häufig sehr bunt, mit ausgeprägtem Farbwechsel. Zahlr. Arten sind ↑Maulbrüter. Beliebte Aquarienfische sind u. a. Tüpfelbuntbarsch, Streifenbuntbarsch, Zwergbuntbarsch, Segelflosser, Diskusfische, Prachtmaulbrüter.

Buntblättrigkeit, durch Ausfall von Blattfarbstoffen oder bevorzugte Ausbildung bestimmter Blattfarbstoffkomponenten bedingte Verfärbung von Blättern oder Blatteilen. – ↑Panaschierung.

Buntdruck ↑Drucken.

Buntmetalle, Nichteisenmetalle, z. B. Kupfer, Blei, Zink, Zinn, Nickel, Kobalt und Cadmium. Der Name ist abgeleitet von der Farbe wichtiger Erze dieser Metalle, bes. von den oft sehr bunt gefärbten sekundären Erzen (Verwitterungsprodukte).

Buntsandstein, älteste Abteilung der german. Trias; überwiegend rote Sandsteine; liefert nährstoffarme Böden; Baustein.

Buntspecht, (Großer B., Dendrocopos major) etwa 25 cm langer Specht in Europa, N-Afrika sowie in Asien; Oberseite schwarz mit je einem großen, weißen Schulterfleck, ♂ mit rotem Nackenfleck; Unterseite bis auf die rote Unterschwanzregion weiß. Der B. ist ein Baumbewohner, er frißt Insekten, Kiefern- und Fichtensamen. Während der bereits im Winter beginnenden Balzzeit trommeln beide Geschlechter mit dem Schnabel an abgestorbenen Stämmen oder Ästen.

◆ (Mittlerer B.) svw. ↑ Mittelspecht.

◆ (Kleiner B.) svw. ↑ Kleinspecht.

Buñuel, Luis [span. bu'ɲuɛl], * Calanda (Prov. Teruel) 22. Febr. 1900, † Mexiko 29. Juli 1983, span. Filmregisseur. – Drehte anfangs surrealist. Filme („Der andalus. Hund", 1928), wandte sich dann (in Mexiko) realistisch-sozialkrit. Filmen zu (u. a. „Die Vergessenen", 1950). Weitere Filme sind u. a. „Der Weg, der zum Himmel führt" (1951), „Viridiana" (1961), „Der Würgeengel" (1962), „Tagebuch einer Kammerzofe" (1963), „Belle de jour" (1967), „Tristana" (1970), „Der diskrete Charme der Bourgeoisie" (1972), „Dieses obskure Objekt der Begierde" (1978). – Memoiren: „Mein letzter Seufzer" (1983).

Bunyan, John [engl. 'bʌnjən], * Elstow bei Bedford 28. Nov. 1628, † London 31. Aug. 1688, engl. Schriftsteller. – Laienpriester einer puritan. Gemeinschaft; mehrmals im Gefängnis wegen Mißachtung eines Predigtverbots der Stuarts. Dort schrieb er das Erbauungsbuch „The pilgrim's progress" (2 Teile, 1678 und 1684, dt. 1685 u. d. T. „Eines Christen Reise nach der Seeligen Ewigkeit ..."), in dem er allegorisch den Weg des Gläubigen zur Unsterblichkeit darstellt und die Kräfte, die die christl. Existenz zu bedrohen oder zu retten vermögen. Das Buch wurde eines der meistübersetzten Werke der Weltliteratur.

Bunzlau (poln. Bolesławiec), Stadt in Niederschlesien, Polen, am Bober, 43 000 E. Zentrum des Kupfererzbergbaus im nördl. Sudetenvorland, chem., keram. Ind. – 1202 erstmalig erwähnt, Mitte 13. Jh. Stadtrecht, gehörte bis 1309 zum piast. Hzgt. Glogau, kam 1392 an Böhmen, 1742 an Preußen; im 2. Weltkrieg stark zerstört. – Historisch getreuer Wiederaufbau der Altstadt.

Bunzlauer Gut, nach Bunzlau ben., seit dem 16. Jh. hergestelltes Steingutgeschirr; bräunl. Scherben, außen braun und innen weiß glasiert.

Buol-Schauenstein, Karl Ferdinand Graf, * Wien 17. Mai 1797, † ebd. 28. Okt. 1865, östr. Diplomat und Minister. – 1852–59 Min. des Äußeren; Rücktritt nach Fehlschlag des Sardin.-Frz.-Östr. Krieges.

Buonaiuti, Ernesto, * Rom 24. April 1881, † ebd. 20. April 1946, italien. Theologe. – 1903 kath. Priester. Führender Vertreter des Modernismus (1921 exkommuniziert); verlor 1932 als Gegner des Faschismus seine Professur für Kirchengeschichte in Rom.

Buonaparte ↑ Bonaparte.

Buonarroti ↑ Michelangelo.

Buontalenti, Bernardo, * Florenz 1536, † ebd. 6. Juni 1608, italien. Baumeister. – Vertreter des florentin. Manierismus. Im Dienste der Medici v. a. in Florenz tätig. Obergeschoß der Uffizien, v. a. die Tribuna (1580–88); Grotte im Boboli-Garten (1583–88); Fassade von Santa Trinità (1593/94).

Buphthalmus [griech.], svw. ↑ Hydrophthalmus.

Buraida, Oasenstadt im Innern Saudi-Arabiens, 350 km nw. von Ar Rijad, 184 000 E. Dattelpalmenhaine, Getreideanbau, Kamel- und Rindermärkte; Zementwerk; ✈.

Buraimi, Al, Oasengruppe im O der Arab. Halbinsel (Abu Dhabi und Oman), am W-Fuß des Omangebirges, 275 m ü. d. M.; intensive Landw.; zahlr. neue Gärten um die alte Oase.

Burano, Insel in der Lagune von Venedig, etwa 5 000 E; Spitzenherstellung, Fischerei.

Burckhardt, Carl, * Lindau bei Zürich 13. Jan. 1878, † Ligornetto (Tessin) 24. Dez. 1923, schweizer. Bildhauer. – Schuf v. a. Monumentalwerke in Stein und Bronze in Zürich und Basel (Reliefs und Freifiguren); auch Maler und Kunstschriftsteller.

B., Carl Jacob, * Basel 10. Sept. 1891, † Vinzel 3. März 1974, schweizer. Historiker, Schriftsteller und Diplomat. – Seit 1932 Prof. in Genf; 1937–39 Hoher Kommissar des Völkerbundes in Danzig; organisierte als Mgl. des IRK (seit 1934), dessen Präs. er 1944–48 war, zahlr. Hilfsaktionen vor und während des 2. Weltkrieges. 1945–49 Gesandter der Schweiz in Paris; verfaßte u. a. „Richelieu" (3 Bde., 1935–67), Erinnerungen „Meine Danziger Mission 1937–39" (1960). Erhielt 1954 den Friedenspreis des Dt. Buchhandels.

B., Jacob, * Basel 25. Mai 1818, † ebd. 8. Aug. 1897, schweizer. Kultur- und Kunsthistoriker. – 1855–58 Prof. in Zürich, seit 1858 in Basel; gilt als Begr. der wiss. Kunstgeschichte im heutigen Sinn und als Klassiker wiss. histor. Prosa; u. a. „Cicerone" (1855; eine „Anleitung zum Genuß der Kunstwerke Italiens"), „Die Cultur der Renaissance in Italien" (1860), „Griech. Kulturgeschichte" (4 Bde., 1898–1902); deutete in den „Weltgeschichtl. Betrachtungen" (1905) von einem konservativen humanist. Standpunkt aus die polit., techn. und sozialen Tendenzen seiner Zeit.

Burdach, Konrad, * Königsberg (Pr) 29. Mai 1859, † Berlin 18. Sept. 1936, dt. Germanist. – 1887 Prof. in Halle/Saale, seit 1902 in Berlin; Vertreter einer stil- und geistesgeschichtl. Forschung in der Literatur- und Sprachwiss.; u. a. „Reimar der Alte und Walther von der Vogelweide (1880), Hg. „Vom MA zur Reformation" (11 Bde., 1893–1934).

Burda GmbH ↑ Verlage (Übersicht).

Burdigala, antike Stadt, ↑ Bordeaux.

Buren, Daniel [frz. by'rɛ̃], * Boulogne-sur-Seine 25. März 1938, frz. Maler und Bildhauer. – B. reduzierte die Malerei auf Grundstrukturen in Form regelmäßiger farbiger und weißer Streifen. Seit den 80er Jahren markiert er außer flächigen auch plast. Bildträger (Säulen).

B., Martin Van ↑Van Buren, Martin.

Buren [niederl. „Bauern"] (Boeren, Afrikaander, Afrikaners), Nachkommen der seit 1652 in Südafrika eingewanderten niederl. und dt. Siedler; etwa 3 Mill.; sprechen Afrikaans; zogen 1835–38 im Großen Treck nach N und gründeten mehrere kleine Republiken (↑Burenkrieg); urspr. Viehzüchter und Akkerbauern, heute bed. Teile der weißen Minderheit; Niederl.-Reformierte.

Büren, Stadt sw. von Paderborn, NRW, 17 500 E. Landesgehörlosenschule; Zement- und Möbelind. – Stadtrecht 1195. – Spätroman. Pfarrkirche Sankt Nikolai (13. Jh.), Jesuitenkirche (1754–71).

Büren an der Aare, Hauptort des schweizer. Bez. Büren, 10 km östl. von Biel (BE), 2800 E. Fabrikation von Uhren und elektron. Geräten. – Spätgot. Kirche (um 1510), Landvogteischloß (1620–23), Rathaus (um 1500).

Burenkrieg, Konflikt zw. Großbritannien und den Burenrepubliken Oranjefreistaat und Südafrikan. Republik 1899–1902; verursacht durch die brit. Bestrebungen, ein geschlossenes Kolonialreich vom „Kap bis Kairo" zu errichten und die Gold- und Diamantenfelder S-Afrikas zu besitzen, verschärft durch die strenge Ausländergesetzgebung der Buren und die Verweigerung des vollen Bürgerrechts für eingewanderte Briten und Angehörige anderer Staaten (sog. „Uitlander"), durch den Jameson Raid (1895), die Krügerdepesche und das Bündnis zw. der Südafrikan. Republik und dem Oranjefreistaat (1897). Nach anfängl. Erfolgen der Buren 1900 brit. Besetzung und Annexion der Burenrepubliken; auf den folgenden Guerillakrieg der Buren antworteten die Briten mit der Taktik der verbrannten Erde und der Internierung von Frauen und Kindern in Konzentrationslagern. Der Friede von Vereeniging (1902) machte die Burenrepubliken zu brit. Kolonien.

Bürette [frz.], mit geeichter Skala versehenes, durch einen Hahn verschlossenes Glasrohr, das in der Maßanalyse zum Bestimmen von Volumenmengen dient.

Burg, Stadt bei Magdeburg am O-Rand der Elbniederung, Sa.-Anh., 28 000 E. Maschinenfabriken, Feinblechwalzwerk, Schuhfabrik, Knäckebrotfabrik. – 949 erstmals als Stadt belegt. – Spätroman. Unterkirche (12. Jh.), spätgot. Oberkirche (15. Jh.).

Burg, Landkr. in Sachsen-Anhalt.

Burg [urspr. „(befestigte) Höhe"], histor. Bauanlage mit der Doppelfunktion „Wohnen und Wehren"; diente der adeligen Führungsschicht als Residenz, Wohn-, Verwaltungs- und Amtssitz sowie als Schutzanlage. – I. w. S. auch alle ehem. bewohnbaren vor- und frühgeschichtl. Wehranlagen **(Wallburg),** die vielfach eng mit Stadtbefestigungen, Palast- und Tempelbauten verbunden waren; i. e. S. die aus Stein errichtete **Feudalburg** des europ. MA vom 11.–16. Jh. In der Ebene oder auf der Talsohle wurde die *Wasser-B.* mit nassen oder die *Niederungs-* (auch *Tief-*)*B.* mit trockenen Schutzgräben erbaut. Auf oder an Berghöhen entstand die *Höhen-B.*, als *Gipfel-B.* auf der allseitig unangreifbaren Spitze oder Kuppe eines Berges, als *Hang-B.* auf einem Felsen am Berghang und als *Sporn-B.* auf einem auslaufenden Felsgrat oder Bergsporn. Die *Höhlen-* oder *Felsen-B.* besaß ganz oder teilweise in den Felsen gemeißelte Gemächer. Besitzrechtlich werden unterschieden *Allodial-B.* (volles Grundeigentum) und *Lehns-B.* Je nach gesellschaftl. Stand des Besitzers gab es *Reichs-B.* (Pfalzen), *Grafen-B.*, *Ministerialen-B.*, geistl. oder weltl. *Landes-B.*, *Dynastien-B.*, *Bischofs-B.*, *Kloster-B.* und *Amts-B.* Eine Sonderstellung nehmen die *Ordens-B.* in Spanien, die *Kreuzfahrer-B.* in Kleinasien und am östl. Mittelmeer sowie die *Kloster-B.* des Dt. Ordens und die *Kirchen-B.* ein. – Die Frühform der ma. B. war die *Turmhügel-B.* oder *Motte* des 9.–11. Jh., ein bewohnbarer hölzerner oder steinerner Turm auf einem künstl. Erdhügel, umgeben von Wall und Graben; im normann. Kulturbereich (N-Frankreich, England, S-Italien) entstand im 11./12. Jh. der *Donjon*. Die wehr- und bautechn. Erfahrungen des 12. und 13. Jh. führten zu einer verstärkten Entwicklung von Ringmauern mit Zwingern und Flankentürmen, von Schießscharten, Pechnasen, Wehrgängen mit Wurfschachtreihen (Maschiculi) und von Schießkammern oder Kasemattengängen. In den roman. Ländern und in England setzte sich dabei seit dem 13.–15. Jh. überwiegend die Kastellform mit streng regelmäßig-rechteckigem Anlagesystem durch. In Deutschland und Skandinavien entwickelten sich zwei eigene Baukörper für die Wehr- und Wohnaufgabe: Bergfried und Palas. Ein Torturm mit Wehrerkern oder (seit etwa 1200) mächtige flankierende Doppeltürme sicherten den B.eingang; eisenbeschlagene Holztore, Fallgatter und Zugbrükken sowie Pechnasen oder Pecherker schützten das Tor. Die B.baukunst der Spätgotik (Ende 14.–Anfang 16. Jh.) führte in den roman. Ländern zu überwiegend typengleichen, sehr monumentalen Bauanlagen, in Deutschland und Skandinavien zu immer individuelleren Lösungen. Ab Mitte des 15. Jh.

Burg. Glücksburg (Schleswig-Holstein), Wasserburg auf regelmäßigem Grundriß, 1582–87 erbaut

(Einsatz von Schießpulvergeschützen) wurden die Ringmauern dicker, niedriger und durch Schießkammern ausgehöhlt, den Bergfried ersetzten Bastions- und Batterietürme, mächtige Gräben und Wälle bildeten Abwehrringe; es begann der Festungsbau.
📖 *Boschke, F. L.: Ritter, Burgen, Waffen. Stg. 1985. – Hotz, W.: Kleine Kunstgesch. der dt. B. Darmst. ⁴1979.*

Burg a. d. Wupper, Ortsteil von ↑Solingen.

Burgas, bulgar. Hafenstadt am Golf von B. (Schwarzes Meer), 200 000 E. Hauptstadt und Zentrum des Verw.-Geb. B.; chemisch-techn. Hochschule, Museen; Theater; Erdölraffinerie, chem., Nahrungsmittel-, Textil-, holzverarbeitende Ind. Meersalzgewinnung. Fischereihafen; Seebad; internat. ✈.

Burg. Harlech Castle (Merionethshire, heute zur Grafschaft Gwynedd, Wales), 13. Jahrhundert

Burg auf Fehmarn, Stadt auf Fehmarn, Schl.-H., 5 700 E. Der Hafen liegt 1,5 km südl. in **Burgstaaken** am Burger Binnensee. Ostseebad in **Burgtiefe** auf der 3 km entfernten Nehrung. – 1329 als Stadt genannt. – Nikolaikirche (12. Jh.).

Burgdorf, Stadt, 20 km nö. von Hannover, Nds., 28 100 E. Elektronik-, Textil-, Getränke-, Metall-, Gummiind. – 1260 erwähnt, im 15. Jh. Stadt. – Klassizist. Stadtkirche (1809–15).

B., Hauptort des schweizer. Bez. B., Kt. Bern, 15 400 E. Technikum; Bibliothek, Museum; Markt- und Verwaltungsort des unteren Emmentals, Maschinenbau, Schuh- und Textilind.; Käsereien. – 1175 erstmals erwähnt, 1273 Stadtrecht. – Spätgot. Stadtkirche (1471–90), Burg (12. Jh., in der Kapelle Fresken, um 1330).

Bürge ↑Bürgschaft.

Burgenland, östr. Bundesland, grenzt im O an Ungarn, im S an Slowenien; 3 965 km², 267 000 E (1989), Hauptstadt Eisenstadt.
Landesnatur: Eine nur 4,5 km breite Einengung westl. der ungar. Stadt Sopron scheidet das B. in 2 Teile: der S ist wald-, obst- und weinreiches Berg- und Hügelland (Günser Gebirge mit der höchsten Erhebung des B., dem Geschriebenstein, 888 m ü. d. M.); der N ist fruchtbare Ebene um den Neusiedler See, im NW grenzen Leitha und Leithagebirge an Niederösterreich.
Bevölkerung: Sie ist zu 91 % deutschsprachig, daneben gibt es kroat. (7 %) und ungar. (2 %) Minderheiten.
Wirtschaft: Das B. ist vorwiegend Agrarland (Getreide, Kartoffeln, Zuckerrüben, Wein, Obst, Feldgemüse, Tabak und Hanf). Neben traditionellen Ind.zweigen (Textil-, Nahrungs- und Genußmittelind.) Ansiedlung von Betrieben der Elektro- und chem. Ind. sowie des Maschinenbaus. An Bodenschätzen werden Antimon, Edelserpentin, Kalkstein und Basalt gewonnen. Der Fremdenverkehr konzentriert sich auf die Gemeinden um den Neusiedler See und einige Heilbäder.
Verkehr: Das B. wird von mehreren Eisenbahnlinien gequert. Zwischen dem B. und Wien besteht ein reger Pendlerverkehr.
Geschichte: Im Altertum Durchgangsland; geriet nach 907 unter ungar. Herrschaft; etwa vom 11. Jh. an als Bestandteil der Pannon. Mark des Ostfränk. Reiches dt. besiedelt. Vom 14. Jh. an kam fast das gesamte B. durch Verpfändungen an östr. Herren unter habsburg. Einfluß und fiel 1526 mit der ungar. Krone an das Haus Österreich. Die gegen Ende 19. Jh. einsetzende Magyarisierungspolitik

Burg (schematisch): 1 Bergfried, 2 Verlies, 3 Zinnenkranz, 4 Palas, 5 Kemenate (Frauenhaus), 6 Vorratshaus, 7 Wirtschaftsgebäude, 8 Burgkapelle, 9 Torhaus, 10 Pechnase, 11 Fallgatter, 12 Zugbrücke, 13 Wachturm, 14 Palisade (Pfahlzaun), 15 Wartturm, 16 Burgtor, 17 Ringgraben, 18 Torgraben

des ungar. Staates führte zu schweren Spannungen mit der volksdt. Minderheit. Nach dem Frieden von Saint-Germain-en-Laye (1919) und dem Venediger Protokoll (1921) fiel das B. an Österreich (außer Ödenburg [Sopron]). 1938–45 auf Niederösterreich und die Steiermark aufgeteilt, 1945 wiederhergestellt. – Bez. B. wegen der dt. Namen der ehem. ungar. Komitate Wieselburg, Ödenburg, Preßburg und Eisenburg.

Bürgenstock, 1128 m hoher Berg am S-Ufer des Vierwaldstätter Sees, Schweiz; auf ihn führt die erste elektr. Seilbahn der Welt (1888).

Burger, Hermann, * Menziken (Aargau) 9. Juli 1942, † Brunegg (Aargau) 28. Febr. 1989, schweizer. Schriftsteller. – Bed. Erzähler; von einer geplanten Romantetralogie konnte nur noch der erste Teil („Brunsleben", 1989) erscheinen. – *Werke:* Rauchsignale (Ged., 1967), Schilten (R., 1976), Diabelli (En., 1979), Die künstl. Mutter (R., 1982), Blankenburg (En., 1986), Der Schuß auf die Kanzel (E., 1988).

Bürger, Gottfried August, * Molmerswende (Landkr. Hettstedt) 31. Dez. 1747, † Göttingen 8. Juni 1794, dt. Dichter. – Stand dem „Göttinger Hain" nahe. Brachte, neben Goethe, mit seinen Balladen einen neuen, volkstüml. Ton in die dt. Dichtung (u. a. „Lenore", 1774). B. übersetzte und erweiterte die Münchhausen-Geschichten von R. E. Raspe (1786); auch Übersetzer.

B., Max, * Hamburg 16. Nov. 1885, † Leipzig 5. Febr. 1966, dt. Internist. – Prof. in Bonn und Leipzig, arbeitete v. a. auf den Gebieten patholog. Physiologie, Stoffwechselkrankheiten und Alternsforschung; er begründete die neuzeitl. Geriatrie („Altern und Krankheit", 1947).

Bürger [urspr. „Burgverteidiger", dann „Burg-, Stadtbewohner"], im MA der freie, vollberechtigte Stadtbewohner, zunächst v. a. die Oligarchie der wohlhabenden „Geschlechter". Erst im ausgehenden MA erweiterte sich, oft unter langwierigen innerstädt. Kämpfen, der Kreis der B., die Anteil am polit. und sozialen Leben der Stadt hatten. Das B.recht war erbl. und in erster Linie begründet auf städt. Grundbesitz. Kein B.recht besaßen Juden, Kleriker und v. a. unterbürgerl. Schichten (Gesellen, Gesinde, Arme). Im Zeitalter des Absolutismus entstand der Begriff des „exemten" B., der, frei von städt. dingl. oder steuerl. Lasten, dem Staat diente oder zum unternehmer. Großbürgertum zählte. Die Frz. Revolution brachte die Gleichsetzung des B. mit dem Staatsbürger.

Bürgerantrag, in einigen Gemeindeordnungen (z. B. in Bad.-Württ.) zugelassener schriftl. Antrag von einem vorgeschriebenen Prozentsatz der Bürger auf Behandlung einer bestimmten Angelegenheit durch den Gemeinderat. Ist der B. zulässig, müssen die gemeindl. Gremien die Angelegenheit innerhalb von 3 Monaten behandeln.

Bürgerbegehren, in Bad.-Württ. Antrag der Bürger einer Gemeinde auf Durchführung eines ↑ Bürgerentscheids.
◆ in Hessen schriftl. Antrag von mindestens 20 % der Bürger einer Gemeinde, daß das zuständige Gemeindeorgan über eine bestimmte Angelegenheit berät und entscheidet. Die Beratung ist binnen 6 Monaten und die Entscheidung binnen 6 weiteren Monaten herbeizuführen.

Bürgerentscheid, nur in Bad.-Württ. vorgesehene Entscheidung einer Gemeindeangelegenheit durch die Gemeindebürger. Ein B. ist durchzuführen, wenn der Gemeinderat dies mit Zweidrittelmehrheit beschließt oder auf Grund eines Bürgerbegehrens (muß von mindestens 15 % der Gemeindebürger unterzeichnet sein).

Bürgerforum (Občanské Forum, OF), am 19. Nov. 1989 gegr., polit. Sammlungsbewegung in der ČSFR. Das B., in dem sich verschiedene oppositionelle Vereinigungen und Initiativgruppen zusammenfanden (u. a. Charta 77, Tschechoslowak. Helsinki-Komitee, Kreis der unabhängigen Intelligenz, Bewegung für Bürgerfreiheit, unabhängige Friedensbewegung, unabhängige Studentengruppen, nationales Zentrum des P.E.N.-Clubs), setzte sich an die Spitze der Demokratiebewegung und wurde zu deren Sprachrohr; errang bei den Parlamentswahlen im Juni 1990 mit seiner slowak. Partnerorganisation **Öffentlichkeit gegen Gewalt** (Verejnost' Proti Nasilie, VPN) die absolute Mehrheit in der Föderativen Versammlung. Bed. Repräsentant ist Staatspräs. V. Havel. Nach inneren Auseinandersetzungen Herbst 1990/Anfang 1991 spaltete sich das B. im Febr. 1991 in eine rechtskonservative polit. Partei **(Demokrat. Bürgerbewegung)** und eine lose polit. Gruppierung linker und liberaler Kräfte **(Liberale Bürgerbewegung);** beide verbindet ein paritätisch besetzter Koordinierungsausschuß, der allein das Recht auf den Namen B. hat. Auch die Koalition mit der slowak. Bürgerbewegung soll fortgesetzt werden.

Bürgerhaus, das städt. Familienwohnhaus, das auch der Berufsausübung dienen kann (seit dem 12. Jh.). Das B. ist vom städt. Herrenhaus (Palais) und vom neuzeitl. Mietshaus abzugrenzen. Zu unterscheiden sind der niederdt. und der oberdt. B.typus. Das **niederdeutsche Bürgerhaus** hat seinen Vorläufer im nordwesteurop. Hallenhaus (seit etwa 500 v. Chr. nachgewiesen). Der Einraum (Diele) diente der Berufsausübung ebenso wie dem Haushalt. Im Laufe der Entwicklung kamen niedrige Speichergeschosse dazu, der Einraum wurde unterteilt, gegen Ende des MA

Bürgerhaus. Haus Wippermann, Lemgo; 1576

Bürgerhaus. Fachwerkhäuser in Miltenberg; 15.–17. Jahrhundert

richtete man auch die oberen Geschosse zum Wohnen ein. Das **oberdeutsche Bürgerhaus** scheint von Beginn an auf Mehrräumigkeit angelegt gewesen zu sein. Vielfach findet sich als Ausgangsform das sog. „Zweifeuerhaus" mit einem Herdraum als Küche oder Werkstatt und mit einer heizbaren Stube. Eine Mehrgeschossigkeit hat sich bereits früh herausgebildet.

Bürgerinitiative, von polit. Parteien und anderen Verbänden unabhängiger Zusammenschluß gleichgesinnter Bürger zur Verfolgung bestimmter Interessen ihrer Mgl., einzelner Bev.gruppen oder der Bev. insgesamt. Die ersten B. entstanden 1968/69; inzwischen ist ihre Zahl auf mehrere Tausend gewachsen. Den Anstoß zur Bildung von B. gaben (wirkl. oder vermeintl.) Mängel, Mißstände oder Fehlplanungen v. a. auf den Gebieten der Bildung und Erziehung, des Verkehrs, der Stadtplanung und des Umweltschutzes. Am umfänglichsten ist die Aktivität von B. heute im Umweltschutz; die meisten der auf diesem Gebiet tätigen B. sind im „Bundesverband B. Umweltschutz e. V." zusammengeschlossen. Die Mehrzahl der B. verfolgt relativ eng umgrenzte, zeitlich befristete Ziele. Über den Charakter von B. hinausgehend ist die Kandidatur (v. a. von B. im Bereich des Umweltschutzes als **grüne Listen;** ab 1979 Teilnahme als Partei „Die Grünen") bei Wahlen auf Bundes-, Landes- und Gemeindeebene, womit sich eine unmittelbare Konkurrenz zu den „etablierten" Parteien ergibt. Die von den B. eingesetzten Mittel sind unterschiedlich (eigene Arbeitsleistungen, Eingaben an Parlamente, Reg. und v. a. Verwaltungsbehörden, Mobilisierung der Bev. u. a.) und bewegen sich im allg. im gesetzl. Rahmen. Gewalttätigkeiten werden nur von einer Minderheit ausgeübt. Sofern sich eine B. als Rechtspersönlichkeit konstituiert hat, kann sie Verwaltungsmaßnahmen auch gerichtlich anfechten.

📖 *Rolke, L.: Protestbewegungen in der Bundesrepublik. Wsb. 1987. – Guggenberger, B./ Kempf, U.: B. u. repräsentatives System. Wsb. ²1984.*

◆ in Rhld.-Pf. schriftl., von einer festgelegten Prozentzahl der Einwohner einer Gemeinde unterzeichneter Antrag, daß der Bürgermeister dem Gemeinderat eine bestimmte Angelegenheit zur Beratung und Entscheidung vorlegt.

Bürgerkönig, Beiname des frz. Königs Louis Philippe.

Bürgerkrieg, eine bewaffnete Auseinandersetzung verschiedener Gruppen in einem Staat (z.B. von Aufständischen und Regierungstruppen), mit dem Ziel, die Herrschaft zu erringen oder zu bewahren. Die völkerrechtl. Stellung der Aufständischen hängt davon ab, ob sie von anderen Staaten bereits de facto oder de jure anerkannt worden sind. Bei der *De-facto-Anerkennung* können die Aufständischen, sofern sie einen bestimmten Teil des Staates tatsächlich beherrschen, mit dritten Staaten Verträge abschließen. Eine *De-jure-Anerkennung* verlangt die Beachtung der Genfer Konvention sowie des Kriegs- und Neutralitätsrechts durch die Aufständischen.

bürgerliche Ehrenrechte ↑ Ehrenrechte.

Bürgerliches Gesetzbuch, Abk. BGB, das seit dem 1. 1. 1900 in Deutschland geltende Gesetzeswerk, in dem der größte Teil des allg. Privatrechts (d. h. bürgerl. Recht im engeren Sinn) geregelt ist; gilt seit 3. 10. 1990 auch in der ehem. DDR. Dem EinführungsG zum BGB vom 18. 8. 1896 wurde ein „sechster Teil" angefügt, der Regelungen aus Anlaß der Einführung des BGB und des EinführungsG in den Ländern der ehem. DDR enthält.

Aufbau: Das BGB gliedert sich in 5 Bücher: 1. Der allg. Teil enthält die grundsätzl., für alle privatrechtl. Rechtsverhältnisse geltenden Regeln (z. B. über Rechts- und Geschäftsfähigkeit, Willenserklärungen, Verträge, Vertretung, Verjährung). 2. Das Recht der Schuldverhältnisse regelt die Rechtsbeziehungen zw. Gläubiger und Schuldner, und zwar in allg. Vorschriften und bes. Vorschriften, die sich mit einzelnen Arten von Schuldverhältnissen (wie Kauf, Miete, Gesellschaft) befassen. 3. Das Sachenrecht handelt von Besitz, Eigentum und anderen Rechten an Sachen. 4. Das Familienrecht ordnet die persönl. und vermögensrechtl. Beziehungen zw. Ehegatten, Eltern und Kindern und Verwandten sowie das Vormundschafts- und Pflegschaftsrecht. 5. Das Erbrecht regelt den Vermögensübergang im Todesfalle.

Entwicklung: Die ursprüngl. Absicht, im BGB das gesamte Privatrecht (außer dem Handelsrecht) zu regeln, hatte sich nicht verwirklichen lassen. Weite Rechtsgebiete, wie das Höfe-, Berg-, Wasser-, Fischerei-, Forst- und Jagdrecht, waren der Landesgesetzgebung vorbehalten geblieben. Abzahlungskauf, Verkehrs-, Urheber- und Privatversicherungsrecht wurden in Reichsgesetzen außerhalb des BGB geregelt, ebenso weite Teile des Wohnungs-, Arbeits-, Siedlungs- und Pachtrechts. Seit 1945 geht die Rechtsentwicklung dahin, Sondergesetze abzubauen und das bürgerl. Recht durch Abänderung des BGB fortzuentwickeln. So wurde 1953 das Testamentsrecht wieder in das BGB eingegliedert. Die Gleichberechtigung von Mann und Frau, die Gleichstellung der nichtehel. mit den ehel. Kindern, das soziale Mietrecht und das Familienrecht wurden im Rahmen des BGB neu geregelt. In *Österreich* entspricht dem BGB das Allgemeine bürgerl. Gesetzbuch, in der *Schweiz* entsprechen diesem das Zivilgesetzbuch und das Obligationenrecht.

📖 *Mitteis, H./Lieberich, H.: Dt. Rechtsgesch. Mchn. [18]1988. – Friedrich, W. J.: Das Bürgerl. Gesetzbuch. Mchn. [2]1987.*

bürgerliches Recht, i. w. S. das gesamte Privatrecht im Ggs. zum öff. Recht; i. e. S. das im BGB und seinen Nebengesetzen geregelte allg. Privatrecht.

bürgerliches Trauerspiel, während der Aufklärung im 18. Jh. entstandene, das Schicksal von Menschen bürgerl. Standes gestaltende dramat. Gattung. G. E. Lessing („Miß Sara Sampson", 1755, und v. a. „Emilia Galotti", 1772) machte die Auseinandersetzung mit dem Adelsstand zum Grundthema auch der Folgezeit. Vorbilder fand er in der engl. Literatur (G. Lillo „Der Kaufmann von London", 1731). Das in Form und Sprache geschlossenste b. T. ist F. von Schillers „Kabale und Liebe" (1784). Im 19. Jh. stand die Kritik am bürgerl. Stand selbst im Mittelpunkt (C. F. Hebbel „Maria Magdalene", 1844). Die sozialkrit. Dramen des Naturalismus knüpften an das b. T. an (G. Hauptmann „Rose Bernd", 1903).

Bürgermeister, 1. Gemeindeverfassungsorgan mit unterschiedl. Zuständigkeit (↑Gemeindeverfassungsrecht); 2. in den Stadtstaaten Berlin, Bremen und Hamburg Verfassungsorgane, deren Stellung der eines Min.präs. in den übrigen Ländern der BR Deutschland entspricht.

Bürgermeistertestament ↑Testament.

Bürgermeisterverfassung ↑Gemeindeverfassungsrecht.

Bürgerministerium, das nach dem Abschluß des östr.-ungar. Ausgleichs 1867 in Zisleithanien 1867/70 amtierende Kabinett, das überwiegend aus Min. bürgerl. Abkunft (z. T. geadelt) bestand.

Bürger-Prinz, Hans, * Weinheim 16. Nov. 1897, † Hamburg 29. Jan. 1976, dt. Psychiater. – Prof. in Leipzig und Hamburg; arbeitete v. a. in den Bereichen Sexualpathologie und forens. Psychiatrie, gründete 1950 die Dt. Gesellschaft für Sexualforschung. Bekanntestes Werk ist „Ein Psychiater berichtet" (1971).

Bürgerrecht, bes. Rechtsstellung, die aus dem Status als Bürger eines Gemeinwesens im Unterschied zu dem als Einwohner erwächst. *Staats-B.* sind die jemandem als Bürger eines Staates zustehenden Rechte, insbes. das Wahlrecht und das Recht zur Bekleidung öff. Ämter. *Gemeinde-B.* sind das aktive und passive Wahlrecht bei Gemeindewahlen. Das *östr. Recht* kennt nur die einheitl. Staatsbürgerschaft. In der *Schweiz* baut das B. auf dem Gemeinde-B. auf, das Kantons-B. und Schweizer B. vermittelt.

Bürgerrechtsbewegung, die Gesamtheit der organisierten Bemühungen um Durchsetzung von Menschen- und Bürgerrechten; insbes. die B. für Rechtsgleichheit der Farbigen und Beseitigung der Rassenvorurteile in den USA (↑Rassenfrage). Dem Versuch, auf gerichtl. Wege die gesetzl. Diskriminierung der farbigen Minderheit zu bekämpfen (seit 1910), folgten Demonstrations- und Boykottkampagnen, um Gleichberechtigung in den Schulen und Univ. des S der USA durchzusetzen. Protestmärsche führten zu einer Beschleunigung der Bürgerrechtsgesetzgebung, die im Juli 1964 in Kraft trat. Nach der Ermordung M. L. Kings im April 1968 kam es zur Radikalisierung und zur Abspaltung der Black-power-Bewegung. Für die Rechte der schwarzen Mehrheit kämpft die B. in Südafrika, während die B. in N-Irland für die polit.-soziale Gleichstellung der Minderheit der Katholiken eintritt. V. a. seit den 1970er Jahren bemühten sich in den europ. kommunist. Staaten oppositionelle Gruppen, die auch als B. bezeichnet werden, um die Durchsetzung von Menschen- und Bürgerrechten, häufig unter Berufung auf die KSZE-Schlußakte; in der DDR (z. B. Neues Forum), in der Tschechoslowakei (z. B. Bürgerforum) und anderen Staaten in Osteuropa wurden sie zur treibenden Kraft der Demokratiebewegungen, die nach dem Verzicht der UdSSR auf ihre bisherige Hegemonialpolitik die Möglichkeit erhielten, 1989 den Sturz der kommunist. Regime herbeizuführen und einen tiefgreifenden gesellschaftl. Reformprozeß einzuleiten. Auch in der Mongolei bewirkte die B. 1990 das Ende der Einparteienherrschaft der kommunist. MRVP.

Bürgerschaft, 1. Gesamtheit aller Bürger eines polit. Gemeinwesens; 2. die Volksvertretung (Landtag) in Bremen und Hamburg.

Bürgertum, Bez. für den in der Stadt ansässigen Bev.teil, der insbes. im europ. MA neben Adel und Kirche einen eigenen Stand bildete und bis Ende des 18. Jh. als soziale und gesellschaftl. Klasse eine polit. Vorrangstellung gewann. Unabhängig von antiken Vorläufern (B. in der griech. Polis und in der röm. Civitas) entwickelte sich das B. des MA in engem Zusammenhang mit der Entfaltung des europ. Städtewesens. Unter ihren Bewohnern traten die Fernhandelskaufleute als wirtsch. stärkste Gruppe hervor. Oft in Gilden organisiert, bildeten sie eigene Kaufmannsrechte aus. Sie übernahmen die Führung in dem im 11. Jh. einsetzenden Kampf der Stadtbewohner um kommunale Selbstverwaltung. Entscheidend wurde dabei das Phänomen des bürgerl. Schwurverbandes

(coniuratio), das die verschiedenen Gruppen der städt. Bev., Kaufleute, die in Zünften zusammengeschlossenen Handwerker und die ansässigen Ministerialen des Stadtherrn, einte. Diese Kämpfe, das gemeinsame Stadtrecht, auch eine neue, positive Bewertung der manuellen Arbeit ließen ein für das B. charakterist. Gemeinschaftsbewußtsein entstehen, wenngleich es keineswegs eine homogene Bev.schicht war. Bis Ende des 13. Jh. erkämpfte sich das europ. B. weitgehend die kommunale Selbstverwaltung.
Die Bed. des ma. B. lag v. a. auf wirtsch. und kulturellem Gebiet. Es spielte als ausschließl. Träger des Nah- und Fernhandels die entscheidende Rolle bei der Intensivierung des Marktaustausches und der Verkehrswirtschaft, wobei es oft zu Bündnissen von Städten oder Zusammenschlüssen von Unternehmern kam (Hanse). Als Auftraggeber der bildenden Künste und Förderer der Literatur und humanist. Studien wurde das B. neben dem Adel zum bed. Träger einer Laienkultur, doch es war auch den religiösen Bewegungen der Zeit (Bettelorden, Mystik, Waldenser) eng verbunden. Im Zeitalter des Absolutismus begann sich die Bed. des Begriffs „Bürger" grundlegend zu wandeln: Als „Bürgerliche" wurden nun gerade auch Personen bezeichnet, denen das Hauptmerkmal des traditionellen Bürgers – die durch den Bürgereid bekräftigte Zugehörigkeit zu einer städt. Gemeinschaft – fehlte: Angehörige gelehrter Berufe, Beamte, Händler, Bankiers, Verleger, Manufakturisten. Das B. war nicht nur der vom absolutist. Staat geförderte Hauptträger des techn. und wirtsch. Fortschritts (Verlagswesen, Manufaktur), sondern auch der weiteren großen Emanzipationsbewegung der Neuzeit, der Aufklärung; zur klass. Ideologie des B. wurde der Liberalismus. Zw. der ökonom. und kulturellen Bed. des B. und seiner polit. Rolle klaffte jedoch ein eklatanter Widerspruch, v. a. in Frankreich. Die endgültige Überwindung des „Feudalsystems" durch die Frz. Revolution 1789 leitete das klass. Zeitalter des B. ein. Die Anerkennung allg. Menschen- und Bürgerrechte in der Unabhängigkeitserklärung der USA wie ihre programmat. Verkündung in der Frz. Revolution bedeutete jedoch nicht, daß das besitzende B. bereit gewesen wäre, die polit. Macht in die Hände der besitzlosen Volksmassen zu legen. Vielmehr sollten durch ein nach dem Steueraufkommen abgestuftes Wahlrecht und/oder durch institutionelle Korrektive (Gewaltenteilung) dem demokrat. Prinzip der Mehrheitsherrschaft Schranken gesetzt werden. In den großen westl. Demokratien – den USA, Großbritannien und Frankreich – hat sich jedoch das demokrat. Prinzip weit stärker durchgesetzt, als es den Intentionen des Frühliberalismus entsprach. In M-Europa dagegen, wo die Beamtenherrschaft des aufgeklärten Absolutismus als Katalysator bürgerl. Emanzipation wirkte, kam zunächst in der sozialen und polit. Revolution 1848 verspätet der Ggs. von „Bildungs-" und „Besitz-B." und vorindustrieller Machtelite zum Ausbruch. Ihr Verlauf und partielles Scheitern waren v. a. bestimmt von dem sozialen Frontwechsel, den das B. angesichts der polit. Emanzipationsbewegung des sich aus absinkendem Klein-B. und Manufakturarbeitern bildenden Proletariats vollzog und der in Deutschland nach 1866/71 eine teilweise „Refeudalisierung" zur Folge hatte. In der 2. Hälfte des 19. Jh. förderte dies den modernen Cäsarismus, der v. a. hinsichtl. seiner Technik der Massenbeeinflussung zu den Wegbereitern faschist. Bewegungen im 20. Jh. zu zählen ist. Faschist. Bewegungen waren erfolgreich in den Ländern, in denen sich das B. entweder sozioökonom. (Italien) oder polit. (Deutschland) nicht voll hatte entwickeln können. Die relative Unterentwicklung des B. bzw. des Mittelstandes in einer Reihe überwiegend agrar. Länder Europas, die in der Zwischenkriegszeit zu autoritären oder faschistoiden Regimen übergingen, wird als die wichtigste strukturelle Ursache für das Scheitern des demokrat. Regierungssystems angesehen. Auch in Rußland ist die polit. Entwicklung nicht ohne die traditionelle Schwäche des einheim. B. zu verstehen. Die histor. Bedingungen, unter denen sich das B. herausbildete, scheinen damit bis in die unmittelbare Gegenwart fortzuwirken.

🕮 *Stadt u. B. im 19. Jh. Hg. v. L. Gall. Mchn. 1990. – Arbeiter u. Bürger im 19. Jh. Hg. v. J. Kocka. Gött. 1986. – Kofler, L.: Zur Gesch. der bürgerl. Gesellschaft. Neuwied [7]1979. – Weber, Max: Wirtschaft u. Gesellschaft. Hg. v. J. Winckelmann. Tüb. [5]1976. 3 Bde.*

Burgfriede, im MA die Sicherung verstärkten Schutzes und Friedens im Bereich ummauerter Anlagen (Burg, Stadt), innerhalb dessen jede Fehde untersagt war und Friedensbruch streng bestraft wurde.
◆ polit. Schlagwort für die verabredete Einstellung v. a. parteipolit. Auseinandersetzungen zur Überbrückung nat. Ausnahmesituationen; z. B. 1914–17 zw. den Fraktionen des Dt. Reichstags.

Burggraf (mittellat. burggravius, praefectus), mittelalterl. Amt in königl. sowie bischöfl. Städten und Burgen; später erbl. Titel; entstand aus dem Amt des Vogtes; urspr. mit den militär. und gerichtl. Befugnissen eines Grafen ausgestattet; trat in Konkurrenz zur Gewalt der Stadtherrn und wurde von diesen im 12. und 13. Jh. zurückgedrängt. Der B. stieg meist zum Stadtvogt oder zum Schultheiß ab.

Burghausen. Teilansicht der über der Stadt gelegenen größten deutschen Burganlage mit 1 100 m Länge; im wesentlichen 13.–15. Jahrhundert

Burggrafenamt, histor. Gebiet in Südtirol, zw. Bozen und Naturns, ehem. Gerichts- und Amtsbezirk des Burggrafen auf Burg Tirol bei Meran, Kern des tirol. Landesfürstentums.

Burgh [engl. 'bʌrə], die dem engl. Borough entsprechende Gemeinde in Schottland.

Burghausen, bayer. Stadt, an der Salzach, 362 m ü. d. M., 16 700 E. Erdölraffinerie, Solarzellenforschung. – 1025 erwähnt, um 1130 als Stadt bezeichnet. – Burg, durch Gräben in sechs Höfe unterteilt (seit 1253 erbaut; mehrfach umgebaut), ist mit 1 100 m Länge die größte dt. Burganlage; spätgot. Pfarrkirche (1353–1500), got. Spitalkirche (nach 1504 erneuert). Wohnhäuser des 17. und 18. Jh., Stadtmauer.

Burghley (Burleigh), William Cecil, Baron [engl. bə:lɪ], * Bourne (Lincolnshire) 18. Sept. 1520, † London 4. Aug. 1598, engl. Staatsmann. – Erster Min. und Berater Elisabeths I., in deren Auftrag er seit 1558 die engl. Politik leitete; hatte wesentl. Anteil an der vollen Durchsetzung des Protestantismus in England sowie am erfolgreichen Seekrieg gegen Spanien.

Burgiba, Habib (frz. Bourguiba; arab. Bu Rkiba), * Monastir 3. Aug. 1903, tunes. Politiker. – 1934 Begründer der Neo-Destur-Partei; zw. 1934 und 1954 mehrfach in frz. Haft; wurde 1956 Min.präs; seit 1957 Staatspräs.; modernisierte innenpolitisch durch sozialreformer. Programme das Land, suchte außenpolitisch enge Anlehnung an den Westen; im Nov. 1987 aus Altersgründen abgesetzt.

Burgin, Victor [engl. 'bə:dʒɪn], * Sheffield 24. Juli 1941, engl. Künstler. – Vertreter der ↑ Concept-art. Seit 1973 verbindet er Photos mit pointierten Texten.

Burgkmair, Hans, d. Ä., * Augsburg 1473, † ebd. 1531, dt. Maler, Zeichner und Holzschneider. – 1488–90 Lehre bei M. Schongauer in Colmar, mehrfach in Italien. Führender Maler der Augsburger Renaissance. Seine Hauptwerke sind der Johannesaltar (1518; München, Alte Pinakothek) und der Kreuzigungsaltar (1519; ebd.). Die späteren Werke (u. a. „Esther vor Ahasver“, 1528; ebd.) zeigen manierist. Züge. Als Zeichner für den Holzschnitt war B. wesentlich an den Prunkhandschriften Kaiser Maximilians I. beteiligt (v. a. „Theuerdank“, „Weißkunig“).

Burglengenfeld, bayr. Stadt an der Naab, 347 m ü. d. M., 10 500 E. Zement-, Textilind. – 1250 Markt, 1542 Stadt. – Rathaus (1573), Pfarrkirche (18. Jh.), ausgedehnte Burganlage.

Bürglen (UR), schweizer. Gemeinde am Eingang des Schächentals, Kt. Uri, 551 m ü. d. M., 3 500 E. Tellmuseum; Fremdenverkehr. – Frühbarocke Pfarrkirche (1682–85); spätgot. Tellskapelle (1582 gestiftet).

Burgos, span. Prov.hauptstadt in der Nordmeseta, 856 m ü. d. M., 159 000 E. Erzbischofssitz; Ind.zentrum (Textil-, Chemie-, Gummi-, Papierind.). – 882 gegr.; wurde 932 Hauptstadt der Gft. und 1037 des Kgr. Kastilien. Erlangte im 15. Jh. eine Monopolstellung im Wollexport. Im Span. Bürgerkrieg bis 1939 Sitz der Reg. Franco. – Die frühgot. Kathedrale (begonnen 1221; ausgebaut im 14.–18. Jh.) mit zweigeschossigem got. Kreuzgang (14. Jh.), wurde von der UNESCO zum Weltkulturerbe erklärt; got. Kirche San Esteban (1280–1350); spätgot. Feldherrnpalast (15. Jh.), Casa de Miranda (1545; jetzt archäolog. Museum), Arco de Santa María (1535–53, ehem. maur. Stadttor), nahebei liegt das Kloster de las Huelgas (12. Jh. und später).

Bürgschaft, der [meist einseitig verpflichtende] Vertrag, in dem der Bürge dem

Gläubiger eines anderen (des Hauptschuldners) verspricht, für die Erfüllung der [gegenwärtigen oder künftigen] Verbindlichkeit des anderen einzustehen; gesetzlich geregelt in den §§ 765-777 BGB. Zum gültigen Abschluß eines B.vertrages ist (von seiten des Bürgen) ein in allen wesentl. Teilen vollständiges, schriftl. *B.versprechen* erforderlich, außer wenn der Bürge Vollkaufmann und die B. für ihn ein Handelsgeschäft ist (§ 350 HGB). Die B. begründet eine neben die Hauptschuld tretende, selbständige Verbindlichkeit des Bürgen mit folgenden Besonderheiten: 1. Die Bürgenschuld ist vom jeweiligen Bestand der Hauptschuld abhängig. 2. Die Bürgenschuld ist der Hauptschuld nachgeordnet. Der Bürge darf seine Leistung verweigern, sofern der Gläubiger nicht die Zwangsvollstreckung gegen den Hauptschuldner ohne Erfolg betrieben und auch versucht hat, sich aus einem Pfand- oder Zurückbehaltungsrecht an einer bewegl. Sache zu befriedigen *(Einrede der Vorausklage).* Am wichtigsten sind Bank-B. und Bundes-B. (bes. zur Absicherung der Exportfinanzierung). *Arten:* 1. **Selbstschuldnerische Bürgschaft:** Die Einrede der Vorausklage ist ausgeschlossen. 2. **Ausfallbürgschaft:** Der Bürge muß erst bei völlig oder teilweise erfolgloser Zwangsvollstreckung gegen den Schuldner eintreten. 3. **Teilbürgschaft:** Für einen Teil der Hauptschuld. 4. **Höchst-(Limit)bürgschaft:** Sie erstreckt sich auf die gesamte Hauptschuld, ist aber auf einen Höchstbetrag beschränkt. 5. **Zeitbürgschaft:** Der Gläubiger muß den Schuldner innerhalb einer vereinbarten Zeit in Anspruch nehmen. Andernfalls wird der Bürge frei. 6. **Kreditbürgschaft, Kontokorrentbürgschaft:** Die B. sichert ein Kredit- oder Kontokorrentverhältnis. 7. **Mitbürgschaft:** Mehrere verbürgen sich [gleichzeitig oder nacheinander] für dieselbe Hauptschuld. Sie sind Gesamtschuldner. 8. **Nachbürgschaft** (After-B.): Eine B. dafür, daß der Vorbürge (Hauptbürge) die ihm obliegende Verpflichtung erfüllen wird. 9. **Rückbürgschaft:** Sie sichert den Rückgriffsanspruch des Bürgen gegen den Hauptschuldner. - In *Österreich* und in der *Schweiz* gilt eine im wesentlichen entsprechende Regelung.

Burgstaaken ↑ Burg auf Fehmarn.

Burgstädt, Stadt nw. von Chemnitz, Sa., 13 000 E. Textilmaschinenbau, Trikotagenherstellung. - Ende 13./Anfang 14. Jh. gegr. - Spätgot. Stadtkirche (16. Jh.), Barockrathaus (1761-63).

Burgtheater (bis 1918 Hofburgtheater), östr. Bundestheater in Wien; von Maria Theresia 1741 als *Theater nächst der Burg* am Michaelerplatz gegr.; von Joseph II. 1776 zum Nationaltheater erklärt. Das neue Haus am Ring (1884-88 erbaut von C. Frhr. von Hasenauer nach Ideen von G. Semper) wurde im 2. Weltkrieg weitgehend zerstört und 1953-55 wieder aufgebaut. Das B. pflegt seit Beginn neben dem klass. Repertoire (Höhepunkte unter J. Schreyvogel, H. Laube und F. von Dingelstedt) auch das zeitgenöss. Drama.

Burgtiefe ↑ Burg auf Fehmarn.

Burgund, Name mehrerer Dynastien: Pfalzgrafen *(gräfl. Haus)* in B. (Franche-Comté) waren um 980-1155 Nachkommen des Königs Berengar II. von Italien sowie 1248-1331 eine Seitenlinie. Im frz. Hzgt. B. folgten 963 auf einheim. Herzöge Angehörige der Kapetinger, 1032-1361 (ab 1331 auch in der Franche-Comté) in einer Nebenlinie des frz. Königshauses *(Haus Altburgund).* Nach ihrem Aussterben begründete 1363 der frz. Königssohn Philipp (II.), der Kühne, das *Haus Neuburgund* (erloschen 1477/91). Zwei burgund. Schwiegersöhne Alfons' VI. von Kastilien und León begründeten um 1095 das *portugies. Haus* (1139 Könige, 1383 erloschen) und das *kastil. Haus* (1126-1369 Könige), dem die Bastardlinie *B.-Trastámara* (1369-1516/55) folgte. Sie erbte 1412 auch die Krone Aragonien.

Burgund (frz. Bourgogne), histor. Landschaft und Region in Frankreich zw. Saône und oberer Loire; 31 582 km², 1,61 Mill. E, Regionshauptstadt Dijon. B. erhielt seine historisch-landschaftl. Einheit als Durchgangsland und Verkehrsvermittler zw. Rhone-Saône-Gebiet und Pariser Becken einerseits sowie den Oberrheinlanden andererseits, aber auch als geistig-kulturelles Zentrum (Cluny, Cîteaux). B. ist überwiegend agrar. orientiert. Am Fuß der Côte d'Or, im Mâconnais, Beaujolais und um Chablis liegt das zweitgrößte frz. Weinanbaugebiet. Ind.zentren sind Dijon, Chalon-sur-Saône und Le Creusot.

Königreich Burgund: 443 wurden die Reste der von den Hunnen geschlagenen Burgunder in Savoyen (Sapaudia) als Verbündete des Röm. Reiches angesiedelt (Hauptstadt seit 461 Lyon). 532-34 eroberten die Franken das in sich uneinige Kgr. Bei der Teilung des Fränk. Reichs von 843 fiel B. mit Ausnahme der zum Westreich geschlagenen Gebiete des späteren Hzgt. B. an das Mittelreich Kaiser Lothars I., 855 als eigenes Teilreich (Kgr. Provence) an seinen Sohn Karl († 863). Graf Boso von Vienne begründete 879 das Kgr. Nieder-B. (Arelat) mit einem Herrschaftsgebiet von Lyon bis zur Rhonemündung. In der heutigen W-Schweiz und Franche-Comté errichtete 888 der Welfe Rudolf I. das Kgr. Hoch-B. König Konrad († 993) erwarb 950 auch Nieder-B. Dieses vereinigte Kgr. Arelat fiel nach dem Tod Rudolfs III. († 1032) an das Dt. Reich. 1365 ließ sich Kaiser Karl IV.

Burgund. Staatliche Entwicklung 1363–1477

als letzter dt. Herrscher in Arles zum König von B. krönen. Nach der Verselbständigung der schweizer. Eidgenossenschaft (1648) und dem Verlust der Franche-Comté an Frankreich (1679) verblieben als Teile des alten B. nur Savoyen, die württemberg. Gft. ↑Mömpelgard und das Bistum Basel bis Ende des 18. Jh. im Reichsverband.

Herzogtum Burgund: Westl. der Saône errichtete der Bruder Bosos von Nieder-B., Richard der Gerechte (†921), das Hzgt. B. Seit 963 in kapeting. Hand, wurde das Hzgt. 1032 Stammland des kapeting. Hauses Alt-B. Eine zentrale polit. und kulturelle Rolle in Europa errang B. dann unter dem Haus Neu-B. (1363–1477). Der auf vielerlei Weise zusammengebrachte Länderkomplex vom Zentralmassiv bis zur Zuidersee gehörte z. T. zum Hl. Röm. Reich, z. T. zu Frankreich, doch konnte beider Lehnshoheit kaum aufrechterhalten werden. Als Karl der Kühne versuchte, ein geschlossenes Kgr. B. zu schaffen, fiel er 1477 im ↑Burgunderkrieg. B. kam über seine Erbtochter Maria (* 1457, † 1482) größtenteils an die Habsburger, Frankreich erhielt 1493 das Hzgt. B. und die Picardie.

📖 *Prevenier, W./Blockmans, W.: Die burgund. Niederlande. Weinheim 1986. – Boehm, L.: Gesch. Burgunds. Stg. ²1979.*

Burgunder (lat. Burgundiones, Burgundii, Burgunden), ostgerman. Volk; im 1. Jh. n. Chr. zw. Oder und Weichsel siedelnd, im 3. Jh. am Main nachweisbar, Anfang 5. Jh. in der Gegend von Worms und Speyer. Nachdem ein großer Teil 436 durch Hunnen vernichtet worden war (histor. Kern der Nibelungensage), wurde der Rest 443 am W-Rand der Alpen angesiedelt (↑ Burgund).

Burgunderkrieg (1474–77), Bez. der Feldzüge der Schweizer Eidgenossen gegen Herzog Karl den Kühnen von Burgund mit den Entscheidungssiegen bei Grandson (1476), Murten (1476) und Nancy (1477).

Burgunderreben (Pinotreben), der *Blaue Spätburgunder* (Pinot noir; tiefdunkle Beeren) und von ihm abstammende Rebsorten. Die wichtigsten sind: ↑*Ruländer, Weißburgunder* (Pinot blanc), *Pinot meunier* (Müller-Rebe oder Schwarzriesling) und *Samtrot* (Klonenzüchtung aus Pinot meunier). In Deutschland v. a. in Baden (Kaiserstuhl, Ortenau), in der Rheinpfalz, im Rheingau und an der Ahr angebaut.

Burgunderweine, Rot- und Weißweine, die in Burgund im Saônetal zw. Dijon und Lyon in vier Weinbaugebieten angebaut werden. Von N nach S: Côte d'Or, südwestl. von Dijon (unterteilt in Côte de Nuits und Côte de Beaune), Côte de Mâconnais, Côte de Chalonnais und Côte de Beaujolais.

burgundische Musik ↑ niederländische Musik.

Burgundische Pforte, 20–30 km breite Senke zw. Vogesen und Jura, Frankreich.

Burgundischer Reichskreis ↑ Reichskreise.

burgundisches Kreuz, zwei nach Art des Andreaskreuzes schräg gekreuzte rote Äste (mit Ansätzen abgehauener Zweige); neben dem burgund. Wappen geführt und dem Orden vom Goldenen Vlies beigegeben; seit dem 16. Jh. auf Landsknechts- und Kriegsfahnen; von den belg. ↑ Rexisten und span. Traditionalisten wieder aufgegriffen.

Burgus [german.-spätlat.], in der Spätantike kleineres Militärlager (Wehrturm bzw. kleines Kastell) mit eigener Rechtspersönlichkeit, zur Grenzsicherung eingerichtet.

Burgwald, Bergland nördl. von Marburg zw. Wetschaft, Ohm und Wohra, Hessen, im Wasserberg 412 m hoch.

Burgward (Burgwardei), im 10. und 11. Jh. der zu einer Burg gehörende Verwaltungs- und Gerichtsbezirk an der Ostgrenze des Hl. Röm. Reiches.

Buridan, Johannes, * Béthune (?) um 1295 (?), † nach 1366, frz. scholast. Philosoph. – Rektor der Univ. Paris 1328 und 1340; gemäßigter Nominalist. In der Moralphilosophie erkannte er eine gewisse Entscheidungsfreiheit des Individuums an (↑ Buridans Esel).

Buridans Esel [nach J. Buridan], moralphilosoph. Gleichnis, nach dem ein Mensch nicht zw. zwei gleich großen Gütern wählen könne, ähnlich einem Esel, der sich für keinen von zwei gleich großen Heuhaufen entscheiden kann und deshalb verhungert.

Burjaten (Burjäten), mongol. Volk im S Sibiriens beiderseits des Baikalsees (Rußland), in der nördl. Mongolei und im nö. China, etwa 430 000; früher Hirtennomaden, auch seßhafte Ackerbauern, die in Filzjurten bzw. Holzhäusern wohnten; Schamanismus, später Lamaismus.

Burjatien, autonome Republik innerhalb Rußlands, am O- und S-Ufer des Baikalsees, 351 300 km², 1,04 Mill. E (1989), Hauptstadt Ulan-Ude. B. ist ein bis 3 491 m hohes Gebirgsland mit einem extremen Kontinentalklima; Bergbau (u. a. Braunkohle, Nichteisenerze), Viehzucht, im S Getreideanbau. B. wird im S von der Transsib, im N von der BAM durchquert.

Geschichte: Die Burjaten kamen im 12. und 13. Jh. in ihre heutigen Wohngebiete; Anschluß des Baikalgebietes an Rußland 1689; Errichtung der Sowjetmacht 1918; 1923 Bildung der Burjatisch-Mongol. ASSR; 1958 Umbenennung in Burjat. ASSR.

Burka [russ.], halbkreisförmig geschnittener Mantelumhang der Kaukasier aus dikkem, rauhem Wollstoff.

Burke [engl. bə:k], Edmund, * Dublin 12. Jan. 1729, † Beaconsfield 9. Juli 1797, brit. Publizist und Politiker. – Seine Schrift „Betrachtungen über die Frz. Revolution" (1790), in der er die Ziele der Frz. Revolution und ihrer Parteigänger in Großbritannien verurteilte, wurde eine wesentl. theoret. Grundlage des europ. Konservatismus. Begründete eine psycholog. Ästhetik, die u. a. Kant und Lessing beeinflußte.

B., Robert O'Hara, * Saint Cleran's (Grafschaft Galway) 1821, † beim Cooper Creek (Queensland) 28. Juni 1861, brit. Australienforscher. – Durchquerte 1860/61 mit anderen als erster Europäer den austral. Kontinent in S–N-Richtung.

Burkhard, Paul, * Zürich 21. Dez. 1911, † Zell (Kt. Zürich) 6. Sept. 1977, schweizer. Komponist. – Bekannt v. a. durch musikal. Komödien, z. B. „Das Feuerwerk" (1948, darin das populäre Lied „O mein Papa").

B., Willy, * Leubringen bei Biel (BE) 17. April 1900, † Zürich 18. Juni 1955, schweizer. Komponist. – Aus seinem Werk, das alle Gattungen umfaßt, ragen die Oratorien „Das Gesicht Jesaias" (1935) und „Das Jahr" (1941) sowie die Oper „Die schwarze Spinne" (1949, 2. Fassung 1954) heraus.

Burkina Faso

Republik in Westafrika zw. 9° 30′ und 15° n. Br. sowie 2° 10′ ö. L. und 5° 30′ w. L. **Staatsgebiet:** Es grenzt im W und N an Mali, im NO an Niger, im SO an Benin, im zentralen S an Togo und Ghana, im westl. S an die Republik Elfenbeinküste. **Fläche:** 274 200 km². **Bevölkerung:** 9,5 Mill. E (1992), 35 E/km². **Hauptstadt:** Ouagadougou. **Verwaltungsgliederung:** 30 Prov. **Amtssprache:** Frz. **Nationalfeiertag:** 11. Dez. **Währung:** 1 CFA-Franc (F C.F.A.) = 100 Centimes (c). **Internationale Mitgliedschaften:** UN, OAU, Conseil de l'Entente, ECOWAS, OCAM, UMOA, der EU assoziiert. **Zeitzone:** Greenwicher Zeit, d. i. MEZ – 1 Stunde.

Landesnatur: B. F. liegt größtenteils im Sudan und ist im wesentlichen eine in 200–300 m Höhe gelegene Fastebene, der zahllose Inselberge aufsitzen. Im Sandsteintafelland des SW werden Höhen von fast 750 m erreicht. Hier im SW entspringt der Schwarze Volta, der einzige ganzjährig wasserführende Fluß des Staates.
Klima: Der S und der zentrale Teil liegen in den wechselfeuchten Tropen mit einer Regen- und Trockenzeit. Der N ist trocken.
Vegetation: Entsprechend dem Klima im S Feucht-, im Zentrum Trocken-, im N Dornstrauchsavanne.
Tierwelt: Antilopen, Löwen, Elefanten, Krokodile, Flußpferde sowie zahlr. Vogelarten.
Bevölkerung: Sie gliedert sich in rd. 160 Stammesgruppen, die zum größten Teil sudan. Klassensprachen sprechen. Die bedeutendste Gruppe ist mit knapp 50 % die der Mossi. 45 % der Bev. sind Anhänger von traditionellen Religionen, 43 % Muslime, 12 % Christen. Das Schulsystem ist nach frz. Vorbild aufgebaut. Seit 1974 verfügt B. F. über eine Univ. in Ouagadougou.
Wirtschaft: B. F. ist ein Agrarland. Die Viehwirtschaft ist bedeutender als der Ackerbau, der weitgehend in Brandrodungswanderfeldbau betrieben wird. Angebaut werden u. a. Hirse, Mais, Reis, Süßkartoffeln, Jams, Maniok, Hülsenfrüchte, Erdnüsse, Sesam und Baumwolle. Die vorhandenen Bodenschätze sind nahezu ungenutzt. Die Ind. verarbeitet v. a. landw. Erzeugnisse. Wichtigster Ind.-standort ist Bobo-Dioulasso.
Außenhandel: Ausgeführt werden Baumwolle, Erdnüsse, Vieh und -erzeugnisse, eingeführt Lebensmittel, Maschinen und Fahrzeuge, Erdölprodukte, Konsumgüter. Wichtigste Partner sind Frankreich u. a. EU-Staaten und die Elfenbeinküste.
Verkehr: B. F. verfügt über eine Eisenbahnstrecke von 517 km Länge. Das Straßennetz ist 13 134 km lang, davon sind rd. 1 500 km asphaltiert. B. F. ist Teilhaber an der Fluggesellschaft Air Afrique. Internat. ✈ in der Hauptstadt und in Bobo-Dioulasso.
Geschichte: Die Franzosen konnten die drei Reiche der Mossi von Ouagadougou, Yatenga und Tenkodogo 1896 ohne größere Kämpfe erobern. 1919 wurde das gesamte Territorium als Kolonie Obervolta konstituiert und Frz.-Westafrika eingegliedert, allerdings 1932 aufgelöst und unter die Kolonien Elfenbeinküste, Soudan und Niger aufgeteilt. Im Rahmen der Frz. Union wurde Obervolta 1947 als Territorium wiederhergestellt. 1958 konstituierte sich die autonome Republik Volta (1959 in Obervolta umbenannt) innerhalb der Frz. Gemeinschaft, sie erhielt am 5. Aug. 1960 die volle Unabhängigkeit. Vorwiegend wirtsch. Schwierigkeiten führten zur Jahreswende 1965/66 zu einem Militärputsch unter der Führung von General S. Lamizana. 1974–77 waren alle polit. Parteien verboten. Nachdem 1976 eine Reg. überwiegend aus Zivilisten gebildet, im Nov. 1977 durch Volksentscheid eine neue demokrat. Verfassung angenommen und im April 1978 Parlamentswahlen durchgeführt worden waren, wurde General Lamizana (im 2. Wahlgang) im Mai 1978 zum Präs. wiedergewählt. Der von Oberst S. Zerbo geführte unblutige Putsch am 25. Nov. 1980 eröffnete eine Reihe von Militärputschen: am 7. Nov. 1982 unter J. B. Ouedraogo, am 5. Aug. 1983 unter T. Sankara. Am 4. Aug. 1984 Änderung des Landesnamens in B. F. Nach erneutem Militärputsch am 15. Okt. 1987 wurde B. Compaoré Präsident; er versprach 1990 den Beginn einer Demokratisierung und ließ eine neue Verfassung ausarbeiten, die im Juni 1991 in einer Volksabstimmung angenommen wurde. Bei den ersten demokrat. Präsidentschaftswahlen im Dez. 1991 wurde Compaoré im Amt bestätigt. Erste freie Parlamentswahlen wurden 1992 durchgeführt. Min.präs. wurde 1994 H. C. R. Kaboré.
Politisches System: Seit dem Militärputsch vom Nov. 1980 war die Verfassung von 1977 außer Kraft gesetzt und alle Parteien verboten (bis 1987). Seit 1987 lag alle *legislative* und *exekutive* Macht bei der Front Populaire (gegr. 1987) unter Führung von Compaoré. Die am 11. Juni 1991 in Kraft getretene neue Verfassung sieht einen auf 7 Jahre gewählten Präs. vor, der den Reg.chef und die Minister ernennt. Diese sind einem auf 4 Jahre gewählten Einkammerparlament verantwortlich. Außerdem wird ein Mehrparteiensystem festgeschrieben. Es bestehen mehrere *Gewerkschaftsverbände.* – Das *Rechtswesen* war nach

frz. Vorbild organisiert und wurde 1985 grundlegend verändert. An die Stelle von Gesetzen traten weitgehend Proklamationen und Rechtshinweise des Präsidenten, nach denen Revolutionäre Volksgerichte aburteilten.

🕮 *Hofmeier, R./Schönborn, M.: Polit. Lex. Afrika. Mchn. 1984. – McFarland, D. M.: Historical dictionary of Haute Volta. Metuchen (N.J.). 1978.*

Burkitt-Tumor ['bə:kɪt...; nach dem brit. Tropenarzt D. Burkitt, * 1911], bösartige Geschwulst (Non-Hodgkin-Lymphom, ↑Lymphom) des Kindesalters; tritt hauptsächlich in den trop. Gebieten Afrikas auf.

Burleigh, William Cecil, Baron [engl. 'bə:li] ↑Burghley, William Cecil, Baron.

burlesk [italien.-frz.; zu lat. burrae „Possen"], in der *Literatur* seit dem 16. Jh. zunächst in Italien verwendeter Begriff für eine Stilart derber, drastischer Komik.

Burleske [nach burlesk], urspr. derbkomisches Improvisationsstück in der Art der Commedia dell'arte, dann auch ein Werk, das der Posse und Farce nahesteht.

◆ musikal. Komposition von ausgelassenem, heiterem Charakter.

Burliuk, David [engl. bə:'lju:k] (Burljuk), * Charkow 21. Juli 1882, † New York 10. Febr. 1967, russisch-amerikan. Maler. – 1910 gründete er mit Majakowski u. a. in Moskau eine Futuristengruppe (Manifest 1912) und entwickelte 1910 den „Kubofuturismus", in dem splittrige Formen zu Bewegungsabläufen geordnet sind. Seit 1922 in den USA.

Burma, Staat in Asien, ↑Birma.

Burnacini, Lodovico Ottavio [italien. burna'tʃi:ni], * Mantua (?) 1636, † Wien 12. Dez. 1707, italien. Baumeister und Theateringenieur. – Seit 1652 in Wien in kaiserl. Diensten. Neben Bauaufträgen entwarf B. v. a. Dekorationen, Kostüme und Bühnenmaschinen für mehr als 100 Opern und Festspiele.

Burne-Jones, Sir Edward Coley [engl. 'bə:n-'dʒoʊnz], eigtl. Jones, * Birmingham 28. Aug. 1833, † London 17. Juni 1898, engl. Maler und Zeichner. – Märchenhaft-verträumte Bilder nach ma. Stoffen; auch Glasfenster, Gobelins u. a.; illustrierte Chaucer (1896). Gilt als Vorläufer des Jugendstils.

Burnet, Sir (seit 1951) Frank MacFarlane [engl. 'bə:nɪt], * Traralgon (Victoria) 3. Sept. 1899, † Melbourne 31. Aug. 1985, austral. Virologe und Serologe. – Bed. Forschungen auf dem Gebiet der Infektions- und Viruskrankheiten sowie über Gewebetransplantation. Er erhielt 1960 (mit P. B. Medawar) den Nobelpreis für Physiologie oder Medizin.

Burnham [engl. 'bə:nəm], Daniel Hudson, Partner von John W. ↑Root.

B., James, * Chicago 22. Nov. 1905, † Kent (Conn.) 28. Juli 1987, amerikan. Soziologe und Publizist. – 1932–54 Prof. in New York; urspr. Trotzkist, übte später scharfe Kritik an der sowjet. Politik und deren totalitärer Entwicklung; bekannt durch seine Theorie der Managergesellschaft; u. a. „Das Regime der Manager" (dt. 1948).

Burns [engl. bə:nz], John, * London 20. Okt. 1858, † ebd. 24. Jan. 1943, brit. Gewerkschafter und Politiker. – Organisierte 1889 den Londoner Dockarbeiterstreik; 1905–14 Min. für Lokalverwaltung; legte 1914 als Handelsmin. aus Protest gegen den brit. Kriegseintritt sein Amt nieder.

B., Robert, * Alloway bei Ayr 25. Jan. 1759, † Dumfries 21. Juli 1796, schott. Dichter. – Bedeutendster schott. Dichter neben W. S. Scott, Vorläufer der Romantik. In volkstüml. lyr. und ep. Dichtungen verwertet er oft alte schott. Quellen. Viele seiner Lieder (u. a. „My heart's in the Highlands") wurden zu Volksliedern; balladeske Verserzählung „Tam o' Shanter" (1790).

Burnus [griech.-arab.-frz.], Übergewand der Beduinen mit Kapuze.

Büro [frz.; zu lat. burra „zottiges Gewand"], urspr. ein grober Wollstoff, mit dem Schreib- und Arbeitstische überzogen wurden, dann diese selbst sowie die Schreibstube; ferner die Arbeits-, Dienst- und Geschäftsstelle; auch die Gesamtheit der in einer Dienststelle tätigen Personen.

Bürocomputer, zu den Arbeitsplatzcomputern zählender Computer; bestehend aus Mikrocomputer, Bildschirm, Drucker, Disketten- und Magnetplattenlaufwerken und ggf. weiteren peripheren Geräten. B. können über Datenfernverarbeitungssysteme an Großrechner oder Datenbanken angeschlossen werden. Außerdem sind sie im allg. mit den Postdiensten (z. B. Bildschirmtext) kompatibel.

Bürohaus ↑Verwaltungsbauten.

Bürokratie [frz.; zu ↑Büro und griech. krátos „Kraft, Macht"], Form staatl., polit. oder privat organisierter Verwaltung, die durch eine hierarch. Befehlsgliederung *(Instanzenweg),* durch klar abgegrenzte Aufgabenstellungen, Befehlsgewalten, Zuständigkeiten und Kompetenzen, durch berufl. Aufstieg in festgelegten Laufbahnen, durch feste, an die jeweilige Funktion gekoppelte Bezahlung sowie durch genaue und lückenlose Aktenführung sämtl. Vorgänge gekennzeichnet ist. Der Begriff B. wurde bereits 1745 von V. Seigneur de Gournay geprägt und war urspr. auf die zunehmend rationalisierte und vom Berufsbeamtentum durchgeführte staatl. Verwaltung bezogen. Diese Organisationsform ist jedoch universell anwendbar und wurde daher v. a. seit Beginn des 20. Jh. auch auf andere Verwaltungsformen, z. B. auf Parteien, Verbände und Wirtschaftsunternehmen übertragen, da sie als bes. leistungsfähig und rational angesehen wurde. Vor der Übernahme des B.modells auf alle Vorgänge in Staat, Gesellschaft und Wirtschaft **(Bürokratisierung)** wird heute jedoch verstärkt gewarnt, da bürokrat. Verwaltungen die Tendenz zur Verselbständigung und Eigengesetzlichkeit aufweisen, die ihre eigtl. Ziele, Prinzipien und Aufgaben vergessen läßt.

Büromaschinen, Sammelbez. für die im Bürobetrieb eingesetzten, meist elektr. oder elektron. betriebenen Maschinen und Maschinensysteme. Die wichtigsten B. sind: Schreibmaschinen, Diktiergeräte, Vervielfältigungsgeräte, Rechenmaschinen, Buchungsmaschinen und Fakturiermaschinen. Hilfsgeräte sind u.a. Falz-, Heft- und Klebemaschinen, Numerierungs- und Stempelmaschinen, Kuvertier-, Frankier- und Brieföffnungsautomaten, Schneidevorrichtungen unterschiedl. Art, Zähl- und Sortiermaschinen. - Die moderne Entwicklung ist durch den zunehmenden Einsatz von Arbeitsplatz- bzw. Personalcomputern bestimmt, die mit Hilfe von Textverarbeitungsprogrammen, Programmen zur Verwaltung von Dateien u.a., angeschlossenen Druckern und Telekommunikationsanlagen (für Telex, Telefax, Dateldienste, Bildschirmtext u.a.) einen grundlegenden Wandel in der Bürotechnik mit sich brachten.

Burri, Alberto, *Città di Castello 12. März 1915, italien. Materialbildner. - Materialmontagen aus Sacklumpen, Blech und Kunststoffolien mit Deformierungen.

Burroughs [engl. 'bʌroʊz], Edgar Rice, *Chicago 1. Sept. 1875, †Los Angeles 19. März 1950, amerikan. Schriftsteller. - Verfaßte u.a. die „Tarzan"-Romane.

B., William S[eward], *Saint Louis (Mo.) 5. Febr. 1914, amerikan. Schriftsteller. - Vorbild der amerikan. ↑Beat generation. Schreibt, beeinflußt u.a. von H. Melville, F. Kafka und v.a. J. Genet, schockierend-beißende Satiren auf die moderne Gesellschaft, u.a. „The naked lunch" (R., 1959), „Nova Express" (R., 1964), „Western Lands" (R., dt. 1988).

🕮 *Mottram, E.: W. B. London 1977.*

Bursa (früher Brussa), türk. Stadt in NW-Anatolien, 614000 E. Hauptstadt der Prov. B.; Univ. (gegr. 1975); Seidenwarenherstellung, Konserven-, Metallind.; Fremdenverkehr; Seilbahn auf den Ulu Dağ; Badeort (schwefel- und eisenhaltige Thermalquellen). - Um 184 v.Chr. als **Prusa** gegr., 74 v.Chr. an Rom, 1326 von Osmanen eingenommen; 1361-1453 deren Hauptstadt. - Große Moschee (14./15. Jh.), Grüne Moschee (vollendet 1423), Moschee Murads II. (1447), Moschee Bajasids I. Yıldırım (um 1400).

Bursche [eigtl. „Angehöriger einer ↑Burse"], allgemein: junger Mann, Jüngling, Halberwachsener.

◆ beim *Militär* früher ein zur Bedienung v.a. der Offiziere abkommandierter Soldat.

◆ das vollberechtigte aktive Mitglied einer student. Korporation (im Ggs. zum ↑Fuchs).

Burschenschaft, eine farbentragende student. Korporation, mit anderen heute im Verband der Dt. B. zusammengeschlossen. Die Bestimmungsmensur bleibt seit 1971 der Entscheidung der einzelnen B. überlassen. Ende des 18. Jh. bedeutet das Wort „Burschenschaft" dasselbe wie „Studentenschaft". F. L. Jahn formte das Wort zum polit. Begriff im Sinne des Freiheitskampfes gegen Napoleon I. (1811), verstanden als Einigungsbewegung der bisher in Landsmannschaften zersplitterten Studentenschaft. In Jena gaben am 12. Juni 1815 die Landsmannschaften ihre Selbständigkeit auf **(Jenaische Burschenschaft).** Ihre Farben Schwarz und Rot, mit goldener Einfassung, entlehnten sie der Uniform des Lützowschen Freikorps. Die Einigung der Studenten sollte als Vorbild für die polit. Einigung der dt. Nation wirken. Das Wartburgfest vom 18. Okt. 1817 vereinte über 500 Burschen von fast allen dt. Hochschulen. Die Verfassung einer „Allgemeinen Dt. B." wurde am 18. Okt. 1818 von den Vertretern der B. von 14 Universitäten unterzeichnet. Die - schon vorher entstandene - Denkschrift „Die Grundsätze und Beschlüsse des 18. Oktobers" formulierte das liberal-nat. Programm der B.: staatl., wirtsch. und kirchl. Einheit Deutschlands, eine konstitutionelle Monarchie mit Ministerverantwortlichkeit, einheitl. Recht mit öffentl. Verfahren und Geschworenengerichten, Rede- und Pressefreiheit, Selbstverwaltung, allg. Wehrpflicht u.a. Radikale Gruppen wollten eine Republik. Bes. infolge der Ermordung A. von Kotzebues konnte Metternich die ↑Karlsbader Beschlüsse durchsetzen. Beim Hambacher Fest (1832) wurde das burschenschaftl. Schwarz-Rot-Gold zum erstenmal als Volksfahne gefeiert. - Die in den 1840er Jahren einsetzende **Progreßbewegung** betrieb eine allg. „Demokratisierung" der Hochschulen (Aufhebung der Fakultäten, gebührenfreies Studium, student. Beteiligung bei der Besetzung der Lehrstühle und der Wahl der akadem. Behörden). Höhepunkt war das zweite Wartburgfest (Pfingsten 1848). - In Deutschland verlor nach der Gründung des Dt. Reiches die polit. Zielsetzung an Bedeutung, konservatives Gedankengut und student. Brauchtum prägten das Leben der B. 1883-1934 bestand als Gesamtverband der Allgemeine Dt. Burschenbund, daneben entfaltete sich seit 1902 die Dt. B. (DB), Nachfolgeorganisation älterer Convente. Nach dem 2. Weltkrieg kam es zu zahlreichen Neugründungen; am 16. Juni 1950 in Marburg Wiedererrichtung der Dt. Burschenschaft.

burschikos [zu ↑Bursche], sich jungenhaft gebend, betont ungezwungen, ungeniert in seinen Äußerungen, seinem Verhalten.

Burse [zu griech.-mittellat. bursa „Beutel, (gemeinsame) Kasse"], im Spät-MA (14. Jh.) Bez. der aus Stiftungen getragenen Wohn- und Kosthäuser für Studenten oder Handwerksgesellen. Heute gelegentl. Name für student. Wohnheime.

Bursfelde, ehem. Benediktinerabtei an der oberen Weser, 1093 gegr. und von der Abtei Corvey aus besiedelt; roman. Basilika aus dem 12. Jh.; in der Reformationszeit prot., in der Säkularisation aufgelöst. Den Titel „Abt von B." trägt jeweils der Senior der ev. theolog. Fakultät in Göttingen.

Bursitis [griech.], svw. ↑Schleimbeutelentzündung.

Bürste, ein mit Borsten, kurzen Pflanzenfasern oder Drahtstücken *(Draht-B.)* besecktes Reinigungsgerät (meist aus Holz oder Kunststoff).

◆ (Kohlebürste) klötzchenförmiger Preßkörper aus Elektrographit oder amorphem Kohlenstoff (urspr. z. B. Kupferdrahtbündel), der als federnd geführter Schleifkontakt bei elektr. Maschinen den Stromübergang zw. rotierenden stromführenden Teilen und feststehenden Leitern ermöglicht.

Burte, Hermann, eigtl. H. Strübe, * Maulburg bei Lörrach 15. Febr. 1879, † Lörrach 21. März 1960, dt. Schriftsteller. – Völkisch-nationalist. Roman „Wiltfeber, der ewig Deutsche" (1912), Preußendrama „Katte" (1914), daneben formal-konservative Lyrik, Mundartgedichte, Übersetzungen.

Burton [engl. bə:tn], Gary, * Andersen (Ind.) 23. Jan. 1943, amerikan. Jazzmusiker (Vibraphon). – Schuf eine Synthese aus Elementen von Popmusik und Jazz.

B., Richard, eigtl. R. Jenkins, * Pontrhydyfen (Wales) 10. Nov. 1925, † Genf 5. Aug. 1984, brit. Schauspieler. – 1964–74 ∞ mit Elizabeth Taylor. Wurde als Filmstar in Hollywood-Filmen berühmt, u. a. „Blick zurück im Zorn" (1959), „Cleopatra" (1962), „Becket" (1963), „Wer hat Angst vor Virginia Woolf?" (1966), „Die Stunde der Komödianten" (1967), „Die Ermordung Trotzkis" (1971), „1984" (1984).

Burton upon Trent [engl. 'bə:tn ə'pɔn 'trɛnt], engl. Stadt am Trent, Gft. Staffordshire, 48 000 E. Brauereien.

Buru, indones. Insel der S-Molukken, 140 km lang, 90 km breit; bis 2 429 m hoch; Hauptort ist der Hafen Namlea.

Burundi

(amtl. Vollform: Republika y'Uburundi, frz. République du Burundi), Republik in O-Afrika, zw. 2° 30′ und 4° 30′ s. Br. sowie 29° und 31° ö. L. **Staatsgebiet:** B. grenzt im O und SO an Tansania, im W an Zaire und im N an Rwanda. **Fläche:** 27 834 km². **Bevölkerung:** 5,82 Mill. E (1992), 209 E/km². **Hauptstadt:** Bujumbura. **Verwaltungsgliederung:** 15 Prov. **Amtssprachen:** Französisch und Rundi. **Nationalfeiertag:** 1. Juli (Unabhängigkeitstag). **Währung:** 1 Burundi-Franc (F.Bu.) = 100 Centimes. **Internat. Mitgliedschaften:** UN, OAU, GATT, der EU assoziiert. **Zeitzone:** Osteurop. Zeit; d. i. MEZ +1 Stunde.

Landesnatur: Im W gehen die ausgedehnten, stark zerschnittenen Hochflächen (um 1 500 m ü. d. M.) in einen bis zu 2 670 m aufragenden Gebirgszug über, der verhältnismäßig steil zum Zentralafrikan. Graben (800 bis 1 100 m ü. d. M.) mit dem Tanganjikasee abfällt.

Klima: B. hat äquatoriales Regenklima mit zwei Regenzeiten.

Vegetation: In den feuchtesten Gebieten tritt stellenweise Nebelwald auf, sonst ist Feuchtsavanne weit verbreitet.

Bevölkerung: 83 % der Bev. gehören den Hutu (Bauern) an, 16 % dem Hirtenvolk der Tussi; 1 % Pygmäen. 86 % sind Christen, davon 78 % kath., 13 % Anhänger traditioneller Religionen, 1 % Muslime. Schulpflicht besteht von 6 bis 12 Jahren; 60 % der E sind Analphabeten. Univ. in Bujumbura.

Wirtschaft: B. ist ein Agrarland. 90 % der landw. Produktion dienen der Selbstversorgung. Die Ind. (wenige Betriebe in der Hauptstadt) ist kaum entwickelt.

Außenhandel: Kaffee ist das wichtigste Exportgut, mit großem Abstand gefolgt von Baumwolle und Tee. Eingeführt werden Nahrungsmittel, Fahrzeuge, Maschinen, Erdölprodukte. Wichtigste Handelspartner sind die EU-Länder, die USA, Frankreich, Japan u. a.

Verkehr: Das Straßennetz, meist Pisten, ist 6 400 km lang; im Binnenhafen von Bujumbura am Tanganjikasee erfolgt praktisch der gesamte Umschlag der Ein- und Ausfuhrgüter. Die Hauptstadt verfügt über einen internat. ✈.

Geschichte: Wahrscheinl. im 17. Jh. von den Tussi gegr.; ab 1890 Teil von Dt.-Ostafrika, wurde mit Ruanda 1919 als Völkerbundsmandat und 1946 als UN-Treuhandgebiet unter belg. Verwaltung gestellt. 1962 unabhängiges Kgr.; nach Staatsstreich 1966 Republik unter Staats- und Regierungschef M. Micombéro. 1972 blutige Niederschlagung eines Hutu-Aufstandes; 1976 Sturz Micombéros durch einen Militärputsch unter J.-B. Bagaza. Die Macht lag zunächst beim Obersten Revolutionsrat (30 Mgl., nur Offiziere), dessen Funktionen im Jan. 1980 an das im Dez. 1979 gewählte Zentralkomitee der Einheitspartei UPRONA übergingen. Bagaza wurde zum

Parteipräs. und Leiter des Zentralkomitees gewählt; er war seit 1976 Staatspräsident. 1987 wurde Bagaza gestürzt, ein Militärrat für nat. Wohlfahrt (Comité Militaire pour le salut national, CMSN) unter P. Buyoya übernahm die Macht und regierte per Dekret. Die seit 1988 währenden Kämpfe zw. den Stämmen der Hutu (Bev.mehrheit) und der Tussi (herrschende Oberschicht) erschwerten den Demokratisierungsprozeß, der mit der Verf. von 1992 abschloß. Zum Präs. wurde M. Ndadaye gewählt, der im Okt. 1993 bei einem Putsch ermordet wurde. Im Jan. 1994 wurde C. Ntaryamira sein Nachfolger. Er kam im April 1994 bei einem Flugzeugabsturz (vermutlich Abschuß) nahe der ruand. Hauptstadt Kigali mit dem ruand. Präs. ums Leben. Folgende Massaker zw. Hutu und Tussi konnten die Ordnungskräfte rasch beenden. Ein Putschversuch gegen den Übergangspräs. wurde am 24. April 1994 niedergeschlagen. **Politisches System:** 1987 wurde die Verfassung von 1981 suspendiert und das Parlament aufgelöst. *Exekutive* und *Legislative* gingen an das Militärkomitee für die Nationale Errettung (CMSN) über, dessen Vors. als Präs. auch *Staatsoberhaupt* wurde. – Nach der Verfassung von 1992 ist der auf 5 Jahre gewählte Präs. Staatsoberhaupt und Träger der Exekutive. Die Legislative liegt bei der auf 5 Jahre gewählten Nationalversammlung (81 Mgl.). Es besteht ein Mehrparteiensystem mit Verbot ethnisch bestimmter Parteien.

Burunduk [russ.] (Eutamias sibiricus), etwa 15 cm körperlanges Erdhörnchen, v.a. in Rußland, N-Japan und in großen Teilen Chinas; Fell kurz, dicht und rauh; Rücken grau mit 5 breiten, schwarzen Längsstreifen.

Bury, John Bagnell [engl. 'bɛrɪ], * Monaghan (Irland) 16. Okt. 1861, † Rom 1. Juni 1927, ir. Althistoriker. – Einer der bedeutendsten Gelehrten auf dem Gebiet der spätantiken und byzantin. Geschichte; Hg. von E. Gibbons „History of the decline and fall of the Roman Empire" (7 Bde., 1896–1900).

B., Pol [frz. by'ri], * Haine-Saint-Pierre 26. April 1922, belg. Künstler. – Lebt seit 1961 in Paris. Seit 1953 entwickelte er, von A. Calder beeinflußt, Objekte, die u.a. durch Elektromotor, Lichtfühler, Magnetkraft in kaum sichtbare Bewegung versetzt werden.

Bury [engl. 'bɛrɪ], engl. Stadt 15 km nördl. von Manchester, 68 000 E. Textil-, Maschinenbau-, Papierindustrie.

Bury Saint Edmunds [engl. 'bɛrɪ snt 'ɛdməndz], engl. Stadt in der Gft. Suffolk, 29 000 E. Anglikan. Bischofssitz; Marktzentrum. – Klostergründung um 633; Wallfahrtsort. – Reste der Benediktinerabtei (11. Jh.); Kirche Saint James (12. und 15. Jh.).

Bürzel [zu althochdt. bor „Höhe"] (Sterz), Schwanzwurzel der Vögel.

Bürzeldrüse, paarige Hautdrüse der Vögel zw. den Spulen der Schwanzfedern. Das ölige Sekret der B. **(Bürzelöl)** dient der Einfettung des Gefieders.

Burzenland, Teil von Siebenbürgen; Zentrum Kronstadt.

bus, Einheitenzeichen für ↑ Bushel.

Bus, Kurzbez. für: Omnibus (↑ Kraftwagen).

Bus [engl. bʌs], Sammelleitung zur Übertragung von Daten, Adressen und Steuersignalen zw. den Funktionseinheiten eines Computers, bei der Kopplung von Computern mit peripheren Geräten und zum Aufbau von Rechnernetzen.

Wilhelm Busch (Selbstbildnis, 1894)

Busch, Wilhelm, * Wiedensahl bei Stadthagen 15. April 1832, † Mechtshausen (Landkreis Hildesheim-Marienburg) 9. Jan. 1908, dt. Dichter, Zeichner und Maler. – B. verknüpfte epigrammat. knappe Texte mit satir. Bilderfolgen. Er stellte in pessimist. Weltsicht Selbstgerechtigkeit, Scheinmoral und falsche Frömmigkeit bloß, z.T. mit grotesken Übersteigerungen. Auch Prosawerke, Graphikblätter, zahlr. Gemälde (Genrebilder und Landschaften).

Werke: Max und Moritz (1865), Der Hl. Antonius von Padua (1870), Die fromme Helene (1872), Kritik des Herzens (Ged., 1874), Maler Klecksel (1884), Eduards Traum (Prosa, 1891), Der Schmetterling (E., 1895), Schein und Sein (Ged., 1909).

Busch, svw. ↑ Strauch.

◆ Dickicht aus Sträuchern in trop. Ländern; sperrige und dornige Sträucher bilden einen *Dorn-B.* (z.B. in Dornsavannen).

Büschelentladung, eine selbständige Gasentladung, die an Spitzen und Kanten hochspannungsführender Teile als Folge der dort bes. hohen elektr. Feldstärke auftritt. Sie zeigt sich in Form kleiner, fadenförmiger, leuchtender Entladungskanäle (Büschel). – ↑ Elmsfeuer.

Büschelkiemer (Syngnathoidei), Unterordnung fast ausschließl. mariner Knochenfische, bes. in trop. und subtrop. Gebieten; zwei Fam. ↑Seenadeln und ↑Röhrenmäuler.

Buschir, iran. Hafenstadt auf einer Halbinsel am Pers. Golf, 59 000 E, ⚓.

Buschkatze, svw. ↑Serval.

Buschklepper, [berittener] Strauchdieb, Wegelagerer.

Buschmänner (auch San), Volk in Namibia, Botswana und Angola, etwa 84 000; bildet mit den Hottentotten die khoisanide Rasse. Im Durchschnitt 144 cm groß (Männer); gelblichbraune Haut, spärl. Behaarung, Pfefferkornhaar (Fil-fil), Fettsteiß, breite, flache Nase. Die B. sind Wildbeuter; Waffen sind Bogen mit vergifteten Pfeilen, auch Speere. Die B. leben in Familien oder Lokalgruppen zus.; kein Häuptlingstum. Neben einem Glauben an Hochgottgestalten, Heilbringer und Schöpfergottheiten animist. und mag. Vorstellungen (Glaube an Tote).

Buschmannkunst, Bez. für die Felsbilder zw. N-Simbabwe und Kapland; bis ins 19. Jh. belegt. Die Schöpfer standen den heutigen Buschmännern zumindest nahe, es waren Jäger und Rinderhirten. Mehrfarbige, bewegte, rhythm. Kompositionen im Zentrum (Drakensberge, Kei River) sowie im W („White Lady" mit Perlschnüren). In der Südgruppe (Wilton) rote, langgezogene menschl. Figuren, Handdarstellungen. Mag., kult. und Jagdszenen herrschen vor.

Buschmannland, Landschaft in der Prov. Nordkap, Republik Südafrika, südl. des Oranje; extensive Schafzucht.

Buschmannsprachen, in S-Afrika urspr. beheimatete Sprachen, die weder Bantu- noch Hottentottensprachen sind; von 6 500–11 000 Menschen gesprochen. Die B. gehören der Khoi-San-Sprachfamilie an. Hervortretendes Merkmal in der Phonetik sind Schnalz- oder Klicklaute. Die B. sind Tonhöhensprachen.

Buschmeister (Lachesis muta), bis etwa 3,75 m lange Grubenotter, v. a. in den gebirgigen, trop. Regenwäldern des südl. M-Amerika; Oberseite gelbbraun bis rötlichgelb oder grau, mit hellgerandeten schwarzen Flecken längs der Rückenmitte; unterseits gelblichweiß. Gefährl. Giftschlange.

Buschneger (Maron), die Nachkommen von im 18. Jh. entlaufenen Sklaven in Frz.-Guayana und Surinam (etwa 35 000); sprechen eine europ.-afrikan. Mischsprache. Sie übernahmen den indian. Feldbau und vermitteln den Handel zw. Küstenbev. und Indianern.

Buschor, Ernst, * Hürben bei Krumbach (Schwaben) 2. Juni 1866, † München 11. Dez. 1961, dt. Archäologe. – 1921–29 Direktor des dt. Archäolog. Instituts in Athen, dann Prof. in München. Leitete Ausgrabungen auf Samos (1925–39). Verfaßte u. a. „Griech. Vasenmalerei" (1913), „Die Plastik der Griechen" (1936).

Buschwindröschen (Anemone nemorosa), bis 30 cm hohes Hahnenfußgewächs, v. a. in Laubwäldern und auf Wiesen Europas; ausdauernde Pflanze mit fiederschnittigen Blättern und einer bis 3 cm großen weißen (häufig rötlich bis violett überlaufenen) Blüte.

Busen, die weibl. Brüste; auch svw. Brust, Herz als Sitz des Gefühls.

◆ in der *Anatomie* die zw. den weibl. Brüsten gelegene Vertiefung.

Busenello (Businello), Giovanni Francesco, * Venedig 1598, † Legnaro (Padua) 1659, italien. Dichter. – Librettist Cavallis und Monteverdis.

Busento, Nebenfluß des Crati in Kalabrien (Unteritalien). – Im Bett des B. wurde der Westgotenkönig Alarich I. begraben (Ballade „Das Grab im B." von A. von Platen).

Bush [engl. bʊʃ], George Herbert Walker, * Milton (Mass.) 12. Juni 1924, amerikan. Politiker (Republikaner), 41. Präs. der USA (1989–93). – Wirtschaftswissenschaftler; 1970–73 Botschafter bei den UN; 1974–75 Leiter des Verbindungsbüros der USA in Peking; 1975–76 Direktor der CIA; 1981–89 Vizepräsident.

George Bush

B., Vannevar, * Everett (Mass.) 11. März 1890, † Belmont (Mass.) 28. Juni 1974, amerikan. Elektroingenieur. – Entwickelte v. a. Analogrechner (1927 erster mechan., 1942 erster elektron. Differentialanalysator) und Netzwerkanalysatoren sowie die Datenspeicherung mit Mikrofilm.

Bushel [bʊʃl], Hohlmaß bes. für rieselfähige Güter (z. B. Getreide); Einheitenzeichen bu oder bus; in Großbritannien: 1 bu = 36,3687 Liter, in den USA: 1 bu = 35,2393 Liter.

Business [engl. 'bɪznɪs], engl. Bez. für Geschäftsleben, Geschäftstätigkeit, Unternehmen, Geschäftigkeit; **Big Business,** Großunternehmen, zusammenfassende Bez. für Großkapital.

Busiris, Name altägypt. Orte, ↑Abu Sir.

Buskerud [norweg. ˌbuskəru:], Verw.-Geb. in SO-Norwegen, reicht vom Oslofjord und Dramsfjord bis zur Hardangervidda, 14927 km², 225000 E (1988), Hauptstadt Drammen. Holzverarbeitende, Zellulose-, Textilind., Maschinenbau, Wasserkraftwerke.

Buskonzept, Methode bei Entwicklung und Auslegung von Raumflugkörpern. Ein kombinierfähiges Grundbauteil (Bus) wird durch Zusatzelemente entsprechend der vorgesehenen Aufgaben zu spezialisierten Flugkörpern ergänzt.

Buson Yosa, eigtl. Taniguchi Yosa Buson, * Kema (Settsu) 1716, † Kyōto 1784, jap. Dichter und Maler. – Er erneuerte das ↑Haiku; einer der Begr. der Literatenmalerei.

Busoni, Ferruccio, * Empoli bei Florenz 1. April 1866, † Berlin 27. Juli 1924, italien.-dt. Komponist und Pianist. – Zunächst internat. Karriere als Konzertpianist. Im Mittelpunkt seines Schaffens stehen Werke für Klavier, in denen er teilweise die tonalen Schranken sprengt. Virtuose Transkriptionen und zahlr. stark revidierte Editionen (Bach, Mozart). Komponierte auch Opern, u. a. „Turandot" (1917) und „Doktor Faust" (1925 von Ph. Jarnach vollendet).

Buß, Franz Joseph Ritter von (seit 1863), * Zell am Harmersbach 25. März 1803, † Freiburg im Breisgau 31. Jan. 1878, dt. Jurist und Politiker. – 1848 Präs. des 1. dt. Katholikentags, 1848/49 Mgl. der Frankfurter Nat.-Versammlung (großdt.) und 1874 MdR (Zentrum); forderte 1837 eine Arbeiterschutzgesetzgebung, verfocht einen kirchl. Sozialismus konservativ-ständ. Prägung.

Bussarde [lat.-frz.] (Buteoninae), mit über 40 Arten weltweit verbreitete Unterfam. bis 70 cm langer Greifvögel; mit meist langen, breiten, zum Segeln (bzw. Kreisen) geeigneten Flügeln, mittellangem bis kurzem abgerundetem Schwanz und relativ kurzen, doch scharfkralligen Zehen. Zu den B. gehören z. B. ↑Aguja, in M-Europa ↑Mäusebussard und ↑Rauhfußbussard.

Buße [urspr. „Nutzen, Vorteil"], *allgemein:* die für eine sittl., rechtl. oder religiöse Schuld zu leistende Sühne.

◆ *Religionsgeschichte:* das Bemühen um die Wiederherstellung eines durch menschl. Vergehen gestörten Verhältnisses zw. Menschen und der Gottheit. Die B. ist allen Religionen bekannt, sie kann stellvertretend durch einen ↑Sündenbock vollzogen werden oder sich der Mittel des Opfers und der Reinigungsriten bedienen, die häufig in sakralen Waschungen bestehen. Beichte, das Gelöbnis von Bußwerken und Askese sind meist Ausdruck einer subjektiven Bußgesinnung, der das Bewußtsein von Sünde zugrunde liegt und die echte Reue und Sinnesänderung erstrebt. – In der kath. Kirche ↑Bußsakrament.

◆ *Rechtsgeschichte:* In der älteren Rechtsprechung bedeutet B. Genugtuung, Leistung an den widerrechtlich Verletzten (meist in Geld).

◆ im *Strafrecht* bis 1974 eine mögl. Form des Ausgleichs für Beleidigung und Körperverletzung.

Bussen, weithin sichtbarer Berg im nördl. Oberschwaben, 767 m hoch; trug in der Spätbronzezeit eine Siedlung und einen Ringwall. Wallfahrtskirche (1516 und 1781 erneuert).

Büßerschnee, an Pilgergestalten erinnernde Formen von Schnee, Firn und Gletschereis in trop. Hochgebirgen (bes. Südamerikas); entsteht durch starke Sonneneinstrahlung bei geringer Luftfeuchtigkeit.

Bußgeld (Geldbuße), Mittel zur Ahndung von Ordnungswidrigkeiten, d. h. Verstößen gegen Ordnungsnormen, insbes. des Straßenverkehrs-, Luftverkehrs-, Wirtschafts- und Steuerrechts. Das **Bußgeldverfahren** ist v. a. im Gesetz über Ordnungswidrigkeiten i. d. F. vom 19. 2. 1987 geregelt. Der B.bescheid wird von der sachlich und örtlich zuständigen Verwaltungsbehörde erlassen (Höhe des B. grundsätzlich zw. 5 und 1000 DM). Legt der Betroffene innerhalb von zwei Wochen gegen den B.bescheid *Einspruch* ein, entscheidet das Amtsgericht. Gegen seine Entscheidung ist in bestimmten Fällen die Rechtsbeschwerde zulässig.

Bußsakrament, Sakrament der kath. und altkath. Kirche, mancher Ostkirchen u. a., in dem der Sünder Gottes Vergebung erlangt. Die heutige Form des B., die Ohrenbeichte, besteht im Bekenntnis der schweren Sünden, in der Reue sowie in der Annahme des auferlegten Bußwerkes. In der Lossprechung wird dem Sünder durch den Priester die Wiederversöhnung mit der Kirche zugesagt, die immer als von der Wiederversöhnung mit Gott begleitet gilt.

Buß- und Bettag, am vorletzten Mittwoch des Kirchenjahres in den dt. ev. Kirchen begangener Tag der Besinnung, in den Ländern der BR Deutschland gesetzl. Feiertag; in der Schweiz als Eidgenöss. Buß- und Bettag am 3. Sonntag im September.

Busta, Christine, eigtl. C. Dimt, * Wien 23. April 1915, † ebd. 3. Dez. 1987, östr. Lyrikerin. – Schrieb Lyrik in religiösem Grundton und einer Fülle von Sinnbildern. – *Werke:* Der Regenbaum (1951), Lampe und Delphin (1955), Unterwegs zu älteren Feuern (1965), Inmitten aller Vergänglichkeit (1985).

Bustamante y Sirvén, Antonio Sánchez de [span. busta'mante i sir'ßen], * Havanna 13. April 1865, † ebd. 24. Aug. 1951, kuban. Jurist. – Prof. in Havanna, Mgl. des Haager Schiedsgerichtshofs (seit 1908) und des Internat. Gerichtshofs in Den Haag (1922–45). Sein Entwurf eines „Gesetzbuches für Internat. Privatrecht" trat 1931 als **Code Bustamante** in zahlr. mittel- und südamerikan. Staaten in Kraft.

Büste [italien.-frz.], plast. Darstellung eines Menschen in Halbfigur oder nur vom Kopf bis zur Schulter. – † Bildnis.

Bustelli, Franz Anton, * Locarno 11. April 1723, † München 18. April 1763, dt. Porzellanmodelleur italien.-schweizer. Herkunft. – B. arbeitete wahrscheinl. zuerst an der Wiener Porzellanmanufaktur, ehe er (1754) Modelleur an der Porzellanmanufaktur Nymphenburg wurde. Bed. Rokokofiguren, v. a. aus der Commedia dell'arte.

Büstenhalter, Abk. BH, um 1920 aufgekommen, Teil der weibl. Unterkleidung, als Stütze und zur Formung der Brust getragen.

Bustrophedon [griech. „in der Art der Ochsenkehre (beim Pflügen)"] (Furchenschrift), regelmäßiger Wechsel der Schreibrichtung von Zeile zu Zeile in altgriech. und altlat. Inschriften.

Busuki [neugriech.], griech. Lauteninstrument, in der Volksmusik verwendet; wahrscheinl. türk.-arab. Herkunft.

Büsum, Gemeinde an der Meldorfer Bucht, Schl.-H., 5 000 E. Größter Fischereihafen an der schleswig-holstein. Nordseeküste; Werft; Seeheilbad.

Butadien [Kw.] (Butadien-(1,3)), $CH_2{=}CH{-}CH{=}CH_2$, ungesättigter Kohlenwasserstoff; wegen seiner Neigung zur Polymerisation ein wichtiger Ausgangsstoff für die Herstellung von synthet. Kautschuk († Buna).

Butandiole [Kw.], vier strukturisomere zweiwertige Alkohole der allg. Formel $C_4H_8(OH)_2$. Techn. Verwendung als Lösungsmittel, Weichmacher und Zwischenprodukt bei der Herstellung von Tetrahydrofuran und Butadien.

Butane [griech.], zu den Alkanen gehörende Kohlenwasserstoffe der Bruttoformel C_4H_{10}; man unterscheidet das geradkettige n-Butan, $CH_3{-}CH_2{-}CH_2{-}CH_3$, und das verzweigte Isobutan (2-Methylpropan), $CH_3{-}CH(CH_3){-}CH_3$. Man verwendet sie zur Herstellung von Butadien, Alkylatbenzin und als Heizgas.

Butanole [griech.; arab.] (Butylalkohole), in vier strukturisomeren Formen auftretende Hydroxylderivate des Butans, allg. Bruttoformel C_4H_9OH; werden in der chem. Ind. als Lösungsmittel verwendet.

Butanon, svw. † Methyläthylketon.

Butansäuren, svw. † Buttersäuren.

Butare, Stadt im S von Rwanda, 1 750 m ü. d. M., 25 000 E. Kulturelles Zentrum des Landes; kath. Bischofssitz; Univ. (gegr. 1963), Nationalmuseum. – Gegr. 1927 als **Astrida.**

Bute, John Stuart, Earl of [engl. bju:t], * Edinburgh 25. Mai 1713, † London 10. März 1792, brit. Politiker. – Erzieher und danach Günstling des späteren Königs Georg III.; suchte als Premiermin. und Erster Schatzkanzler (1762/63) einen raschen Friedensschluß im Siebenjährigen Krieg, erneuerte den Subsidienvertrag mit Preußen nicht und verständigte sich 1762 mit Frankreich über den Abschluß des Krieges.

Buten, svw. † Butylen.

Butenandt, Adolf [Friedrich Johann], * Lehe (= Bremerhaven) 24. März 1903, † München 18. Jan. 1995, dt. Biochemiker. – Prof. in Danzig, Tübingen und München; 1960–71 Präs. der Max-Planck-Gesellschaft. B. schrieb mehrere grundlegende Arbeiten über Geschlechtshormone (entdeckte das Östron, das Androsteron und das Progesteron); erhielt 1939 (mit L. Ružička) den Nobelpreis für Chemie.

Buthelezi, Gatsha Mongosuthu [engl. bu:tə'lɛɪzɪ], * Mahlabatini (Kwazulu) 27. Aug. 1928, südafrikan. Stammesführer und Politiker. – 1953 als Häuptling des Buthelezi-Stammes eingesetzt; 1970 zum Leiter der Territorialbehörde der Zulu gewählt; seit 1972 Chefmin. des „Heimatlandes" Kwazulu und seit 1975 Führer der Inkatha; nahm im Jan. 1991 Gespräche mit dem ANC auf, um die jahrelangen blutigen Auseinandersetzungen zw. beiden Organisationen zu beenden.

Butjadingen, durch Seedeiche geschützte Marschhalbinsel zw. Jadebusen und Wesermündung; v. a. Pferde- und Rinderzucht.

Butler [engl. 'bʌtlə], Josephine Elizabeth, * Milfield Hill (Northumberland) 13. April 1828, † Wooler (Northumberland) 30. Dez. 1906, brit. Sozialreformerin. – Unterstützte die Reformbewegung, die der Frau den Weg zum Universitätsstudium ebnen sollte; wurde bekannt v. a. durch die Initiative gegen die staatl. Reglementierung der Prostitution.

B., Nicholas Murray, * Elizabeth (N. J.) 2. April 1862, † New York 7. Dez. 1947, amerikan. Philosoph und Publizist. – Prof. an der Columbia University 1890–1902, seitdem bis 1945 deren Präs.; 1925–45 Präs. der Carnegiestiftung für den internat. Frieden; erhielt 1931 mit J. Addams den Friedensnobelpreis.

B., Reg[inald] Cotterell, * Buntingford (Hertford) 28. April 1913, † Berkhamstead (Hertford) 23. Okt. 1981, brit. Bildhauer und Zeichner. – Urspr. Architekt; spannt seine Bronzefiguren (weibl. Torsi) mit Hilfe eines Gerüsts im Raum auf.

B., Samuel, ≈ Strensham (Worcestershire) 8. Febr. 1612, † London 25. Sept. 1680, engl. Schriftsteller. – Sein Hauptwerk ist das von „Don Quijote“ beeinflußte kom.-heroische Epos „Hudibras“ (3 Bde., 1663–78), eine gegen die Schwächen des Puritanismus gerichtete Verssatire.

B., Samuel, * Langar (Nottinghamshire) 4. Dez. 1835, † London 18. Juni 1902, engl. Schriftsteller. – Durch Essays und Schriften zur Kunsttheorie von starkem Einfluß auf die nachviktorian. engl. Literatur. Schrieb den utop. Roman „Erewhon“ (1872) und den autobiograph. Roman „Der Weg allen Fleisches“ (1903).

Butler ['batlər; engl.; zu altfrz. bouteillier „Kellermeister“], Chefdiener eines größeren Haushalts, bes. in England.

Buto, ägypt. Ort im nw. Nildelta, heute Tall Al Farain. Verehrungsstätte der unterägypt. Kronengöttin Uto in Gestalt einer Kobra (Uräusschlange); von brit. Archäologen ausgegraben.

Buton ↑ Butung.

Butor, Michel [frz. by'tɔ:r], * Mons-en-Barœul (Dep. Nord) 14. Sept. 1926, frz. Schriftsteller. – Vertreter des ↑ Nouveau roman, auch Hörspiele, Essays zur Literatur und Malerei, Gedichte. – *Werke:* Paris – Passage de Milan (R., 1954), Der Zeitplan (R., 1956), Paris – Rom oder Die Modifikation (R., 1957), Stufen (R., 1960), Intervalle (E., 1973), Matière de rêves (Prosa, 5 Bde., 1975–85), Boomerang (1978), Envois (Prosa, 1980), Fenster auf die innere Passage (Prosa, 1982), Exprès (Envoi 2, 1983), Die Alchemie und ihre Sprache (Essays, 1990).

Butsu ↑ Buddha.

Butte [engl. bju:t], Stadt in SW-Montana, USA, in den Rocky Mountains, 1 760 m ü. d. M., 33 400 E. Bergakad. (gegr. 1893), bed. Erzbergbauzentrum.

Butte [zu niederdt. butt „stumpf, plump“] (Bothidae), Fam. der Plattfische mit zahlr. Arten, v. a. in den Flachwasserzonen des Atlantiks, Mittelmeers und Ind. Ozeans; Körper relativ langgestreckt, Augen fast ausschließl. auf der linken Körperseite; Speisefische, z. B. ↑ Lammzunge.

Bütte [zu mittellat. butina „Flasche, Gefäß“], oben offenes Daubengefäß, das sich nach unten verengt; zur Weinlese verwendet. ◆ in der Papierherstellung ein großer, ovaler Mischbehälter mit einem Rührwerk.

Büttel [zu althochdt. butil „Bekanntmacher“] (Fronbote, Gerichtsknecht), ehem. Bez. für einen Gerichtsboten; gehörte zu den niederen Vollstreckungsbeamten.

Büttenpapier, urspr. handgeschöpftes Papier mit ungleichmäßigen Rändern; die in Wasser aufgeschwemmten Papierfasern werden mit einem Sieb aus der Bütte geschöpft.

Büttenrede, launige Festrede oder närr. Vortrag beim Karneval aus einer „Bütte“, erstmals 1827 in Köln gehalten.

Butter [zu griech. bútyron „Kuhquark“], ein aus Milch gewonnenes, etwa 80 % Milchfett und etwa 20 % Wasser enthaltendes Speisefett, dem Kochsalz oder amtlich zugelassene (pflanzl.) Farbstoffe zugesetzt sein können. Herstellung: Aus der Milch wird zunächst der Rahm gewonnen und einem Reifungsprozeß unterzogen. Beim Buttern wird der reife Rahm mechanisch bearbeitet, bis sich die Fettkügelchen zu einer kompakten und formbaren Masse vereinigen, die sich von der Hauptmenge der wäßrigen Phase, der Buttermilch, abtrennen läßt. Die dabei entstehende B.milch wird abgesiebt, die B.klümpchen gewaschen, mit etwas Salz geknetet und zu B.ballen geformt. 25 kg Milch liefern etwa 1 kg B. Die fertige B. kann bei Temperaturen unter 0 °C ohne Qualitätsminderung monatelang gelagert werden. In ernährungsphysiolog. Hinsicht liegt der Wert der B. in der hohen Resorptionsgeschwindigkeit der Fettsäuren und im Gehalt an fettlösl. Vitaminen. Die Weltproduktion von B. betrug 1988 7,51 Mill. t; Hauptproduktionsländer (1988; Produktion in 1 000 t): Sowjetunion (1 794), Indien (800; einschl. Ghee), USA (544), Frankreich (516), BR Deutschland (332), DDR (306), Neuseeland (282).

Butterbaum (Pentadesma butyraceum), Guttibaumgewächs an der Küste des Golfes von Guinea; bis 40 m hoher Baum, dessen dunkelbraune, melonenförmige Früchte sehr fetthaltige, kastaniengroße Samen **(Lamynüsse)** enthalten, aus denen Speisefett **(Kanyabutter)** gewonnen wird.

Butterberg, Bez. für die in der EG (auch als Folge der Subventionspolitik) über den Bedarf hinaus produzierte Butter. Sie wird auf Kosten der Gemeinschaft in Kühlhäusern gelagert und von Zeit zu Zeit mit finanziellen Einbußen (da unter dem Weltmarktpreis) abgegeben. Ähnliches gilt auch für andere landw. Erzeugnisse („Milchsee“).

Butterbirne, Sammelbez. für Birnensorten, die durch ihr schmelzend-weiches Fruchtfleisch gekennzeichnet sind; z. B. die Sorte Gellerts Butterbirne.

Butterblume, volkstüml. Bez. für Löwenzahn, Sumpfdotterblume und andere gelbblühende Pflanzen.

Butterfett (Butterschmalz), aus dem Fettbestandteil der Butter bestehendes, gelbes, haltbares Speisefett, das v. a. zum Kochen und Backen verwendet wird.

Butterfische (Pholididae), Fam. der Schleimfischartigen im nördl. Atlantik und Pazifik; Körper langgestreckt, schlank und seitl. abgeflacht, Rückenflosse sehr lang; Haut glatt mit tiefliegenden Schuppen.

Butterflyschwimmen [engl. 'bʌtəflaɪ] ↑Schwimmen.

Buttermilch, bei der Verbutterung zurückbleibende saure Magermilch, die noch alle wichtigen Vitamine und Mineralstoffe der Milch enthält.

Butterpilz (Butterröhrling, Suillus luteus), bis 10 cm hoher Röhrling mit gelb- bis schokoladebraunem, bei Feuchtigkeit schleimig glänzendem Hut mit zitronengelber Unterseite und Stielring; kommt v. a. in sandigen Kiefernwäldern vor; Speisepilz.

Butterröhrling, svw. ↑Butterpilz.

Buttersäurebakterien, anaerobe, grampositive, sporenbildende Bakterien, die Kohlenhydrate zu Buttersäure vergären.

Buttersäuren (Butansäuren), zwei strukturisomere gesättigte Monocarbonsäuren der allg. Bruttoformel C_3H_7COOH; verursachen den Geruch ranziger Butter. Ihre fruchtartig riechenden Ester, die Butyrate, dienen als Duftstoffe und Fruchtessenz.

Butterschmalz, svw. ↑Butterfett.

Buttigieg, Anton [bʊtɪ'dʒi:g], * auf Gozzo 19. Febr. 1912, † Kappara (Malta) 5. Mai 1983, maltes. Lyriker und Politiker (Labour Party). – Jurist; 1976–81 Staatspräs. der Republik Malta; förderte als Lyriker maßgebl. die Weiterentwicklung der maltes. Sprache.

Buttlar, Eva Margarethe von, * Eschwege Juni 1665, † Altona 27. April 1721, pietist. Schwärmerin. – Gründete 1702 die „Christl. und philadelph. Sozietät", die jede gesetzl. Ordnung ablehnte und als **Buttlarsche Rotte** verfolgt wurde.

Button [engl. bʌtn „Knopf"], Ansteckplakette (meist mit einer Aufschrift), mit der man seine (polit.) Meinung („Meinungsknopf") oder Einstellung zu erkennen gibt.

Butuan, philippin. Hafenstadt im NO von Mindanao, 172 000 E. Kath. Bischofssitz; Handelsstadt.

Butung (früher Buton), indones. Insel in der Bandasee, vor der sö. Halbinsel von Celebes, 150 km lang und 60 km breit, bis 1 190 m ü. d. M.; Hauptort: Baubau.

Butuntum ↑Bitonto.

Butyl- [griech.], Bez. der chem. Nomenklatur für die Atomgruppierung

$$-CH_2-CH_2-C_2H_5.$$

Butylalkohole, svw. ↑Butanole.

Butylen [griech.] (Buten), ungesättigter gasförmiger Kohlenwasserstoff (C_4H_8); in der Kunststoffind. vielfach verwendet. Es existieren drei Strukturisomere.

Butylkautschuk ↑Synthesekautschuk.

Butyrate [griech.], Salze und Ester der Buttersäuren.

Butzbach, Stadt am O-Abfall des Taunus zur Wetterau, Hessen, 20 600 E. Maschinen- und Apparate-, Klimaanlagenbau, Schuh- und Nahrungsmittelind. – Erstmals 773 erwähnt, 1321 Stadtrechte. – Viereckiger Markt inmitten der nahezu runden Anlage der Altstadt. Fachwerkhäuser (17./18. Jh.), Rathaus mit Uhr von 1630; spätgot. Markuskirche.

Butze [niederdt.] ↑Alkoven.

Butzenscheiben, runde Fensterglasscheiben (etwa 10 cm Durchmesser) mit einseitiger Verdickung in der Mitte, dem Butzen; in Blei gefaßt (14.–16. Jh.; 19. Jh.).

Butzenscheibenlyrik, von P. Heyse geprägte, abschätzige Bez. für ep.-lyr. Dichtungen in der Nachfolge V. von Scheffels. Thema ist das MA als unwirkl.-künstl. Idylle, als heile Welt der Kaiserherrlichkeit, der Ritterkultur, des Minnesangs, der Wein- und Burgenromantik und eines freien Vagantentums.

Bützow ['bytso, 'bʏtso], Krst. an der Warnow, Meckl.-Vorp., 10 000 E. Zentrum eines landw. Umlandes; Trockenmilch-, Möbelwerk. – 1229 gegr., Hauptresidenz der Bischöfe von Schwerin bis zur Einführung der Reformation. – Pfarrkirche (13. Jh.).

B., Landkr. in Meckl.-Vorpommern.

Buwaihiden ↑Bujiden.

Buxtehude, Dietrich, * Oldesloe (?) 1637 (?), † Lübeck 9. Mai 1707, dt. Komponist und Organist. – Seit 1668 Organist an der Marienkirche in Lübeck, wo er die „Abendmusiken" berühmt machte. Er komponierte u. a. mehr als 100 Kantaten, Klaviersuiten und -variationen sowie Orgelwerke, die J. S. Bach beeinflußten.

Buxtehude, Stadt 20 km sw. von Hamburg, Nds., 31 000 E. Fachhochschule (Architektur und Bauwesen), Metall-, Nahrungsmittel-, Baustoff- und Kunststoffind. – 959 gen., 1228 Stadtrecht. – Petrikirche (Backsteinbasilika, um 1300).

Buxton, Sir Thomas Fowell [engl. 'bʌkstən], * Castle Hedingham (Essex) 1. April 1786, † Norfolk 19. Febr. 1845, brit. Philanthrop. – Schwager von Elisabeth Fry; als Mgl. des Unterhauses (1818–37) Sprecher der Bewegung für die Abschaffung der Sklaverei in den brit. Kolonien und für die Humanisierung des Strafvollzugs.

Buxton [engl. 'bʌkstən], engl. Stadt und Kurort (radioaktive Quellen), 35 km sö. von Manchester, 21 000 E. Tagungs- und Kongreßstadt.

Buxus [lat.], svw. ↑Buchsbaum.

Buysse, Cyriel [niederl. 'bœÿsə], * Nevele bei Gent 20. Sept. 1859, † Deurle aan Leie 26. Juli 1932, fläm. Schriftsteller. – Urwüchsiger Schilderer des fläm. Volkes; realist. Romane und Erzählungen, u. a. „Ein Löwe von Flandern" (R., 1900), „Arme Leute" (En., 1901).

Büyük Menderes nehri (Mäander), Fluß in W-Anatolien, Türkei, entspringt in mehreren Quellflüssen sw. von Afyon, mündet sö. der Insel Samos in das Ägäische Meer, rd. 400 km lang, bildet zahlr. Mäander.

Buzău [rumän. bu'zəu̯], Hauptstadt des rumän. Verw.-Gebietes B., am S-Rand der O-Karpaten, 132 000 E. Metallurg. und chem., Papier- und Zellstoffind., Erdölraffinerie (Pipeline von Ploieşti). – 1431 urkundl. erwähnt. Um 1500 Bistumssitz. – Bischofskirche (um 1500, 1650 erneuert).

Buzentaur [...'taʊə; italien.] (Bucintoro), nach einem Untier der griech. Sage ben. Prunkbarke venezian. Dogen.

Buzzati, Dino, eigtl. D. B.-Traverso, * Belluno 16. Okt. 1906, † Mailand 28. Jan. 1972, italien. Schriftsteller. – Sein von Kafka und Maeterlinck beeinflußtes Erzählwerk behandelt das Phänomen der Angst und die Absurdität menschl. Existenz. – *Werke:* Die Männer vom Gravetal (R., 1933), Das Geheimnis des Alten Waldes (R., 1935), Die Festung (R., 1940), Das Haus mit den sieben Stockwerken (Dr., 1953), Amore (R., 1963), Orphi und Eura (Bildergeschichte, 1969).

BVG, Abk. für: Bundesverfassungsgericht.
◆ Bundesversorgungsgesetz.
◆ Bundesverwaltungsgericht.

BWV, Abk. für: Bach-Werke-Verzeichnis: „Themat.-systemat. Verzeichnis der musikal. Werke von Johann Sebastian Bach" ([5]1973) hg. von W. Schmieder.

Byblos (akkad. Gubla, hebr. Gebal), bed. Hafenstadt des Altertums (heute Dschubail), 30 km nördl. von Beirut; früheste Besiedlung für das Neolithikum bezeugt; kommerzieller und religiöser Mittelpunkt der phönik. Mittelmeerküste; wichtige Funde zur Schriftentwicklung; nach noch unentzifferten Vorstufen älteste phönik. Texte auf dem Sarkophag des Königs Achiram (um 1000 v. Chr.?). Erhalten u. a. Tempel der Balat Gubla († Baal), wohl 2. Hälfte 3. Jt. v. Chr.; aus der Römerzeit Reste eines Theaters, eines Nymphaeums sowie einer Säulenstraße; Burgruinen des 12. Jh. aus der Zeit der Kreuzzüge. Die Ruinen von B. wurden von der UNESCO zum Weltkulturerbe erklärt.

Bydgoszcz [poln. 'bɨdgɔʃtʃ] † Bromberg.

Bygdøy [norweg. ˌbygdœi̯], norweg. Halbinsel im Oslofjord, mit Freiluftmuseum, Seefahrtsmuseum, Wikingerschiffen (u. a. Osebergschiff), F. Nansens Schiff „Fram", T. Heyerdahls Floß „Kon-Tiki" u. a.

Bylazora, antike Stadt, † Veles.

Bylinen [russ.], ep. Heldenlieder der russ. Volksdichtung; sie berichten, z. T. märchenhaft-phantast. ausgeschmückt, über histor. Ereignisse und Personen (Wladimir d. Gr., Iwan den Schrecklichen, Peter d. Gr. u. a.). B. entstanden im 11./12. Jh. in Kiew, im 13./14. Jh. in Nowgorod und im 16. Jh. in Moskau; seit dem 17. Jh. als Volkskunst weitertradiert.

Bypass [engl. 'baɪpɑːs], allg. für Umführung [einer Strömung], Nebenleitung (z. B. in Turbinentriebwerken).
◆ in der *Medizin* die Überbrückung eines krankhaft veränderten Blutgefäßabschnittes durch Einpflanzung ei-nes Stückes einer (meist körpereigenen) Vene oder Arterie oder eines Kunststoffschlauchs.

Byrd [engl. bəːd], Richard Evelyn, * Winchester (Va.) 25. Okt. 1888, † Boston 11. März 1957, amerikan. Marineoffizier und Polarforscher. – Überflog am 9. Mai 1926 (nach eigenen Angaben; neuerdings angezweifelt) von Spitzbergen aus mit Floyd Bennet erstmals den Nordpol. Auf seiner 1. Antarktisexpedition (1928–30) gelang ihm 1929 der erste Flug über den Südpol. Auf dieser und drei weiteren Großexpeditionen (1933–36, 1939–41, 1946/47) gelang vom Flugzeug aus die Erforschung und Aufnahme fast der gesamten Küste und großer Inlandgebiete der Antarktis.

B. (Bird), William, * 1543, † Stondon Massey (Essex) 4. Juli 1623, engl. Komponist. – 1570–1618 Mgl. der königl. Kapelle, seit 1572 als Organist. Gilt als der erste bed. engl. Madrigalkomponist, schrieb auch Sololieder und kirchenmusikal. Werke. Noch wichtiger wurde er durch seine Cembalomusik als Begründer der engl. Virginalistenschule.

Byrds, The [engl. ðə 'bəːdz], amerikan. Rockmusikgruppe 1964 bis 1973, zu der u. a. die Sänger und Gitarristen Jim McGuinn (* 1942) und David Crosby (* 1941) gehörten; orientierte sich zunächst v. a. an der Folk-, später auch an der Countrymusik.

Byrnes, James Francis [engl. bəːnz], * Charleston (S. C.) 2. Mai 1879, † Columbia (S. C.) 9. April 1972, amerikan. Politiker (Demokrat). – Nahm 1945 an der Konferenz von Jalta teil; trat als Außenmin. (1945–47) seit 1946 für eine Verständigungspolitik gegenüber Deutschland ein; 1951–55 Gouverneur von South Carolina.

Byron [engl. 'baɪərən], George Gordon Noel Lord, * London 22. Jan. 1788, † Mesolongion (Griechenland) 19. April 1824, engl. Dichter. – Lebte, von der engl. Gesellschaft wegen seines Lebensstils geächtet, ab 1816 im Ausland (Schweiz, Italien); beabsichtigte, am griech. Freiheitskampf teilzunehmen, starb jedoch kurz nach der Landung in Griechenland an Malaria. – B. stand, obwohl Romantiker, z. T. noch unter dem Einfluß der formalen Klarheit des Klassizismus. Die Mischung von Melancholie, stilist. und formaler Ironie, heiterem Witz und scharfer Satire wurde auch für die byronist. Modedichtung des 19. Jh. kennzeichnend. Lockere, oft sorglose Formung, sprachl. Virtuosität und Vorliebe für das Satanische waren Gründe für den Erfolg seiner Verserzählungen.

Werke: Ritter Harold's Pilgerfahrt (4 Cantos, 1812–19), Der Korsar (E., 1814), Manfred (Dr., 1817), Don Juan (ep. Fragment, 1819–1824), Cain (Dr., 1821), Die Vision des Gerichts (Ged., 1822), Himmel und Erde (Mysterium, 1823).

B., John, * Newstead Abbey (Nottinghamshire) 8. Nov. 1723, † London 10. April 1786, brit. Admiral und Entdecker. – Großvater von George Gordon Noel Lord B.; 1764–66 in die Südsee entsandt; entdeckte die Tokelau- und einige der Gilbertinseln.

Byronismus [baɪ...], nach dem engl. Dichter Lord Byron ben. Stil- und Lebenshaltung zu Beginn des 19. Jh. (Pessimismus, Skepsis, Weltschmerz, Lebensmüdigkeit).

Byrrangagebirge, Gebirgszug auf der Halbinsel Taimyr, im nördl. Sibirien, Rußland, etwa 1 000 km lang, bis 1 146 m hoch.

Byß, Johann Rudolf, * Solothurn 11. Mai 1660, † Würzburg 11. Dez. 1738, schweizer. Maler. – Dekorationsmalereien im Stil des italien., v. a. röm. Barocks: u. a. in Pommersfelden, Stift Göttweig, Residenz Würzburg.

Byssus [griech.], in der Antike ein außerordentlich feines, durchschimmerndes, sehr haltbares Gewebe, heute ein feinfädiges, hochporöses, weiches und geschmeidiges v. a. Hemdengewebe in Dreherbindung.
◆ Sekretfäden, die bestimmte Muscheln aus einer Fußdrüse *(B.drüse)* ausscheiden; erhärten im Wasser und halten das Tier an Felsen u. a. fest. – ↑ Muschelseide.

Byssusseide, svw. ↑ Muschelseide.

Byte [engl. baɪt; Kw.], in der Datenverarbeitung die kleinste adressierbare Informationseinheit, Folge von 8 Bits. 1 B. ermöglicht die Verschlüsselung von $2^8 = 256$ verschiedenen Zeichen. 1 024 B. = 1 Kilobyte (kByte, KB); 1 048 576 B. = 1 Megabyte (MByte, MB).

Bytom [poln. 'bɨtɔm] ↑ Beuthen O. S.

Byzantiner, Bewohner der Hauptstadt des Byzantin. Reiches, Konstantinopel (ehem. Byzantion); i. w. S. die Untertanen des Byzantin. Reiches.

byzantinische Kunst, sie erwuchs im 5./6. Jh. aus spätantiken und frühchristl. Traditionen, breitete sich im gesamten Byzantin. Reich aus und beeinflußte die Kunst der Nachbarvölker und des Abendlandes. Die Entwicklung der b. K. wird zweimal unterbrochen: durch den Bilderstreit (1. Phase: 726–780, 2. Phase: 815–842) und durch die Eroberung Konstantinopels durch die Kreuzfahrer (1204). 1453 findet sie ihr Ende.
Frühbyzantin. Zeit: Im Sakralbau entstanden verschiedene Kuppelbauten: Kuppelbasilika (Hagia Sophia in Konstantinopel), Kreuzkuppelkirche (Hagia Sophia in Saloniki). Der Zerstörung entgingen Mosaiken in Ravenna und Rom.

Byzantinische Kunst. Kaiser Justinian I. mit Erzbischof Maximian und Gefolge (um 547). Wandmosaik im Chor von San Vitale in Ravenna

Mittelbyzantin. Zeit: Blüte unter der makedon. Dyn. In der Architektur wird die Kreuzkuppelkirche zum beherrschenden Typ; daneben entsteht ein neuer Typ, von einem Quadrat mit 8 Stützen wird vermittels Trompen zum Rund übergeleitet (Osios Lukas, Dafni u. a.). Führende Kunstgattung ist die Malerei. Sie zeigt neben antikisierenden Werken der sog. makedon. Renaissance (Mosaiken der Hagia Sophia in Konstantinopel,

Byzantinische Kunst. Reliquienbeutel mit Perlstickerei; 11. Jh. (Nürnberg, Germanisches Nationalmuseum)

Pariser Psalter, Handschriften auf dem Athos und dem Sinai, Ikonen auf dem Sinai und auf Zypern) eine stark linear bestimmte, flächengebundene Stilrichtung, die an Tendenzen der Spätantike anknüpft (Mosaiken der Hagia Sophia in Saloniki, Osios Lukas, Nea Moni auf Chios; Buchmalereien aus Klöstern in Konstantinopel; Wandmalerei: Krypta von Osios Lukas u. a.). In der Kleinkunst sind bes. die Elfenbeinschnitzereien, Gold- und Emailarbeiten, Gemmen, Intagli und Glaspasten als bezeichnende Produkte der b. K. zu nennen. Auch das Kunstgewerbe (Glas, Bergkristall, Textilien wie Seide und Brokat) blühte. – Um die Mitte des 11. Jh. unter den Komnenen ändert sich der Stil völlig; beide Stilrichtungen der makedon. Zeit gehen in einem neuen expressiven Stil auf. Typ. Denkmäler sind, neben ausgezeichneten Miniaturen, z. B. die Malereien in Nerezi und Kurbinovo (Jugoslawien) sowie in Kastoria (Griechenland) und die Mosaiken von Dafni. Ende des 12. Jh. kommt daneben eine neue antikisierende Malerei auf (Wladimir, Rußland; Lagudera auf Zypern). Diese komnen. Stile werden in Nizäa und im Epirus nach 1204 weitergepflegt, während in Serbien byzantin. Maler die Hochblüte der serbischen Kunst einleiten und den paläolog. Stil der b. K. vorbereiten. **Spätbyzantin. Zeit:** Der paläolog. Stil ist gekennzeichnet durch Gewinnung von Räumlichkeit, Bildtiefe und neue Körperlichkeit der Figuren (Mosaiken der Chorakirche in Konstantinopel und der Apostelkirche in Saloniki; die Malereien in Mistra und Saloniki sowie auf dem Athos; Ikonenmalerei). Die Eroberung durch die Osmanen 1453 hat diese Entwicklung auf Klöster abgedrängt, bes. auf dem Athos lebte der spätpaläolog. Stil fort.

🕮 *Stierlin, H.: Byzantin. Orient. Stg. 1988. – Grabar, A.: Byzanz. Die b. K. des MA. Dt. Übers. Baden-Baden ³1979. – Reallex. zur b. K. Hg. v. K. Wessel u. M. Restle. Stg. 1966 ff. Bis 1986 sind 3 Bde. erschienen.*

byzantinische Literatur, alle literar. Schöpfungen in griech. Sprache 330–1453 n. Chr. (Eroberung Konstantinopels); in der Hauptsache Prosaliteratur, daneben aber auch christl. kirchl. Hymnenpoesie. Innerhalb der sog. reinsprachl. Literatur, die hochsprachl. Schaffen fortsetzte, ragten im Bereich der Prosa zahlr. bed. Werke der **Geschichtschreibung** heraus: im 6. Jh. Prokop von Caesarea und Agathias Scholastikos, im 12. Jh. Johannes Kinnamos und Niketas Choniates, im 13. Jh. Georgios Akropolites, im 14. Jh. Georgios Pachymeres, Johannes Kantakuzenos und Nikephoros Gregoras, im 15. Jh. Johannes Dukas und Demetrios Chalkokondyles. Daneben existierte eine umfangreiche chronist. Literatur. Den Hauptteil des Prosaschrifttums machten **theolog. Werke** aus. Hauptvertreter waren Leontios von Byzanz (6. Jh.), Maximos Confessor (6./7. Jh.), Johannes von Damaskus (8. Jh.), Photios (9. Jh.), Michael Kerullarios (11. Jh.) und Gregorios Palamas (14. Jh.). Daneben sind die Werke der ↑byzantinischen Philosophie zu stellen, Kommentare zur griech. Geographie, griech. Grammatiken, Wörterbücher und Glossenwerke (u. a. von Photios sowie die „Suda"). Die **Poesie** war v. a. durch ein tiefes religiöses Empfinden bestimmt, das eine außerordentlich reiche ma. griech. Hymnodik hervorbrachte. Bedeutendster Vertreter war Romanos. Der größte Vertreter der weltl. reinsprachl. Poesie war Georgios Pisides (7. Jh.). Das gedanklich originellste Lebenswerk byzantin. profaner Poesie hinterließ Theodoros Prodromos (12. Jh.); aus der spätbyzantin. Ära sei Manuel Philes (13./14. Jh.) als Verfasser insbes. geistreicher Epigramme genannt.
Zu den ältesten Beispielen der **volkssprachl. Literatur** gehören die großen ep. Erzählungen (Belisarroman, Alexanderroman). Die berühmten rhod. Liebeslieder des 14. Jh. sind der Beginn neugriech. Literatur. Zum volkssprachl. Tierroman gehört der „Physiologus", der auch in lat. Versionen im MA weit verbreitet war. Aus der volkssprachl. Prosaliteratur ist v. a. der ma. Roman „Barlaam und Josaphat" zu nennen.

🕮 *Hunger, H.: B. L. In: Lex. des MA. Bd. 2 Mchn. u. Zürich 1983. – Hunger, H.: Die hochsprachl. profane Lit. der Byzantiner. Mchn. 1978. 2 Bde. – Beck, H. G.: Kirche u. theolog. Lit. im byzantin. Reich. Mchn ²1977.*

byzantinische Musik, vorwiegend im Dienste der Kirche stehende, streng vokale Musik. Sie ist in vielen Handschriften überliefert (die ältesten aus dem 10. Jh.). Sie war in ihrem Grundzug einstimmig. Die Liturgie der byzantin. Kirche beruht nicht nur auf der Hl. Schrift, sondern auch auf einem sehr breiten Repertoire religiöser Hymnendichtungen. Wichtige Hymnendichter sind der Melode Romanos († kurz nach 555), Andreas von Kreta (7./8. Jh.), Johannes von Damaskus (8. Jh.), Kosmas von Jerusalem (8. Jh.) und Theodoros Studites (* 759, † 826). Die b. M. übte etwa bis zur Jt.wende großen Einfluß auf die Kultur des O und des W aus. So haben die Südslawen und Russen bei ihrer Christianisierung im 9. bzw. 10. Jh. auch die byzantin. Gesänge übernommen, die ins Kirchenslaw. übersetzt wurden. Von Byzanz hat der W die Lehre von den 12 Tonarten und die Choralnotation übernommen. Auch die weltl. Musik spielte eine große Rolle, hat sich aber bis auf einige Akklamationen zu Ehren der Kaiser nicht erhalten.

🕮 *Hymnen der Ostkirche. Hg. v. K. Kirchhoff u. C. Schollmeyer. Dt. Übers. Münster ²1960.*

Neudr. 1979. – Wellesz, E.: A history of Byzantine music and hymnography. London ²1961.

byzantinische Philosophie, die b. P. ist gekennzeichnet durch Versuche, die antiken philosoph. Traditionen bes. des Platonismus und des Aristotelismus dem christl. Glauben anzupassen. – In der b. P. des 7.–10. Jh. knüpfen Stephanos von Alexandria (6./7. Jh.) und Arethas an den Neuplatonismus an, während Johannes von Damaskus zur Grundlegung seiner christl. Dogmatik die Aristotel. Philosophie benutzt. Auf dem Höhepunkt der b. P. im 11./12. Jh. stehen sich mit M. Psellos einerseits und mit Johannes Italos, der die abendländ. Dialektik in die b. P. einführt, sowie Eustratios von Nikaia andererseits Vertreter platon. bzw. aristotel. Denkrichtung gegenüber. Im 13. Jh. setzt mit Bekanntwerden der Philosophie des westl. Abendlandes, beginnend mit den Übersetzungen von M. Planudes aus dem Lat., eine Neuorientierung der b. P. ein. Das 14. Jh. steht im Zeichen der Auseinandersetzung um die hesychast. Mystik (↑ Hesychasmus).

Byzantinisches Reich (Byzanz, Ostrom), abendländ. Bez. für das Oström. Reich.

Spätantik-frühmittelalterl. Zeit (330/395 bis 610): Das B. R. entstand nach der Einweihung Byzantions als neue röm. Hauptstadt Konstantinopel durch Konstantin I., d. Gr. (330), bei der endgültigen Teilung des Röm. Reiches (395). Das in seinen Anfängen den Balkan bis zur Donau, Kleinasien, Syrien, Ägypten und Libyen umfassende Ostreich wurde vorübergehend von Justinian I. (♔ 527–565) ausgedehnt, u. a. Eroberung des von den Vandalen beherrschten N-Afrika (533/534), Vernichtung der Ostgoten in Italien durch die Feldherren Belisar und Narses (535–555). Unter Justinians Nachfolger gingen die Eroberungen großenteils wieder verloren (Italien 568 an die Langobarden).

Mittelbyzantin. Zeit (610–1204): In der durch die Einfälle von Awaren und Slawen hervorgerufenen schweren Krise rettete Kaiser Herakleios (♔ 610–641) das B. R. durch Verwaltungs- und Heeresreformen vor dem Untergang. Die Prov. im O gingen Anfang des 7. Jh. an das neupers. Reich, nach vorübergehender Rückeroberung ab 636 an die Araber verloren, die sogar 674–678 und 717/718 Konstantinopel belagerten. Die wechselvollen Auseinandersetzungen mit den Arabern und dem Ende des 7. Jh. entstandenen Bulgarenreich begleiteten jahrhundertelang die byzantin. Geschichte. In der 2. Hälfte des 11. Jh. eroberten die Seldschuken Kleinasien und schlugen die byzantin. Truppen 1071 bei Manzikert entscheidend. Die Petschenegen, die Mitte des 11. Jh. die Donau überschritten und 1090/91 Konstantinopel belagerten, konnten bis 1122 niedergeworfen werden. Die Niederlage von Myriokephalon 1176 im Kampf gegen die Rum-Seldschuken (Sultanat von Ikonion) beendete die Großmachtstellung des B. R. Entscheidend für sein Verhältnis zu den christl. Mächten des Abend-

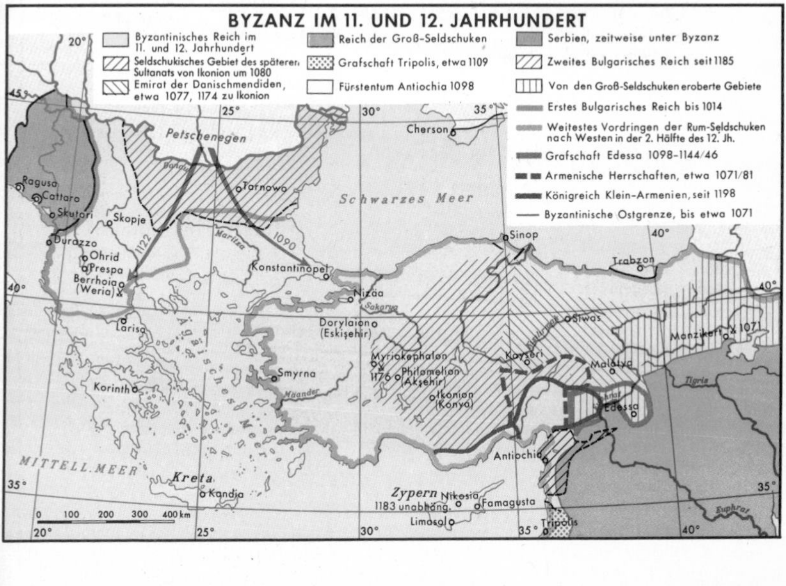

Herrscherliste des Byzantinischen Reiches

324–337	Konstantin (I.) der Große
337–361	Konstantius
361–363	Julian Apostata
363–364	Jovian
364–378	Valens
379–395	Theodosius I.
395–408	Arcadius
408–450	Theodosius II.
450–457	Markian
457–474	Leon I.
474	Leon II.
474–475	Zenon, 1. Regierungszeit
475–476	Basiliskos
476–491	Zenon, 2. Regierungszeit
491–518	Anastasios I.
518–527	Justin I.
527–565	Justinian I.
565–578	Justin II.
578–582	Tiberios I. Konstantinos
582–602	Maurikios
601–610	Phokas
610–641	Herakleios
641	Konstantin III. und Heraklonas
641	Heraklonas
641–668	Konstans II.
668–685	Konstantin IV.
685–695	Justinian II., 1. Regierungszeit
695–698	Leontios
698–705	Tiberios II.
705–711	Justinian II., 2. Regierungszeit
711–713	Philippikos
713–715	Anastasios II.
715–717	Theodosius III.
717–741	Leon III.
741–775	Konstantin V.
775–780	Leon IV.
780–797	Konstantin VI.
797–802	Irene
802–811	Nikephoros I.
811	Staurakios
811–813	Michael I. Rangabe
813–820	Leon V.
820–829	Michael II.
829–842	Theophilos
842–867	Michael III.
867–886	Basileios I.
886–912	Leon VI.
912–913	Alexander
913–959	Konstantin VII. Porphyrogennetos
920–944	Romanos I. Lekapenos
959–963	Romanos II.
963–969	Nikephoros II. Phokas
969–976	Johannes I. Tsimiskes (Tzimiskes)
976–1025	Basileios II.
1025–1028	Konstantin VIII.
1028–1034	Romanos III. Argyros
1034–1041	Michael IV.
1041–1042	Michael V.
1042	Zoe und Theodora
1042–1055	Konstantin IX. Monomachos
1055–1056	Theodora, 2. Regierungszeit
1056–1057	Michael VI.
1057–1059	Isaak I. Komnenos
1059–1067	Konstantin X. Dukas
1068–1071	Romanos IV. Diogenes
1071–1078	Michael VII. Dukas
1078–1081	Nikephoros III. Botaneiates
1081–1118	Alexios I. Komnenos
1118–1143	Johannes II. Komnenos
1143–1180	Manuel I. Komnenos
1180–1183	Alexios II. Komnenos
1183–1185	Andronikos I. Komnenos
1185–1195	Isaak II. Angelos
1195–1203	Alexios III. Angelos
1203–1204	Isaak II. Angelos (2. Regierungszeit) und Alexios IV. Angelos
1204	Alexios V. Murtzuphlos
1204–1222	Theodor I. Laskaris
1222–1254	Johannes III. Dukas Batatzes (Vatatzes)
1254–1258	Theodor II. Laskaris
1258–1261	Johannes IV. Laskaris
1259–1282	Michael VIII. Palaiologos
1282–1328	Andronikos II. Palaiologos
1328–1341	Andronikos III. Palaiologos
1341–1391	Johannes V. Palaiologos
1347–1354	Johannes VI. Kantakuzenos
1376–1379	Andronikos I. Palaiologos
1390	Johannes VII. Palaiologos
1391–1425	Manuel II. Palaiologos
1425–1448	Johannes VIII. Palaiologos
1449–1453	Konstantin XI. (Dragases) Palaiologos

Dynastien

Bis 363	Konstantinische Dynastie
379–457	Theodosianische Dynastie
457–518	thrakische Dynastie
518–610	Justinianische Dynastie
610–711	Dynastie des Herakleios
717–802	syrische Dynastie
820–867	amorische Dynastie
867–1056	makedonische Dynastie
1059–1078	Dynastie der Dukas
1081–1185	Dynastie der Komnenen
1185–1204	Dynastie der Angeloi
1204–1261	Dynastie der Laskaris
1259–1453	Dynastie der Palaiologen

lands war die zunehmende Entfremdung von der röm. Kirche, die sich v. a. im Streit um den päpstl. Primat gegenüber dem Patriarchen von Konstantinopel sowie im Bilderstreit (Ikonoklasmus) des 8./9. Jh. zeigte und 1054 in das ↑ Morgenländische Schisma mündete. Die Kaiserkrönung Karls d. Gr. durch den Papst in Rom (800) bedeutete für das sich als einzigen legitimen Erben des antiken röm. Reiches betrachtende B. R. eine ungeheure Herausforderung (↑ Zweikaiserproblem). Wenn der Ggs. zw. den beiden Kaiserreichen auch die weitere Entwicklung entscheidend bestimmte, bildete die Anerkennung des westl. Kaisertitels durch Michael I. (812) doch die Grundlage des künftigen Verhältnisses beider Reiche. Die Reste der byzantin. Herrschaft im W wurden schließlich durch die Normannen beseitigt (1071 Verlust Baris, des letzten süditalien. Stützpunkts des B. R.). Die Kreuzzüge, obgleich urspr. durch Hilferufe des byzantin. Kaisers gegen die Seldschuken initiiert, schufen neue Konflikte; schließlich waren es die Kreuzfahrer, die auf dem Weg zum 4. Kreuzzug erstmals Konstantinopel eroberten (17. Juli 1203 und 13. April 1204).

Spätbyzantin. Zeit (1204–1453): Das B. R. wurde unter die Venezianer (v. a. bed. Häfen, Inseln, ein Teil Konstantinopels) und die übrigen Kreuzfahrer aufgeteilt (Entstehung des ↑ Lateinischen Kaiserreichs von Konstantinopel, des Kgr. von Thessalonike, der Ft. Achaia und Athen). Eigenständige griech. Reiche bildeten sich um Trapezunt, Nizäa und Epirus. Nachdem Johannes III. Dukas Batatzes, Kaiser von Nizäa 1222–54, den größten Teil der lat. Besitzungen in Kleinasien sowie Thrakien und Makedonien erobert hatte, gelang dem Usurpator Michael VIII. Palaiologos (1259–82) neben der Rückeroberung großer westgriech. Landstriche die Wiedereroberung Konstantinopels (25. Juli 1261), doch wurde das B. R. unter seinen Nachfolgern unbedeutend; die Osmanen besetzten um die Wende zum 14. Jh. die byzantin. Besitzungen in Kleinasien, im NW drangen die Serben, in Thrakien die Bulgaren weiter nach S vor. Die durch Thronwirren und Bürgerkrieg (1341–54) bedingte militär. und finanzielle Zerrüttung des B. R. ermöglichte seit 1354 das Übergreifen der Osmanen auf das europ. Festland. Sie eroberten fast die ganze Balkanhalbinsel und belagerten 1394–1402 und 1422 Konstantinopel, mit dessen Einnahme (29. Mai 1453) das B. R. unterging.

Die innere Entwicklung des Reiches: Die Grundlage der byzantin. Staatsordnung war die unumschränkte Selbstherrschaft (Autokratie) des Kaisers, die nur an die Grundsätze der Religion und Sittlichkeit gebunden war. Einen entscheidenden Schritt zu der dem B. R. und seinem Kaisertum eigentüml. griech. Prägung ging Herakleios mit der Einführung des Griech. als Amtssprache und des alten griech. Herrschertitels Basileus. Andererseits wurden bed. röm. Traditionen durch das B. R. vermittelt, insbes. das röm. Recht, das in mehreren von byzantin. Kaisern veranlaßten Sammlungen zusammengefaßt wurde (v. a. Codex Theodosianus [438] Theodosius' II., ↑ Corpus Juris Civilis Justinians I., Basilika Leons VI.).

Die kirchl. Fragen wurden in frühbyzantin. Zeit nach röm. Auffassung als Staatsangelegenheit behandelt, doch auch im B. R. setzte sich die Kirche im MA als eigener Machtfaktor durch.

Die gesamte Verwaltung lag in den Händen des Kaisers und seiner Beamten. Die Zentralverwaltung war seit der Reform des Herakleios in Logothesien (Ministerien) gegliedert. Die nach der diokletian.-konstantin. Ordnung streng in Zivil- und Militärverwaltung getrennte Provinzialverwaltung wurde von Herakleios durch die Einrichtung der Themen als Verwaltungseinheiten unter der militär. und (bis ins 11. Jh.) zivilen Leitung je eines Strategen grundlegend umgestaltet. Gleichzeitig schuf Herakleios eine Bauernmiliz, die allerdings im 11. Jh. zunehmend durch Söldner ersetzt wurde, da die Zahl der freien Bauern durch die Ausbildung des Feudalismus stark zurückging.

🕮 *Bauer, H.: Reise in das goldene Byzanz. Lpz. ^{3}1989. – Schreiner, P.: Byzanz. Mchn. 1986. – Ostrogorsky, G.: Gesch. des Byzantin. Staates. Mchn. ^{2}1980. – Beck, H. G.: Das byzantin. Jahrtausend. Mchn. 1978.*

Byzantinismus [griech.], Bez. zunächst für das byzantin. Hofzeremoniell, dann abwertend für eine bes. unterwürfige Haltung und ein kriecher. bzw. schmeichler. Benehmen.

Byzantinistik [griech.] (Byzantinologie), wiss. Fachdisziplin, die sich mit Geschichte, Literatur, Kunst, Kultur des griech. MA (v. a. innerhalb der Gebiete des byzantin. Kaiserreichs von 330 n. Chr. bis 1453) sowie mit der Ausstrahlung byzantin. Kultur auf die westeurop. und Balkankulturen befaßt.

Byzantion ↑ Istanbul.

Byzanz ↑ Istanbul.

◆ Bez. für das ↑ Byzantinische Reich.

B. Z., dt. Zeitung, ↑ Zeitungen (Übersicht).

BZ am Abend, dt. Zeitung, ↑ Zeitungen (Übersicht).

C

C, der dritte Buchstabe des Alphabets. Im Altlat. hat C sowohl den Lautwert [g] als auch den Lautwert [k]. Im klass. Latein gibt C nur den Lautwert [k] wieder. Frühestens seit dem 5. Jh. setzte sich vor e und i der Lautwert [ts] durch, während vor a, o und u [k] beibehalten wurde. Im Engl., Französ., Katalan. und Portugies. wird C vor e und i [s], im Italien. und Rumän. [tʃ], im Span. [θ] ausgesprochen.

◆ in der *Informatik* maschinennahe höhere Programmiersprache, zeichnet sich durch große Flexibilität aus; dient u. a. zur Entwicklung von Betriebssystemen, z. B. basiert UNIX auf C.

◆ (c) in der *Musik* die Bez. für die 1. Stufe der Grundtonleiter C-Dur, durch ♯ (Kreuz) erhöht zu *cis,* durch ♭-(b) Vorzeichnung erniedrigt zu *ces.*

◆ *(Münzbuchstabe)* ↑Münzstätte.

C, chem. Symbol für ↑Kohlenstoff.

C, röm. Abk. für: **G**ajus (Caius), auch: u. a. **C**aesar, **C**alendae, **C**enturio, **C**ivitas, **C**olonia.

C, Einheitenzeichen für ↑Coulomb.

◆ Abk. für: Celsius, bei Temperaturangaben in Grad Celsius (°C).

◆ röm. Zahlzeichen für 100 (lat. centum).

c, Vorsatzzeichen für ↑Zenti...

C. (c.), Abk. für lat.: **C**anon (↑Kanon [im Kirchenrecht]).

C 14 (^{14}C) chem. Zeichen für das radioaktive Kohlenstoffisotop mit der Massenzahl 14; **C-14-Methode** ↑Altersbestimmung.

Ca, chem. Symbol für ↑Calcium.

◆ Abk. für: Carcinoma (↑Krebs).

ca., Abk. für lat.: circa („ungefähr, etwa").

c. a., Abk. für: ↑coll'**a**rco.

Caacupé [span. kaaku'pe], Hauptstadt des paraguay. Dep. La Cordillera, 55 km osö. von Asunción, 9 100 E. Wallfahrtsort. Gegr. 1770.

Caaguazú [span. kaaɣu̯a'su], Dep. in Paraguay, dessen O-Teil zum Amambayplateau, der W-Teil zum Paraguaytiefland gehört, 11 474 km², 330 000 E (1985), Hauptstadt Coronel Oviedo. Im N überwiegend subtrop. Regenwald; nahe der brasilian. Grenze Eisen- und Kupfererzvorkommen.

Caatinga [indian.-portugies. „weißer Wald"], Gehölzformation des semiariden NO-Brasilien, mit überwiegend regengrünen und teilweise dornigen Bäumen, Dornsträuchern und Sukkulenten.

Caazapá [span. kaasa'pa], Hauptstadt des paraguay. Dep. C., im Paraguaytiefland, 2 900 E. Zentrum eines land- und forstwirtsch. Gebietes. – Gegr. 1607.

C., Dep. in S-Paraguay, 9 496 km², 111 400 E. (1985), Hauptstadt C. Der größte Teil (SW) liegt im Paraguaytiefland, der NO gehört zum Amambayplateau; Anbau von Orangen und Zuckerrohr, Viehzucht.

Cabaletta [italien.], kurze Arie, Kavatine.

Caballero, Francisco Largo ↑Largo Caballero, Francisco.

Caballero [kabal'je:ro, kava...; span., eigtl. „Reiter" (zu lat. caballus „Pferd")], im ma. Spanien Angehöriger des niederen Adels, dessen Sozialstatus urspr. auf dem Kriegsdienst zu Pferde beruhte; auch Bez. für Angehörige geistl. Ritterorden; seit der Neuzeit allg. span. Bez. für Herr.

Cabalministerium, abschätzige Bez. für den königl. Rat Karls II. von England 1667–73; nach den Anfangsbuchstaben der Namen seiner Mgl. (**C**lifford, **A**rlington, **B**uckingham, **A**shley, **L**auderdale) und wegen seiner Geheimdiplomatie (engl. cabal „Kabale, Intrige") so genannt.

Cabanatuan, Hauptstadt der philippin. Prov. Nueva Ecija, auf Luzon, 138 000 E. Wichtiger Marktort.

Cabaret Voltaire [frz. kabarɛvɔl'tɛ:r] ↑Dada.

Cabell, James Branch [engl. 'kæbəl], *Richmond (Va.) 14. April 1879, †ebd. 5. Mai 1958, amerikan. Schriftsteller. – Stellt ironisierend eine myth. Scheinwelt dar; u. a. „Jürgen" (R., 1919).

Cabezón, Antonio de [span. kaβe'θɔn] (Cabeçon), *Castrillo de Matajudíos (bei Burgos) 1500, †Madrid 26. März 1566, span. Komponist. – Seit 1543 Hofmusiker Philipps II. Zu seinen Lebzeiten gedruckte Kompositionen erschienen in einem Sammelwerk von L. Venegas de Henestrosa („Cifra nueva", 1557).

Cabimas [span. ka'βimas], venezolan. Hafenstadt am NO-Ufer des Maracaibosees, 159 000 E. Sitz eines Bischofs; Zentrum der Erdölförderung im und am Maracaibosee. Gegr. 1936.

Cabinda [portugies. kɐ'βindɐ], Distrikt von Angola, Exklave am Atlantik zw. Zaire und Kongo, 7270 km², 114000 E (1988), Waldnutzung (wertvolle trop. Hölzer); Kaffee- und Kakaoplantagen; vor der Küste Erdölförderung. Hauptort und Verwaltungszentrum ist der Hafenort **Cabinda.**

Cable News Network [engl. 'keibl nju:z 'netwə:k], Abk. CNN, amerikan. Nachrichtenkanal, 1980 gegr., Sitz Atlanta (Ga.). CNN sendet aktuelle Nachrichten rund um die Uhr; bes. Bed. erhielten seine Sendungen während des Golfkriegs 1991.

Cabochiens [frz. kabɔ'ʃjɛ̃], frz. Aufständische unter Führung des Pariser Schlachters und Tierhäuters Simon Caboche, die sich im Kampf zw. den Häusern Burgund und Orléans 1411 und 1413 auf die Seite der Bourguignons schlugen und, gestützt auf die Unterschichten, ein Schreckensregiment führten, bis sie von den Parteigängern der Orléans (Armagnacs) niedergeworfen wurden.

Cabochon [kabɔ'ʃõ:; frz.], mugelig, d. h. gewölbt geschliffener Schmuckstein (Mondsteine, Opale u. a.).

Caboclo [brasilian. ka'boklu; indian.-portugies.], Nachkomme aus einer Verbindung zw. frühen portugies. Siedlern und Indianerfrauen in Brasilien.

Cabora-Bassa-Staudamm [portugies. kɐ'βɔrɐ 'βasɐ], Staudamm im unteren Sambesi (Moçambique), nw. von Tete; staut den Sambesi zu einem See von 2800 km²; Baubeginn 1966, Inbetriebnahme der ersten Ausbaustufe 1977; nach Fertigstellung der letzten Ausbaustufe 1984 Gesamtleistung von 2075 MW. Der Strom wird überwiegend in die Republik Südafrika geleitet.

Cabot [engl. 'kæbət], John, italien. Seefahrer, ↑Caboto, Giovanni.

C., Sebastian, italien.-engl. Seefahrer, ↑Caboto, Sebastiano.

Cabotage [...'ta:ʒə] ↑Kabotage.

Cabot Lodge, Henry [engl. 'kæbət 'lɔdʒ], ↑Lodge, Henry Cabot.

Caboto, Giovanni (John Cabot), * Genua um 1450, † um 1499, italien. Seefahrer in engl. Diensten. – Erhielt 1496 von Heinrich VII. ein Patent für die Suche eines Westweges nach Ostasien; stieß 1497 auf die O-Küste Nordamerikas (wahrscheinlich Neufundland oder Labrador), als dessen Wiederentdecker er gilt.

C., Sebastiano (Sebastian Cabot), * wahrscheinlich in Venedig spätestens 1484, † London 1557, italien.-engl. Seefahrer und Kartograph. – Sohn von Giovanni C.; erforschte 1526–30 in span. Diensten von der La-Plata-Mündung aus den Paraná und den Uruguay; entwarf 1544 eine berühmte Weltkarte; suchte seit 1545 in engl. Diensten nach der Nordöstl. Durchfahrt.

Cabo Verde [portugies. 'kaβu 'verdə] (República do C. V.), portugies. Name von ↑Kap Verde.

Cabral [portugies. kɐ'βral], Luis de Almeida, * Bissau 11. April 1931 (nach anderen Angaben: 1929), Politiker von Guinea-Bissau. – Organisator und einer der Führer des Kampfes gegen die portugies. Kolonialverwaltung; 1973–80 (durch Militärputsch gestürzt) Vors. des Staatsrates und damit Staatspräsident.

C., Pedro Álvares, * Belmonte um 1468, † Santarém um 1520, portugies. Seefahrer. – Entdeckte 1500 die O-Küste Brasiliens, die er für die portugies. Krone in Besitz nahm; gründete später in Vorderindien bei Calicut portugies. Handelsniederlassungen.

Cabral de Melo Neto, João [brasilian. ka'bral di 'mɛlu 'nɛtu], * Recife 9. Jan. 1920, brasilian. Lyriker. – Ab 1945 Diplomatenlaufbahn. Einer der wichtigsten Vertreter des um 1945 einsetzenden „Neomodernismo"; wendet sich in metaphernlosen, nüchternen Gedichten zunehmend sozialen Problemen seines Heimatstaates Pernambuco zu. – *Werke:* Der Hund ohne Federn (1959), A escola das facas (1980), Erziehung durch den Stein (portugies. und dt. 1990).

Cabrera ↑Balearen.

Cabriolet ↑Kabriolett.

Caccia ['katʃa; lat.-italien. „Jagd"], italien. lyr.-musikal. Gattung des 14. und 15. Jh., die eine Jagd oder andere turbulente Szenen des Volkslebens nachahmt.

Caccini, Giulio [italien. kat'tʃi:ni], gen. G. Romano, * Tivoli bei Rom um 1550, † Florenz 10. Dez. 1618, italien. Komponist und Sänger. – Mgl. der Florentiner Camerata; schrieb die Opern „Euridice" (1600) und „Dafne" (verloren), Solomadrigale, Arien.

Cáceres [span. 'kaθeres], span. Prov.-hauptstadt in Estremadura, 79000 E. Bischofssitz, Univ.; Kleinind.; Handelszentrum für landw. Erzeugnisse. – Die von einer röm.-arab. Mauer umgebene Altstadt (von der UNESCO zum Weltkulturerbe erklärt) wird beherrscht vom Turm der got. Kirche San Mateo.

Cachenez [kaʃ'ne:, kaʃə'ne:; frz., eigtl. „verbirg die Nase"], quadrat. Halstuch aus Seide u. ä.

Cachucha [ka'tʃʊtʃa; span.], andalus. Solotanz im langsamen ¾-Takt mit Kastagnettenbegleitung.

Cäcilia, hl., legendäre Märtyrerin. Seit dem späten MA Patronin der Kirchenmusik. Abgebildet mit Orgel. – Fest: 22. November.

Cäcilien-Verband (Allgemeiner C.-V. für die Länder der dt. Sprache, Abk. ACV), Organisation zur Pflege der kath. Kirchenmusik in der BR Deutschland, in Österreich und in der Schweiz; 1868 von F. X. Witt gegründet und 1870 päpstl. bestätigt.

CAD ↑ Automatisierung.

Cadaverin ↑ Kadaverin.

Caddie ['kɛdi, engl.; zu ↑ Kadett], Berater und Helfer eines Golfspielers.

◆ zweirädiger Wagen zum Transportieren der Golfschläger.

Caddo [engl. 'kædoʊ], i. w. S. indian. Sprachfamilie, i. e. S. eine Konföderation von mehreren Indianerstämmen (u. a. Pawnee) im südl. Präriegebiet der USA.

Cadenabbia, italien. Luftkurort am Comer See. – Nahebei die Villa Carlotta (18. Jh.) mit Kunstsammlung und Park.

Cádiz [span. 'kaðiθ], span. Hafenstadt am Ende eines Strandwalls an der Bucht von C., außerdem durch eine Brücke mit dem Festland verbunden, 156 000 E. Verwaltungssitz der Prov. C.; Bischofssitz; Königl. Span.-Amerikan. Akad., Konservatorium, theolog. und medizin. Fakultät der Univ. Sevilla; Naturhafen; Schiffbau und -reparaturen; Flugzeugind., Maschinenbau.

Geschichte: Um 1100 v. Chr. von phönik. Kauffahrern gegr. **(Gadir);** seit etwa 500 v. Chr. bedeutendste Handelsstation Karthagos im Atlantikverkehr; schloß sich 206 v. Chr. freiwillig an Rom an **(Gades).** Cäsar verlieh ihr als erster Stadt außerhalb Italiens das Bürgerrecht; war in der Kaiserzeit nach Rom die zweitgrößte Stadt im W des Imperiums. 711 von den Arabern erobert, 843 von den Normannen zerstört; seit 1262 endgültig im Besitz Kastiliens; 1509–1778 (neben Sevilla) Handelsmonopol mit den span. Überseegebieten; in den Napoleon. Kriegen Zentrum des span. Widerstandes gegen die Franzosen. Die während der Belagerung von 1810–12 hier tagenden verfassunggebenden Cortes beschlossen 1812 die von nat. und liberalem Geist geprägte Verfassung von Cádiz.

Bauten: Alte Kathedrale (13. Jh.; 1596 zerstört, 1602 ff. wiederaufgebaut), neue Kathedrale (1722–1838), Altstadt mit weißen Häusern und charakterist. Aussichtstürmchen.

Cádiz, Bucht von [span. 'kaðiθ], Teil des Golfes von Cádiz, durch eine Nehrung teilweise abgeschlossen, von einer 1 400 m langen Brücke überspannt.

Cádiz, Golf von [span. 'kaðiθ], Bucht des Atlant. Ozeans an der SW-Küste der Iber. Halbinsel (Spanien und Portugal).

Cadmium (Kadmium) [griech.]; von der Sage mit König Kadmos in Verbindung gebracht, der die Technik des Erzschmelzens erfunden haben soll], chem. Symbol Cd, metall. Element aus der II. Nebengruppe des Periodensystems der chem. Elemente, Ordnungszahl 48, relative Atommasse 112,4, Dichte 8,65 g/cm^3, Schmelzpunkt 321 °C, Siedepunkt 765 °C. C. oxidiert an der Luft rasch; das weiche, silberweiße Metall läßt sich sehr gut zu dünnen Folien und Drähten ausziehen. In der Natur kommt es als Nebenbestandteil von Zinkmineralen vor.
C. erhält man hauptsächlich als Nebenprodukt bei der Zinkgewinnung. Es wird verwendet als korrosionshemmender Überzug, Elektrodenmaterial und Legierungszusatz sowie für Absorberstäbe von Kernreaktoren. – Von den ausnahmslos zweiwertigen Verbindungen des C. dienen das gelbe bis orangerote *Cadmiumsulfid* (CdS) und das feuerrote *Cadmiumselenid* (CdSe) als Farbpigmente; CdS dient außerdem als Photohalbleiter und Leuchtstoff; *Cadmiumsulfat* ($CdSO_4$) wird u. a. als Elektrolytflüssigkeit verwendet. C. und seine Verbindungen sind für Mensch (↑ Itai-Itai-Krankheit), Tier und Pflanze stark giftig. Eine krebserregende Wirkung wird vermutet. Daher kommt der Reduzierung der C.emissionen und der Einschränkung der Verwendung große Bedeutung zu. Der MAK-Wert ist auf 0,05 mg/m^3 festgelegt.

Cadmiumchlorid, $CdCl_2$, wird u. a. im Druckwesen, in der Galvanotechnik und zur Herstellung von Farbpigmenten verwendet.

Cadmiumoxid, CdO, die Sauerstoffverbindung des Cadmiums; amorphes Pulver, das als Katalysator für Glasuren und galvan. Cd-Überzüge verwendet wird.

Caecum [lat.], svw. ↑ Blinddarm.

Caedmon (Cadmon, Cedmon) ['kɛːtmɔn, engl. 'kɛdmən], † um 680, erster bekannter christl. Dichter angelsächs. Sprache. – Verf. eines Schöpfungsliedes in Langzeilen.

Caelum ['tsɛːlʊm; lat.] ↑ Sternbilder (Übersicht).

Caen [frz. kã], frz. Hafenstadt in der Normandie, an der Orne, 117 000 E. Verwaltungssitz des Dep. Calvados und der Region Basse-Normandie; Univ. (gegr. 1432); Metall-, Elektro-, chem., Textil- und Nahrungsmittelind.; ✈. – 1025 erstmals erwähnt; Stadt seit 1203; 1204 erstmals in frz. Besitz, endgültig 1450. Im 2. Weltkrieg 1944 fast völlig zerstört; Wiederaufbau nach neuem Plan.

Caere ['tsɛːre] (etrusk. Cisra), eine der ältesten (Anfang des 1. Jt. v. Chr.) und größten etrusk. Städte (heute Cerveteri), 40 km nw. von Rom am Tyrrhen. Meer, bed. Handelsplatz; 353 v. Chr. von Rom unterworfen.

Caernarvon [engl. kə'nɑːvən] (Carnarvon), walis. Hafenstadt an der Menai Strait, 9 500 E. Verwaltungssitz der Gft. Gwynedd. – Sö. von C. lag das 75 n. Chr. angelegte röm. Kastell **Segontium.** Die Siedlung entstand um eine Kirche des 5. Jh.; 1284 Stadtrecht und Hauptstadt des Ft. Wales. – Normann. Burg.

Caesalpinie (Caesalpinia) [tsɛ...; nach A. Cesalpino], Gatt. der Caesalpiniengewächse mit etwa 120 Arten in den Tropen und Subtropen; Bäume und Sträucher mit in Rispen stehenden, gelben oder roten Blüten.

Caen. Abteikirche Saint-Étienne; 1064–77

Caesalpiniengewächse [tsɛ...] (Caesalpiniaceae), Fam. trop. und subtrop. Holzpflanzen mit zweiseitig symmetr. Blüten und gefiederten Blättern. Zu den C. gehören u. a. die Gatt. ↑Afzelia, ↑Caesalpinie, ↑Johannisbrotbaum, ↑Judasbaum.

Caesar, Gajus Julius ['tsɛ:zar] ↑Cäsar.

Caesar ['tsɛ:zar] (Mrz. Caesares), Beiname im röm. Geschlecht der Julier; seit Augustus (dem Adoptivsohn Julius Cäsars) Name, der die Zugehörigkeit zum Kaiserhaus kennzeichnet, seit Claudius Bestandteil der kaiserl. Titulatur, seit Hadrian auch Titel des designierten Nachfolgers, in der Tetrarchie Diokletians Titel der Unterkaiser; blieb in Herrschertiteln erhalten (Kaiser, Zar).

Caesarea [tsɛ...], Name antiker Städte: C. (C. Palaestinae, C. Palaestina, C. am Meer), Ruinenstätte in der Scharonebene, 54 km nördl. von Tel Aviv; nach Ausbau durch Herodes den Großen als eine der bedeutendsten Städte Palästinas 6 n. Chr. Sitz der röm. Prokuratoren; 69 zur Kolonie erhoben, Hauptstadt der röm. Prov. Syria Palaestina, seit dem 2. Jh. Bischofssitz; um 640 von den Arabern und 1101 von den Kreuzfahrern erobert, 1265 von Sultan Baibars I. zerstört; Ausgrabungen des röm. C. seit 1956.

C. (C. in Kappadokien, C. Mazaca oder C. Eusebea) ↑Kayseri (Türkei).

C. (C. in Nordafrika, C. Mauretaniae) ↑Cherchell (Algerien).

C. Philippi in Palästina, ↑Banijas (Syrien).

Caesarius von Heisterbach [tsɛ...] ↑Cäsarius von Heisterbach.

Caesarius, Johannes [tsɛ...], *Jülich um 1468, †Köln 1550, dt. Humanist. – Bed. Gräzist, Verfasser von Lehrbüchern zur Grammatik und Rhetorik; Lehrer bed. Humanisten (Agrippa von Nettesheim, Bullinger u. a.).

Caesaromagus, antike Städte, ↑Beauvais, ↑Chelmsford.

Caesena, antike Stadt, ↑Cesena.

Caesium, svw. ↑Cäsium.

Caetani (Gaetani), italien. Adelsfamilie, seit dem 12. Jh. nachgewiesen.

Café [frz.], Gaststätte, die v. a. Kaffee und Kuchen anbietet. – ↑Kaffeehaus.

Cafeteria [span.], Imbißstube bzw. Restaurant mit Selbstbedienung.

Caffieri, aus Italien stammende, in Frankreich tätige Bildhauerfamilie, die sich im 17. und 18. Jh. v. a. durch kunstgewerbl. Bronzearbeiten einen Namen machte.

Cafuso [brasilian. ka'fuzu], Mischling in Brasilien, aus der Verbindung von Schwarzen und Indianern.

Cagayan de Oro [span. kaɣa'jan de 'oro], Hafenstadt an der N-Küste der philippin. Insel Mindanao; 227 000 E. Hauptstadt der Prov. Misamis Oriental; kath. Bischofssitz; Univ. (gegr. 1933); internat. ✈.

Cage, John [engl. kɛɪdʒ], *Los Angeles 5. Sept. 1912, †New York 12. Aug. 1992, amerikan. Komponist und Pianist. – Studierte u. a. bei A. Schönberg; gehört zu den Exponenten der zeitgenöss. (aleator.) Musik (↑Aleatorik).

Umfangr. Werk, u. a. Werke für Schlagzeug, „präpariertes Klavier“ (1938), „Music for Piano“ (1952–56), „Rozart Mix“ (Tonband, 1965), auch Orchester-, Klavier- und Kammermusik (Streichquartett, 1984).

Cagliari [italien. 'kaʎʎari], italien. Stadt an der S-Küste von Sardinien, 222 000 E. Verwaltungssitz der autonomen Region Sardinien und der Prov. C.; Erzbischofssitz; Univ. (gegr. 1606), Ind.- und Handelszentrum der Insel, u. a. Meersalzsalinen, Erdölraffinerie; Hafen, Werften, Fischereistation; ✈. – Wahrscheinlich karthag. Gründung, wurde 238 v. Chr. röm. **(Carales),** fiel 454 an die Vandalen, wurde 534 byzantinisch, nach dem 7. Jh. vorübergehend sarazenisch, teilte dann die Geschicke Sardiniens. – Röm. Amphitheater (2. Jh.), romanisch-got. Dom (im 17. Jh. erneuert); Kuppelkirche Santi Cosma e Damiano (5. Jh.) mit Chor (11. Jh.). Die pisan. Befestigungsmauer ist z. T. erhalten.

Cagliostro, Alessandro Graf von [italien. kaʎ'ʎɔstro], eigtl. Giuseppe Balsamo, * Palermo 8. Juni 1743, † Schloß San Leone bei Urbino 26. Aug. 1795, italien. Abenteurer und Alchimist. – Trat v. a. in Deutschland, Großbritannien und Frankreich als Alchimist und Geisterbeschwörer auf, fand Zugang zu den höchsten Kreisen und erwarb großen Reichtum. 1786 in die ↑ Halsbandaffäre verwickelt; 1789 in Rom zum Tode verurteilt, 1791 zu lebenslanger Haft begnadigt. Literar. Gestaltung seines Lebens u. a. bei Schiller, Goethe und A. Dumas d. Ä.

Cagnes-sur-Mer [frz. kaɲsyr'mɛ:r], frz. Stadt an der Côte d'Azur, 35 200 E. Museen, u. a. das Haus des Malers Renoir; Pferderennbahn; keram. Ind.; Blumenzucht, Weinbau; Seebad Cros-de-Cagnes. – Über der Altstadt die Grimaldi-Burg (13./14. Jh., im 17. Jh. zum Schloß umgestaltet).

Cagney, James Francis [engl. 'kægnɪ], * New York 17. Juli 1904, † Stanfordville (N. Y.) 30. März 1986, amerikanischer Schauspieler. – Neben H. Bogart einer der wichtigsten Darsteller in Filmen der „schwarzen Serie“.

Cagniard de la Tour (Cagniard de Latour), Charles Baron (seit 1819) [frz. kaɲardəla'tu:r], * Paris 31. Mai 1777, † ebd. 5. Juli 1859, frz. Ingenieur und Physiker. – Erfand u. a. eine Lochsirene, mit der er die Schwingungszahl von Tönen bestimmte; stellte fest, daß Gase bei erhöhtem Druck flüssig werden und erkannte, daß an der alkohol. Gärung Mikroorganismen beteiligt sind.

Cagoule [frz. ka'gul „Mönchsrock“], 1932–40 frz. polit. Geheimorganisation mit faschist. Tendenz. Die von Kreisen der Wirtschaft und des Militärs unterstützten **Cagoulards** führten Terroraktionen und Attentate gegen linksgerichtete Politiker durch.

Cahiers de la Quinzaine [frz. kajedlakɛ̃'zɛn „vierzehntägige Hefte“], frz. literar. Reihe, in deren Heften C. Péguy 1900–14 außer eigenen Werken Autoren vorstellte wie R. Rolland, G. Sorel, J. Benda, Jean und Jérôme Tharaud, J. Schlumberger, A. Suarès.

Cahors [frz. ka'ɔ:r], frz. Stadt im Quercy, am Lot, 20 800 E. Verwaltungssitz des Dep. Lot; Bischofssitz (seit dem 3. Jh.); erste staatl. frz. Kochhochschule. Marktzentrum eines Wein- und Tabakbaugebietes. – **Cadurcum,** Hauptort der kelt. Kadurker, hieß in röm. Zeit **Divona;** im 12. Jh. englisch, infolge der Albigenserkriege zur frz. Krone; im MA eine der reichsten frz. Städte. 1332 Gründung einer Univ. (1751 mit der von Toulouse zusammengelegt). – Kathedrale (geweiht 1119; 13.–15. Jh. umgestaltet).

CAI, Abk. für engl.: computer-assisted instruction („computerunterstützter Unterricht“), Vermittlung, Einübung, Prüfung und Bewertung von Wissen, Kenntnissen und Fähigkeiten mittels Computern und dialogorientierter Programme.

Caicosinseln [engl. 'kaɪkəs] ↑ Turks- und Caicosinseln.

Caillaud, Aristide [frz. ka'jo], * Moulins (Deux-Sèvres) 28. Jan. 1902, frz. Laienmaler. – Bilder von expressiver Farbigkeit.

Caillié, René Auguste [frz. ka'je], * Mauzé (bei Niort) 19. Sept. 1799, † La Baderre (bei Paris) 17. Mai 1838, frz. Afrikaforscher. – Brach 1827, verkleidet als Ägypter, aus Sierra Leone nach Timbuktu auf, das er 1828 erreichte; mit seiner Weiterreise durch die westl. Sahara bis N-Marokko lieferte er erste Aufschlüsse über diese bislang unerkundete Region.

Caillois, Roger [frz. kaj'wa], * Reims 3. März 1913, † Paris 21. Dez. 1978, frz. Schriftsteller. – Bed. Essayist; u. a. „Poétique de Saint John Perse“ (1954); „Pontius Pilatus. Ein Bericht“ (1961).

Ça ira [frz. sa-i'ra „es wird gehen“], Lied der Terroristen während der Frz. Revolution, ben. nach dem Refrain „Ah, ça ira, ça ira, ça ira, les aristocrates à la lanterne“.

Cairdküste [engl. kɛəd] ↑ Coatsland.

Cairn [engl. kɛən; gäl. carn], Bez. für die aus Steinen aufgeschütteten Hügel über Megalithgräber in Großbritannien.

Cairngorm Mountains [engl. 'kɛəngɔ:m 'maʊntɪnz], Gebirgsmassiv in den Highlands (Schottland), im Ben Macdhui 1 309 m hoch, mit dem größten Naturschutzgebiet Großbritanniens.

Caisson [kɛ'sõ:; frz.], versenkbarer Kasten aus Stahl oder Stahlbeton, der nach dem Prinzip der Taucherglocke Arbeiten unter Wasser ermöglicht.

Caissonkrankheit [kɛ'sõ:] ↑ Druckfallkrankheit.

CAJ, Abk. für: Christliche Arbeiter-Jugend.

Cajamarca [span. kaxa'marka], Hauptstadt des nordperuan. Dep. C., 2860 m ü. d. M., 85600 E. Sitz eines Bischofs; TU (gegr. 1965); Textil- und Lederind.; heiße Schwefelquellen; Ruinen eines Inkapalastes (Los Baños del Inca). - 1533 ließ F. Pizarro in C. den Inkaherrscher Atahualpa erdrosseln. **C.,** Dep. in NW-Peru, in der W-Kordillere der Anden, im N an Ecuador grenzend, 34930 km², 1,22 Mill. E (1988). Hauptstadt Cajamarca.

Cajetan von Thiene, hl., eigtl. Gaetano da Tiene, * Vicenza Okt. 1480, † Neapel 7. Aug. 1547, italien. Ordensgründer. - Gründete 1524 den Orden der Theatiner. - Fest: 7. August.

Cajetan, Thomas (italien. Gaetano), eigtl. Jacobus de Vio, * 20. Febr. 1469, † Rom 9. oder 10. Aug. 1534, italien. Kardinal (seit 1517). - Bedeutendster kath. Theologe der Reformationszeit, 1508 Generaloberer der Dominikaner, 1518 Erzbischof von Palermo, 1519 Bischof von Gaeta. Als Legat des Papstes verhandelte er nach Ende des Reichstages in Augsburg 1518 mit Luther.

Cajun [engl. 'kɛɪdʒən], westlich von New Orleans, USA, abgeschlossen lebende Volksgruppe, etwa 250000; Nachkommen der von den Briten nach 1755 vertriebenen Bewohner ↑ Akadiens; sprechen einen mit engl. Elementen durchsetzten frz. Dialekt.

Cakewalk [engl. 'kɛɪkwɔ:k „Kuchentanz“], ein am Ende des 19. Jh. entstandener afroamerikan. Gesellschaftstanz mit Ragtime-Rhythmus.

cal, Einheitenzeichen für ↑ Kalorie.

Calabar [engl. 'kæləbɑ:], Hauptstadt des nigerian. Bundesstaates Cross River, im Mündungsgebiet des Cross River, 126000 E. Sitz eines kath. Bischofs; Univ. (gegr. 1975), polytechn. College; landw. Marktzentrum; Zement-, Furnierwerk; Hochseehafen; ✈.

Calabria, lat. und italien. für ↑ Kalabrien.

Calais [frz. ka'lɛ], frz. Hafenstadt und Seebad an der schmalsten Stelle der Straße von Dover, Dep. Pas-de-Calais, 77000 E. Fährverkehr nach Großbritannien; Maschinen-, Nahrungsmittel-, Woll- und Kunststoffind.; bei C. (Fréthun) beginnt der nach Folkstone führende Eisenbahntunnel unter dem Ärmelkanal; ✈ in C.-Marck. - Die Unterstadt Saint-Pierre, 1885 mit C. vereinigt, bestand schon in röm. Zeit **(Petressa);** 1180 Stadtrecht; entwickelte sich im 13. Jh. zum Haupthafen für den Verkehr mit England mit bed. Fernhandel; nach Eroberung durch König Eduard III. von England (1347) wichtigster engl. Stützpunkt auf dem Festland bis 1558. Im 2. Weltkrieg stark zerstört, moderner Wiederaufbau. - Vor dem Rathaus (1910-22) die Plastik von A. Rodin „Die Bürger von C.“ (1884-86), die an die Belagerung durch die Engländer (1347) erinnert.

Calais, Straße von [frz. ka'lɛ] ↑ Dover, Straße von.

Calaküste [span./dt.], Typ der Steilküste des westl. Mittelmeerraumes, charakterisiert durch kleine halbrunde Buchten (Calas).

Calama, chilen. Oasenstadt und Prov.-hauptstadt im Großen Norden, an der Bahnlinie und Straße von Antofagasta nach La Paz, 2270 m ü. d. M., 109000 E. Größte agrar. Siedlung in der Atacama; ✈. Nördl. von C. liegt die Kupfermine Chuquicamata.

Calamagrostis [griech.], svw. ↑ Reitgras.

Calamus [griech.], svw. ↑ Rotangpalmen.

calando [italien.], musikal. Vortragsbez.: gleichzeitig an Tonstärke und Tempo abnehmend.

Calanthe [griech.], svw. ↑ Schönorchis.

Calapan, philippin. Hafenstadt an der N-Küste der Insel Mindoro, 67000 E. Verwaltungssitz der Prov. Mindoro Oriental; Fährverbindung nach S-Luzon. - 1679 gegründet.

Calar Alto, höchste Erhebung der Sierra de los Filabres, in der span. Prov. Almería, 2168 m ü. d. M. Observatorium des Max-Planck-Instituts für Astronomie (Teil eines dt.-span. astronom. Zentrums).

Calathea [griech.], svw. ↑ Korbmarante.

Calatrava, Orden von [span. kalatraβa], ältester und bedeutendster span. Ritterorden; ben. nach dem Schloß Calatrava (Prov. Ciudad Real), begr. 1158.

Calau, Stadt westlich von Cottbus, Brandenburg, 6500 E. Im nw. Teil des Niederlausitzer Braunkohlengebietes. - Wohl im Schutze der gleichnamigen dt. Burg (10. Jh.) in der Nähe einer älteren wend. Siedlung Anfang des 13. Jh. gegründet.

Calaverit [nach dem Vorkommen im County Calaveras (Calif.)], weißgelbes, monoklines Mineral, $AuTe_2$ (Goldtellurid), enthält durchschnittlich 41,5% Gold und 1% Silber; Mohshärte 2,5; Dichte 9,3 g/cm³.

Calbe/Saale, Ind.stadt am Rand der Magdeburger Börde, Sa.-Anh., 14000 E. Metalleicht-, Förderanlagenbau; Hafen. - Entstand im 12. Jh. an einem 968 erwähnten Königshof. - Got. Stephanskirche.

Calcaneus [lat.] ↑ Ferse.

Calceolaria [lat.], svw. ↑ Pantoffelblume.

Calceus [...tse-ʊs; lat.], die zur Toga getragene Riemensandale der Römer.

Calciferole [Kw.], die ↑ Vitamine der D-Gruppe; man unterscheidet das **Ergocalciferol** (Vitamin D_2) und das **Cholecalciferol** (Vitamin D_3).

Calcit [lat.] (Kalkspat, Doppelspat), sehr häufiges, oftmals gesteinsbildendes, trigonales Mineral aus der Gruppe der Carbonate;

$CaCO_3$; Färbung weiß bis gelblich, rötlich, grünlich und bräunlich, durchsichtig oder undurchsichtig. Klarer C. zeigt starke opt. Doppelbrechung, daher fanden große Kristalle **(Isländ. Doppelspat)** vielfach Verwendung in opt. Instrumenten; Mohshärte 3; Dichte 2,72 g/cm³. Eine metastabile Form des C. ist der ↑Aragonit. – ↑Kalkstein, ↑Kreide, ↑Marmor.

Calcitonin [lat.] (Kalzitonin, Thyreocalcitonin), in der Schilddrüse gebildetes Polypeptid mit Hormonwirkung, das als Gegenspieler des ↑Parathormons wirkt, d.h., es senkt den Calcium- und Phosphatspiegel des Blutes und vermindert den durch das Parathormon gesteuerten Knochenabbau.

Calcium (Kalzium) [zu lat. calx „Kalkstein, Kalk"], chem. Symbol Ca, metall. Element aus der II. Hauptgruppe (Erdalkalimetalle) des Periodensystems der chem. Elemente; Ordnungszahl 20, relative Atommasse 40,08, Dichte 1,55 g/cm³, Schmelzpunkt 839 °C, Siedepunkt 1484 °C. – C. ist ein silberglänzendes, sehr weiches Metall, das jedoch wegen seiner Reaktionsfähigkeit nur in Verbindungen vorkommt. Die wichtigsten C.minerale sind die Calciumcarbonate, ferner Gips und Flußspat. Gewonnen wird C. durch therm. Reduktion von Kalk mit Aluminium. Verwendet wird das reine Metall als Zusatz zu Legierungen und als Desoxidations- und Entschwefelungsmittel. Von den stets zweiwertigen Verbindungen dient der ↑Kalkstickstoff als hochwertiger Stickstoffdünger, **Calciumsulfat,** $CaSO_4$, als Bau-, Modell- und Formgips sowie als Zusatz zu Kreiden und weißen Malerfarben. Letzteres tritt in der Natur als Anhydrit und Gips auf. – Von physiolog. Bed. ist der C.gehalt des Blutes (sog. Blutcalciumspiegel), der mit dem Stoffwechselsystem zusammenhängt. Der Mensch soll täglich etwa 0,8–1,1 g C. zu sich nehmen; diese Menge wird durch ausgewogene Ernährung erreicht.

Calciumcarbid (Karbid), CaC_2, wichtige Calciumverbindung, die aus Kalk und Koks elektrothermisch hergestellt wird; dient zur Herstellung von ↑Acetylen und ↑Kalkstickstoff.

Calciumcarbonat, $CaCO_3$, neutrales Calciumsalz der Kohlensäure; gesteinsbildend (Calcit, Aragonit, Marmor); in CO_2-haltigem Wasser geht C. langsam in Lösung unter Bildung des leichter lösl. **Calciumhydrogencarbonats;** beim Verdunsten des Wassers bildet sich unlösl. $CaCO_3$ zurück. Auf diesem Vorgang beruht in der Natur die Entstehung von Höhlen in Kalksteingebieten, ebenso die Abscheidung von Kesselstein.

Calciumhalogenide, Verbindungen des Calciums mit den Halogenen F, Cl, Br, J. **Calciumfluorid,** CaF_2, tritt in der Natur als Flußspat auf. Es dient u.a. als Flußmittel bei der Gewinnung vieler Metalle. Das hygroskop. **Calciumchlorid,** $CaCl_2$, findet Verwendung als Kühlmittel, Imprägniermittel von Holz u.a. Wasserfreies $CaCl_2$ ist ein sehr wirksames Trockenmittel. – ↑Chlorkalk.

Calciumhydrogensulfit, $Ca(HSO_3)_2$, nur in wäßriger Lösung beständiges saures Calciumsalz der schwefligen Säure; die wäßrige Lösung dient als Lösungsmittel bei der Gewinnung von Zellstoff.

Calciumhydroxid (gelöschter Kalk), $Ca(OH)_2$, aus Calciumoxid durch Zugabe von Wasser entstehende Verbindung mit stark bas. Eigenschaften (↑Kalk); die klare Lösung wird als **Kalkwasser,** die milchigtrübe, ungelöstes C. enthaltende Suspension als **Kalkmilch** bezeichnet. Der beim Verrühren von CaO mit Wasser entstehende **Kalkbrei** dient v.a. zur Herstellung von Mörtel.

Calciumoxid (Ätzkalk, gebrannter Kalk, Branntkalk, Luftkalk), CaO, Sauerstoffverbindung des Calciums, wird durch Brennen von Kalk gewonnen; dient hauptsächlich zur Herstellung von Mörtel und Düngemitteln.

Calciumphosphate, Calciumsalze der Phosphorsäuren; *primäres C. (Calciumdihydrogenphosphat),* $Ca(H_2PO_4)_2$ und *sekundäres C. (Calciumhydrogenphosphat),* $CaHPO_4$, sind Bestandteile vieler Phosphatdünger. *Tertiäres C.,* $Ca_3(PO_4)_2$, bildet mit CaF_2 und $CaCl_2$ das Mineral Apatit. Die hydroxyl- und carbonathaltigen Formen *Hydroxylapatit,* $Ca_5OH(PO_4)_3$, bzw. ↑Phosphorit sind Bestandteile der Knochen und Zähne.

Calciumstoffwechsel ↑Stoffwechsel.

Calciumsulfat ↑Calcium.

Calcutta [engl. kælˈkʌtə] ↑Kalkutta.

Caldara, Antonio, * Venedig (?) um 1670, † Wien 26. Dez. 1736, italien. Komponist. – Seit 1716 Vizekapellmeister am Wiener Hof; komponierte über 90 Opern, Serenaden und dramat. Kantaten, mehr als 40 Oratorien, Kirchenmusik, Sinfonien, weltl. Vokalwerke.

C., Polidoro, italien. Maler, ↑Polidoro da Caravaggio.

Caldas, Dep. in Z-Kolumbien, 7888 km², 882000 E (1985). Hauptstadt Manizales. Hauptagrargebiete sind die Gebirgshänge; in der Magdalenasenke Erdölförderung.

Caldas da Rainha [portugies. ˈkaldɐʒ ðə rrɐˈiɲɐ], portugies. Heilbad, 75 km nördlich von Lissabon, 18400 E. Schwefelthermen; Porzellan-, Fayencenmanufaktur.

Calder, Alexander [engl. ˈkɔːldə], * Lawton (Pa.) 22. Juli 1898, † New York 11. Nov. 1976, amerikan. Plastiker. – Auf bewegl. (motorgetriebene) Konstruktionen folgten seit den dreißiger Jahren die ersten vom Luftzug bewegten „Mobiles" aus Draht und farbigen Metallplatten; daneben z.T. mächtige stehende „Stabiles".

Caldera (Mrz. Calderen) [span., eigtl. „Kessel"], Riesenkrater, entsteht durch Einbruch eines Vulkans nach Entleerung der oberflächennahen Magmakammer.

Caldera Rodríguez, Rafael, * San Felipe 25. Jan. 1916, venezolan. Jurist und Politiker. – Gründete 1946 die Christl. Soziale Partei (COPEI); 1968–74 und wieder seit 1994 Staatspräsident.

Calder Hall [engl. 'kɔldə 'hɔ:l], Standort eines Kernkraftwerks in der Gft. Cumbria, NW-England, an der Ir. See; in der Nähe die Wiederaufarbeitungsanlage ↑ Sellafield.

Calderón [span. kalde'rɔn], Rafael Angel, * Diriamba (Nicaragua) 14. März 1949, costarican. Politiker. – Jurist; 1978–80 Außenmin., 1989–94 Staatspräsident.

Calderón de la Barca, Pedro [span. kalde'rɔn de la 'βarka], * Madrid 17. Jan. 1600, † ebd. 25. Mai 1681, span. Dramatiker. – Neben Lope de Vega der bedeutendste span. Dramatiker des Goldenen Zeitalters, der anders als jener die Inspiration zu seinem Werk nahezu ausschließlich aus der gelehrten Tradition von Antike und Christentum gewinnt. Entscheidender Beweggrund der Handlungen seiner Stücke ist die Ehre, die die in histor. oder allegor. Beispielhaftigkeit erstarrten Normen einer zum Untergang verurteilten aristokrat. Ordnung spiegelt. Von C. sind 120 Comedias (weltl.) und 80 Autos sacramentales (geistl. Dramen) sowie 20 kleinere Werke bekannt; sie erweisen immer wieder das Gespür ihres Verfassers für bühnenwirksame Strukturierung der Handlung, die die psycholog. Nuancierung bes. der weibl. Charaktere ebenso stützt wie der metaphernreiche Stil, dessen normative Strenge nicht selten in die Nähe scholast. Disputierens gerät. *Werke:* Das Haus mit zwei Türen (entstanden 1629, gedruckt 1632), Die Andacht zum Kreuz (1634), Balthasars Nachtmahl (entstanden um 1634, gedruckt 1664), Der standhafte Prinz (1636), Das Leben ist Traum (1636), Der Arzt seiner Ehre (1637), Der wundertätige Magus (entstanden 1637, gedruckt 1663), Der Richter von Zalamea (entstanden 1642, gedruckt 1651), Die Tochter der Luft (uraufgeführt 1653, gedruckt 1664), Das Schisma von England (1672).

📖 *C. – Fremdheit u. Nähe eines span. Barockdramatikers. Hg. v. A. San Miguel. Ffm. 1988. – Heidenreich, T.: P. C. de la B. Erlangen 1982. – Flasche, H.: Über C. Wsb. 1980.*

Caldwell [engl. 'kɔ:ldwəl], Erskine, * White Oak (Ga.) 17. Dez. 1903, † Paradise Valley (Ariz.) 11. April 1987, amerikan. Schriftsteller. – Stellte in realist., sozialkrit. Erzählwerken die Welt der Schwarzen und der „White nigger" (unterpriviligierte Weiße) dar, z. B. in dem Roman „Die Tabakstraße" (1932, dramatisiert 1933); „Gottes kleiner Acker" (1933); „Opossum" (1948); „Mississippi-Insel" (1968).

C., [Janet] Taylor, Pseud. Max Reiner, * Prestwich bei Manchester (England) 7. Sept. 1900, † Greenwich (Conn.) 30. Aug. 1985, amerikan. Schriftstellerin. – Erfolgreiche Unterhaltungsromane, u. a. „Einst wird kommen der Tag" (1938); „Mit dem Herzen eines Löwen" (1970); „Antworte wie ein Mann" (1981) u. a.

Calembour [kalã'bu:r; frz.], scherzhaftes Spiel mit der unterschiedl. Bed. gleich oder ähnlich lautender Wörter.

Calenberg, von der gleichnamigen Burg aus im 13./14. Jh. gebildetes welf. Territorium; umfaßte zunächst nur das heutige Calenberger Land zw. Leine und Deister; 1432–73 erstmals eigenständiges Fürstentum unter der Hauptlinie des Mittleren Hauses Braunschweig; seit 1463 Eingliederung des Fürstentums Göttingen (C.-Göttingen), ging später in Hannover auf.

Calenberger Land, Landschaft zw. Leinebogen und Deister, Niedersachsen.

Calendula [lat.], svw. ↑ Ringelblume.

Calf [kalf; engl. ka:f], Kalbsleder; für Bucheinbände und Schuhe.

Pedro Calderón de la Barca

Calgary [engl. 'kælgərɪ], kanad. Stadt im S der Prov. Alberta, im Vorland der Rocky Mountains, 671 000 E. Sitz eines kath. und eines anglikan. Bischofs; Univ. (gegr. 1945), Inst. für Technologie und Kunst, College; jährl. Rodeo (Stampede). Zentrum eines Farmgebiets sowie bed. Erdöl- und Erdgasfelder; Verkehrsknotenpunkt, ✈. – 1751–58 frz. Fort, 1876 in Fort C. umbenannt. Die Entwicklung begann, als die Canadian Pacific Railway C. erreicht hatte (1883). – 1988 Austragungsort der Olymp. Winterspiele.

Calhoun, John Caldwell [engl. kəl'hu:n], * bei C. Mills, Abbeville District (S. C.) 18. März 1782, † Washington 31. März 1850, amerikan. Politiker. – 1817–25 Kriegsmin.,

1825–32 Vizepräs. und 1844/45 Außenmin.; schuf eine umfassende Theorie des amerikan. Regierungssystems und setzte sich für die Autonomie der Südstaaten ein.

Cali, Hauptstadt des Dep. Valle del Cauca in W-Kolumbien, im Tal des Río Cauca, 1014 m ü. d. M., 1,3 Mill. E (1985). Sitz eines Erzbischofs; zwei Univ. (gegr. 1945 bzw. 1958). Bahnknotenpunkt, drittwichtigster Ind.standort Kolumbiens; ✈. – Gegr. 1536.

Caliban [engl. 'kælıbæn, Umstellung aus cannibal „Kannibale"], halbtierisches Ungeheuer in Shakespeares „Sturm".

Caliche [span. ka'lıtʃe] *die,* in Wüstengebieten auftretende Salzbildung, enthält etwa 8 % Natriumnitrat (Gewinnung von Chilesalpeter).

Calicut [engl. 'kælıkət] (Kozhikode), ind. Stadt an der Malabarküste, Kerala, 394000 E. Kath. Bischofssitz, Univ. (gegr. 1968); Baumwollverarbeitung, Kaffeeaufbereitung; Werften. Exporthafen für landw. Produkte, Reede 5 km vor der Küste. – Seit dem 9. Jh. Hauptstadt eines Kgr.; am 20. Mai 1498 landete dort Vasco da Gama.

California [engl. kælı'fɔ:njɔ] ↑Kalifornien.

Californium [nach der University of California (Berkeley), dem ersten Herstellungsort], chem. Symbol Cf; stark radioaktives, künstlich hergestelltes Metall aus der Gruppe der Actinoide; ein Transuran, Ordnungszahl 98.

Caliga [lat.], unter der Sohle genagelter, schienbeinhoher Riemenschuh der röm. Antike; bes. in der Soldatentracht.

Caligula (Gajus Julius Caesar Germanicus) [eigtl. „Soldatenstiefelchen" (die er als Kind trug)], * vermutl. Antium (= Anzio) 31. Aug. 12 n. Chr., † Rom 24. Jan. 41, röm. Kaiser (seit 37). – Sohn des Germanicus und Agrippinas d. Ä.; nach dem Tod des Tiberius zum Kaiser ausgerufen; machte sich durch Gewalttätigkeiten verhaßt; strebte eine monarch. Herrschaft im Stil hellenist. Könige an; durch Prätorianer ermordet.

Calima, archäolog. Kultur in Kolumbien, am Oberlauf des Río Calima, östlich von Buenaventura; datiert 500 v. Chr.; berühmt durch ihre zahlr. Goldobjekte.

Călimăneşti [rumän. kəlimə'neʃtj], rumän. Kurort am Fuß der Südkarpaten, am Alt, 8600 E. Heilquellen. – 3 km nördlich das Kloster **Cozia** (1387/88; Fassaden in byzantin. Stil, Fresken 14. und 18. Jh.).

Calix [lat.], Kelch, Becher, Pokal.

Calixt, Georg, eigtl. Callisen, Kallissen, * Medelby bei Flensburg 14. Dez. 1586, † Helmstedt 19. März 1656, dt. ev. Theologe. – Seit 1614 Prof. in Helmstedt; Anhänger Melanchthons und konfessioneller Wiedervereinigung.

Calixtus ↑Kalixt.

Calla [griech.], svw. ↑Drachenwurz.

Callaghan, James, Baron C. of Cardiff (seit 1987) [engl. 'kæləhən], * Portsmouth 27. März 1912, brit. Gewerkschafter und Politiker (Labour Party). – 1967–70 Innen-, 1974–76 Außenmin.; 1976–79 Premiermin., 1979/80 Oppositionsführer; bis 1980 Parteiführer.

Callao [span. ka'jao], wichtigste peruan. Hafenstadt und Hauptstadt des Dep. C., 10 km westlich von Lima, 460000 E. Meeresinstitut; Marinestützpunkt (auf der Isla San Lorenzo). U. a. Werften, Trockendock, Gießereien. Durch Eisenbahn (älteste Südamerikas, eröffnet 1851), Straßenbahn und Autostraßen mit Lima verbunden. – 1537 gegr., während der Kolonialzeit der führende Pazifikhafen des span. Amerika.

C., Dep. in Peru, 148 km², 560000 E (1988). Hauptstadt Callao.

Callas, Maria, eigtl. M. Kalogeropoulos, * New York 2. Dez. 1923, † Paris 16. Sept. 1977, griech. Sängerin (Sopran). – Sang seit 1947 an den ersten Opernbühnen Europas und der USA; berühmt durch ihr weitgefächertes Repertoire und ihre virtuose Gesangskunst.

Callejas Romero, Rafael Leonardo [span. ka'jexas...], * Tegucigalpa 14. Nov. 1943, honduran. Politiker. – 1975–80 Min. für Bodenschätze; seit 1980 einer der einflußreichsten Parteiführer des Partido Nacional (PN), v. a. in der Wirtschaft tätig; nach Sieg bei den Präsidentschaftswahlen im Nov. 1989 1990–94 Staatspräsident.

Callgirl [engl. 'kɔ:lgə:l], durch telefon. Anruf (engl. call) vermittelte Prostituierte.

Callimachus ↑Kallimachos.

Callipteris [griech.], fossile Gatt. der Samenfarne vom Karbon bis zum Perm. Die Art **Callipteris conferta** ist Leitfossil des Rotliegenden; charakterisiert durch doppelt gefiederte, bis etwa 80 cm lange Blattwedel.

Callisto [nach Kallisto, der Geliebten des Zeus (lat. Jupiter)], einer der Galileischen Monde (IV) des Planeten Jupiter.

Callistus ↑Kalixt.

call money [engl. 'kɔ:l'mʌnı], im Bankwesen svw. tägl. Geld.

Callot, Jacques [frz. ka'lo], * Nancy 1592 oder 1593, † ebd. 24. März 1635, frz. Zeichner und Radierer. – Darstellung von Massenszenen wie Einzelfiguren, die er in eine Art Bühnenraum stellte. Bes. berühmt sind die 2 Radierfolgen „Misères de la guerre" (1633/35), die die Greuel des Dreißigjährigen Krieges schildern.

calmato (calmando) [italien.], musikal. Vortragsbez.: beruhigt (bzw. beruhigend).

Calmette, Albert [frz. kal'mɛt], * Nizza 12. Juli 1863, † Paris 29. Okt. 1933, frz. Bakteriologe. – Prof. am Institut Pasteur in Paris; entwickelte 1921 mit C. Guérin den BCG-Impfstoff gegen Tuberkulose.

Calonder, Felix, * Schuls (Graubünden) 7. Dez. 1863, † Chur 14. Juni 1952, schweizer. Politiker. – Rechtsanwalt; Führer der Freisinnig-Demokrat. Partei; 1918 Bundespräs.; 1922–37 Vors. der zur Durchführung der Genfer Konvention über Oberschlesien eingesetzten dt.-poln. Völkerbundskommission.

Calor [lat.], Wärme, Hitze; in der Medizin eines der klass. Symptome der Entzündung.

Calque (Calque linguistique) [kalk (lɛ̃ɡɥis'tik); frz. „(linguist.) Nachbildung"], sprachl. Lehnprägung, bei der fremdsprachl. Wort- oder Satzgut mit Mitteln der aufnehmenden Sprache nachgebildet wird (z. B. „Wolkenkratzer" nach engl. „skyscraper").

Caltanissetta, Prov.hauptstadt in Sizilien, 62 000 E. Bischofssitz; archäolog. Sammlungen, Bergbauschule; Schwefel-, Kali-, Steinsalzbergbau. – Dom (1570–1622).

Caltex [engl. 'kæltɛks], Abk. für: **Cali**fornia **Tex**as Oil Corp., New York, Mineralölunternehmen, Tochtergesellschaft der Chevron Oil Co./Standard Oil of California, San Francisco, und der Texaco Inc., New York.

Calumet † Kalumet.

Calvados, frz. Dep. in der Normandie.

Calvados, frz. Apfelbranntwein aus † Cidre (urspr. aus der Normandie, Dep. C.).

Calvaert, Denys [niederl. 'kɑlvɑ:rt], auch Dionisio Fiammingo, * Antwerpen zw. 1540 und 1545, † Bologna 16. April 1619, flämisch-italien. Maler. – Gründete eine einflußreiche Malerschule in Bologna, wo u. a. G. Reni und Domenichino seine Schüler waren.

Calvaria [lat.], in der *Anatomie* das knöcherne Schädeldach.

◆ in der *Theologie* † Golgatha.

Calvarium [lat.], in der Anthropologie Bez. für den Schädel ohne Unterkiefer.

Calvin, Johannes [-'-; frz. kal'vɛ̃], eigtl. Jean Cauvin, * Noyon 10. Juli 1509, † Genf 27. Mai 1564, frz.-schweizer. Reformator. – Nach dem Studium der Rechte in Paris wurde er spätestens im Herbst 1533 ein offener Verfechter der Reformation, mußte deshalb Paris verlassen und ließ sich 1535 in Basel nieder. Hier schrieb er die erste Fassung seines theolog. Hauptwerkes, die „Institutio Christianae Religionis", eine kurze Zusammenfassung der ev. Lehre. 1536 wurde ihm auf der Durchreise in Genf ein kirchl. Lehramt angeboten, woraufhin C. bis zu seinem Tod das Ziel verfolgte, eine vollkommene reformator. Durchgestaltung der Stadt zu erreichen. 1541 erließ der Rat eine von C. verfaßte Kirchenordnung, die sog. „Ordonnances ecclésiastiques". – Dem Aufbau einer gänzlich im Sinne der Reformation geformten kommunalen Kirchenordnung diente wahrscheinlich in erster Linie C. Tätigkeit als Prediger an der Kathedrale Saint-Pierre, als Lehrer (bes. an der 1559 gegr. Akad.) und als theolog. Schriftsteller. C. verfaßte Kommentare zu fast allen Büchern des A. T. und N. T., theolog. Traktate (meist Streitschriften zur Verteidigung der Gesamtreformation oder eigener Positionen). Immer wieder überarbeitete er jedoch die „Institutio", die bedeutendste Dogmatik der Reformationszeit. Er entwickelte v. a. den Gedanken der † Prädestination: die Auserwähltheit des Menschen zeige sich auch an seinem (Arbeits-)Erfolg. C. selbst vermittelte in der Abendmahlslehre zw. M. Luther und U. Zwingli. – C. Aufbauwerk in Genf erfolgte nicht ohne Widerstand. Die strenge Lehr- und Kirchenzucht verwickelte ihn in zahlr. Prozesse (u. a. mit dem Antitrinitarier M. Servet [1553 auf Betreiben C. verbrannt]). Im Laufe der Jahre wurde C. auch zum anerkannten Reformator weiter Teile Westeuropas (Frankreich, Schottland, Niederlande) und Osteuropas (Polen, Ungarn, Siebenbürgen). C. universaler Geist hat auch viel zur Entwicklung der modernen Welt überhaupt beigetragen (bis zu M. Webers † Protestantismusthese); unbestreitbar war C. Einfluß auf die Entwicklung neuer demokrat. Strukturen, des † Widerstandsrechtes und des sozialen und wirtsch. Verhaltens in der Neuzeit († Kalvinismus).

🕮 *Hand K.: Die Reformatoren Luther, Melanchthon, Zwingli, C. Gütersloh [4]1986. – Poort, J. J.: Auf den Fußspuren Calvins. Leben u. Wirken des Genfer Reformators ... Dt. Übers. Konstanz 1984. – Ganoczy, A./Scheld, S.: Die Hermeneutik Calvins. Stg. 1983. – Staedtke, J.: J. C. Gött. u. a. 1969. – Wendel, F.: C. Ursprung u. Entwicklung seiner Theologie. Dt. Übers. Neukirchen-Vluyn 1968.*

C., Melvin [engl. 'kælvɪn], * Saint Paul (Minn.) 8. April 1911, amerikan. Chemiker. – 1947–80 Prof. an der University of California in Berkeley. C. untersuchte den chem. Verlauf der † Photosynthese, wobei Kohlendioxid in Kohlenhydrate umgewandelt wird **(Calvin-Zyklus);** erhielt 1961 den Nobelpreis für Chemie.

Calvino, Italo, * Santiago de las Vegas (Kuba) 15. Okt. 1923, † Siena 19. Sept. 1985, italien. Schriftsteller. – Anfangs politisch engagierte neorealist. Erzählwerke, dann eher märchenhaft utop. Romane (u. a. „Der geteilte Visconte", 1952; „Der Baron auf den Bäumen", 1957; „Der Ritter, den es nicht gab", 1959; „Palomar", 1983).

Calvisius, Sethus, eigtl. Seth Kalwitz, * Gorsleben an der Unstrut 21. Febr. 1556, † Leipzig 24. Nov. 1615, dt. Komponist und Musiktheoretiker. – Seit 1594 Thomaskantor in Leipzig; komponierte geistl. Werke; förderte mit seinen theoret. Schriften den Übergang vom linearen Kontrapunktstil zum harmonisch bestimmten Stil des 17. Jahrhunderts.

Calvodoktrin, auf den argentin. Juristen und Historiker C. Calvo (* 1824, † 1906) zurückgehende Völkerrechtstheorie von der Unverletzlichkeit der Gebietshoheit eines souveränen Staates sowie der rechtl. Gleichstellung des Fremden mit dem Inländer.

Calvo Sotelo, José [span. kalβo], * Túy (Galicien) 6. Mai 1893, † Madrid 13. Juli 1936, span. Politiker. - Cortesabg. seit 1919; 1925-30 Finanzmin.; während der ersten Jahre der 2. Republik im Exil; dann Propagandist und Wortführer der Rechten in den Cortes. Seine Ermordung 1936 war ein auslösendes Ereignis des Span. Bürgerkriegs.

Calw [kalf], Krst. in Bad.-Württ., im Nagoldtal, am O-Rand des Schwarzwalds. 21000 E. Pädagog. Akademie; Textilind., Holz- und Lederwarenherstellung, elektrotechn. Ind., Motorenbau, feinmechan. Werkstätten. - Entstand als Burgweiler (1277 Civitas). 1975 mit **Hirsau** vereinigt (C.-Hirsau), seit 1976 wieder C. - 1075 erwähnt, bis ins 13. Jh., als es Stadtrecht erhielt, Residenz der Grafen von C. (1260 Hauptast erloschen). Im 16. Jh. herzoglich-württemberg. Sommersitz. 1692 von frz. Truppen zerstört. Die Siedlung entstand im 18. Jh. - In *Calw* Brückenkapelle Sankt Nikolaus (um 1400); zahlr. Fachwerkbauten (nach 1692), Marktbrunnen (1686). In *Hirsau* sind Teile der Basilika (1059-71) in der Pfarrkirche erhalten, die 1955 wiederhergestellt wurde; Ruinen der Klosterkirche (1082-91) und des Kreuzgangs.

C., Landkr. in Baden-Württemberg.

Calypso [ka'lɪpso, Herkunft unsicher], aus Jamaika stammender figurenreicher Modetanz im ²/₂- oder ⁴/₄-Takt.

Calzabigi, Ranieri [italien. kaltsa'bi:dʒi], * Livorno 23. oder 24. Dez. 1714, † Neapel im Juli 1795, italien. Dichter. - Librettist W. Glucks („Orpheus und Euridike", „Alceste").

CAM ↑ Automatisierung.

Camacho, Manuel Ávila [span. ka'matʃo] ↑ Ávila Camacho, Manuel.

Camagüey [span. kama'ɣuei], Hauptstadt der Prov. C. im östl. Kuba, 260000 E. Bischofssitz; Univ.; Zentrum eines ausgedehnten Rinderzuchtgebietes; Bahnknotenpunkt. ✈. - Gegr. 1514. - Altstadt mit kolonialzeitl. Charakter, Kathedrale (1617), Kirche La Merced (um 1750).

Camaieu [kama'jø:; frz.], svw. ↑ Kamee. ◆ Malerei in einer einzigen Grundfarbe in verschiedenen Abtönungen.

Camaldoli, Teil der italien. Gemeinde Poppi, Toskana. Stammkloster der Kamaldulenser, 1012 gegr. (Kloster und Einsiedelei); hatte im 15. Jh. eine berühmte Akademie („Disputationes Camaldulenses").

Câmara, Hélder Pessôa (genannt „Dom Hélder") [brasilian. 'kɐmara], * Fortaleza (Ceará) 7. Febr. 1909, brasilian. kath. Theologe. - 1964-85 Erzbischof von Olinda und Recife; einer der profiliertesten Vertreter des progressiven Flügels der kath. Kirche Brasiliens; verlangt nachdrücklich eine gezielte Entwicklungs- und Bildungspolitik und plädiert für einen im Evangelium begr. Sozialismus. - *Werke:* Revolution für den Frieden

Cambridge. Stadtzentrum mit der King's College Chapel (1446-1515) im Vordergrund, umgeben von Universitätsgebäuden

(1968), Es ist Zeit (1970), Die Spirale der Gewalt (1970), Gott lebt in den Armen (1986).

Camargo, Marie-Anne de Cupis de, * Brüssel 15. April 1710, † Paris 20. April 1770, frz. Tänzerin. - Feierte 1726-36 und 1741-51 Triumphe an der Pariser Oper.

Camargue [frz. ka'marg], frz. Landschaft im Rhonedelta, zentraler Ort ist Arles. Insgesamt 72 000 ha, in Uferhöhe reich an Strandseen und Sumpfflächen, landeinwärts seit dem MA landw. Nutzung, Reis- und Weinanbau, Seesalzgewinnung. Kampfstier- und Pferdezucht; Naturschutzgebiet (13 000 ha), reiche Vogelwelt (Flamingos).

Camarguepferd [frz. ka'marg], in S-Frankreich (bes. in der Camargue) gezüchtete Rasse bis 1,45 m schulterhoher, halbwilder Ponys; meist Schimmel; ausdauernde Reitpferde.

Camaro, Alexander, * Breslau 27. Sept. 1901, † Berlin 20. Okt. 1992, dt. Maler. - Malte zarte, träumer. Szenen auf imaginären Bühnen.

Camars, antike Stadt, ↑ Chiusi.

Cambacérès, Jean-Jacques Régis de [frz. kãbase'rɛs], Herzog von Parma, * Montpellier 18. Okt. 1753, † Paris 8. März 1824, frz. Jurist und Politiker. - Wurde nach Robespierres Sturz 1794 Präs. des Konvents; seit Juli 1799 Justizmin., seit Nov. 1799 2. Konsul der Republik, als enger Mitarbeiter Napoleons I. seit 1804 Erzkanzler; maßgeblich an der Schaffung des Code Civil beteiligt.

Camberg, Bad ↑ Bad Camberg.

Cambert, Robert [frz. kã'bɛ:r], * Paris um 1628, † London 1677, frz. Komponist. - Zusammen mit P. Perrin Begründer der frz. Oper (u. a. „Pomone", 1671). Von Lully verdrängt, ging C. 1673 nach London, wo er die Royal Academy of Music gründete.

Cambiata [italien.] ↑ Wechselnote.

Cambon, Paul [frz. kã'bõ], * Paris 20. Jan. 1843, † ebd. 29. Mai 1924, frz. Diplomat. - Bereitete als Min.resident in Tunis (1882-86) das frz. Protektorat vor; 1898-1920 Botschafter in London; zählt zu den Schöpfern der Entente cordiale.

Camborne-Redruth [engl. 'kæmbɔ:n'rɛdru:θ], engl. Stadt in der Gft. Cornwall, 46 000 E. Bergbauhochschule; Zentrum des fast erloschenen Zinnerzbergbaus, Leichtindustrie.

Cambrai [frz. kã'brɛ], frz. Stadt an der bis C. schiffbaren Schelde, 37 000 E. Textilind., Wollverarbeitung, Ölgewinnung. - Stadt der kelt. Nervier **(Cameracum),** seit etwa 400 Hauptstadt der **Civitas Nervicorum,** 445 eines Reichs der sal. Franken, um 500 zum merowing. Frankenreich (seitdem Sitz eines Bischofs, seit 1559 eines Erzbischofs; 1802-41 wieder eines Bischofs); gehörte später zum ostfränkisch-dt. Reich; kam 1677/78 zu Frankreich, im 1. und 2. Weltkrieg stark zerstört. - Stadttor Porte de Paris (1390), Kathedrale (18. Jh.) mit Barockausstattung, Kirche Saint-Géry (18. Jh.) mit Renaissancelettner, klassizist. Rathaus (19. Jh.). - Die **Liga von Cambrai,** 1508 zw. Kaiser Maximilian I. und Ludwig XII. von Frankreich geschlossen, durch den Beitritt v. a. des Papstes, Spaniens und Englands zur Koalition geweitet, verfolgte das Ziel, den italien. Festlandsbesitz der Republik Venedig zu erobern und aufzuteilen. - Im **Frieden von Cambrai** (1529) zw. Kaiser Karl V. und König Franz I. von Frankreich, ausgehandelt durch Luise von Savoyen und Margarete von Österreich (daher auch **Damenfriede),** verzichtete die frz. Krone neben der Lehnshoheit über Flandern und Artois auf alle Ansprüche in Italien, erhielt aber das Hzgt. Burgund zurück.

Cambridge [engl. 'kɛɪmbrɪdʒ], engl. Stadt am Cam, 80 km nördlich von London, 90 000 E. Verwaltungssitz der Gft. Cambridgeshire; Univ.stadt (C. University, gegr. 1209; heute etwa 30 Colleges); zahlr. Museen; botan. Garten; bed. Ind.forschung; Forschungs- und Informationszentrum für die Polargebiete. Druckereien, Verlage, Herstellung von wiss. Instrumenten; ✈. - Entstand aus einer frühgeschichtl. Siedlung; seit 1066 Hauptort einer Gft. - Im Perpendicular style u. a. Pfarrkirche Great Saint Mary (1487-1608), King's College Chapel (1446-1515), Corpus Christi College (1352) mit Kapelle (1579) und Bibliothek (Manuskripte des 10./11. Jh.).

C., Stadt in Massachusetts, USA, im westl. Vorortbereich von Boston, 93 400 E. Sitz der Harvard University (gegr. 1636) und des Massachusetts Institute of Technology (gegr. 1861), Inst. für Orientforschung, Akad. für ma. Forschungen; Bibliotheken (v. a. John F. Kennedy Memorial Library), Museen; bed. Handels- und Ind.stadt.

Cambridgeshire [engl. 'kɛɪmbrɪdʒʃɪə], Gft. in SO-England.

Camcorder [kæm'kɔ:də], Abk. für engl. **cam**era und **recorder,** eine Videokamera mit integriertem Videorecorder.

Camden [engl. 'kæmdən], Stadt im sw. New Jersey, USA, am Delaware River, gegenüber Philadelphia, 85 000 E. Sitz eines kath. Bischofs; bedeutendes Handels- und Industriezentrum.

Camellia, svw. ↑ Kamelie.

Camelopardalis [griech.] (Giraffe) ↑ Sternbilder (Übersicht).

Camelot [frz. kamə'lo], Hof der Artussage, an dem der König residiert. Der Artushof wird in England an verschiedenen Orten vermutet, seit den archäolog. Ausgrabungen von 1967 in Cadbury Castle (South Cadbury/Somerset).

Camelots du Roi [frz. kamlody'rwa], 1908 gegr. Jugendorganisation der Action française.

Camelus [semit.-griech.], Gatt. der Kamele mit den Arten ↑Kamel und ↑Dromedar.

Camembert ['kaməmbɛːr, kamã'bɛːr, kam'bɛːr; frz.; nach dem gleichnamigen Ort in der Normandie (Dep. Orne)], Weichkäse, mit weißer Schimmelkultur bedeckt.

Camera obscura [lat., eigtl. „dunkle Kammer"], Urform der photograph. Kamera; ein Kasten mit transparenter Rückwand.

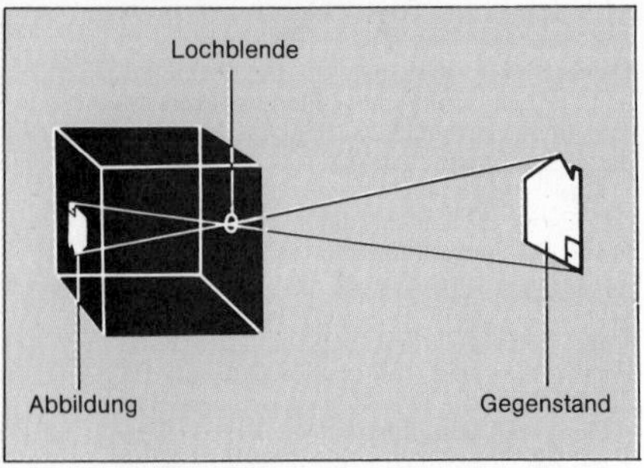

Camera obscura. Schematische Darstellung

Camerarius, Joachim, eigtl. J. Kammermeister, * Bamberg 12. April 1500, † Leipzig 17. April 1574, dt. Humanist. - Ev. Theologe; seit 1535 Prof. in Tübingen, seit 1541 in Leipzig; Schüler und Biograph Melanchthons (1566); beteiligt an der Abfassung des Augsburger Bekenntnisses.

Camerata [lat.-italien.], Name eines Kreises von Musikern, Dichtern, Philosophen und gelehrten Angehörigen des Adels Ende des 16. Jh. in Florenz, die um die Schöpfung einer einstimmigen, instrumentalbegleiteten [Sprech]gesangmusik bemüht waren. Ergebnis waren der neue rezitativ. Stil und mit ihm die Anfänge der Oper.

Cameron, Verney Lovett [engl. kæmərən], * Radipole (Dorset) 1. Juli 1844, † Soulbury bei Leighton Buzzard 27. März 1894, brit. Marineoffizier und Afrikaforscher. - Ihm gelang 1873-75 die erste wiss. O-W-Durchquerung Z-Afrikas.

Cameron Highlands [engl. 'kæmərən 'haɪləndz], Bergland im Innern der Halbinsel Malakka, bis 2 182 m ü. d. M.; trop. Höhenklima; Tee- und Kaffeeplantagen.

Camillo de Lellis, hl., * Bucchianico (Chieti) 25. Mai 1550, † Rom 14. Juli 1614, italien. Ordensgründer. - Stiftete den Orden der ↑Kamillianer. - Fest: 18. Juli.

Cammin, ehem. dt. Bistum und Territorium, entstand um 1176; umfaßte den größten Teil Pommerns sowie die Uckermark und Neumark bis Küstrin und reichte bis Güstrow in Mecklenburg; 1276 Verlegung des Bischofssitzes nach Kolberg, der Stiftsregierung 1266 nach Köslin; nach der Einführung der Reformation war das Stift seit 1556 praktisch Sekundogenitur des pommerschen Herzogshauses; 1648 säkularisiert, der Ostteil fiel an Brandenburg, der Westteil folgte 1679.

Cammin i. Pom. (poln. Kamień Pomorski), Stadt in der Woiwodschaft Stettin, Polen, 8 000 E. Solbad und Erholungsort, Fischereihafen. - Im 12. Jh. Hauptstadt von Pommern und Sitz eines Bistums. Nach der Zerstörung durch Brandenburg (1273) 1274 nach lüb. Recht neu gegr.; 1648 unter schwed. Herrschaft, 1679 an Brandenburg. - Spätroman. Dom (12.-13. Jh., im 15. Jh. gotisch umgebaut).

Camões, Luís de [portugies. kamõiʃ], * Lissabon (oder Coimbra ?) Dez. 1524 oder Jan. 1525, † Lissabon 10. Juni 1580, portugies. Dichter. - Unsteter Lebenswandel, war u. a. 1549-51 Soldat in Afrika, u. a. ab 1558 Nachlaßverwalter im ind. Macao, 1570 Rückkehr nach Lissabon. - Sein bekanntestes Werk, „Die Luisaden" (1572; nach Lusus, dem sagenhaften Stammvater der Portugiesen), gilt als portugies. Nationalepos, in dem in 10 Gesängen von den Anfängen Portugals bis zu den Eroberungen des portugies. Seefahrers Vasco da ↑Gama berichtet wird. Hinterließ neben Theaterstücken v. a. auch ein bed. lyr. Werk (etwa 200 Sonette und über 100 „Redonillas" [span. Strophenform in trochäischen Vierzeilern]).

Camorra [italien.], Name eines terrorist. polit. Geheimbundes in Neapel und S-Italien; bes. im 19. Jh. unter König Ferdinand II. einflußreich; 1911 weitgehend ausgeschaltet; lebte nach den Weltkriegen wieder auf und hatte v. a. in den USA eine bed. polit. Macht.

Camouflage [kamu'flaːʒə; frz.], Täuschung, Tarnung. - Als publizist. Technik der Versuch, „zw. den Zeilen" zu schreiben, v. a. in Zeiten unterdrückter Meinungsfreiheit.

Camp [kɛmp, engl. kæmp; zu lat. campus „Feld"], Feld-, Zeltlager; Gefangenenlager.

Campagnola [italien. kampa'ɲɔːla], Domenico, * Padua oder Venedig vor 1500, † Padua 10. Dez. 1564, italien. Holzschneider. - Schüler von Giulio C.; von Tizian beeinflußt; auch Landschaftszeichnungen sowie Gemälde, Fresken, Kupferstiche.

C., Giulio, * Padua 1482, † Venedig zw. 1515 und 1518, italien. Kupferstecher. - Seit 1507 in Venedig tätig; v. a. von Giorgione beeinflußt; auch Maler.

Campanareliefs, nach ihrem ersten Sammler, G. Campana (* 1808, † 1880), ben. Terrakottaplatten mit bemalten Flachreliefs; 1. Jh. v. Chr.-Mitte 2. Jh. n. Chr. hergestellt.

Campanella, Tommaso, * Stilo (Kalabrien) 5. Sept. 1568, † Paris 21. Mai 1639, italien. Philosoph und Utopist. – 1583 Dominikaner. Wurde 1591 in Rom der Ketzerei angeklagt und eingekerkert. Nach Freilassung 1598 Initiator eines Aufruhrs in Kalabrien gegen die span. Vorherrschaft; deswegen ab 1599 wieder Kerker. Verfaßte in Gefangenschaft sein berühmtestes Werk „La città del sole" (Der Sonnenstaat, 1602), sein philosophisch bedeutendstes Werk „Metafisica" (lat. 1638) und die „Theologia". 1634 Flucht nach Frankreich. Die Utopie des „Sonnenstaates" ist das idealisierte Programm der eigenen polit. Aktionen: Herrschaft priesterl. Philosophen und Wissenschaftler in einer streng organisierten Gesellschaft ohne Privateigentum.

Campanini, Barbara, italien. Tänzerin, † Barberina.

Campanula [lat.], svw. † Glockenblume.

Campari Ⓦⓩ [italien.], roter, bittersüßer italien. Aperitif (mit Soda).

Campbell [engl. kæmbl], schott. Adelsfamilie, † Argyll.

Campbell, William Wallace [engl. kæmbl], * Hancock County (Ohio) 11. April 1862, † San Francisco 14. Juni 1938, amerikan. Astronom. – Erwarb sich große Verdienste um die Vermessung von Sternspektren und die Bestimmung der Radialgeschwindigkeiten von Fixsternen.

Campbell-Bannerman, Sir Henry [engl. 'kæmbl 'bænəmən], * Glasgow 7. Sept. 1836, † London 22. April 1908, brit. Politiker. – 1886 und 1892–95 Kriegsmin., Premiermin. 1905–08; leitete durch die Transvaal 1906 gegebene Autonomie und den Ausgleich mit den Buren die Bildung des burisch-brit. Gesamtstaates (Südafrika) ein.

Campbell Island [engl. 'kæmbl 'aılənd], südlichste der zu Neuseeland gehörenden Inseln, 114 km², meteorolog. und Radiotelegrafenstation. – 1810 entdeckt.

Campe, Joachim Heinrich, * Deensen bei Holzminden 29. Juni 1746, † Braunschweig 22. Okt. 1818, dt. Pädagoge. – Studierte ev. Theologie, war Hauslehrer in der Familie von Humboldt, Mitarbeiter von J. B. Basedow (am Philanthropin in Dessau), Leiter eigener Erziehungsanstalten, 1786–1805 Schulrat (Braunschweigische Schulreform). V. a. von Rousseau beeinflußt. Bes. erfolgreich waren seine Bearbeitung von J. Defoes „Robinson Crusoe" und die „Allgemeine Revision des gesamten Schul- und Erziehungswesens" (16 Bde., 1785–1792) sowie ein „Wörterbuch der dt. Sprache" (5 Bde., 1807–11).

Campeador [span. kampea'ðor „Kriegsheld"], Beiname des † Cid.

Campeche [span. kam'petʃe], Hauptstadt des mex. Staates C., an der W-Küste der Halbinsel Yucatán, 152 000 E. Bischofssitz; Univ.; Handelszentrum, Fischerei; Hafen, ✈. – Schon von den Maya besiedelt.

C., Staat in Mexiko, im W der Halbinsel Yucatán, 50 812 km², 617 000 E (1989), Hauptstadt C.; Landwirtschaft; Holzgewinnung.

Campen, Jacob van [niederl. 'kɑmpə], niederl. Baumeister, † Kampen, Jacob van.

Campendonk, Heinrich, * Krefeld 3. Nov. 1889, † Amsterdam 9. Mai 1957, dt. Maler und Graphiker. – 1911 Mgl. des Blauen Reiters; malte Landschaften, figürl. Kompositionen (u. a. Pierrots) und Stilleben von märchen- und traumhafter Stimmung; Hinterglasbilder, Holzschnitte.

Camper, Pieter, * Leiden 11. Mai 1722, † Den Haag 7. April 1789, niederl. Anatom. – Prof. in Amsterdam und Groningen; nahm als einer der ersten anthropolog. Messungen vor (Gesichtswinkelbestimmung).

Camphausen, Ludolf, * Hünshoven (= Geilenkirchen) 10. Jan. 1803, † Köln 3. Dez. 1890, preuß. Politiker. – Gemäßigter Liberaler; setzte sich als preuß. Min.präs. (März–Juni 1848) und preuß. Bevollmächtigter bei der provisor. Zentralgewalt in Frankfurt am Main (seit Juni 1848) vergeblich für die Kaiserwahl des preuß. Königs ein.

Camphen [mittellat.], $C_{10}H_{16}$, dem † Kampfer nahe verwandter, in vielen äther. Ölen vorkommender Kohlenwasserstoff.

Camphill-Bewegung [engl. 'kæmphıl], internat. heilpädagog. Bewegung mit Heimschulen und Dorfgemeinschaften für Behinderte. Erste Heimgründung auf dem Landsitz Camphill in Schottland durch den Wiener Arzt Karl König (* 1902, † 1966) auf der Grundlage der Lehre von R. Steiner.

Campi, italien. Künstlerfamilie in Cremona z. Zt. des Manierismus und frühen Barock.

Campignien [kãpın'jɛ̃; frz.], nach Funden bei dem Campignyhügel bei Blangy-sur-Bresle (Seine-Maritime) ben. neolith. westeurop. Kultur, deren Kennzeichen geschlagene Feuersteingroßgeräte sind.

Campin, Robert [niederl. kɑm'pi:n], fläm. Maler, † Meister von Flémalle.

Campina Grande [brasilian. kɐm'pina 'grɐndi], brasilian. Stadt, 110 km wsw. von João Pessoa, 248 000 E. Bischofssitz; Univ.; wichtigster Ind.standort des nordostbrasilian. Binnenlandes.

Camping ['kɛmpıŋ, 'kampıŋ; zu lat. campus „Feld"], Leben im Freien (auf C.plätzen) in Zelten oder Wohnwagen während der Ferien und am Wochenende.

Campobasso, Hauptstadt der italien. Region Molise und der Prov. C., 170 km östlich von Rom, 700 m ü. d. M., 51 000 E. Bischofssitz; Kunsthandwerk. – Über der Altstadt das Castello Monforte (15. Jh.).

Canaletto. Molo nach Westen mit Blick auf Santa Maria della Salute; undatiert (Ausschnitt; London, Wallace Collection)

Campoformido, Dorf in der Prov. Udine, Italien. – Bekannt durch den 1797 zw. Frankreich und Österreich geschlossenen **Frieden von Campoformio** (so im einheim. Dialekt), in dem Österreich auf die östr. Niederlande, Mailand, Modena und Mantua verzichtete, in Geheimartikeln der Abtretung des linken Rheinufers von Basel bis Andernach an Frankreich zustimmte und dafür Venetien links der Etsch, Istrien und Dalmatien erhielt.

Campo Grande [brasilian. 'kempu 'grendi], Hauptstadt des brasilian. Bundesstaates Mato Grosso do Sul, 292000 E. Erzbischofssitz; Univ. (gegr. 1970); Handels- und Wirtschaftszentrum von Mato Grosso.

Campos [brasilian. 'kempus], brasilian. Stadt am Rio Paraíba, 40 km oberhalb der Mündung in den Atlantik, 349000 E. Bischofssitz; Ind.- und Handelszentrum des wichtigsten brasilian. Zuckerrohranbaugebiets.

Campos [brasilian. 'kempus; zu lat. campus „Feld"], offene Vegetationsformation Innerbrasiliens, z.T. als lichtes Gehölz, als baumarme oder baumfreie Grasfluren.

Camposanto [italien., eigtl. „heiliges Feld"], Bez. für den italien. Friedhof, häufig eine architekton. Anlage. Berühmt ist v.a. der **Camposanto von Pisa.**

Camposanto Teutonico, exterritoriales Gebiet in Rom, das neben dem Friedhof eine Kirche und ein wiss. Priesterkolleg umfaßt. Der C.T. geht zurück in fränk. Zeit („Schola Francorum"). Um 1450 wurde die Bruderschaft zur schmerzhaften Mutter Gottes (seit 1579 Erzbruderschaft) gegr., die Priesterhaus, Friedhof, Kirche, Herberge und Hospital führte. Seit 1887 auch Sitz des Röm. Instituts der Görres-Gesellschaft.

Campus [engl. 'kæmpəs; zu lat. campus „Feld"], in den USA Bez. für das geschlossene Hochschulgelände mit Einrichtungen für Lehre und Forschung, Sport- und Erholungsanlagen, Wohngebäuden für Studenten und Dozenten.

Campus Majus [lat.] (Maifeld) ↑Märzfeld.

Campus Martius [lat.] ↑Marsfeld, ↑Märzfeld.

Camulodunum ↑Colchester.

Camus [frz. ka'my:], Albert, * Mondovi (Algerien) 7. Nov. 1913, † bei Villeblevin (Yonne) (Autounfall) 4. Jan. 1960, frz. Schriftsteller. – Mgl. der Résistance während des 2. Weltkriegs; 1952 Bruch mit J.-P. Sartre. 1957 Nobelpreis für Literatur. Sein Werk wird dem Existentialismus zugerechnet, es umfaßt u.a. Romane, philosoph. Essays und Theaterstücke. Nach C. verlangt der Mensch nach einer sinnvollen Welt, findet aber keinen Sinn vor; gegen dieses Absurde revoltiert er. In der Revolte erfährt er die Möglichkeit der Solidarität im Kampf für ein besseres Dasein.

Werke: Hochzeit des Lichts (Essays, 1938), Der Mythos von Sisyphos (Essays, 1942), Der Fremde (R., 1942), Das Mißverständnis (Dr., 1944), Caligula (Dr., 1942), Die Pest (R., 1947), Der Belagerungszustand (Dr., 1948), Die Gerechten (Dr., 1950), Der Mensch in der Revolte (Essays, 1951), Heimkehr nach

Tipasa (Essays, 1954), Der Fall (R., 1956), Das Exil und das Reich (En., 1957), Die Besessenen (Dr., 1959). Tagebücher aus den Jahren 1935–51, Reisetagebücher (hg. 1978), Le premier homme (R.-Fragment, hg. 1994).
🕮 *Lottmann, H. R.: C. Eine Biogr. Hamb. 1988. – Pieper, A.: A. C. Mchn. 1984. – Wernikke, H.: A. C. Hildesheim 1984. – Lebesque, M.: A. C. in Selbstzeugnissen u. Bilddokumenten. Dt. Übers. Rbk. [10]1971.*

C., Marcel, * Chappes (Ardennes) 21. April 1912, † Paris 13. Jan. 1982, frz. Filmregisseur. – Wurde berühmt durch seinen in den Armenvierteln von Rio de Janeiro spielenden Film „Orfeu Negro" (1958).

Canabae [lat.], urspr. die Schenken und Buden in der Nähe röm. Militärlager, dann die sich daraus entwickelnden Siedlungen.

Canadian-Pacific-Gruppe [engl. kə'nɛɪdjən pə'sɪfɪk], größtes privates Verkehrsunternehmen der Welt, Sitz Montreal. Die C.-P.-G. betreibt Schiffahrt, Luftfahrt, Straßengütertransport, Eisenbahnen (bes. die **Canadian Pacific Railway** mit einem Streckennetz von 37 000 km, von Montreal bis Vancouver) und Nachrichtenverkehr.

Canadian Press [engl. kə'nɛɪdjən 'prɛs] ↑ Nachrichtenagenturen (Übersicht).

Çanakkale [türk. tʃɑ'nɑkkɑ,lɛ], türk. Hafenstadt an der engsten Stelle der Dardanellen, auf asiat. Seite, Hauptstadt der Prov. C., 47 800 E. Landw. Handelszentrum; Fähre zum europ. Ufer (Halbinsel von Gelibolu).

Canal de l'Est [frz. kanaldə'lɛst], Kanal in Frankreich, zw. Maas und Saône; 419 km lang, 158 Schleusen. – Erbaut 1874–82.

Canal du Midi [frz. kanaldymi'di], Kanal in S-Frankreich, Verbindung zw. Atlantik und Mittelmeer, 241 km lang, 101 Schleusen. – Erbaut 1666–81.

Canaletto, eigtl. Giovanni Antonio Canal, * Venedig 18. Okt. 1697, † ebd. 20. April 1768, italien. Maler. – Lebte 1746–50 und 1751–53 in England, wo sich ein großer Teil seiner Werke befindet; erfolgreich v. a. mit venezian. Veduten.

C., italien. Maler, ↑ Bellotto, Bernardo.

Cañar [span. ka'ɲar], Prov. im südl. Z-Ecuador, in den Anden, 3 377 km², 202 000 E (1987), Hauptstadt Azogues.

Canaris, Wilhelm, * Aplerbeck bei Dortmund 1. Jan. 1887, † KZ Flossenbürg 9. April 1945, dt. Admiral. – Seit 1935 Konteradmiral und Chef der Abwehrabteilung, 1938–44 Leiter des Amtes Ausland/Abwehr im OKW; unterstützte bes. 1938–41 aktiv die Widerstandsbewegung gegen Hitler; nach dem 20. Juli 1944 verhaftet und hingerichtet.

Canasta [span., eigtl. „Korb"], aus Südamerika stammendes Kartenspiel; mit 104 Karten und 4 Jokern, von 2–6 Personen paarweise gespielt.

CanAug (CanA), Abk. für lat.: **Can**onici **Au**gustiniani („Augustiner-Chorherren").

Canaveral, Kap [engl. kə'nævərəl] (1963–73 Kap Kennedy), Kap an der O-Küste Floridas mit dem wichtigsten Raketenstartplatz der amerikan. Raumfahrtforschung.

Canberra [engl. 'kænbərə], Hauptstadt Australiens, in den Ostaustral. Kordilleren, 250 km sw. von Sydney, etwa 140 km²; 268 000 E. Sitz eines kath. Erzbischofs und eines anglikan. Bischofs; Sitz der Austral. Akad. der Wiss., Nationalbibliothek und -archiv, Univ. (gegr. 1946) u. a. wiss. und kulturelle Einrichtungen; botan. Garten; ✈. – 1913 gegründet. – In der Stadtmitte der Lake Burley Griffin mit den ihn im N bzw. S überragenden Zentren City Hill und Capital Hill; strenge räuml. Trennung der Funktionen, ausgedehnte Parks und Grünanlagen.

Cancan [kã'kã:; frz.], galoppartiger Schautanz im ²/₄-Takt, um 1830 in Paris eingeführt.

Cancer ['kantsər; lat.] (Krebs) ↑ Sternbilder (Übersicht).

Cancer ['kantsər; engl. 'kænsə; lat.], seltene Bez. für ↑ Krebs.

Canción [kan'si̯ɔn; span. kan'θi̯ɔn; zu lat. cantio „Gesang"], span. lyr. Kunstformen. 1. Die *ma. C.* in Acht- oder Sechssilbern besteht meist aus einer einzigen Strophe, der ein kurzes Motto vorausgeschickt ist. 2. Die *Renaissance-C.* (auch „C. petrarquista") ist eine Nachahmung der italien. ↑ Kanzone.

Cancioneiro [portugies. kẽsi̯u'nɐi̯ru (zu ↑ Canción)] (span. Cancionero), in der portugies. und span. Literatur Sammlung lyr. Gedichte.

cand., Abk. für lat.: **cand**idatus (Kandidat vor dem Abschlußexamen).

Candela, Felix, * Madrid 27. Jan. 1910, spanisch-mex. Ingenieur und Architekt. – 1939 Emigration nach Mexiko. Baut seit 1951 in Schalenbauweise; u. a. Überdachung des Strahlenlaboratoriums in Mexiko (1950 bis 1952). – *Weitere Werke:* Santa Maria Milagrosa in Mexiko (1954–58), stilistisch von Gaudí beeinflußt, Markthallen in Coyoacán (1956) sowie Sankt-Vinzenz-Kapelle ebd. (1959/60).

Candela [lat. „Talg-, Wachslicht"], SI-Einheit der ↑ Lichtstärke. 1 C. (Einheitenzeichen cd) ist die Lichtstärke in einer bestimmten Richtung einer Strahlungsquelle, die monochromat. Strahlung der Frequenz 540 THz aussendet und deren Strahlstärke in dieser Richtung (1/683) W/sr beträgt.

Candelkohle, svw. ↑ Kännelkohle.

Candid, Peter, eigtl. Pieter de Witte (de Wit), * Brügge um 1548 (?), † München 1628, fläm. Maler. – In Florenz Mitarbeiter von Vasari, 1586 an den Münchner Hof berufen;

spätmanierist. Altarbilder (Freisinger Dom, um 1600; Frauenkirche in München, 1620) und Fresken.

Candida [lat.], Gatt. der Hefepilze, deren Vertreter auf Haut und Schleimhäuten vorkommen; können aber auch Infektionen, wie **Candidiasis** (↑Soor), hervorrufen.

Candidose [lat.], svw. ↑Soor.

Candidamykose [lat./griech.], svw. ↑Soor.

Candilis, Georges [frz. kãdi'lis], *Baku 11. April 1913, frz. Architekt griech. Abkunft. – Arbeitete 1945–51 bei Le Corbusier, 1951–54 in Tanger. Arbeitsschwerpunkte: sozialer Wohnungs- und Städtebau: 1956–61 Stadtanlage Bagnols-sur-Cèze, 1964–67 Stadtplanung Toulouse-Le Mirail; 1967–79 Freie Universität Berlin-Dahlem.

Cane, Louis [frz. 'ka:n], *Beaulieu-sur-Mer 13. Dez. 1943, frz. Maler. – C. setzt sich in seiner Malerei mit den materiellen Eigenschaften des Bildes auseinander. Seit 1975 bezieht er auch Bildstrukturen aus Werken anderer Maler (Giotto, H. Matisse) ein.

Canelones, Hauptstadt des Dep. C. im südl. Uruguay, 17300 E. Bischofssitz; Industriefachschule. – 1774 gegründet.

C., Dep. im südl. Uruguay, 4536 km^2, 359000 E (1985), Hauptstadt C. Bed. Agrargebiet; Badeorte an der Küste.

Canes Venatici [lat.] (Jagdhunde) ↑Sternbilder (Übersicht).

Canetti, Elias, *Rustschuk (= Russe, Bulgarien) 25. Juli 1905, †Zürich 14. Aug. 1994, Schriftsteller. – Sohn spanisch-jüd. Eltern; studierte in Wien, 1938 Emigration nach Großbritannien. Gehört mit seinen in dt. Sprache geschriebenen Romanen und kulturphilosoph. Essays zu den herausragenden Schriftstellern des 20. Jh.; auch Dramen. Nobelpreis 1981. – *Werke:* Hochzeit (Dr., 1932), Die Blendung (R., 1936), Komödie der Eitelkeit (Dr., 1950), Masse und Macht (Essay, 1960), Die Befristeten (Dr., 1964), Der andere Prozeß. Kafkas Briefe an Felice (Essay, 1969), Das Gewissen der Worte (Essays, 1975), Die gerettete Zunge. Geschichte einer Jugend (1977), Fackel im Ohr. Lebensgeschichte 1921–1931 (1980), Das Augenspiel. Lebensgesch. 1931–1937 (1985), Das Geheimherz der Uhr. Aufzeichnungen 1973–85 (1987).

Caninus [lat.], svw. Eckzahn (↑Zähne).

Canis [lat. „Hund"], Gatt. der Hunde mit etwa 8 Arten, darunter ↑Schakale, ↑Wolf, ↑Haushund.

Canisius, Petrus, eigtl. Pieter Kanijs, *Nimwegen (Niederlande) 8. Mai 1521, †Freiburg (Schweiz) 21. Dez. 1597, der erste dt. Jesuit (seit 1543). – Widmete sich der kath. Erneuerung in Deutschland (2. Apostel Deutschlands gen.). Als Provinzial (1556–69) errichtete er Jesuitenkollegien in Ingolstadt, München, Dillingen und Innsbruck, lebte seit 1580 in Freiburg. Von großem Einfluß waren seine drei Katechismen (1555, 1556, 1558). – 1925 heiliggesprochen und zum Kirchenlehrer proklamiert. – Fest in Deutschland: 27. April (allgemein: 21. Dez.).

Canis Maior [lat.] (Großer Hund) ↑Sternbilder (Übersicht).

Canis Minor [lat.] (Kleiner Hund) ↑Sternbilder (Übersicht).

Canities [ka'ni:tsiɛs; lat.] (Poliose), das Ergrauen der Haare.

Canitz, Friedrich Rudolf Freiherr von, *Berlin 27. Nov. 1654, †ebd. 11. Aug. 1699, dt. Schriftsteller. – Verkörpert die Wende zur Aufklärung (Satiren, Oden).

Cankar, Ivan [slowen. 'tsa:ŋkar], *Vrhnika bei Ljubljana 10. Mai 1876, †Ljubljana 11. Dez. 1918, slowen. Schriftsteller. – Schrieb v. a. sozialkrit. Romane und Erzählungen. – *Werke:* Das Haus zur barmherzigen Mutter Gottes (E., 1904), Der Knecht Jernej (E., 1907), Aus dem Florianertal (Satire, 1908).

Canna [lat.], svw. ↑Blumenrohr.

Cannabich, Christian, ≈ Mannheim 28. Dez. 1731, †Frankfurt am Main 20. Jan. 1798, dt. Komponist. – Bed. Vertreter der ↑Mannheimer Schule; komponierte etwa 90 Sinfonien, Violinkonzerte, Kammermusik, zwei Opern und mehr als 40 Ballette.

Cannabinol (Kannabinol) [griech./arab.], Bestandteil des Haschisch. Absonderung aus den ♀ Blütenständen des Indischen Hanfs.

Cannabis [griech.], svw. ↑Hanf.

Cannae, im Altertum apul. Ort am rechten Ufer des unteren Aufidus (Ofanto); berühmt durch die Umfassungsschlacht, in der 216 v. Chr. etwa 80000 Römer und Bundesgenossen von etwa 50000 karthag. Söldnern und Bundesgenossen unter Hannibal fast völlig vernichtet wurden.

Cannery-Siedlungen [engl. 'kænərı „Konservenfabrik"], saisonal bewohnte Fischereisiedlungen in Nordamerika.

Cannes [frz. kan], frz. Stadt an der Côte d'Azur, Dep. Alpes-Maritimes, 73000 E. Seebad; Internat. Filmfestspiele. Die Blumenzucht um C. bildet die Grundlage einer bed. Parfümind. – Geht auf das röm. **Castrum Marcellinum** zurück, kam im 14. Jh. zur Provence, mit dieser 1481 zu Frankreich. – Die *Konferenz des Obersten Rates der Alliierten* in C. 1922 erbrachte für die dt. Reparationen ein Teilmoratorium und führte zum Sturz Briands. – In der Altstadt die spätgot. Kirche Notre-Dame-de-l'Espérance (1521–1648) mit roman. Kapelle und der 20 m hohe Suquetturm (11.–14. Jh.).

Canning, George [engl. 'kænıŋ], *London 11. April 1770, †Chiswick (= London)

8. Aug. 1827, brit. Politiker. - 1807-09 und seit 1822 Außenmin.; förderte die Unabhängigkeitsbestrebungen der span. Kolonien in Südamerika, löste als Gegner Metternichs Großbritannien von der Heiligen Allianz.

Cannizzaro, Stanislao, * Palermo 13. Juli 1826, † Rom 10. Mai 1910, italien. Chemiker. - Prof. in Genua, Palermo und Rom. Die von ihm 1853 entdeckte **Cannizzarosche Reaktion** (Aldehyde gehen unter gewissen Bedingungen zur Hälfte in die entsprechenden Alkohole, zur anderen Hälfte in die entsprechenden Carbonsäuren über) eröffnete für die organ. Chemie neue präparative Möglichkeiten.

Cannstatt, Bad, Ortsteil von ↑ Stuttgart.

Cano, Alonso, gen. el Granadino, ≈ Granada 19. März 1601, † ebd. 3. Sept. 1667, span. Bildhauer, Maler und Baumeister. - V.a. bekannt als Bildhauer barocker, bemalter Holzskulpturen in der Kathedrale von Granada, deren Fassade er entwarf (1667-1703 ausgeführt).

Cañon ['kanjɔn; span. „Hohlweg"] (Canyon), tief eingeschnittenes, schluchtartiges und steilwandiges Engtal in Gebirgen waagerechter Gesteinslagerung.

Canossa, Felsenburg 20 km sw. von Reggio nell'Emilia am nördl. Abhang des Apennin; um 940 errichtet; heute Ruine; berühmt v.a. durch den Bußgang Heinrichs IV., der hier nach dreitägigem Warten 1077 die Lossprechung vom päpstl. Bann erreichte (↑ Investiturstreit); daher **Canossagang** (Gang nach C.): Bittgang, tiefe Demütigung.

Canova, Antonio, * Possagno (Treviso) 1. Nov. 1757, † Venedig 13. Okt. 1822, italien. Bildhauer. - Seit 1779 in Rom; Hauptvertreter des italien. Klassizismus. Er schuf neben monumentalen Grabmälern mytholog. Gruppen und Idealbildnisse von Napoleon I. und dessen Familie.

Cánovas del Castillo, Antonio [span. 'kanoβaz ðel kas'tiʎo], * Málaga 8. Febr. 1828, † Santa Águeda (Guipúzcoa) 8. Aug. 1897 (ermordet), span. Schriftsteller und Staatsmann. - 1874-97 wiederholt Min.präs.; schuf 1876 die bis 1923 bzw. 1931 geltende Verfassung; ging seit 1895 erfolglos gegen den kuban. Aufstand vor. Autor histor. Arbeiten.

Canstein, Carl Hildebrand Freiherr von, * Lindenberg bei Frankfurt/Oder 4. Aug. 1667, † Berlin 19. Aug. 1719, dt. pietist. Theologe. - Gründete 1710 die nach ihm ben. erste dt. ↑ Bibelgesellschaft; erste Ausgabe des N.T. 1712, der ganzen Bibel 1713.

Cant [engl. kɛnt; zu lat. cantare „singen"], engl. Bez. für Rotwelsch, Jargon; auch für mit heuchler. Phrasen versehene Redeweisen.

cantabile [italien.], musikal. Vortragsbez.: gesangsartig.

Cantal [frz. kɑ̃'tal], Dep. in Frankreich.

C., größtes erloschenes Vulkangebiet Frankreichs im Zentralmassiv, zw. Mont Dore und Aubrac, im Plomb du C. 1858 m ü. d. M.

Cantemir, rumän. Fürstenfam. der Moldau, im 17. und frühen 18. Jh.; bed.:

C., Dimitrie, * Fălciu (Kreis Vaslui) 26. Okt. 1673, † Dimitrowka bei Charkow 21. Aug. 1723, Fürst der Moldau (1693 und 1710/11), humanist. Gelehrter und Schriftsteller. - Verbündete sich mit Peter dem Großen, um die Moldau von osman. Oberhoheit zu befreien; wurde mit diesem 1711 am Pruth besiegt, lebte danach als Vertrauter des Zaren im russ. Exil; erster rumän. Wissenschaftler von internat. Ruf; verfaßte u.a. eine der ersten Geschichten des Osman. Reiches, die erste geograph.-ethnograph. rumän. Monographie und den ersten rumän. Sittenroman „Istoria ieroglifică" (Hieroglyphengeschichte, 1705).

Canterbury [engl. 'kæntəbərı], engl. Stadt nw. von Dover, Gft. Kent, 34000 E. Metropole des Erzbistums C. und Sitz des Primas der anglikan. Kirche; Univ. (gegr. 1965); Zentrum der Verarbeitung landw. Produkte, Leder- und Druckereiindustrie. - An der Stelle der Stadt der kelt. Cantier wurde seit 43 n. Chr. das röm. **Durovernum** angelegt; seit Ende 6. Jh. Hauptstadt des Kgr. Kent **(Cantwaraburh);** seit 597 Erzbischofssitz; 1942 starke Zerstörungen. - Reste aus der Römerzeit; Kathedrale (1130 geweiht; 1174 abgebrannt, Neubau), Langhaus und der 71 m hohe Zentralturm entstanden im Perpendicular style; Glasmalereien (12. und 13. Jh.); an das N-Schiff der Kathedrale angrenzend die Klostergebäude (14./15. Jh.). Die Kathedrale wurde von der UNESCO zum Weltkulturerbe erklärt.

C., Erzbistum, 597/601 von Augustinus von Canterbury gegr., bis heute eines der beiden Erzbistümer der anglikan. Kirche.

Canth, Minna, eigtl. Ulrika Vilhelmina, geb. Johnsson, * Tampere 19. März 1844, † Kuopio 12. Mai 1897, finn. Schriftstellerin. - Sozialkrit. Erzählungen und einflußreiche Dramen, u.a. „Trödel-Lopo" (E., 1889).

Cantharidin (Kantharidin), Anhydrid der C.säure mit der Summenformel $C_{10}H_{12}O_4$, das u.a. im Blut von Weichkäfern und Ölkäfern vorkommt. Wegen der blasenziehenden Wirkung wurden C.pflaster früher auf Haut und Schleimhäuten medizinisch angewendet. Durch den Mund eingenommen, führt C. zu Verdauungsbeschwerden, Atemnot, Nierenschädigungen; schon 0,03 g C. sind für den Menschen tödlich. Die mit den eintretenden Harnwegsentzündungen verbundenen schmerzhaften Dauererektionen trugen C. den Ruf eines Aphrodisiakums ein.

Cantor, Georg, * Petersburg 3. März 1845, † Halle/Saale 6. Jan. 1918, dt. Mathematiker dän. Herkunft. – Prof. in Halle; Begründer der Mengenlehre („Grundlage einer allgemeinen Mannigfaltigkeitslehre", 1883).

Cantus [lat. „Gesang"], in der mehrstimmigen Musik des MA Bez. für die vorgegebene Stimme, v.a. die Oberstimme. – **Cantus firmus** („feststehender Gesang"), urspr. (seit dem MA) Bez. für den einstimmigen Gregorian. Choral. Als Bez. seit dem 18. Jh. verwendet für die vorgegebene, meist in größeren Notenwerten geführte Melodiestimme einer mehrstimmigen Komposition. Für den C. firmus werden zunächst Melodien bzw. Melodieausschnitte des liturg. Chorals, später geistl. und weltl. Melodien verwendet.

Cantwaraburh [engl. 'kæntwærəburch] ↑Canterbury.

Canyon [engl. 'kænjən], svw. ↑Cañon.

Cão, Diogo [portugies. kɐ̃u̯], † vermutlich 1486, portugies. Seefahrer. – Gründete auf seiner ersten Fahrt (1482/83) Fort Elmina, entdeckte die Kongomündung und erreichte auf seiner 2. Fahrt (1485/86), an der M. Behaim teilnahm, Kap Cross (Südwestafrika).

Caodaismus [kaʊ...], eine neue vietnames. Religion, etwa 2 Mill. Anhänger. Namengebend ist eine Gottheit **Cao-Dai** (vietnames. „Großer Palast"). 1926 begr. von dem Mandarin Le-van-Trung in Tây Ninh, dem späteren Zentrum des C. Synkretist. Religion, die ostasiat., ind. und christl. Elemente vereinigt. Charakteristisch ist der Geisterglaube. Die Ethik des C. ist altruistisch.

Cao Zhan (Ts'ao Chan) [chin. tsau̯dʒan], auch Cao Xueqin gen., * Nanking um 1719, † Peking 12. Febr. 1763, chin. Dichter. – Mit „Der Traum der roten Kammer" (dt. gekürzt 1932) Verfasser des umfangreichsten chin. Romans (mehr als 400 individuell gestaltete Personen), der realistisch das Leben in einem reichen Bürgerhaus schildert.

Capa, Robert, * Budapest 22. Nov. 1913, † Thai-Binh (Vietnam) 25. Mai 1954, frz. Photograph. – Kriegsreporter u.a. im Span. Bürgerkrieg (1936), bei der japan. Invasion in China (1938), als Korrespondent von Life in Europa während des 2. Weltkrieges, in Israel (1948), Indochina (1954).

Capa ↑Cappa.

Cape [ke:p; engl. kɛɪp; zu ↑Cappa], ärmelloser Umhang, oft mit Kapuze.

Cape Breton Island [engl. 'kɛɪp 'brɛtən 'aɪlənd], kanad. Insel an der Atlantikküste, zw. dem Sankt-Lorenz-Golf und dem offenen Ozean, durch die Strait of Canso von der Halbinsel der Prov. Nova Scotia getrennt, 10311 km², bis 532 m ü. d. M.

Cape Coast [engl. 'kɛɪp 'koʊst], Stadt in Ghana, am Golf von Guinea, 57000 E. Zentrum einer Verwaltungsregion und Sitz eines kath. Erzbischofs; Univ. (gegr. 1962); Handelsplatz für Kolanüsse u.a., Hafen.

Cappenberg. Kopfreliquiar mit dem Porträt Friedrichs I. Barbarossa, vergoldete Bronze; nach 1155

Čapek [tschech. 'tʃapɛk], Josef, * Hronov 23. März 1887, † KZ Bergen-Belsen im April 1945, tschech. Maler und Schriftsteller. – Kubist., später sozial engagierte Großstadtbilder, bed. Buchillustrationen (Bücher seines Bruders Karel Č.). Polit. Karikaturen gegen die dt. Aggression; Zeichnungen aus Bergen-Belsen. Schrieb u.a. „Schatten der Farne" (R., 1930), Feuilletons.

C., Karel, * Malé Svatoňovice 9. Jan. 1890, † Prag 25. Dez. 1938, tschech. Schriftsteller. – Zivilisationskrit. Romane („R. U. R.", 1920; „Das Absolutum oder die Gottesfabrik", 1922). Auch Reiseberichte, Kinderbücher, Feuilletons, eine Biographie Masaryks. – *Weitere Werke:* Krakatit. Die große Versuchung (R., 1924), Trilogie: Hordubal (R., 1933), Der Krieg mit den Molchen (1936), Die erste Kolonne (R., 1937), Die weiße Krankheit (Dr., 1937), Mutter (Dr., 1938), Vom Menschen (Feuilletons, hg. 1940).

Capella, Martianus ↑Martianus Capella.

Capella [lat.], Hauptstern (α) im Sternbild Auriga; einer der hellsten Fixsterne.

Capellanus, Andreas ↑Andreas Capellanus.

Capet ↑Hugo Capet, König von Frankreich.

Cap-Haïtien [frz. kapai'sjɛ̃], Stadt in N-Haiti am Karib. Meer, 70500 E. Bischofssitz; jurist. Fachschule; Handelszentrum;

Hafen (offene Reede). – 1670 von frz. Piraten gegründet.

Capitano [italien.], kom. Figur der ↑Commedia dell'arte, der prahlsüchtige Offizier (↑Bramarbas).

Capito, Wolfgang, eigtl. W. Köpfel, * Hagenau Dez. 1478, † Straßburg 3. Nov. 1541, dt. Humanist und Reformator. – 1515 Münsterprediger in Basel, 1516 kurmainz. Domprediger und Rat. Ging 1523 nach Straßburg (1524 Heirat) und wirkte für die Reformation oberdt. Prägung. Verfasser u. a. eines Katechismus (1527).

Capitulare de villis [lat. „Erlaß über die Güter"], Verordnung Karls d. Gr. (Ende 8. Jh.) zur Verwaltung der karoling. Krongüter.

Capitularia ↑Kapitularien.

Capodimonte, Schloß in Neapel, 1738–1839 erbaut, u. a. mit bed. Sammlung italien. Gemälde; 1743–59 Sitz einer bed. Porzellanmanufaktur.

Capogrossi, Giuseppe, * Rom 7. März 1900, † ebd. 9. Okt. 1972, italien. Maler. – Seine Bilder sind mit bogenförmigen, kammähnl. Zeichen bedeckt.

Capone, Al[phonse] oder Alfonso [italien. ka'po:ne, engl. kə'poʊn], gen. Scarface, * New York 17. Jan. 1899, † Miami (Fla.) 25. Jan. 1947, amerikan. Bandenchef. – Kontrollierte z. Z. der Prohibition das organisierte Verbrechen in Chicago; der Mitwirkung an zahlr. Bandenmorden beschuldigt, 1931 nur wegen nachweisl. Steuerdelikte zu elfjähriger Haft verurteilt; 1939 vorzeitig entlassen.

Caporal, Korporal; **le petit caporal,** „der kleine Korporal", Spitzname Napoleons I.

Capote, Truman [engl. kə'poʊtɪ], eigtl. T. Streckfus Persons, * New Orleans 30. Sept. 1924, † Los Angeles 25. Aug. 1984, amerikan. Schriftsteller. – Bes. bekannt wurde sein analyt. Tatsachenroman „Kaltblütig" (1966). – *Weitere Werke:* Andere Stimmen, andere Räume (R., 1948), Baum der Nacht (Kurzgeschichten, 1949), Die Grasharfe (R., 1951, dramatisiert 1952), Frühstück bei Tiffany (R., 1958), Musik für Chamäleons (En., 1980), Eine Weihnacht (Memoiren, 1983).

Cappa (Capa) [lat.], Kapuze oder ärmelloser Kapuzenmantel; schon in der Antike gebräuchlich, noch im MA Alltagstracht der Geistlichen.

Cappadocia, röm. Prov., ↑Kappadokien.

Cappella ↑a cappella, ↑Kapelle.

Cappella Sixtina, nach der Sixtin. Kapelle ben. Sängerchor des päpstl. Hofes, bes. bed. vom 15. bis 17. Jahrhundert.

Cappelle (Capelle), Jan van de, * Amsterdam 1624 oder 1625, ▭ ebd. 22. Dez. 1679, niederl. Maler. – Seestücke und Küstenbilder in zartem, atmosphär. Licht.

Cappenberg, ehem. Prämonstratenserkloster (1122–1802), 4 km nördlich von Lünen, NRW. Bed. Ausstattung und Kirchenschatz, u. a. das berühmte Kopfreliquiar mit dem Porträt Friedrich Barbarossas.

Cappiello, Leonetto, * Mailand 9. April 1875, † Cannes 12. Febr. 1942, italienisch-frz. Graphiker. – Bed. Plakatkünstler.

Cappuccino [italien. kapu'tʃi:no; zu cappuccio „Kapuze"], heißer Kaffee mit aufgeschäumter Milch (auch Sahne), mit etwas Kakaopulver serviert.

Capra, Frank [engl. 'kæprə], * Palermo 19. Mai 1897, † Palm Springs (Calif.) 3. Sept. 1991, amerikan. Filmregisseur italien. Herkunft. – Drehte satir. Filmkomödien, u. a. „Es geschah in einer Nacht" (1934), „Mr. Deeds geht in die Stadt" (1936), „Arsen und Spitzenhäubchen" (1941), „Die unteren Zehntausend" (1961).

Caprarola, italien. Gemeinde 15 km sö. von Viterbo, 510 m ü. d. M., 5 000 E. – **Palazzo Farnese** (1559 ff.; heute Sommerresidenz des italien. Staatspräs.).

Caprera, italien. Insel vor der NO-Küste Sardiniens, 10 km lang, 15,8 km², im C. di Garibaldi 212 m hoch. – Wohnsitz Garibaldis.

Capri, italien. Insel vor dem S-Eingang des Golfes von Neapel, 10,4 km² groß, im Monte Solaro 589 m hoch, von unzugängl. Steilküsten umgeben. Mildes, ausgeglichenes Klima; immergrüne Vegetation, Zitrus-, Reb- und Ölbaumgärten; Höhlenbildungen **(Blaue Grotte);** Fremdenverkehr. Hauptorte **Capri** (7 500 E) und **Anacapri** (4 600 E). – Bereits in paläolith. Zeit besiedelt; Kaiser Augustus erwarb C. 29 v. Chr.; Kaiser Tiberius lebte hier 27–37. Später Verbannungsort.

Capriccio [ka'prɪtʃo; italien. „Laune, unerwarteter Einfall"], scherzhafte musikal. Komposition von freier Form, im 16. Jh. zunächst für Vokalkompositionen, später auch für Instrumentalstücke. Neben Capricci für mehrere Instrumente entstanden viele für Tasteninstrumente, seit dem 18. Jh. in größerer Zahl auch für virtuose Violine (u. a. Paganini, Kreutzer); in Orchesterkompositionen und Solowerken des 19./20. Jh. ist C. ein Charakterstück mit originellen, überraschenden Wendungen.

Capricornus [lat.] (Steinbock) ↑Sternbilder (Übersicht).

Caprinsäure [lat./dt.] (Decansäure), gesättigte Monocarbonsäure; farblose, ranzig riechende Masse; natürl. Vorkommen als Glycerinester v. a. in Kuh- und Ziegenbutter, in Palmkern- und Kokosöl. Die wohlriechenden Ester der C. *(Caprinate)* werden u. a. zur Herstellung von Parfüms verwendet.

Caprivi, Georg Leo Graf von C. de Caprera de Montecuccoli, * Berlin 24. Febr. 1831, † Skyren bei Crossen/Oder 6. Febr.

Caracas. Blick über die Stadt auf die nördliche Küstenkordillere mit dem Pico Ávila

1899, dt. General und Politiker. – Wurde 1890 Nachfolger Bismarcks als Reichskanzler und (bis 1892) preuß. Min.präs. Seine Politik des „Neuen Kurses" umfaßte bed. Reformen in der Sozialpolitik und neue Handelsverträge u.a. mit Rußland, Italien und Österreich (1891–94) mit Senkung der dt. Landwirtschaftszölle. Außenpolitisch wirkte C. für den Ausgleich mit England (Helgoland-Sansibar-Vertrag, 1890) und Rußland (Nichterneuerung des Rückversicherungsvertrages ausgeglichen durch die Beendigung des Handelskrieges mit Rußland). Stürzte 1894 auf Grund der Gegnerschaft der Agrarier und der Schwächung seiner Stellung in Preußen.

Caprivizipfel, Landstreifen im nö. Namibia, bis zum Sambesi, 450 km lang, nur 30–100 km breit. – Kam 1890 unter Reichskanzler Caprivi zu Deutsch-Südwestafrika.

Caprolactam [lat.] (6-Aminohexansäurelactam), cycl. Säureamid, Ausgangsmaterial zur Herstellung von Polyamid-6 (Perlon ⓦ); ↑Kunststoffe, ↑Fasern (Übersicht).

Capronsäure [lat./dt.] (n-Hexansäure), gesättigte Monocarbonsäure; farblose ölige Flüssigkeit von stark ranzigem Geruch; als Glycerinester in Butter, Kokos- und Palmkernfett enthalten; ihre fruchtartig riechenden Ester *(Capronate)* finden Verwendung bei der Herstellung von Fruchtessenzen.

Caprylsäure [lat./griech./dt.] (Octansäure), gesättigte Fettsäure mit schleimhautreizendem Geruch und Geschmack; Insektenvernichtungsmittel und Antiseptikum.

Capsa, antike Stadt, ↑Gafsa.

Capsanthin [lat./griech.], tief karminroter Farbstoff (Karotinoid) der Paprikaschoten, fettlösl. Lebensmittelfarbstoff.

Capsicum [lat.] ↑Paprika.

Capsien [kapsi'ɛ̃:; frz.], nach Fundstellen in der Nähe von Gafsa, dem antiken Capsa, in Tunesien ben. mesolith. Kulturgruppe; anfangs Oberbegriff für alle spätsteinzeitl. Kulturen des Maghreb; jetzt nur noch Bez. (typ. C.) für eine im südl. Tunesien und im östl. Algerien vorkommende Fundgruppe (etwa 7. Jt. v. Chr.); Steinwerkzeuge (Klingen, Spitzen und Kratzer); Steinplatten mit Ritzungen.

Captatio benevolentiae [lat. „Haschen nach Wohlwollen"], Bez. für Redewendungen, mit denen um das Wohlwollen der Zuhörer geworben wird.

Capua, italien. Stadt 40 km nördlich von Neapel, in Kampanien, 18 000 E. Erzbischofssitz; Museum; Nahrungsmittel- und Glaswarenind. – Urspr. röm. Stadt **Casilinum;** nach Zerstörung durch die Sarazenen (840) Anlage einer neuen Ansiedlung mit dem Namen C. 856; 900–1134 selbständiges Ft., gehörte bis 1860 zum Kgr. Sizilien(-Neapel). 4 km sö. des heutigen C. lag das antike C., die ehem. reichste und größte Stadt Kampaniens (heute **Santa Maria Capua Vetere**); vermutlich 471 von Etruskern an der Stelle einer osk. Siedlung (neu) gegr. – Dom (11. Jh.; nach Zerstörungen im 2. Weltkrieg wiederhergestellt) mit Säulen antiker Tempel. Im antiken C. Amphitheater (1. Jh.); Triumphbogen des Hadrian, Mithräum.

Capuana, Luigi, * Mineo bei Catania 28. Mai 1839, † Catania 29. Nov. 1915, italien. Schriftsteller. – Begründer des verist. Romans in Italien, u.a. „Der Marchese von Roccaverdina" (R., 1901).

Capuchon [kapy'ʃõ:; lat.-frz.], Damenmantel mit Kapuze.

Caput [lat.], svw. ↑Kopf.

Caput mortuum [lat. „Totenkopf" (nach einer Bez. in der Alchimie)] (Polierrot, Englischrot), bes. feinpulverisiertes rotes Eisen(III)oxid; Malerfarbe (Venezianischrot).

Carabinieri [italien.], italien. Polizeitruppe, Teil des Heeres; 1814 aufgestellt.

Carabobo, Staat in N-Venezuela, am Karib. Meer, 4650 km², 1,497 Mill. E (1988). Hauptstadt Valencia; wichtiges Industriegebiet.

Carabus [griech.], Gatt. der ↑Laufkäfer mit den bekannten Arten ↑Goldschmied, Gartenlaufkäfer, ↑Lederlaufkäfer.

Caracalla (Marcus Aurelius Antoninus), eigtl. Bassianus, * Lugdunum (= Lyon) 4. April 186, † bei Carrhae 8. April 217 (ermordet), röm. Kaiser (seit 211). – Sohn des Septimius Severus; 196 zum Caesar, 198 zum Augustus erhoben; unternahm zahlr. Kriegszüge gegen den Osten; 212 Verleihung des röm. Bürgerrechts an alle freien Reichsbewohner **(Constitutio Antoniniana).**

Caracallathermen (Thermae Antoninianae), kolossale Thermenanlage in Rom. Von Kaiser Caracalla seit 212 errichtet; bot mehr als 1500 Badenden Platz; Einsturz 847 durch Erdbeben; Ausgrabungen seit 1824.

Caracas, Hauptstadt Venezuelas und eines Bundesdistriktes, in der Hochbeckenzone der Küstenkordillere, 1,25 Mill. E, städt. Agglomeration 3,18 Mill. E. Sitz eines Erzbischofs; fünf Univ. (älteste 1725 gegr.), mehrere wiss. Akademien und Gesellschaften, Forschungseinrichtungen, Goethe-Inst., dt. Schule, Musikakad., Konservatorien, Nationalarchiv, Bibliotheken, Nationalmuseum. Nahrungsmittel-, Textil-, Glasind., Reifenfabrik, chem. und pharmazeut. Ind.; U-Bahn; internat. ✈. – 1567 gegr., 1831 Hauptstadt Venezuelas.

Caracciola, Rudolf [kara'tʃo:la], * Remagen 30. Jan. 1901, † Kassel 28. Sept. 1959, dt. Automobilrennfahrer. – Gewann 3 dt. und 6 Europameisterschaften.

Caradoc [engl. kə'rædək] ↑Caratacus.

Carafa (Caraffa, Carrafa), neapolitan. Adelsgeschlecht seit dem 12. Jahrhundert.

C., Gian Pietro ↑Paul IV., Papst.

Caragiale, Ion Luca [rumän. kara'dʒale], * Haimanale (= Ion Luca Caragiale) bei Dîmboviţa 29. (30?) Jan. 1852, † Berlin 22. Juni 1912, rumän. Schriftsteller. – Bedeutendster rumän. Dramatiker, ging 1904 ins Exil; heftige Angriffe gegen Bourgeoisie und nationalist. Engstirnigkeit.

Carales, antike Stadt, ↑Cagliari.

Caratacus, britann. König des 1. Jh. n. Chr. – Führer des Widerstands der Kelten gegen die röm. Eroberung Britanniens unter Claudius (43 n. Chr.); unter dem Namen **Caradoc** Ritter der Tafelrunde von König Artus.

Caravaggio [italien. kara'vaddʒo], eigtl. Michelangelo Merisi (Amerighi), * Caravaggio bei Bergamo 28. Sept. 1573, † Porto Ercole bei Civitavecchia 18. Juli 1610, italien. Maler. – Nach Lehre in Mailand ging er um 1590 nach Rom. 1606 floh er nach Neapel, Malta und Sizilien. Sein krasser Naturalismus und die dramat. Helldunkelmalerei sind Ausdruck der Überwindung des herrschenden Manierismus. C. beeinflußte die gesamte europ. Barockmalerei. – *Werke:* Die Wahrsagerin (um 1590; Paris, Louvre), Der Lautenspieler (um 1595; Leningrad, Eremitage), Bacchus (um 1595; Florenz, Uffizien), Früchtekorb (1596; Mailand, Ambrosiana), Bekehrung des Saulus (1600/01; Rom, Santa Maria del Popolo), Berufung des hl. Matthäus (um 1600; Rom, San Luigi dei Francesi), Grablegung Christi (1602–04; Vatikan. Sammlungen), Rosenkranzmadonna (1604/05; Wien, Kunsthistor. Museum), Tod Mariens (1605/1606; Paris, Louvre), Geißelung Christi (1607; Neapel, San Domenico Maggiore).

Caravan ['ka(:)ravan; engl. 'kærəvæn; zu italien. caravana „Karawane"], Wohnwagen; Verkaufswagen. **Caravaning,** das Reisen, das Leben im Caravan.

Carbamate [Kw.] ↑Carbamidsäure.

Carbamidsäure [Kw.], Monoamid der Kohlensäure, $H_2N\text{-}COOH$; Salze und Ester der C. werden als *Carbamate* (die Ester auch als ↑Urethane) bezeichnet.

Carbanion (Carbeniation) [lat./griech.], dreibindiges organ. Anion mit Elektronenpaar am Kohlenstoffatom, $R_3\ddot{C}^{\ominus}$; tritt als Zwischenprodukt bei chem. Reaktionen auf.

Michelangelo da Caravaggio. Die Bekehrung des Saulus, 1600/1601 (Rom, S. Maria de Popolo)

Carbazol [lat./griech.-frz./arab.] (Dibenzopyrrol), tricycl. heterocycl. Verbindung, $C_{12}H_9N$, Vorkommen im Steinkohlenteer; Ausgangsstoff zur Herstellung von Farbstoffen.

Carbene [lat.], sehr reaktionsfähige, kurzlebige Verbindungen mit zweibindigem Kohlenstoff, $R-\ddot{C}-R$, die nur intermediär bei gewissen Zersetzungs- und Eliminierungsreaktionen entstehen.

Carbeniumion [lat./griech.], dreibindiges organ. Kation mit positiv geladenem Kohlenstoffatom, $R_3C^{\oplus}$; **Carboniumion** mit fünfbindigem Kohlenstoffatom, $R_5C^{\oplus}$; treten als kurzlebige Zwischenprodukte bei Reaktionen auf.

Carbide [lat.], Sammelbez. für die binären Verbindungen von Elementen mit Kohlenstoff. Die *metall. C.* sind als legierungsartige Stoffe anzusehen, z. B. das technisch wichtige, sehr harte Eisencarbid Fe_3C (↑Zementit). Die *salzartigen C.*, die Metallverbindungen des Acetylens sind sehr instabil und sogar hoch explosiv, z. B. das Silberacetylid Ag_2C_2. Die *kovalenten C.*, z. B. Borcarbid B_4C und das Siliciumcarbid SiC (Carborundum) dienen zum Schleifen, Polieren und Bohren.

Carbo [lat.], wiss. Bez. für pflanzl. und tier. Kohle, z. B. *C. medicinalis,* medizin. Kohle, eine Aktivkohle, die als absorbierendes Mittel bei Darmstörungen verwendet wird.

Carboanhydrase [lat./griech.], wichtiges Enzym für den Gasaustausch in der Lunge, die Säureproduktion im Magen und die Wasserausscheidung in den Nieren.

carbocyclische Verbindungen ↑cyclische Verbindungen.

Carbohydrasen [lat./griech.], Sammelbez. für kohlenhydratspaltende Enzyme, z. B. ↑Maltase, ↑Lactase, ↑Zellulase u. a.

Carbol [lat.] (Carbolsäure), veraltete Bez. für ↑Phenol.

Carbonado, svw. ↑Ballas.

Carbonari ↑Karbonari.

Carbonate (Karbonate) [lat.], Salze und Ester der Kohlensäure, allg. Formel Me_2CO_3 (z. B. K_2CO_3 oder $CaCO_3$). Die C. sind eine der häufigsten Verbindungsklassen der unbelebten Natur, z. B. $CaCO_3$ (↑Calcit, ↑Calciumcarbonat, ↑Kalk) oder $MgCa(CO_3)_2$ (↑Dolomit). Die Ester der C. haben die allgemeine Formel $O=C(OR)_2$, wobei R ein Alkyl- oder Arylrest ist. – ↑Hydrogencarbonate.

Carboneria [lat.-italien.] ↑Karbonari.

Carboneum [lat.], ältere Bez. für ↑Kohlenstoff.

Carboniumion ↑Carbeniumion.

Carbonsäuren [lat./dt.], chem. Verbindungen mit der Gruppe $-COOH$ (Carboxylgruppe). Nach der Anzahl der COOH-Gruppen im Molekül unterscheidet man ↑Monocarbonsäuren, ↑Dicarbonsäuren und ↑Polycarbonsäuren. Die C. treten in der Natur in freier Form und als Ester oder Salze in vielen pflanzl. und tier. Organismen auf.

Carbonyle [lat./griech.], Verbindungen von Schwermetallen (reine C.) oder Metallsalzen (salzartige C.) mit Kohlenmonoxid, CO. Beim Erwärmen zersetzen sich die C. unter CO-Abspaltung wieder in die Metalle; diese Eigenschaft wird beim **Carbonylverfahren** zur Gewinnung sehr reiner Metalle (Eisen oder Nickel) ausgenutzt.

Carbonylgruppe (Ketogruppe, Oxogruppe), in der organ. Chemie die sehr reaktionsfähige, zweiwertige Gruppe $>C=O$; Charakteristikum der Aldehyde und Ketone.

Carbonylierung [lat./griech.], Verfahren der Acetylenchemie zur Herstellung von Carbonsäuren und Carbonsäurederivaten durch Reaktion des Acetylens mit Kohlenmonoxid (CO) und Wasser, Alkoholen oder Aminen.

Carborundum ® [Kw. aus engl. **carbon** „Kohlenstoff" und co**rundum** „Korund"] (Karborund), Verbindung aus Silicium und Kohlenstoff (↑Siliciumcarbid).

Carboxylase [lat./griech.], Enzym, das die bei der alkohol. Gärung entstehende Brenztraubensäure unter CO_2-Abspaltung (Decarboxylierung) zu Acetaldehyd abbaut.

Carboxylgruppe [lat./griech./dt.], die für alle Carbonsäuren charakterist. funktionelle Atomgruppe $-COOH$; Strukturformel:

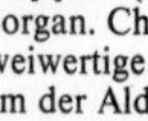

Carboxylierung [lat./griech.], die Einführung der Carboxylgruppe in organ. Verbindungen, z. B. im menschl. und tier. Stoffwechsel die durch Enzyme bewirkte C. von Brenztraubensäure zu Oxalessigsäure.

Carcassonne [frz. karka'sɔn], frz. Stadt, sö. von Toulouse, 42 000 E. Verwaltungssitz des Dep. Aude; Bischofssitz (seit dem 6. Jh.); Kunst- und Altertumsmuseum; Weinhandel, Landmaschinenbau, Gummiind. – In der Oberstadt mit doppelter Ringmauer und zahlr. Türmen (5./6.-13. Jh.) liegt die ehem. Burg (12. Jh.) sowie die Basilika Saint-Nazaire (11.–14. Jh.), in der Unterstadt die got. Kirche Saint-Vincent (14. Jh.) und die Kathedrale Saint-Michel (13. Jh.).

Carcer [lat.], Kerker, Karzer.

Carcer Mamertinus (Mamertin. Gefängnis), vermutlich im 3. Jh. v. Chr. erbautes röm. Staatsgefängnis am Ostabhang des Kapitols; im 14. Jh. zur Kirche **San Pietro in Carcere** umgestaltet.

Carchi [span. 'kartʃi], Prov. in N-Ecuador, 3 701 km^2, 145 000 E (1987). Hauptstadt Tulcán.

Carcassonne. Stadtmauern der mittelalterlichen Stadt mit Schloß

Carcinoma [griech.] † Krebs.

Cardamomes, Chaîne des [frz. ʃɛ:ndekarda'mɔm], über 150 km langer Gebirgszug im sw. Kambodscha, bis 1744 m hoch; Kardamomgewinnung.

Cardamom Hills [engl. 'kɑ:dəmɔm 'hılz], Gebirgshorst in S-Indien, bis 1922 m hoch; Kautschuk-, Tee-, Gewürzplantagen (Kardamom).

Cardano, Geronimo (Girolamo), latinisiert Hieronymus Cardanus, * Pavia 24. Sept. 1501, † Rom 21. Sept. 1576, italien. Mathematiker, Arzt und Naturforscher. – Prof. in Mailand, Pavia und Bologna; befaßte sich als erster mit der mathemat. Wahrscheinlichkeit, beschrieb die schon vor ihm erfundene kardanische Aufhängung und das Kardangelenk.

Cardarelli, Vincenzo, * Tarquinia 1. Mai 1887, † Rom 15. Juni 1959, italien. Dichter. – 1919 Mitbegr. der Zeitschrift „La Ronda", vertrat einen strengen Klassizismus.

Cardenal, Ernesto [span. karðe'nal], * Granada (Nicaragua) 1925, nicaraguan. Lyriker. – Kath. Priester (1985 vom Vatikan suspendiert); lebte 1978/79 im Exil; Juli 1979–1990 Kulturminister. Mitbegründer der Schule der Naiven Malerei von Solentiname. Verbindet in seinen Dichtungen religiöses Empfinden mit polit. Engagement. Erhielt 1980 den Friedenspreis des Dt. Buchhandels. – *Werke:* Zerschneide den Stacheldraht (1964), Gebet für Marylin Monroe (1965), Für die Indianer Amerikas. Lateinamerikan. Psalmen (1969), Orakel über Managua (1973), Heimweh nach der Zukunft (1981), Ketten aus Muscheln und Jade (1988).

Cárdenas, Lázaro [span. 'karðenas], * Jiquilpan (Michoacán) 21. Mai 1895, † Mexiko 19. Okt. 1970, mex. General und Politiker. – 1931 Innen- und 1933 sowie 1943–45 Kriegsmin. Als Staatspräs. (1934–40) führte er eine Bodenreform durch; sozialisierte verschiedene Unternehmen und enteignete 1938 die meisten brit. und nordamerikan. Erdölgesellschaften.

Cardiff [engl. 'kɑ:dıf], Hauptstadt von Wales, Verwaltungssitz der Gft. South Glamorgan, an der Mündung des Taff in den Bristolkanal, 274 000 E. Kath. und anglikan. Erzbischofssitz; College der University of Wales (gegr. 1883), TH; Nationalmuseum (gegr. 1907); Eisen-, Stahl- und Autoind., Erdöl-, Textil-, Papierind., Hafen und ✈. – 75 n. Chr. bis Ende des 4. Jh. röm. Lager, 1090–93 Bau einer normann. Burg; 1350 Stadtrecht.

Cardin, Pierre [frz. kar'dɛ̃], * Sant'Andrea di Barbarana bei Treviso 7. Juli 1922, frz. Modeschöpfer. – Mitarbeiter von C. Dior; eigenes Haus seit 1950.

Cardinale, Claudia, * Tunis 15. April 1939, italien. Filmschauspielerin. – Spielte u. a. in „Cartouche, der Bandit" (1961), „Der Leopard" (1962) und „Das rote Zelt" (1969), „Claretta" (1984), „L'Été prochain" (1985).

Carducci, Giosuè [italien. kar'duttʃi], Pseud. Enotrio Romano, * Valdicastello (= Pietrasanta, Toskana) 27. Juli 1835, † Bologna 16. Febr. 1907, italien. Lyriker. – In feierl., pathet. und schwungvoller Sprache verherrlichte er die Größe einer held. Vergangenheit, u. a. „Odi barbare" (1877–89); auch Literarhistoriker; Nobelpreis 1906.

Cardy [...di; lat.], svw. † Kardone.

CARE [engl. kɛə; Abk. für engl.: **C**ooperative for **A**merican **R**emittances to **E**urope (nach 1958 **C**ooperative for **A**merican **R**emittance for **e**verywhere)], in den USA 1946 entstandene Hilfsorganisation, v. a. von privater Seite getragen; organisierte Hilfssendungen **(CARE-Pakete)** zur Linderung der wirtsch. Not in Europa nach dem 2. Weltkrieg. Ihre Aktion wurde in der BR Deutschland bis 1960, in Berlin (West) bis 1963 fortgesetzt. Seit dem Koreakrieg wurde diese Hilfe auch auf asiat., später auf weitere Länder ausgedehnt.

care of [engl. 'kɛər əv], Abk. c/o, bei, per Adresse, zu Händen (in Anschriften).

Cargados-Carajos-Inseln [engl. kɑ:'gɑ:doʊs kə'rɑ:ʒoʊs] ↑Mauritius.

Cargo ↑Kargo.

Cargo-Kulte [zu lat.-engl. cargo „Ladung, Frachtgut"], religiöse Bewegungen oder Kulte in Melanesien, die im 19. Jh. in Konfrontation mit westl. Zivilisation entstanden, oft wieder erloschen, z. T. aber bis heute bestehen und Hoffnungen auf das baldige Kommen einer Heilsperiode enthalten. Sie hatten wohl auch religiöse oder polit. Aspekte, richteten sich jedoch v. a. auf den Gewinn von Gütern europ. Herkunft, die zunächst als Schiffsladung bekannt geworden waren und, angeblich von den Ahnen zugesandt, unrechtmäßig durch die Weißen vorenthalten werden.

Cariboo Mountains [engl. 'kærɪbu: 'maʊntɪnz] ↑Columbia Mountains.

Carica [griech.-lat.], svw. ↑Melonenbaum.

CARICOM, Abk. für: **Cari**bbean **com**munity, die ↑Karibische Gemeinschaft.

Caries [...i-ɛs] ↑Karies.

Carillon [kari'jõ:; frz.; zu lat. quaternio „Vierzahl" (von Glocken)], mit Klöppeln geschlagenes oder mit einer Tastatur gespieltes Turmglockenspiel; auch das Metallstabglokkenspiel im Orchester.

Carina [lat.] (Kiel des Schiffes) ↑Sternbilder (Übersicht).

Carina [lat.], in der *Zoologie* svw. Brustbeinkamm der Vögel.

Carissimi, Giacomo, ≈ Marino 18. April 1605, † Rom 12. Jan. 1674, italien. Komponist. – 1628/29 Kirchenkapellmeister in Assisi, 1630 an San Apollinare in Rom. C. hatte mit seinen Oratorien (16 Werke erhalten) über Italien hinaus großen Einfluß auf die Komponisten in Frankreich und Deutschland bis zur Mitte des 18. Jahrhunderts.

Caritas ↑Karitas.

Carl, Karl, eigtl. Karl von Bernbrunn, * Krakau 7. Nov. 1787, † Bad Ischl 14. Aug. 1854, östr. Theaterdirektor und Volksschauspieler. – War 1827–45 Direktor des Theaters an der Wien und des Josefstädter Theaters in Wien. Schuf die Hanswurstfigur des Staberl.

Carl XVI. Gustav, König von Schweden ↑Karl XVI. Gustav.

Carlisle [engl. kɑ:laɪl], Hauptstadt der Gft. Cumbria, NW-England, am Eden, 72 000 E. Anglikan. Bischofssitz; Nahrungsmittel-, Textil-, Metallind. Eisenbahnknotenpunkt; ✈. – Bis zum Ende des 4. Jh. röm. Lagerstadt **Luguvallium** am Hadrianswall. – Röm. Mauerreste; Kathedrale (11. und 15. Jh.).

Carlisten ↑Karlisten.

Carlone, zu den ↑Comasken gehörende Künstlerfamilie des 17. und 18. Jh. – Vermittlung der italien. Barockkunst nach Deutschland und den Alpenländern; bed.:

C., Carlo Antonio, * Scaria (= Lanzo d'Intelvi-Scaria, Como) um 1635, † Passau 3. Mai 1708, Baumeister. – Sein Hauptwerk ist die Stiftskirche und der Entwurf der Klosteranlage von Sankt Florian (1686–1708) im Markt Sankt Florian.

Carlos, Infanten von Spanien:

C., Don C., * Valladolid 8. Juli 1545, † Madrid 24. Juli 1568, Sohn König Philipps II. aus seiner 1. Ehe mit Maria von Portugal. – Von Kindheit an körperlich und geistig zurückgeblieben, später psychopathisch; sollte von der Nachfolge ausgeschlossen werden; 1568 gefangengesetzt, als er seine Flucht aus Spanien vorbereitete. – Häufig unhistorisch dargestellt, so u. a. in Schillers Drama „Don C." (1787); Oper Verdis: „Don C." (1867).

C., Don C. María Isidro de Borbón, Herzog von Molina, * Madrid 29. März 1788, † Triest 10. März 1855, Thronprätendent (Karl V., 1833–45). – Sohn König Karls IV.; nahm nach dem Tode seines Bruders Ferdinand VII. den Königstitel an und verursachte den – für ihn erfolglosen – 1. Karlistenkrieg 1833–39; verzichtete 1845 auf seine Ansprüche zugunsten seines Sohnes.

Carlow [engl. kɑ:loʊ], südostir. Stadt am Barrow, 12 000 E. Verwaltungssitz der Gft. C. Kath. Bischofssitz, Verarbeitung landw. Produkte, Maschinenbau, Elektroindustrie.

Carlsbad [engl. 'kɑlzbæd], Stadt und Kurort auf der O-Abdachung der Rocky Mountains, N. Mex., USA, 25 500 E. Mineralquellen; Zentrum eines Kalibergbaugebiets. – Die **Carlsbad Caverns,** etwa 40 km sw. von C., im S-Teil der Rocky Mountains, gehören zu den größten Tropfsteinhöhlen der Erde.

Carlsbergrücken ↑Arabisch-Indischer Rücken.

Carlsson, Ingvar Gösta, * Borås 9. Nov. 1934, schwed. Politiker (Sozialdemokrat. Arbeiterpartei). – Ab 1969 mehrfach Min., seit 1982 auch stellv. Min.präs.; nach der Ermordung O. Palmes 1986 dessen Nachfolger als Parteivors. und Ministerpräsident (bis 1991; wieder seit 1994).

Carlyle, Thomas [engl. kɑ:'laɪl], * Ecclefechan (Dumfries) 4. Dez. 1795, † London 4. Febr. 1881, schott. Essayist und Geschichtsschreiber. – Wollte die brit. Nation in neuer ethisch-religiöser Bindung zu sittlich-patriot. Bewährung führen. Hauptwerke sind „Sartor Resartus oder Leben und Meinungen des Herrn Teufelsdröckh" (1834), eine von J. W. von Goethes „Wilhelm Meister" beeinflußte Schrift, und die Vortragsreihe „Über Helden, Heldenverehrung und das Heldentümliche in der Geschichte" (1841).

Carl-Zeiss-Stiftung, von E. Abbe 1889 in Jena gegr. Stiftung, der er am 1. Juli 1891 die auf ihn übergegangene Firma Carl Zeiss und seine Anteile an der Firma Jenaer Glaswerke Schott & Gen. übertrug; seit 1919 ist die C.-Z.-S. Alleininhaberin beider Firmen. Nach der Enteignung in der SBZ wurden 1949 die Firmensitze nach Heidenheim an der Brenz und Mainz (Schott) verlegt. Seit 1991 sind die Unternehmen Carl Zeiss (Oberkochen), Schott Glaswerke (Mainz) sowie die Jenaer Glaswerke GmbH (Jena) sowie die Carl Zeiss GmbH (Jena) unter dem Dach der C.-Z.-S. vereinigt. - Die C.-Z.-S. hat seit 1891 vorbildl. Arbeitsbedingungen geschaffen (bezahlter Urlaub, Gewinnbeteiligung; Pensionsanspruch, ab 1900 Achtstundentag) und fördert gemeinnützige Projekte. - ↑Zeiss-Werke.

Carmagnole [frz. karma'ɲɔl; nach der italien. Stadt Carmagnola], 1792/93 allgemein verbreitetes anonymes frz. Revolutionslied; von Napoleon I. verboten.

Carmarthen [engl. kə'mɑːðən], Hauptstadt der Gft. Dyfed, SW-Wales, 12 000 E. Marktzentrum. - 1227 Stadtrecht.

Carmer, Johann Heinrich Casimir Graf von, * Bad Kreuznach 29. Dez. 1720, † Rützen (Schlesien) 23. Mai 1801, preuß. Jurist und Minister. - Seit 1763 Präs. der preuß. Reg. in Breslau; seit 1768 Justizmin. in Schlesien; oberster Justizmin. und Großkanzler (1779 bis 1795); 1779 von Friedrich II. mit der Neuordnung des Justizwesens beauftragt; schuf die Grundlage für die Preuß. Allg. Gerichtsordnung von 1793.

Carmichael, Stokeley [engl. kɑː'maɪkl], * Port of Spain (Trinidad) 29. Juni 1941, Führer der Black-Power-Bewegung. - Zunächst aktiv in der Bürgerrechtsbewegung, lehnte aber bald jede Zusammenarbeit mit ihr ab und forderte den revolutionären Befreiungskampf der Farbigen in den USA; 1967-69 Vors. der Black Panther Party.

Carmina Burana [mittellat. „Lieder aus Beuren"], mittelalterl. Anthologie mit überwiegend lat. Texten des (11.) 12. und 13. Jh., überliefert in einer Pergamenthandschrift des 13. Jh., die 1803 im bayr. Kloster Benediktbeuern entdeckt wurde; sie befindet sich heute in der Bayer. Staatsbibliothek München. Rund 250 Texte (moralisch-satir. Dichtungen; Liebes-, Tanz- und Frühlingslieder; Lieder von Trunk und Spiel; geistl. Schauspiele), dazwischen wenige lat.-dt. und lat.-frz. Mischtexte, außerdem 45 mittelhochdt. Strophen, von denen einige in anderen Handschriften Dietmar von Aist, Reinmar von Hagenau, Heinrich von Morungen, Walther von der Vogelweide, Neidhart [von Reuenthal] zugewiesen sind. Die C. B. gelten als Inbegriff der mittelalterl. Vagantendichtung (nur für einen Teil der Texte zutreffend). Eine Auswahl aus den C. B. wurde von C. Orff vertont (1937).

Carmina Cantabrigiensia [mittellat. „Lieder aus Cambridge"] (Cambridger Lieder), Sammlung von 50 lat., meist aus dem 10. und 11. Jh. stammenden Texten, die Teil (10 Blätter) eines in der Universitätsbibliothek Cambridge aufbewahrten Kodex ist.

Carmina Burana. Zwei gegenüberliegende Seiten der Handschrift mit Illustration zu dem Gedicht „Diu werlt froeut sih uber al ..."

Carmona, António Oscar de Fragoso [portugies. kɐr'monɐ], * Lissabon 24. Nov. 1869, † ebd. 18. April 1951, portugies. General und Politiker. – Führend am Militärputsch von 1926 beteiligt; 1926–28 Min.präs. und 1928–51 Staatspräsident.

Carmona, span. Stadt, 30 km onö. von Sevilla, 23 000 E. Mittelpunkt eines Agrargebiets. – Das röm. **Carmo** war auch unter westgot. und maur. Herrschaft als Festung wichtig.

Carnac [frz. kar'nak], frz. Gemeinde an der breton. S-Küste, 13 km sw. von Auray, Dep. Morbihan, 4 000 E. Austernzucht; Seebad C.-Plage. – Bekannt durch prähistor. Monumente aus der 2. Hälfte des 3. Jt. v. Chr.; zwei Grabhügel (Saint-Michel und Le Moustoir), die als **Carnacgruppe** bezeichnet werden und neolithisch-frühbronzezeitl. Gräber einer gehobenen Bev.schicht sind; kilometerlange Alignements (in Reihen angeordnete Menhire) von Ménec, Kermario und Kerlescan.

Carnallit, svw. ↑ Karnallit.

Carnap, Rudolf, * Ronsdorf (= Wuppertal) 18. Mai 1891, † Santa Monica (Calif.) 14. Sept. 1970, dt.-amerikan. Philosoph. – 1931 Prof. in Prag, 1936 in Chicago, 1952 in Princeton (N. J.), 1954–61 in Los Angeles; einer der Hauptvertreter des ↑ Wiener Kreises, Mitbegründer des ↑ logischen Empirismus (↑ analytische Philosophie), wendet die formale Logik erstmals auf die empir. Wissenschaften (bes. Physik) an. – *Werke:* Der log. Aufbau der Welt (1928), Log. Syntax der Sprache (1934), Einführung in die symbol. Logik (1954), Induktive Logik und Wahrscheinlichkeit (1959), Einführung in die Philosophie der Naturwissenschaften (1966).

🕮 *Krauth, L.: Die Philosophie C. Wien 1970.*

Carnaubawachs ↑ Karnaubawachs.

Carné, Marcel [frz. kar'ne], * Paris 18. Aug. 1909, frz. Filmregisseur. – Mitbegr. des „poet. Realismus“ im Film, v. a. mit „Hafen im Nebel“ (1938) und seinem klass. Hauptwerk „Kinder des Olymp“ (1945). Drehte auch „Les Assassins“ (1971), „La Merveilleuse“ (1974), „La Bible“ (1976).

Carnegie, Andrew [engl. kɑ:'nɛgɪ], * Dunfermline 25. Nov. 1835, † Lenox (Mass.) 11. Aug. 1919, amerikan. Industrieller schott. Herkunft. – Erwarb sich in der Stahlind. in den USA ein großes Vermögen, das er in Stiftungen für wiss. Forschung und Weiterbildung anlegte; auch die Konzerthalle **(Carnegie Hall)** in New York.

Carnegie Endowment for International Peace [engl. 'kɑ:nɛgɪ ɪn'daʊmənt fə ɪntə'næʃənəl 'pi:s „Carnegiestiftung für den internat. Frieden“], 1910 durch A. Carnegie errichtete Stiftung zur Friedenssicherung und zur Völkerverständigung durch Kriegsursachen- und Kriegsverhütungsforschung, Förderung des Völkerrechts und der polit. Bildung; Sitz: New York, Außenstelle Genf.

Carneol (Karneol) ↑ Chalzedon.

Carner, Josep [katalan. kər'ne], * Barcelona 5. Febr. 1884, † Uccle bei Brüssel 4. Juni 1970, katalan. Lyriker. – Unter dem Eindruck des frz. Symbolismus einflußreichster Vertreter des katalan. Modernismo.

Carney, Harry Howell [engl. 'kɑ:nɪ], * Boston 1. April 1910, † New York 10. Okt. 1974, amerikan. Jazzmusiker. – Wichtigster Baritonsaxophonist des Swingstils.

Carnivora, svw. ↑ Karnivoren.

Carnot [frz. kar'no], Lazare, * Nolay (Dep. Côte-d'Or) 13. Mai 1753, † Magdeburg 2. Aug. 1823, frz. Politiker und Mathematiker. – Ingenieuroffizier; 1793 in den Wohlfahrtsausschuß berufen, organisierte das frz. Militärwesen; gilt als Schöpfer des Revolutionsheeres (Levée en masse); Mgl. des Direktoriums seit 1795; 1815 Innenmin.; nach der Rückkehr der Bourbonen verbannt. Wichtige Beiträge v. a. zur Geometrie.

C., Marie François Sadi, * Limoges 11. Aug. 1837, † Lyon 24. Juni 1894 (ermordet), frz. Politiker und Ingenieur. – 1871 als Abg. der linken Mitte Mgl. der Nationalversammlung; seit 1887 Präs. der Republik.

C., Sadi, * Paris 1. Juni 1796, † ebd. 24. Aug. 1832, frz. Ingenieur und Physiker. – Sohn von Lazare C.; entwickelte die physikal. Grundlagen der Dampfmaschine unter Benutzung eines Gedankenversuchs, des ↑ Carnot-Prozesses, und vertrat die Auffassung, daß Wärme aus der Bewegung der kleinsten Teilchen resultiert; berechnete lange vor J. R. Mayer das mechan. Wärmeäquivalent.

Carnotit [nach dem frz. Chemiker und Mineralogen M.-A. Carnot, * 1839, † 1920], grünlichgelbes, monoklines Mineral aus der Gruppe der Uranglimmer; chemisch $K_2[(UO_2/VO_4]_2 \cdot 3\,H_2O$, Uran- und Vanadiumerz; Mohshärte 2–2,5; Dichte 4–5 g/cm³.

Carnot-Prozeß [frz. kar'no; nach S. Carnot], idealisierter, zw. zwei Wärmebehältern unterschiedl. Temperatur T_1 und $T_2 < T_1$ erfolgender umkehrbarer Kreisprozeß mit dem höchstmögl. therm. Wirkungsgrad **(Carnotscher Wirkungsgrad)** η:

$$\eta = 1 - T_2/T_1$$

Der C.-P. bildet die theoret. Grundlage für Wärmekraftmaschinen.

Carnotum, antike Stadt, ↑ Chartres.

Carnuntum, röm. Ruinenstadt bei Petronell und Bad Deutsch Altenburg (Niederösterreich); seit 15 n. Chr. röm. Hauptstützpunkt an der pannon. Donaugrenze, 106 Hauptort der Prov. Pannonia superior, um 400 von Germanen zerstört. Seit 1885 wurden zwei Amphitheater, Ruinen eines Palastes

Carnac. Steinreihen

und von Wohnhäusern, Thermen, Heiligtümern u. a. ausgegraben.

Caro, Anthony [engl. 'kɑːrəʊ], * New Malden (Surrey) 8. März 1924, engl. Bildhauer. – C. brach 1959 mit der figurativen Plastik. Er löst das Volumen in rein abstrakte Flächen und Linien auf. Anreger für eine Richtung jüngerer engl. Stahlplastiker.

Carol, rumän. Könige, ↑Karl.

Carolina (Constitutio Criminalis C.) [lat.], Abk. C. C. C., Peinl. Gerichtsordnung, die 1532 von Kaiser Karl V. auf dem Reichstag von Regensburg zum Reichsgesetz erhoben wurde; stellt das erste allg. dt. Strafgesetz mit Strafprozeßordnung dar; blieb bis zur Mitte des 18. Jh. (in Norddeutschland bis 1871) in Kraft.

Carolina [engl. kærə'laınə], alter Name des Gebietes der heutigen US-Staaten, ↑North Carolina und ↑South Carolina.

Carolus Magnus ↑Karl der Große.

Carosche Säure [nach dem dt. Chemiker H. Caro, * 1834, † 1910] ↑Schwefelsauerstoffsäuren.

Carossa, Hans, * Bad Tölz 15. Dez. 1878, † Rittsteig bei Passau 12. Sept. 1956, dt. Schriftsteller. – Arzt; gestaltete vorwiegend eigenes Erleben in stilistisch eleganten Gedichten, Romanen und autobiograph. Werken (u. a. „Verwandlungen einer Jugend", 1928; „Der Tag eines jungen Arztes", 1955).

Carothers, Wallace Hume [engl. kə'rʌðəz], * Burlington (Iowa) 27. April 1896, † Philadelphia 29. April 1937 (Selbstmord), amerikan. Chemiker. – Stellte 1932 die erste Chemiefaser aus Polyamiden her (Nylon).

Carotin ↑Karotin.

Carotinoide ↑Karotinoide.

Carotis ↑Halsschlagader.

Carpaccio, Vittore [italien. kar'pattʃo], * Venedig 1455 oder 1465, † ebd. zw. Okt. 1525 und Juni 1526, italien. Maler. – Bed. Vertreter der venezian. Renaissancemalerei, angeregt v. a. von G. Bellini. Schuf warmtonige Zyklen in subtiler Lichtbehandlung (u. a. Szenen aus dem Leben der hl. Ursula, etwa 1490–95, für die Scuola di Sant'Orsola, heute Galleria dell'Accademia).

Carpeaux, Jean-Baptiste [frz. kar'po], * Valenciennes 11. Mai 1827, † Schloß Bécon bei Asnières 11. Okt. 1875, frz. Bildhauer, Maler und Radierer. – Schüler von F. Rude. Schuf u. a. Giebelskulpturen am Florapavillon des Louvre (1863–66).

Carpe diem [lat. „pflücke den Tag"], Zitat aus Horaz, Oden I, 11,8 mit der Bed.: nutze den Tag, genieße den Augenblick.

Carpentariagolf [engl. kɑːpən'tɛərıə], Meeresbucht an der N-Küste Australiens, greift bis 750 km (im O) weit ins Landesinnere ein, im W durch Arnhemland, im O durch die Kap-York-Halbinsel begrenzt.

Carpenter-Effekt [engl. 'kɑːpıntə], die 1873 von dem brit. Physiologen W. B. Carpenter (* 1813, † 1885) beschriebene Gesetzmäßigkeit, nach der die Wahrnehmung oder Vorstellung einer Bewegung den Antrieb zur Ausführung der gleichen Bewegung erregt.

Carpenters [engl. 'kɑpəntəz], amerikan. Popmusikgruppe um die Geschwister Karen (* 1950, † 1983) und Richard Carpenter (* 1946); ihre Platten mit romantisierenden Rocksongs erreichten Millionenauflagen.

Carpentier, Alejo [span. karpen'tiɛr], * Havanna 26. Dez. 1904, † Paris 24. April 1980, kuban. Schriftsteller frz.-russ. Herkunft. – Bed. Vertreter des ↑magischen Realismus, schrieb u. a. „Explosion in der Kathedrale" (R., 1962), „Staatsraison" (R., 1974), „Barockkonzert" (R., 1974), „Die Harfe und der Schatten" (R., 1979); auch Essays.

Carpentras [frz. karpã'tra], frz. Stadt 20 km nö. von Avignon, Dep. Vaucluse, 26 000 E. Marktzentrum. – Im Altertum **Carpentoracte.** Im 3. Jh. Bischofssitz (bis 1789). – Gallo-röm. Monumentaltor.

Carpi, italien. Stadt, Region Emilia-Romagna, 61 000 E. Bischofssitz; Nahrungsmittelind., traditionelles Handwerk (geflochtene Hüte, seit dem 15. Jh.). – 1530 kam C. (seit 1535 Ft.) an die Este und teilte die Geschicke Modenas. – Alter Dom (12. Jh.; 1515 erneuert), Neuer Dom (1514–1667).

Carpzov, Benedict ['karptso], * Wittenberg 27. Mai 1595, † Leipzig 21. (30.?) Aug. 1666. – Gilt als einer der Begr. der dt. Rechtswissenschaft; schuf das erste vollständige System des prot. Kirchenrechts.

Carrà, Carlo [italien. kar'ra], * Quargnento (Prov. Alessandria) 11. Febr. 1881, † Rom 13. April 1966, italien. Maler und Kunstschriftsteller. – Mitbegründer des Futurismus und neben Chirico Hauptvertreter der Pittura metafisica (bis 1920): Bilder mit perspektiv., leerem Raum und plast., schneiderpuppenartigen Figuren.

Carracci [italien. kar'rattʃi], italien. Malerfamilie aus Bologna; Wegbereiter des Barock. Bed. Vertreter:

C., Agostino, * Bologna 15. Aug. 1557, † Parma 23. Febr. 1602, Maler und Kupferstecher. – 1583–94 Freskoarbeiten in Bologneser Palästen; 1597–1600 Mitarbeiter seines Bruders Annibale am Freskenzyklus des Palazzo Farnese, Rom. Kühle und rhetor. Aufwand kennzeichnen sein Werk und machen es zum Schulbeispiel des „akadem. Carraccismus".

C., Annibale, ≈ Bologna 3. Nov. 1560, † Rom 15. Juli 1609, Maler. – Fresken in Bologneser Palästen in Zusammenarbeit mit seinem Bruder Agostino. Sein Hauptwerk sind die Fresken im Palazzo Farnese, Rom (begonnen 1595). Wegweisend seine Landschaftsdarstellungen („Christus und die Samariterin", Wien, Kunsthistor. Museum).

C., Lodovico, ≈ Bologna 21. April 1555, † ebd. 13. Nov. 1619, Maler. – Vetter von Annibale und Agostino C.; begr. 1585 in Bologna eine Akademie und damit die Zusammenarbeit der Carracci.

Carrara, italien. Stadt 45 km nw. von Pisa, Region Toskana, 70 000 E. Bildhauerakad.; Schule für Marmorverarbeitung; Bibliothek; berühmteste der toskan. Marmorstädte mit zahlr. Marmorsägen, -schleifereien und Bildhauerwerkstätten. 10 km entfernt an der ligur. Küste der Badeort **Marina di Carrara.** – Bereits die Römer sowie die Baumeister des Spät-MA und der Renaissance begründeten die Marmorind. Romanisch-got. Dom (12.–14. Jh.), Palazzo Ducale (16. Jh.).

Carrauntoohil [engl. kærən'tu:əl], höchster Berg Irlands, in den Macgillycuddy's Reeks, 1 041 m hoch.

Carrel, Alexis, * Sainte-Foy-lès-Lyon (Rhône) 28. Juni 1873, † Paris 5. Nov. 1944, frz. Chirurg und Physiologe. – Entwickelte ein Verfahren, mit dem Gewebskulturen in einer Nährflüssigkeit längere Zeit lebensfähig erhalten werden können; 1912 Nobelpreis für Physiologie oder Medizin.

Carrera, Rafael, * Guatemala 24. Okt. 1814, † ebd. 14. April 1865, Präs. von Guatemala (seit 1847). – Übernahm 1837 die Führung des Aufstands gegen die zentralamerikan. Union; proklamierte 1839 die Unabhängigkeit der Republik Guatemala; 1854 Präs. auf Lebenszeit; herrschte als Diktator, gestützt auf Militär und Kirche.

Carreras, José, * Barcelona 5. Dez. 1946, span. Sänger (Tenor). – Tritt an allen führenden Opernhäusern Europas und der USA sowie bei Festspielen (Salzburg) bes. mit Partien des italien. Opernrepertoires auf.

Carrero Blanco, Luis, * Santoña (Santander) 3. März 1903, † Madrid 20. Dez. 1973 (Attentat), span. Offizier und Politiker. – Engster Vertrauter Francos, leitete 1941–67 die Präsidialkanzlei; 1967–73 stellv. Min.-präs., 1973 Ministerpräsident.

Carrhae (Carrhä) ↑ Charran.

Carriacou Island [engl. kɛrjə'ku aɪlənd] ↑ Grenada.

Carriera, Rosalba, * Venedig 7. Okt. 1675, † ebd. 15. April 1757, italien. Malerin. – Miniaturbildnisse und Pastelle im Rokokostil; in den letzten Lebensjahren erblindet.

Carrière, Eugène [frz. ka'rjɛ:r], * Gournay-sur-Marne (Seine-Saint-Denis) 29. Jan. 1849, † Paris 27. März 1906, frz. Maler und Lithograph. – Familienporträts und Einzelstudien (Paul Verlaine [1891, Louvre]); Farbgebung von eigenartiger Monochromie.

Carriers [engl. 'kærɪəz; lat.-engl.], stoffübertragende Substanzen. In der Biochemie [koenzymartige] Verbindungen, die Elektronen oder Ionen von einem Molekül auf ein anderes übertragen.

Carrillo, Santiago [span. kar'riʎo], * Gijón 18. Jan. 1915, span. Politiker. – Redakteur; baute ab 1942 eine Geheimorganisation der KP in Spanien auf; 1960–82 Generalsekretär der KP Spaniens, nach deren Wiederzulassung 1977 entschiedener Verfechter eines eurokommunist. Kurses.

Carrington, Peter Alexander [engl. 'kærɪŋtən], Baron of C., * London 6. Juni 1919, brit. Politiker. – 1970–74 Verteidigungsmin.; 1974–79 Führer der konservativen Opposition im Oberhaus; 1979–82 Außenmin. und 1984–88 Generalsekretär der NATO; Sept. 1991–Aug. 1992 Sonderbeauftragter der EU zur Vermittlung im Jugoslawienkonflikt.

Carrión-Krankheit [span. ka'rrjɔn; nach dem peruan. Medizinstudenten D. A. Carrión, * 1850, † 1885], svw. ↑ Oroyafieber.

Carroll, Lewis [engl. 'kærəl], eigtl. Charles Lutwidge Dodgson, * Daresbury (Cheshire) 27. Jan. 1832, † Guildford 14. Jan. 1898, engl.

Schriftsteller. – Mathematiker. Berühmt durch seine grotesk-phantasiereichen Romane „Alice im Wunderland" (1865) und „Alice hinter den Spiegeln" (1871), verfremdete die log. Struktur seiner Werke mittels Nonsenstechniken.

Carson City [engl. 'ka:sn 'sıtı], Hauptstadt von Nevada, USA, in der Sierra Nevada, 40 km ssö. von Reno, 1420 m ü. d. M., 39400 E. Handelszentrum eines Viehzucht- und Bergbaugebietes. – 1858 gegründet.

Carstens, Asmus Jakob, * Sankt Jürgen bei Schleswig 10. Mai 1754, † Rom 25. Mai 1798, dt. Maler. – Ging 1792 nach Rom, wo er v. a. in Raffael und Michelangelo seine Vorbilder fand. C. ist ein bed. Vertreter des dt. Klassizismus. Er gestaltete seine allegor. und mytholog. Themen in monumentalen, strengen Kompositionen; u. a. „Die Nacht mit ihren Kindern" (1795; Kreidezeichnung; Weimar, Staatl. Kunstsammlungen).

C., Karl, * Bremen 14. Dez. 1914, † Meckenheim 30. Mai 1992, dt. Jurist und Politiker. – 1960–66 Staatssekretär im Auswärtigen Amt, 1966/67 im Verteidigungsministerium, 1968/1969 im Bundeskanzleramt; 1972–79 MdB (CDU); 1973–76 Fraktionsvors. der CDU/CSU im Bundestag; 1976–79 Bundestagspräs.; 1979–84 Bundespräsident.

Cartagena [span. karta'xena], span. Hafenstadt am Mittelmeer, 169000 E. Bischofssitz; Hauptkriegshafen Spaniens, Garnison; Handels- und Passagierhafen. Hüttenwerke, Werften, Textil-, Elektro-, Glas-, Düngemittel- und Nahrungsmittelind. – Urspr. **Mastia,** kam 237 v. Chr. in karthag. Besitz, als **Carthago Nova** karthag. Machtzentrum auf der Iber. Halbinsel; ab 209 v. Chr. römisch (Hauptstadt der röm. Prov. Hispania Citerior); 425 durch die Vandalen zerstört, seit 534 unter byzantin. Herrschaft; seit 624 westgotisch; 711 arabisch; 1269 zu Aragonien.

C., Hauptstadt des Dep. Bolívar in N-Kolumbien, am Karib. Meer, 560000 E. Sitz eines Erzbischofs; Univ. (gegr. 1827), Histor. Akad.; Nahrungsmittel- und Textilind., keram. und chem. Ind., Erdölraffinerien, Hafen, ✈. – 1533 gegr., erklärte sich 1811 für selbständig (Republik von C.); 1815–21 erneut spanisch. – Stadtbefestigung (17./18. Jh.) mit Toren und Forts, Kathedrale (1577–85, 1600–07 nach Einsturz z. T. neu gebaut), Palast der Inquisition (um 1706; Portal 1770). Hafen und kolonialzeitl. Befestigungen wurden von der UNESCO zum Weltkulturerbe erklärt.

Cartago [span. kar'taɣo], Hauptstadt der Prov. C. im zentralen Costa Rica, 1440 m ü. d. M., 28600 E. – Gegr. 1563.

Cartan, Élie [Joseph] [frz. kar'tã], * Dolomieu (Isère) 9. April 1869, † Paris 6. Mai 1951, frz. Mathematiker. – Seine Arbeiten zur Theorie kontinuierl. Gruppen und zur Differentialgeometrie waren von großem Einfluß auf die moderne Mathematik.

Carte blanche [frz. kartə'blã:ʃ „weiße Karte"], unbeschränkte Vollmacht.

Cartellverband der katholischen deutschen Studentenverbindungen, Abk. CV, 1856 gegr.; einer der größten dt. Korporationsverbände; Neugründung für die BR Deutschland 1950 in Mainz.

Carter [engl. 'kɑ:tə], Bennett Lester („Benny"), * New York 8. Aug. 1907, amerikan. Jazzmusiker. – Einer der vielseitigsten Instrumentalisten (bes. Saxophon) des Swing-Stils, auch Arrangeur und Komponist.

C., Howard, * Swaffham (Norfolk) 9. Mai 1873, † London 2. März 1939, brit. Archäologe. – Entdeckte im Tal der Könige 1922 das Grab des Tutanchamun.

C., James Earl („Jimmy"), * Plains (Ga.) 1. Okt. 1924, amerikan. Politiker (Demokrat), 39. Präs. der USA (1977–81). – Farmer; 1970–74 Gouverneur von Georgia; konnte bei den Wahlen im Nov. 1976 Präs. G. R. Ford knapp schlagen; stellte zunächst die Themenbereiche „Menschenrechte" und „Energieeinsparungen" in den Vordergrund der Politik; vermittelte den israelisch-ägypt. Friedensvertrag (1979); unterlag bei den Präsidentschaftswahlen 1980 deutlich dem Republikaner R. W. Reagan.

Carteret, John [engl. 'kɑ:tərɛt], Earl of Granville, ↑ Granville, John Carteret, Earl of.

cartesisch ↑ kartesisch.

Carthago Nova, antike Stadt, ↑ Cartagena (Spanien).

Cartier, Jacques [frz. kar'tje], * Saint-Malo 1491, † ebd. 1. Sept. 1557, frz. Seefahrer und Kolonisator. – Erreichte auf der Suche nach dem nordwestl. Seeweg nach Asien 1534 Neufundland und nahm es für Frankreich in Besitz; gelangte auf zwei weiteren Reisen 1535 und 1541 zum Sankt-Lorenz-Strom; gilt als Begr. des frz. Kolonialreiches in Nordamerika.

Cartier-Bresson, Henri [frz. kartjebrɛ'sõ], * Chanteloup (Seine-et-Marne) 22. Aug. 1908, frz. Photograph. – Photoreporter und Porträtphotograph; veröffentlichte u. a. die Bildbände „China gestern und heute" (1955), „Meisteraufnahmen" (1964), „Sowjetunion" (1974).

Cartier Island [engl. kɑ:tjɛı 'aılənd] ↑ Ashmore and Cartier Islands.

Cartilago [lat.], svw. ↑ Knorpel.

Cartoon [engl. kɑ:'tu:n], künstlerisch-graph. Form pointierter satir. Darstellung einer sozialen, auch gesellschaftlich-polit. Situation; an der Grenze zw. Karikatur und freier Graphik. In seiner spezif. Bild-Text-Verbindung begann sich der C. seit dem 18. und v. a. im 19. Jh. aus der allg. satir. Kunst zu differenzieren. Satir. Zeitschriften, wie „La Caricature“ (Paris, 1830–35) und „Punch“ (London, seit 1841), bildeten den Charakter des C. als populäre Reproduktionsgraphik aus.

Cartwright, Edmund [engl. 'kɑːtraɪt], * Marnham (Nottinghamshire) 24. April 1743, † Hastings 30. Okt. 1823, brit. Erfinder. – Pfarrer und Domherr in Lincoln; konstruierte 1784 einen mechan. Webstuhl. Erfand u. a. auch eine Wollkämmaschine, eine Seilwickelmaschine und einen Dreifurchenpflug.

Cärularius, Michael ↑ Michael Kerullarios.

Carus, Carl Gustav, * Leipzig 3. Jan. 1789, † Dresden 28. Juli 1869, dt. Mediziner, Naturwissenschaftler, Maler und Philosoph. – 1814 Prof. für Medizin in Dresden. Anhänger einer umfassenden kosmolog. Naturphilosophie; für die Theorie des Unbewußten im Seelenleben und zur Ausdruckskunde wegweisende Schriften. – In Dresden förderte und beeinflußte ihn C. D. Friedrich. C. malte v. a. dämmrige Waldszenerien oder Landschaften im Mondlicht. – *Werke:* Vorlesungen über Psychologie (1831), Psyche. Zur Entwicklungsgeschichte der Seele (1846), Symbolik der menschl. Gestalt (1853), Natur und Idee (1861).

Caruso, Enrico, * Neapel 27. Febr. 1873, † ebd. 2. Aug. 1921, italien. Sänger (Tenor). – Wirkte in Neapel, Mailand und London sowie seit 1903 an der New Yorker Metropolitan Opera; C. besaß sowohl eine strahlende, technisch hervorragend geführte Stimme als auch große darsteller. Begabung. Er war außerdem ein talentierter Karikaturist.

Cary, [Arthur] Joyce [engl. 'kɛərɪ], * Londonderry 7. Dez. 1888, † Oxford 29. März 1957, ir. Schriftsteller. – Verf. skurril-kom. und doch melanchol. Werke, u. a. der Romantrilogie „Frau Mondays Verwandlung“ (1941), „Im Schatten des Lebens“ (1942) und „Des Pudels Kern“ (1944).

Casa, Lisa della, * Burgdorf (Kt. Bern) 2. Febr. 1919, schweizer. Sängerin (Sopran). – Trat v. a. mit Mozart- und Strauss-Partien hervor; auch bed. Lied- und Konzertsängerin.

Casablanca (arab. Dar Al Baida), wichtigste marokkan. Hafenstadt, am Atlantik, 2,5 Mill. E. Verwaltungssitz der Prov. C.; Univ.; Ozeanograph. Inst. mit Aquarium, Schule für bildende Künste, Goethe-Institut, neomaur. Große Moschee Hasan II. (1992, mit 40 000 m² die größte der Welt. Wirtschaftszentrum und Hauptindustriezentrum des Landes. Internat. Messe (alle zwei Jahre), Handels- und Fischereihafen; zwei ✈. – Im 16. Jh. von Portugiesen gegr.; 1755 fast völlig durch Erdbeben zerstört und von den Portugiesen geräumt; 1757–90 wieder aufgebaut; 1907 frz. besetzt. Elendsviertel („Bidonvilles“) am Stadtrand. – Auf der **Konferenz von Casablanca** (1943) vereinbarten Roosevelt und Churchill die Landung in Sizilien im Sommer 1943, die Invasion in Frankreich 1944 und die Forderung nach der bedingungslosen Kapitulation Deutschlands, Italiens und Japans.

Casablancastaaten, Gruppe afrikan. Staaten (Ghana, Guinea, Mali, Marokko, VAR [Ägypten], die alger. Exilregierung und bis Mai 1961 Libyen), die in Casablanca 1961 (bis 1963) die Bildung eines gemeinsamen militär. Oberkommandos und einer afrikan. Konsultativversammlung beschlossen; erstrebten im Ggs. zu den Brazzavillestaaten wirtsch. und polit. Unabhängigkeit von den beiden Weltblöcken.

Casa d'Austria [italien.] ↑ Österreich, Haus; ↑ Habsburger.

Casadesus, Robert [frz. kazad'sy], * Paris 7. April 1899, † ebd. 19. Sept. 1972, frz. Pianist und Komponist. – Internat. bekannt v. a. als Mozart-Interpret; komponierte Orchester-, Kammer- und Klaviermusik.

Casals, Pablo (katalan. Pau), * Vendrell (Katalonien) 29. Dez. 1876, † San Juan de Puerto Rico 22. Okt. 1973, span. Cellist, Dirigent und Komponist. – Galt als größter Violoncellist seiner Zeit; gründete 1919 in Barcelona das Orquesta Pau Casals, ließ sich nach Ende des Span. Bürgerkrieges in Prades (Pyrénées-Orientales, Frankreich) nieder (seit 1950 alljährl. Festspiele).

Casamari, Zisterzienserabtei 25 km östlich von Frosinone; gegr. im 11. Jh., seit 1152 Zisterzienserkloster.

Casanova, Giacomo Girolamo, nannte sich Giacomo Girolamo C., Chevalier de Seingalt, * Venedig 2. April 1725, † Schloß Dux 4. Juni 1798, italien. Abenteurer und Schriftsteller. – Bereiste in wechselnden Diensten ganz Europa, 1755 in Venedig wegen Atheismus eingekerkert, 1756 Flucht aus den ↑ Bleikammern. Ab 1785 Bibliothekar des Grafen Waldstein in Dux (heute ↑ Duchcov), wo er ab 1790 in frz. Sprache seine kulturgeschichtlich bed. Lebenserinnerungen „Geschichte meines Lebens“ (dt. 1964–76) schrieb; hinterließ neben einem utop. Roman auch satir., histor. und mathemat. Schriften. – Als legendärer Liebhaber Gestalt zahlr. literar. Werke.

Cäsar (Gajus Julius Caesar), * Rom 13. Juli 100, † ebd. 15. März 44, röm. Staatsmann, Feldherr und Schriftsteller. – Kam als Neffe des Gajus Marius 87–84 in engen Kontakt zum Führer der Popularen, Lucius Cornelius Cinna (um 85 ⚭ mit dessen Tochter Cornelia). 62 Prätor, 61/60 Proprätor in Spanien. Nach Rom zurückgekehrt, verbündete C. sich mit Gnaeus ↑Pompejus Magnus (†48) und Marcus Licinius ↑Crassus Dives im 1. Triumvirat (60–53) gegen den Senat und verwirklichte 59 als Konsul die Pläne der Triumvirn mit Gewalt und unter Rechtsbruch (Übergehen des Senats und des 2. Konsuls). Sein Prokonsulat in Gallia Cisalpina und Transalpina mit dem Oberbefehl über vier Legionen sicherte seine Machtstellung als Voraussetzung für die Eroberung ganz Galliens (58–51): 58 Sieg über die Helvetier bei Bibracte und über den Swebenkönig Ariovist; 57 Eroberung der heutigen Normandie und Bretagne, 56 Aquitaniens. Weitere Unternehmungen: zwei Rheinübergänge (55 und 53 im Neuwieder Becken), zwei Züge nach Britannien (55/54). 52 mußte C. die ganz Gallien erfassende Erhebung unter Vercingetorix niederwerfen. Der Senatsbeschluß vom 7. Jan. 49, der von C. die Entlassung des Heeres verlangte, veranlaßte C. zur Überschreitung (10./11. Jan.) des Rubikon (Grenze zum röm. Bürgergebiet Italiens), womit der Bürgerkrieg (49–45) begann. C. ließ sich zum Konsul für 48 wählen, unterwarf Spanien (49) und schlug Pompejus am 9. Aug. 48 bei Pharsalos in Thessalien. Den ägypt. Thronstreit entschied er zugunsten Kleopatras VII. Nach Siegen über die Pompejaner in N-Afrika (bei Thapsus, 6. April 46) und in Spanien (bei Munda, 17. März 45) hatte C. die Alleinherrschaft erlangt (Febr. 44 Diktator auf Lebenszeit). Diese Macht und sein Streben nach der Königswürde führten zur Verschwörung des Brutus und Cassius, der C. an den Iden des März 44 im Senat zum Opfer fiel. – C. literar. Schaffen: u. a. 7 Bücher über den Gall. Krieg, 3 Bücher über den Bürgerkrieg.

📖 *Bradford, E.: Julius Caesar. Darmst. 1987. – Meier, Christian: Caesar. Mchn. 1986. – Caesar. Hg. v. D. Rasmussen. Darmst. ³1980.*

Cäsarea ↑Caesarea.

Cäsarenwahnsinn, Bez. für krankhafte Übersteigerung des Macht- und Aggressionstriebs bei Herrschern und Diktatoren, oft verbunden mit Wahnzuständen (Zwangsvorstellungen u. a.). Der Begriff geht auf Verhalten und Handlungspraxis von Mgl. des jul.-claud. Kaiserhauses (den Caesares) zurück.

Cäsarion ↑Kaisarion.

Cäsarismus, von Julius Cäsar abgeleitete, zw. 1800 und 1830 aufgekommene Bez. für eine Herrschaftstechnik; Kennzeichen: Vereinigung der polit. Macht in den Händen eines einzelnen, Legitimation durch Plebiszite und [schein]demokrat. Institutionen, Stützung des Regimes durch bewaffnete Macht und Beamtenapparat.

Cäsarius von Heisterbach, *Köln um 1180, †Heisterbach (= Königswinter) nach 1240, Zisterzienser, mittellat. Schriftsteller und Geschichtsschreiber. – Sein „Dialogus miraculorum“ (1219–23) enthält etwa 750 kultur- und sittengeschichtlich bed. Erzählungen; verfaßte auch die Lebensbeschreibung der hl. Elisabeth von Thüringen sowie Werke zur Geschichte Kölns.

Gajus Julius Cäsar. Lebensgroßer Marmorkopf. Vatikanische Sammlungen

Casaroli, Agostino, *Castel San Giovanni (Prov. Piacenza) 24. Nov. 1914, italien. Theologe, Kardinal (seit 1979), päpstl. Diplomat. – 1937 Priester, seit 1940 im päpstl. diplomat. Dienst, 1979–90 Kardinalstaatssekretär und Präfekt des „Rates für die Öffentl. Angelegenheiten der Kirche“, seit 1984 Stellv. des Papstes in der Kirchenverwaltung.

Cäsaropapismus [lat.], die Vereinigung der höchsten weltl. und geistl. Gewalt in einer, der weltl. Hand, die dann unbeschränkte Macht auch im Bereich der Kirche besitzt; zunächst polemisch gebraucht, ist der C. charakteristisch für das Byzantin. Reich sowie für das russ. Staatskirchentum 1721–1917.

Casas Grandes, archäolog. Fundort und Kultur in N-Chihuahua, Mexiko, 20 km sw. von Nueva C. G.; drei Perioden: 1. Viejo (500–1000), 2. Medio (1000–1300), 3. Tardio (1300–1500).

Cascade Range [engl. kæsˈkeɪd ˈreɪndʒ], Gebirgszug im W der USA, von N-Kalifornien über Oregon und Washington bis in das südl. British Columbia (Kanada) reichend, über 1 100 km lang, im vergletscherten Mount Rainier 4392 m hoch. Bed. Holzwirtschaft. Aktive Vulkane, z. B. Mount ↑Saint Helens.

Cascais [portugies. kɐʃ'kaiʃ], portugies. Seebad westlich von Lissabon, 29 000 E.

Casein ↑Kasein.

Case Law [engl. 'kɛɪs 'lɔ:], Fallrecht; das im angloamerikan. Recht durch Entscheidungen höherer Gerichte (Präjudizien, engl.: *precedents*) gebildete Recht im Unterschied zum Gesetzesrecht *(statute law, statutory law)*. Das C. L. ist in Fallsammlungen zusammengefaßt und bindet die Gerichte.

Casement, Sir (seit 1911) Roger David [engl. kɛɪsmənt], *Dublin 1. Sept. 1864, †London 3. Aug. 1916, ir. Freiheitskämpfer. – 1892–1911 im brit. Konsulardienst; suchte 1914 in Deutschland Unterstützung für die Unabhängigkeit Irlands; wurde von einem dt. U-Boot in Irland abgesetzt; von brit. Behörden verhaftet; wegen Hochverrats hingerichtet.

Caserta, italien. Prov.hauptstadt in Kampanien, nördlich von Neapel, 67 000 E. Bischofssitz; Tabak-, Chemie-, Glasind. – Entstand im 18. Jh.; **Caserta Vecchia,** eine langobard. Gründung (8. Jh.?), liegt 5 km nö. der neuen Stadt. – Planmäßige Anlage, barocker Palazzo Reale (1752–74). In C. Vecchia Reste eines Kastells (13. Jh.), roman. Dom (12. Jh.).

Casework [engl. 'kɛɪswə:k] ↑Sozialarbeit.

Cash, Johnny [engl. kæʃ], *Kingsland (Ark.) 26. Febr. 1932, amerikan. Sänger. – Gehört seit 1954 zu den bedeutendsten Vertretern der amerikan. „Country music".

Cash and carry [engl. 'kæʃ ənd 'kærı „in bar bezahlen und mitnehmen"], Vertriebsform des Groß- und Einzelhandels, bei der die aus dem Verzicht auf Service (z. B. Bedienung) resultierenden Kostenersparnisse an die Abnehmer weitergegeben werden.

Cash-and-carry-Klausel [engl. 'kæʃ ənd 'kærı], amerikan. Waffenlieferungsklausel von 1939, nach der Kriegsmaterial an kriegführende Staaten nur gegen Barzahlung und auf nichtamerikan. Schiffen geliefert werden durfte; 1941 durch das Leih- und Pachtgesetz aufgehoben.

Cashewnuß [engl. 'kəʃu:; indian.-portugies./dt.] (Acajounuß), nierenförmige, einsamige Frucht des Nierenbaums; mit giftiger Schale, aus der Cashewnußschalenöl (Verarbeitung zu techn. Harzen) gewonnen wird, sowie mit verdicktem, eßbarem Fruchtstiel und eßbarem, etwa 21% Eiweiß und über 45% Öl (Acajouöl) enthaltendem Samen.

Cash-flow [engl. kæʃ 'floʊ „Geldfluß"], Kennziffer zur Beurteilung der finanziellen Struktur eines Unternehmens, die den Reinzugang an verfügbaren Mitteln ausdrückt.

Casilinum, antike Stadt, ↑Capua.

Casinum, antike Stadt, ↑Cassino.

Cäsium [zu lat. caesius „blaugrau"] (chemisch-fachsprachlich Caesium), chem. Symbol Cs, metall. Element aus der I. Hauptgruppe des Periodensystems der chem. Elemente (↑Alkalimetalle); Ordnungszahl 55, relative Atommasse 132,91, weißglänzendes, sehr dehnbares und weiches Leichtmetall, Dichte 1,87 g/cm³, Schmelzpunkt 28,4 °C, Siedepunkt 669 °C. Das C. tritt nur in Verbindungen auf. Gewonnen wird C. vorwiegend durch Reduktion von C.verbindungen oder elektrolytisch. Chemisch stellt C. das unedelste und reaktionsfähigste Metall dar; in seinen Verbindungen ist es einwertig. Es dient zur Herstellung von Photozellen und anderen elektron. Bauelementen, das radioaktive Isotop Cs 137 zur Strahlenbehandlung von Krebs.

Cäsiumuhr, die zur Zeit genaueste und deshalb als Frequenznormal zur Neudefinition der Sekunde als Zeiteinheit angewendete Atomuhr.

Časlavská, Věra [tschech. 'tʃa:slafska:], *Prag 3. Mai 1942, tschechoslowak. Turnerin. – Mehrfache Weltmeisterin und siebenfache Olympiasiegerin.

Casona, Alejandro, eigtl. A. Rodríguez Álvarez, *Besullo (Asturien) 23. März 1903, †Madrid 17. Sept. 1965, span. Dramatiker. – 1937–62 in der Emigration (Buenos Aires); Verfasser bühnenwirksamer lyrisch-poet. Volksstücke: „Frau im Morgengrauen" (1944), „Bäume sterben aufrecht" (1949).

Cassadó, Gaspar [span. kasa'ðo, katalan. kəsə'ðo], *Barcelona 30. Sept. 1897, †Madrid 24. Dez. 1966, span. Cellist und Komponist. – Schüler von P. Casals; komponierte Kammer-, Orchester- und Vokalmusik.

Cassander ↑Kassandros.

Cassandre, A. M. [frz. ka'sã:dr], eigtl. Adolphe Mouron, *Charkow 24. Jan. 1901, †Paris 19. Juni 1968, frz. Werbegraphiker. – Schuf bedeutende Plakatentwürfe, u. a. „L'Étoile du Nord" (1927) und „Dubonnet" (1932).

Cassatt, Mary [engl. kə'sæt], *Pittsburg (Pa.) 22. Mai 1845, †Le Mesnil-Théribus (Oise) 14. Juni 1926, amerikan. Malerin. – Stellte zusammen mit den frz. Impressionisten aus; ihr Hauptmotiv war das Thema Mutter und Kind.

Cassave [indian.], svw. ↑Maniok.

Cassavetes, John [engl. kæsə'vɛti:s], *New York 9. Dez. 1929, †Los Angeles 3. Febr. 1989, amerikan. Schauspieler und Regisseur. – Bed. ist v. a. sein Film „Eine Frau unter Einfluß" (1974); drehte auch „Gloria" (1980), „Big Trouble" (1985).

Cassettenrecorder ↑Kassettenrecorder.

Cassia, svw. ↑Kassie.

Cassianus ↑Johannes Cassianus.

Cassin, René [frz. ka'sɛ̃], *Bayonne 5. Okt. 1887, †Paris 20. Febr. 1976, frz. Jurist und Politiker. – 1924–39 Mgl. der frz. Delegation beim Völkerbund; maßgeblich an der Abfassung der Menschenrechtserklärung der UN beteiligt; Präs. des Europ. Gerichtshofs für Menschenrechte 1965–68; erhielt 1968 den Friedensnobelpreis.

Cassinari, Bruno, *Piacenza 29. Okt. 1912, †Mailand im März 1992, italien. Maler. – Seine in leuchtenden, warmen Farben gehaltenen Bilder bilden eine Synthese von Figuration und Abstraktion.

Cassini, Giovanni Domenico (Jean Dominique), *Perinaldo bei Nizza 8. Juni oder Juli 1625, †Paris 14. Sept. 1712, frz. Astronom italien. Herkunft. – Entdeckte die ersten vier Saturnmonde und die nach ihm ben. Teilung des Saturnringes.

Cassino, italien. Stadt in Latium, 50 km osö. von Frosinone, 45 m ü. d. M., 31 000 E. Landw.- und Handelszentrum. – Entstand aus der volsk., dann samnit. Stadt **Casinum,** die röm. Munizipium wurde. Im 2. Weltkrieg fast völlig zerstört. – Oberhalb der Stadt das Benediktinerkloster ↑Montecassino.

Cassiodor (Flavius Magnus Aurelius Cassiodorus), *Scylaceum (= Squillace, Kalabrien) um 490, †Kloster Vivarium bei Squillace um 583, röm. Staatsmann, Gelehrter und Schriftsteller. – Hatte unter Theoderich d. Gr. verschiedene hohe Staatsämter inne; gründete nach 550 das Kloster Vivarium, wo er die selbst gesammelten Handschriften abschreiben ließ und so zum Retter bed. Schriften der Antike wurde; schrieb u. a. eine Geschichte der Goten.

Cassiopeia (Kassiopeia) [nach der griech. Sagengestalt Kassiopeia] ↑Sternbilder (Übersicht).

Cassirer, Bruno, *Breslau 12. Dez. 1872, †Oxford 29. Okt. 1941, dt. Verleger. – Vetter von Ernst und Paul C.; gründete 1898 mit letzterem in Berlin Verlagsbuchhandlung und Kunstsalon Bruno und Paul C. und übernahm 1901 den Verlag Bruno C. Emigrierte 1933.

C., Ernst, *Breslau 28. Juli 1874, †New York 13. April 1945, dt. Philosoph. – Vetter von Bruno und Paul C.; 1919 Prof. in Hamburg, 1933 entlassen, im gleichen Jahr Prof. in Oxford, 1935 in Göteborg, 1941 an der Yale University, 1945 an der Columbia University in New York. – Seine Philosophie ist der Transzendentalphilosophie Kants verpflichtet, dessen Vernunftskritik er auf alle Gebiete menschl. Kultur ausweitet. – *Werke:* Das Erkenntnisproblem in der Philosophie und Wissenschaft der neueren Zeit (4 Bde., 1906–57), Die Philosophie der symbol. Formen (1923–29), Zur Logik der Kulturwissenschaften (1942), Was ist der Mensch (engl. 1944, dt. 1960), Vom Mythos des Staates (engl. 1946, dt. 1949).

C., Paul, *Görlitz 21. Febr. 1871, †Berlin 7. Jan. 1926 (Selbstmord), dt. Kunsthändler und Verleger. – Vetter von Ernst und Bruno C.; verheiratet mit Tilla Durieux. Übernahm 1901 den Kunstsalon und unterstützte die Berliner Sezession. 1908 gründete er den Verlag Paul C., in dem er H. Mann und v. a. Werke des literar. Expressionismus herausgab.

Cassislikör [frz.], Fruchtsaftlikör aus schwarzen Johannisbeeren. **Cassisgeist** ist Branntwein aus schwarzen Johannisbeeren.

Cassiterit [griech.], svw. ↑Zinnstein.

Cassius, Name eines römisch-plebej. Geschlechtes; bekannt:

C., Gajus C. Longinus, †bei Philippi (Makedonien) im Okt. 42 v. Chr., Prätor (44). – Im Bürgerkrieg 49/48 Flottenkommandant des Pompejus; nach der Schlacht von Pharsalos durch Cäsar begnadigt; seit 47 dessen Legat; wurde mit seinem Schwager Brutus 44 Haupt der Verschwörung gegen Cäsar; beging, bei Philippi geschlagen, Selbstmord.

Cassone [italien.], Prunkmöbel (Truhe) der italien. Renaissance.

Cassou, Jean [frz. ka'su], Pseud. Jean Noir, *Deusto (= Bilbao) 9. Juli 1897, †Paris 15. Jan. 1986, frz. Schriftsteller und Kunsthistoriker. – Seine Werke, u. a. „Das Schloß Esterhazy" (R., 1926), sind von der dt. Romantik und dem Surrealismus beeinflußt; literatur- und kunstkrit. Essays und Monographien. „Une vie pour la liberté" (Autobiogr., 1981).

Castagno, Andrea del [italien. kas'taɲɲo], *Castagno oder San Marino a Corella um 1423, †Florenz 19. Aug. 1457, italien. Maler. – Bed. Vertreter der florentin. Frührenaissance; Fresken im C.-Museum, Refektorium des ehem. Benediktinerinnenklosters Sant'Apollonia (1445–50); ebd. die 9 Fresken berühmter Persönlichkeiten aus der Villa Carducci in Legnaia (nach 1450). Bed. auch das Fresko der Dreifaltigkeit mit Heiligen (1454/55; Santissima Annunziata) und das Reiterdenkmal des Niccolò da Tolentino (1456) im Dom.

Casteau [frz. kas'to], Ortsteil der belg. Stadt Soignies, 45 km sw. von Brüssel, seit 1967 Sitz des NATO-Hauptquartiers (SHAPE).

Castelar y Ripoll, Emilio, *Cádiz 8. Sept. 1832, †San Pedro del Pinatar (Prov. Murcia) 25. Mai 1899, span. Schriftsteller und Politiker. – 1873 Außenmin., 1873/74 Präs., vertrat einen konservativen Republikanismus. Einer der glänzendsten Redner seiner Zeit; hinterließ ein umfangreiches, vielfältiges literar. Werk.

Castel del Monte, Stauferburg in Apulien, S-Italien, südlich von Andria, 1240 ff. unter Kaiser Friedrich II. als Jagdschloß erbaut; oktogonaler Grundriß.

Castel Gandolfo, italien. Stadt am Albaner See, Latium, 426 m ü. d. M., 6400 E. Weinbau, Fischfang. – Kastell der Familie Gandolfi (12. Jh.), 1596 von der Apostol. Kammer übernommen; Bau des Palazzo Papale (1624–29). Sommerresidenz der Päpste, seit 1929 exterritorialer Besitz des Hl. Stuhls.

Castellammare di Stabia, italien. Hafenstadt und Kurort am Golf von Neapel, Kampanien, 69 000 E. Bischofssitz; archäolog. Museum; Schiffbau, Nahrungsmittel-, Papier- und Baustoffind., Fischfang; Fremdenverkehr, zahlr. schwefelhaltige Mineralquellen (v. a. „Terme Stabiane"). – **Stabiae** wurde 89 v. Chr. von Sulla zerstört; beim Vesuvausbruch 79 n. Chr. verschüttet (seit 1950 Ausgrabungen).

Castellón de la Plana [span. kaste'ʎɔn de la 'plana], Hauptstadt der span. Prov. C., 130 000 E. Bischofssitz; Textil- und Keramikind., Eisenverhüttung, Erdölraffinerie. Hafen und Seebad 5 km vor der Stadt.

Castelnuovo-Tedesco, Mario, * Florenz 3. April 1895, † Los Angeles 16. März 1968, italien. Komponist. – Seit 1939 in den USA; vertrat eine gemäßigte moderne Richtung, komponierte u. a. die Oper „La mandragola" (1926) sowie Oratorien, Ballette, Orchester-, Klavier- und Kammermusik; daneben zahlreiche Lieder.

Castelo Branco, Camilo [portugies. kɐʃ'tɛlu'βrɐŋku], Visconde de Correia Botelho (seit 1885), * Lissabon 16. März 1825, † São Miguel de Seide (Minho) 1. Juni 1890 (Selbstmord), portugies. Schriftsteller. – Seine späten romantisch-satir. Romane bilden den Übergang zu realist. Dichtung; auch Lyriker und Literaturhistoriker.

C. B., Humberto de Alencar [brasilian. kəs'tɛlu 'brɐŋku], * Messejana (Ceará) 20. Sept. 1900, † bei Fortaleza (Flugzeugabsturz) 18. Juli 1967, brasilian. General und Politiker. – Generalstabschef der Armee; nach Militärputsch 1964–67 Interimspräsident.

Castelseprio, italien. Stadt in der Lombardei, 1100 E. – War langobard. Zentrum. – Die Datierung der Fresken in der Kirche Santa Maria ist umstritten.

Castelvetro, Lodovico * Modena um 1505, † Chiavenna 21. Febr. 1571, italien. Gelehrter. – Seine Übersetzung mit Kommentar der „Poetik" des Aristoteles (1570) ist eine Hauptquelle für die Theorien der frz. Klassik.

Castiglione, Baldassarre Graf [italien. kastiʎ'ʎo:ne], * Casatico bei Mantua 6. Dez. 1478, † Toledo (Spanien) 7. Febr. 1529, italien. Staatsmann und Schriftsteller. – Humanistisch gebildet, lebte an den Höfen von Urbino und Mantua. Sein Hauptwerk „Il libro del cortegiano" (1528, dt. 1565 u. d. T. „Der Hofmann") ist eine humanistisch-höf. Bildungslehre; bed. v. a. als kulturhistor. Quelle. Als Zeitdokument von Interesse ist sein Briefwechsel („Lettere", 2 Bde., hg. 1769 bis 1771).

Castiglioni, Niccolò [italien. kastiʎ'ʎo:ni], * Mailand 7. Juli 1932, italien. Komponist. – Studierte in Mailand und Salzburg, lebt in den USA; komponierte, v. a. unter Verwendung vielseitiger, neuester Prinzipien, u. a. „Tropi" für fünf Instrumente und Schlagzeug (1959), Radiooper „Attraverso lo specchio" (1961), „Concerto per orchestra" (1967), Flötenkonzert (1971), „Couplets" für Cembalo und Orchester (1979).

Castilho, João de [portugies. kaʃ'tiʎu], * Santander 1490, † 1553 (?), portugies. Baumeister. – Hauptvertreter des ↑ Emanuelstils. Sein Hauptwerk ist das Hieronymitenkloster (1517–51) in Belém (= Lissabon).

Castilla, Ramón [span. kas'tija], * Tarapacá 31. Aug. 1797, † Arica 30. Mai 1867, peruan. Politiker. – Mestize, polit. Aufstieg im Unabhängigkeitskampf gegen die Spanier; 1845–51 und 1855–62 Präs. von Peru; konservativ, gab Peru erstmals inneren Frieden und durch Reformen wirtsch. Aufschwung; beseitigte Sklaverei und Indianertribut.

Castilla [span. kas'tiʎa], span. für ↑ Kastilien.

Castillo [span. kas'tiʎo], Bernal Díaz del ↑ Díaz del Castillo, Bernal.

C., Jorge, * Pontevedra (Galicien) 16. Juli 1933, span. Zeichner, Maler, Graphiker. – Zeichnungen und Aquarelle mit mytholog. Szenerien und kunsthistor. Zitaten.

C., Michel del, * Madrid 3. Aug. 1933, frz. Schriftsteller frz.-span. Herkunft. – Als Kind im KZ Mauthausen; schildert die erschütternden Erlebnisse seiner Jugend in „Elegie der Nacht" (1953), es folgen Romane über schwere menschl. Schicksale, u. a. „Der Plakatkleber" (1958), „Le démon de l'oubli" (R., 1987).

Casting [engl.] (Turniersport), Form des Sportfischens mit Ziel- und Weitwerfen an Land.

Castle [engl. kɑ:sl; lat.], engl. für: Burg, Schloß.

Castle-Faktor [engl. kɑ:sl; nach dem amerikan. Internisten W. B. Castle, * 1897], svw. ↑ Intrinsic factor.

Castlereagh, Henry Robert Stewart, Viscount [engl. 'kɑ:slrɛɪ], Marquess of Londonderry (seit 1821), * Mount Stewart (Irland) 18. Juni 1769, † North Gray Farm (Kent) 12. Aug. 1822 (Selbstmord), brit. Staatsmann. – 1805/06 und 1807–09 Kriegsmin.; bestimmte als Außenmin. 1812–22 die antinapoleon. Politik Großbritanniens und

Castel del Monte

seit 1814 zunehmend Europas; erreichte auf dem Wiener Kongreß die Wiederherstellung des Gleichgewichts der europ. Mächte.

Castoreum [griech.], svw. ↑Bibergeil.

Castorf, Frank, *Berlin (Ost) 17. Juli 1951, dt. Regisseur. – Bevorzugt unkonventionelle Versionen von Stücken, u.a. nach W. Shakespeare, Sophokles, G. E. Lessing, und provoziert mit seinem „fessellosen" Inszenierungsstil spontane Reaktionen und Assoziationen; wirkte u.a. in Anklam, Karl-Marx-Stadt, ab 1986 Regisseur in Halle, seit 1992/93 Intendant der Volksbühne am Rosa-Luxemburg-Platz in Berlin.

Castor und Pollux ↑Dioskuren.

Castra [lat.], in der röm. Republik mit Wall und Graben befestigte Marschlager oder bei Belagerungen vorübergehend angelegte Lager in quadrat. Form; später entstanden ähnl. Standlager zur Verteidigung der Reichsgrenzen. Bekannte C. u.a.: C. Batava (= Passau), C. Regina (= Regensburg), C. Vetera (= Xanten).

Castres [frz. kastr], frz. Ind.stadt, Dep. Tarn, 65 km östlich von Toulouse, 47000 E. – Römisch **Castra Albiensium.** Das Edikt von Nantes (1598) machte die seit 1561 prot. Stadt zum Sicherheitsplatz für Hugenotten; 1629 von königl. Truppen erobert. – Ehem. Kathedrale (17. und 18. Jh.), Rathaus (17. Jh.), zahlr. Renaissancehäuser.

Castries [engl. 'kɑ:strɪs, kɑ:s'trɪ:], Hauptstadt des Inselstaats Saint Lucia, Kleine Antillen, 52900 E. Handelsplatz, Hafen, ✈.

Castro, Cipriano [span. 'kastro], *Capacho (Táchira) 12. Okt. 1858, †San Juan (Puerto Rico) 5. Dez. 1924, venezolan. Politiker. – Revoltierte 1899 gegen Präs. Andrade, nach dessen Sturz Diktator bis 1908.

C., Emilio Enrique [span. 'kastro], *Montevideo 2. Mai 1927, uruguayischer methodist. Theologe. – Seit 1985 Generalsekretär des Ökumen. Rates der Kirchen; sozial engagiert, Anhänger der Befreiungstheologie.

C., Eugénio de [portugies. 'kaʃtru] (Castro e Almeida), *Coimbra 4. März 1869, †ebd. 17. Aug. 1944, portugies. Schriftsteller. – Bed. portugies. Symbolist; seine ästhet. Auffassungen beeinflußten auch die span. Literatur.

C., Fidel ↑Castro Ruz, Fidel.

C., Inês de [portugies. 'kaʃtru], *um 1320, †Coimbra 1355, galicische Adlige. – Hofdame der 1. Gemahlin des Infanten Dom Pedro von Portugal, der sie nach deren Tod 1354 heimlich heiratete. König Alfons IV. lehnte diese Verbindung ab und ließ Inês de C. ermorden. Nach seiner Thronbesteigung nahm Dom Pedro an den Mördern grausame Rache. – Das Schicksal der Inês de C. lieferte den Stoff für rd. 200 literar. Bearbeitungen.

C., José Maria Ferreira de [portugies. 'kaʃtru], *Salgueiros (Distrikt Aveiro) 24. Mai 1898, †Porto 29. Juni 1974, portugies. Schriftsteller. – Bekannt v.a. durch den Roman „Die Auswanderer" (1928), in dem er das Leben der Emigranten am Amazonas schildert.

C., Juan José [span. 'kastro], *Avellaneda bei Buenos Aires 7. März 1895, †Buenos Aires 3. Sept. 1968, argentin. Komponist und Dirigent. – Bed. Vertreter der neueren argentin. Musik; u.a. Opern („Die Bluthochzeit", 1956), Ballette und Orchesterwerke.

C., Raúl ↑Castro Ruz, Raúl.

C., Rosalía de [span. 'kastro], *Santiago 21. Febr. 1837, †Padrón (Prov. La Coruña) 15. Juli 1885, span. Dichterin. – Schwermütige, innige Gedichte, z.T. in galic. Mundart. Vorläuferin des span. Modernismo.

Castro Alves, Antônio de [brasilian. 'kastru 'alvis], *bei Muritiba (Bahia) 14. März 1847, †Bahia (= Salvador) 6. Juli 1871, brasilian. Dichter. – Setzte sich in bildstarker Sprache in romant. Gedichten und Dramen für die Abschaffung der Sklaverei ein.

Castrop-Rauxel, Stadt im östl. Ruhrgebiet, NRW, 53–135 m ü. d. M., 77000 E. Westfäl. Landestheater; Ind.stadt mit chem., Grundstoffind., Maschinen- und Apparatebau; Hafen am Rhein-Herne-Kanal. – Das 834 zuerst genannte Castrop kam vor 1236 zur Gft. Kleve; 1926 Zusammenlegung u.a. mit dem 1266 erstmals genannten Rauxel.

Castro Ruz [span. 'kastro 'rus], Fidel, * Mayarí (Oriente) 13. Aug. 1926, kuban. Politiker. - Urspr. Rechtsanwalt; nach mißglücktem Putschversuch 1953 polit. Haft und Exil in den USA, Rückkehr 1956 mit wenigen Anhängern; nach erfolgreichem Guerillakrieg gegen den Diktator Batista y Zaldívar 1959 Min.präs.; seit 1965 1. Sekretär der KP Kubas; seit 1976 auch Vors. des Staatsrats (Staatsoberhaupt); führte seit 1959 ein Verstaatlichungs- und Reformprogramm (Bodenreform, Schulreform) durch; dem durch Enteignung amerikan. Unternehmen ausgelösten Konflikt mit den USA suchte er durch militär. Aufrüstung und enge polit. sowie wirtsch. Anlehnung an die Sowjetunion (Höhepunkt: ↑Kuba-Krise) zu begegnen. Seit Mitte der 70er Jahre unterstützte er, auch militärisch, u.a. die revolutionären Bewegungen in Angola (bis 1989) und Moçambique. Trotz wachsender wirtsch. Schwierigkeiten hält C. R. auch nach den Veränderungen in Mittel- und Osteuropa am Einparteiensystem fest.

C. R., Raúl, * Mayarí (Oriente) 3. Juni 1931, kuban. Politiker. - Bruder von Fidel C. R.; 1959 Befehlshaber der Streitkräfte und seit 1960 Verteidigungsmin.; 1960-76 (1972-76 erster) stellv. Min.präs.; seit 1976 1. Vizepräs. des Staatsrates und des Ministerrats.

Casus [lat.], Fall, Zufall.

Casus belli [lat.], Kriegsfall, unmittelbarer Anlaß, der zum Kriegszustand führt.

Casus foederis ['fø:dɛrɪs; lat.], ein in einem Bündnisvertrag umschriebenes Ereignis, dessen Eintritt ein Recht auf Inanspruchnahme von Hilfe der einen und eine entsprechende Hilfeleistungspflicht der anderen Vertragsseite auslöst.

Casus obliquus [lat.], in der Grammatik abhängiger (eigtl. schiefer) Fall; *oblique Kasus* sind der Genitiv, Dativ und Akkusativ im Ggs. zum Nominativ, dem *Casus rectus,* d.h. dem unabhängigen (eigtl. geraden) Fall.

CAT [engl. 'si:ɛɪ'ti:, kæt], Abk. für: ↑Clear-Air-Turbulenz.

◆ Abk. für: engl. Computerized axial tomography, ↑Computertomographie.

Catalaunorum Civitas ↑Châlons-sur-Marne.

Çatal Hüyük [türk. tʃa'tal hy'jyk „Gabelhügel"], vorgeschichtl. Ruinenhügel in der Türkei, 52 km sö. von Konya. Brit. Ausgrabungen 1961-65 erbrachten zwölf Schichten einer frühneolith. Großsiedlung (von vor 6500 bis etwa 5500 bzw. etwa 5000 bis 4000).

Catamarca, Hauptstadt der argentin. Prov. C., am Rand der Anden, 88600 E. Bischofssitz, Univ. (gegr. 1972); Thermalquellen, Wallfahrtskirche. - Gegr. 1683.

C., Prov. in NW-Argentinien, 100967 km², 230000 E (1986), Hauptstadt Catamarca.

Catanduanes, philippin. Insel, östlich der O-Küste SO-Luzons, 1430 km²; Reis, Kopra und Manilahanf werden angebaut. - 1573 von Spaniern erobert.

Catania, italien. Prov.hauptstadt an der sizilian. O-Küste, 372000 E. Erzbischofssitz; vulkanolog. Inst., Observatorium; Univ. (gegr. 1434); Nahrungs- und Genußmittel-, Textil- u.a. Ind.; Exporthafen; ✈. - C. (lat. **Catina**) wurde um 729 v. Chr. gegr.; seit 263 v. Chr. römisch, im 9. Jh. von Arabern, 1061 von Normannen erobert; durch Vulkanausbrüche (123 v. Chr., 1169) und Erdbeben (1693) zerstört; nach 1693 neu erbaut. - Röm. Odeion und Amphitheater; in der Altstadt das „Castello Ursino" (um 1240) und der barocke Dom (nach 1693).

Catanzaro, Hauptstadt der italien. Region Kalabrien und der Prov. C., 103000 E. Erzbischofssitz; Textilind. - Entstand im 10. Jh. als byzantin. Festung. Vom 11.-17. Jh. bed. Seidenherstellung.

Cataracta [griech.-lat.], svw. ↑Katarakt.

Catargiu, Lascăr [rumän. katar'dʒiu], * Jassy im Nov. 1823, † Bukarest 11. April 1899, rumän. Politiker. - Hatte maßgebl. Anteil an der Vertreibung des Fürsten Cuza und der Thronbesteigung Karls I. (1866); 1866-95 mehrmals Min.präs.; profiliertester konservativer Politiker Rumäniens im 19. Jh.

Catay ↑Kathei.

Catbalogan [span. kaðβa'loɣan], philippin. Prov.hauptstadt an der W-Küste der Insel Samar, 58700 E. Fischereihafen.

Catboot [engl. kæt], kleines, einmastiges Segelboot, nur mit Gaffel oder Hochsegel.

Catch [engl. kætʃ „das Fangen"; zu lat. captare „fangen"], im England des 17. und 18. Jh. beliebter, metrisch freier Rundgesang, meist heiteren, oft derben Inhalts, als Kanon dargeboten.

Catch-as-catch-can [engl. 'kætʃ əz 'kætʃ 'kæn „greifen, wie man nur greifen kann"] (Catchen), seit 1900 von Berufsringern **(Catchern)** ausgeübte Art des Freistilringens, bei der fast alle Griffe erlaubt sind.

Cateau-Cambrésis, Friede von [frz. katokãbre'zi], geschlossen 1559 zw. Philipp II. von Spanien und Heinrich II. von Frankreich; beendete den um Italien und Burgund seit Beginn des 16. Jh. geführten Kampf; Frankreich mußte bei Verlust aller Rechte auf die burgund. Territorien die erheblich gestärkte Position der burgund. (niederl.) Herrschaft Spaniens anerkennen. Spanien festigte seine Herrschaft über die Apenninenhalbinsel.

Catechine [malai.], in vielen Pflanzen vorkommende, farblose, kristalline Naturstoffe; Bestandteile natürl. Gerbmittel.

Catechismus Romanus [lat.], als Antwort auf die Katechismen der Reformatoren vom Konzil von Trient angeordnete zusammenfassende Darstellung des kath. Glaubens, 1566 in Rom in lat. und italien. Sprache veröffentlicht.

Catenaverbindungen [lat./dt.] (Catenane), chem. Verbindungen aus ineinandergreifenden Molekülringen.

Catene ↑ Katene.

Cathay Pacific Airways [engl. kæ'θeɪ pə'sɪfɪk 'ɛəwɛɪz] ↑ Luftverkehrsgesellschaften (Übersicht).

Cathedra [griech.-lat. „Armsessel"], in der Antike sesselartiges Gestühl in Grabanlagen für den Totenkult, auch Sitzmöbel des Lehrers, später für den Bischofssitz (Bischofsthron) im Kirchenraum verwendet, dann übertragen für Bischofssitz allgemein. Lehrentscheidungen des Papstes, die er **ex cathedra** (etwa „aus der Vollmacht der höchsten Lehrautorität heraus") trifft, gelten in der kath. Kirche als unfehlbar.

Cather, Willa [engl. 'kæðə], * Winchester (Va.) 7. Dez. 1876, † New York 24. April 1947, amerikan. Schriftstellerin. – Feinsinnige Romane über die Besiedlung des Westens durch Einwandererfamilien, u. a. „Neue Erde" (1913, 1991 u. d. T. „Unter den Hügeln der kommenden Zeit"); bed. auch der Roman „Der Tod kommt zum Erzbischof" (1927).

Catilina, Lucius Sergius, * um 108, ⚔ bei Pistoria (= Pistoia) im Jan. 62, röm. Prätor (68). – Aus altem patriz. Geschlecht; bereitete 63 einen Staatsstreich vor, der mit der Ermordung des Konsuls Cicero beginnen sollte; Cicero erreichte die Erklärung des Staatsnotstandes durch den Senat und mit der ersten seiner 4 Catilinar. Reden, daß C. Rom verließ und offen den Kampf begann; seine Anhänger in Rom wurden z. T. hingerichtet; C. fiel in der Schlacht bei Pistoria.

Catina, antike Stadt, ↑ Catania.

Catlett, Sidney („Big Sid") [engl. 'kætlɪt], * Evansville (Ind.) 17. Jan. 1910, † Chicago 24. März 1951, amerikan. Jazzmusiker. – Bed. Schlagzeuger des Swing und modernen Jazz.

Catlin, George [engl. 'kætlɪn], * Wilkes-Barre (Pa.) 26. Juli 1796, † Jersey City (N. J.) 23. Dez. 1872, amerikan. Sachbuchautor. – Stellte z. T. satirisch, aber mit ethnograph. Interesse und Präzision das Leben der Indianer in Wort und Bild dar.

Catlinit [nlat., nach G. Catlin], rötl., verfestigter Ton, aus dem die nordamerikan. Indianer Pfeifenköpfe herstellten; auch als Schmuckstein verwendet.

Cato, röm. Beiname, v. a. im Geschlecht der Porcier. Bed. v. a.:

C., Marcus Porcius C. Censorius (C. Maior, Cato d. Ä.), * Tusculum (= Frascati) 234, † 149, röm. Staatsmann und Schriftsteller. – 195 Konsul; richtete sich v. a. gegen Korruption und das Vordringen hellenist. Lebensart auf Kosten der altröm. Sitten; trat in seinen letzten Lebensjahren dafür ein, Karthago völlig zu vernichten („Ceterum censeo Carthaginem esse delendam"); schrieb u. a. das annalist. Geschichtswerk „Origines" (Ursprünge).

C., Marcus Porcius C. Uticensis (C. Minor, Cato d. J.), * 95, † Utica (Nordafrika) im April 46, röm. Staatsmann. – Urenkel des C. Censorius; Stoiker, überzeugter Republikaner, bekämpfte erfolglos die überragende Stellung von Pompejus und Cäsar; nahm nach deren Zerwürfnis 49/48 auf der Seite des Pompejus am Bürgerkrieg teil, beging nach der Niederlage der Pompejaner bei Thapsus (46) Selbstmord.

Cattell, Raymond Bernard [engl. kæ'tɛl], * West Bromwich (Devon) 20. März 1905, brit. Psychologe. – Prof. an der University of Illinois (USA); trug wesentlich zur Entwicklung der experimentell orientierten Persönlichkeitsforschung bei.

Cattenom [frz. kat'nõ], frz. Gem. in Lothringen, an der Mosel, 2 200 E. Kernkraftwerk mit 4 Blöcken (insgesamt 5 200 MW elektr. Leistung) im Bau; Block I seit 1986 in Betrieb, Block II seit 1988, Block III seit 1990.

Cattleya [nach dem brit. Botaniker W. Cattley, † 1832], Gatt. der Orchideen mit etwa 65 Arten im trop. Amerika mit meist 1–2 dicklederigen Blättern und großen, prächtig gefärbten Blüten. C.arten und -züchtungen sind beliebte Gewächshausorchideen.

Catull (Gajus Valerius Catullus), * Verona um 84, † Rom um 54, röm. Dichter. – Studierte in Rom, wo er dem Kreis der Neoteriker (moderne Dichter) angehörte. Seine Lyrik (116 Gedichte sind überliefert) ist zum ersten Mal in der röm. Literatur von persönl. Erlebnis bestimmt. Bes. aber die Liebeslieder auf Lesbia (die von C. verehrte Clodia, die Frau des Metellus) drücken die persönl. Leidenschaft des Dichters aus.

Cau, Jean [frz. ko], * Bram (Aude) 8. Juli 1925, † Paris 18. Juni 1993, frz. Schriftsteller. – 1945–57 Sekretär Sartres; schrieb u. a. „Das Erbarmen Gottes" (R., 1961) und „Sevillanes" (Prosa, 1987).

Cauca, Río [span. 'rrio 'kauka], linker und bedeutendster Zufluß des Río Magdalena, entspringt in der Zentralkordillere, mündet im nordkolumbian. Tiefland, rd. 1 000 km lang.

Cauchy, Augustin Louis Baron [frz. ko'ʃi], * Paris 21. Aug. 1789, † Sceaux 23. Mai 1857, frz. Mathematiker und Physiker. – Prof. an der École polytechnique und Sorbonne. Über 800 Veröffentlichungen u. a. aus folgenden Gebieten: Differentialgleichungen **(Cauchy-Riemannsche Differentialgleichung),** Theorie unendl. Reihen **(Cauchysches Konvergenzkriterium),** Funktionentheorie **(Cauchysche Integralformel),** Zahlen-, Wahr-

Pietro Cavallini. Seraphim, Ausschnitt aus dem Fresko des Jüngsten Gerichts in Santa Cecilia in Rom; um 1295–1300

scheinlichkeitstheorie und Elastizitätslehre, Himmelsmechanik.

Caucus [engl. 'kɔːkəs; indian.], in den USA Bez. für inoffizielle Parteiversammlungen, in denen die Kandidatenaufstellung für Wahlen zu den polit. Ämtern (bis zum Beginn des 20. Jh.; ↑Primary) oder allg. polit. Richtlinien abgesprochen wurden.

Cauda [lat. „Schwanz"], in der *Anatomie* Bez. für das schwanzförmig auslaufende Ende (C. equina) des Rückenmarks mit den hier austretenden Rückenmarksnervenwurzeln.

Caudillo [kaʊ'dɪljo; span.], urspr. Bez. für Häuptling, im ma. Spanien auch für Heerführer; in Lateinamerika seit dem 19. Jh. Bez. für einen polit. Machthaber, bes. für einen militär. Diktator; offizieller Titel des span. Staatschefs Franco Bahamonde.

Cauer, Minna, geb. Schelle, verw. Latzel, * Freyenstein bei Wittstock 1. Nov. 1842, † Berlin 3. Aug. 1922, dt. Frauenrechtlerin. – 1895 Führerin des linken Flügels der bürgerl. Frauenbewegung im Kampf für das Frauenstimmrecht (u. a. „Die Frau im 19. Jh.", 1898).

Caulaincourt, Armand Augustin Louis Marquis de [frz. kolɛ̃'kuːr], Herzog von Vicenza (seit 1808), * Caulaincourt (Aisne) 9. Dez. 1773, † Paris 19. Febr. 1827, frz. General und Politiker. – 1801 und 1807–11 Gesandter in Petersburg, nahm 1812 am Rußlandfeldzug teil; unterzeichnete als Außenmin. (seit 1813) den Vertrag von Fontainebleau über die Abdankung Napoleons I.; 1815 während der „Hundert Tage" erneut Außenminister.

Caulfield, Patrick [engl. 'kɔlfiːld], * London 29. Jan. 1936, engl. Maler. – Steht der Pop-art nahe. Landschaften, Interieurs und Stilleben in streng linearer Stilisierung und plakativen Farben.

Causa [lat. „Grund, Ursache"], in der *scholast. Philosophie* Begriff für Ursache. Entsprechend den vier Ursachen des Aristoteles unterscheidet die Scholastik die beiden **Causae internae:** die **Causa materialis,** das, woraus ein Ding entsteht, und die **Causa formalis,** das, wodurch ein Ding seine Eigenschaften erhält, und die beiden **Causae externae:** die **Causa efficiens** (Wirkursache), das, was durch sein (äußeres) Wirken ein Ding hervorbringt, und die **Causa finalis** (Zweckursache), das, um dessentwillen ein Ding hervorgebracht wird. Ferner war in der Scholastik bedeutsam die Platon. **Causa exemplaris,** das Muster, nach dem ein Ding durch eine (vernünftige) **Causa efficiens** hervorgebracht wird.

◆ im geltenden *Recht* der Rechtsgrund; der typ. von beiden Vertragsparteien gewollte Zuwendungszweck (= Zuwendungserfolg), z. B. der Erwerbs- oder Austauschzweck, der Schenkungszweck, der Erfüllungszweck. Die C. gehört bei den meisten Verpflichtungen zum Inhalt des Rechtsgeschäfts.

Cause célèbre [frz. kozse'lɛbr], aufsehenerregender Rechtsfall.

Causses [frz. koːs], Landschaft im südl. Zentralmassiv, Frankreich, nw. der Cevennen; durch zahlr., meist schluchtartig eingeschnittene Täler in einzelne Plateaus gegliedert. Extensive Weidewirtschaft (v. a. Schafhaltung); Herstellung von Roquefortkäse.

Cauvery [engl. 'kɔːvərɪ], Fluß in S-Indien, entspringt in den Westghats, spaltet sich 130 km oberhalb seiner Mündung in den Golf von Bengalen in mehrere Arme zu einem großen Delta; wichtigster Mündungsarm ist der **Coleroon;** Länge 760 km; den Hindus heilig.

Caux [frz. ko], heilklimat. Kurort im schweizer. Kt. Waadt, Teil der Gemeinde Montreux, 1 050 m ü. d. M., Konferenzzentrum der Stiftung für ↑Moralische Aufrüstung.

Cavaco Silva, Anibal, * Loulé 15. Juli 1939, portugies. Politiker. – Wirtschaftswissenschaftler; seit 1985 Vors. der Sozialdemokrat. Partei und Ministerpräsident.

Cavaillé-Coll, Aristide [frz. kavaje'kɔl], * Montpellier 4. Febr. 1811, † Paris 13. Okt. 1899, frz. Orgelbauer. – Berühmtester Orgelbauer seiner Zeit; baute u. a. die Orgel von Notre-Dame in Paris.

Cavalcanti, Guido, * Florenz um 1255, † ebd. 27. (28. ?) Aug. 1300, italien. Dichter. – Neben Dante der bedeutendste Dichter des Dolce stil nuovo und ein von Aristoteles und der oriental. Philosophie beeinflußter Denker. Gedichte von überraschender Gefühlsintensität.

Cavalieri, Emilio de' (E. del Cavaliere), * Rom um 1550, † ebd. 11. März 1602, italien. Komponist. – Mgl. der Camerata in Florenz; maßgeblich an der Ausbildung des monod. Stils beteiligt. Sein Hauptwerk ist das geistl. Drama „Rappresentazione di anima e di corpo“ (1600, mit D. Isorelli).

C., [Francesco] Bonaventura, * Mailand 1598 (?), † Bologna 30. Nov. 1647, italien. Mathematiker. – In seinem Hauptwerk „Geometria indivisibilibus...“ (1635) knüpfte C. an Archimedes' und Keplers Körperberechnungen an. Er formulierte das C.sche Prinzip.

Cavalierisches Prinzip [nach B. Cavalieri], mathemat. Lehrsatz: Werden zwei Körper von zwei parallelen Ebenen begrenzt und haben sie sowohl in diesen als auch in allen dazwischen verlaufenden Parallelebenen inhaltsgleiche Schnittfiguren, so haben sie gleiches Volumen.

Cavalli, Francesco, eigtl. Pier-F. Caletti-Bruni, * Crema 17. Febr. 1602, † Venedig 14. Jan. 1676, italien. Komponist. – Mit seinen 42 Opern (u. a. „Il Giasone“, 1649) prägte er den venezian. Opernstil.

Cavallini, Pietro, eigtl. P. Cerroni, * Rom um 1250, † ebd. um 1330, italien. Maler. – Wegweisender Mosaizist und Freskenmaler der röm. Schule. Führt über die formelhafte Raumandeutung byzantinisch geprägter Malerei hinaus. Die Fresken von San Paolo fuori le mura (1277–90) sind 1823 verbrannt (Nachzeichnungen aus dem 17. Jh. erhalten); um 1291 „Szenen aus dem Marienleben“ in Santa Maria in Trastevere (Mosaik).

Cavation (Kavation) [italien.-frz.], im Fechtsport die Lösung aus der gegner. Bindung durch Umgehen der gegner. Faust mit Streckung des Waffenarms und spiralförmiger Bewegung der Waffe.

Cavea [lat.], im Halbkreis angelegter, ansteigender Zuschauerraum in röm. Theatern.

cave canem! [lat. „hüte dich vor dem Hund“], Warnung vor Hunden an altröm. Häusern; übertragen: hüte dich!

Cavendish [engl. 'kævəndɪʃ], engl. Adelsfamilie; führt seit dem 17. Jh. die Herzogtitel von Devonshire und Newcastle; seit der Einheirat in das Geschlecht der Bentinck (Herzöge von Portland) **Cavendish-Bentinck.**

Cavendish, Henry [engl. 'kævəndɪʃ], * Nizza 10. Okt. 1731, † London 24. Febr. 1810, brit. Naturforscher. – Bestimmte die spezif. Wärmekapazität zahlr. Stoffe, die Gravitationskonstante und die Zusammensetzung der Luft. Durch Verbrennen von Wasserstoff mit Sauerstoff zu Wasser konnte er zeigen, daß Wasser kein chem. Element ist.

Cavendish-Bentinck, Lord William Henry [engl. 'kævəndɪʃ 'bɛntɪŋk], * Portland 14. Sept. 1774, † Paris 17. Juni 1839, brit. General und Politiker. – Wurde 1803 Gouverneur von Madras und 1827 von Bengalen; 1833–35 1. Generalgouverneur von Indien.

Cavite, philippin. Prov.hauptstadt auf Luzon, 15 km südlich von Manila, 87 700 E. Basis der philippin. Marine und amerikan. Flottenstützpunkt; Werften.

Cavour, Camillo Benso, Graf von [italien. ka'vur], * Turin 10. Aug. 1810, † ebd. 6. Juni 1861, italien. Staatsmann. – Als liberalkonservativer Realpolitiker seit 1852 Min.-präs.; erstrebte die italien. Einheit von einem liberal reformierten Sardinien aus im europ. Rahmen und gegen Österreich. Das Bündnis mit Frankreich (gegen Abtretung Savoyens mit Nizza) sicherte ihm den Erfolg im Sardinisch-Frz.-Östr. Krieg (1859). 1860 gelang C. der Anschluß M-Italiens. Sein diplomat. Spiel beflügelte die Freischarenzüge Garibaldis, deren revolutionäre Impulse C. aber auffing. 1861 erweiterte C. das sardin. zum italien. Parlament; Italien (ohne Rom) wurde konstitutionelle Monarchie.

Caxton, William [engl. 'kækstən], * in Kent um 1422, † London 1491, engl. Buchdrucker. – Gründete 1476 in London die erste Druckerei Englands. Bed. Verdienste um die engl. Schriftsprache.

Cayatte, André [frz. ka'jat], * Carcassonne 3. Febr. 1909, † Paris 6. Febr. 1989, frz. Filmregisseur. – Drehte gesellschafts- und sozialkrit. Filme um Justizprobleme: „Schwurgericht“ (1950), „Wir sind alle Mörder“ (1952), „Die schwarze Akte“ (1955), „Das Urteil“ (1974), „Les avocats du diable“ (1980).

Cayenne [frz. ka'jɛn], Hauptstadt von Frz.-Guayana, Hafen an der Mündung des Cayenne in den Atlantik, 38 100 E. Institut Français d'Amérique Tropicale, geolog. und bergbautechn. Forschungsinst., medizin. Inst., Bibliothek, Museum, botan. Garten. Zentrum eines Agrargebiets, internat. ✈. – 1604 frz. Niederlassung; 1854–1938 Zentrum einer Strafkolonie.

Cayennepfeffer [frz. ka'jɛn] ↑ Paprika.

Cayes, Les [frz. le'kaj] (auch Aux Cayes), Hafenstadt in Haiti, 36 500 E. Verwaltungssitz des Dep. Sud, Bischofssitz; wichtigster Hafen an der SW-Küste. – Gegr. 1786.

Caymangraben [engl. 'kɛɪmən], Tiefseegraben im Karib. Meer, größte Tiefe 7 680 m.

Cayman Islands [engl. 'kɛɪmɛn 'aɪləndz], Inselgruppe im Karib. Meer, südlich von Kuba, brit. Kronkolonie, 259 km², 25400 E (1989), Hauptstadt Georgetown auf Grand Cayman Island. - Von Kolumbus 1503 entdeckt; von Spanien 1670 an England abgetreten; 1734 erste Siedler; seit 1962 eigene Kolonie.

Caytoniales [kaɪ..., ke...: nach dem ersten Fundort Cayton Bay (Yorkshire)], fossile Ordnung hochentwickelter Samenfarne.

Cayuga [engl. kɛɪ'juːgə] ↑Irokesen.

CaZ, Abk für: Cetanzahl (↑Cetan).

CB-Funk (Abk. für engl.: **C**itizen **B**and „Bürgerfrequenzband"; Jedermann-Funk), Sprechfunk in einem bestimmten Frequenzbereich (11-m-Band; 26,960 bis 27,410 MHz; 40 Kanäle), der ohne bes. Funklizenz von jedermann betrieben werden kann. Voraussetzung für das Errichten und Betreiben einer „Sprechfunkanlage kleiner Leistung" ist eine (je nach Gerät bzw. DBP-Prüfnummer) allg. oder Einzelgenehmigung der Dt. Bundespost.

CBS [engl. 'siːbiː'ɛs], Abk. für: ↑**C**olumbia **B**roadcasting **S**ystem.

CC. (cc.). Abk. für lat.: Canones (Mrz. von Canon), ↑Kanon [im Kirchenrecht].

C. C. (CC), Abk. für frz.: **C**orps **c**onsulaire („konsular. Korps").

C. C. C., Abk. für: **C**onstitutio **C**riminalis **C**arolina (↑Carolina).

CCD [Abk. für engl.: **c**harge-**c**oupled **d**evice „ladungsgekoppeltes Bauelement"] (Ladungsverschiebeelement), ein Halbleiterbauelement, das u.a. als digitaler Speicher und als Strahlungsempfänger für sichtbare und infrarote Strahlung verwendet wird, z. B. in *CCD-Bildwandlern*, die in *CCD-Kameras* eingebaut sind (Umwandlung von Licht in elektr. Signale, die magnetisch gespeichert werden). In der Astronomie eignen sich *CCD-Detektoren* wegen ihrer hohen Empfindlichkeit im Bereich von 400 bis 1000 nm Wellenlänge zum Nachweis extrem lichtschwacher Objekte; sie besitzen eine hohe photometr. Genauigkeit und sind bes. geeignet zur Spektroskopie ausgedehnter Objekte.

cd, Einheitenzeichen für: ↑Candela.

Cd, chem. Symbol für: ↑Cadmium.

c. d., Abk. für: ↑**c**olla **d**estra.

CD, Abk. für: **C**ompact **d**isc (↑Schallplatte).

C. D. (CD), Abk. für frz.: **C**orps **d**iplomatique (↑diplomatisches Korps).

CD-ROM [Abk. für engl.: **c**ompact **d**isc **r**ead-**o**nly **m**emory], Speicherplatte (Festwertspeicher) für Personalcomputer, die nach dem Prinzip der Compact disc mit Laserabtastung arbeitet.

CDU, Abk. für: ↑**C**hristlich-**D**emokratische **U**nion.

Ce, chem. Symbol für: ↑Cer.

Ceará [brasilian. si̯a'ra], nordostbrasilian. Bundesstaat, 145694 km², 6,36 Mill. E (1989), Hauptstadt Fortaleza. C. liegt im Bereich der nö. Abdachung des Brasilian. Berglandes. Landw. im Küstenbereich; das von Dürren bedrohte Innere wird v.a. durch extensive Weidewirtschaft genutzt; daneben auch Sammelwirtschaft; im S Wolframerzbergbau, im N Gipsgewinnung.

Ceaușescu, Nicolae [rumän. tʃe̯au̯'ʃesku], *Scornicești (Kr. Olt) 26. Jan. 1918, †25. Dez. 1989, rumän. Politiker. - Seit 1945 im ZK der KP, 1952 Kandidat und seit 1955 Mgl. des Politbüros; Erster Sekretär (später Generalsekretär) der Partei seit 1965, 1967-74 auch Vors. des Staatsrats (Staatsoberhaupt), seit 1974 Staatspräs. Seine außenpolit. „nat. Linie", bes. Unabhängigkeit von der UdSSR, führte zur Isolierung. Innenpolitisch von zunehmendem Personenkult, Byzantinismus und Nepotismus sowie Unterdrückung jegl. Opposition und ethn. Minderheiten (bes. Rumäniendeutsche und -ungarn seit 1988) geprägte Diktatur, gestützt auf die ↑Securitate; trieb das Land in Not und Verelendung. Am 22. Dez. 1989 durch einen Aufstand gestürzt und verhaftet, nach einem Geheimprozeß gemeinsam mit seiner Frau **Elena Ceaușescu** (*1919, seit 1980 stellv. Min.präs.) hingerichtet.

Cebu, philippin. Hafenstadt an der O-Küste der Insel Cebu, 490000 E. Kath. Erzbischofssitz; sechs Univ., Museen; nach Manila das wichtigste Zentrum der Philippinen; internat. ✈. - 1565 erste span. Siedlung auf den Philippinen.

C., Insel im Zentrum der philippin. Inselwelt, 4422 km², 220 km lang, bis 36 km breit. Neben Landw. und Fischerei Abbau von Kupfererzen.

Cech, Thomas Robert [engl. setʃ], *Chicago (Ill.) 8. Dez. 1947, amerikan. Chemiker. - Prof. an der University of Colorado (Boulder); erhielt für die Entdeckung der katalyt. Aktivität von Ribonukleinsäuren den Nobelpreis für Chemie 1989 (mit S. Altman).

Čechy [tschech. 'tʃɛxi], histor. Gebiet im Westteil der ČSFR, ↑Böhmen.

Cecil [engl. sɛsl], berühmte engl. Familie, deren Einfluß William C. Baron Burghley begründete; durch seine Söhne erlangte die Familie C. 1605 die Titel eines Earl of Exeter und eines Earl of Salisbury. Bed.:

C., Edgar Algernon Robert, Viscount (seit 1923) C. of Chelwood, *Salisbury 14. Sept. 1864, †Tunbridge Wells (Kent) 24. Nov. 1958, brit. Politiker und Diplomat. - 1923-46 Präs. des Völkerbunds; erhielt 1937 den Friedensnobelpreis.

C., William, Baron Burghley, engl. Staatsmann, ↑Burghley, William Cecil, Baron.

Cedille [se'diːj(ə); frz.; zu span. zedilla „kleines Z"] (frz. cédille), kommaartiges diakrit. Zeichen unter einem Buchstaben; z. B. in frz. maçon („Maurer") zeigt die C. an, daß c wie [s] auszusprechen ist. Auch in anderen Sprachen zur Kennzeichnung unterschiedl. Lautwerte.

Cedmon ['ke:tmɔn] ↑Caedmon.

Cefalù [italien. tʃefa'lu], italien. Hafenstadt an der N-Küste von Sizilien, 14000 E. Bischofssitz; Fremdenverkehr. – 254 von den Römern erobert; nach byzantin. Herrschaft 858 sarazenisch; 1063 von den Normannen zerstört, im 12. Jh. neu aufgebaut. – Normann. Dom (1131–48).

Ceilometer [silo..., lat./griech.], Gerät zur Messung von Wolkenhöhen durch Bestimmung der Laufzeit eines an der Wolkenbasis reflektierten Lichtimpulses.

Čelakovský, František Ladislav [tschech. 'tʃɛlakɔfski:], *Strakonice 7. März 1799, †Prag 5. Aug. 1852, tschech. Philologe. – Sammelte und bearbeitete nach dem Vorbild J. G. Herders slawisches literarisches Volksgut.

Celan, Paul [tse'la:n], eigtl. P. Antschel, *Tschernowzy 23. Nov. 1920, †Paris Ende April 1970 (Selbstmord), deutschsprachiger Lyriker. – 1942/43 Arbeitslager in Rumänien, lebte seit 1948 in Paris. Gehört zu den großen Lyrikern des 20. Jh., sein Werk wurzelt v. a. in der jüd. Kulturtradition; auch bed. Übersetzer (A. Rimbaud, P. Valéry, R. Char, A. Blok, O. Mandelschtam). – *Werke:* Mohn und Gedächtnis (1952), Von Schwelle zu Schwelle (1955), Sprachgitter (1959), Die Niemandsrose (1963), Atemwende (1967), Fadensonnen (1968), Lichtzwang (hg. 1970), Schneepart (hg. 1971).

Cela Trulock, Camilo José [span. 'θela tru'lɔk], *Iria Flavia bei La Coruña 11. Mai 1916, span. Schriftsteller. – Begann mit surrealist. Lyrik, schrieb dann experimentelle, naturalist. Romane; gilt als Neuschöpfer des span. Romans nach dem Bürgerkrieg. 1989 Nobelpreis. – *Werke:* Pascual Duartes Familie (1942), Der Bienenkorb (1951), Geschichten ohne Liebe (1962), Mazurca para dos muertos (1983); auch Reiseberichte.

Celebes [tse'lebes, 'tselәbes] (indones. Sulawesi), drittgrößte der Großen Sundainseln, Indonesien, zw. Borneo und den Molukken, 189216 km² (einschließl. kleiner Inseln). Der zentrale Teil der Insel wird durch hohe Gebirgsketten (im Rantekombola bis 3458 m) mit tief eingeschnittenen Tälern bestimmt. Nach N, O und S schließen sich gebirgige Halbinseln mit z. T. aktiven Vulkanen an. Im allg. erhält C. ganzjährige starke Niederschläge. Fast 50% der Insel sind von immergrünen trop. Tieflands- und Bergwäldern bedeckt. – Die malaiische Bev. hat im dünnbesiedelten Innern ihre traditionellen Lebensformen vielfach bewahrt; in den Städten haben sich u. a. Chinesen angesiedelt. **Geschichte:** Der S und O gehörten seit dem 14. Jh. zum ostjavan. Reich Madjapahit, der N kam Mitte 16. Jh. unter die Herrschaft des muslim. Sultanats Ternate (1683 niederländisch); Vertreibung der Portugiesen 1660–69 und Eroberung des Reichs Makasar durch die Niederländer; 1942–45 japanisch besetzt, seit 1949 zu Indonesien.

Celebessee (Sulawesisee), Teil des Australasiat. Mittelmeeres nördlich von Celebes.

Celentano, Adriano [italien. tʃe...], *Mailand 6. Jan. 1938, italien. Schauspieler, Schlager- und Rocksänger. – Erfolgreich mit „Azzurro", „Una festa sui prati"; beim Film u. a. in Komödien: „Yuppi Du" (1975), „Der gezähmte Widerspenstige" (1980), „Bingo Bongo" (1983), „Joan Lui" (1986).

Celesta [tʃe'lɛsta; lat.-italien.], ein 1886 in Paris erfundenes, äußerlich dem Klavier ähnliches Stahlstabinstrument, dessen abgestimmte Stäbe auf Resonanzkästchen aus Holz lagern und über eine Tastatur mit einer Hammermechanik angeschlagen werden.

Celibidache, Sergiu [rumän. tʃelibi'dake], *Roman 28. Juni 1912, rumän. Dirigent. – Leitete 1945–52 die Berliner Philharmoniker, seit 1979 Chefdirigent der Münchner Philharmoniker und Generalmusikdirektor der Stadt München; komponierte u. a. Sinfonien sowie ein Klavierkonzert.

Céline, Louis-Ferdinand [frz. se'lin], eigtl. Destouches, *Courbevoie 27. Mai 1894, †Meudon 1. Juli 1961, frz. Schriftsteller. – Arzt im Armenviertel von Paris; Antisemit und Faschist. Pessimismus und Menschenverachtung, Nihilismus und die Überzeugung von der Absurdität des Lebens bestimmen sein Werk, u. a. die Romane „Reise ans Ende der Nacht" (1932), „Tod auf Kredit" (1936). – *Weitere Werke:* Von einem Schloß zum andern (R., 1957), Norden (R., 1960), Rigodon (R., hg. 1969).

Celio [italien. 'tʃɛ:lio], Enrico, *Ambri (Tessin) 19. Juni 1889, †Lugano 23. Febr. 1980, schweizer. Politiker (kath.-konservative Partei.). – 1940–50 Bundesrat für Post- und Eisenbahn, 1943 und 1948 Bundespräsident.

C., Nello, *Quinto (Tessin) 12. Febr. 1914, schweizer. Politiker. – 1962–66 Präs. der Freisinnig-demokrat. Partei; 1966–73 Bundesrat (Leiter des Militär-, seit 1968 des Finanzdepartements); 1972 Bundespräsident.

Cella [lat.], Hauptraum im antiken Tempel, Standort des Kultbildes.

◆ früher Bez. für die Mönchszelle, auch für ein kleines Kloster.

Celle, Krst. an der Aller, am S-Rand der Lüneburger Heide, Nds., 71200 E. Verwaltungssitz des Landkr. C.; Bundesforschungsamt für Kleintierzucht, Landesinstitut für Bienenforschung, Fachschulen (u. a. Deutsche Bohrmeisterschule), Bomann-Museum, Schloßtheater, Landessozialgericht; Landesgestüt; Maschinenbau, Bohr- und Erdöltechnik, elektron., Nahrungsmittelind. – 990 erstmals erwähnt; stand früher an der Stelle des heutigen Dorfes **Altencelle,** das vor 1249 Stadt war; 1292 Neugründung 3 km allerabwärts bei der bereits bestehenden Burg; 1301 Stadtrecht; bis 1705 Residenz von Braunschweig-Lüneburg; 1524 Einführung der Reformation. – Im NW-Turm des Schlosses (13.–18. Jh.) liegt das Schloßtheater (1674). Das Alte Rathaus wurde 1561–79 im Stil der Renaissance ausgebaut; das Neue Rathaus erhielt 1785 eine klassizist. Fassade; zahlr. Fachwerkhäuser.

C., Landkr. in Niedersachsen.

C., das Ft. Lüneburg der Welfen, entstanden durch die nach 1371 erfolgte Verlegung der Residenz von Lüneburg nach Celle; nach 1569 die abgespaltene jüngere Linie des Hauses Lüneburg und das von ihr regierte Fürstentum.

Benvenuto Cellini. Salzgefäß für Franz I. von Frankreich; 1539–43 (Wien, Kunsthistorisches Museum)

Cellini, Benvenuto [italien. tʃel'li:ni], * Florenz 1. Nov. 1500, † ebd. 14. Febr. 1571, italien. Goldschmied, Medailleur und Bildhauer des Manierismus. – Seit 1523 in päpstl. Diensten, 1540–45 am Hof Franz' I. von Frankreich, dann im Dienst Cosimos I. de'Medici in Florenz (Bronzestandbild des Perseus, 1545–54; Loggia dei Lanzi). C. Autobiographie wurde von Goethe übersetzt.

Cello ['tʃɛlo; italien.], Kurzbez. für ↑ Violoncello.

Cellophan Ⓦ [lat./griech.], glasklare, feste, etwas dehnbare Folie aus Zelluloseregenerat; Verpackungsmaterial.

Celluloid ↑ Zelluloid.

Cellulose ↑ Zellulose.

Celsius-Skala, von dem schwed. Astronomen Anders Celsius (* 1701, † 1744) 1742 eingeführte Temperaturskala, bei der der Abstand zw. dem Gefrierpunkt (0 °C) und dem Siedepunkt des Wassers (100 °C) in 100 gleiche Teile **(Celsius-Grade)** unterteilt ist.

Celsus, Aulus Cornelius, † Mitte des 1. Jh. n. Chr., röm. Schriftsteller. – Verf. enzyklopäd. Schriften, erhalten 8 Bücher über die Medizin, einziges Zeugnis der klass. röm. Medizin.

Celtis (Celtes), Konrad, eigtl. K. Pickel oder Bickel, * Wipfeld bei Schweinfurt 1. Febr. 1459, † Wien 4. Febr. 1508, dt. Humanist. – Schüler R. Agricolas in Heidelberg, 1486/87 Magister in Leipzig. Seine „Ars versificandi et carminum" (1486) ist die erste Poetik des dt. Humanismus. 1487 als erster Deutscher zum Dichter gekrönt. Seit 1497 Prof. in Wien. Er reformierte die Lehrpläne, gab Tacitus' „Germania" (1500) und von ihm wiederentdeckte Werke (u. a. Hrotsvit von Gandersheim, 1501) heraus. Schrieb u. a. Liebeslyrik nach dem Vorbild Ovids („Quatuor libri amorum", 1502), Oden und Epigramme.

Cembalo ['tʃɛmbalo; italien., Kurzbez. für Clavicembalo (zu mittellat. clavis „Taste" und griech.-lat. cymbalum „Schallbecken")] (Kielflügel, frz. Clavecin), Tasteninstrument mit Zupfmechanik in Flügelform. Die Tonerzeugung im C. erfolgt durch Anzupfen von dünnen Messing-, Bronze- oder Stahlsaiten unterschiedl. Länge und Stärke, die über einen Resonanzboden mit Stegen gespannt sind. Beim Drücken einer Taste zupft der im Springer beweglich angebrachte Kiel (meist aus Leder oder Kunststoff) die Saite an. Im Ggs. zum Klavier ist die Lautstärke und somit die Dynamik nicht durch die Anschlagstärke beeinflußbar. Um eine Klangänderung während des Spielens zu ermöglichen, besitzen deshalb größere Cembali 2 terrassenartig angeordnete Klaviaturen (Manuale) und mehrere in Tonlage und Klangcharakter verschiedene Register (16-, 8- und 4-Fuß, Lautenzug), die während des Spielens durch Pedale oder Knie- und Handhebel zu- oder abschaltbar sind (Umfang der Klaviatur $4^1/_2$ bis 5 Oktaven).

Geschichte: Das C. entstand in der 2. Hälfte des 14. Jh. Vom 16.–18. Jh. stand es als Tasteninstrument etwa gleichberechtigt neben Orgel und Klavichord; als Soloinstrument wurde es in der 2. Hälfte des 18. Jh. allmählich vom Hammerklavier verdrängt.

Cenabum, antike Stadt, ↑ Orléans.

Cénacle [frz. se'nakl; zu lat. cenaculum „Speisezimmer"], urspr. frz. Dichterkreis um die literar. Zeitschrift „La Muse française" (1823/24). 1827/28–30 bestand der zweite romant., von V. Hugo gegr. C. (u. a. A. de Vigny, A. de Musset, C. A. Sainte-Beuve, T. Gautier, P. Mérimée, G. de Nerval).

Cendrars, Blaise [frz. sã'dra:r], eigtl. Frédéric Sauser, * La Chaux-de-Fonds 1. Sept. 1887, † Paris 21. Jan. 1961, frz. Schriftsteller schweizer. Herkunft. – Schrieb suggestive Lyrik mit zwingenden Bildern und anarchist., rauschhafte Romane. Sein stark autobiograph., avantgardist. Werk gab bed. Anstöße. – *Werke:* Poèmes élastiques (Ged., 1919), Gold (R., 1925), Moloch (Prosa, 1926), Madame Thérèse (R., 1956).

Ceneri, Monte [italien. 'monte 'tʃe:neri], Paß im schweizer. Kt. Tessin, 554 m ü. d. M., Standort des italienischsprachigen Mittelwellensenders der Schweiz.

Cenis, Mont [frz. mõs'ni] ↑ Alpenpässe (Übersicht).

Cenotes [span. se'notes], Dolinen im N der Halbinsel Yucatán; oft einzige Möglichkeit der Wasserversorgung; daher Kristallisationspunkt voreurop. Besiedlung.

Censor ↑ Zensor.

Census ↑ Zensus.

Cent [tsɛnt; engl.; zu lat. centum „hundert"], Untereinheit (1/100) der Währungseinheiten *Dollar* (USA, Kanada u. a.), *Gulden* (Niederlande, Niederländ. Antillen, Surinam u. a.), *Rand* (Republik Südafrika u. a.), *Leone* (Sierra Leone), *Shilling* (Kenia, Tansania).

CENTAG [engl. 'sɛntæg] ↑ NATO (Tafel).

Centaurus (Kentaur) [griech.] ↑ Sternbilder (Übersicht).

Centavo [sɛn'ta:vo; span. und portugies.; zu lat. centum „hundert"], Untereinheit (1/100) der Währungseinheiten *Austral* (Argentinien), *Boliviano* (Bolivien), *Peso* (Chile, Kuba, Kolumbien u. a.), *Sol de Oro* (Peru), *Córdoba* (Nicaragua), *Lempira* (Honduras), *El-Salvador-Colón, Cruzeiro* (Brasilien), *Sucre* (Ecuador), *Quetzal* (Guatemala) und dem portugies. *Escudo.*

Center ['sɛntə; engl.], 1. Großeinkaufsanlage [mit Selbstbedienung], 2. Geschäftszentrum.

Centesimo [tʃɛn'te:zimo; italien.; zu lat. centesimus „der hundertste"], Untereinheit (1/100) der Währungseinheiten *Lira* (Italien u. a.).

Centésimo [sɛn'te:zimo; span.; zu lat. centesimus „der hundertste"], Untereinheit (1/100) der Währungseinheiten *Balboa* (Panama) und des uruguayischen *Peso.*

Centi... ↑ auch Zenti...

Centime [sã'ti:m; frz.; zu lat. centum „hundert"], Untereinheit (1/100) der Währungseinheiten *Franc* (Frankreich, Belgien u. a.) und *Gourde* (Haiti).

Céntimo ['sɛntimo; span.; zu lat. centum „hundert"], Untereinheit (1/100) der Währungseinheiten *Peseta* (Spanien u. a.), *Bolívar* (Venezuela) und des *Costa-Rica-Colón.*

cent nouvelles nouvelles, Les [frz. lesãnuvɛlnu'vɛl], älteste (anonyme) frz. Novellensammlung, entstanden um 1462, gedruckt 1486 (dt. 1907 u. d. T. „Die 100 neuen Novellen"), meist frivole Stoffe.

Cento [lat. „Flickwerk"], aus Versen bekannter Dichter zusammengesetztes Gedicht.

CENTO ['tsɛnto, engl. 'sɛntoʊ], Abk. für engl.: **Ce**ntral **T**reaty **O**rganization, Nachfolgeorganisation des Bagdadpaktes, Sitz seit 1960 Ankara. Nachdem Iran im März 1979 die Mitarbeit in der CENTO eingestellt hatte, beschlossen Pakistan, die Türkei, Großbritannien sowie die USA die Auflösung des Pakts zum 28. Sept. 1979.

centr..., Centr... ↑ auch zentr..., Zentr...

Central [span. sen'tral], Dep. in Paraguay, an der argentin. Grenze, 2 465 km², 572 500 E (1985); Hauptstadt Ypacaraí.

Central, Cordillera [span. kɔrði'ʎera θen'tral] ↑ Kastilisches Scheidegebirge.

C., C., [span. kɔrði'jera sen'tral] Gebirgszug im zentralen Costa Rica mit noch tätigen Vulkanen, im Irazú 3 432 m hoch.

C., C., [span. kɔrði'jera sen'tral] die Hauptgebirgskette in Puerto Rico, erstreckt sich im S des Landes in O–W-Richtung, im Cerro de Punta 1 338 m hoch.

C., C., [span. kɔrði'jera sen'tral] Gebirge im Zentrum von Hispaniola, in der Dominikan. Republik, im Pico Duarte (früher Pico Trujillo) 3 175 m ü. d. M. (höchste Erhebung der Antillen).

Central Army Group [engl. 'sɛntrəl 'ɑ:mɪ 'gru:p] ↑ NATO (Tafel).

Central Criminal Court [engl. 'sɛntrəl 'krɪmɪnəl 'kɔ:t] (Old Bailey), Schwurgericht für schwere Straftaten, die in London und Umgebung begangen wurden; ein C. C. C. besteht auch in Irland.

Centrale Marketing-Gesellschaft der deutschen Agrarwirtschaft mbH ↑ CMA.

Central Intelligence Agency [engl. 'sɛntrəl ɪn'tɛlɪdʒəns 'ɛɪdʒənsɪ] ↑ CIA.

Central Pacific Railroad [engl. 'sɛntrəl pə'sɪfɪk 'rɛɪlroʊd], der westl. Teil der ersten Eisenbahnlinie, die den nordamerikan. Kontinent durchquerte; 1869 mit dem östl. Teil, der **Union Pacific Railroad** am N-Ufer des Great Salt Lake vereint.

Central Region [engl. 'sɛntrəl 'ri:dʒən], Region in Schottland.

Central Standard Time [engl. 'sɛntrəl 'stændəd 'taɪm], Zonenzeit in Z-Kanada (Manitoba), in den Zentralstaaten der USA, Mexiko (ausgenommen westl. Teile), in Belize, Guatemala, Honduras, El Salvador, Nicaragua und Costa Rica; gegenüber MEZ 7 Stunden zurück.

Centre [frz. sã:tr], Region in M-Frankreich, 2,37 Mill. E. Umfaßt die Dep. Cher, Eure-et-Loir, Indre, Indre-et-Loire, Loir-et-Cher und Loiret, Regionshauptstadt ist Orléans.

Centre Beaubourg [frz. sãtrəbo'bu:r], svw. Centre Georges-Pompidou, Paris, ↑Museen (Übersicht).

Centre Georges-Pompidou [frz. sãtrəʒɔrʒpõpi'du] ↑Museen (Übersicht).

Centula, ehem. Benediktinerabtei (heute Saint-Riquier bei Abbeville), gegr. im 7. Jh., von Abt Angilbert wieder errichtet. Die damals (790–99) erbaute Kirche gehörte zu den bedeutendsten Bauten der Karolingerzeit.

centum [lat.], hundert.

Centumcellae ↑Civitavecchia.

Centurie ↑Zenturie.

Centurio ↑Zenturio.

Cephal... ↑Zephal...

Cephalgie [griech.], svw. ↑Kopfschmerz.

Cephalopoda [griech.], svw. ↑Kopffüßer.

Cephalosporine [griech.], Antibiotika mit breitem Wirkungsspektrum, die sich von dem aus Cephalosporium acremonium gewonnenen **Cephalosporin C** ableiten; chemisch dem Penicillin verwandt.

Cephalothorax [griech.] (Kopfbrust), Verschmelzung von Brustsegmenten mit dem Kopf bei Krebsen und Spinnentieren.

Cephalus ↑Kephalos.

Cepheiden [griech.], in ihrer Helligkeit, ihrem Durchmesser, ihrer Dichte u. a. period. Schwankungen unterliegende Sterne, ben. nach dem Prototyp der Klasse, dem Stern δ Cephei. Perioden zw. 2 und 50 Tagen. Aus der Perioden-Leuchtkraft-Beziehung läßt sich die Entfernung eines C. bestimmen. Danach wurden die Entfernungen der nächsten extragalakt. Systeme bestimmt.

Cepheus (Kepheus) [griech.] ↑Sternbilder (Übersicht).

Cer (Cerium, Zer) [lat., nach dem Planetoiden Ceres], chem. Symbol Ce; chem. Element aus der Reihe der Lanthanoide im Periodensystem der chem. Elemente; Ordnungszahl 58, relative Atommasse 140,12; Dichte 6,77 g/cm^3; graues, gut verformbares und chemisch sehr reaktionsfähiges Seltenerdmetall; Schmelzpunkt 798 °C, Siedepunkt 3 257 °C. Kommt in der Natur v. a. im Monazit und Cerit vor. Wird meist als C.mischmetall gewonnen und verwendet, z. B. als Legierungszusatz und für Zündsteine.

cer..., Cer... ↑zer..., Zer...

Ceram, C. W., eigtl. Kurt W. Marek, *Berlin 20. Jan. 1915, †Hamburg 12. April 1972, dt. Schriftsteller. – Schrieb erfolgreiche archäolog. Sachbücher, u. a. „Götter, Gräber und Gelehrte" (1949), „Der erste Amerikaner" (1972).

Ceram (indones. Seram), Insel der S-Molukken, Indonesien, 340 km lang, bis 70 km breit, von einer zentralen bewaldeten Gebirgskette durchzogen, bis 3 019 m hoch. – Seit Anfang des 16. Jh. unter der Herrschaft des muslim. Sultanats Ternate (1650 an die Niederländer abgetreten); gehörte 1950 zur Republik der Südmolukken.

Ceramsee, Teil des Australasiat. Mittelmeeres im O des Malaiischen Archipels.

Ceratites [zu griech. kéras „Horn"], Gatt. der Ammoniten, Leitfossil für den oberen Muschelkalk (Ceratitenkalk) der german. Trias M-Europas; Durchmesser der Tiere zw. 4 und 26 cm. Kennzeichnend für die C. ist die **ceratit. Lobenlinie,** bei der die Sättel ganzrandig, die Loben dagegen fein zerteilt sind.

Ceratium [griech.], Algengatt. der Dinoflagellaten mit etwa 80 v. a. im Meer vorkommenden Arten; der Zellkörper ist von einem Zellulosepanzer umhüllt und hat meist 1–4 horn- bis stachelförmige Schwebefortsätze und viele Poren.

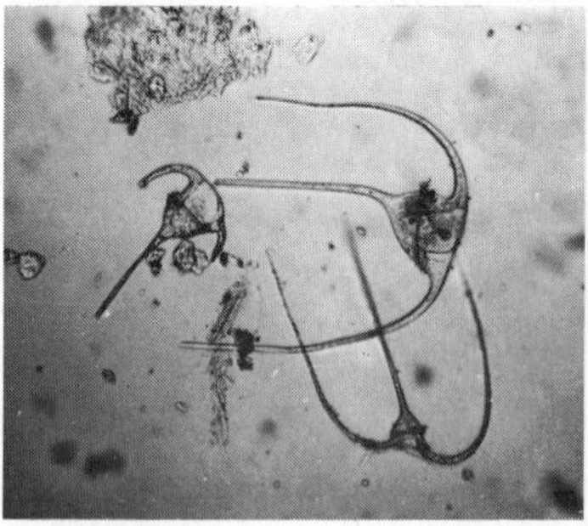

Ceratium

Cerberus ↑Zerberus.

Cercle [frz. sɛrkl; zu lat. circulus „Kreis"], vornehmer Gesellschaftskreis, Empfang, geschlossene Gesellschaft.

Cerealien ↑Zerealien.

Cerebellum [lat.], svw. Kleinhirn (↑Gehirn).

cerebral ↑zerebral.

Cerebrum [lat.], svw. ↑Gehirn.

Cereme [indones. tʃe'reme] (Tjereme), tätiger Vulkan auf W-Java, 3 078 m hoch.

Ceres, röm. Göttin der Feldfrucht. Früh mit der griech. Demeter identifiziert. Am 19. April fanden die ihr geweihten **Cerealia** statt.

Ceres [lat., nach der röm. Göttin C.], einer der größten Planetoiden im Sonnensystem; Durchmesser etwa 1 000 km.

Ceresin [lat.] ↑Erdwachs.

Cergy-Pontoise [frz. sɛrʒipõ'twa:z], neue Stadt in Frankreich, nw. von Paris,

130 000 E; gebildet aus Cergy (Verwaltungssitz des Dep. Val-d'Oise), Pontoise und einigen ländl. Gemeinden; Univ. (gegr. 1991), Hochschule für Wirtschafts- und Sozialwiss., Internat. Inst. für Umwelt und Städtebau; Museum.

Cerha, Friedrich ['tʃɛrha], * Wien 17. Febr. 1926, östr. Komponist. – Gründete 1958 mit K. Schwertsik das Ensemble für zeitgenöss. Musik „die reihe"; schrieb Orchesterwerke, Kammermusik und Bühnenwerke, u. a. die Opern „Baal" (1981; nach B. Brecht), „Die Rattenfänger" (1987); vollendete den 3. Akt von A. Bergs Oper „Lulu" (UA 1979).

Ceriterden [lat./dt.], Sammelbez. für die Oxide des Lanthans, Cers, Praseodyms, Neodyms, Samariums und Europiums, die meist zus. in Mineralen auftreten, z. B. Cerit und Monazit.

Cerium, svw. ↑ Cer.

Cermet ↑ Keramik.

CERN [frz. sɛrn], Abk. für frz.: Organisation (vor 1954: Conseil) Européenne pour la Recherche Nucléaire (dt. Europ. Organisation für Kernforschung), 1952 gegr. Organisation für Kern- und Elementarteilchenphysik mit Sitz in Genf und Forschungszentrum in Meyrin bei Genf. Dort befinden sich mehrere Teilchenbeschleuniger und Speicherringe (u. a. ↑ LEP) sowie großvolumige Detektoren und Blasenkammern. Bed. war u. a. die Entdeckung der Feldquanten der schwachen Wechselwirkung bei CERN (1982/83).

Černík, Oldřich [tschech. 'tʃɛrnji:k], * Ostrau 27. Okt. 1921, tschechoslowak. Politiker. – 1963 stellv. Min.präs., 1966 Mgl. im Parteipräsidium, 1968–70 Min.präs.; 1970 als Vertreter des Reformkommunismus aus der Partei ausgeschlossen.

Cernunnus, kelt. Gott, Spender von Fruchtbarkeit und Reichtum.

Cerro de las Mesas [span. 'sɛrrɔ ðe laz 'mesas], archäolog. Stätte im mex. Staat Veracruz; 50 km ssö. von Veracruz Llave, besiedelt 300 v. Chr.–600 n. Chr. und 1200–1500; Blütezeit 300–600.

Cerro de Pasco [span. 'sɛrrɔ ðe 'pasko], Hauptstadt des zentralperuan. Dep. Pasco, 170 km nnö. von Lima, 4330 m ü. d. M., 72 100 E. Univ. (gegr. 1965); Abbau verschiedener Erze seit dem 17. Jahrhundert.

Cerro Largo [span. 'sɛrrɔ 'larɣo], Dep. im nö. Uruguay, an der Grenze gegen Brasilien, 13 648 km², 78 000 E (1985), Hauptstadt Melo; Viehzuchtgebiet.

Certaldo [italien. tʃer'taldo], italien. Stadt in der Toskana, 16 000 E. In der mit Wehrmauern umgebenen Oberstadt befindet sich das Wohn- und Sterbehaus Boccaccios (Museum).

Certosa [italien. tʃer'tɔ:za, eigtl. „Kartause"], auf dem Gelände eines Klosters des Kartäuserordens gelegenes etrusk. Gräberfeld bei Bologna, namengebend für die *C.stufe* (5./4. Jh.), deren Kennzeichen, die C.fibel, für die Chronologie der La-Tène-Zeit im nordalpinen Gebiet bed. ist.

Cerro de las Mesas. Der alte Feuergott; Räuchergefäß (Mexiko, Museo Nacional)

Certosa [italien. tʃer'tɔ:za] ↑ Kartause.

Certosa di Pavia [italien. tʃer'tɔ:za di pa'vi:a], italien. Gemeinde in der Lombardei, nördl. von Pavia, 3 000 E. – Die Kartause (C. di P.) wurde 1396 gegr. – Kirche mit Marmorfassade (1491 bis um 1540); Klosterbauten (15. und v. a. 17. Jh.).

Cerumen, svw. ↑ Ohrenschmalz.

Cerussit ↑ Zerussit.

Cervantes Saavedra, Miguel de [sɛr'vantɛs, span. θɛr'βantes saa'βeðra], * Alcalá de Henares vielleicht 29. Sept. 1547, ≈ 9. Okt. 1547, † Madrid 23. April 1616, span. Dichter. – Verfaßte in seinem abenteuerl. und schweren Leben (1571 Verstümmelung der linken Hand bei Lepanto, 1575–80 Gefangener alger. Piraten, 1598 und 1602 Gefängnishaft) ein alle literar. Gattungen umfassendes Werk, das seine Spannung aus der Auseinandersetzung mit Geist und Geschichte der Epoche und deren Überhöhung ins Überzeitliche gewinnt. Während seine Lyrik und seine Dramen nur geringere Bed. besitzen, gehören seine Novellen („Exemplarische Novellen", 1613) und Romane, insbes. sein „Don Quijote" zur Weltliteratur. Vor dem Hintergrund einer sowohl eigentüml. span. (J. de Montemayor) als auch übernat., bukolisch-arkad. und neuplaton. Tradition entwarf C. in seinem Hirtenroman „Galathea" (1585) Möglichkeiten von Rationalisierung und Moralisierung der Liebe. „Leben und Taten des scharfsinnigen Edlen Don Quijote von La Mancha" (I 1605, II 1615) waren als Satire auf die zeitgenöss. Ritterromane gedacht. C.S. erzählt die tragikom. Abenteuer Don Quijotes, eines armen Adligen, der in einer Traumwelt verflossener Ritterherrlichkeit lebt, und seines treuen, pfiffigen, bäuerlich-nüchternen Waffenträgers Sancho Pansa; in ihnen ist der Ggs. zw. weltfremdem Idealismus und prakt. Vernunft verkörpert. – *Weitere Werke:* Numancia (Dr., 1584), Die Reise zum Parnaß (ep. Ged., 1614), Die Leiden des Persiles und der Sigismunda (phantast. Abenteuer-R., 1617).

📖 *Canavaggio, J.: Cervantes. Eine Biographie. Dt. Übers. Mchn. 1989. – Byron, W.: Cervantes. Dt. Übers. Mchn. 1982.*

Cerveteri [italien. tʃer'vɛːteri] ↑Caere.

Cervix (Zervix) [lat.], in der Anatomie Bez. für: 1. Hals, Nacken; 2. halsförmiger Abschnitt eines Organs, z.B.: **Cervix uteri,** Gebärmutterhals.

Cervus [lat.], Gatt. der Hirsche mit etwa 10 Arten in Eurasien; u.a. ↑Rothirsch, ↑Sikahirsch, ↑Sambarhirsch, ↑Zackenhirsch.

Ces, Tonname für das um einen chromat. Halbton erniedrigte C.

Césaire, Aimé [frz. se'zɛːr], * Basse-Pointe (Martinique) 25. Juni 1913, frz. Dichter. – Verf. polit. Essays. Sein Werk vereinigt frz. Kultur und afrikan. Erbe. Bed. Vertreter der ↑Négritude. – *Werke:* Zurück ins Land der Geburt (Ged., 1947), An Afrika (Ged., dt. Ausw. 1968), Ein Sturm (Dr., 1969), Gedichte (1982).

Cesalpino, Andrea [italien. tʃezal'piːno], latinisiert Andreas Caesalpinus, * Arezzo um 1519, † Rom 23. Febr. 1603, italien. Philosoph, Botaniker und Mediziner. – Leibarzt Papst Klemens' VIII.; beschäftigte sich u.a. mit der Bewegung des Blutes, die er bereits als Zirkulation beschrieb. Verfaßte ein auf Früchten und Blüten basierendes Pflanzensystem.

Cesar [span. se'sar], Dep. in N-Kolumbien, 22905 km², 646000 E (1985), Hauptstadt Valledupar. Ackerbau und Viehzucht.

César [se'zaːr], eigtl. C. Baldaccini, * Marseille 1. Jan. 1921, frz. Bildhauer. – Vertreter des ↑Nouveau réalisme. Anfangs geschweißte Metallskulpturen aus Fertigteilen, ab 1960 zusammengepreßte Autoteile („Kompressionen"), 1966 folgen Abgüsse von Körperformen und „Expansionen" aus dehnungsfähigem Kunststoff.

César. Compression d'automobile; 1960 (Genf, Galerie Sonia Zannettacci)

Cesarotti, Melchiorre [italien. tʃeza'rɔtti], * Padua 15. Mai 1730, † Selvazzano bei Padua 4. Nov. 1808, italien. Gelehrter. – Seine Nachdichtung des Ossian (1763–72) übte großen Einfluß aus, bes. auf Alfieri.

Cesena [italien. tʃe'zɛːna], italien. Stadt in der östl. Emilia-Romagna, 30 km südlich von Ravenna, 90000 E. Bischofssitz; Gemäldegalerie, „Biblioteca Malatestiana" (1447–52) mit wertvollen Handschriften; Nahrungs- und Genußmittelind. – 1357 kam C. (in röm. Zeit **Caesena**) an den Kirchenstaat. – Die Stadt wird beherrscht von der Rocca Malatestiana (v.a. 15. Jh.).

Česká a Slovenská Federatívna Republika [slowak. 'tʃɛskaː a 'slovɛnskaː federatıːvnɑː 'rɛpublika], Abk. ČSFR, amtl. slowak. Name der ↑Tschechoslowakei.

Česká a Slovenská Federativni Republika [tschech. 'tʃɛskaː a 'slovɛnskaː 'federatıvni 'rɛpublika], Abk. ČSFR, amtl. tschech. Name der ↑Tschechoslowakei.

České Budějovice [tschech. 'tʃɛskɛː 'budjɛjɔvitsɛ] ↑Budweis.

Český Krumlov [tschech. 'tʃɛskiː 'krumlɔf] (dt. [Böhmisch-]Krumau), Stadt in der ČSFR, 20 km sw. von Budweis, an der Moldau, 13 500 E. Holzverarbeitende, Textil- und Bekleidungsind. – 1278 als Stadt genannt. – Spätgot. Kirche Sankt Veit (1407–39); zahlr. Häuser der Renaissance; über der Stadt liegt das Schloß (13./14. Jh.).

Český Těšín [tschech. 'tʃɛski: 'tjɛʃi:n] (dt. Teschen), Stadt in der ČSFR, am linken Ufer der Olsa, gegenüber der poln. Stadt Cieszyn, 25 km sö. von Ostrau, 25 400 E. Schwerind., Nahrungsmittel- und holzverarbeitende Ind. – 1155 zuerst erwähnt, im 13. Jh. Ansiedlung von Deutschen; 1281 Hauptort des piast. Hzgt. Teschen, 1292 Stadtrecht; 1327 böhm.; 1920 in das tschech. Č. T. und das poln. Cieszyn geteilt; 1938–45 als Cieszyn, zunächst unter poln. Oberhoheit, nochmals vereinigt.

Çeşme [türk. 'tʃɛʃmɛ], türk. Ort an der Küste des Ägäischen Meeres, 70 km wsw. von Izmir, 6 500 E. Tabakbau, Reb- und Feigenkulturen. – Hier lag **Erythrai,** einer der 12 ion. Stadtstaaten Kleinasiens; 191 v. Chr. unter röm. Oberhoheit; im MA seldschukisch, dann osmanisch; später verlassen, Anfang des 19. Jh. als **Litri** wiedergegründet.

Céspedes, Alba de [italien. 'tʃɛspedes], * Rom 11. März 1911, italien. Schriftstellerin. – Legt einfühlsam v. a. die Probleme der Frau in Familie und Beruf dar, u. a. „Allein in diesem Haus" (R., 1952), „Die Bambolona" (R., 1967).

Cesti, Pietro Antonio [italien. 'tʃesti], gen. Marc Antonio C., ≈ Arezzo 5. Aug. 1623, † Florenz 14. Okt. 1669, italien. Komponist. – Einer der bedeutendsten Opernkomponisten des 17. Jh. (u. a. die Hochzeitsoper für Kaiser Leopold I., „Il pomo d'oro", 1667).

Cestius, Gajus C. Epulo, † vor 12 v. Chr., röm. Volkstribun, Prätor und Septemvir. – Bekannt durch sein Grabmal, die an der Straße nach Ostia errichtete 37 m hohe **Cestiuspyramide** (heute neben der Porta San Paolo).

c'est la guerre [sɛla'gɛ:r; frz. „das ist der Krieg"], Redensart: das bedeutet Krieg, hat Krieg zur Folge.

Cetan [griech.] (Hexadecan), $C_{16}H_{34}$, ein gesättigter Kohlenwasserstoff; er zeigt optimales techn. Betriebsverhalten als Dieselkraftstoff und dient als Eichkraftstoff zur Ermittlung der **Cetanzahl** (Abk. **CaZ;** Maß für die Zündwilligkeit eines Dieselkraftstoffs). Dem sehr zündwilligen C. schreibt man die Cetanzahl 100, dem zündträgen α-Methylnaphthalin die Cetanzahl 0 zu. Die Cetanzahl gibt dann an, wieviel Volumenprozent C. sich in einem Gemisch mit α-Methylnaphthalin befinden, das in einem Prüfmotor dieselbe Zündwilligkeit aufweist wie der untersuchte Dieselkraftstoff. Für Ottomotoren ist die ↑ Oktanzahl maßgebend.

Ceterum censeo Carthaginem esse delendam [lat. „im übrigen meine ich, daß Karthago zerstört werden muß"], stehende Schlußformel in den Senatsreden des älteren Cato, daher sprichwörtlich für eine hartnäkkig wiederholte Forderung.

Cetinje [serbokroat. ˌtsɛtinjɛ], Stadt westlich von Titograd, Montenegro, 14 000 E. Sitz eines serbisch-orth. Metropoliten; Nationalmuseum. – 1440 erstmals genannt, 1878 bis 1918 Hauptstadt des Kgr. Montenegro.

Četnici [serbokroat. 'tʃɛtni:tsi] (Tschetniks), serb. Freischärler, die sich zum Schutz der serb. Bev. in Makedonien Ende des 19. Jh. zusammenfanden. Unter dem Namen C. kämpften im 2. Weltkrieg nationalserb. Partisanengruppen gegen die dt. Besatzung in Bosnien und Herzegowina sowie in den serbisch besiedelten Gebieten Kroatiens gegen die Ustaša; 1944 von kommunist. Partisanen Titos aufgerieben.
Im serb.-kroat. Bürgerkrieg 1990/91 kämpften serb. Freischärler unter dem Namen Č. an der Seite der jugoslaw. Volksarmee.

Cetus [griech.-lat.] (Walfisch) ↑ Sternbilder (Übersicht).

Ceulen, Ludolph van [niederl. 'kø:lə], eigtl. Ackermann (?), latinisiert Colonus, * Hildesheim 28. Jan. 1540, † Leiden 31. Dez. 1610, dt.-niederl. Mathematiker. – Berechnete die Zahl π (nach ihm auch **Ludolphsche Zahl**) auf 36 Stellen genau.

Ceuta [span. 'θeu̯ta], span. Hafenstadt an der marokkan. Mittelmeerküste, 19 km², 71 000 E. Schiffreparatur, Fischverarbeitung. – Schon im Altertum Festung mit Hafen, 715 von Arabern erobert, 1415 portugiesisch, seit 1580 bei Spanien.

Cevennen [se...], äußerster SO-Rand des Zentralmassivs, Frankreich, mit steilem Abfall zum Languedoc und zur Rhonesenke sowie allmähl. Abdachung zur atlant. Seite, im Mont Lozère 1 702 m hoch, z. T. Nationalpark.

Ceylon, Insel im Ind. Ozean, ↑ Sri Lanka.

Ceylonbarbe (Puntius cumingi), bis etwa 5 cm lange Zierbarbenart in Bergwaldbächen Ceylons; Warmwasseraquarienfisch.

ceylonesische Kunst, in ihren wesentlichen Zeugnissen der buddhist. Kunst zugehörig. Von der ersten Hauptstadt und einst buddhist. Zentrum Anuradhapura ist heute ein großes Ruinenfeld freigelegt mit Überresten bedeutender architekton. Leistungen, Bauplastik (Mondsteine) und Großplastik aus dem 3. Jh. v. Chr.–10. Jh. n. Chr. Seit Mitte des 8. Jh. wurde des öfteren Polonnaruwa Hauptstadt. In diesem Ort finden sich relativ gut erhaltene Ziegelbauten und eine Großplastik aus dem 12. Jahrhundert.

Ceylonmoos (Gracilaria lichenoides), im Ind. Ozean weitverbreitete, stark gabelig verzweigte Rotalge.

Ceylonzimt, svw. Kaneel (↑ Zimt).

Paul Cézanne. Mühle an der Couleuvre bei Pontoise; 1881 (Berlin, Staatliche Museen)

Cézanne, Paul [frz. se'zan], * Aix-en-Provence 19. Jan. 1839, † ebd. 22. Okt. 1906, frz. Maler. – Wandte sich Ende der 1870er Jahre vom Impressionismus ab und widmete sich in seinen reiferen Arbeiten (v.a. Stilleben, Landschaften) einer am Farbwert orientierten Malerei, die als Vorstufe zur Abstraktion gilt; C. erhöhte die Bedeutung geometr. Formen für die Komposition; dadurch Vorläufer der Kubisten. Oft wiederholte Motive sind bes. der Mont Sainte-Victoire (1883 ff., 11 Fassungen, u.a. New York, Washington, Philadelphia, Basel) und Badende (u.a. 1890–94, Paris, Louvre; 1900–05, Chicago, Art Institute).

Cf, chem. Symbol für: ↑Californium.

cf. (cfr., conf.), Abk. für: lat. confer! („vergleiche!").

c. f., Abk. für: Cantus firmus (↑Cantus).

CFA-Franc [frz. seɛf'afrɑ̃:], Währungseinheit afrikan. Staaten, die der Communauté Financière Africaine angehören.

CFK, Abk. für: Carbonfaser-Kunststoffe (↑Verbundwerkstoffe).

CFLN, Abk. für: Comité français de libération nationale (↑Französisches Komitee der Nationalen Befreiung).

CGB, Abk. für: Christl. Gewerkschaftsbund Deutschlands (↑Gewerkschaften).

C. G. T. (CGT) [frz. seʒe'te], Abk. für: Confédération Générale du Travail (↑Gewerkschaften [Übersicht; Europa]).

C. H. (CH), Abk. für: lat. ↑Confoederatio Helvetica.

Chaban-Delmas, Jacques Michel Pierre [frz. ʃabɑ̃dɛl'mɑ:s], eigtl. J. Delmas, * Paris 7. März 1915, frz. gaullist. Politiker. – Seit 1940 führendes Mgl. in der Résistance (Deckname „Chaban"); 1947–77 und seit 1983 Bürgermeister von Bordeaux; 1954–58 Min. in verschiedenen Ressorts (u.a. 1957/58 Verteidigungsmin.); 1958–69, 1978–81 und 1986–88 Präs. der Nat.versammlung; 1969 bis 1972 Premierminister.

Chabarowsk [russ. xa'barɐfsk], Hauptstadt der russ. Region C., im Fernen Osten, an der Mündung des Ussuri in den Amur, 601 000 E. Mehrere Hochschulen; Schiff- und Maschinenbau, Erdölraffinerie u.a. Ind.; Hafen am Amur, Bahnstation an der Transsib, internat. ✈. – Entstand 1858 als Militärstützpunkt, seit 1880 Stadt, seit 1884 Sitz eines Gouverneurs, 1922 sowjetisch.

Chablais [frz. ʃa'blɛ], nördlichstes Massiv der frz. Voralpen, südlich des Genfer Sees, im Mont Buet 3 099 m hoch.

Chabrol, Claude [frz. ʃa'brɔl], * Paris 24. Juni 1930, frz. Filmregisseur und -kritiker. – Von F. Lang und A. Hitchcock beeinflußt, galt seit seinem Film „Die Enttäuschten" (1958) als Exponent der „Neuen Welle". – *Weitere Filme:* Schrei, wenn du kannst (1959), Die untreue Frau (1968), Die Phantome des Hutmachers (1982), Der Schrei der Eule (1988), Dr. M. (1989), Stille Tage in Clichy (1990), Betty (1991).

Chac [tʃak], Regengott der Mayakultur; sein Kult verlangte Kinderopfer.

Cha-Cha-Cha ['tʃa'tʃa'tʃa], Modetanz aus Kuba, in den 1950er Jahren aus dem Mambo entwickelt.

Chac-Mool ['tʃak mo'ɔl], Steinskulpturentyp des präkolumb. Mexiko (mit der Kultur der Tolteken und Azteken verbunden).

Chaco [span. 'tʃako], nordargentin. Prov. im südl. Gran Chaco, 99633 km², 824000 E (1989), Hauptstadt Resistencia.

Chacokrieg [span. 'tʃako], Krieg zw. Bolivien und Paraguay (1932–35), der um das durch Erdölfunde wirtsch. interessant gewordene nördl. Chacogebiet (sog. Chaco boreal) und das Problem des Meereszugangs Boliviens über den Paraguay ausbrach. 1938 erhielt das siegreiche Paraguay den größten Teil des umstrittenen Gebiets, Bolivien einen Korridor zum Paraguay.

Chaconne [ʃa'kɔn; frz.] (span. Chacona; italien. Ciaccona), mäßig bewegter Tanz im ³/₄-Takt, wahrscheinlich aus Spanien; eine der Hauptformen des frz. Ballet de cour und der frz. Oper des 17./18. Jh. In der Instrumentalmusik erscheint die C. als Variationskomposition über einem meist viertaktigen ostinaten (ständig wiederholten) Baßthema (J. S. Bach, C. in der Solo-Partita d-Moll für Violine).

chacun à son goût [frz. ʃakœasõ'gu], Redensart: jeder nach seinem Geschmack.

Chadatu [xa...], assyr. Provinzhauptstadt, ↑Arslan Taş.

Chadidscha [xa'didʒa], * Mekka um 560, † ebd. 619, erste Gemahlin des Propheten Mohammed. – Kaufmannswitwe, die Mohammed die Heirat anbot. Der Ehe entstammt ↑Fatima.

Chadir, Al [arab. al'xadır „der Lebendige"], legendäre Heiligengestalt im Islam; die Chadirlegende knüpft an Sure 18, Vers 59 ff. des Korans an und enthält verschiedene Sagenmotive.

Chadli Bendjedid ['ʃɑ:dli: bəndʒə'did], * Bouteldja 14. April 1929, alger. Politiker. – Seit 1955 im Befreiungskampf aktiv; danach maßgeblich am Aufbau der Streitkräfte beteiligt. Seit 1979 Staatspräs. (1984, 1988 und 1989 im Amt bestätigt). Rücktritt Jan. 1992.

Chadwick [engl. 'tʃædwık], George, * Lowell (Mass.) 13. Nov. 1854, † Boston 4. April 1931, amerikan. Komponist. – Schrieb Werke im nachromant. Stil (u. a. Opern, Sinfonien, Chorwerke), die in Amerika sehr erfolgreich waren.

C., Sir (seit 1945) James, * Manchester 20. Okt. 1891, † Cambridge 23. Juli 1974, brit. Physiker. – Entdeckte 1932 das Neutron. Nobelpreis für Physik 1935.

C., Lynn, * London 24. Nov. 1914, brit. Bildhauer. – Schuf vorwiegend mantelumhüllte Figuren und Tierplastiken, die auf dünnen Stäben stehen (z. B. „Zwei Figuren", 1956; Kunsthalle Mannheim).

Chafadschi [xa...], altoriental. Ruinenstätte im Irak, 15 km östlich von Bagdad am Unterlauf der Dijala. Amerikan. Ausgrabungen (1930–38 und 1957 ff.) fanden drei Siedlungen, in Tell A eine des 3. Jt., in Tell B und C ein Fort des 17. Jh. Tell D ist das alte Tutub (2. Jt.; Fund altbabylon. Texte).

Chafre ['ça...], ägypt. König, ↑Chephren.

Chagall, Marc [frz. ʃa'gal], * Liosno bei Witebsk 7. Juli 1887, † Saint-Paul-de-Vence 28. März 1985, russ. Maler und Graphiker. – 1910–14 in Paris Studium der Malerei (Einfluß des Orphismus), seit 1949 in Vence. Wichtige Bildelemente sind in Erinnerung an seine Heimat gemalte dörfl. Szenen, Tiere, Liebespaare sowie legendenhafte Motive aus der Welt des russisch-jüd. Volkslebens und des Chassidismus. Auch bed. Buchillustrationen, u. a. Radierungen zu Gogol (1926), La Fontaine (1928–31) und zur Bibel (1931–39, 1952–56). Daneben Wandbilder, Glasfenster (auch für St. Stephan in Mainz), Bühnenbilder, Teppiche. – Abb. S. 206.

Chagas-Krankheit ['ʃa:gas; nach dem brasilian. Bakteriologen C. Chagas, * 1879, † 1934], in M- und S-Amerika auftretende Infektionskrankheit, deren Erreger, Trypanosoma cruzi, durch den Stich von Raubwanzen, bes. auf Kinder, übertragen wird. Symptome sind Fieber, Lymphknotenschwellung, Milz- und Lebervergrößerung, beschleunigte Herztätigkeit und Blutdruckabfall; bei Erwachsenen meist chron. Verlauf; Vorbeugung durch Raubwanzenbekämpfung und Verbesserung der Wohnverhältnisse.

Chagos Islands [engl. 'tʃɑ:goʊs 'aıləndz], Gruppe von Koralleninseln im Ind. Ozean, südl. der Malediven; auf der Hauptinsel **Diego Garcia** amerikan. Militärstützpunkt. – Gehörte bis 1965 zu Mauritius, bildet das British Indian Ocean Territory.

Chagrin [ʃa'grɛ̃:; türk.-frz.], Leder aus Pferde- oder Eselshäuten mit typ. Erhöhungen auf der Narbenseite.

Chailley, Jacques [frz. ʃɑ'jɛ], * Paris 24. März 1910, frz. Musikforscher und Komponist. – Seit 1953 Prof. für Musikwiss. an der Sorbonne, seit 1962 auch Leiter der Schola Cantorum in Paris. Komponierte Opern, das Ballett „Die Dame und das Einhorn" (1953, nach J. Cocteau), Orchester-, Kammermusik, Chorwerke, Lieder, Bühnen- und Filmmusiken. Veröffentlichte u. a. „Histoire musicale du moyen âge" (1950), „Les passions de J. S. Bach" (1963), „Eléments de philologie musicale" (1986).

Chailly, Riccardo [ʃa'ji], * Mailand 20. Febr. 1953, italien. Dirigent. – Debütierte 1978 an der Mailänder Scala; ist mit breitem Repertoire als Opern- und Konzertdirigent erfolgreich; u. a. seit 1988 Chefdirigent des Concertgebouworkest Amsterdam.

Chain, Sir Ernst Boris [engl. tʃeɪn], * Berlin 19. Juni 1906, † Castlebar (Irland) 12. Aug. 1979, brit. Biochemiker russ. Herkunft. – Prof. in Rom und London; klärte zusammen mit H. W. Florey die chemotherapeut. Wirkung und die Struktur des Penicillins auf. Nobelpreis für Physiologie oder Medizin 1945 mit A. Fleming und H. W. Florey.

Chair Ad Din ['xaɪər a'di:n] (Cheireddin), gen. Barbarossa C. Ad D., * Lesbos um 1467, † Konstantinopel 4. Juli 1546, islamisierter Grieche, Herrscher in Algier und türk. Admiral. – Folgte 1518 seinem Bruder Horuk in der Herrschaft über Algier, das er 1519 osman. Oberhoheit unterstellte; 1535 auf frz. Seite von Kaiser Karl V. bei Goletta geschlagen; 1533 Oberbefehlshaber der türk. Flotte.

Chairman [engl. 'tʃɛəmən; zu chair „Stuhl"], in Großbritannien und in den USA Bez. des Vorsitzenden einer öff. oder sonstigen Körperschaft oder eines Gremiums.

Chaironeia [çaɪ...] (lat. Chaeronea), antike griech. Stadt in W-Böotien; bekannt durch den Sieg Philipps II. von Makedonien über die Koalition der Griechen unter Führung Athens und Thebens (338 v. Chr.); das bekannte Löwendenkmal erinnert an die Schlacht. 551 n. Chr. durch Erdbeben zerstört; einzelne Baudenkmäler (u. a. Theater) sind erhalten.

Marc Chagall. Ich und das Dorf; 1911 (New York, Museum of Modern Art)

Chaise ['ʃɛ:zə; frz.], zwei- oder vierrädriger Wagen mit Verdeck.

Chaiselongue [ʃɛz'lõ:; frz., eigtl. „langer Stuhl"], gepolsterte Liegestatt mit Kopfpolster.

Chakassen [xa...] (Abakan-Tataren), Turkvolk in Rußland, bes. im Autonomen Gebiet der C., etwa 74 000; Ackerbauern und Viehzüchter. Sprechen Chakassisch.

Chakassen, Autonomes Gebiet der [xa...], autonomes Gebiet innerhalb der Region Krasnojarsk, Rußland, in Südsibirien, 61 900 km², 569 000 E; Hauptstadt Abakan. Überwiegend waldreiches Gebirgsland; Bergbau (Steinkohle, Erze, Nephelin u. a.); Holzverarbeitung, Nahrungsmittelind. – 1930 errichtet.

Chalap ['xa...] (Chalapa) ↑ Aleppo.

Chalat ['xa...; arab.], mantelartiges Gewand, von einem breiten Gürtel gehalten; bes. in M- und Z-Asien; früher oriental. Ehrenkleid.

Chalaza ['ça:..., 'ka:...; griech.], svw. ↑ Hagelschnur (bei Vogeleiern),
◆ svw. ↑ Nabelfleck (bei Samenanlagen von Blütenpflanzen).

Chalazion [ça...; griech.], svw. ↑ Hagelkorn.

Chalcedon [çal...], ehem. Stadt am Bosporus, ↑ Chalkedon.

Chalcedon [kal...], svw. ↑ Chalzedon.

Chalcidius [çal...] (Calcidius), röm. Neuplatoniker griech. Herkunft, um 400 n. Chr. Verfasser eines umfangreichen Kommentars zu Platons „Timaios" nebst lat. Übersetzung, einer wichtigen Quelle für die Wissenschaftsgeschichte der Spätantike.

Chaldäa [kal...], Land der Chaldäer, eigtl. Teil S-Babyloniens, in griechisch-röm. Quellen meist allg. Name für Babylon.

Chaldäer [kal...], wichtigster Großstamm der Aramäer in Babylonien; seit Anfang des 1. Jt. v. Chr. in S-Babylonien seßhaft und an babylon. Kultur und Sprache angepaßt; übernahmen 626 v. Chr. die Macht. Unter der Dynastie der C. erlebte Babylonien eine letzte kulturelle Blüte, bis es 539 v. Chr. von Kyros II., dem Großen, erobert wurde.

chaldäische Kirche [kal...], die mit Rom unierten Teile der alten ostsyr. (assyr.) Kirche; heute etwa 200 000 Christen, das Oberhaupt der c. K. residiert in Bagdad.

Chalder ['kal...] ↑ Urartäer.

Chalet [ʃa'le:, ʃa'lɛ; frz.], Sennhütte, Schweizer Häuschen; v. a. für den Tourismus.

Chalid, Ibn Abd Al Asis Ibn Saud [arab. 'xa:lɪt], * Ar Rijad 1913, † Taif bei Mekka 13. Juni 1982, König von Saudi-Arabien (seit 1975). – Halbbruder König Sauds und König Faisals; seit 1965 Kronprinz; übertrug die eigtl. Regierung an Kronprinz Fahd.

Chalid Ibn Al Walid ['xa:lɪt...], † Medina oder Homs 642, arab. Heerführer. – Nach seinem Übertritt zum Islam 629 einer der erfolgreichsten Feldherrn („Schwert des Islams"); 633–636 maßgeblich an der Eroberung des Irak und Syriens beteiligt.

Chalkedon [çal...] (Kalchedon; Chalcedon, Chalzedon), bed. Stadt in der Antike (heute Kadıköy [Stadtteil von Istanbul]). 685 v. Chr. von Megara gegr.; seit 74 v. Chr. römisch, 365 von Kaiser Valens zerstört, seit dem 5. Jh. wieder aufgebaut; Tagungsort des 4. ökumen. Konzils (451); 7.–14. Jh. von Persern, Arabern und Türken oft belagert und zerstört.

Chalkedon, Konzil von [çal...], das 4. ökumen. Konzil; 451 von dem byzantin. Kaiser Markian (♛ 450–457) einberufen. Das vom Konzil verabschiedete Glaubensbekenntnis (in der einen Person Christus sind zwei Naturen, die göttl. und die menschl., *ungetrennt* und *unvermischt* enthalten) ist verbindlich geblieben für die orth. und die kath. Kirche sowie für die ev. Kirchen.

Chalkidike [çal...], Halbinsel in Makedonien, N-Griechenland, reicht vom Festland etwa 110 km in das nördl. Ägäische Meer hinein; in drei schmale, langgestreckte Halbinseln aufgefächert: **Kassandra, Sithonia** und **Ajion Oros;** im Athos 2 033 m hoch. – Urspr. von Thrakern besiedelt; 8.–6. Jh. Einwanderung von Griechen aus Euböa; seit 348 makedonisch. Im MA beim Byzantin. Reich; seit dem 15. Jh. osmanisch; seit 1913 zu Griechenland.

Chalkis ['çal...], griech. Stadt an der W-Küste von Euböa, 55 km nördlich von Athen, 45 000 E. Hauptort des Verw.-Geb. Euböa; orth. Erzbischofssitz; über eine Zugbrücke mit dem Festland verbunden; zwei Häfen. In archaischer Zeit eine bed. Handelsstadt.

Chalkogene [çal...; griech.] (Erzbildner), Sammelbez. für die Elemente der VI. Hauptgruppe des Periodensystems der chem. Elemente: Sauerstoff, Schwefel, Selen und Tellur.

Chalkogenidgläser [çal...], glasartige Produkte aus amorphen, nichtstöchiometr. Verbindungen der Chalkogene v. a. mit Silicium, Germanium, Arsen und/oder Antimon. Die meisten C. besitzen Halbleitereigenschaften, wobei mehrkomponentige C. Schalt- und Memoryeffekte zeigen; sie werden in der Elektronik als Material für Glashalbleiterbauelemente verwendet.

Chalkolithikum [çal...; griech.] (Kupfersteinzeit, Eneolithikum), v. a. in der prähistor. Archäologie Vorderasiens gebräuchl. Bez. für das jüngere Neolithikum, in dem neben Steingeräten bereits Kupfergegenstände auftreten.

Chalkopyrit [çal...; griech.], svw. ↑ Kupferkies.

Chalkosin [çal...; griech.], svw. ↑ Kupferglanz.

Challenger [engl. 'tʃæləndʒə], Name eines ↑ Raumtransporters (Space shuttle) der NASA; erster Start am 4. April 1983; bei seinem 10. Start am 28. Jan. 1986 in rund 16 000 m Höhe explodiert, die 7 Astronauten fanden den Tod.

Chalmers, Thomas [engl. 'tʃɑ:məz], * East Anstruther (Fife) 17. März 1780, † Edinburgh 30. Mai 1847, schott. Theologe. – Prof. in Saint Andrews und Edinburgh. Das von ihm aufgebaute kirchl. Sozialwerk (Armenpflege) beeinflußte u. a. T. Carlyle und J. Wichern.

Chalmersit [tʃal...], svw. ↑ Cubanit.

Chalone, zelleigene Mitosehemmstoffe.

Châlons-sur-Marne [frz. ʃalõsyr'marn], frz. Stadt an der Marne, 55 000 E. Verwaltungssitz des Dep. Marne; Bischofssitz; Maschinenbau, Elektro- und Textilind. Champagnerkellereien. – Hauptort der kelt. Katalauner, als **Catalaunorum Civitas** der röm. Prov. Belgica II erwähnt; entwickelte sich im 12./13. Jh. zu einem der bedeutendsten frz. Handelsplätze. – Zahlr. Kirchen, u. a. Kathedrale Saint-Étienne (13. Jh.) mit barocker Fassade, Saint-Alpin (12., 15. und 16. Jh.), Rathaus (18. Jh.).

Chalon-sur-Saône [frz. ʃalõsyr'so:n], frz. Stadt an der Saône, Dep. Saône-et-Loire, 58 000 E. Weinhandelszentrum und Marktort der westl. Bresse; Maschinenbau, Glas-, Elektroind.; Flußhafen. – **Cabillonum,** ein Ort der Äduer, kam 471 an Burgund und wurde 534 fränkisch; seit dem 5. Jh. Bischofssitz (bis 1801). – Ehem. Kathedrale Saint-Vincent (12.–15. Jh.), ehem. Bischofspalast (15. Jh.), zahlr. Häuser des 16. und 17. Jahrhunderts.

Chaluz [hebr. „Pionier, gerüstet"], Name der Mgl. der zionist. Jugendorganisation **He-Chaluz** (Anfang des 20. Jh. in Rußland gegr., breitete sich schnell über viele Länder aus), kämpften beim Aufstand im Warschauer Ghetto 1943 gegen die SS.

Chalwatijja [xal...] (Chalwetije), Derwischorden, benannt nach dem legendären Stifter Umar Al Chalwati († Täbris 1397); breitete sich im 16. und 17. Jh. über das ganze Osman. Reich aus. Im 18./19. Jh. bestanden nur noch mehrere Gruppen.

Chalzedon ↑ Chalkedon.

Chalzedon (Chalcedon) [kal...; griech., nach der Stadt Chalkedon], Mineral, kryptokristalliner Quarz, SiO_2; als C. i. e. S. gilt der durchscheinende, oft schön gefärbte Schmuckstein mit traubiger, glaskopfartiger Oberfläche, Dichte 2,59 bis 2,61 g/cm^3, Mohshärte 6,5–7. Zahlr. Varietäten: rot gefärbter C. wird als **Karneol,** grüner als **Chry-**

sopras, brauner, rot durchscheinender als **Sarder** bezeichnet. – ↑Achat, ↑Jaspis, ↑Onyx.

Cham [tʃam], indones. Volk, gründete das Reich Champa; heute nur noch Minderheiten in Kambodscha und Vietnam.

Cham [ka:m], Krst. in Bayern, am Regen, in der C.-Further Senke, 16700 E. Elektro- und Textilind., Holzverarbeitung; Fremdenverkehr. – 1135 ist die Siedlung Altenmarkt belegt, 1210 eine Neustadt C.; 1293 Stadtprivilegien. – Reste der Stadtbefestigung; Rathaus (15. Jh.), Stadtpfarrkirche (18. Jh., auf Fundamenten des 13. Jh.).

C., Landkr. in Bayern.

Chamaeleon (Chamäleon) [ka'mɛ:...; griech.] ↑Sternbilder (Übersicht).

Chamäleonfliege [ka...] (Stratiomyia chamaeleon), etwa 15 mm große einheim. Waffenfliege mit wespenähnl. schwarz-gelber Zeichnung; häufig auf Doldenblütlern.

Chamäleons [ka...; griech.] (Wurmzüngler, Chamaeleonidae), seit der Kreidezeit bekannte Fam. 4–75 cm körperlanger Echsen mit etwa 90 Arten in Afrika, S-Spanien, Kleinasien und Indien; Körper seitlich abgeplattet mit Greifschwanz; die klebrige Zunge wird zum Beutefang hervorgeschleudert. Die Fähigkeit zum Farbwechsel dient nicht zur Tarnung, sondern ist stimmungsabhängig und kann durch verschiedene Faktoren (wie Angst, Hunger, Wärme, Änderung der Lichtverhältnisse) beeinflußt werden. In Europa (S-Spanien) kommt nur das **Gewöhnl. Chamäleon** (Chamaeleo chamaeleon) vor, 25–30 cm lang, Färbung in wechselnder Anordnung gelb, grün, braun, grau und schwarz.

Chamaven [ça...] (lat. Chamavi; Chamaver), german. Volksstamm am Niederrhein zw. Lippe und IJssel; erhob sich 9 n. Chr. mit den Cheruskern gegen Rom.

Chamberlain [engl. 'tʃɛɪmbəlɪn], Arthur Neville, * Edgbaston bei Birmingham 18. März 1869, † Heckfield bei Reading 9. Nov. 1940, brit. Politiker. – Sohn von Joseph C., Halbbruder von Joseph Austen C.; seit 1918 konservativer Abg., 1923, 1924–29 und 1931 Gesundheitsmin., 1923/24 und 1931–37 Schatzkanzler; versuchte als Premiermin. (1937–40) durch persönl. Diplomatie eine Politik des Einvernehmens (Appeasement) mit den faschist. Regierungen Europas durchzusetzen; glaubte, durch Nachgeben gegenüber den Forderungen Hitlers (u. a. Münchner Abkommen 1938) einen Krieg verhindern zu können; erkannte erst 1939 die Fehler seiner Politik. Erfolglose Kriegsführung führte zu seinem Rücktritt.

C., Houston Stewart, * Portsmouth 9. Sept. 1855, † Bayreuth 9. Jan. 1927, brit. Kulturphilosoph und Schriftsteller. – ⚭ mit R. Wagners Tochter Eva in Bayreuth; Verehrer R. Wagners; seit 1916 dt. Staatsangehörigkeit; verkündete in seinen kulturphilosoph. Schriften, bes. in seinem Hauptwerk „Die Grundlagen des 19. Jh." (1899) eine völkisch-myst. Ideologie, die auf einer unkrit. Verschmelzung naturwiss. und philosoph. Ideen beruhte; starker Einfluß auf die nat.-soz. Rassenideologie.

C., Joseph, * London 8. Juli 1836, † ebd. 2. Juli 1914, brit. Politiker. – Industrieller; 1873–76 Bürgermeister von Birmingham; trat als Handelsmin. Gladstones (1880–85) für weitgehende soziale Reformen ein; wechselte aus Protest gegen die Homerulevorlage für Irland mit den „Liberalen Unionisten" zur Konservativen und Unionist. Partei; 1895–1903 Kolonialmin.; führender Repräsentant des liberalen Imperialismus, der in einem Schutzzollsystem innerhalb des brit. Empires, Übersee-Expansion und sozialen Reformen im Mutterland ein Heilmittel gegen alle sozialen Erschütterungen sah.

C., Sir (seit 1925) Joseph Austen, * Birmingham 16. Okt. 1863, † London 16. März 1937, brit. Politiker. – Sohn von Joseph C.; 1903–05 und 1919–21 Schatzkanzler, 1921/1922 Parteiführer der Konservativen; als Außenmin. 1924–29 wesentlich am Zustandekommen des Locarnopaktes 1925 beteiligt; Friedensnobelpreis 1925 (mit C. Dawes).

C., Owen, * San Francisco 10. Juli 1920, amerikan. Physiker. – Prof. in Berkeley; entdeckte 1955 mit E. Segrè das Antiproton. Nobelpreis 1959.

C., Richard, * Los Angeles 31. März 1935, amerikan. Schauspieler. – Spielt v. a. in TV-Serien; internat. Kinoerfolg mit „Petulia" (1968); trat Ende der 60er Jahre in England in Shakespeare-Stücken auf. – *Weitere Filme:* Julius Cäsar (1970), Der Graf von Monte Christo (1974), Shogun (1980), Die Dornenvögel (Fernsehserie, 1984), Quatermain (1986), Island Son (Fernsehserie, 1989).

Chamberlain [engl. 'tʃɛɪmbəlɪn] (Chamberer), Kammerherr; vor der Eroberung Englands durch die Normannen Verwalter der Finanzen; später erbl. Ehrentitel. Heute ist der Lord C. Vorsteher des königl. Hofstaates.

Chambéry [frz. ʃãbe'ri], Stadt in den nördl. frz. Voralpen, 55000 E. Verwaltungssitz des Dep. Savoie; Erzbischofssitz; Univ.; Museen. Textil-, Glas-, Zement-, Druckerei-, Aluminiumind., ✈. – Got. Kathedrale (15. und 16. Jh.), Schloß der Hzg. von Savoyen (13. Jh.–15. Jh.).

Chambi, Djebel [frz. dʒebɛlʃam'bi], höchster Berg Tunesiens, im W des mitteltunes. Gebirgsrückens, 1544 m hoch.

Chambonnières, Jacques Champion de [frz. ʃãbɔ'njɛ:r], * Paris zw. 1601 und 1611, † ebd. vor dem 4. Mai 1672, frz. Cembalist und Komponist. – Begründer der frz. Klaviermusik (2 Bücher „Pièces de Clavecin", 1670).

Chambord. Nordwestfront des Schlosses

Chambord, Henri Charles de Bourbon, Graf von [frz. ʃã'bɔ:r], Herzog von Bordeaux, * Paris 29. Sept. 1820, † Frohsdorf bei Wiener Neustadt 24. Aug. 1883, frz.-bourbon. Thronprätendent. – Enkel Karls X.; die Legitimisten versuchten 1836, 1848 und 1870–73 vergeblich, ihn auf den Thron zu bringen.

Chambord [frz. ʃã'bɔ:r], frz. Ort im Dep. Loir-et-Cher, 15 km östlich von Blois, 230 E. Bed. Renaissanceschloß (1519–38), von der UNESCO zum Weltkulturerbe erklärt. – In C. wurde 1552 zw. der dt. Fürstenverschwörung unter Moritz von Sachsen und König Heinrich II. von Frankreich ein Vertrag gegen Kaiser Karl V. geschlossen.

Chambre ['ʃã:brə; frz.; zu lat. camera „Gewölbe"], frz. für Zimmer; abgesonderter kleiner Raum in Restaurants.

◆ frz. für Kammer, polit. Körperschaft, Richterkollegium; z. B. **Chambre civile,** Zivilkammer, **Chambre de commerce,** Handelskammer, **Chambre des pairs,** 1814–48 die 1. Kammer des frz. Parlaments, **Chambre des députés,** 1814–48 und 1875–1940 die Abg.kammer, **Chambre ardente,** frz. Sondergericht des 16. und 17. Jahrhunderts.

Chamfort [frz. ʃã'fɔ:r], eigtl. Sébastien Roch Nicolas, * bei Clermont (= Clermont-Ferrand) 6. April 1741, † Paris 13. April 1794, frz. Schriftsteller. – Schrieb Gedichte, Fabeln, Komödien, Aphorismen, die Tragödie „Mustapha et Zéangir" (1776), Ballette und literaturkrit. Arbeiten.

Cham-Further Senke ['ka:m], durchschnittlich 400 m hoch gelegene Einmuldung am S-Rand des Oberpfälzer Waldes, von Cham und Regen durchflossen.

Chamisso, Adelbert von [ʃa'mɪso], eigtl. Louis Charles Adélaïde de C. de Boncourt, * Schloß Boncourt (Champagne) 30. Jan. 1781, † Berlin 21. Aug. 1838, dt. Dichter und Naturforscher. – Aus lothring. Adelsgeschlecht, 1790 Flucht vor der Revolution nach Preußen. 1815–18 als Naturforscher Teilnahme an einer Weltumsegelung („Reise um die Welt ...", 1821/36), danach Adjunkt am Berliner Botan. Garten. Seine Lyrik schloß sich an Goethe, Uhland und P. J. de Beranger an; er griff auch soziale Themen auf (Balladen „Die alte Waschfrau", „Der Invalide"); errang Weltruhm durch die romant. Geschichte des Mannes, der seinen Schatten verkaufte („Peter Schlemihls wundersame Geschichte", 1814).

Chammurapi [xa...] ↑ Hammurapi.

chamois [ʃamo'a; frz. „gemsfarben"], Bez. für die gelbl. Färbung des Papieruntergrundes bei bestimmten Photopapieren.

Chamois [ʃamo'a; frz. „Gemse"], bes. weiches Gemsen-, Ziegen- oder Schafleder.

Chamonix-Mont-Blanc [frz. ʃamɔnimõ'blã], frz. Klimakurort, Wintersport- und Alpinistenzentrum am N-Fuß des Montblanc, Dep. Haute-Savoie, 1 035 m ü. d. M., 9 300 E. 1924 Austragungsort der 1. Olymp. Winterspiele. Der 11,6 km lange **Montblanctunnel** verbindet C.-M.-B. mit Courmayeur und dem italien. Aostatal.

Chamoun, Camille [frz. ʃa'mun] ↑ Schamun, Kamil.

Champa ['tʃampa], seit dem 2./3. Jh. nachweisbares histor. Reich der Cham im Küstengebiet des heutigen Vietnam; Blüte im 8./9. Jh., 1471 von Annam erobert.

Champagne [frz. ʃã'paɲ], aus Kreidekalken aufgebaute Plateaulandschaft im östl. Pariser Becken, erstreckt sich bis zu den Ardennen bzw. Argonnen; Anbau von Weizen und Raps, bis ins Altertum zurückreichender Weinbau sowie Weideland. – 486 fränkisch, seit 814 Gft. C., die 923 an das Haus Vermandois fiel; im 10. Jh. um Meaux sowie einige Lehen des Erzbistums Reims erweitert; 1023 erbte das Haus Blois die C.; 1314/61 der frz. Krondomäne einverleibt. – Die Prov. C. (Hauptstadt Châlons-sur-Marne seit 1635) wurde 1790 im wesentl. auf die Dep. Aube, Marne, Ardennes, Yonne, Seine-et-Marne und Haute-Marne aufgeteilt; im 1. Weltkrieg durch schwere Schlachten verwüstet.

Champagne-Ardenne [frz. ʃãpaɲar'dɛn], Region in NO-Frankreich, umfaßt die Dep. Ardennes, Aube, Marne und Haute-Marne, 25606 km², 1,36 Mill. E (1986); Hauptstadt Reims.

Champagner [ʃam'panjər] (frz. champagne), Schaumwein, der aus Pinottrauben (Pinot noir, Chardonnay) der Champagne durch zwei Gärungen hergestellt wird.

Champagnerbratbirne [ʃam'panjər] ↑ Birnen (Übersicht).

Champagnerrenette [ʃam'panjər] ↑ Äpfel (Übersicht).

Champaigne (Champagne), Philippe de [frz. ʃã'paɲ], * Brüssel 26. Mai 1602, † Paris 12. August 1674, flämisch-frz. Maler. – Seit 1621 in Paris; bevorzugter Maler Ludwigs XIII. und Richelieus, von denen er vorzügl. Porträts malte. Anhänger der Jansenisten und „peintre de Port-Royal"; schuf u. a. das berühmte Bild „Ex voto von 1662" (Louvre).

Champignon ['ʃampınjõ, 'ʃã:pınjõ; frz.; zu lat. campania „flaches Feld"] (Egerling, Agaricus), Gatt. der Lamellenpilze mit etwa 30 Arten hauptsächlich in den gemäßigten Breiten, davon rd. 20 Arten in Deutschland; Hut des weißl. bis bräunl. Fruchtkörpers meist von Hautfetzen bedeckt, in der Jugend stärker gewölbt, im Alter flacher werdend; unterseits durch die reifenden Sporen zunächst rosarot, zuletzt schokoladenbraun (im Unterschied zu den ähnl., giftigen Knollenblätterpilzen). Bekannte einheim. eßbare Arten sind u. a. der auf Wiesen und in Gärten vorkommende **Gartenchampignon** (Agaricus bisporus) mit graubraunem Hut und kurzem, dickem, weißem, innen hohlem Stiel; nußartiger Geschmack. Seine bes. auf Pferdemist in Kellern, C.zuchtbetrieben u. a. gezüchteten Formen sowie die des Wiesen-C. werden als **Zuchtchampignons** bezeichnet. Auf Humus in Laub- und Nadelwäldern von Juni bis zum Herbst wächst der **Schafchampignon** (Agaricus arvensis) mit bis 15 cm breitem, glockigem, später flach ausgebreitetem, schneeweißem bis cremefarbenem Hut. Bes. auf Kalkböden der Wälder von Juli bis Okt. kommt der bis 9 cm hohe **Waldchampignon** (Agaricus silvaticus) mit zimtbraunem, bis 8 cm breitem Hut vor; Fleisch weiß, beim Anschneiden karminrot anlaufend. Oft in Ringen auf gedüngten Wiesen, Weiden und in Gärten wächst vom Sommer bis zum Herbst der **Wiesenchampignon** (Agaricus campestris) mit weißseidigem, bis 12 cm breitem Hut. Leicht zu verwechseln mit dem Schafchampignon ist der schwach giftige **Tintenchampignon** (Karbol-C., Agaricus xanthoderma), der vom Hochsommer bis zum Spätherbst auf Kalk- und Lehmböden, auf Wiesen und an Waldrändern vorkommt; Stiel und Hut färben sich bei Verletzung sofort intensiv chromgelb.

Champion, Jacques [frz. ʃã'pjõ] ↑ Chambonnières, Jacques Champion de.

Champion [engl. 'tʃæmpjən; galloroman.; zu lat. campus „Schlachtfeld"], der jeweilige Meister in einer bestimmten Sportart; auch übertragen gebraucht; **Championat,** Meisterschaft.

Champlain, Samuel de [frz. ʃã'plɛ̃], * Brouage (bei Rochefort) um 1570, † Quebec 25. Dez. 1635, frz. Entdecker. – Bereiste 1599–1609 Westindien und Mexiko; erforschte seit 1603 auf mehreren Reisen Nordamerika, gründete 1604 Port Royal, 1608 Quebec; entdeckte 1609 den Lake Champlain, 1615 den Huronsee; seit 1633 erster Gouverneur von Kanada.

Champlain, Lake [engl. 'lɛık ʃæm'plɛın], buchten- und inselreicher See in den nö. USA und der kanad. Prov. Quebec, etwa 200 km lang, bis 18 km breit; entwässert zum Sankt-Lorenz-Strom und ist nach S durch den **Champlain Canal** mit dem Hudson River verbunden.

Champollion, Jean-François [frz. ʃãpɔ'ljõ], * Figeac (Lot) 23. Dez. 1790, † Paris 4. März 1832, frz. Ägyptologe. – Entzifferte als erster die ägypt. Hieroglyphen.

Champs-Élysées [frz. ʃãzeli'ze „elysäische Gefilde"], 1880 m lange Prachtallee in Paris zw. Place Charles de Gaulle (früher Place de L'Étoile) und Place de la Concorde.

Chamsin ↑ Kamsin.

Chan ↑ Khan.

Chance ['ʃã:s(ə); frz.; zu lat. cadere „fallen"], urspr. der glückl. „Fall" des Würfels beim Glücksspiel; Glücksfall, günstige Gelegenheit, Aussicht.

Chancelier [frz. ʃãsə'lje; zu lat. cancellarius „Kanzleidirektor"], in Frankreich im 12. und 13. Jh. entstandenes Hofamt. Heute lediglich Titel des Großkanzlers (Grand Chancelier) der Ehrenlegion.

Chancellor, Richard [engl. 'tʃɑ:nsələ], † an der Küste von Aberdeenshire (Schottland) 10. Nov. 1556, engl. Entdecker. – Suchte die Nordöstl. Durchfahrt; erreichte von Archangelsk aus Moskau; kam bei einer zweiten Moskaureise (1555/56) ums Leben.

Chancellor [engl. 'tʃɑ:nsələ], Kanzler, Rektor einer Universität. In den USA auch Richter eines Gerichts, welches nach den Grundsätzen der Billigkeit entscheidet (Chancery court).

Chancellor of the Exchequer [engl. 'tʃɑ:nsələ əv ðıks'tʃɛkə], seit dem 18. Jh. Titel des brit. Schatzkanzlers (Finanzminister).

Chancengleichheit [ʃ'äsən-], gesellschafts- und kulturpolit. Forderung, nach der alle Bürger gleiche Lebens- und Sozialchancen in Ausbildung und Beruf haben sollen; in liberaler Sicht, v. a. als **Chancengerechtigkeit,** die Ermöglichung (auch mit materieller Unterstützung) des allg. Zugangs zu allen Bildungswegen, dessen Wahrnehmung von der Tüchtigkeit des einzelnen abhängt.

Chan-Chan [span. 'tʃan'tʃan], Ruinenstadt in NW-Peru, 6 km nw. von Trujillo. Gegr. um 800 n. Chr., wurde es 1250 Hauptstadt des Reiches der Chimú; 1463 von den Inka erobert. Eine Gliederung der Stadtanlage in zehn rechteckige ummauerte Viertel jeweils mit Tempelanlage mit kleiner Stufenpyramide ist erkennbar. – Von der UNESCO zum Weltkulturerbe erklärt.

Chanchiang ↑Zhanjiang.

Chanchito [tʃan'tʃi:to; span.] (Cichlasoma facetum), bis etwa 30 cm langer Buntbarsch aus dem trop. S-Amerika; rote Augen, bläul. bis schwarze senkrechte Streifen auf graugelbl. Grund; Aquarienfisch.

Chandigarh ['tʃan...], Hauptstadt des 1947 entstandenen Bundesstaates Punjab in NW-Indien, zugleich vorläufige Hauptstadt des Bundesstaates Haryana sowie ind. Unionsterritorium mit 114 km², 451 000 E. Univ. (gegr. 1947); Verkehrsknotenpunkt im nordind. Bahnnetz. – Da die alte Hauptstadt des Pandschab an Pakistan gefallen war, wurde C. 1950/51 als Hauptstadt des Staates Punjab nach dem von Le Corbusier konzipierten Gesamtplan gegr.: 36 rechteckige Sektoren, davon 30 Wohnsektoren („Nachbarschaften"), Palast des Gouverneurs (1965), Parlament (1959–62).

Chandler, Raymond Thornton [engl. 'tʃɑ:ndlə], * Chicago 23. Juli 1888, † La Jolla (Calif.) 26. März 1959, amerikan. Kriminalschriftsteller. – Klassiker des Detektivromans; seine karge, dichte Prosa, v. a. in „Der tiefe Schlaf" (1939), „Das hohe Fenster" (1942), „Die kleine Schwester" (1949), vermittelt eindringlich die Verlorenheit seines Detektivs Marlowe (in klass. Filmen der schwarzen Serie von H. Bogart verkörpert); auch Drehbücher.

Chandrasekhar, Subrahmanyan [engl. tʃændrə'ʃɛɪkə], * Lahore 19. Okt. 1910, amerikan. Astrophysiker ind. Herkunft. – Prof. in Chicago. Bed. Arbeiten zum inneren Aufbau der Sterne und zur Sternentstehung sowie über die Theorie des Strahlungstransports und die Stabilität von Plasmen. Erhielt 1983 (zus. mit W. A. Fowler) den Nobelpreis für Physik.

Chanel, Coco [frz. ʃa'nɛl], eigtl. Gabrielle Chasnel, * Saumur 19. Aug. 1883, † Paris 10. Jan. 1971, frz. Modeschöpferin. – Kreierte das „kleine Schwarze" und das *C.-Kostüm* sowie ein bes. Parfüm.

Changaigebirge, Gebirge im Innern der Mongolei, etwa 700 km lang, bis 200 km breit, bis 4 031 m (Otchon-Tengri) hoch.

Changbai Shan (Tschangpaischan) [chin. tʃaŋbaiʃan], Plateaubergland mit zahlr. Vulkanen und Kraterseen in NO-China, an der korean. Grenze; im ↑Baitou Shan 2 744 m hoch.

Changchiakou ↑Zhangjiakou.

Changchun (Tschangtschun) [chin. tʃaŋtʃuon], Hauptstadt der chin. Prov. Jilin, 1,91 Mill. E. Univ. (gegr. 1958), Fachhochschulen und Forschungsinstitute; Waggon-, Maschinen-, Lokomotivbau, chem., pharmazeut. Ind. – Ende des 18. Jh. von chin. Siedlern gegr.; 1933–45 als **Xinjing** (Sinking) Hauptstadt des von Japan abhängigen Staates Mandschukuo.

Chang Ch'un-ch'iao ↑Zhang Chunqiao.

changieren [ʃãʒi:rən; frz.], veraltet für: wechseln, verändern.
◆ [verschieden]farbig schillern.

Chang Jiang ↑Jangtsekiang.

Changkiakow ↑Zhangjiakou.

Changsha (Tschangscha) [chin. tʃaŋʃa], Hauptstadt der chin. Prov. Hunan, am Xian Jiang, 1,19 Mill. E Univ. (gegr. 1959), Fachhochschulen und Institute; Handels- und Umschlagplatz an der Eisenbahnlinie Kanton–Peking, Flußhafen; Papierfabrik, Textil-, chem. Ind., Herstellung von Stickereien und Porzellan; ✈. – Erstmals in der Qinzeit erwähnt; seit 1664 Hauptstadt der Prov. Hunan.

Changzhou (Tschangtschou) [chin. tʃɑŋdʒou], chin. Industriestadt am Kaiserkanal, 513 000 E. Agrar- und Textilzentrum.

Chankasee ['xa...], See im Fernen Osten, N-Teil zu China gehörend, Hauptteil in Rußland, 4 190 km², 95 km lang, bis 70 km breit und 11 m tief, 68 m ü. d. M.; Abfluß durch die **Sungatscha** (Grenzfluß zw. Rußland und China) in den Ussuri.

Chankiang ↑Zhanjiang.

Channel Islands [engl. 'tʃænl 'aɪləndz], Inselgruppe im Kanal, ↑Kanalinseln.

Chanoyu [jap. tʃ-], jap. Teezeremonie, die sich unter dem Einfluß des Zen-Buddhismus entwickelt hat; urspr. eine der inneren Sammlung dienende Zusammenkunft, später vorwiegend von ästhet. Gesichtspunkten bestimmt. Die von den Teemeistern in langer Tradition ausgebildeten Regeln und Normen wurden richtungweisend für Geschmack und Stil in vielen Bereichen des jap. Lebens.

Chanson [ʃa'sõ:; frz. „Lied"; zu lat. canere „singen"], 1. in der frz. Literatur des MA jedes singbare volkssprachl. ep. oder lyr. Gedicht. I. e. S. das Minnelied der Trouvères (Canso). – 2. Zum einstimmigen C. des HochMA tritt gegen Ende des 13. Jh. das mehrstimmige C. (teils mit Refrain) neben Ballade, Rondeau und Virelai; seit dem 17. Jh. zunehmend politisch akzentuiert, v. a. „Ça ira" und „La Carmagnole" aus der Frz. Revolution. – 3. Heute eine literarisch-musikal. Vortragsgattung, meist nur von einem Instrument begleitet; starke Strophengliederung und Vorliebe für den Refrain. Das C. behandelt Themen aus allen Lebensbereichen, bes. aktuelle.

Chanson baladée [frz. ʃãsõbala'de] ↑ Virelai.

Chanson de geste [frz. ʃãsõd'ʒɛst], frz. Heldenepos des MA, in dem Stoffe aus der nat. Geschichte, insbes. aus der Karolingerzeit, gestaltet sind. Insgesamt sind etwa 80 C. d. g. überliefert, die meisten anonym; die erhaltenen Zeugnisse stammen aus dem 11.–13./14. Jh.; wichtigstes Werk: „Rolandslied".

Chansonnette [ʃãsɔ'nɛt(ə); frz.], kleines Lied kom. oder frivolen Inhalts; auch Bez. für Chansonsängerin.

Chansonnier [ʃãsɔni'e:; frz.], Bez. für den frz. Liederdichter des 12.–14. Jh. (Trouvère); heute Bez. für Chansonsänger.
◆ Liedersammlung, z. B. der berühmte „C. du roi" (13. Jh.), eine Handschrift mit provenzal. Troubadourliedern.

Chanten ['xa...] (Ostjaken), finno-ugr. Volk am mittleren und unteren Ob, sprechen Ostjakisch; überwiegend Fischer, Jäger und Renzüchter; etwa 21 000.

Chanten und Mansen, Autonomer Kreis der, autonomer Kreis im Gebiet Tjumen, Rußland, 523 100 km², 1,27 Mill. E (1989), Hauptstadt Chanty-Mansisk. Im mittleren Teil des Westsibir. Tieflands am unteren Irtysch und mittleren Ob gelegen. Kontinentalklima mit sehr kalten Wintern. Erdölförderung (Samotlor, Surgut, Ust-Balyk), Erdgasgewinnung; Renzucht, Fischfang, Pelztierjagd und -zucht. – Am 10. Dez. 1930 gebildet.

Chantilly [frz. ʃãti'ji], frz. Gemeinde in der Picardie, Dep. Oise, nördlich von Paris, 10 000 E. Pferderennen (seit 1834). – Schloßanlage der Renaissance; Musée Condé.

Chantillyspitze [frz. ʃãti'ji; nach der Gemeinde Chantilly] ↑ Klöppelspitze.

Chanty-Mansisk [xa...], Hauptstadt des Autonomen Kr. der Chanten und Mansen, in Rußland, am Irtysch, 25 000 E. Fischkonservenindustrie.

Chanukka [xa...; hebr. „Einweihung"], jüd. Fest, das im Dez. gefeiert wird zur Erinnerung an die 165 v. Chr. von Judas Makkabäus veranlaßte Wiederaufnahme des Jerusalemer Tempeldienstes. Charakteristisch für das achttägige Fest ist das täglich fortschreitende Anzünden der Lichter des achtarmigen C.leuchters (Menorah); daher auch **„Lichterfest"**.

Chao Meng-fu ↑ Zhao Mengfu.

Chaos ['ka:ɔs; griech., eigtl. „klaffende Leere (des Weltraums)"], in der antiken Vorstellung der mit ungeformtem und unbegrenztem Urstoff gefüllte Raum als Vorstufe des endl. und wohlgeordneten Kosmos. – Im allg. Sprachgebrauch svw. Durcheinander, totale Verwirrung, Auflösung jeder Ordnung.

Chaosforschung, wiss. Disziplin, die sich mit Systemen befaßt, denen zwar determinist. Gesetzmäßigkeiten zugrunde liegen,

Charlie Chaplin in den Filmen „Goldrausch" (links) und „Moderne Zeiten"

deren Verhalten jedoch irregulär (Ausbildung „chaot. Strukturen") und langfristig nicht vorhersagbar ist („determinist. Chaos"). Die C. spielt für viele naturwiss. und techn., aber auch wirtsch. und ökolog. Probleme eine wichtige Rolle.

Seifritz, W.: Wachstum, Rückkopplung u. Chaos. Mchn. 1987.

Chao Tzu-yang ↑Zhao Ziyang.

Chapadas [ʃa...; portugies. „Ebenen"], langgestreckte, einförmige, von Flüssen zerschnittene Abdachungsflächen in Brasilien.

Chaparral [span. tʃapa'rral], niedrige immergrüne Strauchformation; aus Hartlaubgehölzen und Kakteen, im subtrop. Winterregengebiet des sw. Nordamerika.
◆ lichte Savannenformation mit krüppelhaften Bäumen im nördl. Südamerika.

Chapeau claque [frz. ʃapo'klak], zusammenklappbarer Zylinder.

Chapelain, Jean [frz. ʃa'plɛ̃], *Paris 4. Dez. 1595, †ebd. 22. Febr. 1674, frz. Kritiker und Dichter. – Mitbegr. der Académie française, deren erste Statuten er erarbeitete und deren Wörterbuch er veranlaßte; wichtig seine Sonette, Madrigale und Briefe.

Chapiru ['xa:piru, xa'pi:ru] (Chabiru, Habiru), Name bestimmter nichtseßhafter Bev.gruppen in Keilschrifttexten des 2. Jt. v. Chr.; ein Zusammenhang mit dem Namen der Hebräer (Ibri) des A. T. ist sehr fraglich.

Chaplin, Charlie [engl. 'tʃæplɪn], eigtl. Charles Spencer C., *London 16. April 1889, †Vevey 25. Dez. 1977, brit. Filmschauspieler, Drehbuchautor und Produzent. – Seit 1914 Filmkomiker in Hollywood; begr. 1918 die Charles C. Film Corporation, 1919 mit M. Pickford, D. Fairbanks und D. W. Griffith die United Artists Corporation, für die er seit 1923 alle seine Filme drehte. Differenziert die groteske Situationskomik der Slapstickcomedies mit Hilfe pantomim., mim. und psycholog. Mittel zur Tragikomödie des „kleinen Mannes"; später auch sozialkrit. Akzente. Bed. v. a. „The tramp" (1915), „Der Vagabund und das Kind" (1921), „Goldrausch" (1925), „Moderne Zeiten" (1936), „Der große Diktator" (1940); sein amerikakrit. Film „Ein König in New York" (1956/57) stellt die Gründe für seine Abkehr von den USA dar.
C., Geraldine, *Santa Monica 31. Juli 1944, amerikan. Filmschauspielerin. – Tochter von C. Chaplin. Spielte in „Doktor Schiwago" (1966), „Les Uns et les Autres" (1981), „La vie est un roman" (1983), „L'Amour par terre" (1984).

Chapman, George [engl. 'tʃæpmən], *bei Hitchin (Hertford) 1559 (?), †London 12. Mai 1634, engl. Dramatiker. – Verf. histor. Schauertragödien (mit komplizierter, zeitbezogener Handlung) und dialogorientierter realist. Komödien; Übersetzer Homers.

Chapultepec [span. tʃapulte'pɛk], Schloß und Park in der Stadt Mexiko; das hier 1945 geschlossene Abkommen *(C.-Akte)* sollte die Zusammenarbeit aller Staaten des amerikan. Kontinents verstärken.

Char, René [frz. ʃa:r], *L'Isle-sur-la-Sorgue (Vaucluse) 14. Juni 1907, †Paris 19. Febr. 1988, frz. Lyriker. – Zunächst Surrealist, dann Gedichte in hermet., z. T. betont aphorist. Sprache.

Chara ['ça:...; lat.] ↑Armleuchteralgen.

Charade [frz. ʃa'radə] ↑Clermont-Ferrand.

Charakter [ka...; griech., eigtl. „eingeprägtes Zeichen" (bes. Schriftzeichen)], 1. die Eigentümlichkeit eines Dinges oder komplexen Gebildes. – 2. In der *Psychologie* das strukturelle Gefüge ererbter Anlagen und erworbener Einstellungen und Strebungen, das nach außen als relative Stetigkeit von Verhaltensmustern die individuelle Eigenart eines Menschen bestimmt.

Charakterart [ka...], Pflanzen- oder Tierart, die fast ausschließlich in einem bestimmten Lebensraum vorkommt.

Charaktere [ka...], allg. Bez. für Persönlichkeitstypen.
◆ Schriftzüge und Zeichen, die magisch wirken sollen.

charakterisieren [ka...; griech.], kennzeichnen, treffend schildern.

Charakteristik [ka...; griech.], Kennzeichnung, treffende Schilderung einer Person oder Sache.
◆ svw. ↑Kennlinie.

Charakteristikum [ka...; griech.], bezeichnende, hervorstechende Eigenschaft.

Charakterkunde [ka...] (Charakterologie), die Lehre vom einzelmenschlich wie vom gruppen- bzw. stammes- und volksmäßig ausgeprägten Charakter; wiss. seit etwa hundert Jahren im Rahmen der Seelenkunde einzelthematisch wie auch in Gesamtentwürfen einer Charakterlehre ausgearbeitet. Als psycholog. Disziplin stellt sich die C. die Aufgabe, die Erscheinungsformen des einzelnen Charakters zu beschreiben, die charakterl. Einzelfunktionen zu erfassen, den inneren Zusammenhang zw. Körperbau und Charakter aufzuzeigen, den strukturellen Aufbau des Charakters zu entwerfen, die Grundzüge einer Charakterdiagnostik zu erarbeiten und die charakterl. Fehlentwicklungen auf ihre ursächl. Herkunft hin zu untersuchen und Wege zu ihrer Verhütung aufzuzeigen.
Bed. Wegbereiter der C. und Forscher auf diesem Gebiet waren L. Klages, E. Kretschmer, W. H. Sheldon, C. G. Jung, E. Rothacker, P. Lersch und E. Spranger. Nach 1945 trat die angloamerikan. Persönlichkeitsforschung und die differentielle Psychologie weitgehend die Nachfolge der C. an. Inner-

halb dieser beiden Disziplinen der Psychologie bemüht man sich, bei der Erforschung der Persönlichkeit quantitative Methoden anzuwenden und nur solche Aussagen zu machen, die sich empirisch nachprüfen lassen.

📖 *Aureus, W.: C. und Schicksal. Bayreuth ²1982. – Rothacker, E.: Die Schichten der Persönlichkeit. Bonn ⁸1969.*

Charakterrolle [ka...], Theaterrolle, bei der die Darstellung eines Charakters gefordert ist (z. B. Othello, Hamlet).

Charakterstück [ka...], kürzeres Musikstück, v. a. für Klavier; kennzeichnend ist der häufig im Titel (z. B. Nocturne [„Nacht"]) bezeichnete Stimmungsgehalt.

Charan ↑Charran.

Charbin ↑Harbin.

Charcot, Jean Martin [ʃar'ko], * Paris 29. Nov. 1825, † beim Stausee Settons (Nièvre) 16. Aug. 1893, frz. Neurologe. – Prof. in Paris; wichtige Arbeiten auf allen Gebieten der Nervenpathologie (insbes. Arbeiten über Hysterie, Neurosen, Hypnotismus und Rückenmarkserkrankungen).

Chardin, Jean-Baptiste Siméon [frz. ʃar'dɛ̃], * Paris 2. Nov. 1699, † ebd. 6. Dez. 1779, frz. Maler. – Bed. Stillebenmaler, seit 1732 auch figürl. Szenen. In seinen Farbharmonien und Lichteffekten erscheint er als Vorläufer des Impressionismus, während die Gegenstände fest und plastisch gesehen sind.

Chardin [frz. ʃar'dɛ̃:], Teilhard de ↑Teilhard de Chardin.

Charente [frz. ʃa'rã:t], Dep. in Frankreich.

C., Fluß in SW-Frankreich, entspringt im westl. Limousin; mündet bei Rochefort in den Golf von Biskaya; 360 km lang.

Charente-Maritime [frz. ʃarãtmari'tim], Dep. in Frankreich.

Chares von Lindos ['ça:...], griech. Bildhauer um 300 v. Chr. – Schüler des Lysipp; schuf etwa 302 bis 290 den „Koloß von Rhodos", die über 32 m hohe Bronzestatue des Helios beim Hafen von Rhodos, die zu den Sieben Weltwundern gerechnet wurde (stürzte 224/23 um, nicht erhalten).

Charga, Al [al'xa:rga], ägypt. Oase in der Libyschen Wüste, ssw. von Asjut, in einem langgestreckten Becken von 3 000 km², etwa 50 000 E. Über 100 artes. Brunnen; ⚘. – Al C. ist die **Oasis magna** des Altertums. – Nördlich von Al C. ein von Darius I. erbauter Tempel; nahebei ein christl. Kloster.

Charge ['ʃarʒə; frz., eigtl. „Bürde"], Nebenrolle mit einseitig gezeichnetem Charakter; **chargieren,** mit Übertreibung spielen.

◆ früher Bez. für (militär.) Dienstgrad.

◆ (Chargierter) einer der drei Vorsitzenden einer student. Verbindung.

◆ Beschickungsmenge und Material bei techn. Anlagen.

Chargé d'affaires [frz. ʃarʒeda'fɛr] ↑Geschäftsträger.

Chargesheimer [ʃ-], eigtl. Karl Heinz Hargesheimer, * Köln 19. Mai 1924, † ebd. zw. dem 1. und 5. Jan. 1972 (tot aufgefunden), dt. Photojournalist. – Veröffentlichte u. a. die Bildbände „Cologne intim" (1957), „Im Ruhrgebiet" (1958, mit H. Böll), „Köln 5 Uhr 30" (1970).

Charidschiten [xa...; zu arab. charidschi „außerhalb Befindliche"], Anhänger der ältesten islam. Sekte. Die C. versagten 657 dem 4. Kalifen Ali den Gehorsam und unternahmen ständig Aufstände, die bis in das 9. Jh. andauerten. Noch heute gibt es in N-Afrika und Oman einige C. Charakteristisch sind ihre strengen eth. Forderungen.

Charisma ['ça...; griech. „Gnadengabe"], im *theolog. Sprachgebrauch* bes. Geistes- und Gnadengaben zum Dienst an der christl. Gemeinde, z. B. Predigt, Lehre, Prophetie. Für Paulus war die Liebe das größte christl. Charisma.

◆ besondere, außergewöhnl. Ausstrahlungskraft eines Menschen.

Charismatiker [ça...], Träger von Charismata.

◆ eine ev. Gruppierung (↑Pfingstbewegung).

Charité [frz. ʃari'te „Barmherzigkeit" (zu ↑Karitas)], früher Bez. für kirchlich oder staatlich geführte Kranken- und Pflegeanstalten für Bedürftige; die **Berliner Charité** (Berlin; gegr. 1710) umfaßt den medizin. Hochschulbereich der Humboldt-Universität zu Berlin.

Chariten [ça...], in der griech. Mythologie (nach Hesiod) die drei „anmutigen" segenspendenden Töchter des Zeus und der Eurynome, **Aglaia** (Glanz), **Euphrosyne** (Frohsinn) und **Thalia** (Blüte), denen bei den Römern die drei *Grazien* entsprechen.

Charivari [frz. ʃariva'ri „Katzenmusik, Lärm"], illustrierte frz. satir. Zeitschrift, erschien 1832–93, 1929–37 und seit 1957. Zu den berühmtesten Karikaturisten des C. zählen: H. Daumier, Grandville, P. Gavarni u. a.

Charkow [russ. 'xarjkɐf], Gebietshauptstadt im NO der Ukraine, 1,6 Mill. E. Eines der bed. Wirtschafts- und Verkehrszentren der Ukraine. Univ. (gegr. 1805), zahlr. Hochschulen; Museen, Planetarium; 6 Theater, Philharmonie; Maschinen-, Traktorenbau, Metallverarbeitung, Textil-, Leder-, chem. und Nahrungsmittelind., U-Bahn, ⚘. – Entstand um 1655/56 als Militär-Grenzstützpunkt; 1765 Gouvernementsstadt. Nach 1917 vorübergehend und 1919–34 Hauptstadt der Sowjetukraine. Im 2. Weltkrieg v. a. 1943 hart umkämpft. – Kloster und Kathedrale Mariä Schutz- und Fürbitte (seit 1689), Mariä-Himmelfahrtskathedrale (um 1780); frühklassizist. Palast.

Charleroi [frz. ʃarlə'rwa], belg. Stadt an der Sambre, 50 km südlich von Brüssel, 212 000 E. Museum der Glasindustrie, Kunstgalerie. Elektrotechn., Nahrungsmittel-, Fahrzeugind. Ausgangspunkt des 73 km langen **Charleroi-Brüssel-Kanals.** ⚒. – Das Dorf Charnoy wurde 1666 von den Spaniern zur Festung ausgebaut, 1667/68 von Vauban vollendet.

Charles, Prince of Wales (seit 1958) [engl. tʃɑ:lz], * London 14. Nov. 1948, brit. Thronfolger. – Ältester Sohn von Königin Elisabeth II. und Prinz Philip, Herzog von Edinburgh. Heiratete am 29. Juli 1981 Diana Frances Spencer (* 1961).

Charles, Jacques Alexandre César [frz. ʃarl], * Beaugency (Loiret) 12. Nov. 1746, † Paris 7. April 1823, frz. Physiker. – Entdeckte noch vor L. Gay-Lussac das nach diesem ben. Gasgesetz; stieg mit dem von ihm erfundenen Wasserstoffballon **(Charlière)** 1783 in Paris auf.

C., Ray [engl. tʃɑ:lz], eigtl. Ray Charles Robinson, * Albany (Ga.) 23. Sept. 1932, amerikan. Jazzmusiker. – Blinder Sänger, Pianist und Orchesterleiter v. a. des Rhythm and Blues und Soul.

Charleston [engl. 'tʃɑ:lstən], Stadt in South Carolina, USA, an der Atlantikküste, 81 000 E. Sitz eines kath. und eines anglikan. Bischofs; Militärakad. (gegr. 1842), College. Bed. Hafen für den Küsten- und Überseehandel; Schiffbau, Erdölraffinerie. Fremdenverkehr, ⚒. – 1670 gegr. Hier begann im April 1861 der amerikan. Sezessionskrieg mit der Beschießung und Kapitulation der Unionsgarnison von Fort Sumter, einer Inselfestung in der Hafeneinfahrt.

C., Hauptstadt des Bundesstaates West Virginia, USA, 59 000 E. Sitz eines anglikan. und eines methodist. Bischofs; College, Konservatorium, Kunsthochschule; chem. und Glasind., Druckereien; ⚒. – Gegr. 1794.

Charleston ['tʃarlstən; nach der gleichnamigen Stadt in South Carolina], nordamerikan. Modetanz der 1920er Jahre mit stark synkopiertem Grundrhythmus.

Charleville-Mézières [frz. ʃarləvilme'zjɛ:r], frz. Stadt an der Maas, 61 000 E. Verwaltungssitz des Dep. Ardennes; Ardennenmuseum; Metallind.; Flußhafen. – Charleville wurde 1606 gegr.; seit 1966 mit dem benachbarten Mézières vereinigt.

Charlière [frz. ʃarli'ɛ:r] ↑ Charles, Jacques Alexandre César.

Charlotte [ʃar...] (Marie C.), * Laeken (= Brüssel) 7. Juni 1840, † Bouchoute bei Brüssel 19. Jan. 1927, Kaiserin von Mexiko (1864–67). – Tochter Leopolds I. von Belgien; seit 1857 ⚭ mit dem östr. Erzherzog Maximilian (seit 1864 Kaiser von Mexiko); verfiel 1866 in geistige Umnachtung.

Jean-Baptiste Siméon Chardin. Stilleben mit Zinnkrug (Karlsruhe, Staatliche Kunsthalle)

Charlotte [ʃar...; frz.], warme oder kalte Süßspeise aus Biskuits mit verschiedenen Füllungen.

Charlotte Amalie [engl. 'ʃɑ:lət ə'mɑ:ljə], Hauptstadt der Virgin Islands of the United States, auf Saint Thomas, Kleine Antillen, 52 700 E. Seehafen; Fremdenverkehr. – 1755–1917 dänisch, dann an die USA.

Charlottetown [engl. 'ʃɑ:ləttaʊn], Hauptstadt der kanad. Prov. Prince Edward Island, 15 800 E. Sitz eines kath. und eines anglikan. Bischofs; kath. Univ. (gegr. 1955); Haupthandelszentrum und Haupthafen der Insel; Fremdenverkehr. – 1720 frz. Handelsposten, 1763 britisch, 1768 nach der Gattin Georgs III. ben.; 1875 City.

Charm [engl. tʃɑ:m], in der Elementarteilchenphysik Bez. für eine ladungsartige Quantenzahl, die dem sog. c-Quark und seinem Antiteilchen zugeordnet wird.

Charme [ʃarm; frz.; zu lat. carmen „Gesang, Zauberformel"], Anmut, Zauber, Liebreiz; **charmant,** anmutig, bezaubernd; **Charmeur,** Schmeichler, liebenswürdiger Mensch.

Charms, Daniil Iwanowitsch [russ. xarms], eigtl. D. I. Juwatschow, * Sankt Petersburg 12. Jan. 1906, † (in Haft) 2. Febr. 1942, russ. Schriftsteller. – Wichtiger Vertreter der absurden Kunst; experimentierte mit Lyrik, verfaßte kleine Dramen und näherte sich mit „Elisabeth Bam" (dt. Auswahl „Fälle", 1970) dem absurden Theater. 1956 (nur) als Kinderdichter rehabilitiert. In dt. Sprache erschienen: „Geschichten von Himmelkumov und anderen Persönlichkeiten" (1983), „Briefe aus Petersburg" (1988), „Zwischenfälle" (1990).

Charollais [frz. ʃarɔ'lɛ], frz. Landschaft am NO-Rand des Zentralmassivs. Weidewirtschaft und Rinderzucht. - 1316 zur Gft. erhoben, seit 1684 im Besitz der Fürsten von Condé, kam 1761 zur frz. Krondomäne.

Charon ['ça:...], Fährmann der Toten in der griech. Mythologie, der die Verstorbenen über den Unterweltsfluß Acheron zum Reich des Hades übersetzt. Er weist Unbestattete zurück. Den Fährlohn, das **Charonsgeld,** legte man den Toten in Form einer Münze unter die Zunge. - Dem griech. C. entsprach der etrusk. **Charun,** dessen dämon. Züge z. T. auf den röm. Gott Dispater übergingen.

Charonton, Enguerrand [frz. ʃarõ'tõ] ↑Quarton, Enguerrand.

Charpak, Georges ['xarpak, frz. ʃar'pak], * Dąbrowica 1. Aug. 1924, frz. Physiker poln. Herkunft. - Ab 1959 am CERN, seit 1984 Prof. an der Pariser Hochschule für Physik und Chemie; entwickelte einen Teilchendetektor, der wesentlich zur Entdeckung der Charms und intermediärer Bosonen sowie zum erstmaligen Nachweis von Quarks beitrug, dafür 1992 Nobelpreis für Physik.

Charpentier [frz. ʃarpã'tje], Gustave, * Dieuze (Moselle) 25. Juni 1860, † Paris 18. Febr. 1956, frz. Komponist. - Bekannt v. a. durch die „Impressions d'Italie" (1889) sowie die Oper „Louise" (1900).

C., Marc-Antoine, * Paris zw. 1645 und 1650, † ebd. 24. Febr. 1704, frz. Komponist. - Bed. ist v. a. seine geistl. Musik, über 20 Oratorien, Messen, Motetten, Psalmen und Cantica, Hymnen (4 Tedeums), Antiphonen, Litaneien und Sequenzen; Bühnenwerke, u. a. Oper „Médée" (1693).

Charran [xa...] (Haran, lat. Carrhae, Carrae; Harran, Charan, Karrhai, Carrhä), ehem. Stadt etwa 35 km sö. von Urfa in der SO-Türkei; als bed. Handelsstadt des alten Orients seit dem 18. Jh. v. Chr. bezeugt, nach dem A. T. kurze Zeit Sitz der Familie Abrahams; assyr. Prov.hauptstadt und Residenz des letzten assyr. Königs; bekannt v. a. durch den Kult des Mondgotts von C. (Bel; Sin; Kuschuch); Ausgrabungen 1951–56.

Charrat, Janine [frz. ʃa'ra], * Grenoble 24. Juli 1924, frz. Tänzerin und Choreographin. - Gründete 1951 in Paris „Les Ballets J. C." (später „Ballets de France"); leitete ab 1970 eine Ballettschule, seit 1980 Direktorin für Tanz am Centre Georges-Pompidou in Paris.

Charrière, Henri-Antoine [frz. ʃa'rjɛ:r], * Saint-Étienne-de-Lugdarès (Ardèche) 16. Nov. 1906, † Madrid 29. Juli 1973, frz. Schriftsteller. - Hatte Welterfolge mit den Sträflingsromanen „Papillon" (1969) und „Banco" (1972).

Charsamarder ['tʃar...; 'çar...; Mandschu-tungus./dt.] (Martes flavigula), bis über 70 cm körperlanger Marder in S- und SO-Asien.

Charta (Charte, Carta) ['karta; griech.-lat.], urspr. Blatt aus dem Mark der Papyrusstaude, dann verallgemeinert für alle Arten von Schreibmaterialien und für Buch. - Im MA bes. neben Diplom in der Bed. von „Urkunde" (z. B. Magna Carta libertatum), im heutigen Staats- und Völkerrecht für eine Urkunde (Satzung, Staatsgrundgesetz) gebraucht, die für das Rechtsleben bestimmend ist (z. B. die C. der Vereinten Nationen [↑UN-Charta], in Frankreich die oktroyierte Verfassung [Charte] von 1814 bzw. 1830).

Charta 77 ['karta], am 1. Jan. 1977 in der Tschechoslowakei gegr. Bürgerrechtsgruppe; zu ihren Sprechern gehörten u. a. V. Havel und P. Kohout; wirkte seit Nov. 1989 im ↑Bürgerforum mit.

Charta von Paris ['karta], Schlußdokument der KSZE-Sondergipfelkonferenz, unterzeichnet am 21. Nov. 1990 in Paris. Die 34 Teilnehmerstaaten verpflichten sich u. a., die *Demokratie* als die einzige Regierungsform in ihren Ländern aufzubauen, zu festigen und zu stärken; die *Menschenrechte* und Grundfreiheiten zu schützen und zu fördern; die *Rechtsstaatlichkeit,* freie Meinungsäußerung und Toleranz gegenüber allen gesellschaftl. Gruppen durchzusetzen; die kulturelle, sprachl. und religiöse *Identität nat. Minderheiten* zu schützen; *Marktwirtschaften* aufzubauen, die wirtsch. Freiheit, soziale Gerechtigkeit und Verantwortung für die Umwelt einschließen; freundschaftl. und auf *Zusammenarbeit* beruhende Beziehungen zw. den Völkern zu entwickeln; eine neue Qualität gegenseitiger *Sicherheitsbeziehungen* anzustreben und die *UN* zu unterstützen und zu stärken bei der Förderung von Frieden, Sicherheit und Gerechtigkeit in der Welt; den *Abrüstungsprozeß* fortzusetzen, Streitfälle friedlich zu regeln und den *Kulturaustausch* zu fördern. Zugleich enthält die C. v. P. den Beschluß, die KSZE stärker zu institutionalisieren, einen *Rat der Außenminister* als Forum für polit. Konsultationen zu bilden, ein *Sekretariat* in Prag, ein *Konfliktverhütungszentrum* in Wien und ein *Büro für freie Wahlen* in Warschau einzurichten. Die C. v. P. dokumentiert das Ende der Konfrontation der Nachkriegszeit und der Teilung Europas.

Charter ['tʃar..., 'ʃar...; engl.; zu lat. chartula „kleine Schrift"], Urkunde, Freibrief. ◆ Miete eines Verkehrsmittels oder von Teilen seines Laderaums zur Beförderung von Gütern oder Personen.

Charterflug ['tʃar..., 'ʃar...], Flug mit einem von einer privaten Gesellschaft o. ä. [für eine Reise] gemieteten Flugzeug.

Chartres. Westfassade der Kathedrale

Chartergesellschaft ['tʃar..., 'ʃar...], ehem. Form der Handelsgesellschaft für Export und Import mit eigenen Hoheitsrechten in den überseeischen Niederlassungen.
◆ Gesellschaft, die Personen oder Güter mit gemietenen oder gepachteten Verkehrsmitteln befördert (v. a. mit Schiff oder Flugzeug).

Chartervertrag ['tʃar..., 'ʃar...], im *Seeverkehr* Frachtvertrag über die Miete eines Schiffes (Vollcharter) oder einzelner Laderäume (Teilcharter) für eine Reise mit bestimmtem Ziel (Reisecharter) oder für eine bestimmte Zeit (Zeitcharter). Ein C. kann auch über ein (ganzes) Flugzeug abgeschlossen werden. Vertragspartner sind der Verfrachter (Vermieter) und der oder die Befrachter (Mieter). Im *Luftverkehr* heißen die Vertragspartner Carrier (Vermieter) und Charterer (Mieter).

Chartier, Émile [frz. ʃar'tje:] ↑Alain.

Chartismus [tʃar'tismʊs, ʃa...; lat.-engl.], erste brit. organisierte Arbeiterbewegung; entstand seit 1836; legte ihre Forderungen in der „People's Charter" (1838) nieder: u.a. Einführung des allg. Stimmrechts, geheime Abstimmung, Abschaffung aller aus dem Besitz abgeleiteten polit. Vorteile, Gesetzgebung gegen wirtsch. und polit. Ausbeutung und Entrechtung; 1839 Aufstand in Birmingham; verlor nach 1848 ihre Massenbasis und bald auch jeden polit. Einfluß auf die Arbeiterschaft; Einfluß auf Marx und Engels.

Chartres [frz. ʃartr], frz. Stadt und Wallfahrtsort an der Eure, 39 000 E. Verwaltungssitz des Dep. Eure-et-Loir; kath. Bischofssitz, Marktzentrum mit Nahrungs- und Futtermittelind; Maschinenbau, elektrotechn. Ind.; ✈. – In der Antike **Autricum,** als eine Hauptstadt der kelt. Carnuten auch **Carnotum.** Seit dem 4. Jh. Bischofssitz (außer 1793–1821); 849, 1124, 1146 und 1300 Konzilstagungsort. Seit dem 10. Jh. Hauptstadt einer Gft., die 1286 an den frz. König verkauft, 1528 zum Hzgt. erhoben wurde und seit 1623 eine Apanage der Orléans war. Seit 1790 Hauptstadt des Dep. Eure-et-Loir. – Die urspr. Kathedrale (11. Jh.) brannte 1194, mit Ausnahme der Türme im W, ab. Die jetzige Basilika mit dreischiffigem Querhaus und Chor mit Kapellenkranz wurde 1260 geweiht; bed. farbige Glasfenster (12. und 13. Jh.). Die etwa 1800 Bildwerke am Außenbau sind wegweisend für die got. Kathedralen der Folgezeit, insbes. für Reims und Amiens. Das früheste Portal ist das Königsportal, dessen Gewändefiguren von bes. kunsthistor. Bed. sind. Die Kathedrale wurde von der UNESCO zum Weltkulturerbe erklärt.

Chartres, Schule von [frz. ʃartr], bed. Schule von Philosophen und Theologen im 11. und 12. Jh. Ihr Gründer war Fulbert von Chartres († 1028), Hauptvertreter waren die Brüder Bernhard und Thierry von Chartres, Gilbert von Poitiers, Wilhelm von Conches, Clarenbaldus von Arras und Johannes von Salisbury. Charakteristisch für die Schule ist ein durch das Studium der Klassiker geprägter Humanismus. In der Philosophie galt das Interesse im Anschluß an Platon, Aristoteles und Boethius vorwiegend kosmolog. und mathemat. Fragen. In der Theologie war man um eine Synthese von weltl. Wissen und Offenbarungslehre bemüht.

Chartreuse [frz. ʃar'trø:z] (La Grande C.), nach dem frz. Bergmassiv ↑Grande Chartreuse nördlich von Grenoble ben. Kartäuserkloster, das Bruno von Köln 1084 gründete; seither Mutterkloster des Kartäuserordens. 1792 säkularisiert, 1816–1903 und seit 1940 wieder von Mönchen besiedelt.

Chartreuse Ⓦⓩ [frz. ʃar'trø:z], urspr. von den Mönchen des gleichnamigen Klosters hergestellter Kräuterlikör.

Charts [engl. tʃa:ts „Tabellen"], Listen der beliebtesten Schlager bzw. der meistverkauften Schallplatten, die, durch Umfrage ermittelt, wöchentlich oder vierzehntäglich zusammengestellt werden.

Charybdis [ça...], Seeungeheuer der griech. Mythologie. Tochter des Poseidon und der Gäa. An einer Meerenge (später oft mit der von Messina identifiziert), der ↑Skylla gegenüber, schlürft sie dreimal am Tag das Wasser ein und speit es wieder aus; Jason und Odysseus müssen sie passieren.

Chasaren [xa...], halbnomad. Turkstamm, beherrschte vom 4.–11. Jh. zw. Dnjepr, Wolga und Kaukasus weite Gebiete; im 8. Jh. Blütezeit; Ende seiner Vorherrschaft im 9./10. Jh.; nach 1223 nicht mehr bezeugt.

Chase Manhattan Corp. [engl. 'tʃe:s mæn'hætən], amerikan. Finanzkonzern, Sitz New York; wichtigste Beteiligung ist **The Chase Manhattan Bank National Association,** eines der größten Kreditinstitute der USA mit Niederlassungen in über 50 Ländern, gegr. 1877 (seit 1955 heutiger Name).

Chasini, Al [al'xa:zini], arab. Physiker griech. Abstammung aus der 1. Hälfte 12. Jh. in Merw (Turkestan). – Neben Alhazen der bedeutendste Experimentalphysiker des MA; faßte das physikal. Wissen seiner Zeit in dem Handbuch „Waage der Weisheit" zusammen.

Chaskowo ['xas...], Hauptstadt des bulgar. Verw.-Geb. C., südlich von Dimitrowgrad, 91 000 E. Tabak-, Textil-, Lebensmittelind.; histor. Museum.

Chasmogamie [ças...; griech.] (Offenblütigkeit), bei den Samenpflanzen eine Form der Blütenbestäubung, bei der im Ggs. zur ↑Kleistogamie die Blüte geöffnet ist.

Chasséen [ʃase'ɛ̃; frz.] ↑Chasseykultur.

Chasselas [frz. ʃa'sla], svw. ↑Gutedel.

Chassériau, Théodore [frz. ʃase'rjo], * Sainte-Barbe-de-Samana (Dominikan. Republik) 20. Sept. 1819, † Paris 8. Okt. 1856, frz. Maler. – Schüler von J. A. D. Ingres, dessen klassizist. Strenge er mit dem maler. Stil von E. Delacroix verband; malte mytholog. oder allegor. Szenen, v. a. Frauenakte.

Chasseurs [frz. ʃa'sœ:r], Bez. für die Jägertruppenteile der frz. Armee: reitende Jäger **(Chasseurs à cheval),** Jäger zu Fuß **(Chasseurs à pied),** reitende afrikan. Jäger **(Chasseurs d'Afrique),** Alpenjäger **(Chasseurs alpins)** und Fallschirmjäger **(Chasseurs parachutistes).**

Chasseykultur [frz. ʃa'sɛ] (Chasséen), nach Funden auf der vorgeschichtl. Höhensiedlung Camp-de-Chassey (Dep. Saône-et-Loire) ben. mittel-, süd- und westfrz. neolith. Kulturgruppe (etwa Anfang des 3. Jt. v. Chr.); kennzeichnend v. a. qualitätvolle rundbodige Keramik, Steingeräte, Schieferarmringe u. a.

Chassidim [xa...; hebr. „Fromme"], Anhänger verschiedener Bewegungen im Judentum. 1. mystisch-esoter. Strömung in Mitteleuropa 1150–1250, deren Ideal ein Leben in Askese, Gleichgültigkeit gegenüber Freud und Leid, Hinwendung zum Nächsten, selbst gegen das Religionsgesetz, war. 2. Anhänger des ↑Chassidismus.

Chassidismus [xa...; zu hebr. Chassidim „Fromme"], volkstüml. Richtung des Judentums, die die Liebe Gottes betont und eine Verinnerlichung des religiösen Lebens erstrebt, begr. in Galizien von Israel Ben Elieser, gen. Baal Schem Tov. Wesentlich an der Frömmigkeit des C. ist, daß der Fromme (der Chassid) die Allgegenwart Gottes erkennt und sich mit ihr auf myst. Weise vereinigen kann. Studium der Bibel, Gebet, aber auch Musik und Tanz gehören zur Vorbereitung dieser Vereinigung. Innerhalb des C. entstanden mehrere Gruppierungen, die vom orth. Judentum und von der jüd. Aufklärung bekämpft wurden. Der Leiter der Gemeinden des C. ist der Zaddik (der „Gerechte"); er verhilft durch sein Vorbild den Mitmenschen zum rechten Umgang mit Gott. – Der C. ist typisch für das osteurop. Judentum (Podolien, Galizien, Litauen), wo er im 18. Jh. entstand und im 18./19. Jh. auch seine Blüte erlebte; seit 1945 nur noch in den USA und Palästina vertreten.

🕮 *Scholem, G.: Die jüd. Mystik in ihren Hauptströmungen. Ffm. Neuaufl. 1988. – Buber, M.: Der Weg des Menschen nach der chassid. Lehre. Hdbg. 91986. – Dubnow, S.: Gesch. des C. Dt. Übers. Bln. 1931 (Nachdr. Ffm. 1982). 2 Bde. – Wehr, G.: Der C. Freib. 1978.*

Chassis [ʃa'si:; frz.; zu lat. capsa „Behältnis"], in der *Fahrzeugtechnik* svw. Fahrgestell.

◆ Montagegestell für elektr. oder elektron. Bauelemente, z. B. in Rundfunkempfängern.

Château [frz. ʃɑ'to; zu lat. castellum „Festung"], Schloß, Herrenhaus, Landgut, Weingut.

Chateaubriand, François René Vicomte de [frz. ʃatobri'ɑ̃], * Saint-Malo 4. Sept. 1768, † Paris 4. Juli 1848, frz. Schriftsteller und Politiker. – Lebte 1793–1800 als Emigrant in Großbritannien. Nach dem Sturz Napoleons I. trat er in den Dienst der Bourbonen, war u. a. Botschafter und 1823/24 Außenmin. – Bedeutendster und einflußreichster Vertreter der frz. Frühromantik. Sein Essay „Der Genius des Christentums" (mit der Novelle „René" 1802 veröffentlicht) ist eine romant. Verklärung des Christentums; gestaltete seine Themen mit sprachl. Eleganz. – *Weitere Werke:* Atala (Nov., 1801), Die Märtyrer (R., 1809), Tagebuch einer Reise von Paris nach Jerusalem (Reisebericht, 1811), Denkwürdigkeiten nach dem Tode (1849; dt. auch [gekürzt] u. d. T. Erinnerungen).

Château-d'Oex [frz. ʃɑto'de, ʃato'dɛ], Kurort und Wintersportplatz im schweizer. Kt. Waadt, 20 km östlich von Montreux, 970 m ü. d. M., 2 800 E. – Savoyisches Lehen, seit 1555 bern. Untertanenort; verzichtete 1798 auf die bern. Herrschaft.

Châteaudun [frz. ʃɑto'dœ̃], frz. Marktstadt in der Beauce, Dep. Eure-et-Loir, 45 km wnw. von Orléans, 15 000 E. Maschinenbau. – Seit 1281 Stadt; 1870 im Deutsch-Frz. Krieg großenteils zerstört. – Schloß (12. bis 16. Jh.; restauriert 1948–51) mit Donjon (12. Jh.) und Sainte-Chapelle (1451–64).

Châteauroux [frz. ʃɑto'ru], frz. Industriestadt an der Indre, 100 km sö. von Tours, 54 000 E. Verwaltungssitz des Dep. Indre; Museum. Maschinenbau, Textilind. – 1230 Stadtrecht; seit 1790 Hauptstadt des Dep. Indre.

Château-Thierry [frz. ʃɑtotjɛ'ri], frz. Stadt an der Marne, Dep. Aisne, 15 000 E. Museum; Herstellung von landw. Maschinen und Geräten, Musikinstrumenten u. a. – 1231 Stadtrecht, 1361 zur frz. Krondomäne. 1814 besiegte Napoleon I. bei C.-T. die Preußen unter Blücher.

Châtellerault [frz. ʃɑtɛl'ro], frz. Ind.stadt im Poitou, an der Vienne, Dep. Vienne, 37 000 E. Elektrotechn., elektron. und Luftfahrtindustrie.

Châtelperronien [ʃatɛlpɛroni'ɛ̃:; frz.], nach einer nahe Châtelperron (Dep. Allier) gelegenen Höhlenstation ben., v. a. in S- und M-Frankreich verbreitete frühe jungpaläolith. Kulturgruppe; kennzeichnend die sog. C.spitzen mit gebogenem, eng retuschiertem Rücken.

Chatham, William Pitt, Earl of [engl. 'tʃætəm] ↑Pitt, William, d. Ä., Earl of Chatham.

Chatham [engl. 'tʃætəm], engl. Hafenstadt am Medway, Gft. Kent, 62 000 E. Bildet mit Rochester und Gillingham eine städt. Agglomeration. – Unter Heinrich VIII. und Elisabeth I. wurden Hafen und Arsenal angelegt; 1890 Stadtrecht.

Chatham House [engl. 'tʃætəm 'haʊs], ehem. Wohnhaus des Earl of Chatham in London, heute Sitz des 1920 gegr. Royal Institute of International Affairs.

Chati̱b [xa...; arab. „Sprecher"], islam. Kultbeamter, der am Freitagmorgen als Vorbeter (Imam) den Gebetsgottesdienst in der Hauptmoschee (Dschami) leitet und die zu Beginn stattfindende Predigt (Chutba) hält.

Chatichai Choonhavan, * Bangkok 5. April 1922, thailänd. Politiker und General. – Seit 1973 mehrmals Min., wurde 1986 Vors. der Partei Chart Thai; Min.präs. 1988–91 (durch Militärputsch gestürzt).

Châtillon-sur-Seine [frz. ʃɑtijõsyr'sɛn], frz. Stadt an der oberen Seine, Dep. Côte-d'Or, 7 600 E. – Entstand aus den zwei Orten Chaumont (Stadtrecht 1213) und Bourg (Stadtrecht 1423). – Im **Kongreß von Châtillon** (5. Febr.–19. März 1814) boten die Verbündeten Napoleon I. einen Friedensschluß auf der Grundlage der frz. Grenzen von 1792 an, doch lehnte dieser ab.

Chat-Noir [frz. ʃa'nwa:r „schwarze Katze"], erstes literar. Künstlerkabarett auf dem Montmartre; gegr. 1881, bestand bis 1896; in ihm trat A. Bruant auf.

Chatschaturjan, Aram Iljitsch [russ. xɐtʃɐtu'rjan], * Tiflis 6. Juni 1903, † Moskau 1. Mai 1978, armen. Komponist. – Seine Werke sind durch die Volksmusik seiner Heimat bestimmt, u. a. Sinfonien, Konzerte für Klavier, Violine und Violoncello, Ballette (u. a. „Gajaneh", darin der „Säbeltanz"), Bühnen- und Filmmusiken.

Chatten ['ka..., 'ça...] (lat. Chatti), den Cheruskern benachbarter westgerman. Volksstamm zw. Eder, Fulda und Schwalm; fielen wiederholt in röm. Gebiet ein; 203 zum letzten Male erwähnt. Im 7. Jh. treten im ehem. Gebiet der C. zuerst die Namen Hassii, Hessi, Hessones (später Hessen) auf.

Chatterton, Thomas [engl. 'tʃætətn], * Bristol 20. Nov. 1752, † London 24. oder 25. Aug. 1770, engl. Dichter. – Vorläufer der Romantik; verfaßte aus originärer, schöpfer. Phantasie Gedichte im Stil des MA, die er als Werke eines fiktiven Thomas Rowley ausgab; beging, entlarvt, Selbstmord.

Chatti ['xati], akkad. Name des altkleinasiat. Hattus, der inneranatol. Landschaft im Bogen des Kızılırmak (des antiken Halys) um die gleichnamige Stadt und spätere Hauptstadt des Hethiterreiches (↑Boğazkale).

Chattua̱rier [xa...] (lat. Chattuarii), german. Stamm, ↑Attuarier.

Chattusa ['xa...] (Chattuscha, Hattusa), alte hethit. Hauptstadt, ↑Boğazkale.

Chattuschi̱li [xa...] (Chattusili), Hethiterkönig, ↑Hattusili.

Chaucer, Geoffrey [engl. 'tʃɔ:sə], * London um 1340, † ebd. 25. Okt. 1400, engl. Dichter. – Entstammt dem aufstrebenden Bürgertum. Steht, in der Sprache noch dem MA verpflichtet, an der Schwelle zur Renaissance, bes. mit seinem unvollendeten Hauptwerk „The Canterbury tales" (1387 ff., gedruckt um 1478; dt. 1827 u. d. T. „Canterburysche Erzählungen"), eine Sammlung von Versnovellen mit Rahmengeschichte. – *Weitere Werke:* Das Parlament der Vögel (Versdichtung, entstanden um 1382), Troilus and Criseyde (Epos, entstanden 1385).

Chaudet, Paul [frz. ʃo'dɛ], * Rivaz (Kt. Waadt) 17. Nov. 1904, † Lausanne 7. Aug. 1977, schweizer. Politiker. – 1943–54 als Mgl. der Freisinnig-demokrat. Partei Nationalrat; 1954–66 Bundesrat (Leiter des Militärdepartements); 1959 und 1962 Bundespräsident.

Chauffeur [ʃɔ'fø:r; frz., urspr. „Heizer"], Kraftwagenfahrer; **chauffieren,** einen Kraftwagen lenken.

Chauken ['çaʊkən] (lat. Chauci), german. Stamm. Die C. siedelten urspr. an der Nordseeküste zw. unterer Ems und Elbe, seit 58 n. Chr. bis zum Rhein; Fischer und Seefahrer; seit dem 4. Jh. n. Chr. nicht mehr erwähnt, gingen vermutlich im sächs. Stammesverband auf.

Chaulmoograöl [tʃo:l'mu:gra; Bengali/dt.], gelbbraunes, eigenartig riechendes, zähflüssiges Öl oder weiches Fett aus den Samen von Chaulmoograsamenbaumarten (im indomalaiischen Bereich heimisch); wirksam bei Lepra und Hauttuberkulose.

Chaumont [frz. ʃo'mõ], Stadt in Ostfrankreich, 29 600 E. Verwaltungssitz des Dep. Haute-Marne; Metall-, lederverarbeitende Ind., Verkehrsknotenpunkt. – Kam im 14. Jh. zur frz. Krondomäne; seit 1790 Hauptstadt des Dep. Haute-Marne. – Got. Kirche Saint-Jean-Baptiste (13.–16. Jh.). – Am 1. März 1814 wurde der **Bündnisvertrag von Chaumont** geschlossen (↑ Quadrupelallianz).

Chaumont-sur-Loire [frz. ʃomõsyr'lwa:r], frz. Ort an der Loire, Dep. Loir-et-Cher, 842 E. – Schloß (1466–1510); bed. v. a. der festungsartige spätgot. Amboiseturm und der Ehrenhof im Frührenaissancestil.

Chautauqua Institution [engl. ʃə'tɔ:kwə ɪnstɪ'tju:ʃən], amerikan. Erwachsenenbildungseinrichtung; am *Chautauqua Lake* (N. Y.) entstanden; seit 1874 nach und nach feste Unterkünfte, Unterrichtsräume, ein Amphitheater (1893), Bibliotheken, Theater, Konzertsäle. Heute nehmen jährlich etwa 40 000 Besucher an den verschiedenen Programmen der C. I. teil.

Chauvinismus [ʃovi...; frz.; nach der (vielleicht auf ein histor. Vorbild zurückgehenden) Gestalt des extrem patriot. Rekruten Chauvin, die durch das Lustspiel „La cocarde tricolore" von C. T. Cogniard (* 1806, † 1872) und seinem Bruder H. Cogniard (* 1807, † 1882) populär wurde], exzessiver Nationalismus, meist militarist. Prägung; bezeichnet seit der 3. Republik über seinen frz. Ursprung hinaus jede extrem patriot. und blind nationalist. Haltung. – Die Bez. **männl. Chauvinismus** zielt auf übertriebenes männl. Selbstwertgefühl und gesellschaftl. Bevorzugung des männl. Geschlechts.

Chauviré, Yvette [frz. ʃovi:'re], * Paris 22. April 1917, frz. Tänzerin. – 1941–72 Primaballerina an der Pariser Oper; ihre berühmtesten Interpretationen waren „Giselle" und „Schwanensee".

Chaux-de-Fonds, La [frz. laʃod'fõ], Bezirkshauptort im schweizer. Kt. Neuenburg, 15 km nw. von Neuenburg, 994 m ü. d. M., 36 300 E. Uhrmachereimuseum, Mittelpunkt der schweizer. Uhrmacherei (seit 1705). – Das planmäßige Stadtbild mit rechtwinkligem Straßennetz entstand beim Wiederaufbau nach einem Großbrand (1794).

Chávez Ramírez, Carlos [span. 'tʃaβes], * Mexiko 13. Juni 1899, † ebd. 2. Aug. 1978, mex. Komponist. – Von mex.-aztek., motor. Formelementen bestimmte Werke, u. a. Indioballett „Los cuatro soles", Arbeiterballett „Horsepower", „Sinfonía proletaria".

Chavín de Huantar [span. tʃa'βin de ṷan'tar], Ruinenstätte eines Heiligtums im westl. Z-Peru, am O-Abhang der Cordillera Blanca; erhalten sind Mauerreste eines Tempelkomplexes mit versenktem Innenhof. Der Reliefstil verbindet kurvige und lineare Elemente. Hauptmotiv der nach C. de H. benannten **Chavínkultur** (9.–4./3. Jh.), die sich bis an die N-Küste Perus ausbreitete, sind göttl. Mischwesen, v. a. eine vermenschlichte Raubvogelgottheit mit Raubtierattributen (z. B. auf der Raimondi-Stele in Lima). Kennzeichnend sind weiterhin ornamentaler Darstellungsstil, einfarbig rote oder braune, dekorierte Keramik. – Von der UNESCO zum Weltkulturerbe erklärt.

Cheb [tschech. xɛp] ↑ Eger.

Chechaouen [frz. ʃɛʃa'wɛn] (arab. Schifschawan), marokkan. Prov.hauptstadt im westl. Rifatlas, 24 000 E. Hl. Stadt der Muslime. – 1471 gegr., mit aus Granada vertriebenen Mauren besiedelt, 1920–56 von Spanien besetzt.

checken, svw. ↑ abchecken.

Checker, Chubby [engl. 'tʃɛkə], eigtl. Ernest Evans, * Philadelphia 3. Okt. 1941, amerikan. Rockmusiker. – Wurde berühmt durch den Hit „The Twist".

Checkpoint [engl. 'tʃɛkpɔɪnt], Kontrollpunkt; u. a. 1961–90 an den Grenzübergängen im geteilten Berlin, z. B. der *C. Charlie.*

Cheddarkäse ['tʃɛdər; nach der engl. Ortschaft Cheddar (Somerset)], gut ausgereifter, fetter Hartkäse mit nußähnl. Geschmack.

Cheder ['xɛ...; hebr. „Zimmer"], traditionelle Grundschule des osteurop. Judentums für Knaben vom vierten Lebensjahr an.

Chedive [çɛ..., xe...] ↑ Khedive.

cheerio! [engl. tʃɪərɪ'oʊ; zu cheer „Heiterkeit" (ältere Bed. „Gesicht"; letztl. zu griech. kára „Haupt")] (cheers!), angloamerikanisch für: prost!, zum Wohl!

Cheeseburger [engl. tʃi:zbə:gə], mit Käse überbackener Hamburger.

Chef [ʃɛf; frz.; zu lat. caput „Kopf"], Haupt, Leiter, Anführer, bes. in Wirtschaft und Verwaltung der Vorgesetzte; häufig Bestimmungswort von Zusammensetzungen mit der Bed. „Haupt..., Ober...". In *Gastronomie und Hotelwesen:* **Chef de cuisine,** Küchen-C.; **Chef de rang,** Abteilungskellner; **Chef de service,** 1. Oberkellner; **Chef de partie,** Leiter einer Kochabteilung; **Chef d'étage,** Etagen- und Zimmerkellner; **Chef de réception,** Empfangschef. – Im *Militärwesen:* 1. die Führer von Kompanien, Batterien (früher auch Schwadronen): **Kompaniechef, Batteriechef** (früher Schwadron-C.). 2. **Chef des Stabes,** Offizier im Stabe eines Korps, einer Division und eines Wehrbereichskommandos, mit der

Leitung und Koordination der Stabsarbeit beauftragt. 3. **Chef des Generalstabs,** bis 1945 dienstältester Generalstabsoffzier im Stabe eines höheren Truppenführers. 4. **Chef eines Regiments,** bis 1914 (vereinzelt bis 1945) ein mit einem Regiment „beliehener" Fürst bzw. verdienter General. 5. Bei der Marine **Flottenchef, Geschwaderchef, Flottillenchef** usw. – In *[Wirtschafts]unternehmen:* **Chefarzt,** leitender Arzt in einem Krankenhaus. **Chefdramaturg,** der erste Dramaturg. **Chefredakteur,** der Leiter einer Redaktion. – **Chef de mission,** Leiter einer sportl. Delegation, v. a. bei den Olymp. Spielen. – **Chef des Protokolls:** hoher Beamter eines Außenministeriums; zuständig für die Betreuung des diplomat. Korps, verantwortlich für das Zeremoniell bei offiziellen Begegnungen staatl. Repräsentanten.

Chef d'œuvre [frz. ʃɛˈdœ:vr], Hauptwerk, Meisterwerk, Meisterstück.

Chefren [ˈçe:...], ägypt. König, ↑Chephren.

Che Guevara [span. tʃegeˈβara] ↑Guevara Serna, Ernesto.

Cheilanthes [çaɪ...; griech.] (Keuladerfarn, Lippenfarn), Gatt. kleiner Tüpfelfarngewächse mit etwa 130 Arten in wärmeren Trockengebieten aller Erdteile.

Cheilitis [çaɪ...; griech.], unterschiedlich ausgeprägte Entzündung der Lippen (Rötung, Schuppung, Rhagaden, Erosionen) durch Witterungseinflüsse, Fieber, Eisenmangel oder andere schwere Erkrankungen.

Cheilon [ˈçaɪ...] ↑Chilon.

Cheiloplastik [çaɪ...; griech.] (Lippenplastik), plastisch-chirurg. Verfahren zur Beseitigung einer Lippenspalte.

Cheiloschisis [çaɪ...; griech.], svw. ↑Hasenscharte.

Cheiranthus [çaɪ...; griech.], svw. ↑Goldlack.

Cheireddin [xaɪ...] ↑Chair Ad Din.

Cheiron [ˈçaɪ...] (Chiron), Kentaur der griech. Mythologie, urspr. alter thessal. Heilgott. Sohn des Titanen Kronos und der Nymphe Philyra. Freundlich und weise, Meister der Heilkunde, des Leierspiels und der Jagdkunst sowie Erzieher der berühmtesten Helden.

Cheironomie [çaɪ...; griech.], in der *Tanzkunst* die mim. Bewegung und Gebärdensprache der Hände; ihr Ursprung liegt sehr wahrscheinlich im fernen Orient; in Südasien und Ostasien wird sie noch heute gepflegt.

◆ in der *altgriech.* und *frühchristl. Musik* die Handbewegungen, mit denen dem Sängerchor melod. Verlauf, Rhythmus und Tempo eines Gesanges angezeigt wurden.

Cheju [korean. tʃedʒu], südkorean. Insel und Prov. im Ostchin. Meer, 72 km lang, 30 km breit, Hauptort Cheju (203 000 E); im Halla-san 1 950 m hoch.

Chelate [çe...; zu griech. chēlḗ „Krebsschere"], Komplexverbindungen, bei denen ein zentrales Atom (bes. Metallion) unter Ausbildung mehrerer Bindungen von einem oder mehreren Molekülen oder Ionen ringartig umgeben ist. C. spielen u. a. in der analyt. Chemie, bei der Wasserenthärtung und bei der Metallrückgewinnung aus Abwässern eine Rolle; wichtige natürl. C. sind z. B. Chlorophyll, Hämoglobin, Zytochrom.

Chelčický, Petr [tschech. ˈxɛltʃitski:] (Peter von Cheltschitz), * Chelčice bei Wodňan um 1380, † ebd. nach 1452, tschech. hussit. Laientheologe und Sozialtheoretiker. – Geistiger Vater der Böhmischen Brüder; verwarf Mönchtum und Kriegsdienst, lehnte jede weltl. Obrigkeit und die Ständeordnung ab.

Chélia, Djebel [frz. dʒebɛlʃeˈlja] ↑Aurès.

Chelidonium [çe...; griech.], svw. ↑Schöllkraut.

Chéliff [frz. ʃeˈlif], längster Fluß Algeriens, entspringt im Saharaatlas, mündet nnö. von Mostaganem ins Mittelmeer; 725 km lang. Im Mittellauf Talsperren, am Unterlauf Bewässerungsgebiet.

Chelizeren [çe...; griech.], vorderes Mundgliedmaßenpaar der Spinnentiere zum Ergreifen der Beute.

Chelléen [ʃɛleˈɛ̃; frz.], nach der frz. Stadt ↑Chelles ben. altpaläolith. Kulturphase; in der „klass." frz. Periodisierung des Paläolithikums die älteste; in neuerer Zeit nur noch in Afrika für die älteste Phase der dortigen Faustkeilkulturen gebräuchlich. – ↑Acheuléen.

Chelles [frz. ʃɛl], frz. Stadt östl. von Paris, Dep. Seine-et-Marne, 42 000 E. Nahrungsmittel- und Ziegeleiind. – In der Nähe der merowing. Pfalz **Cala** wurde um 650 ein Benediktinerinnenkloster gegründet.

Chełm [poln. xɛu̯m] (dt. Cholm), Hauptstadt der Woiwodschaft C., Polen, osö. von Lublin, 63 000 E. Zementfabriken, Glashütte.

Chełmno [poln. ˈxɛu̯mnɔ], Stadt in Polen, ↑Culm.

Chelmsford, Frederick John Napier Thesiger Viscount (seit 1921) [engl. ˈtʃɛlmsfəd], * London 12. Aug. 1868, † Ardington House (bei Oxford) 1. April 1933, brit. Politiker. – 1905–09 Gouverneur von Queensland, 1909–13 von Neusüdwales; Vizekönig von Indien 1916–21.

Chelmsford [engl. ˈtʃɛlmsfəd], Stadt in SO-England, 58 000 E. Verwaltungssitz der Gft. Essex; anglikan. Bischofssitz; Maschinenbau, elektrotechn., Mühlenind. – Röm. Gründung **(Caesaromagus).**

Chelsea [engl. ˈtʃɛlsɪ], ehem. engl. Stadt, heute zu Groß-London.

Chelseaporzellan [engl. 'tʃɛlsɪ], in Chelsea von etwa 1745–84 hergestelltes Weichporzellan mit bunter Bemalung.

Cheltenham [engl. 'tʃɛltnəm], engl. Stadt, Gft. Gloucester, 73 000 E. Anglikan. Bischofssitz; Schulzentrum; Leichtind. – Nach der Entdeckung der Mineralquellen (1715) beliebter Badeort.

Chemiatrie, svw. ↑ Iatrochemie.

Chemical Mace [engl. 'kɛmɪkəl 'mɛɪs], engl. Bez. für ↑ chemische Keule.

Chemie [çe...; arab.; bis um 1800 Chymie; vermutl. Rückbildung aus ↑ Alchimie], Naturwiss. vom Aufbau, den Eigenschaften und Umwandlungen von Stoffen. Sie befaßt sich mit den ↑ chemischen Elementen und ↑ chemischen Verbindungen und den ↑ Reaktionen zw. ihnen. Abstrakter formuliert ist die C. die Naturwiss., die sich mit Elektronenabgabe, -aufnahme und -verteilung zw. Atomen und Molekülen befaßt. Innerhalb der **reinen Chemie** gibt es zunächst die beiden großen Gebiete der anorgan. und der organ. C. Die **anorganische Chemie** beschäftigt sich mit denjenigen Elementen, Legierungen und Verbindungen, die keinen Kohlenstoff enthalten. Eine Ausnahme bilden hierbei einige einfache Kohlenstoffverbindungen wie Kohlenmonoxid, Kohlendioxid und Schwefelkohlenstoff sowie die von ihnen abgeleiteten Verbindungen. In der modernen C. wird die Grenze zur organ. C. zunehmend unschärfer. Das zweite größere Teilgebiet, die **organische Chemie,** umfaßt die Verbindungen des Kohlenstoffs (bis auf die Oxide der Kohlensäure und ihrer Salze). Obwohl sich der überwiegende Teil der organ. Verbindungen nur aus wenigen Elementen (C, H, O, N, S, P) zusammensetzt, sind sie – u. a. wegen der Vierbindigkeit der Kohlenstoffatome und wegen ihrer Fähigkeit, sich untereinander zu mehr oder weniger langen Kettenmolekülen oder Ringen zu verbinden und der sich daraus ergebenden zahllosen Kombinationsmöglichkeiten – wesentlich zahlr. als die anorgan. Verbindungen (über 7 Mill.). Die organ. C. wird in zahlr. Fachgebiete unterteilt, wie z. B. Farbstoffchemie, Lebensmittelchemie, Polymerchemie. – ↑ Biochemie, ↑ Naturstoffchemie. – Alle anderen Zweige der reinen C. sind von der Methode her begründet und befassen sich sowohl mit anorgan. als auch mit organ. Stoffen. Die **analytische Chemie** beschäftigt sich mit dem Nachweis und der quantitativen Bestimmung von chem. Elementen und Verbindungen. Die **präparative** oder **synthetische Chemie** befaßt sich mit der künstl. Herstellung chem. Stoffe. Die **physikalische Chemie** (Physikochemie) untersucht chem. Vorgänge vorwiegend mit physikal. Methoden und beschreibt und erklärt sie mit physikal. Theorien. Wichtige Zweige sind u. a. Elektrochemie, Kolloidchemie, Kristallchemie, Reaktionskinetik. Die physikal. C. liefert auch die theoret. Grundlagen der chem. Technologie und der Verfahrenstechnik. Die **theoretische Chemie** befaßt sich mit der Aufklärung der ↑ chemischen Bindung und des Reaktionsverhaltens von Molekülen und versucht, diese mit Hilfe von physikal. Vorstellungen, insbes. mit quantenmechanisch begründeten Elektronenmodellen, zu beschreiben. Viele Teilgebiete der **angewandten Chemie** untersuchen chem. Vorgänge in anderen Wissensgebieten, z. B. in der Landw. (Agrikultur-C.), bei der Untersuchung von Lebensmitteln (Nahrungsmittel-C.), bei der Entwicklung neuer Heilmittel (pharmazeut. C.), bei der Analyse von Mineralen und Gesteinen (Mineral-C.), bei der Aufklärung von Straftaten (Gerichts-C., forens. C.), bei der Entwicklung techn. Produktionsverfahren (techn. Chemie).

Geschichte: In der Antike wurden chem. Kenntnisse v. a. bei der Arzneimittelherstellung und Gewinnung von Giften angewandt. Noch im 17. und 18. Jh. spielte die ↑ Alchimie eine große Rolle und wurde nur langsam von der eigentl. C. abgelöst, die sich ausschließlich der Untersuchung der Materie und ihrer Umwandlungen widmete. Die Unterscheidung anorganisch – organisch stammt aus dem 17. Jh. Die angewandte C. ist gekennzeichnet durch die Entstehung der chem. Ind. Den Abschluß der Entwicklung der C. zur Systemwiss. bildete die Formulierung des Periodensystems der chem. Elemente (1869). Eine Vereinheitlichung der chem. Nomenklatur wurde 1892 auf einer Konferenz in Genf erreicht.

🕮 *Vollhardt, K.: Organ. C. Dt. Übers. Weinheim 1990. – Römpp, H.: Chemielex. Stg. [9]1989. – Schülerduden. Die C. Ein Lex. der gesamten Schul-C. Bearb. v. H. Borucki u. a. Mhm. [2]1988. – Römpp, H./Raaf, H.: C. des Alltags. Stg. [26]1985.*

Chemiefasern [çe...] (Synthesefasern, Kunstfasern), Sammelbez. für alle auf chem. Wege erzeugten Fasern. Man unterscheidet *vollsynthet. Fasern,* deren Makromoleküle durch Polymerisation, Polykondensation oder Polyaddition entstanden sind, und Fasern auf *Naturstoffbasis,* z. B. Zelluloseregenerate. Die Herstellung der C. aus den Rohstoffen kann nach mehreren Verfahren erfolgen. Beim *Trockenspinnverfahren* werden die Makromoleküle in leicht verdampfbaren Lösungsmitteln wie Aceton oder Schwefelkohlenstoff gelöst und bei 5–15 bar durch Spinndüsen gepreßt; das rasch verdampfende Lösungsmittel wird abgesaugt und das Fadenkabel auf Spulen aufgerollt. Beim *Naßspinnverfahren* wird die Polymerlösung durch Düsen in ein Fällbad gepreßt *(Viskose).* Beim *Schmelzspinnverfahren* werden v. a. thermo-

Geschichte der Chemie (Auswahl)

rd. 8000 v. Chr.		erste Keramik
rd. 7000 v. Chr.		Ziegel
rd. 4000 v. Chr.		Kalk, Bleiweiß, Holzkohle, Grünspan, Mennige, Zinnober, Bleisulfid, Kupfer
rd. 3500 v. Chr.	Ägypten	Bier, Wein
rd. 3000 v. Chr.		Bronze
rd. 2800 v. Chr.	Sudan	Eisen
rd. 2400 v. Chr.	Ägypten	Indigofärbung
rd. 2000 v. Chr.	Ägypten	Gerberei
rd. 2000 v. Chr.	Nubien	Gold
rd. 2000 v. Chr.	Ägypten	Blei
rd. 2000 v. Chr.	Sumer	Seife
rd. 1600 v. Chr.	Ägypten	Glas
rd. 600 v. Chr.	Thales von Milet	„Wasser ist der Urstoff aller Dinge"
rd. 500 v. Chr.	Rom	Destillation; Zinn rein, Purpur, Krapp, Soda, Pottasche, Gips, Mörtel, Alaun, Ätzkali
rd. 450 v. Chr.	Empedokles	Feuer, Wasser, Luft, Erde als „Grundelemente"
rd. 200 v. Chr.	Griechenland	Ultramarin
rd. 160 v. Chr.	Demokrit	„Atomtheorie"
rd. 80 v. Chr.	Gallien	Salmiak
rd. 600 n. Chr.	China	Herstellung von Porzellan

Von der Zeitenwende bis etwa 1500 Entwicklung, Blüte und Niedergang der Alchimie

1619	Sennert	Begründung der neuen Atomtheorie
1620	England	Koks
1630	Jungius }	Begründung des modernen
1661	Boyle }	Elementebegriffs
1669	Brand	Phosphor
1693	Tschirnhaus	Hartporzellan
1697	Stahl	Phlogistontheorie
1738	D. Bernoulli	kinetische Gastheorie
1747	Marggraf	Zucker aus Rüben
1750	Watson	Platin
1750	Roebuck	Schwefelsäure
1751	Cronstedt	Nickel
1771	Scheele, Priestley	Entdeckung des Sauerstoffs
1772	D. Rutherford	Stickstoff
1774	Scheele	Chlor
1776	Scheele	Oxalsäure
1777	Wenzel, Richter	Gesetz von den konstanten Gewichtsverhältnissen, damit Beginn der wiss. Chemie
1783	Lavoisier	richtige Deutung des Verbrennungsprozesses
1783	Cavendish	erste genaue Analyse der Luft
1789	Klaproth	Uran
1789	Lavoisier	erste Elementaranalysen
1798	Ritter	wiss. Grundlagen der Elektrochemie
1799	Proust	konstante Verbindungsgewichte
1808	Dalton	Gesetz von den multiplen Proportionen, Atomtheorie
1811	Avogadro	Aufstellung des Avogadroschen Gesetzes
1811	Biot, Arago	Entdeckung der opt. Aktivität organ. Stoffe
1814	v. Berzelius	erste Atomgewichtstafel
1824	Wöhler	Synthese der Oxalsäure; Begründung der synthet. organ. Chemie
1825	Faraday	Entdeckung des Benzols
1826	Unverdorben	Darstellung von Anilin aus Indigo
1828	Wöhler	Harnstoffsynthese

Geschichte der Chemie (Fortsetzung)		
1830	v. Berzelius	Begriff der Isomerie
1836	v. Berzelius	Begriff der Katalyse
1839	Daguerre	offizielle Verkündung des ersten photograph. Verfahrens (Daguerreotypie)
1840	v. Liebig	Begründung der künstl. Düngung
1842	J. R. v. Mayer	Gesetz von der Erhaltung der Energie
1844	C. Goodyear	erste Vulkanisation von Kautschuk
1856	Perkin	erster synthet. organ. Farbstoff (Mauvein)
1857	Kekulé v. Stradonitz	Entdeckung der Vierwertigkeit des Kohlenstoffs; Begründung der organ. Strukturchemie
1858	Grieß	erste Azofarbstoffe
1860	Bunsen, Kirchhoff	Entwicklung der Spektralanalyse
1861	Bunsen	Entdeckung des Rubidiums
1861	Crookes, Lamy	Entdeckung des Thalliums
1861	Graham	Begründung der Kolloidchemie
1865	Kekulé v. Stradonitz	Aufstellung der ringförmigen Benzolformel; Begründung der modernen organ. Chemie
1867	Nobel	Dynamit
1867	Gúldberg, Waage	mathemat. Formulierung des Massenwirkungsgesetzes
1869	L. Meyer, Mendelejew	Periodensystem der chem. Elemente
1874	van't Hoff, Le Bel	Begründung der Stereochemie
1884	Ostwald, Arrhenius, van't Hoff	Ionentheorie
1884	Chardonnet de Grange	Begründung der Chemiefaserind.
1885	Auer v. Welsbach	Entdeckung der Elemente Praseodym und Neodym
1886	Winkler	Entdeckung des Germaniums und damit Bestätigung des Periodensystems
1895	Ramsay, Rayleigh u. a.	Entdeckung der Edelgase in der Luft
1896	Becquerel	erste Beobachtung radioaktiver Erscheinungen
1898	M. und P. Curie	Entdeckung von Radium und Polonium
1900	M. Planck	Einführung des Planckschen Wirkungsquantums
1902	E. Fischer	Beginn der systemat. Analyse der Eiweißstoffe
1904	Bayliss, Starling	Einführung des Begriffs „Hormon“
1907	Baekeland	Begründung der Kunstharzind.
1909	Hofmann	erster Synthesekautschuk
1909	Haber, Bosch	Ammoniaksynthese
1911	E. Rutherford	Theorie der Atomstruktur
1912	Pregl	Entwicklung der quantitativen organ. Mikroanalyse
1913	Thomson	erstmalige Zerlegung eines Elements in seine Isotope
1913	Bergius	erstes Patent zur Benzinsynthese durch Kohlehydrierung (Kohleverflüssigung)
1913	Bohr	Aufstellung des Atommodells des Wasserstoffatoms
1913	Bragg	Erforschung des Gitteraufbaus der Kristalle durch Röntgenstrahlen
1913	v. d. Broek	Erkenntnis der Übereinstimmung der Ordnungszahl im Periodensystem mit der entsprechenden Rutherfordschen Kernladungszahl
1916	Lewis, Kossel	Entwicklung der modernen Elektronentheorie der Valenz (Edelgaskonfiguration, Oktettprinzip)
1919	E. Rutherford	erste Kernumwandlung (Stickstoff)
1920	Staudinger	Aufklärung der Polymerisation; Begründung der makromolekularen Chemie
1923	Lowry, Brønsted	Säure-Base-Definition auf der Grundlage des Protonenaustausches
1928	Szent-Györgyi, Karrer, Hirst, Reichstein	Isolierung des Vitamins C
1928	Fleming	Entdeckung des Penicillins

Geschichte der Chemie (Fortsetzung)		
1932	Wieland, Dane, Rosenheim, King	Strukturaufklärung des Cholesterins
1932	Urey, Brickwedde, Murphy	Entdeckung des schweren Wassers
1933	Ingold, Pauling	Erklärung der Stabilität einiger organ. Verbindungen durch den Mesomerie-Begriff
1934	Butenandt, Marker, Pincus	Isolierung des Sexualhormons Progesteron
1935	Domagk	Entdeckung der Heilwirkung der Sulfonamide
1935	Laqueur, Butenandt, Ruzicka	Isolierung des Sexualhormons Testosteron
1937	Segrè, Perrier	künstl. Darstellung des Elements Technetium
1938	Schlack, Carothers	erste Synthesefasern aus Polyamiden
1939	Hahn, Straßmann	Spaltung von Urankernen mit Hilfe von Neutronen
1939	Perey	künstl. Darstellung des Elements Francium
1940	Corson, MacKenzie, Segrè	künstl. Darstellung des Elements Astat
1941	Seaborg, McMillan, Kennedy, Wahl	künstl. Darstellung des Elements Plutonium
1941	Rochow, Müller	techn. Synthese der Silicone
1944	Avery	Desoxyribonukleinsäure wird als Träger genet. Information erkannt; Begründung der Molekulargenetik
1945	Marinsky, Glendenin, Coryell	künstl. Darstellung des Elements Promethium
1946	Libby	Altersbestimmung organ. Stoffe mit radioaktivem ^{14}C
1950	Pauling, Corey	Helixmodell der Proteine
1952	Gates, Tschudi	Totalsynthese des Alkaloids Morphin
1953	Watson, Crick, Wilkins	Helixmodell der Nukleinsäuren
1953	Ziegler	Niederdruckpolyäthylen
1955	Sanger, Crowfoot-Hodgkin	vollständige Sequenzanalyse des Insulins
1956	Calvin, Witt	Aufklärung der Photosynthese
1960	Bartlett	Edelgasverbindungen
1961	Hoppe, Matthei, Nirenberg, Ochoa	Entzifferung des Basencodes der Nukleinsäuren
1962	Kendrew, Perutz	Strukturermittlung des Hämoglobins und Myoglobins durch Beugung von Röntgenstrahlen
1965	Holley u. a.	erste Sequenzermittlung einer Nukleinsäure
1966	Khorana, Nirenberg	Teilsynthese der DNS
1969	Hirschmann, Merrifield, Moore, Stein, Anfinsen	erste Synthese eines Enzyms
1970	Khorana	erste Totalsynthese eines Gens
1970	Temin, Baltimore	Entdeckung der reversen Transkriptase
1972	Woodward, Eschenmoser	Synthese des Vitamins B_{12}
1973	Kim	erste Röntgenstrukturanalyse einer Transfer-RNS
1975	Henderson, Unwin	erste Bestimmung der dreidimensionalen Struktur eines Proteins unter dem Elektronenmikroskop
1976	Sänger	Strukturaufklärung der Viroide
1976	Bahl	erste Synthese einer DNS mit nachweisbarer biolog. Aktivität
1981	Binnig, Rohrer	erste Abbildungen von atomaren Oberflächenstrukturen mit dem Rastertunnelmikroskop

plast. Makromoleküle wie Polyäthylen, Polyamide und Polyester aus der Schmelze verarbeitet. Die Abkühlung nach dem Pressen und Verspinnen erfolgt durch Einblasen von Kühlgasen. Durch anschließendes Verstrekken orientieren sich die Makromoleküle parallel zur Faserrichtung, wobei sich Nebenvalenzen ausbilden (z. B. Wasserstoffbrückenbindungen zw. Carbonyl- und Aminogruppen). C. besitzen gegenüber Naturfasern eine höhere Reiß- und Scheuerfestigkeit, sie sind knitterarm und vielfach auch wasser-, licht-, wetter- und chemikalienfest (↑Kunststoffe).

Chemieunterricht [çe...], C. wurde vereinzelt in Verbindung mit Mineralienkunde im 18. Jh. in den sog. „Realschulen" eingeführt; in den Gymnasien wurde er 1892 als Teil der Physik in den Lehrplan der Untersekunda aufgenommen, aber erst 1925 – zunächst in Preußen – an allen Gymnasien eingeführt. In der BR Deutschland wird der C. in der Hauptschule im Rahmen der Naturkunde, in der Realschule wie im Gymnasium als selbständiges Fach erteilt, nicht selten in einer Koppelung mit Biologie- und Physikunterricht.

Chemikalien [çe...; arab.], industriell hergestellte chem. Stoffe.

Chemikaliengesetz, Gesetz zum Schutz vor gefährl. Stoffen vom 16. 9. 1980, in Kraft seit 1. 1. 1982, dessen Regelungen dem vorbeugenden Schutz der Menschen und der Umwelt vor schädl. Auswirkungen von gefährl. chem. Stoffen dienen sollen. Das C. legt u. a. eine Anmeldepflicht für neue Stoffe, für die Prüfungsnachweise verlangt werden können, fest.

Chemilumineszenz (Chemolumineszenz) [çe...; arab./lat.], die durch bestimmte Reaktionen bewirkte Aussendung von sichtbarem oder ultraviolettem Licht ohne wesentl. Temperaturerhöhung; z. B. leuchtet weißer Phosphor bei der langsamen Oxidation an der Luft schon bei Zimmertemperatur. Die C. von Organismen wird als **Biolumineszenz** bezeichnet. Dieses Leuchten beruht auf der Oxidation bestimmter Leuchtstoffe (Luciferine) unter katalyt. Wirkung des Enzyms Luciferase (u. a. bei Tiefseefischen, Glühwürmchen und Einzellern [Ursache des Meeresleuchtens] sowie bei faulendem Holz).

Chemische Bindung. Strukturformeln der Atom- und Ionenbindung sowie Übergänge zwischen Atom- und Ionenbindung

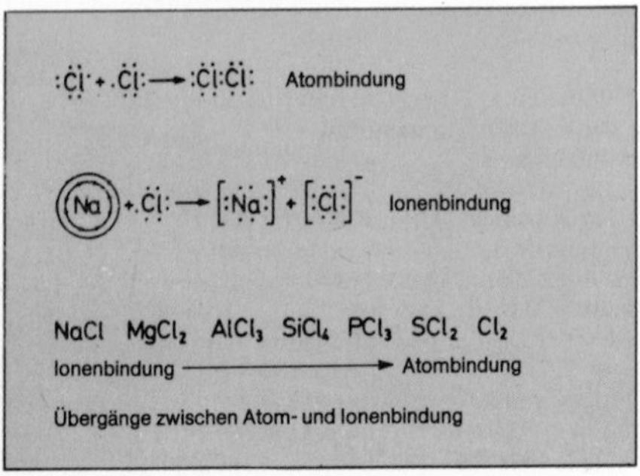

Chemin [frz. ʃəˈmɛ̃], Weg, Straße.

Chemin-Petit, Hans [frz. ʃəmɛ̃pˈti], * Potsdam 24. Juli 1902, † Berlin (West) 12. April 1981, dt. Komponist und Dirigent. – Komponierte u. a. Opern, Chorwerke, Orchesterwerke in polyphonem Stil.

Chemins des Dames [frz. ʃəmɛ̃deˈdam] ↑Damenweg.

chemische Analyse [ˈçeː...], die Auftrennung von Stoffgemischen in ihre Einzelkomponenten und deren anschließende Identifizierung; weiter die Ermittlung der eine Verbindung aufbauenden Elemente sowie Ermittlung der strukturellen Anordnung der Atome oder Atomgruppen in den Molekülen. Die *qualitative Analyse* vermittelt die Zusammensetzung einer Verbindung oder eines Stoffgemisches, die *quantitative Analyse* stellt die Menge der Bestandteile fest, die eine Verbindung aufbauen oder die in einem Stoffgemisch enthalten sind.
Die urspr. rein chem. Methoden der c. A. werden in zunehmendem Maße durch physikal. oder physikalisch-chem. Verfahren (Spektroskopie, Chromatographie u. a.) ergänzt oder ersetzt. Mit Verfahren und Reagenzien hoher Empfindlichkeit ermöglicht die c. A. auch den Nachweis und die Bestimmung von Stoffen in Mengen von 10^{-2} g *(Halbmikroanalyse)* bis zu weniger als 10^{-10} g *(Mikroanalyse).*

📖 *Kunze, U. R.: Grundll. der quantitativen Analyse. Stg. ²1982.*

chemische Bindung [ˈçeː...], Art des Zusammenhalts von Atomen in Molekülen und Kristallen; die bindenden Kräfte sind elektr. Natur, da alle Atome durch Elektronenabgabe oder -aufnahme versuchen, die energiemäßig günstigere und stabilere Edelgasschale des im Periodensystem der chem. Elemente nächsten Edelgases auszubilden. Nach der Elektronenverteilung unterscheidet man: **Atombindung (kovalente** oder **homöopolare Bindung, Elektronenpaarbindung),** bei der ein oder mehrere Elektronen den beteiligten Atomen gemeinsam angehören; sie tritt v. a. bei Molekülen nichtmetall. Elemente auf. **Ionenbindung (heteropolare, elektrostat., polare Bindung),** bes. bei Salzen auftretende Bindungsart, bei der Metalle Elektronen abgeben (Kationenbildung) und Nichtmetalle Elektronen aufnehmen (Anionenbildung); die c. B. wird hier durch die elektr. Ladung bewirkt. Die **Koordinationsbindung (koordinative, dative** oder **semipolare Bindung)** steht der Atombindung nahe, unterscheidet sich aber von dieser dadurch, daß das gemeinsame Elektronenpaar nur von einem Atom gestellt wird, während das andere über eine besetzbare Elektronenlücke verfügen muß. Die **metallische Bindung** ist eine spezif. Bindung der Metalle und Legierungen, bei der die Elektronen im Gitter der Metallionen frei beweglich sind. Zw. allen Arten der c. B. sind Übergänge möglich.

chemische Elemente ['çe:...], Grundstoffe, die sich chemisch nicht weiter zerlegen lassen, bestehend aus Atomen mit gleicher Ordnungs- bzw. Kernladungszahl. Die chem. Eigenschaften eines c. E. sind bestimmt durch den Aufbau der Elektronenhülle seiner Atome. Unterscheiden sich die Atome eines Elements in ihrer Atommasse (bzw. Neutronenzahl), so spricht man von Isotopen eines Elements. Die meisten natürl. c. E. haben mehrere Isotope; neben diesen **Mischelementen** gibt es ↑anisotope Elemente. Von den zur Zeit bekannten 109 Elementen sind 11 Elemente gasförmig (bei 20 °C: Argon, Chlor, Fluor, Helium, Krypton, Neon, Radon, Sauerstoff, Stickstoff, Wasserstoff, Xenon), zwei Elemente sind flüssig (Brom, Quecksilber), die übrigen Elemente sind fest. Die chem. Elemente mit den Ordnungszahlen 95 bis 109 sowie das Element Technetium (Ordnungszahl 43) sind nur durch Kernreaktionen künstlich darstellbar (↑superschwere Elemente, ↑Transurane). 93 Elemente kommen in der Natur vor. Die Elemente mit niedrigeren Ordnungszahlen sind wesentlich häufiger in der Erdkruste; so sind die Elemente mit den Ordnungszahlen 1 bis 29 etwa 1000mal häufiger vertreten als der Rest. Die häufigsten Elemente der oberen Erdkruste einschließlich der Ozeane und der Atmosphäre sind der Sauerstoff mit 49,5, das Silicium mit 28,8, das Aluminium mit 7,57, das Eisen mit 4,7 und das Calcium mit 3,4 Massenprozenten, so daß diese fünf Elemente bereits einen Masseanteil von mehr als 90% ausmachen. – Jedem c. E. ist ein Symbol zugeordnet. – ↑Periodensystem der chemischen Elemente, ↑Radioaktivität.

📖 *Engels, S./Nowak, A.: Auf der Spur der Elemente. Lpz. [3]1983. – Taube, P. R./Rudenko, J. I.: Die c. E. Dt. Übers. Köln 1971.*

chemische Formeln ['çe:...], internat. vereinbarte Schreibweise, bei der man die allg. Zusammensetzung, die Teil- oder Gesamtstruktur von Verbindungen mit Hilfe von Elementsymbolen, Zahlen, Bindungsstrichen bzw. Punkten darstellt. Die **stöchiometrische Formel** gibt an, welche Arten von Atomen in der betreffenden Verbindung vorliegen und in welchem Zahlenverhältnis die Atome der Verbindungsbestandteile am Aufbau der Verbindung beteiligt sind; z. B. NaCl, $(NH_4)_2CO_3$ (Angabe mehrfachen Vorkommens als Index). – Die **Bruttoformel (Summenformel)** gibt Art und Anzahl der am Aufbau eines Moleküls beteiligten Atome an; die Verbindung $CH_2Cl-CHOH-CH_2Cl$, 1,3-Dichlor-2-propanol hat die Bruttoformel $C_3H_6Cl_2O$. – In der **Strukturformel** werden alle am Aufbau des betreffenden Moleküls beteiligten Atome einzeln durch ihre Symbole und alle Atombindungen durch Valenzstriche angegeben. Zugleich wird dargestellt, in welcher Reihenfolge die Atome im Molekül miteinander verknüpft sind und wieviele Atombindungen jeweils zwei Atome miteinander eingehen. Einfachbindungen werden durch einen, Doppelbindungen durch zwei, Dreifachbindungen durch drei Valenzstriche angezeigt. Werden in der Strukturformel nicht nur die Atombindungen, sondern auch die nicht an Bindungen beteiligten Außenelektronen der Atome dargestellt, so erhält man die **Elektronenformel.** Die Außenelektronen werden durch zusätzl. Punkte oder Punktpaare (bzw. Striche) gekennzeichnet. – Die räuml. Anordnung der Atome in einem Molekül zeigt die **Konfigurationsformel;** sie ist v. a. wichtig für die Darstellung von cis-trans-Isomeren.

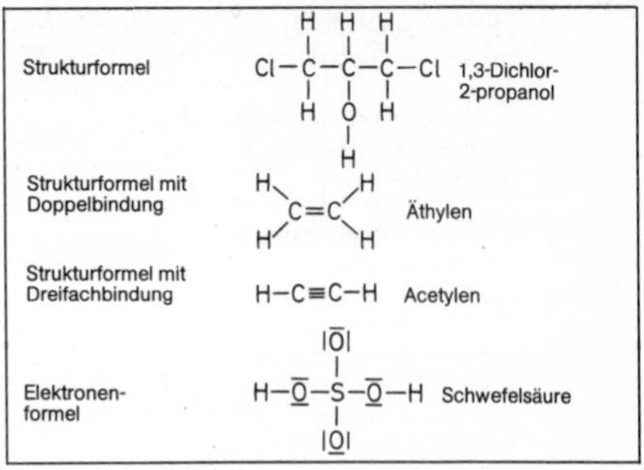

Chemische Formeln (Beispiele)

chemische Geräte ['çe:...] (Laborgeräte), im chem. Laboratorium verwendete Arbeitsgeräte und Apparate, die möglichst aus chemisch und thermisch widerstandsfähigen Materialien (v. a. Glas, Porzellan, Kunststoffe) angefertigt sein müssen, z. B. Kolben, Meßzylinder, Pipetten, Büretten u. a.

chemische Gleichung ['çe:...], Beschreibung chem. Reaktionen mit Hilfe chem. Formeln. Die chem. Reaktionsgleichungen bestehen immer aus zwei quantitativ gleichwertigen Seiten, die durch einen den Reaktionsablauf anzeigenden Richtungspfeil getrennt werden. Die Gleichheitsbedingung bezieht sich auf die Zahl und die Art der Atome der Ausgangs- und Endprodukte; z. B. $KCl + HClO_4 \rightarrow KClO_4 + HCl$.

chemische Industrie ['çe:...], der die industrielle Herstellung von anorgan. und organ. Chemikalien sowie von chem. Spezialerzeugnissen umfassende Ind.zweig. In der c. I. arbeiten 1993 mit rd. 603 000 Beschäftigten etwa 3 % aller in der Ind. der BR Deutschland Beschäftigten. Der Umsatz der c. I. betrug 1993 rd. 200 Mrd. DM, davon gingen Produkte für 79,4 Mrd. DM in den Export.

chemische Keule ['çe:...] (Chemokeule, engl. Chemical Mace), v. a. bei polizeil. Einsätzen verwendetes Sprühgerät für Reizstoffe; Einsatz umstritten, da körperl. Dauerschäden nicht ausgeschlossen sind.

chemische Reaktion ['çe:...] ↑Reaktion.

chemische Reinigung ['çe:...] (Chemischreinigung, Trockenreinigung), die Reinigung von Textilien, Leder und Pelzen durch Eintauchen in organ. Lösungsmittel, v. a. Perchloräthylen; das Lösungsmittel wird destillativ abgetrennt und wiederverwendet.

Chemischer Ofen ['çe:...] ↑Sternbilder (Übersicht).

chemische Sedimente ['çe:...] ↑Gesteine.

chemisches Gleichgewicht ['çe:...], Zustand einer chem. Reaktion, bei dem Ausgangs- und Endprodukte in bestimmten, stets gleichbleibenden Konzentrationen vorliegen. Kennzeichnung mit Doppelpfeil ($\rightleftharpoons$).

chemische Sinne ['çe:...], zusammenfassende Bez. für Geruchssinn und Geschmackssinn bei Tier und Mensch.

chemische Technologie ['çe:...], anwendungsorientierte Wiss. von den Verfahrenswegen, die zur Herstellung chem. Produkte notwendig sind. Ziel ist die rationellste, den jeweiligen Bedingungen (Ausgangsrohstoffe, zur Verfügung stehende Energie) und den Bedürfnissen des Marktes am besten angepaßte Produktionsweise.

chemische Verbindungen ['çe:...], Stoffe, die aus zwei oder mehreren chem. Elementen aufgebaut sind, wobei die Anzahl der beteiligten Atome eines Elements durch die Gesetze der ↑Stöchiometrie festgelegt ist und durch eine chem. Formel ausgedrückt wird. Eine c. V. zeigt völlig andere Eigenschaften als die einzelnen Elemente selbst. Von den rd. 7 Mill. bekannten c. V. sind nur etwa 1 % von Bedeutung. – ↑chemische Bindung.

chemische Waffen ['çe:...] ↑ABC-Waffen.

Chemischreinigung ['çe:...], svw. ↑chemische Reinigung.

Chemise [ʃə'mi:zə; frz. ʃə'mi:z „Hemd"], das typ. Kleid des ↑Directoire, ein hochgegürtetes Kleid in hemdartigem Schnitt aus leichtem Stoff.

Chemisette [ʃəmi'zɛt(ə); frz.], gestärkte Hemdbrust (zu Frack und Smoking).

Chemismus [arab.], Gesamtheit der chem. Vorgänge zw. Ausgangsstoff und Endprodukt einer chem. Reaktion, bes. im pflanzl. und tier. Stoffwechsel.

Chemisorption (Chemosorption) [çe...; arab./lat.], Anlagerung von Atomen oder Molekülen an Stoffe unter Bildung einer chem. Verbindung **(Adsorptionsverbindung).**

Chemnitz ['kɛm...], Bogislaw Philipp von, * Stettin 9. Mai 1605, † auf Gut Hallstad (Schweden) 17. Mai 1678, dt. Historiker und Publizist. – Enkel von Martin C.; arbeitete seit 1642 in schwed. Auftrag an der Geschichte des „Königlich schwed. in Teutschland geführten Kriegs" (1648 ff.); 1644 offizieller schwed. Reichshistoriograph; schrieb unter dem Pseudonym **Hyppolithus a Lapide** (1640–47) ein gegen das Haus Österreich und das Zusammengehen von Kaiser und Reichsständen gerichtetes Pamphlet.

C., Martin, * Treuenbrietzen 9. Nov. 1522, † Braunschweig 8. April 1586, dt. ev. Theologe. – Schüler Melanchthons, seit 1567 Superintendent in Braunschweig; vermittelte im Streit zw. Philippisten und Lutheranern. Zehn Jahre arbeitete er an der Konkordienformel.

Chemnitz ['kɛm...] (1953–90 Karl-Marx-Stadt), kreisfreie Stadt im Erzgebirg. Becken an der C., Sa., 305 000 E. TU, Museen, Oper und Theater. Vielseitiger Maschinen-, Fahrzeug- und Motorenbau, chem. und Textilind. – Um 1165 wurde in der Nähe des wohl 1136 gestifteten Benediktinerklosters (1143 Marktrecht) die Stadt C. gegr. (1216 als Stadt bezeichnet), zunächst Reichsstadt, 1254 bis 1308 unter der Herrschaft der Wettiner (1485 Albertin. Linie). Die Entstehung zahlr. Ind.-zweige (ab Mitte 18. Jh.) bewirkte, daß C. seit Mitte 19. Jh. zu einem Zentrum der dt. Arbeiterbewegung wurde. 1952–90 Hauptstadt des gleichnamigen DDR-Bezirks. – Erhalten oder wieder aufgebaut u. a. die Schloßkirche (15./16. Jh.), das Alte Rathaus (15.–17. Jh.), der Rote Turm (12. Jh.). Nach 1960 Neubau und Neugestaltung des kriegszerstörten Stadtzentrums. In den Außen-Bez. finden sich monotone Neubauviertel.

Chemolumineszenz [çe...], svw. ↑Chemilumineszenz.

Chemonastie [çe...; arab./griech.] ↑Nastie.

Chemoresistenz [çe...; arab./lat.] (Chemotherapieresistenz), bei der Behandlung von Infektionen entstehende Unempfindlichkeit mancher Erregerstämme gegen ursprünglich wirksame Chemotherapeutika (v. a. Antibiotika, Sulfonamide).

Chemorezeptoren [çe...; arab./lat.], Sinneszellen oder Sinnesorgane, die der Wahrnehmung chem. Reize dienen, v.a. die Geruchs- und Geschmackssinneszellen bzw. -organe.

Chemosis [çe...; griech.], ödemartige Schwellung der Augenbindehaut v.a. bei schwerer Bindehautentzündung.

Chemosorption [çe...], svw. ↑Chemisorption.

Chemosterilanzien [çe...; arab./lat.], chem. Verbindungen, die bei Tieren Unfruchtbarkeit bewirken; sie hemmen die Keimdrüsenentwicklung, z.B. bei Schadinsekten.

Chemosynthese [çe...; arab./griech.], Form der Kohlenstoffassimilation (↑Assimilation) bei autotrophen, farblosen Bakterien. Die zum Aufbau von Kohlenhydraten aus Kohlendioxid und Wasser benötigte Energie wird aus der (exergon.) Oxidation anorgan. Verbindungen gewonnen, nicht wie bei der Photosynthese durch Lichtabsorption.

Chemotaxis [çe...; arab./griech.] ↑Taxie.

Chemotherapeutika [çe...; arab./griech.], Gruppe von Arzneimitteln, die lebende Krankheitserreger (Bakterien, Pilze, Viren, Protozoen, Würmer) im Organismus schädigen oder abtöten. Der **chemotherapeut. Index** (therapeut. Breite) ist das Verhältnis der Menge eines Chemotherapeutikums, die schädlich wirkt, zu der Dosis, die Krankheitserreger im Wachstum hemmt oder sie abtötet; je höher der Index, desto besser ist die Anwendbarkeit.

Chemotherapie [çe...; arab./griech.], Behandlung von Infektionskrankheiten und Krebserkrankungen mit chem. Mitteln (Chemotherapeutika), z.B. Sulfonamide, Antibiotika und Virusmittel; begründet 1910 von P. Ehrlich.

Chemotropismus [çe...; arab./griech.] ↑Tropismus.

Chemurgie [çe...; arab./griech.], Gewinnung und/oder Herstellung chem. Produkte aus land- und forstwirtsch. Erzeugnissen, z.B. Holz (Zelluloseester).

Chenab ['tʃe:...], einer der 5 Pandschabflüsse, entsteht auf ind. Boden im Himalaja (zwei Quellflüsse), durchbricht in tiefen Schluchten das Gebirge und tritt in die Ebene des Pandschab (Pakistan) ein. Der gemeinsame Lauf von C., Jhelum und Ravi bis zur Einmündung des Sutlej wird **Trinab** genannt; etwa 1100 km lang.

Chen Boda (Ch'en Po-ta) [chin. tʃənbɔda], * Hui'an (Prov. Fujian) 1904, † Peking 20. Sept. 1989, chin. Politiker und marxist. Theoretiker. – 1937–56 Privatsekretär Mao Zedongs; ab 1949 Direktor des Instituts für Marxismus-Leninismus, 1958–71 Chefredakteur des offiziösen Parteiorgans „Rote Fahne“; neben Mao führender Parteiideologe; 1966–71 Mgl. des Politbüros; im Jan. 1981 (Prozeß gegen die „Viererbande“) zu 18 Jahren Haft verurteilt.

Chen Cheng (Tschen Tscheng, Ch'en Ch'eng) [chin. tʃəntʃəŋ], * Jingdian (Zhejiang) 1898, † Taipeh 5. März 1965, chin. General und Politiker. – Kämpfte mit Chiang Kai-shek gegen die Japaner und die chin. Kommunisten; 1944/45 Kriegsmin.; 1946–48 Generalstabschef der nationalchin. Armee; organisierte 1949/50 als Gouverneur von Taiwan die Flucht der Nationalreg. nach Taipeh; 1950–54 und 1958–63 Ministerpräsident.

Cheney, Richard Bruce [engl. 'tʃeɪnɪ], * Lincoln (Nebr.) 30. Jan. 1941, amerikan. Politiker. – 1975–77 Stabschef im Weißen Haus; 1978–89 republikan. Abg. des Repräsentantenhauses, 1989–Jan. 1993 Verteidigungsminister.

Chengchow ↑Zhengzhou.

Chengde (Chengteh) [chin. tʃəŋdʌ], chin. Stadt, 180 km nö. von Peking, 200 000 E. Textil-, Schwerind. – Seit 1703 zur kaiserl. Sommerresidenz ausgebaut, bis 1860 Sitz der chin. Reg.zentrale vom 5.–9. Monat eines jeden Jahres; in Europa als **Jehol** bekannt.

Chengdu (Chengtu, Tschengtu) [chin. tʃəŋdu], Hauptstadt der chin. Prov. Sichuan, am Min Jiang, 2,64 Mill. E. Univ., wiss. Institute, Museen; Elektronik-, feinmechan. Ind. – Zentraler Palastbezirk aus der Yuan- (14. Jh.) und Mingdynastie (17. Jh).

Chénier [frz. ʃe'nje], André [de], * Konstantinopel 30. Okt. 1762, † Paris 25. Juli 1794, frz. Lyriker. – Seine Gedichte („Hymne à la France“, „Le jeu de Paume“, „Iambes“, „La jeune captive“), erweisen ihn als bedeutenden frz. Lyriker des 18. Jh. Als Monarchist hingerichtet.

C., Marie-Joseph [de], ≈ Konstantinopel 11. Febr. 1764 (* 2. Febr. 1764?), † Paris 10. Jan. 1811, frz. Schriftsteller. – Bruder von André C.; Anhänger der Revolution und Napoleons; Verf. patriot. Hymnen und zeitgebundener, histor. Tragödien.

Chenonceaux [frz. ʃənõ'so], frz. Ort am Cher, Dep. Indre-et-Loire, 30 km östlich von Tours, 314 E. Das elegante Renaissanceschloß wurde 1515–22 in das Flußbett hineingebaut. Sitz der Diane de Poitiers, seit 1560 der Katharina von Medici.

Chen Yi (Ch'en Yi) [chin. tʃən-i], * Leshan (Prov. Sichuan) 1901, † Peking 6. Jan. 1972, chin. Marschall (seit 1955) und Politiker. – Kommandierte 1937–47 die 4. Armee, die in O-China die Truppen Chiang Kaisheks vernichtend schlug; 1956–69 Mgl. des Politbüros der KP; forcierte als Außenmin. 1958–70/72 die Aufrüstung Chinas mit Kernwaffen.

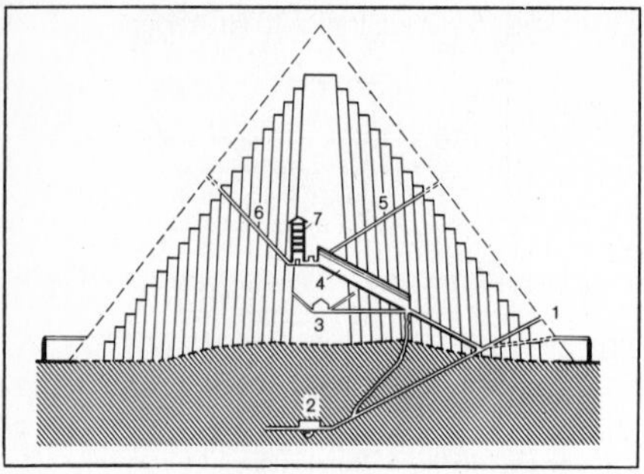

Cheopspyramide (Schnitt). 1 Eingang an der Nordseite, 2 älteste, unvollendete Grabkammer, 3 kleine Grabkammer mit unvollendeten Luftschächten, 4 „Große Galerie“ mit 8,50 m hohem Kragsteingewölbe, 5 ursprünglich für die Grabkammer angelegter Luftschacht, 6 späterer Luftschacht der 5,80 m hohen Grabkammer mit Sarkophag und fünf Entlastungsräumen (7)

Cheops ['çe:...] (ägypt. Chufu), ägypt. König der 4. Dyn. (gräzisierte Namensform). – Regierte 23 Jahre, um 2530 v. Chr.; Erbauer der Cheopspyramide.

Cheopspyramide ['çe:...], größte Pyramide Ägyptens, gehört zu der bei Gise gelegenen Pyramidengruppe mit Chephren- und Mykerinospyramide. Urspr. 146,6 m, jetzt 137 m hoch; Seitenlänge der quadrat. Grundfläche 230,38 m, jetzt 227,5 m. Im Innern mehrere Gänge und drei Sargkammern. An der Ostseite wurden Reste des Totentempels gefunden.

Chephren ['çe...] (ägypt. Chafre?; Chefren), ägypt. König der 4. Dyn. (gräzisierte Namensform). – Sohn des Cheops; regierte um 2500, erbaute die Chephrenpyramide.

Chephrenpyramide ['çe...], zweithöchste ägypt. Pyramide, gehört zu der Pyramidengruppe mit ↑Cheopspyramide. Urspr. 143,5 m, jetzt 136,5 m hoch; Seitenlänge der quadrat. Grundfläche 210 m. An den Wänden des zugehörigen Tempels standen ehemals 23 überlebensgroße Königsstatuen (einige heute in Kairo, Ägypt. Museum).

Chepre ['çe:...], in der ägypt. Mythologie der Sonnengott in der Gestalt der Morgensonne.

Chequers [engl. tʃɛkəz] (C. Court), Landsitz 50 km nw. von London; seit 1921 Landsitz des brit. Premierministers.

Cher [frz. ʃɛ:r], Dep. in Frankreich.

C., linker Nebenfluß der Loire, Frankreich, entspringt im nördl. Zentralmassiv, mündet wenige km unterhalb von Tours, 350 km lang.

Cherbourg [frz. ʃɛr'bu:r], frz. Hafenstadt an der N-Küste der Halbinsel Cotentin, Dep. Manche, 30 000 E. Nat. Kriegs- und Befreiungsmuseum; Schiffbau und -reparaturen; petrochem. und elektrotechn. Ind. – Seit dem 17. Jh. einer der wichtigsten frz. Kriegshäfen. 1944 durch die Alliierten schwer zerstört.

Cherchell [frz. ʃɛr'ʃɛl], alger. Fischereihafen an der zentralen Küste, wsw. von Algier, 12 000 E. – Nachfolgesiedlung des von Juba II. zu Ehren des Augustus ben. **Caesarea;** entstanden an der Stelle des karthag.

Chephrenpyramide mit der Sphinx und dem Tempel der Sphinx von Gise

Handelsplatzes **Iol;** gilt als größte antike Stadt N-Afrikas; verfiel nach der arab. Eroberung des Landes (7./8. Jh.).

cherchez la femme! [frz. ʃɛrʃela'fam „sucht nach der Frau"], sprichwörtl. Ausdruck für: dahinter steckt sicher eine Frau!

Chéreau, Patrice [frz. ʃe:'ro:], * Lézigné (Maine-et-Loire) 2. Nov. 1944, frz. Regisseur. – Avantgardist. Inszenierungen 1966 bis 1969 in Paris-Sartrouville, seit 1972 in Lyon-Villeurbanne, 1982–90 Leiter eines Theaters im Pariser Vorort Nanterre; Gastinszenierungen u. a. in Bayreuth („Der Ring des Nibelungen", 1976).

Chergui [frz. ʃɛr'gi] ↑ Kerkennainseln.

Cherkassky, Shura [engl. tʃə'kæskɪ], * Odessa 7. Okt. 1911, amerikan. Pianist russ. Herkunft. – V. a. erfolgreich mit Interpretationen von Werken Liszts und Rachmaninows.

Cherokee [engl. tʃɛrɔki:], Gruppe nordamerikan. Indianer in den südl. Appalachen, USA; sprechen eine irokes. Sprache. Eine der „Fünf Zivilisierten Nationen". Die C. lebten in befestigten Dörfern und betrieben intensiven Ackerbau. Anfang des 19. Jh. entwickelten sie eine Silbenschrift. 1835 wurden die meisten C. nach Oklahoma deportiert (heute etwa 45 000; etwa 6 000 in North Carolina).

Cherrapunji [tʃɛra'pʊndʒɪ], ind. Ort im W von Assam, am S-Hang der Khasi Hills; regenreichstes Gebiet der Erde; langjähriges Jahresmittel 14 250 mm.

Cherry, Donald („Don") [engl. tʃɛrɪ], * Oklahoma City 18. Nov. 1936, amerikan. Jazzmusiker. – Einer der wichtigsten Trompeter des Free Jazz.

Cherry Brandy [engl. tʃɛrɪ 'brændɪ], Kirschlikör; Alkoholgehalt 25–30 Vol.-%.

Cherson, Gebietshauptstadt in der Ukraine, am Dnjepr, nahe seiner Schwarzmeermündung, 355 000 E. Drei Hochschulen, Museen; Schiff-, Landmaschinenbau, Baumwoll-, Zelluloseind; See- und Flußhafen. – 1778 gegründet.

Chersones (Chersonesos, Cherson) [çɛr...], Name einer im 6. Jh. v. Chr. gegr. ion. Kolonie auf der Krim, 5 km sw. vom heutigen Sewastopol; Teil des Byzantin. Reichs, 998 durch das Kiewer Reich erobert; im 14. Jh. verlassen.

C. (Chersonesos), antiker Name mehrerer Halbinseln, v. a. die **Thrak. Chersones,** heute Halbinsel Gelibolu (Türkei) und die **Taur. Chersones,** heute Krim (UdSSR).

Cherub ['çe:rʊp, 'ke:rʊp] (Mrz. Cherubim) [hebr.], im Alten Orient Schutzgeist, im A. T. geflügelter Engel mit menschl. Antlitz.

Cherubini, Luigi [italien. keru'bi:ni], * Florenz 8. (14.?) Sept. 1760, † Paris 15. März 1842, italien. Komponist. – Lebte ab 1788 in Paris und war dort 1821–42 Direktor des Conservatoire. Von der traditionellen italien. Oper und den Grundlagen der Klassik ausgehend, führte er die frz. Oper zu neuer Höhe („Démophoon", 1788; „Lodoïska", 1791; „Médée", 1797; „Les deux journées", 1800, sein bekanntestes Werk). Seine kirchenmusikal. Werke sind durch eine für die Zeit ungewöhnlich sensible Verfeinerung des kontrapunkt. Stils geprägt.

Cherubinischer Wandersmann [keru..., çerʊ...] ↑ Angelus Silesius.

Cherusker (lat. Cherusci) [çe...], german. Volksstamm, nördlich des Harzes zw. Weser und Elbe siedelnd; 12 und 9 v. Chr., dann 4 n. Chr. unterworfen, erhoben sich gegen Rom und erlangten nach der Schlacht im Teutoburger Wald (9 n. Chr.) die Freiheit wieder; im 1. Jh. n. Chr. von den Chatten unterworfen; gingen wahrscheinlich im sächs. Stammesverband auf.

Chesapeake Bay [engl. 'tʃɛsəpi:k 'bɛɪ], flache, z. T. stark gegliederte Bucht des Atlantiks in SO-Maryland und O-Virginia, USA, mit bed. Hafenstädten, u. a. Baltimore.

Cheshire [engl. 'tʃɛʃə], Gft. in Großbritannien.

Chester [engl. 'tʃɛstə], Stadt in NW-England, am Dee, 58 000 E. Verwaltungssitz der Gft. Cheshire; anglikan. Bischofssitz; Museum; Marktzentrum eines landw. Umlands; Maschinenbau, Metallind. ✈. – Röm. Legionslager **Castra Cevana;** 1238 Stadtrecht. – Reste eines röm. Amphitheaters; Kathedrale (13.–15. Jh.). Zahlr. Fachwerkbauten (16. und 17. Jh.); vollständig erhaltener Mauerring (14. Jh.).

Chesterfield, Philip Dormer Stanhope, Earl of [engl. 'tʃɛstəfi:ld], * London 22. Sept. 1694, † ebd. 24. März 1773, brit. Politiker und Schriftsteller. – 1745/46 Vizekönig von Irland; 1747 Staatssekretär; wurde berühmt durch die „Briefe an seinen Sohn Philip Stanhope" (6 Bde., dt. 1774–77), die skrupellos Ratschläge erteilen, wie man gesellschaftlich avanciert.

Chesterfield [engl. 'tʃɛstəfi:ld], engl. Ind.stadt, Gft. Derbyshire, 71 000 E. Maschinenbau, Glas-, elektrotechn., chem. Industrie.

Chesterkäse ['tʃɛstər; nach der engl. Stadt Chester] ↑ Käse.

Chesterton, Gilbert Keith [engl. 'tʃɛstətən], * London 29. Mai 1874, † ebd. 14. Juni 1936, engl. Schriftsteller. – Bekannt v. a. durch die den herkömml. Kriminalroman parodierenden Pater-Brown-Geschichten, z. B. „Das Geheimnis des Pater Brown" (1927); Essays.

Chetumal [span. tʃetʊ'mal], Hauptstadt des mex. Staats Quintana Roo, an der O-Küste der Halbinsel Yucatán, 90 000 E. Holzwirtschaft; Hafen, ✈. – 1898 gegr.

Chevalier, Maurice [frz. ʃəva'lje], * Paris 12. Sept. 1888, † ebd. 1. Jan. 1972, frz. Chansonnier und Filmschauspieler. – Erfolgreicher Chansonnier; spielte in zahlr. Filmen, u. a. in „Schweigen ist Gold" (1947), „Ariane – Liebe am Nachmittag" (1956), „Gigi" (1957).

Chevalier [frz. ʃəva'lje; eigtl. „Reiter" (zu lat. caballus „Pferd")], Bez. des berittenen Kriegers (dt. Ritter, italien. cavaliere, span. caballero), später Mgl. eines Ritterordens. **Chevalerie,** ritterl. Lebensform und Haltung; auch Reiterei (Kavallerie).

Chevallaz, Georges-André [frz. ʃɛva'la], * Lausanne 7. Febr. 1915, schweizer. Politiker. – Mgl. der Freisinnig-demokrat. Partei; 1974–83 Bundesrat (bis 1979 Finanz- und Zolldepartement, 1980–83 Militärdepartement); Bundespräs. 1980.

Chevallier, Gabriel [frz. ʃəva'lje], * Lyon 3. Mai 1895, † Cannes 5. April 1969, frz. Schriftsteller. – Berühmt v. a. seine satir. „Clochemerle"-Trilogie (1934, 1951, 1963).

Chevetogne [frz. ʃəv'tɔɲ], belg. Gemeinde 15 km osö. von Dinant, 430 E. – Das Benediktinerpriorat C. wurde 1926 in Amay (Prov. Lüttich) gegr. und 1939 nach C. verlegt; Zentrum des kath. Ökumenismus, wobei die Bemühungen bes. der Wiedervereinigung der Ostkirchen mit der kath. Kirche gelten.

Chicago. Blick vom höchsten Wolkenkratzer der Erde, dem Sears Tower, auf John Hancock-Center und Water Tower (links oben), Marina City und IBM Building (Mitte)

Cheviot Hills [engl. 'tʃɛviət'hɪlz], Bergland an der englisch-schott. Grenze, bis 816 m hoch, Wasserscheide zw. Tweed und Tyne.

Chevreau [ʃə'vro; 'ʃɛvro; lat.-frz.], weiches Ziegenleder mit feinen Narben.

Chevrolet Motor Co. [engl. 'ʃɛvroʊlɛɪ 'moʊtə 'kʌmpənɪ], amerikan. Unternehmen der Automobilind., Sitz Detroit (Mich.), gegr. 1911; gehört seit 1917 zu der General Motors Corp.

Chevron [ʃə'vrõ:; frz.], Bez. für Gewebe in typ. Fischgratmusterung.

Cheyenne [engl. ʃaɪ'ɛn], Hauptstadt des Bundesstaates Wyoming, USA, am Fuß der Laramie Range, 1 850 m ü. d. M., 58 000 E. Kath. Bischofssitz; Erdölraffinerie, Viehhandelsplatz; ✈. – 1862 gegründet.

Cheyenne [engl. ʃaɪ'ɛn], Prärieindianerstamm der Algonkin-Sprachgruppe; Nordgruppe in SO-Montana, etwa 3 100, Viehhalter; Südgruppe vorw. Farmer in Oklahoma.

Cheyne-Stokes-Atmung [engl. 'tʃɛɪnɪ 'stoʊks; nach dem brit. Mediziner J. Cheyne, * 1777, † 1836, und dem ir. Arzt W. Stokes, * 1804, † 1878], krankhafte Atmung mit period. An- und Abschwellen der Atemtiefe; tritt bei Schädigung des Atemzentrums auf und gilt als Anzeichen für Lebensgefahr.

Cheysson, Claude [frz. ʃɛ'sõ], * Paris 13. April 1920, frz. Diplomat und Politiker (Parti Socialiste). – 1966–69 Botschafter in Indonesien, 1973–81 EG-Kommissar für Entwicklungshilfe; maßgeblich beteiligt am Abkommen von Lomé mit den AKP-Staaten (1975); 1981–85 Außenmin., 1985–89 EG-Kommissar für den Mittelmeerraum und die Nord-Süd-Beziehungen, seit 1989 MdEP.

Chi, zweiundzwanzigster Buchstabe des griech. Alphabets, X, χ.

Chia, Sandro [italien. 'ki:a], * Florenz 20. April 1949, italien. Maler und Bildhauer. – Die Bewegungen seiner in leuchtenden Farben gemalten Figuren wie seine Plastiken bringen Pathos und Ekstase zum Ausdruck.

Chiang Ch'ing ↑ Jiang Qing.

Chiang Ching-kuo ↑ Jiang Jingguo.

Chiang Kai-shek [tʃiaŋkaɪ'ʃɛk] (chin. Jiang Jieshi, Tschiang Kai schek), eigtl. Chiang Chung-cheng, * Xigou (Prov. Zhejiang) 31. Okt. 1887, † Taipeh 5. April 1975, chin. Politiker und Marschall. – Schloß sich nach der Revolution 1911 der Reformbewegung Sun Yat-sens an; nach dessen Tod (1925) führender General und Politiker der Kuomintang-Regierung in Kanton; brach 1927 mit den Kommunisten und mit der UdSSR; kontrollierte 1926–28 ganz S-China; Präs. der chin. Republik ab 1928; floh nach

Kapitulation der Kuomintang-Truppen Ende 1949 mit den Resten seiner Armee nach Taiwan (dort ab 1950 Staatspräsident).

Chiang Mai (Chiengmai) [tʃi̯əŋ'mai̯], Stadt in N-Thailand, am Ping, 102 000 E. Kath. Bischofssitz; Univ. (gegr. 1964); Teakholzhandel; Herstellung von Seidengeweben, Töpfer-, Silber- und Lackwaren; ✈. – 1296 gegr. Hauptstadt des Teilkgr. Lan Na. – Zahlr. Tempel (13.–15. Jh.), Monument der Weißen Elefanten (um 1200).

Chiang Tse-min ↑ Jiang Zemin.

Chianti [italien. 'ki̯anti], italien. Landschaft in der Toskana, in den Monti del C. bis 893 m hoch; Reb- und Ölbaumanbau.

Chianti [italien. 'ki̯anti; nach der gleichnam. italien. Landschaft], kräftiger, herber italien. Rotwein.

Chiapas ['tʃi̯apas], Staat in S-Mexiko, 73 887 km², 2,56 Mill. E (1989), Hauptstadt Tuxtla Gutiérrez. Erstreckt sich vom Pazifik über die Sierra Madre de C. bis in das Golfküstentiefland; u. a. Kaffeeanbau. – Ruinenstätten der Maya, u. a. Palenque.

Chiasma [çi...; griech.], in der Genetik die Überkreuzung je einer väterl. und einer mütterl. Chromatide; erfolgt beim Crossing-over während der Prophase der Reduktionsteilung.

Chiasma opticum [çi...; griech.], in der Schädelhöhle gelegene Kreuzungsstelle der beiden Sehnerven.

Chiasmus [çi...; griech., nach der Form des griech. Buchstaben Chi: χ], rhetor. Figur; kreuzweise syntakt. Stellung, z. B. „Eng ist die Welt und das Gehirn ist weit" (Schiller, „Wallenstein").

Chiasso [italien. 'ki̯asso], Gemeinde im schweizer. Kt. Tessin, 8 600 E. Grenzübergang an der Strecke Zürich–Mailand.

Chiastolith [çia...; griech.], Andalusit mit dunkel pigmentiertem Kern.

Chiavenna [italien. ki̯a'venna], italien. Stadt in der Region Lombardei, nördlich des Comer Sees, 7 700 E. Sportartikelfabrikation; Verkehrsknotenpunkt an der Vereinigung der Straßen von Malojapaß und Splügenpaß.

Chiaveri, Gaetano [italien. 'ki̯a:veri], * Rom 1689, † Foligno 5. März 1770, italien. Baumeister. – Baute u. a. die barocke Hofkirche in Dresden (1739–55; 1945 ausgebrannt, wiederhergestellt).

Chiba [jap. tʃ...] (Tschiba), jap. Stadt auf Honshū, an der Bucht von Tokio, 800 000 E. Verwaltungssitz der Präfektur C.; mehrere Forschungsinst.; petrochem. Ind., Erdölraffinerien, Metallverarbeitung; Hafen und Zentrum des Keoyo-Ind.gebietes.

Chibcha ['tʃɪptʃa], bed. indian. Sprachfamilie im nördl. S-Amerika (Kolumbien, Ecuador) und im südl. M-Amerika (Panama, Costa Rica). Sie umfaßt etwa 45 Sprachen.

Chibinen, höchstes Bergmassiv auf der Halbinsel Kola, Rußland, bis 1191 m ü. d. M.; Apatitbergbau.

chic [frz. ʃik] ↑ schick.

Chica ['tʃi:ka; span.] (Chicarot), roter Farbstoff aus den Blättern des brasilian. Bignoniengewächses *Arrabidaea chica;* diente den Indianern zum Bemalen des Körpers und zum Färben von Baumwollstoffen.

Chicago [engl. ʃɪ'kɑ:goʊ], 1967 (als C. Transit Authority) gegr. amerikan. Rockmusikgruppe; wurde mit der Fusion von Jazz und Rockmusik zu sozialkrit. Texten erfolgreich.

Chicago [engl. ʃɪ'kɑ:goʊ], Stadt in Illinois, USA, am SW-Ufer des Michigansees, 3,0 Mill. E (Metropolitan Area 7,1 Mill.). Sitz eines kath. Erzbischofs, eines anglikan. und methodist. Bischofs; geistiges und wirtsch. Zentrum des Mittleren Westens: mehrere Univ., etwa 200 Colleges, Kunsthochschule; Planetarium; Bibliotheken, Museen, Oper; Zoo. C. ist eines der größten Handelszentren der Erde mit Schlachthöfen, Großmühlen, Getreidesilos. Bed. Konsumgüterind., vielseitige Leichtind., Schwerind. am S-Rand des Michigansees. C. ist der größte Eisenbahnknotenpunkt sowie der größte Binnenhafen der Erde, durch den Sankt-Lorenz-Seeweg für Seeschiffe erreichbar; der internat. ✈ O'Hare Field ist der größte ✈ der Erde (↑ Luftverkehrsgesellschaften, Übersicht). C. erstreckt sich mit Vororten etwa 100 km am Michigansee entlang. Fast alle ethn. und sozialen Gruppen der Bev. haben ihre eigenen Wohnviertel.

Geschichte: Vorläufer war das 1803 errichtete Fort Dearborn; 1833 Town, 1837 City; 1871 durch Feuer weitgehend zerstört; nach dem Ende des Sezessionskriegs verstärkt einsetzender Ausbau der Ind. und wachsende Zahl von Einwanderern; C. wurde Schauplatz sozialer Auseinandersetzungen (Streiks, Gangsterunwesen und Rassenkonflikte).

Bauten: Unter Denkmalschutz steht der alte Wasserturm, der das Feuer von 1871 überdauerte. 1884/85 wurde in C. das erste Hochhaus in Stahlskelettbauweise errichtet; höchstes Gebäude: Sears Tower (1973) mit 443 m und 110 Stockwerken.

Chicagoer Schule [ʃi'ka:goər], Architekturschule in Chicago, ↑ Hochhaus.

Chicagostil [ʃi'ka:go], im Jazz Bez. für eine zu Anfang der 20er Jahre in Chicago entwickelte Variante des ↑ Dixieland.

Chichén Itzá [tʃi'tʃen it'sa „am Brunnen der Itzá"], Ruinenstadt der Maya im N der Halbinsel Yucatán, 110 km osö. von Mérida. Älteste Siedlungsreste stammen aus der spätformativen Zeit (300–100); Bauten erst für die spätklass. Zeit (600–900) nachweisbar; um 918 durch die Itzá besetzt, um 987 durch Tolteken; bis etwa 1200 bedeutendster Ort in

Chichén Itzá. Kriegertempel

Yucatán; „Heiliger Brunnen" als Wallfahrtsort; zahlr. bed. Bauten: sog. Nonnenkloster mit Anbau und „Kirche", „Caracol", sog. Grab des Hohenpriesters, Ballspielplatz mit Tempeln, Tausendsäulenkomplex. Von der UNESCO zum Weltkulturerbe erklärt.

Chichester, Francis Sir (seit 1967) [engl. 'tʃɪtʃɪstə], * Devon 17. Sept. 1901, † Plymouth 26. Aug. 1972, brit. Segler. – Segelte 1966 als Einhandsegler in 107 Tagen von Plymouth nach Sydney und um Kap Hoorn zurück.

Chichester [engl. 'tʃɪtʃɪstə], engl. Stadt, 20 km östlich von Portsmouth, 24 000 E. Verwaltungssitz der Gft. West Sussex; anglikan. Bischofssitz; theolog. Hochschule; Marktstadt. – Röm. Gründung **(Noviomagus Regnensium),** in sächs. Zeit Hauptstadt Englands. – Kathedrale Holy Trinity (1085) mit Kampanile (14. Jh.), Guildhall (13. Jh.).

Chichicastenango [span. tʃɪtʃɪkaste'naŋgo], Wallfahrtsort im westl. Hochland von Guatemala, 2 070 m ü. d. M., 2 600 E. Museum (Mayakultur); Handels- und religiöses Zentrum der etwa 20 000 Indianer der Umgebung. – 1524 gegründet.

Chichimeken [tʃɪtʃi...], Sammelbez. für Nomadenstämme aus N-Mexiko und Texas, überlebt haben etwa 490 Uzaa in Guanajuato.

Chickasaw [engl. 'tʃɪkəsɔ:], Muskogeestamm, eine der „Fünf Zivilisierten Nationen" im nördl. Mississippi, USA; etwa 8 500.

Chiclayo [span. tʃi'klajo], Hauptstadt des peruan. Dep. Lambayeque, 660 km nw. von Lima, 395 000 E. Bischofssitz; Univ. (gegr. 1970); Handels- und Verarbeitungszentrum in einem Bewässerungsfeldbaugebiet; ✈.

Chicle [span. 'tʃikle; indian.-span.], Milchsaft des Sapotillbaums; Rohstoff für die Kaugummiherstellung.

Chicorée ['ʃiko're; ʃɪko're:; griech.-frz.], svw. ↑Salatzichorie.

Chiemgau ['ki:m...], Landschaft um den Chiemsee, Bayern, umfaßt i. w. S. das Moränenland zw. Salzach und Inn.

Chiemgauer Alpen ['ki:m...], zw. Inn und Salzach gelegener Teil der Bayer. Voralpen, im Sonntagshorn bis 1 960 m hoch.

Chiemsee ['ki:m...], größter See des bayr. Alpenvorlandes, 518 m ü. d. M., 80,1 km², bis zu 73,6 m tief; Entwässerung durch die Alz. Im westl. Teil die 3,28 km² große Herreninsel (Schloß ↑Herrenchiemsee) und die 0,15 km² große Fraueninsel (Benediktinerinnenabtei ↑Frauenchiemsee).

Ch'ien Hsüan ↑Qian Xuan.

Ch'ien-lung ↑Qianlong.

Chiesa, Francesco [italien. 'kiɛ:za], * Sagno bei Mendrisio (Tessin) 5. Juli 1871, † Lugano 13. Juni 1973, schweizer. Schriftsteller italien. Sprache. – Heimatgebundener Erzähler („Schicksal auf schmalen Wegen", E., 1941).

Chieti [italien. 'kiɛ:ti], italien. Prov.hauptstadt, Region Abruzzen, 56 000 E. Erzbischofssitz; Univ. (1965 gegr.); archäolog. Museum; Papier- und Bekleidungsind. – **Teate Marrucinorum** war Hauptort der Marrukiner, 335 v. Chr. römisch, 802 von König Pippin erobert. Im 15. Jh. Hauptstadt der Abruzzen. – Reste eines röm. Theaters; Dom (11. Jh.).

Chiffon [ʃɪ'fõ:; frz.], feines Gewebe aus Seide oder Chemiefaserstoffen für Schals, Kleider und Blusen.

◆ sehr feiner Batist.

Chiffoniere [ʃɪfɔni'ɛ:r(ə); frz.], schweizerisch für Kleiderschrank.

Chiffre ['ʃɪfər; frz.; zu mittellat. cifra „Null" (von arab. sifr „leer")], Ziffer, Zahlzeichen, Namenszeichen, Kennziffer; Zeichen, das bei der Übermittlung einer Nachricht zur Verkürzung oder/und Verschlüsselung (meist zur Geheimhaltung) verwendet wird. – ↑Code.

Als metaphys. Begriff zuerst 1758 bei J. G.

Hamann, für den das Buch der Natur und der Geschichte nur C., „verborgene Zeichen", sind, die der Auslegung bedürfen; von bes. Bedeutung bei K. Jaspers: C. ist Sprache der Transzendenz, Träger „schwebender", Subjekt und Objekt umgreifender, daher weder method. objektivierbarer noch in einem System darstellbarer Bedeutung. In der Literatur, v. a. der modernen Lyrik, Wort mit verschlüsselter Bed., knapp angedeutetes Bild.

Chigi [italien. 'ki:dʒi], aus Siena stammendes italien. Adelsgeschlecht; urkundlich bezeugt seit dem 13. Jh.; 1377 in den Adelsstand erhoben; berühmt durch den Bankier und Geldgeber mehrerer Päpste *Agostino C.*, gen. „il Magnifico" (* 1465, † 1520), und *Fabio C.*, der 1655 als Alexander VII. den päpstl. Thron bestieg. 1712 wurden die C. Marschälle der röm. Kirche und damit Hüter des Konklaves. – Der **Palazzo Chigi** in Rom (1562 ff.) war von 1923 an Sitz des Außenministeriums und ist seit 1961 Amtssitz des italien. Min.-präsidenten.

Chignon [ʃɪn'jõ:; frz.], im Nacken getragener, geschlungener oder auch geflochtener Haarknoten.

Chihuahua [span. tʃi'u̯au̯a], Hauptstadt des. mex. Staates C., 1 400 m ü. d. M., 407 000 E. Erzbischofssitz; Univ. (gegr. 1954), Museen; Hüttenwerke u. a. Ind.zweige; Bahn- und Straßenknotenpunkt, ✈. – 1639 gegr. – Barocke Kathedrale (1717–89).

C., Staat in NW-Mexiko, 247 087 km², 2,25 Mill. E (1989), Hauptstadt C. C. umfaßt den NW des nördl. Hochlandes von Mexiko; Landwirtschaft und Bergbau (Blei, Mangan, Kupfer, Gold). – 1562 spanisch; bildete mit Durango die Prov. Neugalizien.

Chihuahua [span. tʃi'u̯au̯a] (Mexikan. Zwergterrier), seit der vorkolumb. Zeit bekannte Rasse bis 20 cm schulterhoher Haushunde; kleinster Hund mit übergroßen, fledermausartigen, aufrichtbaren Ohren, spitz zulaufender Schnauze und großen Augen.

Chikamatsu Monzaemon [jap. tʃi̯'ka-'matsu ˌmonzaemon], eigtl. Sugimori Nobumori, * in der Präfektur Fukui 1653, † Ōsaka 22. Nov. 1724, jap. Dichter. – Entstammte einer Samuraifamilie. Meister des Puppenspiels (Jōruri); schuf rd. 160 romant.-histor. und bürgerl. Schauspiele, u. a. die Liebestragödie „Der Tod als Herzenskünder zu Sonezaki" (1703).

Child, Lydia Maria [engl. tʃaɪld], * Medford (Mass.) 11. Febr. 1802, † Wayland (Mass.) 20. Okt. 1880, amerikan. Schriftstellerin. – Veröffentlichte eine der ersten Schriften gegen die Sklaverei: „An appeal in favour of that class of Americans called Africans" (1833); auch pädagog. Schriften.

Childebert I. ['çɪl...], * um 497, † 23. Dez. 558, fränk. König (Merowinger). – Sohn Chlodwigs I., erhielt 511 den NW des Frankenreichs (Hauptstadt: Paris), dann den SW Aquitaniens, nach Chlodomers I. Tod (524) den N von dessen Reichsteil; konnte in Kämpfen gegen Westgoten und Ostgoten seine Macht bis zu den Pyrenäen und in die Provence ausdehnen; errang 534 den Mittelteil von Burgund, übernahm die innen- und kirchenpolit. Führung des Frankenreichs.

Childerich I. ['çɪl...], † um 482, König der sal. Franken (seit etwa 456). – Kämpfte mit den Römern gegen Westgoten und Sachsen; bereitete die Großreichsbildung seines Sohnes Chlodwig I. vor. – Sein Grab, das **Childerichsgrab,** wurde 1653 in Tournai (Belgien) entdeckt; wegen des feststellbaren Todesjahres ein Fixpunkt in Archäologie und Kunstgeschichte des frühen MA. Die erhaltenen Beigaben zeigen got. Einflüsse; sie befinden sich heute in der Bibliothèque Nationale in Paris.

Children of God ['tʃɪldrən ʌv 'gɔd; engl. „Gotteskinder"] ↑ Family of Love.

Chile

[çi:le; 'tʃi:le] (amtl. Vollform: República de Chile), Staat im sw. S-Amerika, zw. 17° 15′ und 56° s. Br. sowie 67° und 76° w. L. **Staatsgebiet:** Umfaßt den schmalen, langgestreckten Festlandstreifen (einschließlich vorgelagerter Inseln) von den Anden bis zum Pazifik sowie mehrere weiter entfernte Inseln; grenzt im N an Peru, im NO an Bolivien, im O an Argentinien. **Fläche:** 756 626 km². **Bevölkerung:** 13,6 Mill. E (1992), 18 E/km². **Hauptstadt:** Santiago de Chile. **Verwaltungsgliederung:** 13 Regionen. **Amtssprache:** Spanisch. **Nationalfeiertag:** 18. Sept. (Unabhängigkeitstag). **Währung:** Chilen. Peso (chil$) = 100 Centavos. **Internat. Mitgliedschaften:** UN, OAS, ALADI, SELA, GATT. **Zeitzone:** Atlantikzeit, d. i. MEZ − 5 Stunden.

Landesnatur: Alle drei Großformen des rd. 4 300 km langen und 90–400 km breiten Landes verlaufen in meridionaler Richtung: die Hochkordillere der Anden, die von N (Ojos del Salado, 6 880 m) nach S an Höhe und Breite abnimmt, die Längssenke, die im mittleren C. am deutlichsten ausgeprägt (Chilen. Längstal) ist, sowie das bis etwa 2 000 m hohe Küstengebirge, das im S in Inseln aufgelöst ist und dem z. T. Küstenebenen vorgelagert sind. Von N nach S lassen sich folgende Landschaftsräume unterscheiden: 1. Der Große Norden (bis zum Río Ruasco), der im wesentlichen aus der Nordchilen. Wüste oder Atacama besteht; 2. der Kleine Norden (bis zum Río Aconcagua), wo Hochkordillere und Küstengebirge unmittelbar aneinandergrenzen; 3. Zentralchile (bis zur Wasserscheide

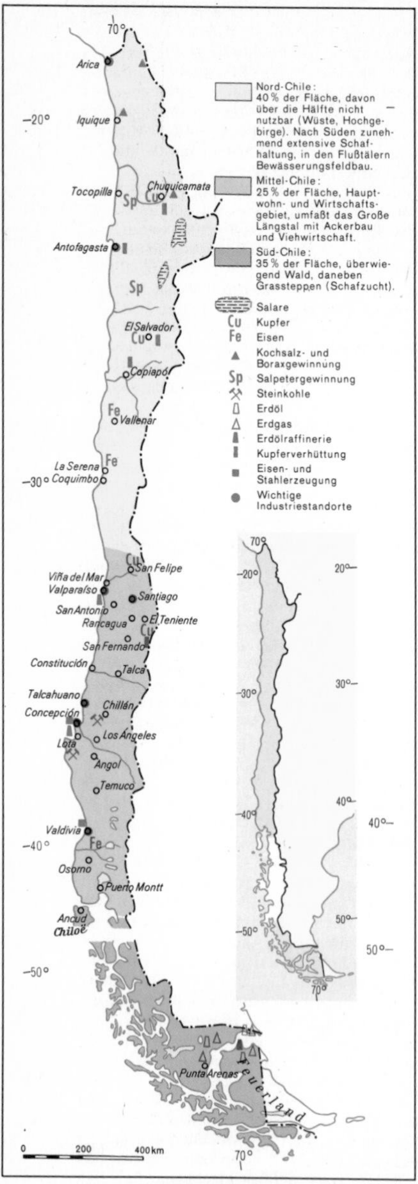

Chile. Wirtschaftskarte

zw. Río Bío-Bío und Río Imperial) mit dem von Hochkordillere und Küstengebirge eingefaßten Chilen. Längstal; 4. der Kleine Süden (bis zum Golf von Ancud und der Insel Chiloé) mit dem noch heute von Araukanern bewohnten Gebiet der Frontera im N und der Chilen. Schweiz (Chilen. Seengebiet) im S; 5. der Große Süden, der die Patagon. Kordillere mitsamt den vorgelagerten Halbinseln und Inseln (d.h. Westpatagonien) sowie, an der Magalhãesstraße, den südlichsten Teil von Ostpatagonien und schließlich den chilen. Anteil am Feuerlandarchipel umfaßt. C. erhebt seit 1940 Anspruch auf den Sektor der Antarktis zw. 53° und 90° w. L., ein Gebiet, das z.T. von Großbritannien in Besitz genommen worden ist, z.T. von Argentinien reklamiert wird.

Klima: Der Längserstreckung entsprechend ergibt sich eine Klimaabfolge von N nach S von einer subtrop. Zone mit spärl. Sommerregen über eine subtrop. Trockenzone im Großen Norden, sommertrockene Subtropen im Kleinen Norden zur kühlgemäßigten immerfeuchten Zone im Kleinen Süden sowie dem hochozean., kühlgemäßigten Westwindklima des Großen Südens.

Vegetation: Die Vegetationszonen entsprechen dem Klima: xerophyt. Strauch- und Polstervegetation in der Hochkordillere, die im Innern vegetationslose Wüstenzone der Atacama mit Sukkulenten und Zwergsträuchern an der Küste, Zwergstrauchsteppe sowie Dornstrauch- und Sukkulentenvegetation im Kleinen Norden, der heute fast völlig in Kulturland umgewandelte Hartlaubwald in Z-Chile, der sommergrüne Laubwald im Kleinen Süden, der immergrüne Regenwald im Großen Süden und die ostpatagon. Steppe. Charakteristisch sind Lama, Alpaka und Vikunja.

Bevölkerung: Die Bev. setzt sich zus. aus etwa 70% Mestizen, 25% Weißen, 5% Indianern und sonstigen Bev.gruppen. Rd 90% sind röm.-kath. Glaubens. Reinrassige Indianer sind die Araukaner in der Frontera. Schulpflicht besteht von 7–15 Jahren, die Analphabetenquote betrug 1982 rd. 8%. C. verfügt über 24 Universitäten.

Wirtschaft: Die chilen. Wirtschaft ist seit dem 19. Jh. vom Bergbau abhängig; bis zum 1. Weltkrieg war der in der Atacama gewonnene Salpeter das wichtigste Produkt. C. liefert den größten Teil des Weltbedarfs an Jod und ist größter Kupferproduzent der Erde. In Ostpatagonien und auf Feuerland werden Erdöl und Erdgas gefördert. – Seit Anfang der 80er Jahre weist C. ein durchschnittl. Wirtschaftswachstum von mehr als 5% auf. Nur 23% der Landfläche können landw. genutzt werden; 80% der Anbaufläche konzentrieren sich auf Z-Chile sowie den N des

Kleinen Südens. Die Produktion reicht nicht zur Selbstversorgung aus. Von wachsender Bedeutung ist der v.a. für den Export bestimmte Obstbau. Nadelholz- und Eukalyptusbestände werden forstwirtsch. genutzt. Die Fischerei dient der Selbstversorgung und der Fabrikation von Fischmehl (größter Exporteur der Welt).

Verkehr: Die staatl. Eisenbahn unterhält ein Streckennetz von 4229 km; es bestehen Verbindungen nach Argentinien und Bolivien. Von den 79089 km Straßen sind 9800 km asphaltiert. V.a. im unwegsamen S kommt der Küstenschiffahrt große Bed. zu. Neben der staatl. Línea Aérea Nacional de C. bestehen private Fluggesellschaften. Internat. ✈ bei Santiago de Chile.

Außenhandel: C. exportiert v.a. Kupfer, Eisenerze und deren Konzentrate, Fischmehl, Zellstoff, Papier und Chilesalpeter. Importiert werden techn. und elektr. Ausrüstungen, Nahrungsmittel u.a. Die wichtigsten Partner sind die USA, Japan, Brasilien, die BR Deutschland und Großbritannien.

Geschichte: Die z.Z. bekannten ältesten Funde stammen aus Calama (Prov. Antofagasta). Der dortige Chuquikomplex wird vor oder um 12000 v. Chr. datiert. In Nord-C. bildeten sich seit 4000 v. Chr. Fischerkulturen heraus. Keramik und Kulturpflanzen treten in Nord-C., aus Peru kommend, erst gegen 300 v. Chr. auf. Während der mittleren keram. Periode (700–1000) verstärkten sich die Einflüsse aus dem N. Um 1480 unterwarf Topa Inca Yupanqui Nord- und Mittel-C. und gliederte es dem Inkareich an. Die span. Eroberung begann, als F. Pizzaro 1539 P. de Valdivia von Peru nach S entsandte. Dieser gründete 1541 das heutige Santiago de Chile, bei seinem weiteren Vordringen nach S 1550 das heutige Concepción, doch konnte südlich des Río Bío-Bío der Indianerstamm der Araukaner in wechselvollen Kämpfen lange seine Unabhängigkeit behaupten. Im Frieden von Negrete (1726) erkannten die Araukaner die Oberhoheit der Spanier an, bei deren Verzicht auf jedes Vordringen südlich des Río Bío-Bío. Ab 1606 besaß das span. C. eine Audiencia mit Sitz in Santiago de Chile. 1778 wurde es Generalkapitanat, unabhängig von Peru.

1811 führte eine erste Erhebung gegen Spanien unter J. M. Carrera (seit 1812 erster chilen. Präs.) zur Unabhängigkeit. Doch die Spanier eroberten C. ab 1813 von S her zurück. 1817 überschritt eine argentin.-chilen. Armee unter J. de San Martín und B. O'Higgins die Anden und schlug die span. Armee bei Chacabuco entscheidend. Am 1. Jan. 1818 wurde die Unabhängigkeit formell ausgerufen und O'Higgins zum „director supremo" ernannt. Der S wurde erst später erobert. In den folgenden inneren Wirren bis 1831 setzten sich die Konservativen durch (Verfassung von 1833). Um die Mitte des 19. Jh. begann C. die Eroberung, Erschließung und Besiedlung der Frontera, südlich des Río Bío-Bío, und unterwarf die Araukaner. Chilen. Unternehmer begannen, die Salpetervorkommen in der Atacama in großem Maße abzubauen. Im Salpeterkrieg 1879–83 gewann C. mit dem Sieg über Peru und Bolivien Antofagasta und Arica. Wirtsch. Aufschwung und polit. Expansion führten nach einer Revolution 1891 zur Errichtung eines liberalen, parlamentar. Systems. In der Zeit nach dem 1. Weltkrieg geriet C. in eine wirtsch. und soziale Krise, weil das chilen. Salpetermonopol durch die Gewinnung von Stickstoff aus der Luft wertlos geworden war. Unter Beteiligung des Militärs gelang es konservativen Kräften, die Lage zu stabilisieren. Ein erneuter wirtsch. Aufschwung im 2. Weltkrieg beruhte auf dem Export wichtiger Rohstoffe, v.a. in die USA. Das Abklingen der Nachfrage führte nach Kriegsende zu einer schweren wirtsch. Krise, die eine polit. Krise zur Folge hatte, in der die Arbeiterschaft immer nachdrücklicher soziale Reformen forderte. Eine zusätzl. Verschlechterung der allg. Lage wurde durch schwere Naturkatastrophen (v.a. das Erdbeben von 1960) herbeigeführt. Nach dem Wahlsieg von E. Frei (Christdemokrat) 1964 wurde ein umfassendes Reformprogramm in Angriff genommen, u.a. eine Landreform und die Übernahme der Kapitalmehrheit an den großen Kupferminen, die zuvor im Besitz amerikan. Unternehmen waren. 1970 übernahm der Sozialist Salvador Allende Gossens, der als Kandidat einer mehrere linksgerichtete Parteien umfassenden Volksfront mit knapper Mehrheit gewählt worden war, die Präsidentschaft. Sein Versuch einer Verbesserung der wirtsch. und sozialen Situation (Verstaatlichung ausländ. Unternehmen, Fortführung der Landreform) wurde durch konservative Kräfte bekämpft und schließlich durch den Militärputsch vom Sept. 1973, bei dem Allende ums Leben kam, beendet. Eine Militärjunta unter Vorsitz von General A. Pinochet Ugarte übernahm die Reg.gewalt, verhängte den Belagerungszustand und setzte große Teile der Verfassung außer Kraft. Führende Volksfrontpolitiker wurden verhaftet, zahlr. Funktionäre und Parteigänger mußten außer Landes fliehen oder wurden in Lagern gefangengehalten oder erschossen. Im Juli 1977 kündigte Pinochet die stufenweise Rückkehr zur Zivilregierung bis 1985 an und löste darauf die 1974 geschaffene Geheimpolizei DINA (Dirección de Intelegencia Nacional) auf. 1978 schaltete Pinochet Kräfte in der chilenischen Luftwaffe aus (insbes. den Oberbefehlshaber der Luftwaffe,

General G. Leigh), die für eine baldige Rückkehr zu verfassungsmäßigen Zuständen in C. eintraten. Im März 1978 wurde der Belagerungszustand aufgehoben (der Ausnahmezustand blieb jedoch aufrechterhalten). Die 1980 angenommene neue Verfassung beruhte auf Präsidialsystem und Zweikammerparlament mit direkt gewählter Abg.kammer; sie untersagte jedoch die Tätigkeit von Parteien und sicherte Pinochet die Präsidentschaft bis 1989. Eine seit Mitte der 80er Jahre anwachsende Oppositionsbewegung (Protestkundgebungen, Streiks) richtete sich bes. gegen die anhaltenden Menschenrechtsverletzungen unter dem diktator. Reg.system Pinochets und erwirkte die Einleitung eines polit. Reformprozesses. 1987 wurde ein neues Parteiengesetz verabschiedet, das die Bildung von Parteien und deren Tätigkeit legalisierte. In einem vom Militärregime angesetzten Plebiszit im Okt. 1988 sprachen sich 54,6 % der Bev. gegen eine weitere achtjährige Amtszeit von Präs. Pinochet aus. In einer weiteren Volksabstimmung wurde Ende Juli 1989 eine Reihe von Verfassungsänderungen angenommen, u. a. die einmalige Verkürzung der Amtszeit des Präs., die Einschränkung seiner Kompetenzen und die Aufhebung des Verbots totalitärer Parteien. Die Präsidentschaftswahlen im Dez. 1989 gewann der Christdemokrat Patricio Aylwin Azócar; er trat sein Amt im März 1990 an. Unter seiner Präsidentschaft gewann der Demokratisierungsprozeß Kontur. Im Dez. 1993 wurde E. Frei Ruiz-Tagle zum Präs. gewählt, der das Amt im April 1994 antrat.

Politisches System: Nach der Verfassung von 1980, die 1981–89 z. T. suspendiert war und 1989 geändert wurde, ist C. eine präsidiale Republik. *Staatsoberhaupt* und oberster Inhaber der *Exekutivgewalt* ist der Präs., der vom Volk direkt gewählt wird. Seine Amtszeit beträgt 4 Jahre, und er ist einmal wiederwählbar. *Legislativorgan* ist der Kongreß, bestehend aus Abgeordnetenkammer (120 Mgl., für 4 Jahre gewählt) und Senat (38 Mgl. gewählt, 9 vom Präs. ernannt). Wichtige *Parteien* sind u. a. Partido Demócrata Cristiano (PDC); Partido Socialista (PS), eine in mehrere Fraktionen gespaltene sozialist. Partei; Partido por la Democracia (PPD), ein Forum verschiedener linker Strömungen. Das *Recht* ist an frz. und span. Vorbild orientiert. Neben dem Obersten Gericht bestehen 17 Appellationsgerichtshöfe.

🕮 *C. Hg. v. T. Heydenreich. Ffm. 1990. – Junghans, R.: C.-Hdb. Kiel 1989. – Weischet, W.: C. Seine länderkundl. Individualität u. Struktur. Darmst. ²1983. – Landflucht u. Verstädterung in C. Hg. v. W. Lauer. Wsb. 1976. – Nohlen, D.: C. – das sozialist. Experiment. Hamb. 1973.*

Chilefichte ['çi:..., 'tʃi:...] (Chilen. Araukarie, Araucaria araucana), bis 45 m hohe, pyramidenförmige Araukarie in Chile und SW-Argentinien.

chilenische Literatur [çi..., tʃi...], als bedeutendstes Werk der Kolonialzeit gilt das Epos von P. de Oña „Arauco domado" (1596). A. Bello (* 1781, † 1865) und J. V. Lastarria (* 1817, † 1888) sind die Protagonisten einer nat. Literatur im Gefolge der europ. Romantik. Landesspezif. Züge gewinnt die chilen. Prosa unter dem Einfluß von Realismus (A. Blest Gana [* 1830, † 1920]) und Naturalismus (B. Lillo [* 1867, † 1923]). Die noch zur Zeit des Modernismo unbedeutende Lyrik erreicht Weltrang mit G. Mistral, V. Huidobro, P. de Rokha (* 1894, † 1968) und P. Neruda. Mit den Romanen M. Rojas' wird gegenüber der Regionalistenschule M. Latorres (* 1886, † 1955), dem psychologisierenden Naturalismus von J. Edwards Bello (* 1887, † 1968) oder E. Barrios (* 1884, † 1963) eine symbolhaft vertiefte, erzähltechnisch modern strukturierte Prosa eingeleitet. In individuell prägnanter Thematik wird diese Linie von C. Droguett (* 1912), F. Alegría (* 1918), J. Donoso (* 1925), E. Lafourcade (* 1927), A. Dorfman (* 1940), A. Skármeta (* 1940), I. Allende (* 1942), die ihr literar. Schaffen seit dem Militärputsch von 1973 im Ausland fortsetzten, weitergeführt. Die Verbindung von Volkslied und politisch engagierter Lyrik in der Bewegung des „Neuen Chilen. Liedes" gelang v. a. V. Jara (* 1938, † 1973).

🕮 *Montes, H./Orlandi, J.: Historia de la Literatura chilena. Santiago de Chile ¹⁰1982. – Chilean writers in exile. Hg. v. F. Alegría u. A. Trumansburg. New York 1981.*

Chilenische Schweiz [çi..., tʃi...], Seengebiet im Kleinen Süden Chiles, von z. T. noch tätigen, vergletscherten Vulkanen umgeben.

Chilenisches Längstal [çi..., tʃi...], eine von N nach S verlaufende Senke in Z-Chile und im Kleinen Süden, wichtigstes Siedlungs- und Wirtschaftsgebiet Chiles.

Chilesalpeter ['çi:..., 'tʃi:...] ↑ Salpeter.

Chili ['tʃi:li; indian.-span.], svw. Cayennepfeffer (↑ Paprika).

Chiliasmus [çi...; zu griech. chílioi „tausend"], die Lehre von einer tausendjährigen Herrschaft Christi auf Erden (auch lat. *Millennium* „Jahrtausend") am Ende der geschichtl. Zeit. Sie beruht auf Aussagen der Johannesapokalypse (Apk. 20, 1–10), wo von einer Fesselung Satans für eine Zeit von tausend Jahren gesprochen wird. Die Lehre des C. ist im MA am deutlichsten und nachhaltig wirksam von ↑ Joachim von Fiore formuliert worden, der eine umfassende Geschichtstheologie entwickelte: auf das Zeitalter des Vaters (Zeitalter des A. T.) folgt die Zeit des

Sohnes (des N. T.), deren Ende er für das Jahr 1260 erwartete. Danach sollte das tausendjährige Zeitalter des Geistes anbrechen. – Den C. übernahmen im 16. Jh. der radikale Flügel der Reformation (T. Müntzer, Täufer), im 17./18. Jh. verschiedene amerikan. und europ. prot. Erweckungsbewegungen, im 19. und 20. Jh. u. a. die Adventisten, Mormonen, Zeugen Jehovas sowie religiöse Bewegungen v. a. in der dritten Welt.

Ladd, G. E. u. a.: Das Tausendjährige Reich. Dt. Übers. Marburg 1983. – List, G.: Chiliast. Utopie u. Radikale Reformation. Mchn. 1973.

Chililabọmbwe [tʃiː...], Bergbauort im NW des Kupfergürtels von Sambia, 1 360 m ü. d. M., 79 000 E. Kupfermine.

Chillán [span. tʃi'jan], Hauptstadt der Prov. Nuble in Z-Chile, 149 000 E. Bischofssitz; wichtiges landw. Handelszentrum; Bahnstation, ✈. – Gegr. etwa 1580.

Chillida, Eduardo [span. tʃi'ʎiða], * San Sebastián 10. Jan. 1924, span. Metallbildner. – Konstruktivist., geschmiedete Plastiken, auch zahlreiche Zeichnungen.

Chillon [frz. ʃi'jõ], stark befestigtes Schloß auf einer Insel des Genfer Sees bei Montreux (12. und 13. Jh.). Um 1150 war C. im Besitz der Grafen von Savoyen, 1536–1733 bern. Landvogtei. Diente als Gefängnis.

Chilon ['çiː...] (Cheilon), spartan. Staatsmann des 6. Jh. v. Chr. – 556/555 Ephor; auf ihn wird die Militarisierung spartan. Lebens zurückgeführt; nach Platon einer der ↑Sieben Weisen.

Chilpancingo de los Bravo [span. tʃilpan'siŋgo ðe lɔz 'βraβo], Hauptstadt des mex. Staates Guerrero, 1 360 m ü. d. M., 57 000 E. Univ. (gegr. 1867). – 1591 gegr.; 1902 schwere Erdbebenschäden.

Chilperich I. ['çɪl...], fränk. König (Merowinger), * 539, † bei Chelles 584 (ermordet). – Sohn Chlothars I., erhielt bei der Reichsteilung von 561 den N (Hauptstadt: Soissons) und den S von Aquitanien; ließ seine westgot. Gemahlin Galswintha ermorden, um seine Nebenfrau ↑Fredegunde heiraten zu können; gab damit den Anlaß zum Krieg mit seinem Bruder Sigibert I. von Austrasien und dessen Frau Brunhilde (Schwester Galswinthas).

Chimära [çi...; griech.], in der griech. Mythologie ein dreigestaltiges (Löwe, Schlange, Ziege), feuerschnaubendes Ungeheuer.

Chimäre [çi...; griech.], in der *Botanik* ein Organismus oder einzelner Trieb, der aus genetisch verschiedenen Zellen aufgebaut ist. Die C. entsteht entweder bei Pfropfungen (Pfropf-C.), wenn sich an der Verwachsungsstelle des eingesetzten Zweiges mit der Unterlage aus Zellen beider Partner ein Vegetationspunkt bildet, oder aber durch natürl. oder künstl. Mutation einer Meristemzelle eines Sproßvegetationspunktes (Zyto-C.). Bei der Periklinal-C. liegen die Zellen des einen Typs im Inneren des Vegetationspunktes und die des anderen als einheitl., ein- oder mehrschichtige Decke darüber.

Chimären [çi...; griech.], svw. ↑Seedrachen.

Chimborạsso [tʃim...], Andenvulkan mit vielen erloschenen Kratern und 16 Gletschern, höchster Berg Ecuadors (6 310 m).

Chimborazo [span. tʃimbo'raso], Prov. in Z-Ecuador, in den Anden, 5 556 km², 373 000 E (1987). Hauptstadt Riobamba.

Chimbọte [tʃim...], peruan. Hafenstadt an der Bahía de C., 253 000 E. Zentrum der peruan. Schwerind.; Fischerei, Fischmehlfabriken. – 1970 durch Erdbeben zerstört.

Chimú [span. tʃi'mu] (auch Chimor), Indianerstamm in NW-Peru, Gründer des ersten bed. Reiches in S-Amerika (12.–15. Jh. n. Chr.), dessen Kerngebiet in den Tälern des Río Chicama, Río Virú und Río Moche mit der Hauptstadt Chan-Chan lag. Das Reich war wahrscheinlich nur eine Verbindung relativ selbständiger Stadtstaaten. – In der **Chimúkultur** werden Motive und Formen aus der Kunst der Mochekultur wiederbelebt; Keramik meist schwarzgrundig, daneben rote Gebrauchskeramik; bed. Goldschmiedekunst.

Chin, svw. Jin, ↑chinesische Geschichte.

Chin [tʃɪn], tibeto-birman. Volksgruppe im westl. Birma; primitiver Rodungsfeldbau; etwa 400 000; animist. Religion, z. T. Christen.

Ch'in, svw. Qin, ↑chinesische Geschichte.

Chimú. Flasche im Chimústil.
Berkeley, University of California

China

['çi:na] (amtl. Vollform: Zhonghua Renmin Gongheguo [Chung-hua Jen-min Kung-ho-kuo]; deutsch: VR China), VR in O-Asien, zw. 18° und 53° 57′ n. Br. sowie 71 ° und 135 ° ö. L. **Staatsgebiet:** Erstreckt sich mit einer O–W-Ausdehnung von rd. 4500 km und einer maximalen N–S-Ausdehnung von 4200 km vom Pamir bis zum Pazifik; im N gemeinsame Grenzen mit Rußland und der Mongolei, im NO mit Nord-Korea, im W mit Afghanistan (Wakhan) und Pakistan, im SW und S mit Indien (Grenzverlauf umstritten), Nepal, Bhutan, Birma, Laos und Vietnam, im SO mit Macau und Hongkong. C. beansprucht die im Südchin. Meer gelegenen Paracel- und Spratlyinseln, auf die auch Vietnam bzw. Taiwan und die Philippinen Besitzrechte geltend machen, sowie die Pratasinseln und die Macclesfield-Bank. **Fläche:** 9560980 km². **Bevölkerung:** 1,16 Mrd. E (1992), 121 E/km². **Hauptstadt:** Peking. **Verwaltungsgliederung:** 3 regierungsunmittelbare Stadtgebiete, 5 autonome Regionen, 22 Prov. **Amtssprache:** Chinesisch. **Nationalfeiertag:** 1. Okt. (Gründung der VR). **Währung:** Renminbi Yuan (RMB.¥) = 10 Jiao = 100 Fen. **Internationale Mitgliedschaften:** UN; Beobachterstatus im GATT. **Zeitzonen** (von W nach O): MEZ + 5 Std., bzw. + 7 Std., bzw. + 8 Stunden.

Landesnatur: Große Teile des Landes sind gebirgig, fast ⅔ der Gesamtfläche liegen höher als 1000 m ü. d. M. Charakteristisch ist ein Abfall der Landoberfläche in mehreren Staffeln zum Pazifik hin. Im SW stellt das Hochland von Tibet zw. Kunlun bzw. Qilian Shan im N und Himalaja im S mit einer mittleren Höhe von 4500 m ü. d. M. die höchstgelegene Landmasse der Erde dar. Die Gebirgsumrandung des Hochlandes weist Erhebungen zw. 7000 und 8000 m auf (im Kunlun bis 7723 m ü. d. M.). Der auf dem Hauptkamm des Himalaja auf der Grenze gegen Nepal gelegene Mount Everest (tibet. Qomolangma) erreicht 8872 m. Im Bereich der nächstfolgenden Landstaffel schließen nördl. von Kunlun und Qilian Shan die abflußlosen Hochbecken und die Hochländer Z-Asiens an mit dem Tarimbecken (mit der Wüste Takla-Makan) und der Dsungarei, getrennt durch den Tian Shan, in dessen östl. Ausläufern die Turfansenke (154 m u. d. M.) liegt, sowie dem Hochland der Inneren Mongolei. Nördl. des Qin Ling, der C. in Fortsetzung von Kunlun und Qilian Shan von W nach O als wichtigstes Scheidegebirge des Landes durchzieht, erstrecken sich die Lößbergländer der Prov. Shaanxi und Shanxi, südl. des Gebirges das Becken von Sichuan und das verkarstete Yunnan-Guizhou-Plateau. Östl. einer stellenweise bis über 2000 m aufragenden Landstufe, die vom O-Abfall des Großen Chingan im N über den Abbruch des Qin Ling bis zum O-Rand des Yunnan-Guizhou-Plateaus hinzieht, folgt die niedrigste Landstaffel. Sie umfaßt die Bergländer im SO (im Nan Ling bis 1922 m) sowie die ausgedehnten Tieflandgebiete Ost-C., Nordöstl. Ebene, Große Ebene (größtenteils unter 50 m ü. d. M.), zentralchin. Tiefebene (im Mittel 45–180 m) am Jangtsekiang, und die Küstenebene Südchinas. Der teilweise stark gegliederten Küste sind etwa 2900 Inseln vorgelagert, unter denen Hainan die größte ist. Mit Ausnahme größerer Gebiete des zentralasiat. Raumes wird C. nach O entwässert, der NO durch die Hauptströme Liao He, Songhua Jiang und Amur, das mittlere C. durch Hwangho und Jangtsekiang, der SO durch den Xi Jiang.

Klima: Auf Grund seiner großen Längen- und Breitenerstreckung liegt C. in verschiedenen Klimazonen, von den kühlgemäßigten hochkontinentalen, extrem winterkalten Gebieten NO-C. und Hochasiens und den wüstenhaft trockenen Zonen Z-Asiens bis zu den subtrop.-trop. Gebieten im S. Ein großer Teil, v. a. der dicht bevölkerte O, liegt im Bereich warmgemäßigten Klimas. Im äußersten N der Inneren Mongolei und NO-C. sind Dauerfrostböden verbreitet. Die sommerl. Temperaturen sind im ganzen Land annähernd gleich.

Vegetation: Nur etwa 12% der Gesamtfläche sind bewaldet. Nadelwälder reichen in den osttibet. Randgebirgen bis auf 3000–4000 m ü. d. M. Die sommergrünen Laubwälder zw. Amur und Jangtsekiang sowie die subtrop. immergrünen Lorbeerwälder des S mußten z. T. der Landw. weichen. Weite Teile des Hochlands von Tibet liegen oberhalb der Baumgrenze; hier finden sich Zwergsträucher, Hochsteppen und hochalpine Matten. Die Vollwüsten des Tarimbeckens, der östl. Dsungarei und der westl. Gobi werden von Halbwüsten und Trockensteppen umschlossen. An der Küste der Prov. Guangdong und auf Hainan findet sich tropische Vegetation.

Tierwelt: In den Tiefländern ist die urspr. Tierwelt durch den Menschen stärker dezimiert worden als in den Hochländern und Gebirgen, in denen u. a. Wildjak, Braunbär, Wildschaf, Wolf, Gazellen- und Antilopenarten vorkommen. Unter Naturschutz steht der Bambusbär.

Bevölkerung: Über 93% der Bev. gehören zur Gruppe der Han, daneben leben 55 nat. Minderheiten in C. (u. a. Uiguren, Kasachen, Tibeter, Mandschu, Mongolen). Vorherrschend ist ein von Konfuzianismus und Daoismus beeinflußter Buddhismus; in Tibet und der

Verwaltungsgliederung (Stand: 1990)

Verwaltungseinheit	Fläche (1000 km²)	E (in Mill.)	Hauptstadt
regierungsunmittelbare Stadtgebiete			
Peking	16,8	10,8	–
Schanghai	6,2	13,3	–
Tientsin	11,3	8,8	–
Provinzen			
Anhui	139,9	56,2	Hefei
Fujian	123,1	30,1	Fuzhou
Gansu	366,5	22,4	Lanzhou
Guangdong	197,1	62,8	Kanton (Guangzhou)
Guizhou	174,0	32,4	Guiyang
Hainan	34,3	6,6	Haikou
Hebei	202,7	61,1	Shijiazhuang
Heilongjiang	463,6	35,2	Harbin
Henan	167,0	85,5	Zhengzhou
Hubei	187,5	53,9	Wuhan
Hunan	210,5	60,7	Changsha
Jiangsu	102,6	67,1	Nanking
Jiangxi	164,8	37,7	Nanchang
Jilin	187,0	24,7	Changchun
Liaoning	151,0	39,5	Shenyang
Qinghai	721,0	4,5	Xining
Shaanxi	195,8	32,9	Xi'an
Shandong	153,3	84,4	Jinan
Shanxi	157,1	28,8	Taiyuan
Sichuan	569,0	107,2	Chengdu
Yunnan	436,2	36,9	Kunming
Zhejiang	101,8	41,5	Hangzhou
autonome Regionen			
Guangxi	220,4	42,2	Nanning
Innere Mongolei	1177,5	21,5	Hohhot
Ningxia	66,4	4,7	Yinchuan
Sinkiang (Xinjiang)	1646,9	15,2	Ürümqi
Tibet	1221,6	2,2	Lhasa

Inneren Mongolei ist der lamaistische Buddhismus (rd. 100 Mill. Buddhisten), in Sinkiang und Ningxia der Islam verbreitet (20 Mill. Muslime); etwa 10 Mill. Chinesen sind Christen (nach offiziellen Angaben; tatsächlich dürfte es 50 Mill. Christen geben). Dicht besiedelt sind die östl. und südl. Landesteile, am mittleren und unteren Jangtsekiang leben sogar über 2000 E/km², in Tibet dagegen weniger als 2 E/km². Die Einführung der Familienplanung soll das starke Bevölkerungswachstum (1989: 1,4%) mindern. Die Gesundheitsfürsorge ist v.a. auf dem Land grundlegend verbessert worden; für den städt. Bereich gibt es ein Sozialversicherungssystem. Der Ausbau des Schulwesens und die Vereinfachung der chin. Schrift auf nur 3000–4000 Wortzeichen ermöglichten die Einführung der allg. Schulpflicht. Die durchschnittl. Schulzeit liegt gegenwärtig bei 5 Jahren, da viele Schüler vorzeitig von der Schule abgehen. Die Anzahl der Analphabeten wird auf über 200 Mill. geschätzt. Für die höhere Ausbildung stehen 1016 Hochschulen und Universitäten zur Verfügung.

Wirtschaft: Kennzeichnend ist eine Ende 1978 begonnene Liberalisierung in der Wirtschaft, u.a. im Bereich der Landw. und des Handels die Zulassung privatwirtsch. Initiativen, bei Unternehmen die Förderung der Eigenverantwortung, die Gründung chin.-ausländ. Gemeinschaftsunternehmen, der Aufbau exportorientierter Wirtschaftssonderzonen und die Öffnung von Küstenstädten für den Welthandel.

Grundlage ist die Landwirtsch.; ihr Anteil am

Nationaleinkommen beläuft sich auf über 30%. Zur Sicherung der Agrarproduktion gegen Dürren und Überschwemmungen haben Wasserbauarbeiten seit 1949 eine große Rolle gespielt (Deich- und Brunnenbau, künstl. Seen, Terrassierung des Geländes). Die Aufforstung eines Waldgürtels von 3 000 km Länge in NW-, N- und NO-C. dient dem Schutz der Ackerflächen vor der Wüste. C. ist der größte Reisproduzent der Erde; wichtig ist auch der Anbau von Weizen, Mais, Hirse, Baumwolle, Zuckerrohr und -rüben, Ölsaaten, Obst, Gemüse, Heilpflanzen, Tee und Tabak; die Seidenraupenzucht wurde intensiviert. In der Viehhaltung spielen Schweinezucht und Geflügelhaltung die Hauptrolle. Die Forstwirtschaft bemüht sich v. a. um umfangreiche Wiederaufforstung. Die Binnenfischerei dient der Selbstversorgung. – C. ist reich an Bodenschätzen. Steinkohle deckt rd. 70% des chin. Energiebedarfs. Bed. Erdölvorkommen befinden sich u. a. auf dem Schelf sowie in den Prov. Shandong, Guangdong und in NO-C.; hier verläuft vom Erdölfeld Daqing eine 1 152 km lange Pipeline zum Exporthafen Qinhuangdao bzw. nach Peking. In der Prov. Sichuan liegen die wichtigsten Erdgaslagerstätten. Eisen-, Zinn-, Wolfram-, Antimon- und Uranerzvorkommen sind bed. Die Ind. ist v. a. im O-Teil des Landes konzentriert, obwohl die Volkskommunebewegung von 1958 auch zu einer gewissen Verdichtung der Kleinind. in den ländl. Gebieten geführt hat. Parallel zum steigenden Ausstoß der Eisen- und Stahlind. erfolgt der Ausbau der Maschinen-, Fahrzeug-, elektrotechn. und elektron. Ind. Erdölraffinerien und petrochem. Werke sind entstanden. Seit 1978 hat sich auch die Leichtind. stark entwickelt. Der wirtsch. und technolog. Austausch mit dem Ausland wird gefördert. Dazu trägt insbes. der Aufbau von Wirtschaftssonderzonen (u. a. Shenzhen, Xiamen, Shantou, Insel Hainan) seit 1980 bei. Insgesamt haben sich in den letzten 10 Jahren bei über 20 000 Unternehmen ausländ. Firmen beteiligt.
Der Fremdenverkehr erbrachte 1989 bei 24,5 Mill. Besuchern einen Erlös von 1,81 Mrd. US-$.

Außenhandel: Exportiert werden v. a. Erdöl, Zinn und andere Bergbauprodukte, Textilien, pflanzl. und tier. Rohstoffe. Die Importe setzen sich aus Investitionsgütern (Maschinen, Fabrikanlagen), Rohstoffen (Pflanzenfasern, Naturkautschuk, NE-Metalle), Eisen und Stahl, Nahrungsmitteln und Kunstdüngern zusammen.

Verkehr: Außer Tibet sind alle Landesteile an das Eisenbahnnetz (Streckenlänge 52 100 km) angeschlossen. Die Gesamtlänge des Straßennetzes betrug 1985 940 600 km, davon fast die Hälfte Allwetterstraßen; v. a. im westl. C. spielt der Kraftfahrzeugverkehr über Fernstraßen eine große Rolle. Die Binnenwasserstraßen (109 300 km) sind z. T. auch für Hochseeschiffe befahrbar. Die Küstenschiffahrt ist ebenfalls ein wichtiger Verkehrsträger. Wegen des gestiegenen Außenhandels werden die Seehäfen ausgebaut. Die staatl. CAAC (Civil Aviation Administration of China) fliegt 90 Städte des Inlands sowie Auslandsflughäfen in Asien, Afrika, Amerika und Europa an. Internat. Flughäfen befinden sich in Peking, Schanghai und Kanton.

Geschichte ↑ chinesische Geschichte.

Politisches System: Nach der Verfassung von 1982 ist die VR C. ein „sozialist. Staat unter der demokrat. Diktatur des Volkes, der von der Arbeiterklasse geführt wird und auf dem Bündnis der Arbeiter und Bauern beruht". Als die „vier Grundprinzipien" werden bekräftigt: Sozialismus, demokrat. Diktatur des Volkes, Marxismus-Leninismus/Mao-Zedong-Ideen, Führung der Kommunist. Partei. *Legislative* und „höchstes Organ der Staatsmacht" ist der Nat. Volkskongreß, dessen rd. 3 000 Abg. für 5 Jahre indirekt in den Prov., autonomen Gebieten, regierungsunmittelbaren Stadtgebieten und in der Volksbefreiungsarmee gewählt werden. Der Nat. Volkskongreß soll einmal jährlich zusammentreten. Zw. den Sitzungen nimmt sein Ständiger Ausschuß (z. Z. 135 Mgl.) die legislativen Funktionen wahr, der auch den Staatspräsidenten (seit 1988 Yang Shangkun) und weitere führende Mgl. des Staatsapparates wählt. *Exekutive* und zentrales Verwaltungsorgan ist der Staatsrat („zentrale Volksregierung") mit dem Min.präs. an der Spitze. Der Min.präs., die Min. und die sonstigen Mgl. des Staatsrats werden auf Vorschlag des ZK der KPCh vom Nat. Volkskongreß bestellt und abberufen. Einzig entscheidende *Partei* ist die KPCh mit über 40 Mill. Mgl. Ihre wichtigsten Führungsgremien sind: das vom Parteitag gewählte Zentralkomitee (ZK) mit 175 Vollmgl. und 110 Kandidaten; das Politbüro mit 23 Vollmgl.; der Ständige Ausschuß des Politbüros mit 7 Mgl. Neben der KPCh existieren noch mehrere unbed. nichtkommunist. Parteien, die sich der KPCh untergeordnet haben und mit ihr die Nat. Front bilden.
Gewerkschaften: Dachverband der 15 Ind.gewerkschaften und 29 lokalen Gewerkschaftsräte mit insgesamt rd. 74 Mill. Mgl. ist der 1925 gegr. Allchin. Gewerkschaftsbund. Den Gewerkschaften steht weder Tarifautonomie noch Streikrecht zu.
Mittlere, direkt der Zentralreg. unterstehende *Verwaltungseinheiten* der VR C. sind die 22 Prov. und die 5 autonomen Gebiete, die jeweils in Präfekturen, Kreise und Bez. unterteilt sind, sowie die 3 regierungsunmittelbaren Stadtgebiete, die in Stadtbez. gegliedert

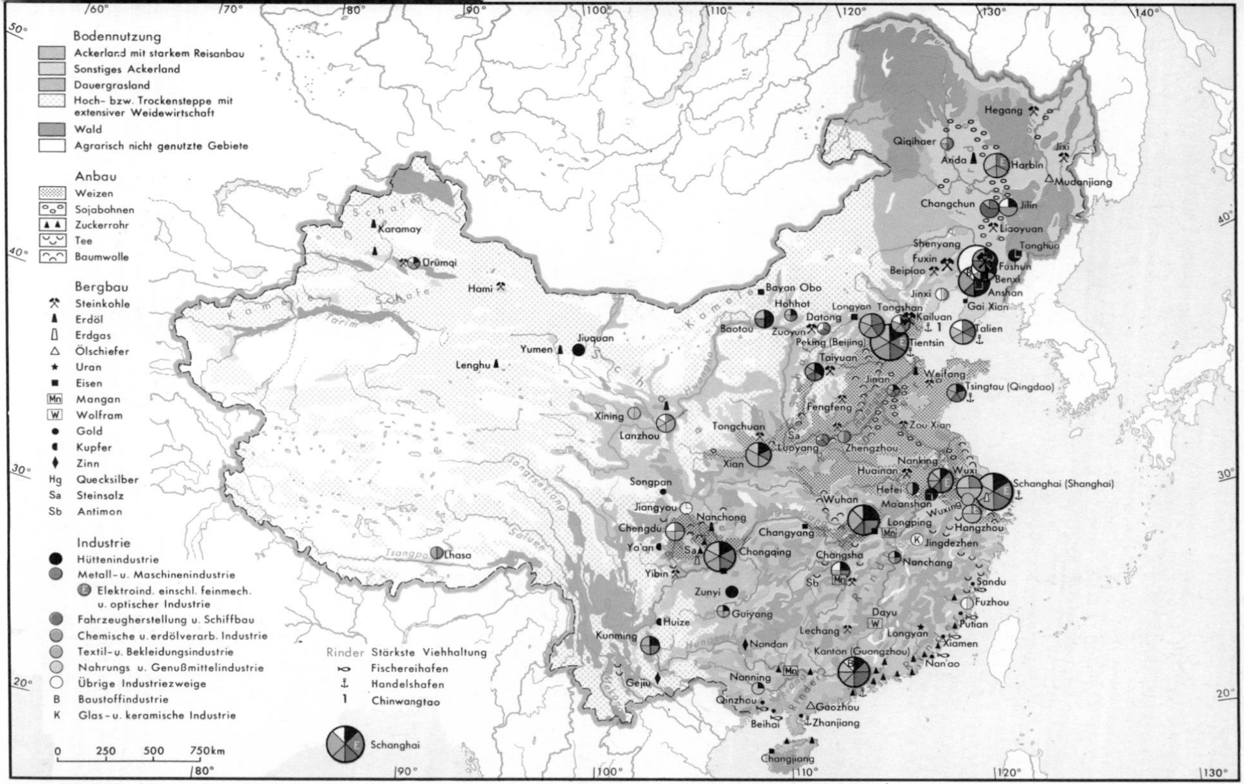
Bodennutzung
Ackerland mit starkem Reisanbau
Sonstiges Ackerland
Dauergrasland
Hoch- bzw. Trockensteppe mit extensiver Weidewirtschaft
Wald
Agrarisch nicht genutzte Gebiete
Anbau
Weizen
Sojabohnen
Zuckerrohr
Tee
Baumwolle
Bergbau
Steinkohle
Erdöl
Erdgas
Ölschiefer
Uran
Eisen
Mn Mangan
W Wolfram
Gold
Kupfer
Zinn
Hg Quecksilber
Sa Steinsalz
Sb Antimon
Industrie
Hüttenindustrie
Metall- u. Maschinenindustrie
E Elektroind. einschl. feinmech. u. optischer Industrie
Fahrzeugherstellung u. Schiffbau
Chemische u. erdölverarb. Industrie
Textil- u. Bekleidungsindustrie
Nahrungs u. Genußmittelindustrie
Übrige Industriezweige
B Baustoffindustrie
K Glas- u. keramische Industrie
0 250 500 750 km
Rinder Stärkste Viehhaltung
Fischereihafen
Handelshafen
1 Chinwangtao
Schanghai
Hegang
Qiqihaer
Anda
Harbin
Jixi
Mudanjiang
Changchun
Jilin
Liaoyuan
Shenyang
Tonghua
Fuxin
Fushun
Beipiao
Benxi
Anshan
Jinxi
Gai Xian
Bayan Obo
Hohhot
Longyan
Tangshan
Kailuan
Datong
Baotou
Zuoyun
Talien
Peking (Beijing)
Tientsin
Taiyuan
Weifang
Jinan
Tsingtau (Qingdao)
Fengfeng
Zou Xian
Tongchuan
Sa
Luoyang
Zhengzhou
Xian
Nanking
Huainan
Wuxi
Hefei
Schanghai (Shanghai)
Wuhan
Ma'anshan
Wuxing
Longping
Hangzhou
Jingdezhen
Changsha
Nanchang
Sb
Sandu
Fuzhou
Dayu
Putian
Lechang
Longyan
Xiamen
Kanton (Guangzhou)
Nan'ao
Nanning
Qinzhou
Gaozhou
Beihai
Zhanjiang
Changjiang
Karamay
Drümqi
Hami
Yumen
Jiuquan
Lenghu
Xining
Lanzhou
Songpan
Jiangyou
Nanchong
Chengdu
Changyang
Ya'an
Chongqing
Yibin
Zunyi
Guiyang
Huize
Kunming
Nandan
Gejiu
Lhasa
Tarim
Tsangpo
Saluen
Jangtsekiang
Hwangho
Mekong
Kamele
Schafe
Rinder
60°
70°
80°
90°
100°
110°
120°
130°
140°
50°
40°
30°
20°

sind. Die autonomen Gebiete wurden zur gesetzlich geschützten Selbstverwaltung der nat. Minderheiten geschaffen. Auf allen Verwaltungsebenen bestehen gewählte lokale Volkskongresse, die als ihre ständigen Organe lokale Volksreg. bestellen. Die *Rechtsprechung* wird durch das Oberste Volksgericht, die lokalen Volksgerichte aller Ebenen und die bes. Volksgerichte ausgeübt. Die Volksgerichte aller Ebenen sind den Volkskongressen der entsprechenden Ebenen und deren ständigen Organen verantwortlich. In zunehmendem Maße wurden Funktionen der Gerichtsbarkeit auf die Partei übertragen und rechtl. Sanktionen durch polit. ersetzt. Der Oberbefehl über die chin. *Streitkräfte* liegt seit der Verfassung von 1982 bei einem Zentralen Militärrat, dessen Vorsitzender dem Nationalen Volkskongreß verantwortlich ist. Im Unterschied zu den Streitkräften der meisten anderen Länder ist die „Chin. Volksbefreiungsarmee" nicht nur eine Kampftruppe, sondern gleichzeitig eine Arbeits- und Produktionstruppe. Es besteht allg. Wehrpflicht für Männer; die Dienstzeit beträgt im Heer 3, in der Luftwaffe und Marine 5 Jahre. Neben den regulären Streitkräften besteht eine bewaffnete Volksmiliz mit rd. 12 Mill. Männern und Frauen.

🕮 *Weggel, O.: C. Zw. Marx u. Konfuzius. Mchn. ³1988. – Wirtschaftsreformen u. neue Entwicklungsstrategien in der VR C. Hg. v. H. Mey u. a. 1986. – Domes, J.: Polit. Landeskunde der VR C. Bln. 1982. – Englert, S./Grill, G.: Klipp u. klar 100× C. Mhm. u. a. 1981. – C. Natur, Gesch. Gesellschaft, Politik, Staat, Wirtschaft, Kultur. Hg. v. B. Staiger. Tüb. 1980.*

Chinakohl ['çi:...] (Brassica chinensis; Pekingkohl), Kohlart aus Ostasien; alte chin. Kulturpflanze, in den gemäßigten Zonen Europas und N-Amerikas zunehmend kultiviert; mit lockerem, strunklosem Kopf aus aufrechten, schmalen oder spateligen Blättern, die als Salat oder Gemüse gegessen werden; die Samen liefern ein Speise- und Brennöl.

◆ svw. ↑Schantungkohl.

Chinamensch ['çi:...], ↑Mensch (Abstammung).

Chinampas [tʃi'nampas; mex.-span.], im alten Mexiko Flöße aus Flechtwerk, die als „schwimmende Gärten" an den Ufern der flachen (heute ausgetrockneten) Seen verankert wurden. Sie lieferten 3 bis 4 Ernten im Jahr. Heute lange, schmale Felder, von engen Kanälen durchzogen (bei Xochimilco).

Chinapapier ['çi:...], svw. ↑Reispapier.

Chinarinde ['çi:...] (Fieberrinde, Cortex Chinae); Rinde von Bäumen der Gatt. Chinarindenbaum; enthält etwa 25 Alkaloide, bes. Chinin und Chinidin; Anwendung als Fieber-, Malaria- und Bittermittel sowie bei Herzrhythmusstörungen.

Chinarindenbaum ['çi:...] (Fieberrindenbaum, Cinchona), Gatt. der Rötegewächse mit etwa 16 Arten im trop. Amerika; meist hohe Bäume mit großen ellipt. oder fast eiförmigen Blättern und rosafarbenen oder gelblichweißen Blüten in großen Blütenrispen.

Chinaseide ['çi:...], Naturseidenstoffe mit Unregelmäßigkeiten in der Garnstärke.

Chinchilla [tʃɪn'tʃɪl(j)a; span.], svw. Wollmäuse (↑Chinchillas).

◆ (Chinchillakaninchen) Hauskaninchenrasse, die vermutlich aus Kreuzungen von Blauen Wienern mit Russenkaninchen hervorgegangen ist; Fell oberseits bläulich aschgrau, unterseits weiß, bes. dicht und weichhaarig, liefert gute Pelze (Chinchillakanin).

◆ Bez. für die aus Fellen von Chinchillas gewonnenen, bes. edlen Pelzwaren.

Chinchillaratten [tʃɪn'tʃɪl(j)a] (Abrocomidae), Fam. der Meerschweinchenarten mit der einzigen Gatt. Abrocoma; von S-Peru über Bolivien und Chile bis NW-Argentinien; etwa 15–25 cm körperlang, Gestalt rattenähnlich, Fell dicht, lang und weich, ähnlich den Chinchillas, aber nicht so wollig; leben gesellig in Erdhöhlen.

Chinchillas [tʃɪn'tʃɪl(j)as; span.], (Chinchillidae) Fam. der Nagetiere mit drei Gatt. im westl. und südl. S-Amerika: Große C. (↑Viscacha), Chinchillas i. e. S. (siehe unten) und ↑Hasenmäuse; Körper etwa 22–65 cm lang, von dichtem, meist weichem und langhaarigem Fell bedeckt.

◆ (Wollmäuse, Chinchilla) Gatt. der Chinchillidae mit den beiden Arten **Kurzschwanzchinchilla** (Chinchilla chinchilla) und **Langschwanzchinchilla** (Chinchilla laniger, von dem die meisten heutigen Farmtiere abstammen) in den Anden Perus, Boliviens und N-Chiles; in freier Wildbahn weitgehend ausgerottet; etwa 22–35 cm körperlang, Fell außerordentlich weich und dicht, begehrte Pelztiere; überwiegend bläulich bis bräunlichgrau, Schwanz häufig dunkler; Tasthaare sehr lang, Augen groß, schwarz.

Chindwin, Fluß in Birma, entsteht in den Patkai Hills und in der Kumon Range (mehrere Quellflüsse), mündet in den Irawadi bei Myingyan; rd. 800 km lang.

Chinesen (Selbstbez. Han [xan], Hanchinesen), mongolides Volk in Ostasien, Hauptbevölkerung Chinas und Taiwans; etwa 1,04 Mrd.; jahrtausendalte hohe Kultur; aus mehreren, Anfang des 2. Jt. v. Chr. am unteren Hwangho lebenden Stämmen entstanden, später mit ansässigen und eindringenden Völkern verschmolzen. Seit dem 19. Jh. starke Auswanderung nach Südostasien und in die USA.

Chinesisch [çi...] ↑chinesische Sprache.

chinesische Geschichte [çi...], **Vorgeschichte:** Grabungen bei Zhoukoudian (Choukoutien) in der Nähe von Peking und Dingzun (Ting-tsun, Prov. Shanxi) brachten neben Steinwerkzeugen auch menschl. Skelettreste (Homo erectus, Sinanthropus) aus dem mittleren Pleistozän (ca. 500 000 v. Chr.) zutage. Die vollneolith. Yangshaokultur (6.–4. Jt.) lag im Flußgebiet des Hwangho (rotgrundige Tongefäße mit schwarzer Bemalung). Die folgende Longshan(Lungshan)kultur (3. Jt. und Anfang des 2. Jt.) leitet in die bronzezeitl. Anyangperiode der Shangzeit über.

Geschichte: Shangdynastie (16. Jh.–1050 [traditionell 1122] v. Chr.): Das Herrschaftsgebiet beschränkte sich auf M-China; eine feste Residenz gab es nicht. Die ersten schriftl. Zeugnisse sind die sog. Orakeltexte auf Schildkrötenschalen oder Knochen. Bekannt waren Bronzeguß, Streitwagen, wallgeschützte Städte und eine Kalenderrechnung. Höchste Gottheit war der Shangdi (Shang-ti), der Ahnengeist der Herrscherfamilie.

Zhou(Chou)dynastie (1050 [traditionell 1122]–256 v. Chr.): Im Tal des Wei He (Weiho) bildete sich eine Föderation der Sippengemeinschaft der Zhou, die im 11. Jh. v. Chr. die damalige Hauptstadt Yin eroberte und zerstörte. Die neue Dyn. organisierte sich in der Form eines Lehnsstaates; seit 770 repräsentierte das Herrscherhaus nur noch. Die *Frühling-und-Herbst-Periode* (771–481, nach anderen Angaben 771–476) – so ben. nach einer von Konfuzius redigierten Chronik des Staates Lu – ist durch die Kämpfe der Lehnsherren gegeneinander charakterisiert. Aus diesen Kämpfen ging gegen Ende der *Zeit der Streitenden Reiche* (481 [475]–221) der Staat Qin (Ch'in) durch eine Reihe von Reformmaßnahmen (freie Verkäuflichkeit von Grund und Boden, zentralisierte und militarisierte Staatsführung, Aufstellung von Gesetzen) unter Prinz Zheng (Cheng) als Sieger hervor, und China wurde vereint. Die Zerfallsphase der Zhoudynastie brachte eine Hochblüte des Geisteslebens hervor (Konfuzius, Laozi [Laotse], Zhuang Zi [Chuang Tzu]).

Qin(Ch'in)dynastie (221–206 v. Chr.): König Zheng von Qin nahm 221 den Kaisertitel Shi Huangdi (Shih Huang-ti [„Erhabener Kaiser des Anfangs"]) an. Sein Grab, eine riesige Anlage mit Tausenden von Tonplastiken, wurde 1974 bei ↑Xi'an entdeckt. In dem geeinten Staatsgebiet wurde die Vereinheitlichung der Maße, des Geldes und der Schrift durchgesetzt. Die noch bestehenden Lehnsdomänen wurden umgewandelt in Bezirke und Kreise, die der Zentrale direkt unterstanden. Die Opposition der Konfuzianer und Vertreter der untergegangenen feudalist. Gesellschaftsordnung wurde durch die Bücherverbrennung von 213 und andere Zwangsmaßnahmen unterdrückt. Nach außen wurde das Reich durch Feldzüge nach N (Ordosgebiet) und nach S vorübergehend bis in die Gegend des heutigen Kanton erweitert. Nach dem Tode Shi Huangdis kam es zu Bauernaufständen, die zum Fall der Dyn. führten.

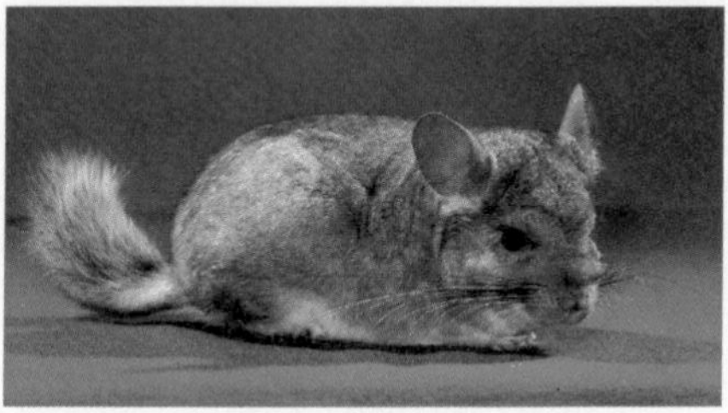

Chinchillas. Langschwanz-Chinchilla (Kopf-Rumpf-Länge etwa 25 cm)

Handynastie (206 v. Chr.–220 n. Chr.): Unter dem Gründer der Dyn. Liu Bang (Liu Pang), einem aus dem Volk aufgestiegenen Heerführer, entstand zunächst eine Art Mischstaat aus Feudaldomänen und staatl. Verwaltungsgebieten, später ein Beamtenstaat mit einer neuen Klasse von Großgrundbesitzern. Unter Kaiser Wudi (Wu-ti, 141–86) erfuhr China seine bislang größte Ausdehnung. Kriege gegen die Xiongnu endeten mit deren Niederlage. Das Interregnum Wang Mangs (9–23) und seine Versuche, die Institutionen der Zhouzeit zu restaurieren, fanden ein rasches Ende durch den Aufstand der *Roten Augenbrauen,* einer Organisation der durch Verschuldung und Überschwemmungen heimatlos gewordenen Landarbeiter. Die zunächst erfolgreiche Wiedererrichtung der Hanregierung durch die Kaisersippe Liu scheiterte am Aufstand der *Gelben Turbane,* einer Volksbewegung messian. Charakters. Im Verlauf der Unterdrückung der Aufstandsbewegungen ging die Macht an Heerführer über, die den Staat schließlich aufteilten.

Spaltung des Reiches (Zeit der Drei Reiche): Das Reich löste sich in 3 Staaten auf: Wei (220–265), Shu (221–263) und Wu (222–280). Der N und NW ging durch den Einbruch von Fremdvölkern verloren. Die Jin(Chin)dynastie (265–420) einte das Reich vorübergehend. Während der nun folgenden Spaltung (südl. und nördl. Dynastie; 420–589) wurde der Buddhismus unter Zurückdrängung des einheim. Daoismus (Taoismus) zur führenden Religion und erlangte eine beherrschende gesellschaftl. Stellung.

Suidynastie (581/89–618) und Tang-

(T'ang)dynastie (618–907): Nach der kurzlebigen Suidynastie, in deren Verlauf die Reorganisation der Verwaltung und der Wiederaufbau des Landes in Angriff genommen wurden (u. a. Ausbau des Kaiserkanals), entstand mit der von Li Yuan (Li Yüan, kanonisiert als Gaozu [Kao-tsu]) begr. Tangdynastie der konfuzian. Bürokratismus, der bis 1911 bestehen blieb. Die höf. Kultur des Reiches erlebte ihren Höhepunkt und wirkte bis nach Japan als Vorbild. Die Notlage der unteren Schichten führte zu einem Aufstand unter Huang Chao (Huang Ch'ao), in dessen Verlauf die Prov.gouverneure so erstarkten, daß der Tangstaat sich prakt. auflöste. Es folgte die Zeit der „5 Dynastien" (Wudai [Wutai]; 907–960).

Song(Sung)dynastie (960–1279): Die Songdynastie mußte den chin. Raum mit anderen Staaten teilen, von denen der Liao(Kitan)staat (907–1125) der bedeutendste war, bis er von dem Jin(Dschurdschen)staat (Chin[Tschurtschen]staat; 1115–1234) abgelöst wurde. Der während dieser Dyn. erreichte wirtsch. und auch kulturelle Höhepunkt (Verbreitung des Drucks) wurde jäh durch den Einbruch der Mongolen beendet.

Yuan(Yüan)dynastie (1271/79–1368): China wurde Teil des mongol. Weltreiches. Die Gefahr einer Vernichtung der chin. Kultur wurde erst beseitigt, als der letzte Yuankaiser – durch Volksaufstände gezwungen – sich in die Mongolei zurückzog.

Mingdynastie (1368–1644): Die in der Songzeit erreichte Machtstellung der Bürokratie wurde reduziert; der Kaiser (Gründungskaiser Taizu [T'ai-tsu], 1368–98) übernahm die Kontrolle der Ministerien und errichtete eine absolute Monarchie. Übersee-Expeditionen des Eunuchen Zheng He (Cheng Ho) führten bis nach Ostafrika. Europäer gelangten an den Kaiserhof (Matteo Ricci) und verbreiteten die Kenntnis des Christentums und der abendländ. Wissenschaften.

Qing(Ch'ing)dynastie (1644–1911/12): Heereseinheiten verschiedener Teilstämme der Mandschuren, eines halbnomad. Volks und Nachfahren der Dschurdschen, gelang es durch Zusammenschluß unter Nurhachi (Nurhatschi, 1559–1626), chin. Gebiete nördl. und nö. der Großen Mauer zu erobern. Gleichzeitig wurde das Reich im Innern durch Aufstände der von Li Zicheng (Li Tzuch'eng, 1605–45) geführten Bauernarmeen erschüttert. Im Jahre 1644 eroberte Li Zicheng mit seinen Truppen Peking. Der letzte Mingkaiser beging Selbstmord. Durch den Verrat des Minggenerals Wu Sangui (Wu San-kuei, 1612–78), der mit seinen Truppen zur Qingarmee überlief, kam es im Mai 1644 zum Einmarsch der Mandschu in die Hauptstadt und zur Errichtung der Mandschudynastie. Bis zum Ende des Kaiserreiches im Jahre 1911 stand China damit unter einer Fremdherrschaft.

Die Mandschu übernahmen den Verwaltungsapparat im wesentlichen so, wie sie ihn von der Mingdynastie vorgefunden hatten. In die Reg.zeit von Shengzu (Sheng-tsu, Herrschername Kangxi [K'ang Hsi], 1662–1722), des bedeutendsten Herrschers der Dynastie, fiel der Vertrag von Nertschinsk (1689), der erste Vertrag mit einem europ. Staat (Regelung des chin.-russ. Grenzverlaufs). Die Annexion Tibets wurde abgeschlossen. Kunst und Wiss. erlebten unter Kangxi eine neue Blüte. Unter Kaiser Gaozong (Kao-tsung, 1736–96) weitere Gebietsausdehnungen in Z-Asien. Birma und Annam wurden 1788 bzw. 1789 tributpflichtig. Das Reich erfuhr damit die größte territoriale Ausdehnung seiner Geschichte.

Seit den 30er Jahren des 19. Jh. verstärkten die westl. Mächte ihre militärisch-wirtsch. Intervention in China. Die Ausdehnung des von der brit. Ostind. Kompanie betriebenen Opiumhandels führte zu einer rapiden Verschlechterung der chin. Außenhandelsbilanz und dem Abfluß großer Silbermengen ins Ausland. Zur Durchsetzung eines von Kaiser Dao Guang (Tao Kuang) im Jahre 1839 erlassenen totalen Opiumverbots wurde Lin Zexu (Lin Tse-hsü, * 1785, † 1850) nach Kanton entsandt. Nach der chin. Niederlage in dem dadurch ausgelösten Opiumkrieg mit Großbritannien wurde 1842 zu Nanjing der erste der *Ungleichen Verträge* abgeschlossen: u. a. Abtretung Hongkongs an Großbritannien, Öffnung von fünf Vertragshäfen. Im Verlauf neuer krieger. Auseinandersetzungen drang eine brit.-frz. Flotte nach N vor; Truppen marschierten in Peking ein (1860 Plünderung und Zerstörung des Sommerpalastes). Die Verträge von Tientsin zwangen den Chinesen weitere Zugeständnisse ab: u. a. die Errichtung ausländ. Gesandtschaften in Peking, Öffnung weiterer Häfen, Handelsfreiheit für brit. Kaufleute. Ähnl. Konzessionen wurden auch Frankreich, Rußland und den USA eingeräumt. An Rußland verlor China bis 1860 die Gebiete nördlich des Amur und östlich des Ussuri.

Zusätzlich zur ausländ. Aggression wurde das Reich seit 1850 durch schwerste innenpolit. Unruhen erschüttert. Die von Hong Xiuquan (Hung Hsiu-ch'üan) geführte *Taiping-Rebellion* sammelte im Laufe der Zeit über 1 Mill. Aufständische und wurde zur größten chin. Bauernbewegung, deren Ideologie teils auf chin., teils auf abendländ.-christl. Vorstellungen beruhte. Der Aufstand konnte erst 1864 mit Hilfe ausländ. Truppen endgültig niedergeschlagen werden.

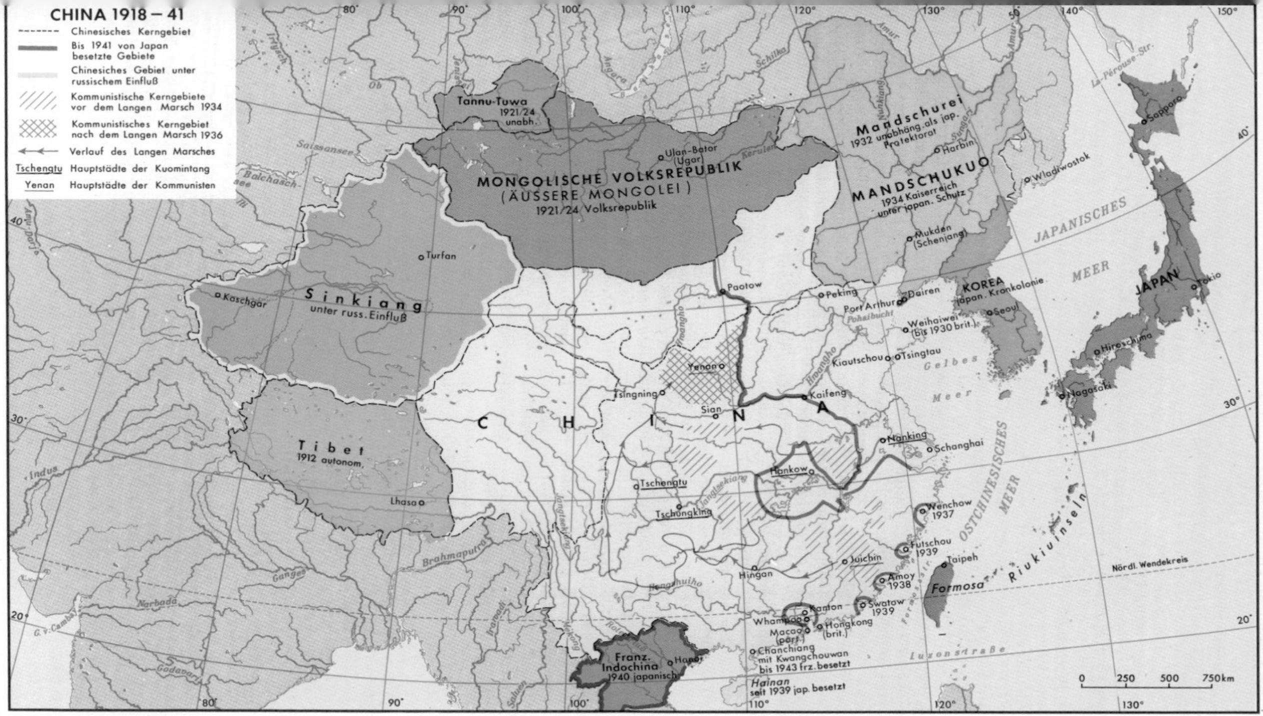
CHINA 1918 – 41
Chinesisches Kerngebiet
Bis 1941 von Japan besetzte Gebiete
Chinesiches Gebiet unter russischem Einfluß
Kommunistische Kerngebiete vor dem Langen Marsch 1934
Kommunistisches Kerngebiet nach dem Langen Marsch 1936
Verlauf des Langen Marsches
Tschengtu Hauptstädte der Kuomintang
Yenan Hauptstädte der Kommunisten
Tannu-Tuwa 1921/24 unabh.
MONGOLISCHE VOLKSREPUBLIK (ÄUSSERE MONGOLEI) 1921/24 Volksrepublik
Ulan-Bator (Ugar)
Mandschurei 1932 unabhäng. als jap. Protektorat
MANDSCHUKUO 1934 Kaiserreich unter japan. Schutz
Harbin
Mukden (Schenjang)
Wladiwostok
KOREA japan. Kronkolonie
Seoul
JAPAN
Sapporo
Tokio
Hiroschima
Nagasaki
JAPANISCHES MEER
Sinkiang unter russ. Einfluß
Kaschgar
Turfan
Tibet 1912 autonom
Lhasa
CHINA
Paotow
Peking
Port Arthur
Dairen
Pohaibucht
Weihaiwei bis 1930 brit.
Kiautschou
Tsingtau
Gelbes Meer
Yenan
Tsingning
Sian
Kaifeng
Nanking
Schanghai
Hankow
Tschengtu
Tschungking
Wenchow 1937
Futschou 1939
Taipeh
Formosa
Juichin
Amoy 1938
Swatow 1939
Hingan
Kanton
Whampoa
Macao (port.)
Hongkong (brit.)
Chanchiang mit Kwangchouwan bis 1943 frz. besetzt
Hainan seit 1939 jap. besetzt
Franz. Indochina 1940 japanisch
Hanoi
OSTCHINESISCHES MEER
Riukiuinseln
Nördl. Wendekreis
Luzonstraße
Formosastr.
Amur
Schilka
Angara
Jenissei
Ob
Irtysch
Saissansee
Balchaschsee
Amu-Darja
Indus
Ganges
Brahmaputra
Narbada
Godavari
Iravadi
Saluen
Mekong
Jangtsekiang
Hwangho
Sikiang
Nunkiang
Sungari
Kerulen
La-Pérouse-Str.
G. v. Cambay
0 250 500 750 km

Unter dem Eindruck der Aufteilung Chinas in Interessensphären durch die imperialist. Großmächte im letzten Jahrzehnt des 19. Jh. wurde 1898 unter Kang Youwei (K'ang Yuwei) eine Reformbewegung ins Leben gerufen, die jedoch am Widerstand der konservativen Partei unter Führung der Kaiserinwitwe Cixi (Tz'u Hsi) und der Intervention des Truppenführers Yuan Shikai (Yüan Shih-k'ai) scheiterte.
Als die 1899 ausgebrochene fremdenfeindl. *Boxerbewegung* die Interessen der ausländ. Mächte gefährdete, wurde Peking im Herbst 1900 von der *Vereinigten Armee der acht Staaten* (darunter auch Deutschland) besetzt (↑Boxer).
Angesichts der sich verschärfenden wirtsch. Krise und des Ausgangs des Russ.-Jap. Krieges (1905), in dem zum erstenmal eine modernisierte asiat. Macht eine europ. Großmacht besiegt hatte, konnte sich auch der Kaiserhof der Notwendigkeit von Reformen nicht länger verschließen. Die konfuzian. Staatsprüfungen, aus denen seit fast 2000 Jahren die Beamtenschaft hervorging, wurden abgeschafft, die Ausarbeitung einer Verfassung und die Errichtung eines Parlaments nach europ. Muster geplant. Überholt wurde diese Entwicklung jedoch durch die von Sun Yatsen (* 1866, † 1925) geführte revolutionäre Bewegung, deren Programm in Suns Lehre von den 3 Volksprinzipien niedergelegt war: Nationalismus, Demokratie und Volkswohlstand. Aufstände und die Bildung einer Regierung in Nanjing (1. Präs. war Sun Yat-sen) führten 1912 zur Abdankung der Qingdynastie (letzter chin. Kaiser: Pu Yi [P'u I]) und zur Gründung der Republik China.
Republik China (1912–49): Die 1912 von Sun Yat-sen gegr. *Nationalpartei* (Kuomintang [Guomindang]) konnte sich zunächst nicht gegen das von Yuan Shikai geführte Militärregime behaupten. Nach Yuan Shikais vergebl. Versuch, sich zum Kaiser einer neuen Dynastie zu erklären, und seiner Ermordung 1916 herrschte in China bis 1927 Bürgerkrieg zw. regionalen Militärführern.
Am 4. Mai 1919 demonstrierten die Studenten von Peking, unterstützt durch Solidaritätsstreiks von Arbeitern und Kaufleuten in anderen Städten, gegen die im Friedensvertrag von Versailles (1919) beschlossene Übertragung dt. Privilegien in China an Japan. Im Verlauf der auch kulturelle Erneuerung anstrebenden *Vierter-Mai-Bewegung* ersetzten Sprachreformen die klass. chin. Schriftsprache durch die moderne chin. Hochsprache. Seit der Mitte der 1920er Jahre polarisierten sich die innenpolit. Kräfte in der Auseinandersetzung zw. der Kommunist. Partei (gegr. in Shanghai, 1. Parteitag am 20. Juli 1921) und den von Chiang Kai-shek geführten Nationalisten (Kuomintang). Von Chiang Kaishek gegen kommunist. Stützpunktgebiete in Jiangxi (Kiangsi) geführte Feldzüge zwangen die *Rote Armee* auf den sog. *Langen Marsch* (Okt. 1934–Okt. 1935), einen strateg. Rückzug durch 11 Prov. In dieser Zeit setzte sich Mao Zedong (Mao tse-tung) als Führer der KP durch, deren zentraler Stützpunkt Yan'an [Yenan] in der Prov. Shaanxi [Schensi]) wurde. Schon 1931 besetzte Japan die Mandschurei, rief den unter seinem Protektorat stehenden Staat „Mandschukuo" aus und proklamierte ihn 1933 zum Kaiserreich unter dem letzten Qingkaiser Pu Yi. Die während des chin.-jap. Krieges (1937–45) gebildete Einheitsfront der Kommunisten und Nationalisten zerbrach endgültig im Aug. 1945 nach der bedingungslosen Kapitulation Japans und führte bis 1949 zu neuem Bürgerkrieg. Die kommunist. Truppen eroberten das gesamte Festland. Chiang Kai-shek mußte nach Taiwan fliehen.
Volksrepublik China (seit 1949): Am 1. Okt. 1949 verkündete Mao Zedong die Gründung der VR China. Die zw. 1950 und 1953 durchgeführte Verteilung von Grund und Boden an die Bauern war Vorstufe zu der 1953–57 betriebenen Kollektivierungspolitik, die ihren Höhepunkt in dem 1958 angestrebten *Großen Sprung nach vorn* und der Bildung von *Volkskommunen* fand. Die hierdurch ausgelösten Schwierigkeiten (die *Drei Bitteren Jahre* 1960–62) erzwangen die erste Revision des von Mao Zedong vertretenen Leitprogramms der Mobilisierung der Massen zugunsten einer dem sowjet. Entwicklungsmodell verpflichteten Politik, deren führende Vertreter Liu Shaoqi und Deng Xiaoping wurden. Dieser sog. *Kampf zweier Linien* führte in der Partei zu sich verschärfenden Macht- und Richtungskämpfen, die sich in der *Kulturrevolution* von 1966–69, aus der die Armee als Sieger hervorging, der Lin-Biao-Krise von 1971 und der Übergangskrise von 1973–77 entluden.
Das Bündnis mit der UdSSR, die China zw. 1950 und 1960 beim Aufbau des Landes unterstützt hatte, zerbrach und ließ in der von Zhou Enlai geführten Außenpolitik China die Aufnahme von Beziehungen zum Westen suchen (Aufnahme der VR China in die UN 1971, Besuch Nixons 1972, diplomat. Anerkennung durch die USA 1978).
Auf den Tod Mao Zedongs am 9. Sept. 1976 folgte die Ausschaltung der sog. *Viererbande*, der radikalen Fraktion um Maos Witwe Jiang Qing. Mit Unterstützung der Armee übernahm Hua Guofeng die Nachfolge Mao Zedongs als Vors. des ZK der KPCh. Gegen seinen Willen erzwangen regionale Militärkommandeure und Funktionärsveteranen im Mai 1977 die erneute Rehabilitierung Deng Xiao-

pings und die Wiedereinsetzung in seine Ämter (1. Stellv. Ministerpräs., stellv. Vors. des ZK der KPCh). In der Parteiführung wurde Hua Guofeng 1981 von Hu Yaobang abgelöst, diesem folgte 1987 Zhao Ziyang. Die 1978 unter maßgebl. Einfluß Deng Xiaopings eingeleitete Politik wirtsch. Reformen und der Öffnung nach außen war nicht von einer umfassenden polit. Reform begleitet. Die anvisierte Modernisierung Chinas („Sozialismus chin. Prägung") orientiert sich an den parteidoktrinären Auffassungen von der führenden Rolle der KPCh, der Diktatur des Proletariats und dem Primat des Marxismus-Leninismus in Verbindung mit den Mao-Zedong-Ideen. Die Partei wandte sich wiederholt energisch gegen jegl. „bürgerl. Liberalisierung". Die Wirtschaftspolitik war geprägt von einer deutl. Herabsetzung des Kollektivierungsniveaus in der Landw. (u.a. Auflösung der Volkskommunen), Bemühungen um eine breite Einführung von Herstellungsverfahren aus dem Westen und der vorsichtigen Zulassung kleinerer privatwirtsch. Initiativen. Widerstände in der KPCh gegen die Reformpolitik beantwortete die Führung zw. 1983 und 1986 mit einer Säuberung der Partei von „radikalen" Mitgliedern. Zu den restriktiven Maßnahmen des Reformkurses zählten die Streichung des Streikrechts aus der Verfassung (1982) und die administrativ verordnete Ein-Kind-Ehe zur Eindämmung des starken Bevölkerungszuwachses.

In der 2. Hälfte der 80er Jahre zeichneten sich erhebl., im Zusammenhang mit der Wirtschaftsreform entstandene Probleme ab (hohe Inflationsraten, steigende Auslandsverschuldung, wirtschaftsstrukturelle Disproportionen, steigende Preise). Beträchtl. personelle Veränderungen in den obersten Führungsgremien der KPCh gab es 1985 und 1987. Deng Xiaoping zog sich aus fast allen Partei- und Staatsämtern zurück, er behielt lediglich das einflußreiche Amt des Vors. der staatl. Militärkommission (bis 1990).

Außenpolitisch betreibt die chin. Führung seit 1982 eine vorsichtige Entspannungspolitik gegenüber der Sowjetunion. Mit Großbritannien einigte sich die VR China über den zukünftigen Status der brit. Kronkolonie Hongkong nach Ablauf der Pachtfrist 1997. Nachdem die Sowjetunion ihr Engagement in Afghanistan 1989 beendet und ihr Truppenaufgebot an der sowjet.-chin. Grenze reduziert hatte, kam der sowjet. Staats- und Parteichef M. Gorbatschow im Mai 1989 nach Peking zum ersten sowjet.-chin. Gipfeltreffen nach 30 Jahren. Eine zunächst von Studenten getragene friedl. Demonstration für Demokratie und Freiheit auf dem „Platz des Himml. Friedens" in Peking, die sich zu einer wochenlang anhaltenden Protestbewegung großer Bevölkerungsteile entwickelte (Massenkundgebungen bis zu 1 Mill. Teilnehmer) und auch auf andere Städte übergriff, wurde von Kampftruppen der chin. Armee am 3./4. Juni 1989 blutig niedergeschlagen. In der Folgezeit waren v.a. die führenden Teilnehmer der staatlicherseits kriminalisierten Protestaktionen repressiven Maßnahmen ausgesetzt. Parteichef Zhao Ziyang, der gegen die Militäraktion aufgetreten war, wurde durch den konservativen Führungskern um Min.präs. Li Peng und Deng Xiaoping entmachtet; er verlor sein Amt als Generalsekretär der KPCh an Jiang Zemin. Im Nov. 1989 verabschiedete die KPCh ein ökonom. Stabilisierungsprogramm („Politik der Sparsamkeit und Regulierung") und betonte das Festhalten an der Wirtschaftsreform und Öffnung. Dieser Kurs wird von Maßnahmen zur polit.-ideolog. Disziplinierung und Gleichschaltung der Bev. begleitet (Wiederaufleben maoist. Erziehungskampagnen). Die außenpolit. Isolierung seit der brutalen Niederschlagung der Demokratiebewegung versucht China durch verstärktes diplomat. und außenwirtsch. Engagement, insbes. im asiat. Raum, zu überwinden. Es normalisierte 1991 die Beziehungen zu Vietnam, 1992 die zu Südkorea und setzte sich für eine politische Lösung des Kambodscha-Konflikts ein.

🕮 *Der kurze Frühling v. Peking. Die chin. Demokratiebewegung u. der Machtkampf der Partei. Hg. v. K. Grote-Hagel u. ä. Ffm. 1990. – Weggel, O.: Gesch. Chinas im 20. Jh. Stg. 1989. – Goepper, R.: Das alte China. Gesch. u. Kultur des Reiches der Mitte. Mchn. 1988. – Gernet, J.: Die chin. Welt. Die Gesch. Chinas von den Anfängen bis zur Jetztzeit. Dt. Übers. Ffm. 1983. – Wolfram, E.: Gesch. Chinas. Von den Anfängen bis zur Gegenwart. Stg. ³1980. – Wiethoff, B.: Grundzüge der neueren c. G., Darmst. 1977.*

chinesische Kunst [çi...], **Frühzeit** (ab ca. 6000 v. Chr.): Die Buntkeramik der Yangshaokultur (Höhepunkt in Gansu [Kansu]) weist in ihrem rhythm. Linienspiel bereits ein Merkmal chin. Kunst auf, ebenso originär die unbemalte graue Ware mit Formen wie Dreifuß, spitz- und kugelförmigen Gefäßböden. Die in NO-China vorkommende unbemalte schwarze polierte Longshan(Lungshan)keramik ist schon mit der Töpferscheibe gedreht.

Shang-, später **Yinzeit** (etwa 16.–11. Jh. v. Chr.): In die Epoche der ältesten histor. Dynastie fällt die erste Blüte einer hohen Kunst mit großartigen Bronzen (Kultgefäße). Das Hauptmotiv der von plast. (Tier)ornamentik geprägten Anyangbronzen ist eine die obere Kopfpartie eines Tierdämons darstellende Maske (Tao tie; Tao-t'ieh).

Zhou(Chou)zeit (ca. 11. Jh.–256 v. Chr.): Bronzegefäße (aus dem Huaital) zeigen jetzt eine verschlungene (Tier)ornamentik. Ebenfalls neu ist die Tauschierungstechnik. Erhalten sind profane Gebrauchsgegenstände einer hochentwickelten feudalen Hofkultur (Spiegel, Jadeschmuck). Die Keramik der Shang und Zhou zeigt in Form und Ornament Anlehnung an die Bronzen. In Anyang gefundener weißer Scherben enthält bereits Kaolin. Neu zum Ende der Zhouzeit ist das Aufkommen von Glasuren, insbes. einer dunkel- bis hellgrünen Bleiglasur auf Irdenware, sowie die Erfindung des Steinzeugs, des sog. Protoporzellans. Bei Xi'an (Grabanlage des Kaisers Shi Huangdi [Shih Huang-ti], †210) wird seit 1974 eine ganze Armee (über 7 000 lebensgroße Terrakottafiguren) ausgegraben.

Hanzeit (206 v.-220 n. Chr.): Nach vereinzelten Beispielen einer figürl. Keramik mit Lacküberzug in zhouzeitl. Gräbern nehmen unter den Han die tönernen, glasierten Grabbeigaben einen breiten Raum ein. Den künstler. Höhepunkt bilden die Statuetten (Tänzerinnen, Musikanten, Krieger und Pferde). Die glatten Bronzen der Hanzeit sind durch Tauschierungen belebt. Ein wichtiges Kapitel der Hankunst bilden die schönen Lacke, die, ebenso wie die Seidenmalerei, schon in der späten Zhouzeit gepflegt wurden. Die von Palastwerkstätten der Hankaiser hergestellten Handelswaren (Lackgegenstände, Seidenstoffe) wurden v.a. in den Randgebieten des Reiches gefunden: Nordmongolei (Noin Ula) und Korea (Lolang), u.a. ein Lackkorb (Grab des Wang Guang [Wang Kuang]), dessen Figurenmalerei von konfuzian. Ethik inspiriert ist. Ähnl. Motive finden sich an den Wänden der Grabkammern wieder (Shandong).

Die Jahrhunderte der Reichstrennung (220-589): In den neugegr. buddhist. Höhlenklöstern (Dunhuang [Tunhwang], Longmen [Lungmen]) entstehen zahllose Buddhaskulpturen sowie Wandmalereien. Die höf. Kunst von Gu Kaizhi (Ku K'ai-chih; *344, †406) besticht durch Raumgefühl (Gruppierung der Figuren). Die schön geschwungene kalligraph. Linie, die für das „Knochen"gerüst wichtige Pinseltechnik, zählt der Theoretiker Xie He (Hsieh Ho, um 500) zu den obersten Regeln der Malkunst.

Tang(T'ang)zeit (618-907): Der städt. Kultur der Tang entspricht die klass. Phase der chin. Kunst mit höf. Figurenmalerei (u.a. Wu Daozi [Wu Tao-tzu]; Yan Liben [Yen Li-pen]; Han Kan, berühmt als Pferdemaler). Als Vorläufer der Song-Landschaftsmalerei gelten Li Sixun (Li Szu-Hsün, N-Schule) und Wang Wei (S-Schule). Tuschemalerei und lyr. Dichtung gehen eine spezifisch chin. Synthese ein (auf der Bildrolle erscheint zusätzlich ein Gedicht mit gleichem themat. Bezug). Bedeutend auch die feine Grabplastik aus Ton.

Wudai(Wu-tai)periode, Song(Sung)- und **Yuan(Yüan)zeit** (907-1368): Blüte der Landschaftsmalerei; Ferne und Raumtiefe werden durch einen freien Raum zw. Vorder- und Hintergrund erzeugt (Luftperspektive). Li Cheng (Li Ch'eng), Fan Kuan (Fan K'uan) und Guo Xi (Kuo Hsi) wirken im N, Dong Yuan (Tung Yüan) im S. Neben der S-Schule (kaiserl. Malakademie in Nanjing; Blüte des „Eineckstils" im 12. Jh., u.a. Ma Yuan [Ma Yüan] und Xia Gui [Hsia Kuei]) formiert sich die antiakadem. „Gesellschaft des Westgartens" (1087), sie legt den Grundstein der „Literatenmalerei" (Blüte im 13. Jh.). Die monochrome Tuschemalerei des Chan-Buddhismus beeinflußte die jap. Zen-Malerei.

Ming- (1368-1644) und **Qing(Ch'ing)zeit** (1644-1911/12): Die Traditionen der Songepoche werden weitergeführt (Landschaftsmalerei; Seladonware). Aus dem elfenbeinweißen Steinzeug der Tang und dem schon durchscheinenden Tingyao (T'ing-yao) der Song mit monochromer Glasur und reliefartig eingeschnittenem Dekor entwickelt sich das eigtl. Porzellan (Höhepunkt unter den Qing). Unter den Ming (Peking) werden zahlr. Bauten in tradierten Formen errichtet (Breithalle in Holzkonstruktion auf steinernem Sockel; das konkav geschwungene Dach auf Pfosten). Die älteste Form des Ziegelbaus ist die buddhist. Pagode, in der sich bodenständige chin. Elemente (Turm mit Studio [„Lou"]) und solche der ind. Stupa vermischt haben. Im monumentalen Steinbau sind die Balken- und Bogenbrücken (die älteste aus dem Jahre 550) von erstaunl. techn. Vollkommenheit und hoher ästhet. Wirkung. Im 17. und 18. Jh. Blüte des Farbholzschnitts. In Shanghai westl. Einflüsse.

Moderne (seit 1911/12): Nach der Revolution von 1911 werden die Traditionen in Kunst und Architektur nicht abrupt abgebrochen, sondern zunehmend neuen Inhalten verpflichtet (Arbeits- und Bauernleben, Geschichte der Revolution, v.a. in der tradierten Tuschetechnik, im Holzschnitt sowie auch als [westl.] Ölmalerei) und auch für neue Bauaufgaben zweckmäßige Formen (unter Einfügung traditioneller Elemente) entwickelt. Nach dem Ende der Kulturrevolution (1969), in der zahlr. Kunstwerke und Bauten zerstört wurden, hat die Archäologie einen bedeutenden Aufschwung erlebt; auch wurden vielerorts histor. Baudenkmäler restauriert. Es entwickelte sich auch eine breite Laienmalerbewegung, bes. der Bauernmaler aus Hu Xian (Hu-hsien, Prov. Shaanxi).

🕮 *Das alte C. Hg. v. R. Goepper. Mchn. 1988. – Kuan Yu-Chien/Häring-Kuan, P.: C. Stg. u. a. ²1985. – Elisseff, D. u. V.: Neue Funde in C. Mchn. 1983. – Lion-Goldschmidt, D., u. a.: C. K. Zürich 1980. 2 Bde.*

chinesische Literatur [çi...], in der Zhou(Chou)zeit (11. Jh.–256 v. Chr.) entstehen die ersten literar. Werke: Das „Shijing" (Shih-ching"; Buch der Lieder; Sammlung von 305 Volks- und Hofliedern sowie Ritualgesängen) und das „Yijing" (Iching; Das „Buch der Wandlungen"; Weissagebuch mag. und naturphilosoph. Inhalts). Während der Chunqiu(Ch'un-ch'iu)zeit (771–481), so genannt nach dem „Chunqiu" (den Frühlings- und Herbstannalen des Staates Lu), dem ältesten Geschichtswerk Chinas, und der Zeit der Streitenden Reiche (481–221) entstehen als Reaktion auf die unruhigen polit. Verhältnisse die „Hundert Philosophenschulen" (↑chinesische Philosophie). Die Konfuzianer redigieren die Fünf kanon. Bücher, „Shijing", Yijing", „Chunqiu" sowie „Shujing" (Shu-ching; Buch der Urkunden der Shang-Dyn.) und „Liji" (Li-chi) (Aufzeichnungen über die gesellschaftl. Normen) und die vier klass. Bücher „Lunyu" (Lun-yü) (Gespräche des Konfuzius), „Mengzi" (Meng-tzu) (Buch des Mengzi [Meng-tzu]), „Zhongyong" (Chung-yung; Innehalten der Mitte) und „Daxue" (Ta-hsüeh; Die erhabene Lehre). Diese Werke bilden ab der Hanzeit (206 v.–220 n. Chr.) bis zum 19. Jh. den Prüfungsstoff für die Staatsprüfungen, wodurch der für China charakterist. Gesellschaftsstand der „Beamtenliteraten" geformt wird: Der Staatsbeamte ist Dichter und Gelehrter, dem Dichter und Gelehrten steht als einziger Berufsweg der des Staatsbeamten offen. Das schriftunkundige Volk bleibt von der Literatur ausgeschlossen. Der erste namentlich bekannte Dichter Chinas ist Qu Yuan (Ch'ü Yüan) (* 332, † 295?) mit seinen „Chuci" (Ch'u-tzu; Elegien aus Chu). Der Konfuzianismus wird in der Hanzeit zur Staatsdoktrin. Die Historiker Sima Qian (Ssu-ma Ch'ien, * 145, † um 86) und Ban Gu (Pan Ku, * 32, † 92) begründen die bis ins 17. Jh. fortgeführte Tradition der Vierundzwanzig dynast. Geschichtswerke, die jede untergegangene Dynastie vom Standpunkt der nächsten schildern. In der Poesie entstehen das vorklass. Lied Yuefu (Yüeh-fu) und das Fu (poet. Beschreibung, eine Art lyr. Prosa), bes. vertreten von Sima Xiangru (Ssu-ma Hsiang-ju, † 117

Chinesische Kunst. Opfergefäß in Gestalt eines Elefanten (Zhouzeit, etwa 10. Jh. v. Chr.)

Chinesische Kunst. Ma Yuan, Auf einem Gebirgspfad im Frühling, Albumblatt, Tusche und leichte Farben auf Seide, zwischen 1190 und 1230 (Taipeh, Palastmuseum)

v. Chr.). Bis zur Tang(T'ang)zeit (618–907) entfaltet sich das Kunstgedicht (Shi [Shih]) in verschiedenen Formen. Berühmt ist die Bukolik des Tao Yuanming (T'ao Yüan-ming, *365, †427). Der kaiserl. Kronprinz Xiao Tong (Hsiao T'ung, *501, †531) stellt die wichtigste Quelle der chin., nicht durch die konfuzian. Dogmatik beeinflußten Literatur zus.: das „Wenxuan" (Wen-hsüan; Auswahl aus der Literatur). In der Tang(T'ang)zeit erreicht die Verskunst ihren Höhepunkt: Die später (18. Jh.) zusammengestellte „Quan Tangshi" (Ch'üan T'ang-shih"; gesammelte Gedichte der Tangzeit) umfaßt über 48 000 Gedichte von mehr als 2 200 Autoren. Hervorragend sind: Li Bo (Li Po, *699, †762), vom Daoismus beeinflußt, und Du Fu (Tu Fu, *712, †770), der dem Konfuzianismus nahesteht. Neben ihnen Wang Wei (*699, †759), Meng Haoran (Meng Hao-jan, *689, †740) und Bo Juyi (Po Chü-i, *772, †846). Die kunstvoll verfeinerte und mit gelehrten Anspielungen überladene Prosa der früheren Jahrhunderte (Bianwen [P'ien-wen], „Parallelprosa") wird durch Han Yu (Han Yü, *768, †824) und Liu Zongyuan (Liu Tsung-yüan, *773, †819) reformiert: Klar verständliche, an den Prosaklassikern des 4. und 3. Jh. orientierte literar. Prosa (Guwen [Ku-wen]). Während man die Tangzeit als Höhepunkt des Gedichts (Shi) ansprechen kann, ist die Song(Sung)zeit (960–1279, nördl. und südl. Song) Höhepunkt des klass. Liedes (Ci [T'zu]). Das Ci ist Synthese von Poetik, Prosodie und Musik. Größter Ci-Dichter ist Li Yu (Li Yü, *937, †978; „Die Lieder des Li Yu"), letzter Herrscher der südl. Tang. Außerdem, auch als Prosaisten ersten Ranges, Ouyang Xiu (Ou-yang Hsiu, *1007, †1072) und Su Dongpo (Su Tung-p'o, *1036, †1101). Unter mongol. Herrschaft 1127–1368 entstehen unter dem Einfluß der nördl. Steppenvölker die literar. Formen des Qu (Ch'ü; nachklass. Lied, Arie im Drama), die umgangssprachl. volkstüml. Erzählung und der umgangssprachl. Roman. Sieht man von den Gaukel- und Possenspielen der Han- und Tangzeit ab, hat das chin. Drama seinen Ursprung in den Schauspielen der mongol. Yuan(Yüan)zeit (1271/79–1368). Es bilden sich das nördl. und südl. Drama heraus, das eine mit Prolog, 4 Akten und Intermezzi, in den Arien (Qu) vorgeschriebene Prosodie, das andere mit nicht vorgeschriebener Anzahl der Akte und freier Prosodie. Zu nennen sind für das erste „Das Westzimmer" von Wang Shifu (Wang Shih-fu; um 1300) und für das letztere „Die Laute" von Gao Ming (Kao Ming; um 1350). Die folgende Mingzeit (1368–1644) ist die Blütezeit des chin. Romans, der früheste ist „Die Räuber vom Liang-shan Moor" von †Shi Nai'an (Shih Nai-an; *1296 [?], †1370 [?]). Der Roman „Xiyouji" (Hsi-yuchi) (Die Reise nach dem Westen [Indien]) von Wu Cheng'en (Wu Ch'eng-en, *1510, †1580) ist ein satir. Roman gegen Volksaberglauben und Buddhismus. Das „Jinpingmei" (Chin-p'ing-mei; Pflaumenblüten in der Goldvase) und seine Fortsetzung „Gehenhuaying" (Ko-lien-hua-ying; Blumenschatten hinter dem Vorhang), beide anonym, sind Höhepunkte des sozialkrit., stark mit erot. Motiven durchwobenen Gesellschaftsromans. Auf dem Gebiet der Novelle, die im Ggs. zum in Umgangssprache verfaßten Roman in klass. Literatursprache abgefaßt ist, ragt Pu Songling (P'u Sung-ling, *1640, †1715) mit seinem „Liaozhaizhiyi" (Liao-chai-chi-hi; Denkwürdige Begebenheiten aus der Studierstube Liaozhai [Liao-chai]) hervor. Das südl. Drama wird weitergepflegt mit Tang Xianzus (T'ang Hsien-tsu) Schauspiel „Mudan ting" (Mu-tan t'ing; 1588; Der Päonienpavillon; dt. u. d. T. „Die Rückkehr der Seele"). Die folgende Fremddyn. der Mandschus (Qing[Ch'ing]zeit, 1644–1911/12) bildet den Höhepunkt der klass.-philolog., wiss. Literatur. Der Roman erreicht seinen Gipfel in Cao Zhans (Ts'ao Chan, *um 1715, †1764) „Traum der roten Kammer", dem umfangreichsten und philosophisch tiefsten Roman Chinas. Bemerkenswert außerdem das „Rulin waishi" (Ju-lin wai-shih; Das Privatleben der Gelehrten) von Wu Jingzi (Wu Ching-tzu, *1701, †1754), ein zeitkrit. Werk. Das Drama im Stil der Ming wirkt weiter: v. a. Li Yu (Li Yü, *1611, †1677?), der ebenfalls bedeutendster Theaterkritiker Chinas ist, und Hong Sheng (Hung Sheng, *1659, †1704). Im 19. Jh. gewinnen die Pekingoper (Jingxi [Ching-hsi]) im Norden und die Guangdong(Kuang-tung)oper (Yuexi [Yüeh-hsi]) im Süden an Einfluß. Beide sind moralisierende Unterhaltungsstücke mit Musik und farbenprächtigen Kostümen; die Fabel geht auf histor. Ereignisse zurück. Die typisierten Rollen werden im chin. Theater seit der Regierungszeit Kaiser Gaozongs (Kao-tsung, 1736–96) nur von Männern gespielt, die gleichzeitig auch akrobat. und taschenspieler. Einlagen vorführen. Durch die gesamte Qingzeit war die Weiterentwicklung oder Neubesinnung der Literatur durch die wiederholten Bücherverbrennungen und das rigorose Verbot staatskrit. Literatur gehemmt. Folge war in vieler Hinsicht Erstarrung in Formalismus und bloße Kopie alter Vorbilder. Die polit. Revolution von 1911/12 zog die literar. nach sich. Angeführt von Hu Shi (Hu Shih, *1891, †1962) und Lu Xun (Lu Hsün, *1881, †1936) fordern die fortschrittl. Literaten den totalen Bruch mit der dogmat. literar. Tradition, insbes. eine verständl. Umgangssprache (Baihua [Pai-hua]) statt der nur Gelehrten zugängl. klass. Literatursprache

(Wenyan [Wen-yen]). Das fordern u.a. auch Ba Jin (Pa Chin, * 1904), Lao She (* 1898, † 1966) und v.a. der Historiker und Literat Guo Moruo (Kuo Mo-jo, * 1892, † 1978), der wie Lu Xun europ. Literatur übersetzt. In den Gedichten und Liedern Mao Zedongs (Mao Tse-tung, * 1893, † 1976) im klass. Stil sowie im lyr. Werk von Zhu De (Chu Teh, * 1886, † 1975) und Chen Yi (Ch'en I, * 1901, † 1972) findet eine Synthese von literar. Erbe und revolutionärem Gedankengut statt. Die zeitgenöss. Literatur steht im Geist der Reden in Yan'an (Yenan [Mao Zedong, 1942]) mit Richtlinien für eine sozialistisch-realist. Literatur. Neben den neuen literar. Formen Kurzgeschichte, Reportage und Gedicht in Umgangssprache sind nach wie vor Lyrik im klass. Stil und Kunstprosa lebendig. Bedeutsam v.a. der sog. Dichter der Bauern, Hao Ran (Hao Jan), mit „Yanyangdian" (Yenyang t'ien; Frühlingshimmel; 1964), Yang Mos „Qingchun zhi ge" (Ch' ing-ch'un chih ke; Frühlingslied; 1958), Yao Xueyins (Yao Hsüeh-yin) Biographie (1976) des Rebellen Li Zicheng (Li Tzu ch'eng; 1606–45), und Zhang Tianmins (Chang T'ien-min) Roman „Chuanye" (Ch'uan-yeh; Die Pioniere; 1977). Die moderne Lit. wird in literar. Zeitschriften mit hoher Auflage diskutiert. In Kampagnen wurden Autoren wie Ai Qing (Ai Ch'ing) und Zhou Libo (Chou Li-po) verfemt, erhielten Publikations- und Schreibverbot. Auf dem Gebiet des Dramas wurde während der Kulturrevolution (1966–69, Nachwirkungen bis 1976) die alte Pekingoper zu einer Kunstform mit revolutionärem und propagandist. Inhalt umgestaltet. Bekannt sind „Hongseniangzijun" (Hung-se-niang-tzu-chün; Das rote Frauenbataillon), „Baimaonü" (Pai-mao-nü; Das weißhaarige Mädchen) und „Zhiquweihushan" (Chih-ch'u-weihu-shan; Mit taktischem Geschick den Tigerberg erobern). Seit dem Sturz der „Viererbande" 1976 und der Rehabilitierung vieler Autoren (Lao She, Zhao Shuli [Tschao Schu-li], Wang Meng) traten zahlreiche neue Literaten hervor, u.a. Lu Xinhua (Lu Hsin-hua, * 1954), Zhang Jie (Chang Chieh, * 1939), Wang Tuo (Wang Duo, * 1944), Sheng Rong (Scheng Jong, * 1935).

📖 *Schmidt-Glintzer, H.: Geschichte der chin. Literatur. Die 3000jährige Entwicklung... Mchn. 1990. – Hsia, C. T.: Der klass. chin. Roman. Ffm. 1989. – Eberstein, B.: Das moderne chin. Theater. Hamb. 1983.*

chinesische Mathematik [çi...], die im chin. Kulturbereich etwa ab 2000 v. Chr. entwickelte und bis ins 16. Jh. betriebene eigenständige Mathematik. Schon 1000 v. Chr. besaßen die Chinesen ein Zahlensystem auf dezimaler Basis. Das älteste erhaltene Werk der c. M. ist die „Mathematik in neun Büchern" (Jiuzhang suanshu [Chiu-chang suan-shu]) aus der Hanzeit (3. Jh. v. Chr.). Es enthält Probleme der Unterhaltungsmathematik, gibt Anweisungen über das Rechnen mit Brüchen und negativen Zahlen und behandelt Aufgaben der Vermessungstechnik. Lineare Gleichungssysteme wurden mit Hilfe einer Matrizenrechnung gelöst. Auch die Berechnung rechtwinkliger Dreiecke und die näherungsweise Berechnung der Kreisfläche waren bekannt. Ein Algorithmus ermöglichte es, Quadrat- und Kubikwurzeln beliebig genau zu berechnen. Im 13. Jh. erreichte die c. M. einen Höhepunkt.

Chinesische Mauer
nordöstlich von Peking

Chinesische Mauer [çi...] (Große Mauer), in N-China errichtete Schutzmauer, erstreckt sich vom chin. Turkestan bis zum Pazifik (von Gansu bis zum Golf von Liaodong); mißt in ihrer Gesamtlänge etwa 6250 km; ab Ende des 3. Jh. errichtet, während der Herrschaft der Mingdyn. (1368–1644) in die heutige Form gebracht; Mauerhöhe bis zu 16 m, Breite am Fuß rd. 8 m, an der Krone rd. 5 m; besteht aus einem Geröllkern, mit Steinen oder Ziegeln ummantelt; besitzt Wachttürme und befestigte Tore. – Von der UNESCO zum Weltkulturerbe erklärt.

chinesische Medizin [çi...], die traditionelle chin. Heilkunde, die neben der westl. naturwiss. Medizin, dieser gleichrangig, praktiziert und erforscht wird. Das heute noch wichtige Standardwerk der inneren Medizin, „Neijing" („Nei-ching"; innere Krankheiten), wird bereits dem legendären „gelben

Kaiser" Huangdi (Huang-ti) zugeschrieben. Die ältesten medizin. Texte sind im „Zuozhuan" („Tso-chuan") enthalten (etwa 540 v. Chr.). Die aus dem 4. vorchristl. Jh. bekannte Sammlung von Krankheitsbeschreibungen „Nanjing" („Nan-ching"; Buch der Leiden) wird Bian Que (Pien Ch'üeh) zugeschrieben. Die Hanzeit brachte eine Reihe klass. Werke hervor, die jedoch bis auf das „Neijing" verlorengegangen sind. Das klass. Werk über Akupunktur schrieb Huangfu Mi (* 215, † 282), die klass. Pulslehre, die im MA auch ins Lat. übersetzt wurde, Wang Shuhe (Wang Shu-ho; 3. Jh.).

Durch die naturphilosophisch beeinflußten Schulen des Daoismus (Taoismus) konstituierte sich in der Zeit vom 3.–7. Jh. die klass. c. M. Die Chirurgie kannte den Starstich und die orthopäd. Behandlung von Knochenbrüchen. Die Verwendung von Quecksilberamalgam für Zahnfüllungen, die in Europa erst im 19. Jh. aufkam, war gebräuchlich. Durch die weit verbreitete „Materia medica" („Bencao gangmu" [„Pen-ts'ao-Kang-mu"], grundlegende Übersicht über Wurzeln und Kräuter) von Li Shizhen (Li Shih-chen; * 1518, † 1593) wurde die c. M. in Europa und den anderen Ländern des Ostens bekannt. Eine bis heute maßgebl. Enzyklopädie der Akupunktur schrieb Lis Zeitgenosse Yang Jizhou (Yang Chi-chou). In der späteren Mandschuzeit drang die westl. Medizin in weite Bereiche vor.

Die traditionalist. c. M. baut auf der Grundlage des Daoismus, bes. der Elementen- und der Yin-Yang-Lehre, sowie einigen Elementen indisch-buddhist., lamaist., iran. und arab. Herkunft auf. Die intensive klin. Untersuchung umfaßt die grundsätzl. Maßnahmen Inspektion (wang), Abhorchen und Riechen (wen), Befragung (wen) und Palpation (jie [chieh]). Die Inspektion erstreckt sich auf alle Teile des Körpers und die Ausscheidungen, für das Abhorchen sind u. a. auch Klangfarbe der Stimme, Lachen, Weinen, Schluchzen und Husten wichtig. Die Therapie benutzt in wechselnder Kombination Arzneien, Diät, Heilgymnastik, psychosomat. Techniken, Massage und Akupunktur.

chinesische Musik [çi...], die Herausbildung der chin. Musikkultur muß um die Mitte des 3. vorchristl. Jt. unter dem Einfluß älterer Kulturzentren Z-Asiens erfolgt sein. Der Mythos spricht davon, daß auf Veranlassung von Huangdi (Huang-ti) das Maß des Grundtons Huangzhong (Huang-chung; die gelbe Glocke) des chin. Tonsystems aus dem Westen ins chin. Reich geholt wurde, daß damals sogar schon die 12 Halbtöne (Lü) innerhalb der Oktave erfunden worden seien, die sich in je 6 männl. (Yang) und weibl. (Yin) teilen. Die Herausbildung der im 2. Jh. v. Chr. allg. bekannten zwölfstufigen Materialleiter absoluter Tonhöhen war ein langwieriger Prozeß, dem die Ableitung der pentaton. Gebrauchsleiter durch 4 Quintschritte vom Ton Huangzhong (Huang-chung [f']) aus vorangegangen sein muß. Die daraus resultierende Tonqualitätenreihe im Sinne unserer Solmisationssilben führte zur halbtonlosen pentaton. Gebrauchsleiter f-g-a-c-d („gong-shang-jiao-zhi-yu" [kung-shang-chiao-chih-yü]), die in bezug auf die Tonhöhe relativ und bis heute für die Melodiebildung c. M. fundamental ist. Da jeder der 5 Töne Grundton eines Modus sein kann, ließen sich aus dieser Leiter bereits 5 Tonarten bilden, die auch für die ältesten uns bekannten sakralen Hymnen bestimmend sind. Erst die aus 12 Halbtönen bestehende Skala ermöglichte es, die 5 Modi auf allen Halbtonstufen zu errichten und somit 60 halbtonfreie Modi („Diao" [Tiao]) zu bilden, die Himmelsrichtungen, Jahreszeiten, Gemütserregungen usw. zugeordnet waren. Konfuzius, der die musiktheoret. Kenntnisse der Zhou(Chou)zeit (11. Jh.–256 v. Chr.) zusammenfaßte und 300 Hymnen und Lieder sammeln ließ, überlieferte in den „Jiayu" (Chia-yü, Hausgespräche) das alte Gesetz, wonach die 12 Lü auch jeweils für einen Monat den Stammton der Fünftonleiter zu stellen hätten. Als am Ende der Zhouzeit unter dem Einfluß nördl. und westl. Völker siebentönige Melodien nach China eindrangen, wurden die pentaton. Leitern durch zwei Halbtöne „Bian" (Pien) erweitert, die indes erst in der Suidynastie (581/89–618 n. Chr.) endgültig akzeptiert wurden, so daß nun die Bildung von 84 Modi möglich war. Nach 1500 v. Chr. setzte nicht nur eine Entwicklung ein, die den Aufbau eines Rituals sakraler und höf. Zeremonien bewirkte, sondern auch zu einer mathemat. Durchdringung der musikal. Materie führte, die 1596 in der exakten Temperierung der Lü gipfelte. Die Reinhaltung der Musik für das Wohlergehen des einzelnen wie auch des Staates war stets ein primäres Anliegen der chin. Herrscher; es kam darum schon in der Zhouzeit zur Gründung eines Musikministeriums. Die zentralist. Lenkung der Musik blieb auch dann typisch für die chin. Musikkultur, als der aufkommende Buddhismus neue Musikarten bewirkte, als der dramat. Bühnentanz aufkam und sich die chin. Oper als Synthese von Gesang, Mimik und Tanz im 13. Jh. herausbildete. Ein reiches Repertoire an Volksmusik bildet heute die Basis allen neuen Musikschaffens.

🕮 *Mingyue, L.: Music of the Billion. New York 1985. – Lieberman, F.: C. M. An annotated bibliography. New York [2]1976. – Reinhard, K.: C. M. Eisenach u. Kassel [2]1957.*

Chinesische Nachtigall [çi...], svw. ↑ Chinesischer Sonnenvogel.

chinesische Naturwissenschaft [çi...], die chin. Naturbeschreibung ist nicht nur bildhaft und mehrdeutig, sondern auch praxis- und menschbezogen; es fehlt der Wunsch nach einer menschenunabhängigen, objektiven Naturerkenntnis. Allerdings war man den prakt. Auswirkungen solcher Erkenntnisse gegenüber stets aufgeschlossen (Übernahme von Ideen anderer Hochkulturen).
Vermutlich aus dem 13. Jh. v. Chr. stammt die Bestimmung der Jahreslänge zu $365^1/_4$ Tagen. Der Zeitbestimmung dienten Sonnen- und Wasseruhren. Die ältesten Nachtuhren stammen aus der Mitte des ersten Jt. v. Chr., die ältesten bekannten Sonnenuhren aus dem 5. Jh. n. Chr. Schon in vorchristl. Zeit war die Eisenhütten- und Gußtechnik weit fortgeschritten. Die Erfindung des Papiers fällt ins 2. Jh., der Buchdruck von geschnitzten Holzplatten folgte bald (das älteste erhaltene datierbare Druckwerk stammt aus dem Jahre 868). Im 8. Jh. war das Schießpulver bekannt. Weitere Erfindungen, die das Abendland übernahm oder später erneut machte, sind u. a. das Porzellan und der Kompaß, Flugdrachen, Schubkarren, Segelwagen, Kettenbrücken, Kolbengebläse, wassergetriebene Blasebälge.

chinesische Philosophie [çi...], die c. P. ist mit ihrem Grundanliegen, die Stellung des Menschen in der Gesellschaft zu bestimmen, durch große Wirklichkeitsnähe gekennzeichnet. In der ersten Blütezeit der c. P. (5.–3. Jh.) entwickelten sich die „Hundert Philosophenschulen", die unterschiedl. gesellschaftl. Bedingungen widerspiegeln. Bed. ist hier der ↑**Konfuzianismus,** der ab dem 2. Jh. in seiner Ausprägung durch Dong Zhongshu (Tung Chung-shu, * 179, † 104) bis ins 20. Jh. zur orth. Staatstheorie wurde. Der konfuzian. Humanismus löste verschiedene Gegenreaktionen aus: Die **Schule der Legalisten** um Shang Yang († 338) und Han Feizi (Han Fei-Tzu, * um 280, † 233) betonte die Unabdingbarkeit positiver „Gesetze" für die Regierbarkeit eines Staates. Im Unterschied dazu predigte die **mohistische Schule** des Mo Di (Mo Ti, * 468, † 376) eine „allumfassende Menschenliebe". Die **Schule der Daoisten** (Taoisten), begr. von Laozi (Lao-tzu, Laotse, 4./3. Jh. v. Chr.), sah das Ziel im „sich widerspruchslosen Einfügen in das im Kosmos waltende dualist. Prinzip". Ähnlich die **Yin-Yang-Schule** unter Zou Yan (Tsou-Yen, 4. Jh. v. Chr.), die naturphilosophisch orientiert war. Der seit dem 1. Jh. verstärkt nach China eindringende Mahajana-Buddhismus entwikkelte sich (gebrochen v. a. am Daoismus) in der **Schule der drei Abhandlungen** des Seng Zhao (Seng Chao, * 384, † 414), der **Fa-Xiang-Schule** (Fa-hsiang), der **Tiantai-Schule** (T'ien-t'ai) und der **Huayan-Schule** (Hua-yen) des Fa Shun († 640) weiter. Wesentl. Einfluß erlangte seit dem 7. Jh. der **Chan-Buddhismus** (Chian, jap.: Zen-Buddhismus). In der orth. Philosophie setzte sich mit Zhu Xi (Chu Hsi, * 1130, † 1200) in „realist." und mit Cheng Hao (Ch'eng Hao, * 1032, † 1085) in „idealist." Ausprägung der **Neokonfuzianismus** durch, der erst im 17. Jh. durch eine v. a. philologisch orientierte Kritik angegriffen wurde, u. a. von Dai Zhen (Tai Chen, * 1724, † 1777). In diesem Prozeß gelangte mit dem 19. Jh. zunehmend Ideengut des europ. Kulturkreises in die c. P. Sun Yat-sen (* 1866, † 1925) vertrat (daran anknüpfend) seine polit. Theorie der „Drei Prinzipien" (Nationalismus, Demokratie, Wohlfahrt des Volkes). Die „Vierter-Mai-Bewegung" von 1919 brachte eine zunehmende Beschäftigung mit der europ. (bes. marxist.) Philosophie mit sich. Mao Zedong (Mao Tse-tung, * 1893, † 1976) versuchte, den Marxismus unter den spezif. Bedingungen der chin. Gesellschaft anzuwenden. Insbes. nach der von ihm ausgelösten „Kulturrevolution" (1966–69), die für China verheerende Folgen hatte, sind (wie schon zu Beginn des 20. Jh.) erneut Diskussionen aufgelebt, die sich mit der Bewertung der traditionellen c. P., ihrem Verhältnis zum Marxismus und zu philosoph. Gedankengut beschäftigen, das durch chin. Auslandsstudenten in die VR China gelangt.

🕮 *Colegrave, S.: Yin u. Yang. Ffm. ⁶1990. – Granet, M.: Das chin. Denken. Ffm. 1985. – Forke, A.: Gesch. der chinesischen Philosophie. Hamb. ²1964. 3 Bde.*

Chinesische Rose [çi...] (Rosa chinensis), Rosengewächs aus China; niedriger, meist kaum bestachelter Strauch mit langgestielten, rosafarbenen, dunkelroten oder gelbl. Blüten. – ↑Zwergrose.

Chinesischer Sonnenvogel [çi...] (Chin. Nachtigall, Leiothrix lutea), vom Himalaja bis SO-China verbreitete, etwa 15 cm große Timalienart; Oberseite grauolivgrün, Kehle gelb, gegen die gelblichgraue Unterseite zu orangefarben; Flügel mit gelber, gelbroter und blauer Zeichnung, Schwanz leicht gegabelt; melodisch flötender Käfigvogel.

chinesische Schrift [çi...], eine Wortschrift, die kein Spiegelbild des Lautkomplexes, sondern graph. Darstellung zur Vermittlung eines komplexen Inhalts ist. Die chin. Schriftzeichen haben alle die gleiche Größe und eine quadrat. Form. Sie werden bis in die jüngste Zeit hinein von oben nach unten und von rechts nach links angeordnet, in der VR China von links nach rechts in horizontalen Zeilen. Die c. S. ist von der Aussprache unabhängig.
Unter den chin. Zeichen lassen sich 6 Kategorien unterscheiden (vgl. Tabelle Schriftzeichenklassen der chin. Schrift). Die ältesten

Schriftzeichenklassen der chinesischen Schrift

1. Einfache Bilder

木 Baum　子 Kind　人 Mensch
山 Berg　女 Frau　日 Sonne

2. Symbolische Bilder

Sonne 日 über dem Horizont _ = „früh" 旦
Sonne 日 hinter dem Baum 木 = „Osten" 東

3. Symbolische Zusammensetzungen

zwei Bäume 木 = „Wald" 林
Sonne 日 und Mond 月 = „hell" 明
Frau 女 und Kind 子 = „gut" „lieben" 好
Frau 女 unter dem Dach = „Friede" 安

4. Umkehrung

Fürst 后 umgekehrt = „Beamter" 司

5. Entlehnte Zeichen

之 chi „gehen" = Objektspronomen der 3. Person oder Genitiv- bzw. Attributpartikel

安 an „Friede" = Fragepartikel „ob, wie, wieso"

6. Zeichen mit sinnangebendem und tonangebendem Element

Insekt 虫, das lautet wie 堂 t'ang „Halle" = „Fangheuschrecke" 螳

chinesische Schriftzeichen

alte Form	moderne Form	Bedeutung	Erklärung
	手	Hand	Unterarm mit fünf Fingern
	木	Baum	Stamm mit Zweigen und Wurzeln
	子	Kind	
	心	Herz	
	雨	Regen	Himmelsgewölbe mit Regentropfen
	貝	Kostbarkeit, Reichtum	Kaurischnecke

überlieferten Zeichen werden *alte Schrift* genannt. Ihre Weiterentwicklung führt zur *Großen Siegelschrift.* Sie ist in der Gestaltung komplizierter. In der Hofkanzlei der Qin(Ch'in)dyn. wird die *Kleine Siegelschrift* verwendet, die bei gleichbleibendem Duktus die Strichzahl vermindert. Mit der Einigung Chinas (221 v. Chr.) verbreitet sie sich im ganzen Lande. Seit dieser Zeit hat die c. S. keine wesentl. Änderungen erfahren. Aus der damals gebräuchl. *Kurialschrift* geht im 4. Jh. n. Chr. die mustergültige *Normalschrift* hervor. Schon frühzeitig bilden sich im Ausgleich zu den eckigen Formen der Kurialschrift die fließenden Formen der *Kursivschrift* und die *Schnellschrift* heraus. Zur Zeit der Song(Sung)dyn. (960–1280) wird eine zierl. anmutige Nebenform der Normalschrift gepflegt, die *Songschrift.*
Wann die c. S. aufgekommen ist, läßt sich nicht mit Gewißheit sagen. Die frühesten inschriftl. Zeugnisse reichen bis in die Mitte des 2. Jt. v. Chr. zurück. Sie lassen erkennen, daß die Schrift bereits damals voll ausgebildet war. Schon 1892 suchte man eine Lautschrift einzuführen, die sich wie die mit lat. Buchstaben geschriebene Lautschrift von 1926 nicht durchsetzte. Die letzten umwälzenden Reformen fanden in der VR China statt. Die Schriftzeichen wurden zwar vereinfacht, man sah aber von der Einführung einer Lautschrift ab, weil man fürchtete, das Alphabet könnte die selbständige Ausbildung der Dialekte begünstigen und so die Einheit des Volkes gefährden. Die 1957 eingeführte latein. Umschrift (Pinyin) wurde 1979 zur offiziellen Umschrift für chin. Worte in fremdsprachigen chin. Publikationen erklärt.
🕮 *Eberhard, W.: Lex. chin. Symbole. Mchn. 1987. – Debon, G.: Grundbegriffe der chin. Schrifttheorie u. ihre Verbindung zu Dichtung u. Malerei. Wsb. 1978.*

chinesische Sprache [çi...], zu den sinotibet. Sprachen gehörende Sprache der Chinesen, die von der Sprecherzahl her die größte Sprache der Erde ist. Sie kommt in zwei Formen vor: der Umgangssprache und der klass. Sprache. Hauptbestandteil des stets einsilbigen Wortes ist ein Vokal, dem ein Konsonant vorausgehen und ein Nasal [n, ŋ] folgen kann; drittes Element ist der Tonfall, der für die Identität des Wortes entscheidend ist. Das Wort erfährt im Satz grundsätzlich keine Veränderung. Die Sprache macht die Wortbeziehung durch ein komplexes Verfahren kenntlich: bestimmte Stellung im Satz, Neubildung vielsilbiger Wörter aus den einsilbigen, wobei jedoch die Bedeutung der einsilbigen Wörter stets gewahrt und dem Sprechenden auch bewußt bleibt. – Die *Umgangssprache* gliedert sich in eine nördl. und eine südl. Dialektgruppe, zw. denen eine gegenseitige Verständigung nicht möglich ist. Zur südl. Gruppe zählen Wu, Min und Yue (Yüeh), zur nördl. der Dialekt von Peking (Mandarin), auf dessen Grundlage sich eine allg. Hochsprache herausgebildet hat (Beamtensprache, *Hochchinesisch*), die gesamtchin. Einheitssprache werden soll. In dieser Sprache werden seit der literar. Revolution von 1917 sowohl literar. als auch wiss. Texte verfaßt. Sie tritt so das Erbe der Beamtensprache an und wird *Reichssprache* bzw. *Nationalsprache* genannt. Die *klass. Sprache* wird nur gelesen und geschrieben, aber nicht im tägl. Gespräch gebraucht. Um 100 v. Chr. löste sich die Umgangssprache von der Schriftsprache. Die klass. Sprache hat einen sakralen Charakter: sie ist die Sprache der Konfuzian. Schriften, der Throneingaben und der kaiserl. Annalen; heute nur noch an Universitäten gepflegt.

📖 *Kalgren, B.: Schrift u. Sprache der Chinesen. Dt. Übers. Hdbg. 1975. Nachdr. 1989. – Chen, L., Ying Bian: Taschendolmetscher Chin. Peking 1989. – Kuan Yu Chien: Die Grundregeln des Modernen Hochchinesisch. Hamb. ²1977.*

Ch'ing, svw. Qing, ↑chinesische Geschichte.

Chingola [tʃɪŋ...], Stadt im N des Kupfergürtels von Sambia, nw. von Kitwe, 187 000 E. ⚒. Im N von C. bed. Kupfermine.

Chinin [çi...; indian.], wichtigstes Chinarindenalkaloid, erstmals 1820 von P. J. Pelletier und J. B. Caventou aus der Chinarinde isoliert; heute fast ausschließlich vollsynthetisch hergestellt; dient als fiebersenkendes Mittel und als Malariamittel; C. ist in hohen Dosen giftig. – Chem. Bruttoformel: $C_{20}H_{24}O_2N_2$.

Chinkiang ↑Zhenjiang.

Chino ['tʃi:no; span.], span. Bez. für Mischling zw. Indianer(in) und Neger(in).

Chinois [ʃino'a; frz., eigtl. „chinesisch"], kandierte, kleine, unreife Pomeranzen oder Zwergorangen.

Chinoiserie [ʃinoazə'ri:; frz.], Dekorationsstil des 18. Jh. mit chin. Motiven.

Chinolin [çi...; indian.], C_9H_7N, aromat. Stickstoffverbindung, aus Steinkohlenteer gewonnen oder synthetisch hergestellt; Ausgangsstoff für viele Arzneimittel und die Chinolinfarbstoffe (z. B. Chinolingelb für Druckfarben und Buntpapier).

Chinon [frz. ʃi'nõ], frz. Stadt, Dep. Indre-et-Loire, 40 km sw. von Tours, 8 600 E. Zentrum eines Weinbaugebiets. Die Nachbargemeinde **Avoine** ist Standort von 3 Kernkraftwerken. – Über C. die Ruinen von drei Burgen aus dem 12.–15. Jahrhundert.

Chinone [çi...; indian.], sehr reaktionsfähige cycl. Dioxoverbindungen, die sich vom Benzol, Naphthalin oder Anthracen ableiten lassen. Kennzeichen ist das **chinoide Bindungssystem** (zwei Carbonylgruppen bilden mit mindestens zwei Kohlenstoffdoppelbindungen ein System konjugierter Doppelbindungen). Viele natürlich vorkommende oder synthetisch hergestellte C. dienen als Farbstoffe (Indanthrenfarbstoffe).

Chinook [engl. tʃɪ'nʊk], i. w. S. eine indian. Sprachfamilie, Untergruppe des Penuti. I. e. S. ein ausgestorbener Stamm am N-Ufer des unteren Columbia River.

Chinook [engl. tʃɪ'nʊk; nach den Chinook-Indianern], warmer, trockener, föhnartiger Fallwind an der Ostseite der Rocky Mountains, meist mit rascher Schneeschmelze verbunden.

Chinwangtao ↑Qinhuangdao.

CHIO [frz. seaʃi'o], Abk. für: Concours Hippique International Officiel, offizielles internat. Reitturnier mit den Disziplinen Dressur, Springen und Viererzugfahren; in der BR Deutschland traditionell in Aachen. – ↑CSIO.

Chioggia [italien. 'ki̯ɔddʒa], italien. Stadt in Venetien, am S-Ende der Lagune von Venedig, auf Pfählen erbaut, 54 000 E. Bischofssitz; Fischereihafen. – Dom (11. Jh.; 1662–74 erneuert), spätgot. Kirche San Martino (14. Jh.).

Chios ['çi:ɔs], Stadt auf der griech. Insel C., 24 000 E. Hauptstadt des Verw.-Geb. C.; orth. Bischofssitz; Museen; Fischfang. ⚓. – 9 km von C. entfernt liegt das Frauenkloster Nea Moni (1042–54) mit bed. Goldmosaiken (um 1054; restauriert).

C., griech. Insel im Ägäischen Meer, durch einen 8 km breiten Sund von der türk. Küste getrennt, 806 km², Hauptstadt C.; bis 1 267 m hoch. Agrarisch intensiv genutzt ist v. a. das Hügelland im SO-Teil. Abbau von Marmor, Schwefel und Antimon.

Geschichte: Von Ioniern besiedelt; ab Mitte 6. Jh. v. Chr. unter pers. Herrschaft; später Mgl. des Att.-Del. Seebunds; in hellenist. Zeit und unter. röm. Herrschaft (ab 190 v. Chr.) weitgehend autonom; ab 1304 unter genues., ab 1566 unter osman. Herrschaft; kam erst 1912 zu Griechenland.

Chip [engl. tʃɪp], dünnes Halbleiterplättchen (Größe meist einige mm²) als Träger mikroelektron. Schaltungen. Herstellung (jeweils einer Vielzahl gleicher C.) auf sog. *Wafers,* meist Siliciumeinkristallscheiben von rund 12 cm Durchmesser, durch gezieltes Aufbringen elektrisch leitender, halbleitender und isolierender Schichten sowie von Dotierungsstoffen, genauestes Bearbeiten (z. B. Ätzen kleinster „Fenster"), Anbringen von Kontakten, Einbringen bzw. Vergießen in Gehäusen. C. können Millionen elektron. Schaltelemente enthalten und komplizierteste Funktionen ausführen. C. dienen auch als

Giorgio de Chirico. Großes metaphysisches Interieur; 1917 (Privatbesitz)

Datenspeicher in Computern, wobei der sog. *Megabit-C.* 1 Mill. Bit (entspricht etwa 100 Schreibmaschinenseiten) speichern kann.

Ch'i Peng-fei, chin. Politiker, ↑Qi Bengfei.

Chipkarte [engl. tʃɪp], einen Chip enthaltende, programmierbare Kunststoffkarte z. B. für bargeldlosen Geldverkehr, Bedienung von Zugangskontrollsystemen.

Chipmunks [engl. 'tʃɪpmʌŋks; indian.], Gruppe nordamerikan. Erdhörnchen mit rd. 20 Arten; Körper etwa 8–16 cm lang, häufig mit hellen und dunklen Längsstreifen; Schwanz meist knapp körperlang mit starker Behaarung; vorwiegend bodenbewohnend.

Chippendale, Thomas [engl. 'tʃɪpəndeɪl], ≈ Otley (Yorkshire) 5. Juni 1718, ▭ London 13. Nov. 1779, engl. Kunsttischler. – Schuf einen von guten Proportionen und Zweckmäßigkeit geprägten neuen engl. Möbelstil **(Chippendalestil).** Berühmt wurde sein Vorlagenbuch „The gentleman and cabinet maker's director" (1754).

Chips [engl. tʃɪps], kalte knusprige Kartoffelscheibchen (roh in Fett gebacken).

◆ beim Roulett die Spielmarken.

chir..., Chir... (chiro..., Chiro...) [griech.], Bestimmungswort von Zusammensetzungen mit der Bedeutung „Hand..."

Chirac, Jacques René [frz. ʃi'rak], * Paris 29. Nov. 1932, frz. Politiker. – 1972–74 Landwirtschaftsmin., 1974 Innenmin.; 1974–76 und 1986–88 Premiermin.; 1974/75 Generalsekretär der gaullist. UDR und seit 1976 Vors. des RPR; seit 1977 Bürgermeister von Paris.

Chiragra ['çi:...; griech.], Gicht in den Hand- und Fingergelenken.

Chiricahua [engl. tʃɪrɪ'kɑ:wə], Apachenstamm in SO-Arizona, USA; wegen der Kämpfe gegen Mexikaner und Amerikaner unter ihren Anführern Cochise, Victorio, Loco und Geronimo auch in der populären Literatur über den Westen bekannt geworden.

Chirico [italien. 'ki:riko], Andrea de (De) ↑Savinio, Alberto.

C., Giorgio de (De), * Wolos (Griechenland) 10. Juli 1888, † Rom 20. Nov. 1978, italien. Maler. – Bruder von A. de Savinio. 1917 entwickelte er mit Carlo Carrà die ↑Pittura Metafisica, die er jedoch bereits 1919/20 zugunsten einer akadem. Malweise wieder aufgab. Zu seinen Hauptwerken zählen: „Die Vergeltung der Wahrsagerin" (1913; Philadelphia Museum of Art), „Melancholie und Geheimnis einer Straße" (1914; Privatsammlung), „Der große Metaphysiker" (1917; New York, Museum of Modern Art), „Die beunruhigenden Musen" (1916; Mailand, Gianni-Mattiolo-Stiftung), „Großes metaphys. Interieur" (1917). Sein Frühwerk ist eine Parallelerscheinung zum Surrealismus.

Chirimoya [tʃi...; indian.] (Rahmapfel), grüne, kugelige bis eiförmige, bis 20 cm große Sammelfrucht des amerikan. Annonengewächses Annona cherimola, das in den Tropen und Subtropen angebaut wird. Das weiße, zarte Fruchtfleisch schmeckt leicht säuerlich und ähnlich wie Erdbeeren oder Ananas.

Chiriquí [span. tʃiri'ki], höchster Berg Panamas, ein erloschener Vulkan, 3 475 m.

Chirographum [çi...; griech. „Handschreiben"] (Charta partita, Charta indentata, Zerter), im ma. Recht: Urkundenart, vorwiegend im privaten Rechtsverkehr gebräuchlich; zw. die doppelte oder dreifache Ausfertigung eines Vertrags auf einem Pergamentblatt wurden Buchstaben oder Worte geschrieben, die durchschnitten wurden. Jeder Partner erhielt so eine Urkunde, deren Echtheit durch Zusammenfügen mit dem Gegenstück bewiesen werden konnte.

Chirologie [çi...] (Cheirologie, Chirognomie), svw. ↑Handlesekunst.

◆ die Hand- und Fingersprache der Taubstummen (↑Taubstummensprache).

Chiromantie [çi...; griech.], svw. Handwahrsagekunst (↑Handlesekunst).

Chiron ['çi...] ↑Cheiron.

Chironja [tʃi'rɔŋxa; span.], Zitrusfrucht aus Puerto Rico mit gelber, leicht zu lösender Schale; sehr saftig und von zartem Aroma;

vermutlich aus einer natürl. Kreuzung zw. Grapefruit und Orange entstanden.

Chiropraktik [çi...], manuelles Einrichten „verschobener" Wirbelkörper und Bandscheiben durch ruckartige Drehung der Wirbelsäule oder direkte Einwirkung auf die Dornfortsätze, um den zu Schmerzen führenden Druck auf Nerven zu beheben. Voraussetzung ist weitgehende Entspannung der Muskulatur (Massage, Einleitung einer Narkose). – 1895 von D. Palmer in Amerika entwickelt, als sog. **Chirotherapie** auch bzw. vorwiegend von Ärzten ausgeführt. Die C. setzt eine gründl. diagnost. und röntgenolog. Untersuchung voraus.

Chirripó Grande [span. tʃirri'po 'ɣrande], höchster Berg Costa Ricas und höchster nichtvulkan. Berg M-Amerikas, 3 920 m.

Chirurg [çi...; griech., eigtl. „Handwerker"], Facharzt für ↑Chirurgie.

Chirurgenfische, svw. ↑Doktorfische.

Chirurgie [çi...; griech.], Fachgebiet der Medizin, das sich mit der Heilung von Wunden, Knochenbrüchen und von mechanisch verursachten Organerkrankungen sowie mit der operativen Behandlung von Geschwülsten, Mißbildungen und eitrigen Infektionen befaßt. Die C. gliedert sich in viele Spezialfächer, wie Thorax-C. (Brustkorb), Bauch-C., Neuro-C. (Gehirn, Rückenmark und Nerven), Herz-C., Gefäß-C., plast. C. (Wiederherstellungs-C.), sept. C. (Infektionen), Traumatologie (Unfall-C.). Moderne Geräte und Instrumente ermöglichen große operative Eingriffe. Voraussetzung dafür sind Narkosen, Bluttransfusionen und Asepsis.
Geschichte: Die C. ist einer der ältesten medizin. Bereiche. Die Behandlung von Knochenbrüchen, die Schädeltrepanation (Schädelöffnung) und der Kaiserschnitt wurden vermutlich bereits in vorgeschichtl. Zeit durchgeführt (hochstehende chirurg. Leistungen schon im alten Ägypten). Im MA wurden Aderlaß, Zahnextraktion, Steinschnitt bei Blasensteinen, Starstich u. a. von umherziehenden Chirurgen, Badern und Feldschern ausgeführt. Im 18. Jh. wurde die C. ein medizin. Universitätsfach. Im 19. Jh. nahm die C. ihren größten Aufschwung mit der Einführung der Antisepsis und der Asepsis, der Entdeckung der Mikroben als Krankheitserreger sowie der Entwicklung der Anästhesie. Im 20. Jh. kamen neue Methoden und Hilfsmittel wie Röntgendiagnostik, künstl. Beatmung, Bluttransfusionen, Wiederbelebungsmethoden, die Herz-Lungen-Maschine, Intensivtherapie, ferner Sulfonamide und Antibiotika dazu.

Chişinău [rumän. kiʃi'nəʊ] (bis 1991 Kischinjow), Hauptstadt Moldawiens, am Byk, 665 000 E. Univ. (gegr. 1945), 6 Hochschulen, Moldawische Akad. der Wiss.; mehrere Museen und Theater. Weinkellerei, Obst- und Gemüsekonservenind., Tabak-, Textil-, Leder-, metallverarbeitende Ind.; ✈. – 1466 erstmals erwähnt, 1812 an Rußland, 1918–40 und 1941–44 bei Rumänien.

Chissano, Joaquim Alberto, * Chibuto 22. Okt. 1939, moçambiquan. Politiker. – 1962 Mitbegr. der FRELIMO, seit Nov. 1986 deren Vors. und Staatspräsident Moçambiques.

Chitarrone [ki...; italien.; zu griech. kithára „Zither"], italien. Baßlaute mit über den 1. Wirbelkasten geradlinig verlängertem Hals, an dessen Ende ein zweiter Wirbelkasten für die Bordunsaiten sitzt.

Chitin [çi...; griech.], stickstoffhaltiges Polysaccharid, bildet den Gerüststoff im Außenskelett der Gliederfüßer (auch in Zellmembranen von Pilzen).

Chiton [çi...: griech.], Gatt. der Käferschnecken mit dicken, stark gerippten Schalenplatten; an den europ. Küsten.

Chiton [çi...; griech.], griech. ärmelloses Gewand aus einem Stück, über einer Schulter zusammengehalten durch eine Fibel.

Chittagong ['tʃi...], Hafenstadt in Bangladesch, an der Mündung des Karnafuli in den Golf von Bengalen, 1,84 Mill. E. Kath. Bischofssitz; mehrere Colleges; zahlr. Banken und Handelsniederlassungen; Stahlwerk, Erdölraffinerien, Werften, Papierind.; Eisenbahnendpunkt, Exporthafen, ✈. – Mit Unterbrechungen ab 1287 zum Kgr. von Arakan; 1666 zum Mogulreich; fiel 1760 an die brit. Ostind. Kompanie.

Chiusa [italien. 'kiusa] ↑Klausen.

Chiusi [italien. 'kiusi], italien. Stadt in der Region Toskana, 40 km westlich von Perugia, 9 100 E. Bischofssitz; Etrusk. Museum. – Das antike **Camars** (lat. **Clusium**) war eine bed. Stadt der Etrusker; Hauptstadt eines langobard. Hzgt. – Dom (12. Jh.) mit Kampanile.

Chiwa ['çi:...], Stadt in einer Oase am unteren Amudarja, Usbekistan, 26 000 E. Baumwollentkörnung, Teppichweberei. – Als Stadt im 10. Jh. erwähnt; 1511 Hauptstadt des Khanats von C., 1873 an Rußland, 1924 zur Usbek. SSR. – Oriental. Altstadt, von einer Mauer umgeben, mit zahlr. Baudenkmälern.

Chladni, Ernst Florens Friedrich ['kla...], * Wittenberg 30. Nov. 1756, † Breslau 3. April 1827, dt. Physiker. – Begründer der experimentellen Akustik; untersuchte die mechan. Schwingungen zahlr. Körper und entdeckte die nach ihm benannten C.-Figuren.

Chladni-Figuren (Klangfiguren; nach E. F. F. Chladui), Bez. für die Gesamtheit derjenigen Linien bzw. Flächen, die bei Erregung stehender Wellen in elastisch schwingenden Medien ständig in Ruhe bleiben.

Chlamydien [çla...; griech.] (Bedsonien, Chlamydiales, Bedsoniales), Ordnung der

Bakterien mit etwa 10 Arten; 0,2 bis 0,7 µm große, innerhalb der Zellen lebende Parasiten bei Vögeln und Säugetieren; beim Menschen Erreger der ↑Papageienkrankheit und des ↑Trachoms.

Chlamydomonas [çla...; griech.], Gatt. einzelliger Grünalgen v. a. in Süßwasser und feuchter Erde; Zellen meist ellipsoidisch, 15 bis 18 µm groß. Die frei bewegl. Arten tragen zwei gleich lange Geißeln.

Chlamydosporen [çla...; griech.], Dauersporen der niederen und höheren Pilze.

Chlamys ['çla:mys, çla'mys; griech.], kurzer griech. Schultermantel aus einer rechteckigen Tuchbahn; über dem Chiton getragen und über der rechten Schulter festgesteckt.

Chlebnikow, Welimir (eigtl. Wiktor) Wladimirowitsch [russ. 'xljɛbnikɐf], * Malyje Derbety (Gouv. Astrachan) 9. Nov. 1885, † Santalowo (Gouv. Nowgorod) 28. Juni 1922, russ. Lyriker. – 1912 Mitunterzeichner des futurist. Manifests; neben semant. klarer Prosa experimentelle Lyrik.

Chloasma [klo...; griech.], bräunl. Pigmentierung im Gesicht, die während der Schwangerschaft *(C. uterinum),* bei Einnahme von Ovulationshemmern oder durch Kosmetika auftritt, jedoch rückbildungsfähig ist.

Chlodio ['klo:...], † um 460, fränk. König. – Erster histor. bezeugter Merowinger, König eines sal. Teilstammes im heutigen Brabant; eroberte ein Gebiet bis zur Somme; 432 von Aetius geschlagen.

Chlodomer I. ['klo:...], * 495, ⚔ 524, fränk. König (seit 511). – Sohn Chlodwigs I., erhielt bei der Teilung von 511 den S des älteren Reichsbestandes (Hauptstadt: Orléans), bald auch den N Aquitaniens; fiel im Kampf (seit 523) gegen Burgund.

Chlodwig I. ['klo:tvıç], * um 466, † Paris 27. Nov. (?) 511, fränk. König (Merowinger). – Sohn Childerichs I., dem er um 482 als König der sal. Franken folgte. Beseitigte allmähl. durch List, Verrat und Gewalt alle fränk. Gaukönige und dehnte das Fränk. Reich, zu dessen Mittelpunkt er 508 Paris machte, durch Eroberung des röm. gebliebenen Teils Galliens (Sieg über Syagrius bei Soissons 486/487) sowie eines großen Teils Alemanniens (496/506) und Aquitaniens (d. h. des östl. Teils des westgot. Tolosan. Reiches; 507) aus. Mit seiner Taufe (wohl 498) durch Bischof Remigius in Reims geriet er in Ggs. zu dem arian. Ostgotenkönig Theoderich d. Gr. C. übernahm das zentralist. Verwaltungssystem der Römer, bewahrte aber auch die german. Tradition (1. Kodifizierung der Lex Salica).

Chlor [klo:r; zu griech. chlōrós „gelblichgrün"], chem. Symbol Cl, nichtmetall. Element aus der VII. Hauptgruppe (↑Halogene) des Periodensystems der chem. Elemente; Ordnungszahl 17, relative Atommasse 35,453; ein stechend riechendes, zweiatomiges, gelbgrünes Gas, Schmelzpunkt −100,98 °C, Siedepunkt −34,6 °C, Dichte

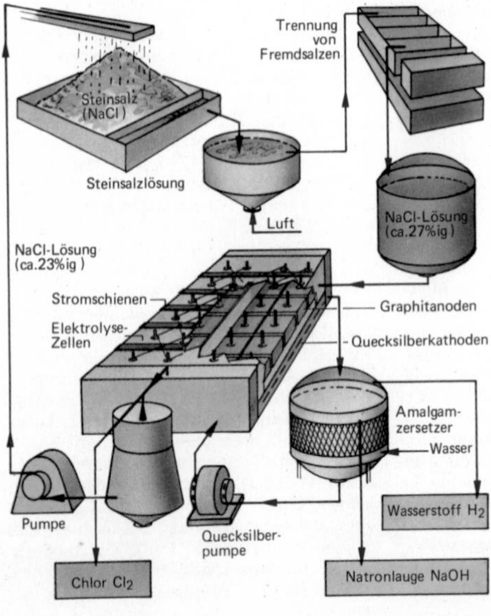

Chloralkalielektrolyse. Schematische Darstellung des Quecksilber- oder Analgamverfahrens

3,214 g/l; unter Druck leicht verflüssigbar, in Wasser löslich. C. gehört zu den chem. reaktionsfähigsten Elementen, reagiert bes. heftig mit Alkalimetallen (unter Lichterscheinung) und mit Wasserstoff (↑Chlorknallgas). C. kommt in großen Mengen in Form seiner Salze (↑Chloride) in der Erdkruste und im Meerwasser vor. Die techn. Gewinnung erfolgt v.a. durch die ↑Chloralkalielektrolyse. Verwendung findet C. zur Herstellung anorgan. und organ. C.verbindungen (Chloride, Hypochlorite, Chlorate, Bleichmittel, Kunststoffe, Farbstoffe) und zur Desinfektion von Wasser. – K. W. Scheele stellte 1774 C. her, indem er Salzsäure auf Braunstein einwirken ließ; 1810 wurde es als Element erkannt.

Chloralkalielektrolyse ['klo:r...], wichtiges großtechn. Verfahren zur Gewinnung von Alkalilaugen (v.a. Natronlauge), Chlor und Wasserstoff aus Alkalichloriden unter Einwirkung des elektr. Stroms. – Beim **Quecksilber-** oder **Amalgamverfahren** laufen Anoden- und Kathodenvorgang in zwei getrennten Zellen ab; in der einen Zelle wird an der Anode Chlor abgeschieden, während sich an der Quecksilberkathode Natriumamalgam ($NaHg_x$) bildet, das in der zweiten Zelle, dem Amalgamersetzer, an Graphitkohle mit Wasser zu bes. reiner (chloridfreier) Natronlauge und Wasserstoff zersetzt wird ($NaHg_x + H_2O \rightarrow NaOH + xHg + 1/2H_2$). Beim **Diaphragmaverfahren** sind Anoden- und Kathodenraum durch ein Diaphragma getrennt, das den Stromtransport ermöglicht, eine Wiedervereinigung der Elektrolyseerzeugnisse jedoch verhindert.

Chloramine [klo...], Verbindungen des Ammoniaks bzw. der Amine, bei denen Chloratome direkt an den Stickstoff gebunden sind. Grundkörper der Verbindungsgruppe ist das **Chloramin,** $Cl-NH_2$, das u.a. bei der Einwirkung von Hypochlorit auf Ammoniak entsteht. Techn. Bed. haben bes. die organ. C., RNHCl bzw. R_2NCl (R Alkyl- und/oder Arylreste), die als Chlorierungs-, Oxidations- und Bleichmittel sowie als Desinfektionsmittel verwendet werden.

Chloramphenicol [klo...; Kw.], Breitbandantibiotikum mit sehr guter bakteriostat. Wirkung bei Typhus, Paratyphus, Keuchhusten u.a. C. wurde 1947 aus verschiedenen Streptomyzesarten isoliert und wird seit 1949 vollsynthetisch hergestellt.

Chlorargyrit ['klo:r...; griech.] (Chlorsilber, Silberhornerz, Kerargyrit), graues bis gelbes oder schwarzes bis braunes kubisches Mineral, AgCl; Silbergehalt bis zu 75%; wichtiges Silbererz. Mohshärte 1,5; Dichte 5,5 g/cm³.

Chlorate [klo...; griech.], Salze der Chlorsäure (↑Chlorsauerstoffsäuren), allg. Formel Me^IClO_3; leicht wasserlösl. Verbindungen, die als Oxidationsmittel für Sprengstoffe und Feuerwerkskörper verwendet werden.

Chlordan [klo:r...; Kw.], als Insektizid verwendete aromat. Verbindung.

Chlorella [klo...; griech.], weltweit verbreitete Gatt. der Grünalgen mit etwa 10 Arten in Gewässern, feuchten Böden und als Symbionten in Flechten und niederen Tieren.

chloren ['klo:rən] ↑chlorieren.

Chlorfluorkohlenstoffe ↑Fluorchlorkohlenwasserstoffe.

Chloride [klo...; griech.], Verbindungen des Chlors mit Metallen und Nichtmetallen, z.B. Salze der Salzsäure. In der Natur treten C. in Form zahlr. Minerale (z.B. Steinsalz, Sylvin, Karnallit) auf; in der organ. Chemie sind die C. wichtige Alkylierungsmittel.

chlorieren [klo...; griech.], in einer chem. Verbindung bestimmte Atome oder Atomgruppen durch Chloratome ersetzen.
◆ (chloren) mit Chlor[gas] behandeln und dadurch keimfrei machen, z.B. Trinkwasser.

Chlorite [klo...; griech.], meist unbeständige Salze der Chlorsäure(III), allg. Formel Me^IClO_2; richtiger Nomenklaturname: Chlorate(III). C. dienen in saurer Lösung vielfach als Bleich- und Oxidationsmittel.

Chlorkalk ['klo:r...] (Bleichkalk), Formel CaCl (OCl), ein ↑Hypochlorit; zum Bleichen, als Desinfektionsmittel und zum Sterilisieren von Trinkwasser verwendet.

Chlorkautschuk ['klo:r...], durch Chlorierung von Synthese- und Naturkautschuk gewonnenes Produkt.

Chlorknallgas ['klo:r...], aus gleichen Teilen Chlorgas und Wasserstoff bestehendes Gemisch; setzt sich bei Wärmezufuhr oder Lichteinstrahlung explosionsartig zu Chlorwasserstoff um: $H_2 + Cl_2 \rightarrow 2\,HCl$ ($\Delta H = -184{,}8$ kJ/Mol).

Chlorkohlenwasserstoffe ['klo:r...], aliphat. oder aromat. ↑Kohlenwasserstoffe, in denen ein oder mehrere H-Atome durch Cl-Atome ersetzt sind. Eine spezielle Gruppe von C. wurde v.a. als Insektizide (↑Schädlingsbekämpfungsmittel) bekannt, die biochemisch nur sehr langsam abgebaut werden und in die Nahrungskette gelangen können. In den westl. Ind.ländern hat man deshalb weitgehend die Anwendung dieser Verbindungen verboten.

Chlorobakterien [klo...; griech.] (Grüne Schwefelbakterien, Chlorobiaceae), Fam. der Bakterien mit etwa 10 Arten, v.a. in sauerstofffreien, durch Faulprozesse schwefelwasserstoffhaltigen Süß- und Meeresgewässern.

Chloroform [klo...; Kw. aus *Chlor*kalk und lat. acidum *formi*cicum „Ameisensäure"] (Trichlormethan), $CHCl_3$, leicht flüchtige, nicht brennbare Flüssigkeit; Verwendung v.a. als Lösungsmittel, früher als Inhalationsanästhetikum.

Chlorom [klo...; griech.] (Chlorosarkom), bei akuter Leukämie selten auftretende, meist sehr bösartige Geschwulst, die bes. im Knochenmark und in anderen blutbildenden Organen vorkommt.

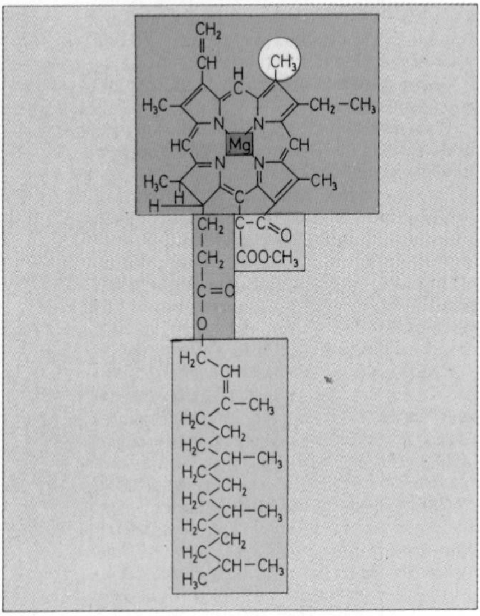

Chlorophyll a. Porphyrinsystem (braunes Feld) mit Zentralatom Mg (grün), Cyclopentanonring (hellbraun); Propionsäurerest (dunkelblau), dessen Carboxylgruppe mit Phytol (hellblau) verestert ist. Beim Chlorophyll b ist die gelbe Methylgruppe durch eine Aldehydgruppe ersetzt

Chlorophyll [klo...; zu griech. chlōrós „gelblichgrün" und phýllon „Blatt"] (Blattgrün), Bez. für eine Gruppe biolog. äußerst bedeutsamer Pigmente, die den typ. Pflanzenzellen ihre grüne Farbe verleihen und sie zur ↑Photosynthese befähigen. Der Grundbaustein eines C.moleküls ist das Pyrrol. Im C. vereinigen sich vier Pyrrolkerne über Methinbrücken ($-CH=$) zu einem ringförmigen Porphingerüst. Das Zentrum des Porphinrings ist von einem komplexgebundenen Magnesiumatom besetzt. Am dritten Pyrrolring setzt ein fünfgliedriger, isocyclischer Ring an, dessen Carboxylgruppe ($-COOH$) mit Methylalkohol (CH_3OH) verestert ist. Als Seitenketten sind vier Methyl- ($-CH_3$), eine Äthyl- ($-C_2H_5$) und eine Vinylgruppe ($CH_2=CH-$) sowie ein Propionsäurerest ($-C_2H_4COOH$) vorhanden. Der Propionsäurerest ist mit einem langkettigen Alkohol verestert. Typisch für alle assimilierenden Pflanzenzellen ist das blaugrüne *Chlorophyll a.* In allen Blütenpflanzen und in zahlr. Klassen der Kryptogamen (Grünalgen, Moose, Farne u.a.) wird es vom gelbgrünen *Chlorophyll b* begleitet, bei dem die Methylgruppe des zweiten Pyrrolrings durch eine Aldehydgruppe ($-CHO$) ersetzt ist. Bei verschiedenen Algenklassen treten an die Stelle des C. b die *Chlorophylle c, d* und *e.* Die Fähigkeit der C.moleküle zur Absorption sichtbaren Lichtes beruht wesentl. auf dem Vorhandensein der zahlr. konjugierten Doppelbindungen. V.a. wird rotes und blaues Licht absorbiert. Zus. mit verschiedenen Karotinoiden bilden die C. die Pigmentsysteme I und II (↑Photosynthese). In der *Medizin* findet **Chlorophyllin,** ein Verseifungsprodukt des C., Anwendung als Medikament in Form von Dragees, Salben oder Pulvern gegen Geschwüre, Ekzeme, Abszesse, Furunkel sowie zur Wundheilung; außerdem wird es auch bei allg. Schwächezuständen, niedrigem Blutdruck und zur Stoffwechselsteigerung angewendet. Eine weitere Bed. hat C. als Färbemittel für Spirituosen, Fette, Seifen, Wachse und kosmet. Präparate.

Chloroplasten [klo...; griech.] ↑Plastiden.

Chloropren [klo...; Kw.] (2-Chlor-1,3-butadien), $CH_2=CH-C(Cl)=CH_2$, ein Chlorkohlenwasserstoff, hergestellt aus Butadien durch Chlorieren; farblose, sehr reaktionsfähige, giftige Flüssigkeit; dient zur Herstellung von C.kautschuk (↑Synthesekautschuk).

Chloropsie [klo...; griech.], vergiftungsbedingtes „Grünsehen", z.B. bei ↑Botulismus.

Chloroquin [klo...; griech./indian.], Chinolinderivat, wichtig als Medikament zur Behandlung und Vorbeugung gegen Malaria und Rheumatismus.

Chlorosarkom [klo...; griech.], svw. ↑Chlorom.

Chlorose [griech.], (Bleichsucht) ↑Anämie.

◆ bei Pflanzen fehlende oder gehemmte Ausbildung des Blattgrüns; kann u.a. durch Eisen- und Lichtmangel bedingt sein.

Chlorpromazin ['klo:r...; Kw.], farbloses, bitter schmeckendes Derivat des Phenothiazins; dient als Neuroleptikum.

Chlorsauerstoffsäuren ['klo:r...], durch Einleiten von Chloroxiden in Wasser entstehende Verbindungen. Man unterscheidet: hypochlorige Säure, *Chlorsäure(I), $HClO$,* chlorige Säure, *Chlorsäure(III), $HClO_2$,* Chlorsäure, *Chlorsäure(V), $HClO_3$,* und Perchlorsäure, *Chlorsäure(VII), $HClO_4$.*

Chlorsilber [klo:r], svw. ↑Chlorargyrit.

Chlorwasserstoff ['klo:r...] (Salzsäuregas), HCl, farbloses, stechend riechendes, unbrennbares Gas, das sich in Wasser zu Salzsäure löst; raucht stark an feuchter Luft. Entsteht als Nebenprodukt bei der Chlorierung organ. Substanzen.

Chlorwasserstoffsäure ['klo:r...], svw. ↑Salzsäure.

Chlothar ['klo:tar], fränk. Könige aus dem Hause der Merowinger:

C. I., * um 500, † Compiègne 29. Nov. (Dez.?) 561. - Sohn Chlodwigs I., erhielt bei der Reichsteilung 511 das altsal. Land im N (Hauptstadt: Soissons), dazu den S Aquitaniens, 524 Tours mit Poitiers; übernahm 558 das Gesamtreich.

C. II., * 584, † Ende 629. - Sohn Chilperichs I., König in Neustrien seit 584 (zunächst unter der Regentschaft seiner Mutter Fredegunde); vereinigte 613 das ganze Frankenreich; mußte 614 dem Adel im „Edictum Chlotharii" Zugeständnisse machen.

C. III., * 649, † 673. - Sohn Chlodwigs II., folgte diesem 657 in Neustrien unter der Regentschaft seiner Mutter; kurze Zeit auch König in Austrien, das er 662 seinem Bruder Childerich II. überlassen mußte.

Chlysten ['xlystən; russ. „Geißler"], Mgl. einer Mitte des 17. Jh. entstandenen russ. Gemeinschaft (Selbstbez. „christy" [Christen] oder „boschji ljudi" [Gottesleute]) mit durch myst. und ekstat. Züge gekennzeichneter Frömmigkeit. Heutiger Bestand ungeklärt.

Chmelnizki (Chmielnizki), Sinowi Bogdan Michailowitsch [russ. xmɪlj'nitskij], * um 1595, † Tschigirin (Ukraine) 6. Aug. 1657, Hetman der Kosaken (seit 1648) und ukrain. Nationalheld. - Leitete, unterstützt von den Krimtataren, 1648 den ukrain. Kosakenaufstand gegen die poln. Magnaten; strebte für die Kosaken eine Autonomie in der Ukraine an, leistete 1654 den Eid auf den Moskauer Zaren Alexei Michailowitsch, der diesen Akt als Unterwerfung und „Wiedervereinigung der Ukraine mit Rußland" auslegte.

Chmelnizki [russ. xmɪlj'nitskij], Gebietshauptstadt im W der Ukraine, am Südl. Bug, 237 000 E. Maschinenbau.

Chňoupek, Bohuslav [slowak. 'xnjɔu̯pɛk], * Preßburg 10. Aug. 1925, tschechoslowak. Politiker. - 1971-88 Außenminister.

Chnum [xnu:m], ägypt. Gott in Gestalt eines Widders oder eines Menschen mit Widderkopf; vielerorts verehrt als Gott, der auf der Töpferscheibe die Menschen formte.

Choanen [ço...; griech.], paarige Öffnungen der Nasenhöhle in den Nasenrachenraum bei vierfüßigen Wirbeltieren (einschl. Mensch) und fossilen Quastenflossern.

Chocó [span. tʃo'ko], Dep. in W-Kolumbien, am Pazifik und Karib. Meer, 46 530 km², 297 000 E (1985). Hauptstadt Quibdó.

Choctaw [engl. tʃɔktɔ:], volkreichster Stamm der westl. Muskogee; die meisten Großsiedlungen lagen in Z- und SO-Mississippi, USA; heute etwa 19 500 in Oklahoma und 5 000 in Louisiana.

Choden ['xo:dən], tschech. Bevölkerungsgruppe an der böhm. W-Grenze, im 11. und 12. Jh. als Wehrbauern angesiedelt.

Daniel Chodowiecki. Selbstporträt des Künstlers mit seiner Familie; Radierung, 1771

Choderlos de Laclos, Pierre Ambroise François [frz. ʃɔdɛrlodla 'klo] ↑Laclos, Pierre Ambroise François Choderlos de.

Chodowiecki, Daniel [kodovi'ɛtski, ço..., xo...], * Danzig 16. Okt. 1726, † Berlin 7. Febr. 1801, dt. Kupferstecher, Zeichner und Maler poln. Abkunft. – 1764 Mgl. der Akademie in Berlin, 1797 deren Direktor. Seine Radierungen, vorwiegend Illustrationen zu Almanachen und Kalendern, auch zu literar. Werken, und Handzeichnungen schildern das zeitgenöss. bürgerl. Alltagsleben. – Abb. S. 263.

Chodschent ↑Chudschand.

Choiseul-Amboise, Étienne-François, Marquis von Stainville, Herzog von [frz. ʃwazœlã'bwa:z], * Nancy 28. Juni 1719, † Paris 8. Mai 1785, frz. Staatsmann. – Günstling der Marquise de Pompadour; seit 1758 Min. des Auswärtigen, 1761–66 Kriegsmin., beherrschte bis 1770 die frz. Außenpolitik; setzte 1762 das Verbot des Jesuitenordens in Frankreich durch; 1770 gestürzt.

Choke [engl. tʃoʊk; zu to choke „würgen"] (Starterklappe), im Lufteintrittsrohr des Vergasers sitzende Klappe, bei deren Betätigung der Luftzutritt in den Vergaser gedrosselt wird, so daß eine Verfettung (Anreicherung mit Kraftstoff) des Kraftstoff-Luft-Gemischs eintritt und der kalte Motor leichter anspringt.

Chol [tʃɔl], Indianerstamm der Maya-Sprachgruppe, leben in den trop. Wäldern des mex. Staates Chiapas; etwa 90 000.

chol..., Chol... ↑chole..., Chole...

Cholagoga [ço...; griech.], galletreibende Mittel; dabei werden **Cholekinetika** (bewirken eine Entleerung der Gallenblase) und **Choleretika** (bewirken eine erhöhte Galleproduktion in den Leberzellen) unterschieden.

Cholämie [ço...; griech.], Übertritt von Gallebestandteilen ins Blut, u.a. bei Verschluß der ableitenden Gallenwege oder Leberschaden; bewirkt Gelbsucht.

Cholangiographie [ço...; griech.] ↑Cholezystographie.

Cholangitis [ço...; griech.] ↑Gallenblasenentzündung.

chole..., Chole... (selten: cholo..., Cholo...; vor Vokalen: chol..., Chol...) [griech.], Bestimmungswort von Zusammensetzungen mit der Bed. „Galle..., Gallenflüssigkeit...".

Choledochus [çole'dɔxʊs, griech.], svw. ↑Ductus choledochus (↑Gallengang).

Choleinsäuren [ço...; griech./dt.] ↑Gallensäuren.

Cholekinetika [ço...; griech.] ↑Cholagoga.

Cholelith [ço...; griech.], svw. ↑Gallenstein.

Cholelithiasis [ço...; griech.], svw. ↑Gallensteinkrankheit.

Cholelithotripsie [ço...; griech.], Zertrümmerung von Gallensteinen, mechanisch bei operativem Eingriff oder durch Ultraschall.

Cholera ['ko:...; griech., zu cholḗ „Galle"] (C. asiatica, C. epidemica), in Asien und Afrika epidem. und endem. auftretende, meist schwere, akute Infektionskrankheit mit Erbrechen, heftigen Durchfällen und raschem Kräfteverfall. Erreger ist das Bakterium *Vibrio cholerae,* das durch infizierte Lebensmittel und Trinkwasser übertragen wird; es vermehrt sich hauptsächlich im Darm der Erkrankten und wird mit dem Stuhl ausgeschieden. Nach einer Inkubationszeit von 1–4 Tagen setzt die Krankheit plötzl. mit Erbrechen und heftigen, reiswasserähnl. Durchfällen ein. Die großen Flüssigkeitsverluste führen innerhalb kurzer Zeit zum spitzen, verfallen aussehenden C.gesicht, zu Kollaps mit Blauverfärbung und Erkalten der Gliedmaßen, zu allg. Untertemperatur, verminderter Harnausscheidung, Anurie und raschem Kräfteverfall. Unbehandelt fallen bis zu 70% der Erkrankten dem ersten C.anfall zum Opfer. Die Behandlung der C. besteht in möglichst rascher, reichl. Flüssigkeitszufuhr, am wirksamsten in Form intravenöser Infusionen steriler Salzlösungen, und in der Applikation von Breitbandantibiotika. Zur Vorbeugung der C. werden Impfungen mit abgetöteten Erregern durchgeführt. Die C. gehört weltweit zu den quarantäne- und meldepflichtigen Erkrankungen.

Geschichte: Im 19. Jh. wurden weite Gebiete von mehreren, ein bis zwei Jahrzehnte dauernden C.pandemien heimgesucht. 1892 starben bei einer Epidemie in Hamburg etwa 8 000 Menschen innerhalb von sechs Wochen. Der Erreger der C. wurde 1883 von Robert Koch isoliert.

Choleretika [ço...; griech.] ↑Cholagoga.

Choleriker [ko...; griech.], unter den hippokrat. Temperamentstypen der zu starken Affekten neigende Mensch.

Cholesteatom [ço...; griech.] (Perlgeschwulst), gutartige, mit entzündl. Reaktionen verbundene Plattenepithelgeschwulst des Mittelohrs, die zur Knochenaufzehrung und evtl. Infektionsüberleitung zum Innenohr und Gehirn führt; die Behandlung erfolgt operativ.

Cholesterin [ço...; zu griech. cholḗ „Galle" und stereós „fest, hart"] (Cholesterol), wichtigstes, in allen tier. Geweben vorkommendes Sterin. C. kann in allen Geweben gebildet werden, jedoch entstehen im menschl. Körper etwa 92% in Leber und Darmtrakt. Im Blut liegt C. zu etwa 65% mit Fettsäuren verestert vor; die Gesamtmenge ist hier abhängig von Alter und Geschlecht sowie Ernährung; sie steigt von etwa 200 mg pro 100 ml im Alter von 20 Jahren auf 250–290 mg mit 60 Jahren an. Ein zu hoher *C.spiegel* im Blut kann die Entstehung von Arterienverkalkung fördern, bei der C.ester auf den Gefäßwänden abgelagert werden, die später verkalken. C.reiche Nahrungsmittel sind Eigelb, Butter und fettes Fleisch. Eine Verringerung des C.spiegels wird durch eine Ernährung mit hochungesättigten pflanzl. Fetten erreicht. Abbau und Ausscheidung des C. finden in der Leber statt. Das mengenmäßig wichtigste Abbauprodukt sind die Gallensäuren. Ein weiteres Abbauprodukt wird in die Haut transportiert und geht dort bei Sonnenbestrahlung in das Vitamin D_3 über. Etwa ¼ des tägl. gebildeten C. wird v. a. in der Nebennierenrinde und den Keimdrüsen zu Steroidhormonen umgebaut.

Cholezystektomie [ço...; griech.], das operative Entfernen der Gallenblase.

Cholezystitis [ço...; griech.], svw. ↑Gallenblasenentzündung.

Cholezystographie [ço...; griech.], Röntgendarstellung der Gallenblase nach Einnahme oder Einspritzung jodhaltiger Kontrastmittel, häufig sind auch die Gallenwege in die Untersuchung einbezogen **(Cholangiographie)**; dient v. a. der Feststellung von Gallensteinen, entzündl. Herden und Geschwülsten der Gallenblase und Gallengänge; ist auch zur Leber- und Gallenblasenfunktionsprüfung geeignet.

Choliambus [ço...; griech. „Hinkjambus"], antikes Versmaß; jamb. ↑Trimeter, dessen letzter Halbfuß durch einen Trochäus ersetzt ist:

◡–́◡–́ | ◡–́◡–́ | ◡–́–́◡.

Cholin [ço...; griech.] (2-Hydroxyäthyltrimethylammonium-hydroxid), in der Natur, meist als Bestandteil des ↑Lezithins, weit verbreitete organ. Base von großer physiolog. Bedeutung. C. wird als Mittel bei Leberschäden verwendet; zudem wirkt es auf die Tätigkeit der glatten Muskulatur (Blutgefäße, Darm, Uterus). – ↑Acetylcholin.

Cholm [xɔlm] ↑Chełm.

cholo..., Cholo... ↑chole..., Chole...

Cholos ['tʃo:lo:s; span.], Mischlinge aus Indianern und Mestizen in Südamerika.

Cholsäure ['ço:l...] ↑Gallensäuren.

Choltitz, Dietrich von ['kɔl...], *Schloß Wiese bei Neustadt O. S. 9. Nov. 1894, †Baden-Baden 4. Nov. 1966, dt. General. – Lehnte als Wehrmachtsbefehlshaber von Paris 1944 die Durchführung von Hitlers Befehl ab, ohne Rücksicht auf Wohnviertel und Kunstdenkmäler alle Brücken und wichtigen Einrichtungen zu zerstören und übergab die Stadt kampflos.

Cholula de Rivadabia [span. tʃo'lulaðerriβa'ðaβi̯a], mex. Stadt im Staat Puebla, im zentralen Hochland, 2149 m ü. d. M., 20000 E. – Um 800 n. Chr. von einer Gruppe von Mixteken, Azteken u. a. erobert, wurde Hauptort eines Reiches; der Tempel der Hauptpyramide (größte Mesoamerikas: 160000 m² Grundfläche, 55 m Höhe), dem Quetzalcoatl geweiht, war bed. Kultzentrum des vorspan. Mexiko; Mitte 15. Jh. von den Azteken erobert; wichtiger Handelsplatz und berühmtes Töpferzentrum des aztek. Reiches; 1519 durch die Spanier weitgehend zerstört; nach Wiederaufbau 1537 Stadtrecht.

Ruhollah Chomaini (1979)

Chomaini, Ruhollah [pers. xomei̯'ni:] (Chomeini, Khomeini), *Chomain 17. Mai 1900, †Teheran 3. Juni 1989, iran. Schiitenführer (Ajatollah) und Politiker. – Sammelte im Exil in Irak und Paris die Gegner des Schahs um sich. Nachdem Schah Mohammad Resa Pahlawi im Jan. 1979 Iran verlassen hatte, kehrte C. im Febr. 1979 nach Teheran zurück und setzte die letzte vom Schah ernannte Reg. ab. Ohne ein offizielles polit. Amt zu bekleiden, stand er an der Spitze der von ihm im April 1979 ausgerufenen Islam. Republik Iran; baute eine streng islam. orientierte Gesellschaftsordnung auf und ging kompromißlos gegen religiös und polit. Andersdenkende vor. Zunächst Vertr. eines harten Kurses im Krieg gegen Irak (seit 1980), willigte er 1988 in einen Waffenstillstand ein.

Chomjakow, Alexei Stepanowitsch [russ. xɐmɪ'kɔf], *Moskau 13. Mai 1804, †Iwanowskoje (Gebiet Lipezk) 5. Okt. 1860, russ. Schriftsteller. – Bed. Theoretiker der Slawophilen; Verf. religiöser und polit.-nat. Lyrik und Dramen.

Chomsky, Noam [engl. 'tʃɔmskɪ], *Philadelphia 7. Dez. 1928, amerikan. Sprachwissenschaftler. – 1955 Prof. für Linguistik in Cambridge (Mass.); Begründer der generativen Transformationsgrammatik. – *Werke:* „Strukturen der Syntax" (1957), „Aspekte der Syntax-Theorie" (1965).

Chomutov ['xɔ...] ↑Komotau.

chondr..., Chondr... ↑chondro..., Chondro...

Chondriosomen [çɔn...; griech.], svw. ↑Mitochondrien.

Chondrite [çɔn...; griech.] ↑Meteorite.

Chondritis [çɔn...; griech.], Entzündung des Knorpelgewebes.

chondro..., Chondro... (selten auch chondri..., Chondri...; vor Vokalen meist chondr..., Chondr...) [griech.], Bestimmungswort von Zusammensetzungen mit der Bed. „Knorpel..., Knorpelgewebe...".

Chondrodermatitis [çɔn...], Ausbildung linsengroßer, weißgelber, sehr druck- und kälteempfindl. Knötchen am oberen Rand der Ohrmuschel; wahrscheinl. verursacht durch Verletzungen oder Erfrierungen mit nachfolgender entzündl. Degeneration der Knorpelhaut; kommt fast nur bei Männern vor.

Chondrodystrophie [çɔn...] (Chondrodysplasie), erbbedingte Knorpelbildungsstörung bei Tier und Mensch. Die C. führt zur Verminderung des Längenwachstums der Gliedmaßen und zu Zwergwuchs. Eine Behandlung ist bislang nicht möglich.

Chondroitinschwefelsäure [çɔndroi...; griech./dt.], aus Glucuronsäure, Chondrosamin und Schwefelsäure bestehendes ↑Mukopolysaccharid; Hauptbestandteil der menschl. und tier. Binde- und Stützgewebe.

Chondrom [çɔn...; griech.], gutartige Geschwulst des Knorpelgewebes, v.a. an Fingern und Zehen.

Chondrosarkom ['çɔn...], vom Knorpelgewebe ausgehende bösartige Geschwulst; häufig betroffen sind die langen Röhrenknochen, aber auch Becken, Rippen und Wirbelsäule.

Chondrozyten ['çɔn...] ↑Knorpel.

Chongqing [chin. tʃʊŋtɕɪŋ] (Chungking, Tschungking), chin. Stadt an der Mündung des Jialing Jiang in den Jangtsekiang, 2,83 Mill. E. Univ., Fachhochschulen und Forschungsinst. (u.a. für Zitrusfrüchteanbau), Museum; elektron., Schwerind., Maschinenbau, Seiden-, Baumwollind., Erdölraffinerie; größter Binnenhafen SW-Chinas, ✈. – Vermutlich zu Beginn der Zhouzeit gegr.; 1876 zum Vertragshafen erklärt; 1937/38–1946 Sitz der Zentralregierung Chinas.

Choniates, Michael [ço...], * Chonai um 1138, † Muntinitsa um 1222, griech. Theologe und Schriftsteller. – Seit 1182 Metropolit von Athen, 1204 vertrieben, seit 1217 in Muntinitsa nahe den Thermopylen; hinterließ v.a. Predigten, hagiograph. Arbeiten und Briefe.

Chons [xɔns; ägypt. „Wanderer"], ägypt. Gott des Mondes; menschengestaltig, mit Sonnenscheibe und Mondsichel auf dem Kopf dargestellt.

Chopin, Fryderyk (Frédéric) [frz. ʃɔ'pɛ̃], * Żelazowa-Wola bei Warschau 22. Febr. 1810 (laut Taufurkunde; nach eigenen Angaben am 1. März 1810), † Paris 17. Okt. 1849, poln. Komponist und Pianist. – Trat bereits achtjährig in Konzerten auf. 1831 ließ er sich in Paris nieder, wo er Aufnahme in die Kreise der das Kunstleben beherrschenden Musiker (Liszt, Berlioz, Meyerbeer) sowie Literaten (Heine, Balzac) und durch sie Zugang zu den aristokrat. Salons fand. C. war als Pianist und Komponist ebenso geschätzt wie als Lehrer. Liszt vermittelte C. Verbindung mit der Dichterin George Sand, die ihn im Winter 1838 nach Mallorca begleitete, wo er Heilung einer aufgebrochenen Lungentuberkulose suchte. Von einer Konzertreise nach London und Schottland kehrte er 1848 todkrank zurück. Seine Kompositionen wurzeln in der poln. Volksmusik und verbinden geistvolle Intellektualität mit stark gefühlsbetonter Ausdruckskraft. C. romant.-poet. Klavierkunst hat die Klaviermusik stark beeinflußt.

Werke: Für Klavier und Orchester: Klavierkonzerte e-Moll op. 11 (1830) und f-Moll op. 21 (1829); Große Fantasie über poln. Weisen op. 12 (1828); Konzertrondo „Krakowiak" op. 14 (1828); Große Polonaise Es-Dur op. 22 (1831/32). – Klaviertrio op. 8 (1828/29) und Stücke (u.a. Sonate op. 65) für Violoncello und Klavier. – Für Klavier: 16 Polonaisen, 60 Mazurken, 22 Walzer, 3 Sonaten, 20 Nocturnes, 27 Etüden, 4 Balladen, 25 Préludes, 4 Impromptus, 4 Scherzi, Variationen, Fantasien und weitere Einzelstücke.

Chopper [engl. 'tʃɔpə], (Chopping tool), Hauer bzw. Hauwerkzeug, aus einer Geröllknolle oder einem Steinbrocken geschlagen; gehören zu den frühesten menschl. Werkzeugen; als C.-(Chopping-tool-)Kreis werden die altpaläolith. Fundgruppen O-Asiens von der Faustkeilkultur abgegrenzt.

◆ (Zerhacker) mechan., elektr. oder elektron. Vorrichtung zum „Zerhacken" eines Licht- oder Teilchenstrahles oder einer Gleichspannung in einzelne Impulse.

Chor [ko:r; griech.], urspr. der [kult.] Tanzplatz, dann auch der mit Gesang verbundene Tanz und die ausführende Personengruppe *(Theater).* – Der altgriech. C. bestand aus einem C.führer und den maskierten Chorsängern (Choreuten). Älteste Form einer chor. Aufführung war der Vortrag durch den Chorführer, unterbrochen durch die refrainartigen Rufe des C. Bei Aischylos noch fest in die Handlung integriert, steht der C. bei Sophokles außerhalb des dramat. Geschehens und hat nur noch deutend-betrachtende und allenfalls mahnende, warnende und bemitleidende Funktion. Im geistl. Spiel des MA ist der C. Bestandteil des festl. liturg. Rahmens. Die Chöre im Drama des 16. Jh.

(↑Humanistendrama) dienen der Aktgliederung.

◆ in der *Musik* die Gemeinschaft von Sängern im gemeinsamen Vortrag einer Komposition bei mehrfacher Besetzung der Einzelstimme, in der einstimmigen Musik (z. B. im Gregorian. Gesang) ebenso wie in der Mehrstimmigkeit. Von der Sängergruppe wurde die Bez. auch auf die für sie bestimmte Komposition übertragen. Eine Differenzierung der Chöre erfolgt durch die Nennung der beteiligten Gruppen (z. B. Männer-, Knaben-, Frauen-, Mädchen-, Kinder-C.), der Stimmenzahl (z. B. vierstimmiger C.) oder im Blick auf ihre Bestimmung als Kirchen-, Kammer-, Opernchor.

◆ in der *kirchl. Baukunst* der für die Sänger (den C.) bestimmte Ort in der Kirche. In der altchristl. Basilika war C. der Platz vor dem Altar; dieser Platz wurde in größeren Bauten durch das Querhaus erweitert. Im frühen MA wurde nördl. der Alpen der C. bzw. die Vierung vom Schiff durch C.schranken abgetrennt. Der C. konnte ins Langhaus verlängert werden. Da die Errichtung von Nebenaltären ebenfalls C.räume erforderl. machte, entstanden C.kapellen, die beiderseits des Hauptaltarraumes oder diesen umgebend angeordnet wurden. Etwa seit der Mitte des 14. Jh. wurde der C. aus der Vierung verlegt und jenseits des Querhauses mit dem Altarraum zu einem Raum vereinigt, der fortan als C. bezeichnet wurde (seitdem auch die Bez. ↑Chorumgang). – **Doppelchörige Anlagen** (Kirchenbauten mit zwei gegenüberliegenden Chören) wurden v. a. wegen des Kults eines Nebenpatrons, einer wichtigen Grabanlage oder einer angeschlossenen Kongregation gebaut.

Choral [ko...; zu mittellat. (cantus) choralis „Chorgesang"], seit dem Spät-MA gebrauchte Bez. für den ↑Gregorianischen Gesang.

◆ seit dem Ende des 16. Jh. verwendete Bez. für das volkssprachige ev. ↑Kirchenlied.

Choralnotation [ko...], die zur Aufzeichnung der Melodien des Gregorian. Gesangs aus den ↑Neumen entwickelte Notenschrift. Es gibt zwei Formen: die *Quadratnotation* (röm. C.), die an der quadrat. Form der Noten erkennbar ist, und die got. oder dt. C. (auch *Hufnagelnotation),* die in Parallele zur got. Schrift rautenförmige Noten ausbildet.

Chorasan [xo...] (Chorassan, Khorasan), Gebiet, das den NO Irans umfaßt, als Verw.-Geb. 313 337 km², 5,3 Mill. E (1986). Hauptstadt Meschhed; wird im N von Ketten des Gebirgsbogens zw. Elbursgebirge und Paropamisus durchzogen, hat im W Anteil an den großen inneriran. Wüsten, die nach O in ein arides Hochland (2 000–2 700 m ü. d. M.) übergehen. Die Bev. konzentriert sich in den fruchtbaren Tälern im N sowie in Gebirgsfußoasen. Der N ist Durchgangsland nach Afghanistan (Fernstraße Teheran–Herat–Kabul). – Größtenteils mit dem antiken Baktrien ident., bildete nach der Eroberung durch die muslim. Araber 651 eine Prov. des Kalifenreichs; kam in den folgenden Jh. unter die Herrschaft der Abbasiden, Tahiriden, Samaniden, Ghasnawiden und Seldschuken; 1220 Invasion der Mongolen; seit 1598 endgültig in pers. Hand. Im 19. Jh. gingen der N und O von C. verloren; 1863 kam Herat an Afghanistan. 1884 mußte Merw (heute Mary) an Rußland abgetreten werden.

Chorasan [xo...] (Chorassan) ↑Orientteppiche (Übersicht).

Chorda dorsalis ['kɔrda; griech./lat.] (Rückensaite, Achsenstab, Notochord), elast., unsegmentierter Stab, der den Körper der ↑Chordatiere als Stützorgan vom Kopf bis zum Schwanzende (außer bei Manteltieren) durchzieht; besteht aus blasigen, durch hohen Innendruck stark aneinandergepreßt liegenden Zellen **(Chordazellen).** Embryonal stets angelegt, wird die C. d. bei den erwachsenen, höher entwickelten Chordatieren mehr und mehr reduziert und durch die ↑Wirbelsäule ersetzt.

Chordatiere ['kɔrda] (Chordaten, Chordata), Stamm bilateral-symmetr. ↑Deuterostomier, die zeitlebens oder nur in frühen Entwicklungsstadien eine ↑Chorda dorsalis als Stützorgan besitzen. Die C. umfassen drei Unterstämme: ↑Schädellose, ↑Manteltiere und ↑Wirbeltiere.

Chordienst [ko:r], der tägl. gemeinsame Gottesdienst, zu dem die Mgl. eines Stifts, Mönche und Nonnen, verpflichtet sind.

Chorditis [kɔr...; griech.], svw. ↑Stimmbandentzündung; **Chorditis nodosa,** svw. ↑Sängerknötchen.

Chordophone [kɔr...; griech.], Musikinstrumente, bei denen der Ton durch Streichen und Schlagen gespannter Saiten erzeugt wird, z. B. Violine, Gitarre, Klavier.

Chordotomie [kɔr...; griech.], operative Durchtrennung der die Schmerz- und Temperaturempfindungen leitenden Vorderseitenstrangbahnen des Rückenmarks bei schweren, anhaltenden Schmerzzuständen im Bereich der unteren Extremitäten, z. B. bei inoperablen bösartigen Geschwülsten.

Chordotonalorgane [kɔr...; griech.] (Saitenorgane), mechan. Sinnesorgane der Insekten, die saitenartig zw. zwei gegeneinander bewegl. Teilen des Chitinskeletts ausgespannt sind. Die C. registrieren Lageveränderungen der Körperteile (und damit auch Erschütterungen) und kommen daher v. a. in den Fühlern, Beinen, Flügeln, Mundgliedmaßen und zw. den Rumpfsegmenten vor. – Ggs. ↑Tympanalorgane.

Chorea [ko...; griech.], ma. Bez. für Tanzlied, Reigen.
◆ svw. ↑ Veitstanz.

Choreograph [ko...; griech.], [ehem.] Tänzer, der sich mit der künstler. Gestaltung und Einstudierung von Tänzen und Tanzwerken befaßt.

Choreographie [ko...; griech.], Tanzschrift, mit der Stellung und Haltung der Tänzer, auch Bewegungsabläufe eines Tanzes festgehalten werden; seit dem 18. Jh. auch die als Regie eines Balletts festgehaltene Ordnung von Schritten, Figuren und Ausdruck.

Choresmien [xo...] (arab. Chwarism), Stammesgebiet der ostiran. Choresmier, südl. des Aralsees um das heutige Chiwa am Unterlauf des Amudarja (Oxus). Im Altertum war der König von C. Vasall der Perserkönige; im 2. Jh. n. Chr. selbständig, aber bald abhängig von den türk. Hephthaliten. 712 durch muslim. Araber erobert, 998 durch Mahmud von Ghazni und 1043 von den Seldschuken, von denen sich 1100 der Chwarism-Schah selbständig machte. Seine Nachfolger brachten fast ganz Iran unter ihre Herrschaft, wurden aber 1220 von den Mongolen vernichtend geschlagen. C., 1379 von Timur-Leng verwüstet, kam 1484 kurze Zeit an Persien; bildete dann das usbek. Khanat Chiwa.

Choresmisch [xo...] ↑ Chwaresmisch.

Chorgestühl ['ko:r...], im 13. Jh. entwickelte Form gestufter Sitzreihen an beiden Längsseiten des Chores für die Geistlichkeit (Domkapitel oder Mönche); meist hohe Rückwand *(Dorsale)*. Unter den Klappsitzen befinden sich Gesäßstützen *(Miserikordien)*. C. sind oft mit Schnitzereien verziert.

Chorherren ['ko:r...] (lat. Canonici Regulares, Abk. CanR[eg], dt. Kanoniker), Ordensleute, die nicht nach einer Mönchsregel, sondern nach den Richtlinien (Canones) für Kleriker leben, z. B. Augustiner-C. (Abk. Can A[ug]), Prämostratenser. Sie entstanden im Gefolge der Gregorian. Reform. Wichtigste Aufgabe ist der gemeinsame Chordienst neben Seelsorge, Unterricht, Wissenschaft.

Chorin [ko...], Gemeinde in der Uckermark, Brandenburg, 700 E. – Ehem. Zisterzienserkloster (gegr. 1258, seit 1272 in C.) mit frühgot. Backsteinbasilika. Teile der Klostergebäude erhalten.

Chorioidea [ko...; griech.], svw. Aderhaut (↑ Auge).

Chorioiditis [korio-i...; griech.], svw. ↑ Aderhautentzündung.

Chorion ['ko:...; griech.], äußere Embryonalhülle der Amnioten (↑ Serosa).

Chorionepitheliom ['ko:...] (Zottenkrebs), bösartige Geschwulstbildung nach Blasenmole, Fehlgeburt oder Geburt aus in der Gebärmutterhöhle zurückgebliebenen Chorionzotten.

Chorismos [ço...; griech. „Trennung"], ein v. a. von neukantian. Philosophiehistorikern verwendeter Begriff zur Kennzeichnung des Verhältnisses der Ideen zu den Einzeldingen in der Philosophie Platons.

C-Horizont, unentmischter Rohboden, ↑ Bodenkunde.

Chorjambus [ço...; griech.], antiker Versfuß der Form –◡◡–, gedeutet als Zusammensetzung aus einem Choreus (= Trochäus: –◡) und einem Jambus (◡–).

Chorknaben ['ko:r...] ↑ Ministranten.

Chorog [russ. xa'rɔk], Hauptstadt des Autonomen Gebietes Bergbadachschan in Tadschikistan, im sw. Pamir, 2 200 m ü. d. M., 15 000 E. – Botan. Garten; ✈.

Chorologie [ço...; griech.], svw. ↑ Arealkunde.

Choromański, Michał [poln. xɔrɔ'maɪ̯̃ski], * Jelisawetgrad (= Korowograd) 22. Juni 1904, † Warschau 24. Mai 1972, poln. Schriftsteller. – Lebte 1939–58 v. a. in Kanada. Realist. Romane mit strukturellen Neuerungen; bed. v. a. „Die Eifersüchtigen" (1932).

Chorramabad [pers. xorræmɑ'bɑ:d] (Khorramabad), iran. Stadt im nördl. Sagrosgebirge, 1 310 m ü. d. M., 209 000 E. Hauptstadt des Verw.-Geb. Lorestan; ✈.

Chorramschahr [pers. xorræm'ʃæhr] (Khorramshar), Hafenstadt in SW-Iran, an der Mündung des Karun in den Schatt Al Arab, 150 000 E. Endpunkt der transiran. Eisenbahn.

Chorsabad [xɔr...], Ort in N-Irak, 20 km nö. von Mosul bei den Ruinen der assyr. Stadt Dur-Scharrukin („Sargons-Burg"), die der assyr. König Sargon II. 713–708 erbaute. Die Stadt, von einer Mauer mit 183 vorspringenden Türmen und 7 Toren umgeben, hatte fast quadrat. Grundriß. An ihrem NW-Rand lag erhöht die Zitadelle, in ihr der Nabutempel und der Königspalast. Funde bed. Werke der assyr. Kunst.

Chorschranken ['ko:r...], die den Chor einer Kirche abschließenden Schranken aus Stein, meist schon im MA entfernt.

Chorschwestern ['ko:r...], diejenigen Nonnen, die in Klöstern Chordienst versehen, im Ggs. zu den Laienschwestern.

Chorumgang ['ko:r...] (lat. Deambulatorium), Weiterführung der Seitenschiffe einer Kirche um den Chor (Altarraum und Chor im engeren Sinn), oft mit strahlenförmig angeordneten Kapellen; zum Hauptaltar durch Bogenstellungen geöffnet.

Chorus ['ko:rʊs; griech.], im *Jazz* Bez. für das einer Komposition zugrundeliegende Form- und Akkordschema, das zugleich die Basis für die Improvisation bildet.

Chorzów [poln. 'xɔʒuf] ↑ Königshütte.

Chosrau [pers. xos'roʊ̯] (Chosroes), Name pers. Könige:

C. I. Anoscharwan; mittelpers. Anoschagruwan [„mit der unsterbl. Seele"], † im Febr. 579, König (seit 531) aus der Dyn. der Sassaniden. – Führte nach der Revolution des Masdak Staatsreformen durch und bekämpfte das Oström. Reich unter Justinian I.

C. II. Aparwes [„der Siegreiche"], † 628, pers. König (seit 590) aus der Dyn. der Sassaniden. – Enkel von C. I.; eroberte 608 Teile Kleinasiens, 614 Palästinas, 619 N-Ägyptens; 627 von Herakleios bei Ninive besiegt; durch seinen Sohn ermordet; Held pers. Sagen und Dichtungen.

Chosrau Pascha [xɔs...] ↑ Chusrau Pascha.

Chosrew Pascha [xɔs...] ↑ Chusrau Pascha.

Chosroes ['çɔsro-ɛs], Name von Perserkönigen, ↑ Chosrau.

Chotan ↑ Hotan.

Chota Nagpur Plateau [engl. 'tʃoʊtɑ: 'nɑ:gpʊə 'plætoʊ], Bergland in Indien, nö. Ausläufer des Hochlands von Dekhan, durch das Damodarbecken zweigeteilt.

Chotek, Sophie Gräfin ['xɔtɛk], Herzogin von Hohenberg (seit 1909), * Stuttgart 1. März 1868, † Sarajewo 28. Juni 1914. – Hofdame. Seit 1900 ∞ mit dem österreichischen Thronfolger Franz Ferdinand in morganat. Ehe; mit ihrem Gemahl ermordet.

Chotjewitz, Peter O. ['kɔtjəvɪts], * Berlin 14. Juni 1934, dt. Schriftsteller. – Bekannt durch parodist.-iron., experimentelle, z. T. provozierende Prosatexte, Gedichte und Hörspiele, u. a. „Hommage à Frantek" (1965), „Trauer im Auge des Ochsen" (En., 1972), „Tod durch Leere" (R.studien, 1986).

Chou, svw. Zhou, ↑ chinesische Geschichte.

Chouans [frz. ʃwã], die royalist. Gegner der Frz. Revolution in Maine, der Normandie und der Bretagne; erhoben sich 1792 (1796 unterworfen), 1799 und gegen den zurückkehrenden Napoleon I. 1815.

Chou En-lai ↑ Zhou Enlai.

Choukoutien ↑ Zhoukoudian.

Chow-Chow ['tʃaʊ tʃaʊ; chin.-engl.], seit etwa 2 000 Jahren in China gezüchtete Rasse bis 55 cm schulterhoher, kräftiger Haushunde mit dichtem, meist braunem Fell und blauschwarzer Zunge.

Chrennikow, Tichon Nikolajewitsch [russ. 'xrjennikɐf], * Jelez 10. Juni 1913, russ. Komponist. – Opern, u. a. „Im Sturm" (1939), „Die Mutter" (1957, nach M. Gorki), „Rasputin" (1967), „Der Junge als Riese" (1970, Kinderoper), ferner Sinfonien, Konzerte, Klavierwerke sowie Bühnen- u. Filmmusiken.

Chrétien, Jean [frz. kre'tjɛ̃], * Shawinigan 11. Jan. 1934, kanad. Politiker. – Jurist; seit 1967 mehrfach Min.; seit 1990 Vors. der Liberal Party, wurde 1993 zum Premiermin. gewählt.

Chrétien (C[h]restien) **de Troyes** [frz. kretjɛ̃də'trwa], * Troyes (?) um 1140, † vor 1190, altfrz. Epiker. – Lebte vermutl. am Hofe Heinrichs I. von Champagne und später des Grafen Philipp von Flandern. C. verfaßte bed. höf. Versepen, deren Stoff er dem breton. Sagenkreis entnahm und mit höf. und phantast. Elementen sowie mit Themen aus dem provenzal. Frauendienst verband. Den Stoff psycholog. durchdringend, gestaltete C. in leichter Vers- und Reimführung und konsequentem Aufbau seine Werke. In seinen Romanen „Érec et Énide" (um 1170), „Cligès" (um 1176), „Lancelot" (um 1177–81), „Yvain" (um 1177–81) und „Perceval" (1181–88, unvollendet) geht C. z. T. über die höf. Ideale hinaus.

Chrisam ['çri:zam; griech.] (Chrisma), durch den Bischof geweihtes Salböl, in der kath. und der orth. Liturgie v. a. bei Taufe, Firmung, Bischofsweihe und Priesterweihe verwendet.

Chrismon ['çris...; griech.] ↑ Urkunde.

Christ, Lena [krist], * Glonn bei Rosenheim 30. Okt. 1881, † München 30. Juni 1920 (Selbstmord), dt. Schriftstellerin. – Populäre, stark autobiograph. Romane (u. a. „Mathias Bichler", 1914; „Madam Bäuerin", 1919) über den sozialen Aufstieg Besitzloser.

Christbaum [krist...] ↑ Weihnachtsbaum.

Christchurch [engl. 'kraɪsttʃə:tʃ], größte Stadt auf der Südinsel von Neuseeland, 302 000 E (städt. Agglomeration). Sitz eines anglikan. Erzbischofs und eines kath. Bischofs, Univ.; Nahrungsmittel-, Textil-, Leder- und chem. Ind.; internat. ✈. Durch einen 2 km langen Straßentunnel mit dem Hafen *Lyttelton* verbunden. – Erste europ. Siedlung 1843, planmäßig besiedelt seit 1850.

Christdorn ['krɪst...] (Paliurus spina-christi), Art der Gatt. Stechdorn; 2–3 m hoher Dornstrauch mit 2–4 cm langen, asymmetr., eiförmigen Blättern und zu einem Dornpaar umgewandelten Nebenblättern; Blüten etwa 2 mm groß, gelb, in kleinen Blütenständen.

Christelijke Volkspartij [niederl. 'krɪstələkə 'vɔlkspɑrtɛi], Abk. CVP (frz. Parti Social Chrétien, Abk. PSC), belg. polit. Partei; ging 1945 aus der seit 1830 bestehenden Kath. Partei hervor; 1949–54 und seit 1958 an der Regierung beteiligt; seit 1968 in einen fläm. und einen wallon. Flügel geteilt.

Christelijk-Historische Unie [niederl. 'krɪstələk hɪs'to:rɪsə 'y:ni:], Abk. CHU, zweite große kalvinist.-konservative Partei der Niederlande; entstand 1908; ging im ↑ Christen Democratisch Appèl auf.

Christen, Ada ['kristən], eigtl. Christiane von Breden, geb. Frederik, * Wien 6. März 1844, † ebd. 19. Mai 1901, östr. Schriftstellerin. – Übte mit erot. und sozialer Lyrik bed. Einfluß auf den frühen Naturalismus aus.

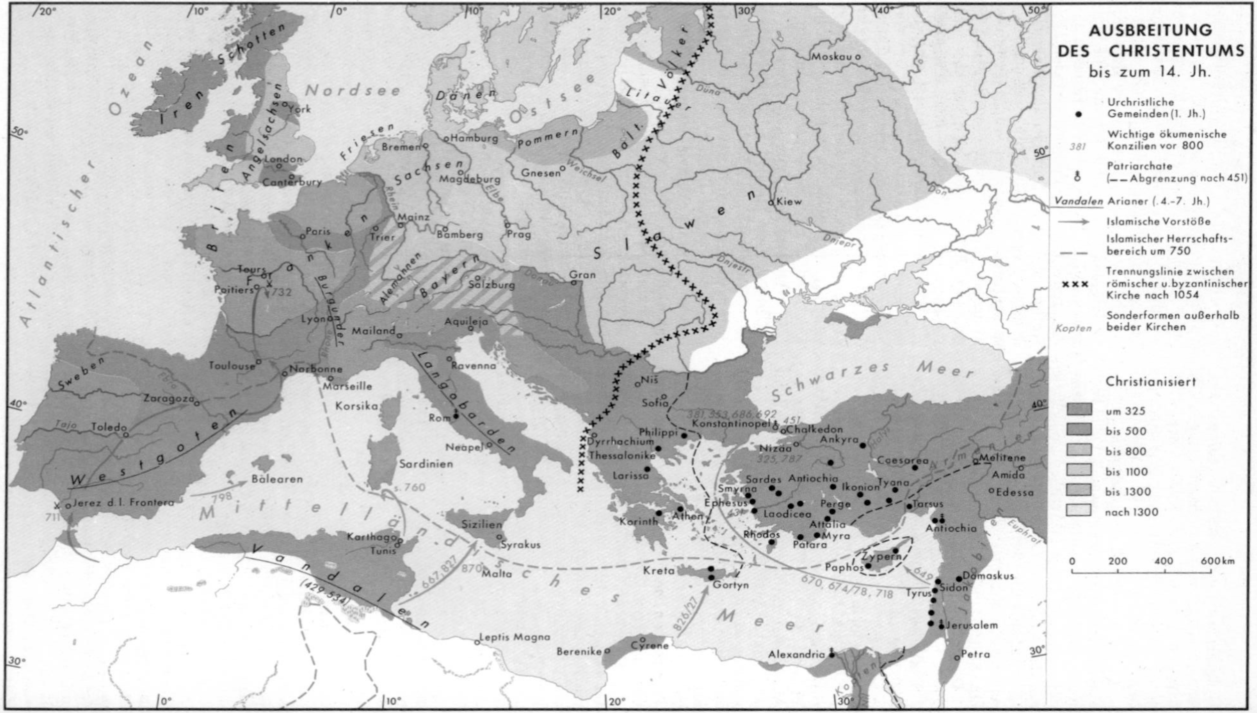

AUSBREITUNG DES CHRISTENTUMS bis zum 14. Jh.
Urchristliche Gemeinden (1. Jh.)
381 Wichtige ökumenische Konzilien vor 800
Patriarchate (— — Abgrenzung nach 451)
Vandalen Arianer (.4.-7. Jh.)
Islamische Vorstöße
Islamischer Herrschaftsbereich um 750
××× Trennungslinie zwischen römischer u. byzantinischer Kirche nach 1054
Kopten Sonderformen außerhalb beider Kirchen
Christianisiert
um 325
bis 500
bis 800
bis 1100
bis 1300
nach 1300
0 200 400 600 km
Atlantischer Ozean
Nordsee
Ostsee
Schwarzes Meer
Mittelländisches Meer
Iren
Schotten
Angelsachsen
Briten
York
London
Canterbury
Friesen
Dänen
Sachsen
Franken
Burgunder
Alemannen
Bayern
Langobarden
Westgoten
Sweben
Vandalen
(429-534)
Pommern
Balt. Völker
Litauer
Slawen
Armenier
Jakobiten
Kopten
Bremen
Hamburg
Magdeburg
Gnesen
Mainz
Trier
Bamberg
Prag
Paris
Tours
Poitiers
732
Lyon
Salzburg
Gran
Mailand
Aquileja
Toulouse
Narbonne
Marseille
Zaragoza
Toledo
Jerez d. l. Frontera
711
798
Balearen
Korsika
Sardinien
s. 760
Rom
Ravenna
Neapel
Sizilien
Syrakus
Karthago
Tunis
667, 827
870
Malta
Leptis Magna
Berenike
Cyrene
826/27
Kreta
Gortyn
Moskau
Kiew
Düna
Dnjepr
Dnjestr
Don
Donau
Rhein
Rhone
Elbe
Weichsel
Ebro
Tajo
Halys
Euphrat
Niš
Sofia
Philippi
Dyrrhachium
Thessalonike
Larissa
Korinth
Athen
Konstantinopel
381, 553, 680, 692
451
Chalkedon
Nizäa
325, 787
Ankyra
Caesarea
Melitene
Amida
Edessa
Sardes
Smyrna
Ephesus
431
Antiochia
Ikonion
Tyana
Laodicea
Perge
Attalia
Myra
Patara
Rhodos
Tarsus
Antiochia
Zypern
Paphos
649
670, 674/78, 718
Tyrus
Sidon
Damaskus
Jerusalem
Petra
Alexandria
10°
20°
0°
30°
40°
50°

Christen Democratisch Appèl, Abk. CDA, 1980 gegr. niederl. Sammelpartei; Zusammenschluß von Anti-Revolutionaire Partij, Christelijk-Historische Unie und Katholieke Volkspartij.

Christengemeinschaft ['krıs...], 1922 von dem ev. Pfarrer F. Rittelmeyer gegr. Religionsgemeinschaft; vertritt im Anschluß an die Anthroposophie R. Steiners eine eigene Auffassung des Evangeliums und des christl. Gottesdienstes; feiert sieben Sakramente; Mittelpunkt des Kultes bildet die sog. „Menschenweihehandlung". Die C. hat etwa 100 000 Mgl., etwa 100 Gemeinden in der BR Deutschland.

Christentum ['kris...], die auf *Jesus Christus,* sein Leben und seine Lehre gegründete Weltreligion. Allen *Christen* gemeinsam ist das Bekenntnis zu Gott in Jesus Christus, die Bibel sowie die Sammlung in Gemeinden (Kirchen), ein eigener – konfessionell versch. – Kult, eine eigene Weltdeutung sowie das Bewußtsein einer eigenen Ethik (tätige Gottes- und Nächstenliebe, erweitert bis zur Feindesliebe); ihre Zahl wird heute auf etwa 1,55 Mrd. geschätzt. Die größten organisierten christl. Gemeinschaften sind die kath. Kirche (etwa 907 Mill. Gläubige), die aus der Reformation hervorgegangenen prot. (ev.) Kirchen (etwa 300 Mill.), die anglikan. Kirche (etwa 68 Mill.) und die orth. Kirchen (etwa 130 Mill.); des weiteren existieren versch. kleinere Gemeinschaften („Sekten"), Freikirchen, Organisationen und Bewegungen (insgesamt etwa 172 Mill.).

Das C. ist seinem Wesen nach Offenbarungs- und Erlösungsreligion. Kennzeichnend für den christl. Glauben ist die Lehre von der ↑Trinität; zentraler Inhalt ist Jesus, der Sohn Gottes und der verheißene Messias (Christus), der mit seinem Tod am Kreuz und seiner Auferstehung von den Toten die Menschen von ihrer Sünde erlöst hat; des weiteren auch die im Evangelium des N. T. verkündete „frohe Botschaft" Jesu vom Reich Gottes, das, bereits im A. T. verheißen, in seiner Person begonnen hat und das Heil für alle Menschen, den Zugang zum wahren „ewigen" Leben bedeutet. Da der Mensch auch in seinem positiven Streben als Sünder gilt, kann die „Rechtfertigung" des Sünders und das Reich Gottes nur von Gott her kommen. Auch der vom Menschen gewollte Glaube vermag die Distanz zw. Gott und den Menschen nicht zu überwinden.

Die Grundaussagen des christl. Glaubens sind im ↑Apostolischen Glaubensbekenntnis formuliert; sie werden unterschiedlich interpretiert, so daß es keine einheitl. Organisationsform gibt, in der sich alle Christen zusammengeschlossen hätten. Es besteht jedoch die Grundauffassung, daß die Christen insgesamt – unabhängig von ihrer Organisationsform – eine Einheit bilden. Sichtbares Zeichen für die Zugehörigkeit zur Gemeinschaft der Christen ist die *Taufe.* Das Leben als Christ besteht im wesentl. darin, die Offenbarung Gottes in Form der Aussagen der Bibel des A. T. und des N. T. ernst zu nehmen und davon auszugehen, daß die Liebe Gottes, die Gott durch seine Offenbarung den Menschen erwiesen hat, im Leben der Menschen miteinander deutlich und bewußt gemacht werden soll. Es ist unter Christen umstritten, ob ein *Austritt* aus dieser Gemeinschaft, die über die Grenzen der christl. Kirchen und Gemeinschaften hinweg besteht, überhaupt mögl. ist. Das aus dem ↑Judentum hervorgegangene C. steht geistesgeschichtlich in Verbindung mit der Christuslehre jüd.-eschatolog. Herkunft, (meist) oriental. Mysterien- und Erlösungskulten (Gnosis), von denen es sich abgrenzte, sowie der spätgriech. Philosophie und Kultur, der es ein neues Menschenbild entgegensetzte. Es entstand zuerst in Jerusalem (Judenchristen) und breitete sich nach teilweiser Vertreibung aus Jerusalem durch Mission (bes. ↑Paulus) über Palästina bis nach Kleinasien auf hellenist. Boden aus, wo es auch Heiden (Heidenchristen) aufnahm.

Die **Geschichte** des C. umfaßt die Auswirkungen des Glaubens an Person und Wirken Jesu Christi, wie er von den christl. Kirchen und Gemeinschaften in der Auseinandersetzung mit fremden Religionen, den geistigen und weltanschaul. Strömungen der verschiedenen Zeiten sowie mit den polit. Mächten entwikkelt worden ist.

Die *erste Epoche:* Die christl. Gemeinde galt im Röm. Reich zunächst als eine jüd. Sekte. Der röm. Staat entzog dieser schnell wachsenden Gemeinschaft bald die religiösen und rechtl. Privilegien, die er dem Judentum eingeräumt hatte. Die Auseinandersetzung mit dem Röm. Reich wurde intensiv seit der Mitte des 3. Jh. geführt. Kaiser Konstantin d. Gr. stellte die ↑Christenverfolgungen ein und machte das C. zu der mit allen zeitgenöss. Kulten gleichberechtigten und schließl. zur alleinberechtigten Religion im Reich (Toleranzedikt von 313). Damit hatte er eine Entwicklung eingeleitet, die zur Entstehung der Reichskirche als einer von dem Reich letztlich abhängigen Einrichtung führte. Durch den oströmischen Kaiser Theodosius I. wurde 380 die christl. Kirche zur Staatskirche erhoben.

Die *zweite Epoche* in der Geschichte des C. beginnt mit dem Übergang des christl. Glaubens auf die german., roman. und slaw. Völker. Bei den Germanen, bes. im Frankenreich, wurde es zum Träger der Reichseinheit. Aus dem Amt des Bischofs in Rom hatte sich im 5./6. Jh. das Amt des *Papstes* als Oberhaupt des C. entwickelt; die hinsichtlich seiner Oberhoheit in Ost und West so unterschiedl. entwickelten Auffassungen führten 1054 zur bis heute bestehenden Spaltung der Kirche (Morgenländ. Schisma) in östl.-orth. und röm.-kath. Kirche. Im MA, und darüber hinaus bis heute, prägte das C. ganz entscheidend die europ. Kultur. Wie der Kirche allmähl. die Hoheit über den Staat zufiel und der Papst als der Herr der Welt erscheinen konnte, der die Fürsten und die Bischöfe als seine Untergebenen betrachtete, so schien der christl. Glaube in geistiger Hinsicht die eine Weltanschauung zu sein, mit der alle Probleme des Lebens gelöst werden sollten. Im Zusammenhang mit dieser monopolartigen Machtstellung stellten sich in der Kirche Verfallserscheinungen ein, die den Ruf nach einer Reform an „Haupt und Gliedern" (d. h. an Papst und Klerus) laut werden ließen.

Die *dritte Epoche* war die Zeit der Reformation und Gegenreformation, sie umfaßt das 16. und 17. Jh., in denen es zur Umbildung der gesamten Kirche kam. An die äußeren Formen des christl. Glaubens hat Luther die Kriterien der Bibel und des bibl. begr. Glaubens angelegt; er konnte aber infolge der auf dem Reichstag zu Worms (1521) bekundeten Haltung Kaiser Karls V. die Reform der Kirche für das Reich nicht durchführen. Diese mußte nun den Weg über die Länder nehmen, so daß es zur Entstehung territorial und nat. begrenzter Landeskirchen kam. Auf dem Reichstag zu Augsburg (1530) legten diese Landeskirchen ein erstes grundlegendes Bekenntnis ab, das Augsburg. Bekenntnis, und sie fanden im Augsburger Religionsfrieden (1555) ihre reichsrechtl. Anerkennung. Die Reformation in der Schweiz vollzog sich zunächst unter dem Einfluß Zwinglis, dann aber v. a. Calvins. Calvin gab den hier entstehenden Kirchen Lehre, Verfassung und kirchl. Ordnungen. In England kam es nach der Verwerfung der obersten Leitungsgewalt (Suprematie) des Papstes zur Entstehung der anglikan. Kirche. Im dt. und schweizer. Protestantismus trennten sich die Täufer und die Spiritualisten von den reformator. Kirchen, wobei sie schließl. wegen ihrer z. T. radikalen Versuche, das Reich Gottes auf Erden zu verwirklichen, von den offiziell anerkannten Kirchen verfolgt wurden.

Die Reformation löste die Gegenreformation aus. Im Mittelpunkt dieser Erneuerung steht das Konzil von Trient (1545–63, ↑Tridentinum), auf dem die Lehren des Katholizismus gegenüber denen der ev. oder prot. Kirchen fixiert wurden.

Die *vierte Epoche* der Geschichte des C. ist in der neuzeitl. Ausbreitung des C. zu sehen, die im Anschluß und im Zusammenhang mit der polit. Expansion der europ. Mächte (Kolonialismus und Imperialismus) geschah. Dabei kam es sowohl zur religiösen Legitimation des Kolonialismus wie auch zum erhebl. Widerstand der Missionen gegen kolonialist. Unterdrückung und Ausbeutung. Im Zuge der missionar. Ausbreitung des C. fanden vielfach Begegnungen mit fremden, einheim. Religionen statt, und auf der Grundlage von durch Missionare und Reisende erhobenen Tatsachen aus fremden Religionen entstand das Bewußtsein einer religiösen Vielfalt, die im 19. Jh. zur wiss. Beschäftigung mit fremden Religionen und damit zur Entstehung einer neuzeitl. Religionswiss. führte. Neben dieser Auseinandersetzung und Beschäftigung mit fremdem religiösen Gedankengut mußte sich das C. in der Neuzeit zudem mit antireligiösen Ideologien und Weltanschauungen auseinandersetzen. Bes. diese Auseinandersetzung hat die Besinnung auf das Gemeinsame unter den christl. Konfessionen gefördert und in den letzten Jahren wesentl. Impulse für die ↑ökumenische Bewegung geliefert (↑konziliarer Prozeß).

🕮 *Das C. im Urteil seiner Gegner. Hg. v. K. Deschner. Bln. 1990. – Ratzinger, J.: Einf. in das C. Mchn. ⁶1990. – Steiner, R.: Das C. als myst. Tatsache u. die Mysterien des Altertums. Dornach ⁹1989. – Ratzinger, J.: Auf Christus schauen. Einübung in Glaube, Hoffnung, Liebe. Freib. 1989. – Christl. Glaube in moderner Gesellschaft. Hg. v. F. Böckle u. a. Freib. 1988. 37 Bde. – Kantzenbach, F. W.: C. in der Gesellschaft. Kleine Sozialgesch. des C. Saarbrükken-Scheidt ²1988. 2 Bde. – Clévenot, M.: Gesch. des C. Dt. Übers. Brig 1987 ff. 6 Bde. – Bultmann, R.: Das Urchristentum. Zürich u. Stg. ⁵1986. – Koch, D.: Christen in polit. Konflikten des 20. Jh. Gött. 1985. – Küng, H.: Christ sein. Mchn. ¹⁰1983. – Maas, F.: Was ist C.? Tüb. ³1982. – Frieling, R.: Vom Wesen des C. Stg. ³1979.*

Christenverfolgungen ['krıs...], allg. der Versuch, das Christentum zu unterdrükken oder zu beseitigen, i. e. S. die Verfolgungen durch den röm. Staat, die v. a. durch die Weigerung der Christen, am Kaiserkult teilzunehmen, ausgelöst wurden. Die ersten C. blieben örtlich begrenzt (Jerusalem, dann 64 durch Nero in Rom, 96 durch Domitian). Die erste staatl. Regelung von C. erfolgte durch Kaiser Trajan (um 112). Systemat. C. gab es erst im 3./4. Jh. unter Decius (249), Valerian (257) und Diokletian (308 ff.); sie erreichten ihr Ziel nicht. Kaiser Galerius (311) und Konstantin d. Gr. (313) gewährten den Christen in Toleranzedikten staatl. Anerkennung.

Christian ['krıs...], Name von Herrschern: Anhalt-Bernburg:

C. I., * Bernburg/Saale 11. Mai 1568, † ebd. 17. April 1630, Fürst (seit 1603), kurpfälz. Diplomat. – Stellte die konfessionelle Idee in

den Mittelpunkt seiner Politik und aktivierte die kalvinist.-prot. Opposition gegen das kath. Kaisertum; betrieb die Gründung der prot. Union (1608); 1620 geächtet, unterwarf sich 1624 dem Kaiser.
Dänemark:
C. I., * 1426, † Kopenhagen 21. Mai 1481, König von Dänemark (seit 1448), Norwegen (seit 1450), Schweden (seit 1457), Herzog von Schleswig und Graf von Holstein (seit 1460). – Begr. des oldenburg. Königshauses in Dänemark; erreichte 1450 eine Vereinigung Dänemarks mit Norwegen; begr. 1460 die Personalunion Schleswigs und Holsteins mit Dänemark.
C. II., * Nyborg 1. Juli 1481, † Kalundborg 25. Jan. 1559, König von Dänemark und Norwegen (1513–23), König von Schweden (1520–23), Herzog von Schleswig und Holstein. – Enkel von C. I.; setzte sich erst nach langjährigen blutigen Kämpfen (Stockholmer Blutbad, 1520) in Schweden durch; 1523 von Gustav Wasa vertrieben; mußte nach 1522 auch Dänemark verlassen.
C. III., * Gottorf 12. Aug. 1503, † Koldinghus bei Kolding (Jütland) 1. Jan. 1559, König von Dänemark und Norwegen (seit 1534), Herzog von Schleswig und Holstein (seit 1536). – Sohn Friedrichs I.; führte 1536 in Dänemark und Norwegen die Reformation ein; hob 1537 die norweg. Selbstverwaltung auf.
C. IV., * Frederiksborg 12. April 1577, † Kopenhagen 28. Febr. 1648, König von Dänemark und Norwegen, Herzog von Schleswig und Holstein (seit 1588). – Enkel von C. III., Sohn Friedrichs II.; Initiator zahlr. Renaissancebauten in Kopenhagen; im Dreißigjährigen Krieg 1626 von Tilly geschlagen; 1643–45 schwere Niederlagen gegen Schweden; volkstümlichster König Dänemarks.
C. VII., * Kopenhagen 29. Jan. 1749, † Rendsburg 13. März 1808, König von Dänemark und Norwegen, Herzog von Schleswig und Holstein (seit 1766). – Sohn Friedrichs V.; früh geisteskrank; überließ die Regierungsgeschäfte seinen Günstlingen, von denen v. a. Struensee bed. Macht gewann.
C. VIII., * Kopenhagen 18. Sept. 1786, † ebd. 20. Jan. 1848, König von Dänemark, Herzog von Schleswig und Holstein (seit 1839). – 1814 kurzzeitig König von Norwegen; erklärte 1846 in seinem berühmten „Offenen Brief", daß auch Schleswig in der Erbfolge dem dän. Königsgesetz von 1665 unterliege.
C. IX., * Gottorf 8. April 1818, † Kopenhagen 29. Jan. 1906, König von Dänemark (seit 1863). – Sohn Herzog Wilhelms von Schleswig-Holstein-Sonderburg-Glücksburg, zum Nachfolger Friedrichs VII. bestimmt; bestätigte die sog. eiderdän. Verfassung, durch die Schleswig Dänemark einverleibt werden sollte, was 1864 zum Dt.-Dän. Krieg führte.
C. X., * Charlottenlund 26. Sept. 1870, † Kopenhagen 20. April 1947, König von Dänemark (seit 1912) und Island (1918–1943). – Bestätigte 1915 eine neue demokrat. Verfassung; bewahrte im 1. Weltkrieg die Neutralität; übergab 1940 nach erfolglosem Widerstand das Land den dt. Truppen.
Mainz:
C. I. (C. von Buch), * um 1130, † Tusculum (= Frascati) 25. Aug. 1183, Erzbischof von Mainz (seit 1165). – 1162 von Friedrich I. Barbarossa zum Kanzler ernannt; nahm an den Italienzügen teil, siegte 1167 mit Rainald von Dassel bei Tusculum über die Römer; energ. Vertreter der kaiserl. Interessen; erfolgreicher Vermittler zw. Papst Alexander III. und dem Kaiser.
Schleswig-Holstein-Sonderburg-Augustenburg:
C. [Karl Friedrich] August, * Kopenhagen 19. Juli 1798, † Primkenau (Niederschlesien) 11. März 1869, Herzog (seit 1814). – Hielt am Erbrecht auf Schleswig und Holstein fest; schloß sich der Bewegung gegen die dän. Einverleibungsbestrebungen an; 1851 verbannt; 1852 Thronverzicht.

Christian, Charles („Charlie") [engl. 'krɪstjən], * Dallas (Tex.) 20. Jan. 1916, † New York 2. März 1947, amerikan. Jazzmusiker. – Bed. Gitarrist; einer der Anreger des Bebop.
C., Johann Joseph ['krɪs...], * Riedlingen (Landkr. Donauwörth) 12. Febr. 1706, † ebd. 22. Juni 1777, dt. Bildhauer. – Bed. Vertreter des schwäb. Rokoko; u. a. Chorgestühle und Bauskulpturen der Klosterkirchen Zwiefalten und Ottobeuren.

Christian Endeavor ['krɪstjən ɪn'dɛvə; engl. „christl. Streben"] (Young People's Society of C. E.), 1881 in Portland (Maine, USA) gegr. Jugendbewegung; ging aus der Erwekkungsbewegung hervor; 1894 auch in Deutschland (in der ref. Gemeinde in Bad Salzuflen), konstituierte sich 1905 als dt. Verband der „Jugendbünde für Entschiedenes Christentum"; Hauptstelle für Deutschland in Kassel; über 3 Mill. Mgl.

Christiania [krɪs...], 1624–1924 Name von ↑ Oslo.

christianisieren [krɪs...; griech.], für das Christentum gewinnen.

Christian-Jaque [frz. kristjã'ʒak], eigtl. Christian Maudet, * Paris 4. Sept. 1904, † ebd. 8. Juli 1994, frz. Filmregisseur. – Drehte v. a. Unterhaltungsfilme, u. a. „Fanfan der Husar" (1951), „Nana" (1954).

Christian Science ['krɪstjən 'saɪəns; engl. „christl. Wissenschaft"], von Mary Baker-Eddy (* 1821, † 1910) begr. Lehre des „geistigen Heilens". Sie beruht auf der Anschauung, daß der Mensch in Wirklichkeit Ausdruck des vollkommenen göttl. Wesens ist und daß Disharmonien des menschl. Lebens, Krankheiten eingeschlossen, nicht zu seinem gottgegebenen Wesen gehören. Um dieses göttl. Heilsein zu erleben, wird eine Umwandlung von einer materiellen zu einer geistigen Gesinnung gefordert. Die C. S. zählt über 3 200 Zweigkirchen in 57 Ländern. – Die seit 1908 in Boston (Mass.) hg. Tageszeitung **„The Christian Science Monitor"** hat eine Auflage von 141 000 (1985).

Christie [engl. 'krɪstɪ], Dame (seit 1971) Agatha, geb. Miller, * Torquay 15. Sept. 1890, † Wallingford (bei Oxford) 12. Jan. 1976, engl. Schriftstellerin. – Verfaßte zahlr. erfolgreiche Detektivromane, häufig um Miss Marple und den belg. Detektiv Hercule Poirot; auch Kurzgeschichten und Dramen. – *Werke:* Der Mord auf dem Golfplatz (1923), Letztes Weekend (1939; als Dr. u. d. T. „Zehn kleine Negerlein"), Die Mausefalle (R., 1949, dramatisiert 1952), Zeugin der Anklage (Dr., 1956, verfilmt 1957), Alter schützt vor Scharfsinn nicht (1973).

C., Julie, * Assam 14. April 1940, brit. Filmschauspielerin. – Spielte in „Fahrenheit 451" (1966), „Doktor Schiwago" (1966), „Der Himmel soll warten" (1978).

Christie's [engl. 'krɪstɪ:z] (Christie, Manson and Woods Ltd.), von James Christie (* 1730, † 1803) 1766 gegr. Kunstauktionshaus in London.

Christine [krɪs...], * Stockholm 17. Dez. 1626, † Rom 19. April 1689, Königin von Schweden (1632–54). – Tochter Gustavs II. Adolf; regierte bis 1644 unter der Vormundschaft des Reichsrates unter Führung des Reichskanzlers Axel Graf Oxenstierna, trat dann selbst die Regierung an; förderte die Wiss. und zog ausländ. Gelehrte (u. a. Descartes und Grotius) an ihren Hof; dankte 1654 zugunsten ihres Vetters Karl Gustav von Pfalz-Zweibrücken ab; konvertierte heimlich zum Katholizismus, lebte in Rom.

Christkatholische Kirche ['krɪst...], die altkath. Kirche der Schweiz (25 000 Anhänger); gehört der ↑ Utrechter Union an.

Christkönigsfest ['krɪst...], Fest der kath. Kirche, 1925 eingeführt, seit 1965 am letzten Sonntag des Kirchenjahres gefeiert; Inhalt: das universale Königtum Jesu Christi.

Christlich-Demokratische Union (Christl.-Demokrat. Union Deutschlands) ['krɪst...], Abk. CDU, als christl. Sammelbewegung 1945 entstandene dt. Partei. Die regionalen, zunächst nur lose verbundenen Parteigründungen hatten dabei unterschiedl. Ausrichtung: „christl. Sozialismus" (Berlin), interessenausgleichende Volkspartei unter Betonung des konfessionellen Unionsgedankens (Köln), nat.liberale und nat.konservative bzw. dt.nat. Prägung (NW-Deutschland); für Bayern ↑ Christlich-Soziale Union.
In der SBZ/DDR wurde die CDU im Rahmen der „Blockpolitik" seit 1948 völlig von der SED abhängig. Nach den polit. Umwälzungen im Spätherbst 1989 profilierte sie sich zunehmend als eigenständige polit. Kraft; aus den ersten demokrat. Wahlen in der DDR am 18. März 1990 ging die CDU im Rahmen der „Allianz für Deutschland" als stärkste Partei hervor und stellte den Min.präs. (L. de Maizière). Am 1./2. Okt. 1990 erfolgte die Vereinigung mit der bundesdeutschen CDU. In den Westzonen konnte die CDU in den Landtagswahlen große Wählergruppen ansprechen und 1947 die Führung im Wirtschaftsrat der Bizone übernehmen. In Abkehr vom **Ahlener Programmm,** das 1947 bei Kritik am Kapitalismus u. a. die Vergesellschaftung von Schlüsselind. und die Mitbestimmung gefordert hatte, wandte sich die CDU L. Erhards Konzept der sozialen Marktwirtschaft zu. Zugleich setzten sich die außenpolit. Ansichten K. Adenauers in der CDU durch. Die Bundestagswahl 1949 brachte 25,2 % der Stimmen (mit CSU 31 %). Bundeskanzler Adenauer, seit dem 1. Bundesparteitag 1950 Parteivors., förderte das Selbstverständnis der CDU als große staatstragende Reg.partei. In den Bundestagswahlen 1953 und 1957 weitete die CDU ihre Wählerschaft stark aus (1953: 36,4 %, mit CSU 45,2 %; 1957: 39,7 %, mit CSU 50,2 %). Die Bundestagswahlen kurz nach dem Bau der Berliner Mauer 1961 brachten der CDU starke Einbußen (35,8 %, mit CSU 45,4 %). Der Erfolg in der Bundestagswahl 1965 (38 %, mit CSU 47,6 %) unter der Führung Erhards (Bundeskanzler 1963–66, Parteivors. 1966/67) überdeckte nur die innen-, außen- und wirtschaftspolit. Auseinandersetzungen innerhalb der Union. Erhard wurde im März 1967 auch im Parteivorsitz durch den neuen Bundeskanzler K. G. Kiesinger ersetzt. Nach der Bundestagswahl 1969 (36,6 %, mit CSU 46,1 %) wurde die CDU/CSU erstmals in die Opposition verwiesen. R. Barzel wurde als Parteivors. (1971–73) nach der verlorenen Bundestagswahl von 1972 (35,2 %, mit CSU 44,9 %) von H. Kohl abgelöst. Nachdem auch die Bundestagswahl 1976 (38 %, mit CSU 48,6 %) nicht die Rückkehr an die Reg. gebracht hatte, wurde die Krise in der Zusammenarbeit mit der CSU mit deren – bald widerrufener – Aufkündigung der Fraktionsgemeinschaft deutlich. Bei der Wahl 1980 mit F. J. Strauß als Kanzlerkandidat mußte die CDU beträchtl. Einbußen hinnehmen (34,2 %, mit CSU 44,5 %). Im Okt. 1982 bildete die CDU mit der FDP eine Koalitionsreg. unter H. Kohl. Bei den Wahlen vom März 1983 errang die CDU 38,2 % (mit CSU 48,8 %), im Jan. 1987 34,5 % (mit CSU 44,3 %). Auf dem Vereinigungsparteitag mit der Ost-CDU am 1./2. Okt. 1990 wurde H. Kohl zum gesamtdt. Par-

teivorsitzenden gewählt. Bei den ersten gesamtdt. Wahlen vom Dez. 1990 erzielte die CDU 36,7% (mit CSU 43,8%); das bestätigte die Politik der CDU zur schnellen Herbeiführung der dt. Einheit 1990 und gab ihr (gemeinsam mit ihren Koalitionspartnern) den eindeutigen Auftrag zu ihrer Ausgestaltung.
Programm: Das Grundsatzprogramm der CDU (beschlossen auf dem Ludwigshafener Parteitag 1978) geht aus von den Grundwerten „Freiheit, Solidarität und Gerechtigkeit“. Die CDU versteht sich als Volkspartei und begründet ihre Politik auf dem christl. Menschenbild. Sie bekennt sich zur sozialen Marktwirtschaft und zu den „festen sozialen Lebensformen“ (Ehe, Familie, Staat, Kirche). Im Vereinigungsmanifest vom Okt. 1990 wurden diese Grundsätze für die gesamtdt. CDU bekräftigt.
Organisation: Der Parteitag wählt den Bundesvorstand. Bis 1990 gehörten der Vors., die 7 stellv. Vors., der Schatzmeister und der Generalsekretär dem Parteipräsidium an. Seit der Vereinigung mit der früheren Ost-CDU gibt es nur noch 1 stellv. Vors.; in den neuen gesamtdt. Vorstand und in das Parteipräsidium wurden auch ehemalige DDR-Politiker gewählt. Die CDU hatte 1988 690 000 Mgl. Nach wie vor beruht die Parteifinanzierung zu einem beträchtl. Teil auf Spenden von Firmen und Verbänden. Von den Vereinigungen der CDU sind v.a. die Wirtschaftsvereinigung und die Sozialausschüsse von Bedeutung. Die **Junge Union** ist die gemeinsame Jugendorganisation von CDU und CSU.
📖 *Schmidt, Josef: Die CDU. Organisationsstrukturen, Politiken u. Funktionsweisen einer Partei ... Leverkusen 1990. – Pütz, H.: Die CDU. Entwicklung, Organisation u. Politik ... Düss. ⁴1985.*

Christlichdemokratische Volkspartei der Schweiz ['krɪst...]. Abk. CVP, seit 1970 Name der 1912 konstituierten „Schweizer. Konservativen Volkspartei“, 1957–70 „Konservativ-christlichsoziale Volkspartei der Schweiz“; tritt für die christl. Weltanschauung ein und versucht, sich seit den 1970er Jahren unter Verzicht auf ausgesprochen konfessionspolit. Forderungen als „dynam. Mitte“ stärker nach links zu profilieren.

Christliche Arbeiter-Jugend ['krɪst...], Abk. CAJ, 1947 gegr. dt. kath. Jugendorganisation innerhalb der „Jeunesse Ouvrière Chrétienne“ (J.O.C.); Mgl. des Bundes der Dt. Kath. Jugend.

Christliche Friedenskonferenz ['krɪst...], Abk. CFK, im Juni 1958 in Prag gegr. Friedensbewegung christl. Kirchen Osteuropas, die für Abrüstung eintritt.

christliche Gewerkschaften ['krɪst...], in Deutschland Ende des 19. Jh. aus der christl.-sozialen Bewegung gegr. Arbeitnehmerorganisationen, die den Klassenkampf und eine parteipolit. Bindung ablehnten. 1901 wurde der „Gesamtverband c. G.“ gegr. (150 000 Mgl.). 1908 entstand die „Allg. christl. Internationale“, die Deutschland, die Schweiz, Österreich, die Niederlande, Schweden, Italien und Polen umschloß. Nach dem 1. Weltkrieg waren die c. G. im christl.-nat. „Dt. Gewerkschaftsbund“ bestimmend. 1949 gingen die 1933 aufgelösten c. G. in dem als Einheitsgewerkschaft 1949 neugegr. „Dt. Gewerkschaftsbund“ (DGB) auf. Interne Spannungen im DGB führten 1955 zur Neugründung der „Christl. Gewerkschaftsbewegung Deutschlands“ (CGD), seit 1959 „Christl. Gewerkschaftsbund Deutschlands“ (CGB); weltweiter Zusammenschluß ist der „Internat. Bund C. G.“ (IBCG).

christliche Kunst ['krɪst...], jede dem Christentum verpflichtete bildende Kunst; sie existiert seit etwa 200 (↑frühchristliche Kunst).

christliche Literatur ['krɪst...], 1. im engsten Sinn: das Schrifttum, das die Inhalte christl. Glaubens darlegt oder zum christl. Leben anleitet; 2. im weiteren Sinn auch die Dichtung mit christl. Thematik aus Bibel, Heiligenviten und Legende (z. B. geistl. Spiele); 3. im weitesten Sinn auch Schrifttum unterschiedlichster Thematik oder Gattung, das aus christl. Verständnis von Welt und Mensch entstanden ist.

christliche Parteien ['krɪst...], seit dem 19. Jh. in Reaktion auf Säkularisierung, Liberalisierung und Demokratisierung zunächst in Europa entstandene konfessionelle Parteien. Der anfängl. dominierende Charakter der c. P. als konfessionell-kirchl. Interessenvertretungen trat im 20. Jh. zugunsten einer Betonung gemeinsamer interkonfessioneller Interessen zurück. Das Ideal einer christl.[-stänḍ.] Staats- und Wirtschaftsgesellschaft wich der Anerkennung des modernen polit.-gesellschaftl. Pluralismus. Seit 1823 bildete sich in Irland eine kath. Partei mit nat. und sozialemanzipator. Charakter. In Deutschland kam es – nach Vorformen seit 1848 – in der Auseinandersetzung mit dem Liberalismus 1869 zur Gründung kath. Parteiorganisationen in Baden (Kath. Volkspartei) und Bayern (Patriotenpartei) und 1870 zur Bildung des Zentrums (in Bayern 1918 Gründung der Bayer. Volkspartei), das bis zu seiner Auflösung 1933 die bedeutendste c. P. war. In Österreich-Ungarn wurde 1891 die Christlichsoziale Partei gegr., in der Schweiz 1894 die kath. Konservative Volkspartei, in den Niederlanden 1896 die Röm.-Kath. Staatspartei. Infolge des päpstl. Verbots polit. Tätigkeit für die italien. Katholiken 1868 kam es in Italien erst 1918 zur Gründung des Partito Popolare Italiano, der 1926 von den Faschisten aufgelöst wurde und seit 1941/43 in der Democrazia Cristiana eine Nachfolgeorganisation fand. In Frankreich entwickelte sich erst aus der Résistance des 2. Weltkrieges heraus eine c. P., der Mouvement Républicain Populaire. In Lateinamerika entstanden c. P. nur in Ländern mit entwickeltem Vielparteiensystem (Chile, Kolumbien, Venezuela). Auf prot. Seite kam es bes. im Kalvinismus zur Bildung c. P. Erste Parteibildung des dt. Protestantismus war 1878 die Christlichsoziale Arbeiterpartei. Unter den heute bestehenden c. P. nehmen die CDU, die CSU und der ↑Christen Democratisch Appèl als bikonfessionelle Parteien eine Sonderstellung ein. 🕮 *Buchheim, K.: Gesch. der c. P. in Deutschland. Mchn. ²1966.*

Christliche Pfadfinderschaft Deutschlands ['krıst...] ↑Pfadfinder.

christliche Philosophie ['krıst...], Grundrichtung abendländ. Denkens und Philosophierens, deren Gehalt durch die christl. Offenbarung und die Auseinandersetzung mit ihr geprägt ist. – Die innere wissenschafts- und erkenntnistheoret. Problematik c. P. besteht darin, daß sie zwei grundsätzl. nicht miteinander zusammenhängende Bereiche, den des Glaubens bzw. der Offenbarung und den der Vernunft, (weltimmanenten) Wissens und Erfahrung, zu einer widerspruchsfreien Einheit und Synthese verbinden müßte.

Geschichte: Grundlage der c. P. zur Zeit des frühen Christentums war der Platonismus und der Neuplatonismus. Enge sachl. und formale Berührungen bes. im Gottes- und Logosbegriff trugen zur Entwicklung des trinitar. und christolog. Dogmas bei. Nach ersten Ansätzen in der alexandrin. Schule (Klemens, Origenes) baute Augustinus in seinem philosoph.-theolog. Denkgebäude eine c. P. auf, die den Höhepunkt und Abschluß dieser Periode darstellte und im Augustinismus im MA, z.T. sogar bis in die Neuzeit (z.B. bei Descartes), weiterwirkte. – Die Scholastik war gekennzeichnet durch eine zunehmend schärfere Unterscheidung von Philosophie und Theologie und durch Verwendung aristotel. Denkelemente. Anselm von Canterbury leitete in Anknüpfung an Augustinus dabei eine neue Phase der c. P. des MA ein: Als Kriterium galt die Vereinbarkeit mit dem Glauben. Abälard gestand der Vernunft eine selbständige Entscheidungsbefugnis in Zweifelsfällen zu. Thomas von Aquin unterschied zwei Erkenntnisquellen: die der Vernunft bzw. der Philosophie und die der Theologie und entwickelte auf dieser Grundlage seine Synthese christl.-aristotel. Philosophie und Theologie. – In der Neuzeit sind die Grenzen zw. christl. und säkularer Philosophie häufig nicht scharf zu ziehen. Scholast. Denken wurde u. a. von Suárez und Melanchthon weiterentwickelt und wirkte bis ins 18. Jh. Descartes und Leibniz suchten die Übereinstimmung ihrer Philosophie mit christl. Denken. Bei Pascal, der – in Hinwendung zur konkreten menschl. Existenz – die „Logik des Herzens" (Liebe, Glaube) zum Erkenntnisprinzip erhebt, werden Denkansätze sichtbar, die bei Kierkegaard und M. Scheler wieder ins Bewußtsein treten. Der dt. Idealismus ist wie die Existenzphilosophie (Jaspers, Heidegger) ohne die christl. Denktradition nicht denkbar. 🕮 *Löwith, K.: Weltgesch. u. Heilsgeschehen. Stg. ⁷1979. – McGiffert, A. C.: A history of Christian thought. New York Neuaufl. 1965. 2 Bde. (mit Bibliogr.).*

Christlicher Gewerkschaftsbund Deutschlands ['krıst...] ↑christliche Gewerkschaften.

Christlicher Verein Junger Menschen ['krıst...] (seit 1876), Abk. CVJM, in Deutschland 1883 nach dem engl. Vorbild *Young Men's Association* (YMCA, gegr. 1844 in London) unter dem Namen **Christlicher Verein Junger Männer** gegr. ev. Gemeinschaft, die das soziale Engagement junger Christen fördert. Sitz der dt. Zentrale des CVJM ist Kassel, Sitz des Weltbundes der YMCA Genf.

Christliche Volkspartei ['krıst...], Abk. CVP, 1945 gegr. saarländ. Partei, die ein von Deutschland unabhängiges und unter frz. Protektorat stehendes Saarland propagierte und sich für enge wirtsch. und kulturelle Kontakte mit Frankreich einsetzte; hatte 1946–55 die absolute Mehrheit der Wählerstimmen im Saarland; schloß sich 1965 der CDU an.

Christliche Welt ['krıst...], Abk. CW, prot. Zeitschrift, 1886–1941, von M. Rade, F. Loofs u. a. gegr., spielte eine bed. Rolle im sog. „Freien Protestantismus".

Christliche Wissenschaft ['krıst...] ↑Christian Science.

Christlichsoziale Arbeiterpartei ['krıst...] (1881–1918 Christlichsoziale Partei), 1878 von A. Stoecker in Berlin gegr. konservativ-soziale dt. Partei; 1881–96 selbständige Gruppe in der Dt. konservativen Partei; nach Neugründung 1896 nahezu bedeutungslos; ging 1918 in der DNVP auf.

christlich-soziale Bewegungen ['krıst...], im 19. Jh. in den christl. Kirchen als Antwort auf die sozialen Probleme im Übergang zur Industriegesellschaft entstandene Bewegungen. 1. Erste theoret. Ansätze zu einem *sozialen Katholizismus* finden sich seit den 1830er Jahren bei F. von Baader. F. J. von Buß und P. F. Reichensperger kritisierten bes. die ungebundene Konkurrenzwirtschaft mit ihren Folgen und forderten staatl. Unterstützung von Handwerk und Landw., Arbeitsschutz, Sozialversicherung, Dezentralisation der Kapitalien und Maschinen, Wiederherstellung des „korporativen Geistes". 1849 gründete A. Kolping den ersten kath. Gesellenverein. Seit 1864 entstanden die v.a. von W.E. von Ketteler geprägten christlich-sozialen Arbeitervereine. Seit 1880 kam es zu einer bed. kath. Sozialbewegung. Bes. die seit 1891 in verschiedenen päpstl. Enzykliken formulierte kath. Soziallehre hat den sozialen Katholizismus geprägt. Dieser ist bis heute in kath. Verbänden wie auch in den Sozialausschüssen der CDU wirksam.

2. Der *soziale Protestantismus* begann im 19. Jh. in Deutschland unter pietist. Einfluß mit der Gründung von „Rettungsanstalten" u.a. für Waisen, Arbeitslose und mit der Erneuerung der weibl. Diakonie. 1848 forderte J. H. Wichern die „christl.-soziale Aufgabe" für die „Innere Mission". Sein „christl. Sozialismus" sollte die sittl. und sozialen Verhältnisse verbessern und die Revolution bekämpfen. Ev.-soziale Parteibildungen waren 1878 die Christlichsoziale Arbeiterpartei und 1896 der Nationalsoziale Verein. Im 20. Jh. ist der soziale Protestantismus theolog. vertieft und nach 1945 in der EKD institutionell verankert worden. Die Vielfalt der im 19. Jh. in Europa entstandenen c.-s. B. konzentriert sich seit 1945 v.a. in der ökumen. Arbeit.

📖 *Budde, H.: Hdb. der c.-s. B. Recklinghausen 1967.*

Christlichsoziale Partei ['krɪst...], Abk. CP, östr. kath. Partei, gegr. 1891, entstanden aus einem Zusammenschluß des Christl. Sozialen Vereins und des konservativen Liechtensteinclubs mit kleinbürgerl. Gruppen um K. Lueger; 1907–11 stärkste Fraktion im Reichsrat; vertrat eine antiliberale und protektionist. Politik; erste größere antisemit. Partei Europas; 1919–34 Regierungspartei; unter dem wachsenden Einfluß der Heimwehren ging die CP in den 1930er Jahren immer mehr zu einem autoritären Kurs über; 1934 von ihren Führern aufgelöst.

Christlich-Sozialer Volksdienst ['krɪst...], Abk. CSVD, 1929 gegr. prot. konservative Partei; ging aus verschiedenen prot. Vereinigungen hervor; errang 1930 14 Mandate und hatte während der Regierung Brüning einigen Einfluß auf die Reichspolitik; strebte einen autoritären Staat an; 1933 freiwillige Gleichschaltung und Selbstauflösung.

Christlich-Soziale Union ['krɪst...], Abk. CSU, 1945/46 als christl.-konservative Partei von A. Stegerwald, F. Schäffer, J. Müller und A. Hundhammer in Bayern gegründet. Stellt sich bisher nur in Bayern zur Wahl und bildet mit der CDU im Bundestag eine gemeinsame Fraktion, in der sie erhebl. Einfluß hat. Insgesamt konservativer als die CDU, vertritt die CSU u.a. folgende Grundsätze: Betonung des Föderalismus, Schutz der Familie und des Eigentums, Förderung der Klein- und Mittelbetriebe. Außer 1954–57 führte die CSU stets die bayr. Landesregierung. Die Wochenzeitung „Bayernkurier" ist das publizist. Organ der CSU, die 1993 177 000 Mgl. hatte und bei der Bundestagswahl 1980 mit F. J. Strauß den (unterlegenen) Kanzlerkandidaten von CDU/CSU stellte. Stimmenanteile bei Bundestagswahlen (in % des Bundesergebnisses): 1949 5,8%, 1953 8,8%, 1957 10,5%; 1961 9,6%; 1965 9,6%; 1969 9,5%; 1972 9,7%; 1976 10,6%; 1980 10,3%; 1983 10,6%, 1987 9,8%, 1990 7,1%, 1994 7,8%; Vors.: H. Ehard, ab 1955 H. Seidel, 1961–88 F. J. Strauß, seit 1988 T. Waigel.

Christmas [engl. 'krɪsməs, „Christmesse"], Kurzwort Xmas, im Engl. Bez. für Weihnachten und die Weihnachtszeit bis zum 6. Jan.; **Christmas Day,** der erste Weihnachtsfeiertag (25. Dez.), **Christmas Eve,** Heiliger Abend.

Christmas Island [engl. 'krɪsməs 'aɪlənd], austral. Insel im östl. Ind. Ozean, 140 km², bis 357 m ü. d. M., Hauptort Flying Fish Cove. Abbau von Kalkphosphat. – Am Weihnachtsabend 1643 entdeckt; 1888 brit., 1958 an Australien.

C. I., früherer Name der Insel ↑Kiritimati.

Christmette ['krɪst...], eigtl. die Matutin (dt. Mette) des kath. Stundengebets zu Weihnachten. Die C. wird heute – auch in manchen ev. Kirchen – zw. den Abendstunden des Hl. Abends und den Morgenstunden des 1. Weihnachtstages gefeiert.

Christo [engl. 'krɪstoʊ], eigtl. C. Javacheff, *Gabrowo 13. Juni 1935, amerikan. Künstler bulgar. Herkunft. – Bekannt durch

Christo. Running Fence, Kalifornien 1972–76

„Verpackungen" von Großobjekten (Gebäude, Straßenzüge, Küste); verhüllte den Pariser Pont-Neuf mit Polyamidbahnen (1985); der seit 1971 projektierten Verhüllung des Berliner Reichstags („Wrapped Reichstag") stimmte der dt. Bundestag im Febr. 1994 zu.

Christoff, Boris ['krıstɔf], * Plowdiw 18. Mai 1918, † Rom 28. Juni 1993, bulgar. Sänger (Baß). – V. a. Interpret russ. („Boris Godunow"), italien. und frz. Opernpartien sowie von Liedern.

Christologie ['krıs...; griech.], die Lehre der christl. Kirchen von ↑ Jesus Christus.

Christoph, Name von Herrschern:
Dänemark:
C. III., * 26. Febr. 1418, † Hälsingborg 5. oder 6. Jan. 1448, Pfalzgraf bei Rhein, König von Dänemark, (als C. I.) von Schweden und Norwegen. – 1439 vom dän. Reichsrat zum Reichsvorstand und 1440 zum König gewählt (1441 in Schweden, 1442 in Norwegen); bestätigte 1442 eine neue Fassung des schwed. Landrechts **(Kristofers landslag).**
Württemberg:
C., * Urach 12. Mai 1515, † Stuttgart 28. Dez. 1568, Herzog (seit 1550). – Sohn Herzog Ulrichs; erließ als Lutheraner die sog. Große Kirchenordnung von 1559; bemühte sich um Ausgleich zw. den prot. Parteien und um Annäherung an den Katholizismus.

Christophe, Henri [frz. kris'tɔf], * auf Grenada (Kleine Antillen) 16. Okt. 1767, † Port-au-Prince (Haiti) 8. Okt. 1820 (Selbstmord), König von Haiti. – Urspr. Sklave; später zum General ernannt; ab 1807 Präs.; ließ sich 1811 als **Henri I.** zum König krönen, beherrschte nur den NO der Insel.

Christopher, Warren Minor [engl. 'kristɔfə], * Scranton (N. D.) 27. Okt. 1925, amerikan. Politiker; seit Jan. 1993 Außenminister.

Christophorus [krıs...: griech. „Christusträger"], legendärer, unhistor. Märtyrer aus der Ostkirche; im Abendland als Träger des Christuskindes verehrt. Die Legende geht auf die „Acta Bartholomaei" (5. Jh.) zurück. Im 12. Jh. entwickelte sich in Süddeutschland die bekannte Christusträgerlegende: C. trägt das Christuskind über einen Fluß, wird von der Last des Kindes unter Wasser gedrückt und getauft. Das Legendenmotiv wurde von der *bildenden Kunst* immer wieder behandelt. Im *Volksglauben* ist C. als vielseitiger Schutzpatron bekannt. Das Spät-MA zählte ihn zu den 14 ↑ Nothelfern. C. gilt als Patron der Pilger, Reisenden, Fuhrleute, Schiffer, Kraftfahrer (seit etwa 1900), Gärtner sowie gegen den „jähen Tod", die Pest, Augenleiden u. a. – Fest: 25. Juli (orth. Kirche: 9. Mai).

Christophskraut ['krıs...; nach Christophorus] (Actaea), Gatt. der Hahnenfußgewächse mit etwa 7 Arten auf der nördl. Halbkugel; Stauden mit kleinen weißen Blüten in aufrechten Trauben und mehrsamigen Beerenfrüchten.

Christrose ['krıst...] (Schneerose, Schwarze Nieswurz, Helleborus niger), geschütztes Hahnenfußgewächs in den Kalkalpen, Karpaten und im Apennin, mit weißen, später purpurfarben getönten Blüten; blüht im Garten oft schon im Dezember.

Christstollen ['krıst...] ↑ Stollen.

Christ und Welt [krist], 1948 gegr. prot. Wochenzeitung, ging 1971 in der „Deutschen Zeitung", mit dieser 1979 im „Rheinischen Merkur" auf (↑ Zeitungen [Übersicht]).

Christus ['krıstʊs; griech.-lat. „der Gesalbte"] ↑ Jesus Christus.

Christus, Petrus ['krıstʊs], * Baarle (Nordbrabant) um 1420, † Brügge 1472 oder 1473, niederl. Maler. – Vermutl. Schüler Jan van Eycks, dessen maler. und perspektiv. Techniken er weiterentwickelte. Werke u. a. in Berlin-Dahlem; Hauptwerk: „Hl. Eligius" (New York, Sammlung R. Lehmann).

Christusbild ['krıstʊs...], das erste C. ist für gnost. Sekten bezeugt. Im 4. Jh. erscheinen zwei Grundtypen: bartloser Jüngling (bes. als Guter Hirte nach Joh. 10, 1–16) bzw. Mann mit kurzem Vollbart und langem Haar (seit dem 6. Jh. vorherrschender Typus). In Byzanz („Pantokrator") und in der abendländ. Romanik („Majestas Domini") wird der Herrscher und König der Welt, in der Gotik der Passions-Christus Hauptthema. Seit der Renaissance wirkte sich die Wiederentdeckung des schönen Körpers aus. Barock und Rokoko betonten den Himmelskönig. Dem 20. Jh. ist der Passions-Christus näher.

Christusdorn ['krıstʊs...] (Euphorbia milii), Wolfsmilchgewächs aus Madagaskar; bis 2 m hoher Strauch mit kurzgestielten Blättern, schwarzbraunen Dornen und kleinen, gelben, in Trugdolden stehenden Scheinblüten, die jeweils von einem Paar zinnoberroter oder hellgelber Hochblätter umgeben sind; Zimmerpflanze.

Christus-Johannes-Gruppe ['krıstʊs], Andachtsbild (Christus und Johannes der Abendmahlszene).

Christusmonogramm ['krıstʊs...] (Christogramm), symbol. Zeichen für den Namen Christus, gebildet aus den griech. Anfangsbuchstaben (XP); üblich seit dem 3. Jh., häufig ergänzt durch ↑ Alpha und Omega. Im 15. Jh. verbreitete Bernhardin von Siena das Zeichen IHS (auch gedeutet als „Iesus hominum salvator" [Jesus, Erlöser der Menschen], volksetymologisch: „Jesus, Heiland, Seligmacher").

Christusorden ['krıstʊs...], portugies. Ritterorden, 1317 nach Auflösung des Templerordens gestiftet und mit dessen Gütern ausgestattet; 1797 säkularisiert.
◆ päpstl. Auszeichnung, ↑ Orden.

Chrodegang ['kro:...], hl., * im Haspengau um 715, † Metz 6. März 766, Bischof von Metz (seit 742). – Gehört mit Bonifatius zu den Reformern der karoling.-fränk. Kirche. – Fest: 6. März.

Chrom [kro:m; zu griech. chrõma „Farbe"] (chemisch-fachsprachlich Chromium), chem. Symbol Cr, metall. Element aus der VI. Nebengruppe des Periodensystems der chem. Elemente; Ordnungszahl 24, relative Atommasse 51,996, sehr hartes und sprödes Gebrauchsmetall, Mohshärte 7 bis 9, Dichte 6,93 g/cm^3, Schmelzpunkt 1857 °C, Siedepunkt 2672 °C. Es kommt (außer als Bestandteil von Meteoriten) in der Natur nicht gediegen vor. Wichtigstes Erz ist der ↑ Chromit. Verwendet wird C. v. a. als Legierungsbestandteil korrosionsbeständiger C.stähle und als Oberflächenschutz. In seinen Verbindungen tritt C. zwei-, drei-, vier-, fünf- und v. a. sechswertig auf. Die **Chrom(III)-salze** finden Verwendung als Beiz- und Ätzmittel in der Färberei und Gerberei (C.leder). Die giftigen **Chromate(VI),** allg. Formel $Me^{I}_{2}CrO_{4}$, sowie die **Dichromate,** $Me^{I}_{2}Cr_{2}O_{7}$, dienen als Oxidationsmittel; – ↑ Chromgelb. Die Gesamtförderung an C.erzen betrug 1989 12,7 Mill. t. Hauptförderländer waren Südafrika (4,275 Mill. t), die Sowjetunion (3,8 Mill. t), Indien (1,003 Mill. t).

chromaffin [krom-a...; griech./lat.], mit Chromsalzen anfärbbar; gesagt von Zellen (v. a. im Mark der Nebennieren, in den Paraganglien an der Gabelung der Kopfschlagader) in histolog. Präparaten, die sich nach Behandlung mit kaliumdichromathaltigen Reagenzien braun färben.

chromat..., Chromat... ↑ chromo..., Chromo...

Chromate [kro...; griech.] ↑ Chrom.

Chromatiden [kro...; griech.] ↑ Chromosomen.

Chromatik [kro...; zu griech. chrõma „Farbe"], die „Verfärbung" (↑ Alteration) diaton. Tonstufen, d. h. der Ersatz einer diaton. Stufe (↑ Diatonik) durch einen oberen oder unteren Halbton. Urspr. neben Diatonik und ↑ Enharmonik Grundlage des griech. Tonsystems, wurde die C. in der abendländ. Musik seit der Mitte des 16. Jh. als Mittel der Textausdeutung bedeutsam und führte im 19. Jh. zur chromat. Alterationsharmonik (R. Wagner). **Chromatische Tonleiter,** die aus 12 gleichen Halbtönen innerhalb der Oktave gebildete Tonleiter.

Chromatin [kro...; griech.], der mit Kernfarbstoffen anfärbbare Teil des Zellkerns während der ↑ Interphase.

chromatische Aberration [kro...] ↑ Farbfehler.

chromato..., Chromato... ↑ chromo..., Chromo...

Christusbild. Maiestas Domini, Wandmalerei aus S. Clemente de Tahull; Ende 12. Jh. (Barcelona, Katalanisches Museum)

Chromatogramm [kro...], Schaubild, das bei der chromatograph. Stofftrennung entsteht und das qualitative und quantitative Trennergebnis als Kurvenzüge, Zahlenkolonnen oder Farbflecke sichtbar macht.

Chromatographie [kro...], Verfahren zur analyt. und präparativen Trennung eines Stoffgemisches, wobei durch wiederholte Verteilung des Stoffgemisches in einer relativ großen Grenzschicht zw. zwei nicht mischbaren, gegeneinander bewegten Phasen von Hilfsstoffen die verschiedenen Bestandteile unterschiedl. stark in ihrer Bewegung gehemmt (verzögert) und so getrennt werden. Man unterscheidet die ↑ Dünnschichtchromatographie, die ↑ Gaschromatographie, die ↑ Papierchromatographie und die ↑ Säulenchromatographie.

Chromatophoren [kro...; griech.], (Farbstoffträger) bei *Tieren* pigmentführende Zellen der Körperdecke (bei Krebsen, Tintenfischen, Fischen, Amphibien, Reptilien), die den ↑ Farbwechsel dieser Tiere bewirken. ◆ bei *Pflanzen* ↑ Plastiden.

Chromatopsie [kro...; griech.] (Chromopsie), Sehstörung, bei der ungefärbte Gegenstände in bestimmten Farbtönen, aber auch Farbtöne bei geschlossenen Augen (subjektiv) wahrgenommen werden.

Chromatose [kro...; griech.] (Dyschromie), Hautverfärbung durch abnorme Ablagerung unterschiedl. Pigmente, z. B. Melanin, Bilirubin, Arsen, Silber, bei verschiedenen Krankheiten.

Chromdioxid ['kro:m...] ↑Chromoxide.

Chromfarbstoffe ['kro:m...], eine Gruppe von Beizenfarbstoffen, die mit Chromsalzen naßechte, gut haftende, waschechte Farblacke auf Fasern bilden.

Chromgelb ['kro:m...] (Bleichromat), gelbes Pigment (für Ölfarben, Drucke und Lakke), chem. $PbCrO_4$, meist vermischt mit Bleisulfat.

Chromit [kro...; griech.] (Chromeisenerz, Chromeisenstein), eisen- bis bräunlichschwarzes kub. Mineral, $(Fe,Mg)Cr_2O_4$; ein ↑Spinell; wichtigstes Chromerz; Mohshärte 5,5; Dichte 4,5 bis 4,8 g/cm^3.

Chromleder ['kro:m...], mit Chromsalzen gegerbtes Leder.

Chromnickelstahl ['kro:m...], nicht rostender, kaum magnetisierbarer und sehr korrosionsbeständiger Stahl mit etwa 18% Chrom und mindestens 8% Nickel.

chromo..., Chromo... (chromato..., Chromato...; vor Vokalen und h meist: chrom..., Chrom...; chromat..., Chromat...) [kro:mo...; griech.], Bestimmungswort mit der Bed.: „Farbe", „Pigment", z. B. Chromosom.

Chromogene [kro...; griech.] ↑Farbstoffe.

Chromomeren [kro...; griech.], anfärbbare Verdichtungen der Chromosomenlängsachsen.

Chromoplasten [kro...] ↑Plastiden.

Chromoproteide [kro...], zusammengesetzte Eiweißstoffe, die neben der Proteinkomponente eine nichtproteinartige Gruppe enthalten, die Farbstoffcharakter besitzt; z. B. Hämoglobine und andere Blutfarbstoffe, Flavoproteide, Katalasen, Peroxidasen.

Chromopsie [kro...], svw. ↑Chromatopsie.

Chromosomen [kro...; griech. eigtl. „Farbkörper" (so ben., weil C. durch Färbung sichtbar gemacht werden können)] (Kernschleifen), fadenförmige Gebilde im Zellkern jeder Zelle (mit Ausnahme der Prokaryonten – Bakterien und Blaualgen –), die die aus DNS bestehenden Gene tragen und für die Übertragung der verschiedenen, im Erbmaterial festgelegten Eigenschaften von der sich teilenden Zelle auf die beiden Tochterzellen verantwortl. sind. Chem. gesehen bestehen sie hauptsächl. aus kettenartig hintereinandergeschalteten, die DNS-Stränge bildenden Nukleotiden, bas. Proteinen (↑Histone) und nicht bas. Proteinen mit Enzymcharakter. Vor jeder Zellteilung werden die C. in Form ident. Längseinheiten **(Chromatiden)** verdoppelt (ident. redupliziert). Während der Kernteilungsphase verdichten sie sich durch mehrfache Spiralisation zu scharf begrenzten, durch bas. Farbstoffe anfärbbaren, unter dem Mikroskop deutl. sichtbaren Gebilden. Die Längseinheiten werden dann bei der Kernteilung voneinander getrennt und exakt auf die beiden Tochterkerne verteilt. – Die Gesamtheit der C. eines Kerns bzw. einer Zelle heißt **Chromosomensatz.** Man unterscheidet normale C. *(Autosomen)* und Geschlechts-C. *(Heterosomen).* Meist sind von jedem C. zwei ident. Exemplare im Zellkern jeder Zelle vorhanden. Diese beiden C. eines Paares werden *homologe C.* genannt. Die diploiden Körperzellen des Menschen enthalten 46 C., die sich nach Form und Genbestand in 22 Autosomenpaare (Chromosom 1–22, aufgeteilt in die Gruppen A–G) und ein Paar Geschlechts-C. (XX bei der Frau, XY beim Mann) unterteilen lassen. Die

Chromosomen. Männlicher (links) und weiblichen (rechts) Chromosomensatz des Menschen

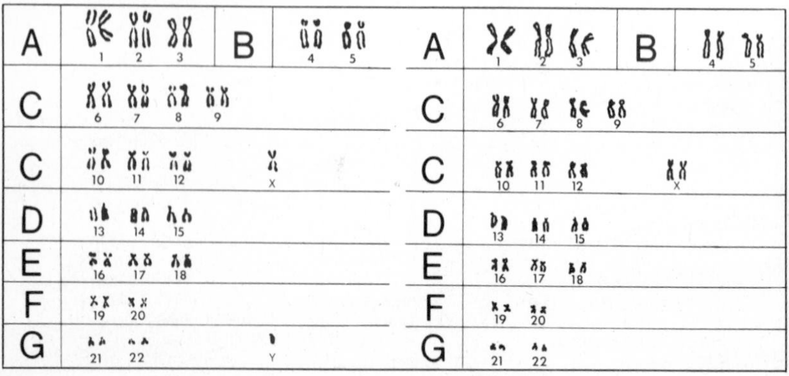

durch Reduktionsteilung entstehenden (haploiden) Keimzellen (Eizellen, Spermien) enthalten 22 Autosomen und 1 Geschlechts-C. (X- oder Y-Chromosom). – Die graph. Darstellung der Genorte mit der Angabe der Reihenfolge der Gene auf einem C. und ihrer relativen Abstände zueinander heißt **Chromosomenkarte.** Die Werte erhält man u.a. aus der Häufigkeit des Faktorenaustauschs zw. gekoppelten Genen.

🕮 *Dutrillaux, B./Couturier, J.: Praktikum der C.analyse. Stg. 1983. – Nagl, W.: C. Hamb. u. Bln [2]1980. – C.praktikum. Hg. v. F. Göltenboth. Stg. 1978. – Murken, J. D. u.a.: Die C. des Menschen. Mchn. 1973.*

Chromosomenaberration [kro...] (Chromosomenmutation), Veränderung in der Chromsomenstruktur durch Verlust, Austausch oder Verdopplung eines Chromosomenstückes, wodurch die Anzahl oder die Art der Gene auf einem Chromosom verändert werden.

Chromosomenanomalien [kro...], durch Genom- oder Chromosomenaberration entstandene Veränderungen in der Zahl (numer. C.) oder Struktur (strukturelle C.) der ↑Chromosomen, die sich als Komplex von Defekten äußern können und beim Menschen die Ursache für viele klin. Syndrome bilden. Da mindestens 0,5% aller Neugeborenen C. aufweisen, kommt ihnen große Bed. in der Medizin zu (↑Chromosomendiagnostik). – Numer. C. entstehen durch Fehlverteilung eines Chromosoms bei einer Zellteilung. Daraus resultiert eine **Monosomie** (Fehlen eines von zwei homologen Chromosomen) oder **Trisomie** (ein Chromosom liegt statt als Paar in dreifacher Form vor). Individuen mit Monosomie sind i.d.R. nicht lebensfähig. Die Monosomie eines X-Chromosoms (XO) führt beim Menschen zum ↑Turner-Syndrom. Häufige Trisomien sind das ↑Klinefelter-Syndrom (XXY) und das ↑Down-Syndrom. Weitere Trisomien sind das ↑Edwards-Syndrom und das ↑Patau-Syndrom. Die Häufigkeit der Trisomien steigt an, wenn die Schwangere älter als 35 Jahre ist.

Chromosomendiagnostik [kro...], Feststellung von Chromosomenanomalien auf Grund zytolog. Befunde; wichtig für die genet. Beratung, um zu verhindern, daß mißgebildete Kinder geboren werden.

Chromosomenmutation [kro...], svw. ↑Chromosomenaberration.

Chromosphäre [kro...], eine Schicht der Sonnenatmosphäre; ihre Strahlung ist schwach und nur für die Dauer einer totalen Sonnenfinsternis als farbiger Saum sichtbar.

Chromoxide ['kro:m...], Verbindungen des Chroms mit Sauerstoff; *Chrom(III)-oxid,* Cr_2O_3, dient als Pigment (Chromoxidgrün), das stark ferromagnet. *Chrom(IV)-oxid* **(Chromdioxid)** zur Herstellung von Tonbändern, *Chrom(VI)-oxid* zum Verchromen sowie als Oxidations- und Bleichmittel.

Chrompigmente ['kro:m...], Chromverbindungen, die wegen ihrer Farbe, guten Deckkraft und leichten Streichbarkeit vielfach Verwendung als Pigmente finden (Chromgelb, Chromorange, Chromgrün, Chromoxidgrün und Chromoxidhydrat).

Chromschwefelsäure ['kro:m...], zur Reinigung von Glasgefäßen verwendetes Gemisch von Schwefelsäure und Chromtrioxid.

Chromstahl ['kro:m...], Stahl, dem Chrom zulegiert wurde zur Erhöhung von Festigkeit, Härte und Schneidkraft; hochwertiger Bau-, Werkzeug- und Dauermagnetstahl; bei polierter Oberfläche rostfrei.

chron..., Chron... ↑chrono..., Chrono...

Chronaxie [kro...; griech.], Zeitmaß für die elektr. Erregbarkeit von Muskel- oder Nervenfasern; Zeitspanne, in der ein elektr. Strom von der doppelten Intensität der Lang-

Chromosomen. Zytologische Chromosomenkarte anhand eines Endabschnitts des X-Chromosoms (Riesenchromosom) aus einer Speicheldrüsenzelle der Taufliege mit der topographischen Einteilung mit Angabe der Bereiche (oben), innerhalb deren die Rekombinationswerte aus der diesem Chromosom entsprechenden genetischen Chromosomenkarte liegen müssen. Die dunklen Bänder sind die Chromomeren

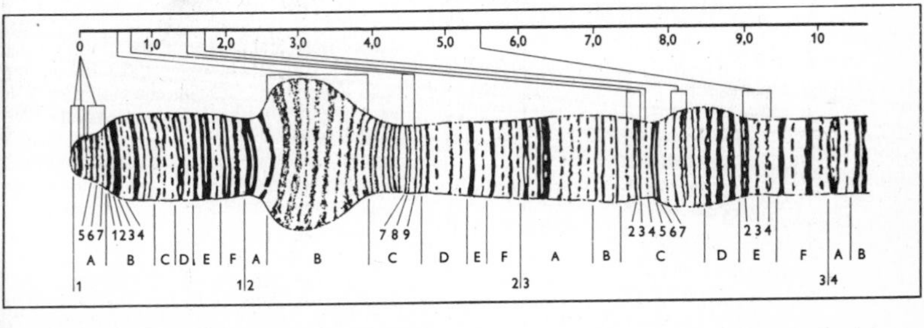

zeitschwelle (↑Rheobase) auf eine Muskel- oder Nervenfaser einwirken muß, um gerade noch eine Erregung hervorzurufen.

Chronik ['kro:nɪk; griech.; zu chrónos „Zeit"], Form der Geschichtsschreibung (bes. im MA und im 16./17. Jh.), die sachl. und ursächl. Zusammenhänge zw. den Ereignissen und chronolog. Phasen herzustellen versucht. C. gehen oft von den Anfängen (der Welt, des bestimmten Klosters, der bestimmten Stadt) aus und ordnen die Geschehnisse in den Rahmen der Heilsgeschichte ein. Die Grenzen zu den ↑Annalen und der ↑Historie sind fließend.

Chronikbücher ['kro:...], zwei Geschichtsbücher des A. T., wahrscheinl. um 300 v. Chr. niedergeschrieben; sie stellen ausführl. die Zeit Davids, Salomos und der Könige von Juda dar.

Chronique scandaleuse [frz. krɔnikskãda'lø:z], Sammlung von Skandal- und Klatschgeschichten; zuerst Titel einer von J. de Roy um 1488 verfaßten Schrift über Ludwig XI. von Frankreich und die gesellschaftl. Zustände Mitte 15. Jh.

chronisch ['kro:...; zu griech. chrónos „Zeit"], im Ggs. zu ↑akut sich langsam entwickelnd und lange dauernd.

Chronist [kro...; griech.], Verfasser einer Chronik; auch jemand, der ein Ereignis o. ä. genau beobachtet und darüber berichtet.

chrono..., Chrono... (chron..., Chron...) [griech.], Bestimmungswort mit der Bed. „Zeit...", z. B. Chronometer.

Chronobiologie [kro...], Wiss. von den zeitl. Gesetzmäßigkeiten des Ablaufes der Lebensprozesse.

Chronogramm [kro...], ein Satz in lat. Sprache, in dem hervorgehobene lat. Großbuchstaben als Zahlzeichen gelesen die Jahreszahl eines bestimmten histor. Ereignisses ergeben. In Versform als **Chronostichon** (ein Vers) oder als **Chronodistichon** (zwei Verse).

Chronograph des Jahres 354 [kro...], 354 n. Chr. entstandene Ausgabe eines für die Bev. Roms bestimmten Kalenderwerkes und Staatshandbuches; enthält einen Kalenderteil, Konsularfasten (509/508 v. Chr. bis 354 n. Chr.); Ostertafeln (312–354, ergänzt bis 411); eine Liste der röm. Stadtpräfekten (254–354); einen Katalog der Bischöfe Roms mit Angabe ihrer Amtsdauer (230–354), ein Verzeichnis ihrer Todestage (255–352) und der Märtyrer Roms; eine Weltchronik; eine Stadtchronik Roms (bis 325); eine Beschreibung der Stadtregionen Roms.

Chronologie [kro...] ↑Zeitrechnung.

chronologisch [kro...], zeitlich [geordnet].

Chronometer [kro...], urspr. eine hochpräzise mechan. Uhr mit amtl. Prüfbedingungen, v. a. für Navigationsaufgaben in der Schiffahrt, heute alle Uhren hoher Ganggenauigkeit.

Chronophotographie [kro...], photograph. Aufzeichnung verschiedener Bewegungsphasen in einer Serie von Aufnahmen in gleichmäßigen kurzen Zeitabständen auf demselben Negativ.

Chronos ['krɔnɔs], bei den Griechen die Personifikation der Zeit. Durch die Namensähnlichkeit früh mit Kronos vermengt.

Chronostichon [kro...; griech.] ↑Chronogramm.

chronotrop [kro...; griech.], die Frequenz der Herztätigkeit beeinflussend.

Chrotta ['krɔta] ↑Crwth.

Nikita Sergejewitsch Chruschtschow

Chruschtschow, Nikita Sergejewitsch [russ. xru'ʃtʃɔf], *Kalinowka (Gouv. Kursk) 17. April 1894, †Moskau 11. Sept 1971, sowjet. Politiker. – 1934–66 Mgl. des ZK der KPdSU und 1939–64 des Politbüros; Erster Parteisekretär von Moskau (Stadt 1935–38, Gebiet 1949–53) und der Ukraine (1938–49, mit kurzer Unterbrechung 1947) sowie ZK-Sekretär (1949–53); im 2. Weltkrieg Politkommissar bei den sowjet. Streitkräften; nach dem Tod Stalins, zu dessen engerem Führungskreis er fast 20 Jahre gehörte, 1953 Erster ZK-Sekretär und – nach Ausschaltung der Malenkow-Molotow-Kaganowitsch-Gruppe – 1958 auch Min.präs.; versuchte, der sowjet. Innen- und Außenpolitik neue Impulse zu geben (v. a. Entstalinisierung nach seiner sog. „Geheimrede" auf dem XX. Parteitag 1956), konnte seine weitgesteckten polit. Ziele aber nicht erreichen; auf Grund zunehmender wirtsch. Mißerfolge und der Verschärfung des Konflikts mit der VR China 1964 als Partei- und Reg.chef gestürzt.

Chrysalis ['çry:...; griech.], svw. ↑Puppe (bei Insekten).

Chrysander [çry...], Friedrich, *Lübtheen 8. Juli 1826, †Bergedorf (= Hamburg)

3. Sept. 1901, dt. Musikforscher. – Begründete die Händelforschung auf der Basis systemat. Quellenforschung mit seiner Händelbiographie (1858–67, nicht abgeschlossen) und der Händelgesamtausgabe (1858–94).

Chrysanthemen [çry..., kry...; griech.] (Winterastern), allg. Bez. für die als Zierpflanzen kultivierten Arten, Unterarten, Sorten und Hybriden aus der Gatt. Chrysanthemum (↑ Wucherblume).

Chrysanthemum [çry...; griech.], svw. ↑ Wucherblume.

chryselephantin [çry...; griech.], in Goldelfenbeintechnik gearbeitet, d. h. eine Figur (Holzkern) wird mit Elfenbeinplättchen und Goldblech verkleidet. Am berühmtesten waren im antiken Griechenland Athena Parthenos und Zeus des Phidias sowie Hera des Polyklet in Argos (alle 5. Jh. v. Chr.).

Chrysippos [çry...], Gestalt der griech. Mythologie. Sohn des Pelops und einer Nymphe; wird von seinen Halbbrüdern Atreus und Thyestes erschlagen, die daraufhin der Fluch des Pelops trifft.

Chrysippos [çry...], * 281/277, † 208/204, Philosoph aus Soloi in Kilikien. – Kam 260 nach Athen; gilt als „zweiter Gründer" der ↑ Stoa, deren vage formuliertes theoret. System er vollendete.

Chrysler Corporation [engl. 'kraɪzlə kɔːpə'rɛɪʃən], bed. amerikan. Automobilkonzern, Sitz Detroit (Mich.), gegr. 1925. Bekannte Marken: Chrysler, Dodge, Imperial, Plymouth, Rootes, Eagles, bis 1978 auch Simca; 1988 Expansion auf den dt. Markt.

Chryso... [griech.], Bestimmungswort mit der Bed. „Gold...".

Chrysoberyll [çry...], rhomb. Berylliummineral, Al_2BeO_4; Mohshärte 8,5; Dichte 3,7 g/cm³; Schmucksteine: **Chrysoberyll** i. e. S. (blaß- bis honiggelb), **Cymophan** (gelblichgrün) und **Alexandrit** (tiefgrün bis rot).

Chrysographie [çry...], die Kunst, mit Goldtinktur aus Blattgold (alte Handschriften, Ikonen) zu schreiben oder zu malen.

Chrysokoll [çry...; griech.] (Kieselkupfer, Kieselmalachit, Kupfergrün), grünes oder blaues Kupfererz, $CuSiO_3 \cdot nH_2O$; Dichte 2,0–2,3 g/cm³; Mohshärte 2–4.

Chrysologus, Petrus [çry...] ↑ Petrus Chrysologus.

Chrysophyllum [çry...; griech.], Gatt. der Seifenbaumgewächse mit etwa 90 Arten in den Tropen und Subtropen, darunter das ↑ Goldblatt.

Chrysopras [çry...; griech.] ↑ Chalzedon.

Chrysostomos [çry...] ↑ Johannes I. Chrysostomos.

Chrysostomosliturgie [çry...], seit dem 11. Jh. Liturgie in allen orth. und mit Rom unierten Ostkirchen mit byzantin. Ritus, Johannes I. Chrysostomos zugeschrieben.

Chryssa, Vardea ['krɪsə], * Athen 31. Dez. 1933, amerikan. Bildhauerin griech. Herkunft. – Lebt seit 1955 in New York. Seit 1956 verwendet sie Buchstaben als serielle Bildelemente, in den 60er Jahren entwickelte sie Objekte und Environments mit Leuchtröhren.

chthonisch ['çtoː...; zu griech. chthṓn „Erde"], der Erde angehörend, unterirdisch.

chthonische Mächte ['çtoː...], der Erde verhaftete Götter und Geister im Ggs. zu *uran.* (himml.) Gottheiten. Sie können Fruchtbarkeit und Leben spenden, sind aber auch düstere Mächte der Unterwelt und des Totenreichs.

Chuang Tzu ↑ Zhuang Zi.

Chubut [span. tʃu'βut], argentin. Prov. in Patagonien, 224 686 km², 328 000 E (1989). Hauptstadt Rawson.

Chubut, Río [span. 'rrio tʃu'βut], Fluß in Patagonien, Argentinien; entspringt in den Anden südlich von San Carlos de Bariloche, mündet bei Rawson in den Atlantik, rd. 800 km lang.

Chuci (Ch'u-tz'u) [chin. tʃutsi „Elegien von Chu"], chin. Anthologie, im 2. Jh. n. Chr. aus lyr. Dichtungen zusammengestellt, die in der Zeit vom 3. Jh. v. Chr. bis zum 1. Jh. n. Chr. im Kgr. Chu in Mittelchina entstanden; aus schamanist. Beschwörungsliedern entwickelt, daher stark mytholog. Züge.

Chuckwalla [engl. 'tʃʌkwɑːlə; indian.] (Sauromalus ater), etwa 30–45 cm lange Leguanart in trockenen, felsigen Wüstengebieten des sw. Nordamerika; Pflanzenfresser.

Chudschand [xu...] (Chodschent, 1936–90 Leninabad), Gebietshauptstadt am Sysdarja, Tadschikistan, 160 000 E. PH, Museum; Theater; botan. Garten; Seidenwerk; Baumwollentkörnung, Nahrungsmittelind.; Kunstgewerbe. – Am Platz des heutigen C. gründeten Alexander d. Gr. 329 v. Chr. die Stadt *Alexandreia Eschate.* C. hatte im MA Bed. durch die Lage am Karawanenhandelsweg nach China. 1866 von Rußland annektiert.

Chukiang ↑ Perlfluß.

Chulpa (Chullpa) ['tʃʊlpa; indian.], präkolumb. Bauwerk (zw. 1100 und 1532) im Hochland von Bolivien und S-Peru; meist in Gruppen oder Zeilen stehend; aus Stein, luftgetrockneten Lehmziegeln oder einer Kombination von beiden, oft turmartig mit rundem oder rechteckigem Grundriß; diente als Totenhaus; den Aymará zugeschrieben.

Chums, Al [al'xʊms] (Homs), Bez.hauptort an der Syrtenküste, Libyen, 150 000 E. Küstenoase, Ölmühle; Zementfabrik. – Im 16. Jh. von Türken gegr.; 3 km östl. liegen die Ruinen von ↑ Leptis Magna.

Chun, Carl [kuːn], * Höchst (= Frankfurt am Main) 1. Okt. 1852, † Leipzig 11. April 1914, dt. Zoologe. – Prof. in Königsberg,

Breslau und Leipzig; arbeitete über Meerestiere; 1898/99 Leiter der wiss. bed. dt. Tiefsee-Expedition „Valdivia“ im Atlant. und Indischen Ozean.

Chunchon [korean. tʃhuntʃhʌn], korean. Stadt, 163 000 E. Verwaltungssitz der Prov. Kangwon-do; Handelszentrum für Agrarprodukte; Endpunkt einer Stichbahn von Seoul.

Chungking ↑Chongqing.

Chung-yung ↑Zhongyong.

Chuquicamata [span. tʃukika'mata], chilen. Ort im Großen Norden, 3 180 m ü. d. M., 220 km nö. von Antofagasta, 30 500 E. Einer der größten Kupfererztagebaubetriebe der Erde (18 Stufen).

Chuquisaca [span. tʃuki'saka], Dep. in Bolivien, 51 524 km², 486 000 E (1987). Hauptstadt Sucre. In Tälern und Hochbecken (2 000–4 000 m ü. d. M.) Anbau von Mais, Kartoffeln; im SW Weinbau.

Chuquitanta [span. tʃuki'tanta], großes vorspan. Zeremonialzentrum im Tal des unteren Río Chillón, nahe der Küste Zentralperus. Erste große Tempelanlage in Peru (2500–1850).

Chur [ku:r], Hauptstadt des schweizer. Kt. Graubünden, unterhalb der Vereinigung von Vorder- und Hinterrhein, 595 m ü. d. M., 31 000 E. Kath. Bischofssitz; Theolog. Hochschule; Dommuseum; Kunsthaus; metallverarbeitende, Nahrungsmittel-, Textilind. – Als röm. **Curia Rhaetorum** seit dem 4. Jh. nachweisbar; spätestens seit 451 Bischofssitz; die Siedlung C. kam im 10. Jh. aus königl. Besitz in den des Bischofs, der 1299 auch die Reichsvogtei erhielt; seit 1489 freie Reichsstadt, 1498 zugewandter Ort der Eidgenossenschaft; Übertritt der Stadt zur Reformation 1526; seit 1820 Kantonshauptstadt. – Roman.-got. Kathedrale (12./13. Jh.); Bischöfl. Schloß (17. Jh.; im 18. Jh. barock umgestaltet), Rathaus (15. und 16. Jh.).

C., Bistum, im 4./5. Jh. gegr., gehörte bis 843 zur Kirchenprov. Mailand, dann bis 1803 zu Mainz; 1803 direkt dem Hl. Stuhl unterstellt. – ↑katholische Kirche (Übersicht).

Church [engl. tʃə:tʃ], Frederic Edwin, * Hartford (Conn.) 4. Mai 1826, † New York 7. April 1900, amerikan. Maler. – Mgl. der ↑Hudson River School; schuf großflächige Landschaftsbilder, die Ausdruck naturwiss. orientierter Wahrnehmung sind.

C., Richard, * London 26. März 1893, † Cranbrook (Kent) 4. März 1972, engl. Schriftsteller. – Naturlyriker in der Nachfolge von Wordsworth; psycholog. Romane über existentielle Probleme; u. a. „Die Nacht der Bewährung“ (1942).

Churchill [engl. 'tʃə:tʃɪl], engl. Familie, die mit John C., Herzog von Marlborough (seit 1702), berühmt wurde; die Nachkommen seiner Tochter Anna, seit 1700 ∞ mit C. Spencer, nahmen den Namen **Spencer Churchill** an; bed.:

C., John, Herzog von Marlborough, ↑Marlborough, John Churchill, Herzog von.

C., Randolph Henry Spencer Lord, * Blenheim Palace, Woodstock (Oxford) 13. Febr. 1849, † London 24. Jan. 1895, brit. Politiker. – Vater von Sir Winston C.; 1883 Mitbegr. der Primrose League; einer der Führer der Konservativen Partei.

Sir Winston Churchill

C., Sir (seit 1953) Winston [Leonard Spencer], * Blenheim Palace, Woodstock (Oxford) 30. Nov. 1874, † London 24. Jan. 1965, brit. Staatsmann. – Sohn von Lord Randolph Henry Spencer C.; Kavallerieleutnant. Ab 1900 konservativer Unterhausabg., trat 1904 zur Liberalen Partei über und begann als Freund Lloyd Georges einen steilen polit. Aufstieg; 1908 Handels-, 1910 Innenmin., 1911 1. Lord der Admiralität (Rücktritt 1915). Wurde nach einem Frontkommando 1917 Munitions-, 1918 Heeres- und Luftwaffenmin., 1921 Kolonialmin. (bis 1922). Kehrte angesichts des Zerfalls der Liberalen Partei und aus antisozialist. Motiven zur Konservativen und Unionist. Partei zurück, 1924–29 Schatzkanzler. Seine Kritik an der mangelnden Rüstung und an der Appeasement-Politik N. Chamberlains brachten ihn in Ggs. zu seiner Partei. Bei Kriegsausbruch 1939 wieder 1. Lord der Admiralität und am 10. Mai 1940 unter öff. Druck Premier- und Verteidigungsmin. einer großen Kriegskoalition. C. wurde zum Motor des brit. Widerstands gegen Hitler und zum Symbol des brit. Durchhaltewillens und war der maßgebl. Initiator der „Grand Alliance“ zw. Großbritannien, den USA und der UdSSR. Seine Vorstellungen, die die Zurückdrängung des sowjet. Einflusses im Nachkriegseuropa bezweckten, konnte er gegenüber Stalin und Roosevelt nicht durchsetzen. Durch eine Wahlniederlage im Juli 1945 als Premiermin. abgelöst; plädierte für ein westl. Verteidigungsbündnis sowie die westeurop. Einigung (allerdings ohne Großbritannien); 1951–55 erneut Premiermin. C. trat auch als histor. Schriftsteller (Nobelpreis für Literatur 1953) und Maler hervor. *Werke:* Marlborough (4 Bde., 1933–38), Der Zweite Weltkrieg (6 Bde., 1948–53).

◻ *Manchester, W.: C. Der Traum vom Ruhm 1874–1932. Dt. Übers. Mchn. 1989. – Hughes, E.: C. Ein Mann in seinem Widerspruch. Dt. Übers. Kiel 1986. – Haffner, S.: W. C. Rbk. 1985. – Brendon, P.: C. Mchn. 1984.*

Churchill [engl. 'tʃəːtʃɪl], kanad. Hafenort an der W-Küste der Hudsonbai, 1600 E. Kath. Bischofssitz; Eskimomuseum, meteorolog. Station.

Churchill River [engl. 'tʃəːtʃɪl 'rɪvə], Fluß in Kanada, entfließt dem Lac La Loche, mündet bei Churchill in die Hudsonbai, 1609 km lang.

C. R. (früher Hamilton River), Zufluß zum Atlantik in Labrador, entfließt dem Sandgirt Lake, 335 km lang, bildet u.a. die 75 m hohen **Churchill Falls** (in der Nähe ein Kraftwerk mit 5225 MW Leistung).

Church of England [engl. 'tʃəːtʃ əv 'ɪŋglənd] ↑anglikanische Kirche.

Church of God ['tʃəːtʃ əv 'gɔd; engl. „Kirche Gottes"], Name verschiedener religiöser Gruppen, bes. in den USA, die seit dem 19. Jh. v.a. aus der ↑Pfingstbewegung und der ↑Heiligungsbewegung hervorgegangen sind. Sie sind am Ideal des urchristl. Gemeindelebens orientiert.

Churfirsten ['kuːr...], Bergkette nördl. des Walensees, Schweiz, im Hinterrugg bis 2306 m hoch.

Churriguera, José de [span. tʃurri'ɣera], * Madrid 21. März 1665, † ebd. 2. März 1725, span. Bildhauer und Baumeister. – Bed. Vertr. des nach ihm ben. ↑Churriguerismus. Von G. Guarini beeinflußt, bes. beim Rathaus von Salamanca (1722/23). In Madrid ist San Cajetano (vollendet 1776) erhalten, von zahlr. Altären u.a. drei in San Estéban in Salamanca (1693).

Churriguerismus [tʃʊrige'rɪsmus], nach J. de Churriguera ben., in ganz Spanien verbreiteter Barockstil (etwa 1650–1798) mit reichen, oft überladenen Dekorationen. Vertreten von Mitgl. der Fam. Churriguera.

Churriter [xʊ...] (Hurriter), altoriental. Volk im 3.–2. Jt. in N-Mesopotamien und N-Syrien; urspr. südl. des Vansees beheimatet, traten erstmals um 2200 in N-Assyrien, um 2000 im O-Tigrisland auf; bildeten im Euphratbogen mit einer Oberschicht von Ariern gegen 1500 v. Chr. das zeitweise mächtige Reich Mitanni (auch Chanigalbat bzw. „Land Churri" genannt; Hauptstadt Wassukanni), das bis an die Grenzen des Hethiterreichs und des ägypt. Reichs in NO-Syrien reichte und um 1350 v. Chr. während innerer Wirren dem Angriff der Hethiter erlag. Die Nennung der C. im A.T. (Horiter) meint wohl eine Restgruppe. – Die *Religion* der C. war in Kleinasien und Syrien weit bekannt. V.a. der Mythenkreis um den Göttervater Kumarbi mit dem Motiv der Göttergenerationen wurde von Phönikern und Griechen aufgenommen. Das Gesellschaftssystem war ritterl.-feudal mit einer kleinen Schicht von Streitwagenkämpfern an der Spitze.

Churritisch [xʊ...], Sprache der Churriter, die mit keiner bekannten Sprache des Alten Orients verwandt ist außer mit dem späteren ↑Urartäischen. Sie ist agglutinierend und heute erst z.T. verständlich. Churrit. Texte sind aus Mari, Ugarit und v.a. der Hethiterhauptstadt Hattusa bekannt. Dazu kommen zahllose churrit. Personennamen in akkad. Texten.

Chusestan [pers. xuzes'tɑːn] (Chusistan/Khusistan), Gebiet in SW-Iran, als Verw.-Geb. 67282 km², 2,68 Mill. E (1986), Hauptstadt Ahwas; erstreckt sich vom versumpften Tiefland nördl. des Pers. Golfes zu den anschließenden Sagrosvorbergen; wichtiges Erdölfördergebiet; künstl. Bewässerung ermöglicht landw. Nutzung; zentraler Ort im gebirgigen N ist Chorramabad. Während des Golfkrieges (1980–88) Zerstörung vieler Siedlungen und Erdölanlagen.

Chusrau Pascha ['xʊsraʊ] (türk. Hüsrev; Chosrau, Chosrew), * um 1756, † bei Konstantinopel 26. Febr. 1855, osman. Politiker. – Urspr. Sklave; seit 1801 Kommandant von Alexandria, Wesir und Statthalter von Ägypten; unterlag 1804 Mehmet Ali; seit 1827 Serasker (Kriegsmin.) mit fast unbegrenzter Macht; 1836 gestürzt; 1838 Chef des Kabinetts und Reformer der Zivilverwaltung, 1839 Großwesir; 1840 abgesetzt und (bis 1841) verbannt; 1846/47 nochmals Serasker.

Chu Teh ↑Zhu De.

Chutney [engl. 'tʃʌtnɪ; Hindi], Paste aus zerkleinerten, aber nicht passierten Früchten mit Gewürzen (Ingwer, Zucker); Beigabe zu (asiat.) Fischgerichten und kaltem Fleisch.

Ch'u-tz'u ↑Chuci.

Ch'ü Yu ↑Qu You.

Ch'ü Yüan ↑Qu Yuan.

Chuzpe ['xʊtspə; hebr.-jidd.], verächtlich für: Dreistigkeit, Unverschämtheit.

Chvostek-Zeichen ['xvɔstɛk; nach dem östr. Militärarzt F. Chvostek, * 1835, † 1884] (Fazialisphänomen), blitzartige Zusammenziehung der Gesichtsmuskulatur beim Beklopfen des Fazialisstamms unmittelbar vor dem Ohrläppchen; charakterist. bei Tetanie.

Chwaresmisch [xva...] (Choresmisch), die im äußersten Norden des iran. Sprachgebiets, am Unterlauf des Amudarja bis in islam. Zeit gesprochene mitteliran. Sprache, die v. a. dem Sogdischen nahesteht.

Chwarism [xvaˈrɪzəm], altertüml. Namensform von ↑Choresmien.

Chwarismi, Al [alxvaˈrɪsmi], Abu Abd Allah Muhammad Ibn Ahmad (Khowarezmi, Khwarazmi), arab. Enzyklopädist der 2. Hälfte des 10. Jh. – Verfasser der ältesten arab. Enzyklopädie „Mafātih al'ulūm" (Die Schlüssel zu den Wissenschaften).

C., Al, Muhammad Ibn Musa (pers. Al Charesmi, Mohammad Ebn Musa; Al Charismi), * in Choresmien um 780, † Bagdad nach 846, pers.-arab. Mathematiker und Astronom. – Verf. der ältesten systemat. Lehrbücher über Gleichungslehre (die Begriffe Algebra und Algorithmus leiten sich von einem Werktitel bzw. dem Namen Al C. her), über das Rechnen mit ind. Ziffern und über die jüd. Zeitrechnung. Er schrieb ferner ein astronom. und trigonometr. Tafelwerk.

Chwarism-Schah [xvaˈrɪzəm], Titel der von etwa 1100 bis 1220 in Choresmien herrschenden Fürsten.

Chylurie [çy... ; griech.], Ausscheidungen von ↑Chylus im Harn; wird u. a. bei Parasitenbefall (z. B. bei Filariose) verursacht; Symptome: getrübter Harn ohne Anzeichen einer Nieren- oder Harnwegerkrankung.

Chylus [ˈçy:lus; griech.], Milchsaft, weißlichtrübe Flüssigkeit in den Lymphgefäßen des Dünndarms nach Aufnahme fetthaltiger Nahrung. Der C. wird von den Dünndarmzotten über den Milchbrustgang in die venöse Blutbahn geleitet.

Chymosin [çy...; griech.], svw. ↑Labferment.

Chymotrypsin [çy...; griech.], eiweißspaltendes Enzym, das im Darm durch Trypsin aus einer Vorstufe (Chymotrypsinogen) aktiviert wird; spaltet bes. bei zykl. Aminosäuren die Peptidbindungen.

Chymus [ˈçy:mus; griech.], svw. ↑Speisebrei.

Chytilová, Věra [ˈxitjilɔva], * Ostrava 2. Febr. 1929, tschechoslowak. Filmregisseurin. – Drehte sozialkrit. Filme; vom neuen Stil, u. a. des Cinéma-vérité, beeinflußt. – *Filme:* Von etwas anderem (1963), Tausendschönchen (1966), Die Frucht der Paradiesbäume (1970), Geschichte der Wände (1979), Die Wolfsbande (1987), Kopytem sem, kopytem tám (Hin und Her; 1988).

Ci, Einheitenzeichen für ↑Curie.

CIA [engl. ˈsi:aɪˈɛɪ], Abk. für: **C**entral **I**ntelligence **A**gency, Zentralamt des amerikan. Geheimdienstes, 1947 in der Nachfolge des „Office of Strategic Services" (OSS) gleichzeitig mit dem National Security Council gegr. und diesem unterstellte oberste Geheimdienstbehörde der USA. Fragwürdige Unternehmungen im In- und Ausland führten 1978 zur Einschränkung der Kompetenzen der CIA; unter der Reagan-Administration erhielt sie seit 1981 wieder größeren Handlungsspielraum.

Ciaccona [italien. tʃaˈko:na] ↑Chaconne.

CIAM [frz. seiɑˈɛm, sjam], Abk. für: **C**ongrès **I**nternational d'**A**rchitecture **M**oderne, in der Schweiz in La Sarraz 1928 gegr. internat. Vereinigung moderner Architekten. Leitsätze (bes. von Le Corbusier) wurden in der „Charta von Athen" festgehalten (1933). Es fanden bis zur Auflösung des CIAM (1959) 10 Kongresse statt.

Ciano, Galeazzo [italien. ˈtʃa:no], Graf von Cortellazzo, * Livorno 18. März 1903, † Verona 11. Jan. 1944 (hingerichtet), italien. Diplomat und Politiker. – Seit 1925 im diplomat. Dienst; heiratete 1930 Mussolinis Tochter Edda; 1934 Leiter des Staatssekretariats (seit 1935 Ministeriums) für Presse und Propaganda; begr. als Außenmin. (seit 1936) die Achse Berlin–Rom, war mitverantwortl. für die italien. Intervention im Span. Bürgerkrieg und die Besetzung Albaniens 1939; trat zu Beginn des 2. Weltkriegs für die Neutralität Italiens ein und distanzierte sich nach den italien. Niederlagen 1942/43 offen von der Kriegspolitik Mussolinis; 1943 entlassen, stimmte im Faschist. Großrat (Mgl. seit 1935) für den Sturz Mussolinis; flüchtete nach Deutschland, später ausgeliefert, zum Tod verurteilt und erschossen.

CIBA-GEIGY AG, größter schweizer. Chemiekonzern, Niederlassungen in rd. 60 Ländern, Sitz Basel, entstanden 1970 durch Fusion der CIBA AG (gegr. 1859, seit 1884 AG) mit der J. R. Geigy AG (gegr. 1758, seit 1901 AG); Produktion von Pharmazeutika, Agrochemikalien und Farbstoffen.

Ciborium ↑Ziborium.

Cibulka, Hanns, * Jägerndorf (= Krnov; Nordböhmen) 20. Sept. 1920, dt. Schriftsteller. – Schreibt meist reimlose Lyrik nach klass. Stilvorbildern („Märzlicht", 1954; „Der Rebstock", 1980; Auswahl „Losgesprochen", 1985), Berichte und Tagebücher („Swantow", 1982; „Seedorn", 1985; „Nachtwache", 1989), Übersetzungen.

CIC, Abk. für: ↑**C**odex **I**uris **C**anonici.

Cicer [lat.], Gatt. der Schmetterlingsblütler mit der kultivierten Art ↑Kichererbse.

Cicero, Marcus Tullius, * Arpinum (= Arpino) 3. Jan. 106, † bei Caieta (= Gaeta) 7. Dez. 43, röm. Staatsmann, Redner und Philosoph. – Erfolgreicher Anwalt (berühmt v. a. Prozeß und Anklage gegen Verres, 70); Prätor (66) und Konsul (63). Bes. durch die Aufdeckung und energ. Unterdrükkung der Verschwörung des Catilina (vier Reden gegen Catilina) gelang es ihm, den Führungsanspruch des Senats ein letztes Mal durchzusetzen. Von dem Volkstribun Clodius

Pulcher zum Exil gezwungen (März 58–Sept. 57). Danach entstanden seine Hauptwerke „De oratore" („Über den Redner"; 55), „De re publica" („Über den Staat"; 54–51), „De legibus" („Über die Gesetze"; postum veröffentlicht). Trotz Cäsars Werben schloß C. sich im Bürgerkrieg zögernd Pompejus an (Juni 49), blieb aber passiv und wurde von Cäsar begnadigt (25. Sept. 47). An der Verschwörung gegen Cäsar war er nicht beteiligt, begrüßte aber dessen Ermordung (15. März 44) als Chance zur Wiederherstellung der alten Verfassung. Im Kampf gegen Antonius wurde C. noch einmal zum Führer des Senats (seit Dez. 44; 14 Philipp. Reden gegen Antonius), wobei er sich mit den Konsuln und dem jungen Oktavian verband. Der Tod der Konsuln (April 43), der Staatsstreich Oktavians (Aug. 43) und dessen Verständigung mit Antonius und Lepidus (Okt. 43) machten seine Pläne illusorisch. C. wurde geächtet und auf der Flucht ermordet. – Die Verbreitung der griech. Philosophie in der röm. Welt ist die eigtl. Leistung seiner zahlr. philosoph. Schriften, die das Denken der christl. Spätantike (Hieronymus, Augustinus) und des Abendlandes (seit Petrarca) nachhaltig beeinflußten.

🕮 *Fuhrmann, M.: C. und die röm. Republik. Mchn. ²1990. – Giebel, Marion: C. Rbk. 1977.*

Cicero, veraltete Bez. für den Schriftgrad von 12 Punkt, etwa 4,55 mm Schriftgröße.

Cicerone [tʃitʃe'ro:nə; italien.; so ben. auf Grund eines scherzhaften Vergleiches mit der Beredsamkeit Marcus Tullius Ciceros], Bez. für einen [redseligen] Fremdenführer.

Cichlidae ['tsɪçlidɛ; griech.], svw. ↑Buntbarsche.

Cichorium [tsɪ'ço:...; griech.-lat.], svw. ↑Wegwarte.

Cicisbeo [tʃitʃɪs'be:o; italien.] (Cavaliere servente), der Hausfreund in Italien im 18. Jh., vom Ehemann geduldet, gelegentl. sogar im Heiratsvertrag rechtl. verbrieft; sollte die Ehefrau in die Kirche, auf Spaziergängen, ins Theater und bei Besuchen begleiten.

Cicognani, Amleto Giovanni [italien. tʃikoɲ'ɲa:ni], * Brisighella bei Ravenna 24. Febr. 1883, † Rom 17. Dez. 1973, italien. Theologe, Kurienkardinal (seit 1958). – 1933–58 Apostol. Delegat in den USA, 1961–69 Kardinalstaatssekretär; 1972 Dekan des Kardinalskollegiums.

Ciconia [lat.], Gatt. der Störche in Eurasien und Afrika mit vier Arten; am bekanntesten der Weiße Storch und der Waldstorch.

Cicuta [lat.], Gatt. der Doldenblütler mit der bekannten Art Wasserschierling.

Cid, el [tsi:t, si:t; span. θið; frz. sid; von arab. saijid „Herr"], gen. el Campeador („der Kämpe"), eigtl. Rodrigo (Ruy) Díaz de Vivar, * Vivar del Cid bei Burgos um 1043, † Valencia 10. Juli 1099, span. Ritter und Nationalheld. – Diente König Sancho II. im Kampf um das Erbteil des Bruders, Alfons VI. von León; nach der Ermordung Sanchos II. (1072) von dessen Nachfolger Alfons VI. dennoch in seine Dienste genommen und mit einer Verwandten, Jimena Díaz, vermählt; trat 1081 auf die Seite des maur. Fürsten von Zaragoza. Eroberte 1094 Valencia, das er bis zu seinem Tode gegen die Almoraviden behauptete. – Das älteste erhaltene span. Heldenepos um die Gestalt des C. ist das um 1140 entstandene, nur in einer Kopie von 1307 überlieferte „Poema del C." (auch „Cantar de mio C.", hg. 1779); zahlr. weitere Dichtungen des Abendlandes, u. a. von P. Corneille (Dr., 1637).

Cidaris [griech.], Gatt. der Lanzenseeigel mit nur wenigen Arten; am bekanntesten die von Norwegen über das Mittelmeer bis zu den Kapverd. Inseln verbreitete Art **Cidaris cidaris:** bis etwa 6,5 cm groß, graugelb, grünl. oder rötl., mit großen, bis 13 cm langen Stacheln.

Cidre [frz. sidr] (engl. Cider), bekannter frz. Apfelwein aus der Normandie und Bretagne (im Geschmack dem Most nahe).

Cie., Abk. für frz.: **Compagnie.**

Ciechanów [poln. tɕɛ'xanuf], Hauptstadt der poln. Woiwodschaft C., nw. von Warschau, 130 m ü. d. M., 41 000 E. Metall- und Baustoffind., Zuckerfabrik.

Ciechocinek [poln. tɕɛxɔ'tɕinɛk], poln. Stadt sö. von Thorn, 35 m ü. d. M., 11 000 E. Einer der ältesten Kurorte Polens (Solquelle [36,5 °C], Gradierwerke).

Ciego de Ávila [span. 'si̯eɣo ðe 'aβila], Stadt in M-Kuba, 80 500 E. Verwaltungssitz einer Provinz; Theater; Handelszentrum eines Agrargebietes.

Cienfuegos [span. si̯en'fu̯eɣɔs], kuban. Hafenstadt sw. von Santa Clara, 109 000 E. Verwaltungssitz einer Provinz; Bischofssitz; Observatorium, bed. Exporthafen.

Cieplice Śląskie Zdrój [poln. tɕɛ'plitsɛ 'ɕlɔ̃skjɛ 'zdruj] ↑Bad Warmbrunn.

Ciesłewicz, Roman [poln. tɕɛs'lɛvitʃ], * Lemberg 13. Jan. 1930, poln. Graphiker und Illustrator. – Lebt seit 1963 in Paris. C. arbeitet auf den Gebieten der Buchillustration, der Kunst- und Werbegraphik. Er erlangte v. a. mit Plakatentwürfen internat. Ansehen.

Cieszyn [poln. 'tɕɛʃin] (dt. Teschen), poln. Stadt sw. von Kattowitz, 310 m ü. d. M., 37 000 E. Metall- und Holzverarbeitung, Elektroind.; Grenzübergang zur ČSFR. – C. ist der älteste bekannte Name von **Teschen,** 1920 geteilt in das poln. C. und das tschech. ↑Český Těšín.

Cignani, Carlo [italien. tʃiŋ'ɲa:ni], * Bologna 15. Mai 1628, † Forli 6. Sept. 1719, italien. Maler. – In der Carracci-Tradition stehender bolognes. Maler (u. a. Ausmalung der Kuppel des Doms von Forlì, 1686–1706).

Cigoli, Ludovico [italien. 'tʃi:goli], eigtl. L. Cardi da C., * Cigoli (= San Miniato) 12. Sept. 1559, † Rom 8. Juni 1613, italien. Maler und Baumeister. – Begr. des Barockstils in Florenz; malte u. a. das „Martyrium des hl. Stephanus" (1597; Florenz, Palazzo Pitti).

Cikker, Ján [slowak. 'tsikɛr], * Neusohl (= Banská Býstrica) 29. Juli 1911, † Bratislava 21. Dez. 1989, slowak. Komponist. – Komponierte v. a. Opern, u. a. „Auferstehung" (1962, nach L. Tolstoi); auch Orchester- und Kammermusik.

Cilacap [indones. tʃi'latʃap] (Tjilatjap), Hafenstadt auf Java, Indonesien, 290 km sö. von Jakarta, 60 000 E. Erdölraffinerien; einziger bed. Hafen an der S-Küste der Insel.

Cilèa, Francesco [italien. tʃi'lɛ:a], * Palmi 23. Juli 1866, † Varazze bei Genua 20. Nov. 1950, italien. Komponist. – Komponierte verist. Opern († Verismus), u. a. „Adriana Lecouvreur" (1902), sowie Orchester- und Kammermusik.

Ciliata [lat.], svw. † Wimpertierchen.

Çiller, Tansu [türk. 'tʃilə], * Istanbul 1946, türk. Politikerin und Wirtschaftswissenschaftlerin; war 1991–93 Wirtschaftsmin., seit Juni 1993 Ministerpräsidentin.

CIM † Automatisierung.

Cima [italien. 'tʃi:ma], svw. Bergspitze.

Cima da Conegliano [italien. 'tʃi:ma dakoneʎ'ʎa:no], eigtl. Giovanni Battista C., * Conegliano um 1460, † ebd. 3. Sept. 1517 oder 1518, italien. Maler. – Bed. Vertreter der venezian. Frührenaissance, v. a. von Antonello da Messina beeinflußt; u. a. „Taufe Christi" (1494; Venedig, San Giovanni in Bragora).

Cimabue [italien. tʃima'bu:e], eigtl. Cenni di Pepo, * Florenz um 1240, † Pisa 1302 (?), italien. Maler. – Erfüllte die noch byzantin. Formen mit warmem menschl. Ausdruck. Um 1265 entstand wohl der gemalte Kruzifixus in Arezzo, San Francesco, nach 1270 wohl der Kruzifixus von Santa Croce in Florenz, um 1280 die Madonna aus San Trinità, Florenz (Uffizien) und die Fresken der Oberkirche in Assisi.

Cimarosa, Domenico [italien. tʃima'rɔ:za], * Aversa 17. Dez. 1749, † Venedig 11. Jan. 1801, italien. Komponist. – Von seinen nahezu 80 Opern wird „Die heiml. Ehe" (1792) noch heute gespielt; auch Oratorien, Sinfonien und Klaviersonaten.

Cimbalom [ungar. 'tsimbɔlom; griech.-lat.] † Hackbrett.

Cimiotti, Emil [tʃimi'ɔti], * Göttingen 19. Aug. 1927, dt. Bildhauer. – Schöpfer bewegter, völlig ineinander verschmolzener Figurengruppen, später neorealist. Plastik

Cîmpulung [rumän. kɨmpu'luŋg], rumän. Stadt 50 km nnö. von Piteşti, 41 000 E. Automobil- und Bekleidungsind.; Luftkurort. – 1300 erstmals erwähnt. Nach 1330 Residenz der Fürsten der Walachei.

Cinchonin [sıntʃo...; span.], ein Chinarindenalkaloid; wirkt schwächer als Chinin.

Cinch-Steckverbinder [engl. sıntʃ „Sattelgurt, fester Halt"], zweipoliger Steckverbinder für Koaxialkabel; Stecker mit zentr. Stift und ihn koaxial umgebender Hülse als 2. Pol.

Cincinnati [engl. sınsı'nætı], Stadt in SW-Ohio, USA, am rechten Ufer des mittleren Ohio, 160 m ü. d. M., 370 000 E; Metropolitan Area 1,67 Mill. E. Sitz eines kath. Erzbischofs und eines anglikan. Bischofs; zwei Univ. (gegr. 1819 bzw. 1831), mehrere kath. Colleges, Hebrew Union College – Jewish Institute of Religion (gegr. 1875), Kunstakad.; bed. Zentrum u. a. der Werkzeugmaschinen- und Seifenherstellung; Verkehrsknotenpunkt, 2 ✈. – 1788 am Übergang mehrerer Indianerwege über den Ohio errichtet.

Cincinnatus, Lucius Quinctius, röm. Staatsmann des 5. Jh. v. Chr. aus patriz. Geschlecht. – Soll 458 vom Pflug weggeholt und zum Diktator ernannt worden sein, um das von den Äquern eingeschlossene Heer des Konsuls Lucius Minucius Esquilinus zu befreien; legte nach Sieg und Triumph die Diktatur nieder; 439 erneut Diktator.

Cinderella [engl. sındə'rɛlə], engl. für Aschenputtel.

Cineast [sine'ast; griech.-frz.], Filmkenner, -forscher, -schaffender; auch Filmfan.

Cinemagic [engl. sınə'mædʒık; griech.-engl.], Verfahren der Trickfilmtechnik, das Real- und Trickaufnahmen mischt.

Cinemascope (Wz) [sinema'sko:p; griech.-engl.] † Breitbildverfahren.

Cinemathek [si...] † Kinemathek.

Cinéma-vérité [frz. sinemaveri'te „Kino-Wahrheit"], Stilrichtung der Filmkunst, in Frankreich u. a. von J. Rouch und E. Morin in den 50er Jahren entwickelt. Durch spontanes Spiel und den Einsatz von Stilmitteln des Dokumentarfilms soll beim Zuschauer die Illusion unverfälschter Wirklichkeit entstehen.

Cineol, svw. † Eucalyptol.

Činggis Khan ['tʃiŋıs 'ka:n] † Dschingis-Khan.

Cingulum [lat.], (C. militiae) im röm. Heer im 1. Jh. n. Chr. eingeführter Ledergürtel, der über die Hüften getragen wurde; endete in einem Schurz aus metallbeschlagenen Lederriemen zum Schutz des Unterleibes.

◆ † Zingulum.

Cinna, röm. Familienname, v. a. im patriz. Geschlecht der Cornelier und im plebej. Geschlecht der Helvier:

C., Lucius Cornelius, † Ancona 84 v. Chr., röm. Konsul. – Gegen Sullas Willen zum Konsul für 87 gewählt; aus Rom vertrieben, verband sich mit Marius und eroberte die Stadt; jährlich wiedergewählter Konsul 86–84; von meuternden Soldaten getötet.

C., Lucius Cornelius, röm. Prätor (44 v. Chr.). – Lobte die Mörder Cäsars, weshalb ihn das erbitterte Volk lynchen wollte, wegen einer Verwechslung aber den Volkstribunen Gajus Helvius Cinna tötete (März 44).

Cinnabarit [griech.], svw. ↑Zinnober.

Cinnamomum [griech.-lat.], svw. ↑Zimtbaum.

Cinquecento [tʃɪnkveˈtʃɛnto; italien.], italien. Bez. für das 16. Jahrhundert.

Cinque Ports [engl. ˈsɪŋk ˈpɔːts „fünf Häfen"], Bez. für den Bund der engl. Hafenstädte Hastings, Romney, Hythe, Dover, Sandwich, später noch Winchelsea und Rye, denen 30 Städte in Kent und Sussex assoziiert waren; entstanden wohl im 11. Jh.; stellten als Leistung für außerordentl. Privilegien bis ins 14. Jh. den Kern der engl. Flotte.

Cinqueterre [italien. tʃiŋkueˈtɛrre], italien. Küsten- und Vorgebirgslandschaft in Ligurien, westl. von La Spezia.

Cinto, Monte [italien. ˈmonte ˈtʃinto], höchste Erhebung auf Korsika, 2706 m über dem Meeresspiegel.

CIO [engl. ˈsiːaɪˈoʊ], Abk. für engl.: **C**ongress of **I**ndustrial **O**rganizations (↑Gewerkschaften [Übersicht; Amerika]).

◆ Abk. für frz.: **C**omité **I**nternational **O**lympique (↑Internationales Olympisches Komitee).

Cione [italien. ˈtʃoːne] ↑Orcagna, Andrea di Cione Arcangelo.

C., Nardo di ↑Nardo di Cione.

Cioran, Emile [frz. sjɔˈrã, rumän. tʃoˈran], * Răşinari (Kreis Sibiu) 8. April 1911, Essayist rumän. Herkunft. – Lebt in Paris; schreibt frz.; u. a. „Geschichte und Utopie" (1960) über die Absurdität der Geschichte, „Der Absturz in die Zeit" (1964), „Der zersplitterte Fluch" (Aphorismen, 1987).

circa [lat.], Abk. ca., häufige Schreibung für: zirka, ungefähr.

Circe, Zauberin der griech. Mythologie. Tochter des Sonnengottes Helios und der Perse. Fremde, die ihre Insel Aia betreten, werden von ihr in Tiere verwandelt.

Circinus [lat.] (Zirkel) ↑Sternbilder (Übersicht).

Circlaere, Thomasin von ↑Thomasin von Circlaere.

Circuittraining [engl. ˈsəːkɪt,treɪnɪŋ; zu circuit „Kreis-, Umlauf"], Trainingsmethode; besteht aus einer Kombination von 10–20 verschiedenen [Kraft]übungen, die mehrmals hintereinander wiederholt werden.

Circulus vitiosus [lat. „fehlerhafter Kreis"], im allg. Sprachgebrauch der „Teufelskreis" von unangenehmen Situationen, aus dem jemand nicht herausfindet, i. e. S. ein Beweisfehler, bei dem die zu beweisende Aussage für den Beweis vorausgesetzt wird. ◆ in der *Medizin* das gleichzeitige Auftreten zweier oder mehrerer Störungen, die einander ungünstig beeinflussen (z. B. Diabetes mellitus und Bluthochdruck).

circum..., Circum... ↑zirkum..., Zirkum...

Circus maximus [lat.], größter und ältester Zirkus Roms, urspr. 621 m lang und 118 m breit; angebl. schon in der Königszeit gegr., seit dem 4. Jh. v. Chr. mehrmals umgebaut; soll zuletzt 385 000 Zuschauer gefaßt haben; Ort der ↑zirzensischen Spiele.

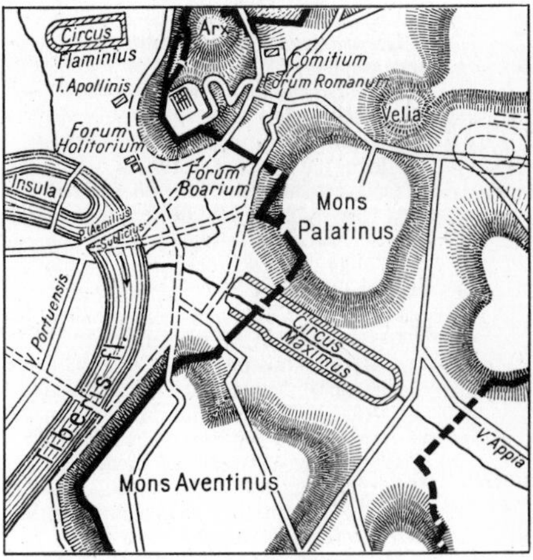

Circus maximus. Lage im antiken Rom

Cirebon [indones. ˈtʃirəbɔn] (Tjirebon), Stadt an der N-Küste W-Javas, Indonesien, 224 000 E. Islam. Univ.; chem., Textil- und Tabakind.; Fischerei; Hafen.

Cirencester [engl. ˈsaɪərənsɛstə], engl. Marktsiedlung am SO-Rand der Cotswold Hills, Gft. Gloucester, 16 000 E. Landw. Hochschule (gegr. 1845). – 1403 Stadtrecht. – Normann. Kirche (1515 umgestaltet). – Nahebei befand sich die zweitgrößte Stadt des röm. Britannien **(Corinium Dobunnorum).**

Cirksena [ˈtsɪrksəna], ostfries. Häuptlingsgeschlecht; begründete seine Herrschaft von Greetsiel aus; 1464 mit der Reichsgrafschaft Ostfriesland belehnt; 1654 in den Fürstenstand erhoben; 1744 erloschen.

Cirta, antike Stadt, ↑Constantine.

Cis, Tonname für das um einen chromat. Halbton erhöhte C.

cis..., Cis... ↑zis..., Zis...

Cisalpinische Republik ↑Zisalpinische Republik.

Ciskei, Autonomstaat der Xhosa in der östl. Kapprovinz, Republik Südafrika, 9421 km², 1,14 Mill. E (1987), Hauptstadt Bisho. Amtssprachen sind Englisch, Afrikaans und Xhosa. Erhielt 1972 als 3. Bantuheimatland Selbstregierung, wurde im Dez. 1981 formell unabhängig (internat. nicht anerkannt).

Cisleithanien ↑Zisleithanien.

Cismar, Gemeindeteil von Grömitz, Schl.-H., auf der Halbinsel Wagrien; ehem. Benediktinerkloster und Wallfahrtsort. Der einschiffige Backsteinbau der Klosterkirche entstand um 1250, der Ostchor gegen 1270, das Langhaus um 1400.

Cisneros, Francisco Jiménez de ↑Jiménez de Cisneros, Francisco.

Cispadanische Republik ↑Zispadanische Republik.

Cisrhenanische Republik ↑Zisrhenanische Republik.

Cissus ['si...; griech.], svw. ↑Klimme.

Cister [lat.-frz.] (im 18./19. Jh. auch Sister, in Deutschland auch Cither oder Zitter), seit dem MA bekanntes Zupfinstrument mit einem charakterist. birnenförmigen Korpus und 4–14 Metallsaitenpaaren; als Volksinstrument unter dem Namen **Harzer Zither** oder **Thüringer Zither** bis heute erhalten.

Cistercienser ↑Zisterzienser.

cis-trans-Isomerie [lat./griech.], Bez. für die bei Molekülen mit Doppelbindungen (bei denen im Ggs. zu Einfachbindungen keine freie Drehbarkeit mehr mögl. ist) auftretende ↑Isomerie. Wenn an beiden an der Doppelbindung beteiligten Atomen verschiedene Substituenten vorhanden sind, ergeben sich zwei räuml. Isomere (cis- und trans-Form).

Cistron [engl.], Bez. für die Untereinheit eines Gens (in der Bakterien- und Bakteriophagengenetik oft mit Gen gleichgesetzt); in der Molekularbiologie Bez. für einen Ribonukleinsäure- oder Desoxyribonukleinsäureabschnitt, der die Information für die Synthese einer Polypeptidkette enthält.

Cistus [griech.], svw. ↑Zistrose.

cit..., Cit... ↑zit..., Zit...

Cité [frz. si'te:], frz. für Stadt, v. a. Bez. der Altstadt im Ggs. zu den neueren Vororten. Die **Île de la Cité** in Paris war die Keimzelle der späteren Stadt.

Cîteaux [frz. si'to], frz. Kloster in Burgund, Dep. Côte-d'Or, 23 km südl. von Dijon. – 1098 von Robert von Molesme und Alberich gegr. Reformkloster, Mutterkloster des Zisterzienserordens. Die ma. Klosteranlage ist nicht mehr erhalten; einige Bauten aus dem 15., 16. und 18. Jh. bestehen noch.

Citicorp. [engl. 'sɪtɪkɔ:pəreɪʃn], amerikan. Finanzkonzern (Holdinggesellschaft), gegr. 1968 als *First National City Corporation* seit 1976 jetziger Name), Sitz: New York. Wichtigste Beteiligung: *Citibank National Association* (eine der größten Banken der USA; Sitz: New York, gegr. 1812; firmierte 1955–76 als *First National City Bank*).

citius, altius, fortius [lat. „schneller, höher, stärker"], Leitmotiv der Olymp. Spiele der Neuzeit.

Citlaltépetl [span. sitlal'tepɛtl] (Pico de Orizaba), der höchste Berg Mexikos, am O-Rand der Cordillera Volcánica, 5700 m hoch; Vulkan, 1687 letzter Ausbruch.

Citoyen [sitoa jɛ̃:; lat.-frz.], Bürger; urspr. der stimm- und wahlberechtigte Bürger der Cité („Stadt"); *C.* und *Citoyenne* waren 1792–1804 und 1848 in Frankreich allg. Anreden an Stelle von Monsieur und Madame.

Citrate (Zitrate), die Salze und Ester der ↑Zitronensäure.

Citrin (Zitrin) ↑Amethyst.

Citrine, Walter McLennan, Baron (seit 1946) C. of Wembley [engl. sɪ'tri:n], * Liverpool 22. Aug. 1887, † Brixham 22. Jan. 1983, brit. Gewerkschaftsführer. – 1926–46 Generalsekretär des Trades Union Congress (TUC), 1928–45 Präs. des Internat. Gewerkschaftsbundes, 1945/46 des Weltgewerkschaftsbundes.

Citroën S. A., Société des Automobiles [frz. sɔsje'te dezɔtɔmɔ'bil sitrɔ'ɛn ɛs'ɑ], frz. Unternehmen der Automobilind., Sitz Paris, gegr. 1915; 1976 Fusion mit der Peugeot S. A.

Citronensäure ↑Zitronensäure.

Citrullus [lat.], svw. ↑Wassermelone.

Citrus [lat.], svw. ↑Zitruspflanzen.

Città del Vaticano [italien. tʃit'tadelvati'ka:no] ↑Vatikanstadt.

City [sɪti; engl.; zu lat. civitas „Bürgerschaft, Gemeinde"], im engl. Sprachbereich urspr. ein histor.-rechtl. Begriff, eine Stadt mit eigener Verwaltung und beschränkter Gesetzgebungsgewalt; heute – im Ggs. zu Town – jede größere Stadt.

◆ Bez. für eine bestimmte Kategorie der Stadtmitte, gekennzeichnet durch Konzentration von Dienstleistungsbetrieben, Geschäften und Büros, hohe Arbeitsplatz- und Verkehrsdichte, hohe Bodenpreise und Mieten; starker Rückgang der Wohnbevölkerung. Im Erscheinungsbild fallen v. a. die Geschoßüberhöhung, moderne Sacharchitektur, durchgehende Ladenfronten, z. T. Fußgängerzonen und die Massierung von Reklame auf. – In der BR Deutschland lassen sich zwei Typen unterscheiden: 1. Die C. ist ident. mit der Altstadt (Bremen, Essen, Nürnberg). 2. Die C. liegt zw. Altstadt und Hauptbahnhof (Frankfurt am Main, München).

Ciudad [span. θi̯u'ðað; zu lat. civitas „Gemeinde"], span. Bez. für Stadt.

Ciudad Bolívar [span. si̯u'ðað βo 'liβar], Hauptstadt des venezolan. Staates Bolívar am Orinoko (seit 1967 1678 m lange Hängebrücke), 183 000 E. Erzbischofssitz; Handels- und Ind.zentrum, mit Ciudad Guayana Organisationszentrum des neuen Wirtschaftsgebietes *Guayana;* der Hafen ist für Ozeanschiffe erreichbar. ✈. – 1764 als Santo Tomás de la Nueva Guayana gegr.; der hier 1819 von S. Bolívar einberufene Kongreß erklärte die Unabhängigkeit Großkolumbiens von Spanien; 1846 in C. B. umbenannt.

Ciudad Guayana [span. siu'ðað -] (früher Santo Tomé de Guayana), Stadt im O Venezuelas, 314 000 E. Zus. mit San Felix, Puerto Ordaz und Ciudad Bolívar Leitzentrum der wirtsch. Erschließung des eisenerz- und bauxitreichen venezolan. *Guayana;* Energiezentrum Guri-Wasserkraftwerk.

Ciudad Juárez [span. siu'ðað xuares], mex. Stadt am Rio Grande, durch drei Brükken mit der gegenüberliegenden Stadt El Paso (Texas, USA) verbunden, 1 100 m ü. d. M., 567 000 E. Bischofssitz, Univ. (gegr. 1973); Fremdenverkehr; Eisenbahnendpunkt, ✈. – Gegr. 1659.

Ciudad Real [span. θiu'ðar rrɛ'al], span. Stadt in der Mancha, 626 m ü. d. M., 51 000 E. Verwaltungssitz der Prov. C. R.; Bischofssitz; landw. Marktzentrum. – 1255 von Alfons X. gegr.; 1420 Stadt.

Ciudad Trujillo [span. siu'ðað tru'xijo] ↑Santo Domingo.

Ciudad Victoria [span. siu'ðað βik'toria], Hauptstadt des mex. Staates Tamaulipas, am Fuß der Sierra Madre Oriental, 153 000 E. Bischofssitz; Univ. (gegr. 1950/51); Marktort eines Agrargebietes; nahebei Gold-, Silber-, Blei- und Kupfererzbergbau; Bahnstation, ✈. – Gegr. 1750.

Cividale del Friuli [italien. tʃivi'da:le del fri'u:li], italien. Stadt in Friaul-Julisch-Venetien, 15 km onö. von Udine, 11 300 E. Archäolog. Museum. – Röm. **Forum Iulii,** 569–774 Sitz langobard. Herzöge; seit etwa 737–1238 Residenz der Patriarchen von Aquileja. Nach 774 als **Civitas Austriae** Sitz fränk. Markgrafen; im 9. und 10. Jh. zerstört; 1419/20 an Venedig. – Der Dom wurde nach 1502 im Frührenaissancestil umgebaut. Bei der Porta Brossana liegt der Bau des „Tempietto Longobardo" (8. Jh.) mit Wandmalereien, Stuckreliefs und -figuren; Wahrzeichen der Stadt ist der Ponte del Diavolo (Mitte des 15. Jh.).

Civilis, Gajus Julius, german. Freiheitskämpfer aus vornehmem Geschlecht der Bataver im 1. Jh. n. Chr. – Stand in röm. Dienst; zettelte 69 n. Chr. einen Befreiungskrieg gegen Rom an, der 69/70 zum Abfall gall. Gebiete, german. Föderierter und röm. Legionen führte; mußte 70 kapitulieren.

Civil Rights [engl. 'sɪvɪl 'raɪts], in den USA Bürgerrechte, die darauf abzielen, daß alle Bürger ohne Rücksicht auf Rassenzugehörigkeit, Hautfarbe, nat. Herkunft, Religion und Geschlecht im staatl. und gesellschaftl. Leben die gleichen Rechte genießen und nicht diskriminiert werden sollen (in Bürgerrechtsgesetzen geregelt). Die C. R. gehen über die klass. Grundrechte **(Civil Liberties)** hinaus, die dem Bürger ledigl. eine staatsfreie Sphäre sichern, d. h. ihn davor bewahren, daß die staatl. Gewalt ohne zwingenden Grund seine Freiheit beschränkt (z. B. Schutz des Eigentums und der Vertragsfreiheit). Die erste C. R. Act wurde nach dem amerikan. Bürgerkrieg im Jahre 1866 erlassen. Die Einhaltung der C.-R.-Gesetzgebung wird vom Generalstaatsanwalt und bes. Bundesbehörden überwacht.

Civil service [engl. 'sɪvɪl 'sə:vɪs], in Großbritannien und in den USA Bez. für den öffentl. Dienst.

Civis [lat.], im antiken Rom ein Angehöriger der röm. Bürgerschaft *(civitas Romana).*

Civitali, Matteo [italien. tʃi...], * Lucca 5. Juni 1436, † ebd. 12. Okt. 1501, italien. Bildhauer und Baumeister. – Von der florentin. Frührenaissance beeinflußt, tätig v. a. in Lucca: Grabdenkmäler, Statuen und Reliefs; kleiner Tempel für den „Volto Santo" im Dom (1482–84), Palazzo Pretorio (1501).

Civitas (Mrz. Civitates) [lat.], im *Röm. Reich* Bez. für jede Art Staatswesen mit den Voraussetzungen bürgerl. Selbstverwaltung; auch Bez. für die röm. Bürgergemeinde selbst.

◆ das für das Mgl. einer C. gültige Bürgerrecht.

◆ die geschlossenen, polit. selbständigen german. Volksgemeinden, seit der Völkerwanderungszeit Bez. für die ummauerten Städte.

Civitas Austriae ↑Cividale del Friuli.

Civitas Dei [lat. „Stadt (Gemeinde) Gottes"], Titel eines der Hauptwerke des Aurelius Augustinus und Zentralbegriff seiner Geschichtstheologie. Der C. D. gehören v. a. Engel und Menschen im Himmel an, sie verwirklicht sich aber auch schon in dem auf Erden wandernden Gottesvolk; die **Civitas terrena** („die ird. Stadt"), ihr Gegenbegriff, hat ihre Hauptrepräsentanten in den heidn. Staatsgebilden von Babylon und Rom. Umstritten ist, inwieweit Augustinus die sichtbare Kirche mit der C. D. identifiziert.

Civitavecchia [italien. tʃivita'vɛkkia], italien. Hafenstadt in Latium, 60 km wnw. von Rom, 50 000 E. Bed. Ind.standort, Fischerei- und Handelshafen. – 106/107 n. Chr. als Hafen **(Centumcellae)** angelegt. Im 15. Jh. fiel C. an den Kirchenstaat, Heimathafen der päpstl. Kriegsflotte. – Am Hafen das Forte Michelangelo (1508–57).

Cixous, Hélène [frz. sik'sus], * Oran 1937, frz. Schriftstellerin. – Schreibt feministisch engagierte Romane, u. a. „Innen" (1969), „Portrait du soleil" (1974), „Illa" (1980), und Dramen, z. B. „L'histoire terrible mais inachevée de N. Sihanouk, roi du Cambodge" (1985).

Cl, chem. Symbol für ↑Chlor.

Claassen Verlag GmbH ↑Verlage (Übersicht).

Clactonien [klɛktoni'ɛ̃:; nach einer bei Clacton-on-Sea (Gft. Essex) gelegenen Fundstelle], altpaläolith. Fundgruppe in NW-Europa ohne Faustkeile; kennzeichnend sind u. a. vielseitig verwendbare Abschläge.

Cladocera [griech.], svw. ↑Wasserflöhe.

Cladophora [griech.], svw. ↑Zweigfadenalge.

Claes, Ernest André Jozef [niederl. kla:s], Pseud. G. van Hasselt, * Zichem bei Diest 24. Okt. 1885, † Brüssel 2. Sept. 1968, fläm. Schriftsteller. – Schrieb gemütsbetonte, realist. Prosa, u. a. „Flachskopf" (R., 1920).

C., Willy [fläm. kla:s], * Hasselt 24. Nov. 1938, belg. Politiker (Sozialist); leitete 1972–74, 1977–81 und seit 1988 als Min. verschiedene Ressorts (zuletzt seit 1992 das Außen-Min.); seit Okt. 1994 Gen.-Sekr. der NATO.

Claesz, Pieter [niederl. kla:s], * Burgsteinfurt 1596 oder 1597, ▭ Haarlem 1. Jan. 1661, niederl. Maler. – Seit etwa 1617 in Haarlem tätig; Stilleben in heller, allmähl. monochrom werdender Farbgebung.

Clair, René [frz. klɛ:r], eigtl. R. Chomette, * Paris 11. Nov. 1898, † Neuilly-sur-Seine 15. März 1981, frz. Filmregisseur und Drehbuchautor. – Drehte seine ersten Stummfilme („Paris qui dort", 1923; „Entr' acte", 1924) in impressionist. Stil („cinéma pur"). Die für seine Spielfilme typ. Spannung zw. Realität und Phantasie, Poesie und distanzierter Ironie beherrscht bereits seinen ersten Tonfilm „Unter den Dächern von Paris" (1930). Weitere bed. Filme sind u. a. „Die Schönen der Nacht" (1952), „Die Mausefalle" (1957). Schrieb auch filmtheoret. Werke.

Clairaut, Alexis Claude [frz. klɛ'ro] (Clairault), * Paris 7. Mai 1713, † ebd. 17. Mai 1765, frz. Mathematiker, Physiker und Astronom. – Neben Untersuchungen zur Theorie der Differentialgleichungen befaßte er sich v. a. mit Problemen der Geodäsie, deren Begründer er ist. 1759 schloß er aus Bahnstörungen des Halleyschen Kometen auf die Existenz des Planeten Uranus.

Clairette [frz. klɛ'rɛt; lat.-frz.], Bez. für eine in S-Frankreich verbreitete weiße Rebsorte; auch für den aus ihr gekelterten, leichten, säurearmen Weißwein mit geringem Bukett.

Clair-obscur [klɛrɔps'ky:r; frz.] (italien. Chiaroscuro) ↑Helldunkelmalerei.

Clairon [klɛ'rõ:; lat.-frz.], frz. Signalhorn; seit 1822 Signalinstrument in der frz. Armee. ◆ Zungenstimme der Orgel (auch Clarino).

Clairvaux, Bernhard von ↑Bernhard von Clairvaux.

Clairvaux [frz. klɛr'vo], ehem. Zisterzienserabtei in der Champagne, Dep. Aube, Frankreich; 55 km osö. von Troyes. – Das Kloster wurde 1115 von Bernhard von C. als 3. und berühmtestes Tochterkloster von Cîteaux gegr., 1792 aufgehoben; seit 1808 Gefängnis.

Claisen, Ludwig, * Köln 14. Jan. 1851, † Bad Godesberg 5. Jan. 1930, dt. Chemiker. – Prof. in Aachen, Kiel und Berlin; arbeitete über organ. Synthesen, u. a. die Herstellung von β-Ketocarbonsäureestern (z. B. Acetessigsäureäthylester) durch Kondensation von zwei Molekülen Carbonsäureestern in bas. Medium **(Claisen-Kondensation).**

Clam, östr. Adelsgeschlecht aus dem Raum Wallersee (Salzburg); 1655 Reichsfreiherrn, 1759 östr. Grafen; 1768 wurde die Linie **Clam-Gallas,** 1792 die Linie **Clam-Martinic** begr.; bed.:

C.-Martinic (C.-Martinitz) [...nɪts], Heinrich Karl Maria Graf, * Wien 1. Jan. 1863, † Schloß Clam bei Grein 7. März 1932, Politiker. – Freund des Erzherzogs Franz Ferdinand; seit 1894 einer der führenden Vertreter der Großgrundbesitzer im böhm. Landtag und östr. Herrenhaus; 1916/17 östr. Ministerpräsident.

Clan [kla:n; engl. klæn; gäl. „Abkömmling"], Sippen- oder Stammesverband im inselkelt. Bereich (heute noch v. a. im schott. Hochland). Die Farben der C., in Stoff eingewebte Karomuster (Tartan), wurden erst im 18. Jh. zu festen Abzeichen. In der Völkerkunde ↑Klan.

Claparède, Édouard [frz. klapa'rɛd], * Genf 24. März 1873, † ebd. 29. Sept. 1940, schweizer. Psychologe und Pädagoge. – Seit 1908 Prof. in Genf; Arbeiten v. a. zur Kinderpsychologie und pädagog. Psychologie.

Clapeyron, Benoît Paul Émile [frz. klapɛ'rõ], * Paris 26. oder 21. Febr. 1799, † ebd. 28. Jan. 1864, frz. Ingenieur. – War maßgebl. an der Planung und Ausführung der ersten Eisenbahnlinien in Frankreich beteiligt. Entwickelte die Thermodynamik S. Carnots weiter und wandte sie vorwiegend auf den Bau von Dampfmaschinen an.

Clapperton, Hugh [engl. 'klæpɛtn], * Annan (Dumfries) 18. Mai 1788, † bei Sokoto (Nigeria) 13. April 1827, brit. Afrikaforscher. – Erreichte von Tripolis aus 1822/23 den Tschadsee und Bornu; dann Kano, Katsina, Sokoto und Zaria.

Clapps Liebling ↑Birnen (Übersicht).

Clapton, Eric [engl. 'klɛptən], * Ripley (Surrey) 30. März 1945, brit. Rockmusiker (Gitarrist). – Spielte u. a. bei „The Yardbirds", „Cream", „Blind Faith"; einer der bed. Gitarristen der Rockmusik.

Claque [frz. klak], bestellte, mit Geld oder Freikarten bezahlte Gruppe von Beifallklatschern **(Claqueure).**

Clare, John [engl. klɛə], * Helpston bei Peterborough 13. Juli 1793, † Northampton 20. Mai 1864, engl. Dichter. – Verfaßte reizvolle, beschreibende Naturlyrik mit bäuerl. Thematik.

Clarendon [engl. 'klærəndən], Adelstitel (Earl of C.) in der engl. Familie *Hyde* (1661–1753) und in der Familie *Villiers* (seit 1776). Bed.:

C., Edward Hyde, Earl of (seit 1661), * Dinton (Wiltshire) 18. Febr. 1609, † Rouen 9. Dez. 1674, engl. Staatsmann. – Festigte als Lordkanzler Karls II. (1660–67) die Restauration der Staatskirche; 1667 gestürzt und des Hochverrats angeklagt; mußte nach Frankreich fliehen; zahlr. bed. histor. Schriften.

C., George William Frederick Villiers, Earl of (seit 1838), * London 12. Jan. 1800, † ebd. 27. Juni 1870, brit. Politiker und Diplomat. – Schlug als Vizekönig von Irland (1847–52) den ir. Aufstand 1848 nieder; Außenmin. 1853–58, 1865/66 und 1868–70.

Clarendon Press, The [engl. ðə 'klærəndən 'prɛs], Verlag der Oxford University.

Clarholz, Ortsteil von Herzebrock, 8 km nw. von Rheda-Wiedenbrück, NRW, ehem. Prämonstratenserkloster (1138/39–1803). Ehem. Klosterkirche (Mitte des 12. Jh.), in der 1. Hälfte des 14. Jh. zur got. Hallenkirche umgebaut.

Clarino [italien.; zu lat. clarus „hell, klar"], Bez. für die hohen Trompetenpartien, bes. im 17./18. Jh., von diesen abgeleitet auch als Instrumentenname gebraucht. Als Bachtrompete wird heute eine speziell für die C.-Passagen der Bachzeit gebaute hohe Ventiltrompete bezeichnet.

◆ im 18. Jh. italien. Bez. für die Klarinette, sonst für deren Mittellage gebräuchlich.

Clark [engl. klɑːk], Jim, eigtl. James C., * Duns 4. März 1936, † auf dem Hockenheimring 7. April 1968, brit. Automobilrennfahrer. – Siegte in 25 Großen Preisen; Weltmeister 1963 und 1965.

C., Joseph, * High River (Alberta) 5. Juni 1939, kanad. Politiker (Progressive Conservative Party). – 1979–80 Premiermin., 1984–91 Außenminister.

C., Mark Wayne, * Madison Barracks (N. Y.) 1. Mai 1896, † Charleston 17. April 1984, amerikan. General. – 1941/42 Stabschef in N-Afrika; nahm 1944 Rom ein; 1945–47 Hoher Kommissar in Wien; 1952/53 Oberbefehlshaber in Korea.

Clarke [engl. klɑːk], Arthur Charles, * Minehead (Somerset) 16. Dez. 1916, engl. Schriftsteller. – Urspr. Radarspezialist; Verf. anspruchsvoller Science-fiction-Romane, die sich mit dem Weltraumflug beschäftigen.

C., Austin, * Dublin 9. Mai 1896, † ebd. 20. März 1974, ir. Schriftsteller. – U. a. Begr. der Irish Lyric Theatre Group. Schrieb oft humorist., ep. und lyr. Gedichte, Versdramen und Erzählungen, z. T. mit gäl. Stoffen.

C., Kenneth Spearman („Kenny"), gen. Klook, muslim. Name Liaqat Ali Salaam, * Pittsburgh 9. Jan. 1914, † Montreuil-sous-Bois 27. Jan. 1985, amerikan. Jazzmusiker. – Bedeutender Schlagzeuger des modernen Jazz; beteiligt an der Entwicklung des Bebop.

C., Marcus Andrew Hislop, * London 24. April 1846, † Melbourne 2. Aug. 1881, austral. Schriftsteller. – Sein Hauptwerk, der Roman „Deportiert auf Lebenszeit" (1874), behandelt das Leben in austral. Sträflingskolonien.

Clary und Aldringen, Manfred Graf ['kla:ri], * Wien 30. Mai 1852, † Schloß Hernau bei Salzburg 12. Febr. 1928, östr. Politiker. – 1896/97 Landespräs. im östr. Schlesien; 1898–1918 (mit kurzer Unterbrechung) letzter Statthalter der Steiermark; 1899 kurzfristig östr. Ministerpräsident.

Claß, Heinrich, Pseud. Einhart; Daniel Frymann, * Alzey 29. Febr. 1868, † Jena 16. April 1953, dt. Publizist und Politiker. – Verbandsvors. der Alldeutschen 1908–39. Seine Konzeption der „völk. Diktatur" war eine wesentl. Vorform der NS-Ideologie; nach 1933 einflußlos.

C., Helmut, * Geislingen an der Steige 1. Juli 1913, dt. ev. Theologe. – 1967 Prälat von Stuttgart, 1969–79 Landesbischof der ev. Landeskirche in Württemberg, 1973–79 außerdem Vors. des Rates der EKD.

Clathrate [griech.-lat.] ↑ Einschlußverbindungen.

Clauberg, Johann, * Solingen 24. Febr. 1622, † Duisburg 31. Jan. 1665, dt. Philosoph. – Seit 1651 Prof. in Duisburg; Vorläufer des ↑ Okkasionalismus. Hauptwerk „Elementa Philosophiae sive Ontosophia" (1647).

Claude [frz. klo:d], Albert, * Longlier (heute zu Neufchâteau) 23. Aug. 1899, † Brüssel 22. Mai 1983, belg. Biochemiker. – Seit 1949 Direktor des Jules-Bordet-Instituts in Brüssel. Entwickelte neue Präparationstechniken (Ultramikrotomie und fraktionierte Zentrifugierung von Geweben), die bei der elektronenmikroskop. Untersuchung von Leberzellen und Fibroblastenkulturen zur Entdeckung der Mitochondrien führten. 1974 erhielt er (mit C. de Duve und G. B. E. Palade) den Nobelpreis für Physiologie oder Medizin.

C., Georges, * Paris 24. Sept. 1870, † ebd. 23. Mai 1960, frz. Physiker und Chemiker. – Entwickelte 1902 ein Verfahren zur Luftverflüssigung *(Claude-Verfahren)* und 1917 ein Ammoniaksyntheseverfahren.

C., Jean, * La Sauvetat-du-Dropt (Lot-et-Garonne) 1619, † Den Haag 13. Jan. 1687, frz.

Claude Lorrain. Die Verstoßung der Hagar (Morgenlandschaft); 1668 (München, Alte Pinakothek)

ref. Theologe. – Seit 1654 Pfarrer und Prof. in Nîmes; verteidigte die kalvinist. Auffassung vom Abendmahl („La défense de la réformation“, 1673). 1685 nach der Aufhebung des Edikts von Nantes ausgewiesen, ging C. nach Den Haag; bed. Schriften über die Hugenotten.

Claudel [frz. klo'dɛl], Camille, * Fère-en-Tardenois (Aisne) 8. Dez. 1864, † Montfavet (bei Avignon) 19. Okt. 1943, frz. Bildhauerin. – Schwester von Paul C. 1883–98 Schülerin, Mitarbeiterin und Geliebte A. Rodins. Ihr dramat.-dynam. Werk, das sich v. a. nach der Trennung von Rodin (1898) in einem eigenständigen Stil entfaltete, dokumentieren ausdrucksstarke Arbeiten wie „Die Flehende“ oder die „Walzer“-Variationen. Die letzten 30 Jahre ihres Lebens verbrachte sie in einer psychiatr. Anstalt.

C., Paul, * Villeneuve-sur-Fère (Aisne) 6. Aug. 1868, † Paris 23. Febr. 1955, frz. Dichter. – Bruder von Camille C. Diplomat; sein dichter. Werk lebt aus seinem kath. Glauben. Strömende Lyrismen, großartige Bilder, mehrzeilige reimlose Prosa in freien Rhythmen kennzeichnen seinen Stil nicht nur der Lyrik, sondern auch seiner Dramen. Hauptthema ist der Konflikt zw. Körper und Geist. Das Hauptwerk des Dichters des Renouveau catholique ist „Der seidene Schuh“ (Dr., 1930). – *Weitere Werke:* Goldhaupt (Dr., 1891), Mittagswende (Dr., 1906), Fünf große Oden (1910), Verkündigung (Dr., 1912), Dramentrilogie: Der Bürge (1911), Das harte Brot (1918), Der erniedrigte Vater (1920).

Claude Lorrain [frz. klodlɔ'rɛ̃], eigtl. Claude Gellée, * Chamagne bei Mirecourt 1600, † Rom 23. Nov. 1682, frz. Maler und Radierer. – Lebte in Rom; entwickelte eine völlig neue und selbständige Auffassung von der Landschaft als psych. Ausdrucksträger, bes. poet. Stimmungen. Sein eigtl. Medium ist das Licht. – *Werke:* Einschiffung der Königin von Saba (1648; London, National Gallery), Acis und Galathea (1657; Dresden, Gemäldegalerie), Verstoßung der Hagar (1668; München, Alte Pinakothek), Allegorien der 4 Jahreszeiten (zw. 1661/72; Eremitage).

Claudianus, Claudius, * Alexandria um 375, † nach 404, röm. Dichter. – Seit 395 am Hofe des Kaisers Honorius; stand in der Gunst Stilichos; schrieb polit.-zeitgeschichtl. Epen und Schmähgedichte.

Claudicatio intermittens [lat.], svw. † intermittierendes Hinken.

Claudische Straße † Römerstraßen.

Claudius, Name röm. Kaiser:

C. (Tiberius Claudius Nero Germanicus), * Lugdunum (= Lyon) 1. Aug. 10 v. Chr., † Rom 13. Okt. 54, röm. Kaiser (seit 41). – Sohn des Nero Claudius Drusus; Nachfolger Caligulas; 43 Eroberung des SO Britanniens, Befestigung der Donaugrenze. Stand unter dem Einfluß seiner Gattinnen, bes. der dritten, Valeria † Messalina, und Agrippinas d. J., die ihn ermorden ließ.

C. II. Gothicus (Marcus Aurelius Valerius Claudius), † Sirmium (= Sremska Mitrovica)

270, röm. Kaiser (seit 268). - Siegte über die Alemannen am Gardasee und über die Goten bei Naissus (= Niš).

Claudius, Name eines altröm. Patriziergeschlechtes (seit dem 4. Jh. v. Chr. auch eines plebej. Zweiges); bekannt v. a.:

C., Appius C. Caecus, röm. Zensor (312 v. Chr.) und Konsul (307 und 296). - Führte Neuerungen im Bauwesen (u. a. Straßenbau: Via Appia), im religiösen und im polit. Bereich (u. a. Ergänzung des Senats mit Söhnen von Freigelassenen) ein. Kämpfte als Konsul (296) und als Prätor (295) in Samnium und Etrurien.

Claudius, Eduard, eigtl. E. Schmidt, * Buer (= Gelsenkirchen) 29. Juli 1911, † Potsdam 13. Dez. 1976, dt. Schriftsteller. - 1932 KPD-Mgl., 1933-45 in der Emigration (Teilnahme am Spanischen Bürgerkrieg, autobiograph. Roman „Grüne Oliven und nackte Berge", 1945); ging 1947 in die SBZ; beschrieb den sozialistischen Aufbau in der DDR, u. a. „Menschen an unserer Seite" (R., 1951).

C., Hermann, * Langenfelde bei Hamburg 19. Okt. 1878, † Hamburg 8. Sept. 1980, dt. Schriftsteller. - Urenkel von M. Claudius. Begründete die niederdt. Großstadtlyrik („Mank Muern", 1912); auch Kindergedichte sowie histor. Erzählprosa.

C., Matthias, Pseud. Asmus, * Reinfeld (Holstein) 15. Aug. 1740, † Hamburg 21. Jan. 1815, dt. Dichter. - Pfarrerssohn, studierte in Jena Theologie und Jura. 1771-76 Hg. des „Wandsbecker Boten", der ersten dt. Volkszeitung mit polit., wiss., literar. und belehrenden Beiträgen; seine eigenen Beiträge erschienen 1775 gesammelt unter dem Pseud. Asmus. Neben vielfältiger Kleinprosa erlangte v. a. seine kunstvoll einfache, volksliedhafte Lyrik zeitlose Gültigkeit (u. a. „Der Mond ist aufgegangen" „Der Mensch", „Christiane oder Der Tod und das Mädchen").

Clauren, Heinrich, eigtl. Karl Gottlieb Heun, * Dobrilugk (= Doberlug-Kirchhain) 20. März 1771, † Berlin 2. Aug. 1854, dt. Schriftsteller. - Pseudoromant. Unterhaltungsschriftsteller, u. a. „Mimili" (R., 1816); von W. Hauff im „Mann im Mond" parodiert.

Claus, Prinz der Niederlande, Jonkheer van Amsberg, * Hitzacker 6. Sept. 1926. - 1961-65 im dt. diplomat. Dienst, seit 1966 ∞ mit Beatrix der Niederlande (seit 1980 Königin).

Claus, Carl [Friedrich], * Kassel 2. Jan. 1835, † Wien 18. Jan. 1899, dt. Zoologe. - Prof. in Marburg, Göttingen und Wien; arbeitete über Polypen, Medusen und Krebstiere; schrieb das zoolog. Standardwerk „Grundzüge der Zoologie" (1868).

C., Carlfriedrich, * Annaberg (= Annaberg-Buchholz) 4. Juni 1930, dt. Zeichner, Graphiker und Schriftsteller. - C. entwickelte als Autodidakt eine eigenständige intermediäre Kunst, die eine phantasievolle Synthese von Dichtkunst und Bildfindung darstellt („Sprachblätter").

C., Hugo, * Brügge 5. April 1929, fläm. Schriftsteller. - Schrieb realist. Dramen, Erzählungen, Drehbücher und Gedichte, u. a. „Die Reise nach England" (Dr., 1955), „Zukker" (Dr., 1958), „Der Kummer von Flandern" (R., 1983).

C., Karl Ernst, * Dorpat 22. Jan. 1796, † ebd. 24. März 1864, russ. Chemiker. - Urspr. Apotheker, seit 1837 Prof. der Chemie in Kasan, seit 1852 Prof. der Pharmazie in Dorpat; entdeckte 1845 das Ruthenium.

Clausewitz, Carl Philipp Gottfried von, * Burg bei Magdeburg 1. Juni 1780, † Breslau 16. Nov. 1831, preuß. General und Militärtheoretiker. - Schloß sich 1808 dem Kreis der Reformer um Scharnhorst, Gneisenau und Boyen an; 1812-15 in russ. Diensten; 1815-18 Stabschef beim Generalkommando in Koblenz, dann als Generalmajor Verwaltungsdirektor der Allg. Kriegsschule in Berlin; 1831 Chef des Generalstabes der preuß. Observationsarmee. Sein Hauptwerk „Vom Kriege" (1832-34) machte C. zum Begr. der modernen Kriegslehre. Seine Auffassungen über Strategie basieren, abgesehen vom theoret.-philosoph. Aspekt, auf Untersuchungen der Feldzüge Friedrichs d. Gr. und Napoleons I.

Clausius, Rudolf [Julius Emanuel], * Köslin 2. Jan. 1822, † Bonn 24. Aug. 1888, dt. Physiker. - Prof. in Zürich, Würzburg, Bonn; Mitbegr. der mechan. Wärmetheorie; stellte den zweiten Hauptsatz der Thermodynamik auf und führte den Begriff der † Entropie ein; Mitbegr. der statist. Mechanik.

Clausius-Clapeyronsche Gleichung [frz. klapɛ'rõ; nach R. Clausius und B. P. É. Clapeyron], thermodynam. Gleichung zur Angabe der Druckabhängigkeit des Siedepunkts einer Flüssigkeit. Der Siedepunkt ist um so höher, je höher der äußere Druck ist.

Clausiussches Prinzip, von R. Clausius formuliertes, experimentelle Erfahrungen zusammenfassendes Prinzip der Wärmelehre: „Es ist unmöglich, Wärme ohne Nebenwirkungen (d. h. ohne gleichzeitig Arbeit aufzuwenden oder an den beteiligten Körpern irgendwelche Veränderungen herbeizuführen) von einem niedrigeren auf ein höheres Temperaturniveau zu heben."

Claussen, Sophus [dän. 'klau'sən], * Helletofte (Langeland) 12. Sept. 1865, † Gentofte bei Kopenhagen 11. April 1931, dän. Dichter. - Symbolist. Lyrik, von Baudelaire und Verlaine beeinflußt; schrieb auch Novellen, Reiseberichte.

Clausthal-Zellerfeld, Bergstadt im W-Harz, Nds., 540–604 m ü. d. M., 15 800 E. TU (gegr. 1775 als Bergakad.), Berg- und Hüttenschule; Oberharzer Bergwerks- und Heimatmuseum; Luftkurort und Wintersportgebiet. – Entstand 1924 aus der Vereinigung von Clausthal und Zellerfeld. 1526 wurde der Bergbau in Zellerfeld, 1530 in Clausthal aufgenommen (bis 1930). – Hölzerne Pfarrkirche in Clausthal (1638–42).

Clausthal-Zellerfeld. Die hölzerne Pfarrkirche zum Heiligen Geist

Clausula rebus sic stantibus [lat. „Vorbehalt dafür, daß die Dinge so bleiben, wie sie sind"], 1. seit den ↑Postglossatoren der [vereinbarte oder als vereinbart geltende] Vorbehalt, kraft dessen ein Schuldversprechen (später jedes Geschäft) bei Veränderung der Verhältnisse seine bindende Wirkung verliert; 2. im Völkerrecht eine Doktrin der Staatenpraxis, mit der die vorzeitige Auflösung von völkerrechtl. Verträgen begründet wird, wenn Voraussetzungen oder Umstände, die bei Vertragsabschluß gegeben waren, sich in der Folgezeit geändert haben.

Claus-Verfahren [nach K. E. Claus], ein Verfahren zur Gewinnung von Schwefel aus Schwefelwasserstoff oder Sulfiden.

Clavecin [frz. klav'sɛ̃], svw. ↑Cembalo.

Clavel [frz. kla'vɛl], Bernard, * Lons-le-Saunier 29. Mai 1923, frz. Schriftsteller. – Schildert realist. das Leben der Menschen seiner burgund. Heimat, oft aus der Erinnerung der Kriegs- und Nachkriegszeit; u. a. „Das offene Haus" (R., 1958), „Der Fremde im Weinberg" (R., 1959); der Romanzyklus „La grande patience" (1962–68), ferner „Le royaume du Nord" (R.-Zyklus, 1982–87).

C., Maurice, * Frontignan (Hérault) 10. Nov. 1920, † Asquins bei Vézelay 23. April 1979, frz. Schriftsteller. – Schrieb Bühnenwerke, in denen er die Erneuerung des klass. frz. und des Shakespeare-Dramas erstrebte; u. a. auch gesellschaftskrit. Romane.

Clavelina [lat.], Gatt. kleiner Seescheiden mit der in allen europ. Meeren (mit Ausnahme der Ostsee) verbreiteten, in der Küstenzone, v. a. auf Felsen, lebenden Art **Clavelina lepadiformis:** etwa 2–3 cm lang, keulenförmig, glashell durchsichtig; koloniebildend.

Claver, Petrus [span. kla'βɛr], hl., * Verdú (Katalonien) 1580, † Cartagena (Kolumbien) 8. Sept. 1654, span. Jesuit, Patron der kath. Schwarzenmissionen. – Betreute 40 Jahre lang in Cartagena die Sklaven afrikan. Herkunft. 1851 selig-, 1888 heiliggesprochen. – Fest: 9. September.

Clavicembalo [klavi'tʃɛmbalo; italien.], svw. ↑Cembalo.

Claviceps [lat.], Gatt. der Schlauchpilze, zu der der ↑Mutterkornpilz gehört.

Clavichord ↑Klavichord.

Clavicula [lat.], svw. ↑Schlüsselbein.

Clavijo y Fajardo, José [span. kla'βixo i fa'xarðo], * auf Lanzarote 19. März 1727, † Madrid 3. Nov. 1806, span. Schriftsteller und Gelehrter. – Mit Voltaire und Buffon befreundet; Vertr. der Aufklärung. Sein Liebesverhältnis mit der Schwester von Beaumarchais regte Goethe zur Tragödie „Clavigo" (1774) an.

Clavis [lat. „Schlüssel"], lexikograph. Werk, bes. zur Erläuterung antiker Schriften oder der Bibel.

Clavus ↑Hühnerauge.

Clay [engl. klɛɪ], Cassius, amerikan. Boxer, ↑Muhammad Ali.

C., Henry, * Hanover County (Va.) 12. April 1777, † Washington 29. Juni 1852, amerikan. Politiker. – Republikaner; 1811 in das Repräsentantenhaus gewählt, dessen Sprecher er fünfmal war; 1825–29 Außenmin.; überbrückte in der Innenpolitik durch Kompromisse die regionalen Gegensätze: Missourikompromiß (1820), Zollkompromiß (1833), Kompromiß zw. N und S (1850).

C., Lucius D[uBignon], * Marietta (Ga.) 23. April 1897, † Chatham (Mass.) 16. April 1978, amerikan. General. – 1947–49 Militärgouverneur in der amerikan. Besatzungszone Deutschlands; Organisator der Luftbrücke während der Berliner Blockade; 1961/62 Sonderbotschafter Präs. Kennedys in Berlin.

Clayton, Wilbur („Buck") [engl. klɛɪtn], * Parsons (Kans.) 12. Nov. 1911, † New York 8. Dez. 1991, amerikan. Jazzmusiker. – Trompeter des Swing; führender Solist und Arrangeur bei Count Basie (1936–43).

Clayton-Bulwer-Vertrag [engl. 'klɛɪtn-'bʊlwə] ↑Panamakanal.

Claytonie (Claytonia) [kle...; nach dem brit. Botaniker J. Clayton, * 1685, † 1773],

Gatt. der Portulakgewächse mit etwa 20 Arten in N-Amerika und in der Arktis; kahle, fleischige Stauden mit langgestielten, grundständigen Blättern; Blüten meist klein, weiß oder rosarot, in Blütenständen. Als Zierpflanze wird v. a. **Claytonia virginica** mit dunkelrot geaderten Blüten kultiviert.

Clear-Air-Turbulenz [engl. 'klıə'ɛə „klare Luft"], Abk. CAT, Turbulenz (Böigkeit) im wolkenfreien Raum, die insbes. für schnelle Flugzeuge gefährl. werden kann.

Clearance [engl. 'klıərəns „Aufräumen"; zu lat. clarus „hell"], Reinigung einer bestimmten Blutplasmamenge von körpereigenen oder künstl. eingebrachten Substanzen durch ein Ausscheidungsorgan (z. B. Nieren oder Leber). – Als **renale Clearance** (medizin. kurz C. genannt) bezeichnet man die Blutplasma- oder Serummenge, die beim Durchfluß durch die Nieren je Minute von Harnstoff oder einer anderen harnfähigen Substanz vollständig befreit wird. Der bei der Nierenfunktionsprüfung ermittelte **Clearancewert** *(Klärwert)* ist das Maß für die Ausscheidungsfähigkeit der Nieren.

Clearing [engl. 'klıərıŋ; zu clear „frei von Schulden" (von lat. clarus „hell")], Abrechnungsverfahren, das auf Grund einer Vereinbarung zw. den Mgl. eines begrenzten Teilnehmerkreises angewendet wird, um im Wege der Aufrechnung (Saldierung) den Ausgleich von gegenseitigen Verbindlichkeiten und Forderungen vorzunehmen. Zur Durchführung dient eine Abrechnungsstelle (in der BR Deutschland bei den Landeszentralbanken), bei der sämtl. Teilnehmer Konten unterhalten, deren Salden nach erfolgter Abrechnung in bar oder bargeldlos beglichen werden. Im internat. Zahlungsverkehr werden auf Grund von Verrechnungsabkommen die im Wirtschaftsverkehr zw. zwei oder mehreren Ländern entstandenen Forderungen und Verbindlichkeiten aufgerechnet, entweder als bilaterales C. über die Notenbanken oder als multinat. C. über die Bank für Internat. Zahlungsausgleich (BIZ).

Cleistocactus [griech.], Gatt. strauchig wachsender Kakteen mit etwa 25 Arten in S-Amerika; zuweilen 2–3 m hoch. Am bekanntesten ist die **Silberkerze** (Cleistocactus strausii) mit dicht von schneeweißen, borstenartigen Dornen und weißfilzigen Areolen eingehüllten Trieben und bis 9 cm langen, dunkelkarminroten Blüten.

Cleland, John [engl. 'klɛlənd], * 1709, † London 23. Jan. 1789, engl. Schriftsteller. – Schrieb Dramen und Romane, darunter den klass. Roman der erot. Literatur „Die Memoiren der Fanny Hill" (2 Bde., 1748/49, dt. 1963).

Clematis ['kle:matıs, kle'ma:tıs; griech.], svw. ↑ Waldrebe.

Clemen, Carl, * Sommerfeld bei Leipzig 30. März 1865, † Bonn 8. Juli 1940, dt. ev. Theologe und Religionswissenschaftler. – Seit 1910 Prof. in Bonn; bed. Vertreter der religionsgeschichtl. Schule. – *Werke:* Religionsgeschichtl. Erklärung des N. T. (1909), Religionsgeschichte Europas (2 Bde., 1926 bis 1931), Altgerman. Religionsgeschichte (1934).

Clemenceau, Georges Benjamin [frz. klemã'so], * Mouilleron-en-Pareds (Vendée) 28. Sept. 1841, † Paris 24. Nov. 1929, frz. Politiker. – Republikaner; im 2. Kaiserreich wiederholt inhaftiert; als Abg. (seit 1876) Führer der radikalsozialist. Linken. In den Panamaskandal verwickelt, verlor der brillante Redner 1893 sein Abg.mandat, wurde aber nach seinem Einsatz gegen die Rechte in der Dreyfusaffäre 1902 Senator. Min.präs. 1906–09 und (mit diktator. Vollmachten) 1917–20. Überzeugt von der dt. Kriegsschuld, trat er für harte Friedensbedingungen ein. Bei den Präsidentschaftswahlen 1920 unterlegen, zog sich C., wohl die stärkste polit. Persönlichkeit der 3. Republik, aus der Politik zurück.

Clemens, Päpste, ↑ Klemens, Päpste.

Clemens, Titus Flavius C. Alexandrinus ↑ Klemens von Alexandria.

Clemens non Papa, Jacobus, eigtl. Jacques Clément, * Middelburg (?) zw. 1510 und 1515, † Dixmuiden (Westflandern) um 1555, franko-fläm. Komponist. – Bed. Komponist der niederl. Schule. Seine Werke (Messen, Motetten, Chansons, Souterliedekens) zeichnen sich durch Melodik und großen Wohlklang aus.

Clementi, Muzio, * Rom 23. Jan. 1752, † Evesham (Worcestershire) 10. März 1832, italien. Komponist. – Lebte seit 1766 in England, unternahm als Klaviervirtuose zahlr. Konzertreisen; seine Sonatinen und 106 Sonaten werden noch heute im Unterricht verwendet.

Clerici, Fabrizio [italien. 'klɛ:ritʃi], * Mailand 15. Mai 1913, italien. Maler, Zeichner und Graphiker. – Phantasievolle, an den röm. Manierismus anknüpfende bizarre Landschaften und Bauwerke; auch Bühnenbilder.

Clermont-Ferrand [frz. klɛrmõfɛ'rã], frz. Stadt im Zentralmassiv, 151 000 E. Verwaltungssitz des Dep. Puy-de-Dôme und der Region Auvergne; kath. Bischofssitz; Univ. (gegr. 1810); Observatorium, Museen; Oper, Theater; botan. Garten; Grand-Prix-Rennstrecke **Charade** (8 km lang). Markt- und Handelszentrum der Auvergne, Gummi- und Reifenind., Maschinen- und Fahrzeugbau; Druckerei der Bank von Frankreich; ⚔. – Clermont, seit dem 4. Jh. Bischofssitz, hieß im MA **Mons clarus.** 1731 mit der Nachbarstadt **Montferrand** (gegr. im 11. Jh.) zu C.-F. vereinigt. – Got. Kathedrale (1248; W-Fassade und Türme 19. Jh.; Glasmalerei 13. Jh.), Notre-Dame-du-Port (11./12. Jh.) im roman.-auvergnat. Stil.

Clerodendrum [griech.], svw. ↑Losbaum.

Cleve, Joos van [niederl. 'kle:və] (auch J. van der Beke), *Kleve um 1490 (?), †Antwerpen vor dem 13. April 1541, fläm. Maler. – Er malte zunächst in altniederl. Tradition und wurde später ein wichtiger Vermittler der Kunst Leonardos. Allgemein wird heute der anonyme „Meister des Todes Mariä" (Flügelaltäre in Köln, Wallraf-Richartz-Museum [1515] und München, Alte Pinakothek [kurz vor 1523]) mit J. van C. identifiziert.

C., Per Teodor [schwed. ˌkle:və], *Stockholm 10. Febr. 1840, †Uppsala 18. Juni 1905, schwed. Chemiker. – Prof. in Uppsala; entdeckte 1878 die Elemente Thulium und Holmium.

Cleve, Herzogtum, ↑Kleve.

Cleveland, Stephen Grover [engl. 'kli:vlənd], *Caldwell (N.J.) 18. März 1837, †Princeton (N.J.) 24. Juni 1908, 22. und 24. Präs. der USA (1885–89 und 1893–97). – Demokrat; trat in der Tarifreform von 1894 als Gegner der Schutzzollpolitik hervor; zwang 1895 Großbritannien zu einer friedl. Regelung des Grenzkonfliktes mit Venezuela; sorgte in der Hawaii- (1893) und in der Kubakrise (1895) für friedl. Lösungen.

Cleveland [engl. 'kli:vlənd], Stadt in Ohio, USA, am S-Ufer des Eriesees, 546 000 E (Agglomeration 2,8 Mill. E). Sitz eines kath. Bischofs; drei Univ. (gegr. 1886, 1964 und 1968), Colleges, Konservatorium, Kunstschule; NASA-Forschungszentrum; Museen, Bibliothek. Bed. Hafen, Standort der Schwer-, Kraftfahrzeug-, petrochem., elektron. Ind.; bed. Handels- und Verkehrsknotenpunkt, auch für die Schiffahrt auf den Großen Seen; drei ✈. – 1796 gegründet.

C., 1974 gebildete Gft. in NO-England.

Cleveland Orchestra ['kli:vlənd 'ɔ:kɪstrə], 1918 gegr. Sinfonieorchester, das sich unter der Leitung von G. Szell (1946–70) zu einem der amerikan. Spitzenorchester entwickelte.

clever [engl.], klug, listig, geschickt; **Cleverneß,** Klugheit, Erfahrung.

Clever, Edith, *Wuppertal 13. Dez. 1940, dt. Schauspielerin. – Gehört zu den großen dt. Charakterdarstellerinnen; u.a. 1971–85 Mgl. der Berliner Schaubühne, danach hpts. Zusammenarbeit mit J. J. Syberberg; auch Filmrollen.

Cliburn, Van [engl. 'klaɪbən], eigtl. Harvey Lavan C., *Shreveport (La.) 12. Juli 1934, amerikan. Pianist. – Interpret v.a. Tschaikowskys, Liszts, Chopins, Rachmaninows.

Clifford [engl. 'klɪfəd], Thomas, Baron C. of Chudleigh (seit 1672), *Ugbrooke bei Exeter 1. Aug. 1630, †ebd. 18. Aug. 1673, engl. Politiker. – Seit 1667 Mgl. des ↑Cabalministeriums; 1672 Lord Treasurer, trat als Katholik nach Annahme der Testakte zurück.

Clift, Montgomery, *Omaha (Nebr.) 17. Okt. 1920, †New York 24. Sept. 1966, amerikan. Filmschauspieler. – Zahlr. Charakterrollen, u.a. „Verdammt in alle Ewigkeit" (1953), „Plötzlich im letzten Sommer" (1959), „Nicht gesellschaftsfähig" (1961).

Climacus [griech.-lat.], ma. Notenzeichen, ↑Neumen.

Clinch [engl. klɪn(t)ʃ], Umklammern und Festhalten des Gegners im Boxkampf.

Clinton, William (gen. Bill) Jefferson ['klɪntən], *Hope (Ark.) 19. Aug. 1946, 42. Präs. der USA. – Jurist; ⚭ mit der Rechtsanwältin Hillary Rodham C. (*1947); war 1976–78 Justiz-Min. in Arkansas, 1979–81 und wieder seit 1984 dort Gouverneur; im Nov. 1992 zum Präs. gewählt, trat C. sein Amt am 20. 1. 1993 an; bemüht um innenpolit. Reformen, setzte er den außenpolit. Kurs seines Vorgängers G. Bush fort.

Clipper ↑Klipper.

Clique ['klɪkə; frz.; eigtl. „Klatschen, beifällig klatschende Masse"], Sippschaft, Gruppe, Bande, Klüngel, Partei; meist in abschätzigem Sinn gebraucht. In der *Soziologie* alle informellen Gruppen innerhalb einer Organisation, die deren bestehende Ordnung aufzulösen versuchen.

Clitoris [griech.], svw. ↑Kitzler.

Clive, Robert [engl. klaɪv], Baron C. of Plassey (seit 1762), *Styche (Shropshire) 29. Sept. 1725, †London 22. Nov. 1774 (Selbstmord), brit. General und Staatsmann. – Sein Sieg über den Nabob von Bengalen bei Plassey 1757 wurde Basis der brit. Macht in Ostindien; als Gouverneur und Oberbefehlshaber der brit. Streitkräfte in Ostindien (1764–67) gelang es ihm 1765, mit dem Großmogul für die Ostind. Kompanie Verwaltungsverträge für die Prov. Bengalen, Bihar und N-Orissa abzuschließen; 1772 wegen Amtsmißbrauchs angeklagt, aber rehabilitiert.

Clivia, svw. ↑Klivie.

Clivis [mittellat.] (Flexa), ma. Notenzeichen, ↑Neumen.

Cloaca maxima [lat.], der älteste, vom 6.–1. Jh. gebaute, zugleich bedeutendste Entwässerungskanal Roms; ermöglichte die Anlage des Forum Romanum.

Clochard [frz. klɔ'ʃa:r], frz. Bez. für Bettler, Landstreicher, Herumtreiber.

Clodius Pulcher, Publius, *um 92 v. Chr., †bei Bovillae (vor Rom) 20. Jan. 52, röm. Volkstribun (58). – Setzte die Verbannung Ciceros durch; gestützt auf die röm. Plebs, terrorisierte er mit gedungenen Banden Rom; im Straßenkampf erschlagen.

Cloete, Stuart [engl. kloʊ'iːtɪ, 'kluːtɪ], * Paris 23. Juli 1897, † Kapstadt 19. März 1976, südafrikan. Schriftsteller engl. Sprache. - Lebte 1925-35 und nach 1945 in Transvaal; schrieb nat. geprägte Abenteuerliteratur, u. a. „Wandernde Wagen" (R., 1937).

Cloisonné [kloazɔ'neː; lat.-frz.], Zellenschmelz (bei Goldemaillearbeiten); auf eine Platte aufgelötete Stege bilden Zellen für die mehrfarbige Schmelzmasse (Glasfluß).

Clonmacnoise [engl. klɔnmək'nɔɪz], ir. Ort am Shannon, Gft. Offaly. - C. war eine der berühmtesten ir. Klosterstädte des MA. Das Bistum (Klosterbistum, gegr. 544/548) wurde 1568 mit dem von Meath vereinigt, das Kloster 1729 aufgelöst. - Von 12 Kirchen (10.-15. Jh.) sind noch 7 erhalten, darunter die 904 begonnene Kathedrale (im 14. Jh. erneuert).

Cloos, Hans, * Magdeburg 8. Nov. 1885, † Bonn 26. Sept. 1951, dt. Geologe. - Prof. in Breslau und Bonn; Forschungsreisen durch Europa, Nordamerika, Südafrika und Indonesien; arbeitete über Tektonik, Vulkanismus und Plutonismus.

Cloppenburg, Krst. in Nds., an der Soeste, 22300 E. Marktort für ein überwiegend landw. orientiertes Umland; Nahrungsmittel- und Textilind., Fahrradfabrik. - Die Grafen von Tecklenburg errichteten vor 1297 die Burg C., die Burgsiedlung erhielt 1435 Stadtrechte. - Das *Museumsdorf C.* ist das älteste dt. Freilichtmuseum (gegr. 1934).

C., Landkr. in Niedersachsen.

Cloqué [klo'keː; frz.] (Blasenkrepp), Gewebe aus normalgedrehten Garnen und scharf überdrehten Kreppfäden. Letztgenannte Fäden springen in der nachfolgenden Veredlung ein und bilden Blasen und Muster.

Close, Chuck [engl. kloʊs], * Monroe (Wash.) 5. Juli 1940, amerikan. Maler. - Malt und zeichnet ausschließl. überdimensionale Porträts, oft mit Hilfe photograph. Vergrößerungen.

Closed shop [engl. 'kloʊzd 'ʃɔp „geschlossener Betrieb"], ein Betrieb, in dem auf Grund eines Abkommens zw. Gewerkschaften und Unternehmen nur organisierte Arbeitnehmer eingestellt werden; in der BR Deutschland nicht zulässig.

Clostridium [griech.], Gatt. stäbchenförmiger, anaerober, grampositiver Bakterien; knapp 100, meist im Boden lebende und von dort gelegentl. in den menschl. und tier. Körper sowie in Nahrungsmittel übertragbare Arten. Manche Arten bilden außerordentl. giftige, für Mensch und Tier lebensgefährl. Exotoxine, v. a. *C. botulinum* (↑ Botulismus), *C. tetani* (↑ Wundstarrkrampf), *C. perfringens* und andere Arten (↑ Gasbrand).

Clou [kluː; frz., eigtl. „Nagel"], Glanz-, Höhepunkt; Zugstück, Schlager.

Clouet [frz. klu'ɛ], François, * Tours (?) zw. 1505 und 1510, † Paris 22. Sept. 1572, frz. Maler. - Sohn von Jean C.; dessen Nachfolger als Bildnismaler am frz. Hof. Die Zuschreibungen (etwa 50 Porträtzeichnungen sowie einige Bildnisse) sind auf signierte Werke, u. a. das Porträt des Apothekers Pierre Quthe (1562; Louvre) gestützt.

C., Jean, * in Flandern (?) vermutl. um 1480, † Paris 1540 oder 1541, frz. Zeichner und Maler. - Seit 1516 Hofmaler König Franz' I. in Tours, seit etwa 1522 in Paris; beeinflußt von der flandr. und niederrhein. Schule, v. a. von J. Gossaert.

Clough, Arthur Hugh [engl. klʌf], * Liverpool 1. Jan. 1819, † Florenz 13. Nov. 1861, engl. Schriftsteller. - Begann mit humorvollen und idyll. Gedichten, kam später zu einem ausweglosen Skeptizismus. - *Werke:* The bothie of Tober-na-Vuolich (Idylle, 1848), Dipsychus (Dr., 1850).

Clouzot, Henri Georges [frz. klu'zo], * Niort (Deux-Sèvres) 20. Nov. 1907, † Paris 12. Jan. 1977, frz. Filmregisseur. - Wurde berühmt als Regisseur harter Thriller, u. a. „Lohn der Angst" (1953), „Die Teuflischen" (1955).

Cloviskomplex [engl. 'kloʊvis], paläoindian. Kultur in den USA (9500-8500), ben. nach der Stadt Clovis in New Mexico (eigtl. Llanokultur), v. a. Mastodontenjagd; verbreitet im SW und in den Prärien der USA; Steingeräte; kennzeichnend die **Clovisspitzen,** Projektilspitzen aus Stein mit Auskehlung an einer, selten an beiden Seiten.

Clown [klaʊn; engl. (wohl zu lat. colonus „Bauer")], urspr. der kom. „Bauerntölpel" im Elisabethan. Theater Englands, trat nicht nur in Komödien, sondern auch in Tragödien auf, zunächst in kom. Zwischenspielen, später als Kontrastfigur zum hohen Pathos des Helden; im 18. bzw. 19. Jh. vom Theater in den Zirkus verbannt. Berühmt u. a. C. Rivel, Grock, O. Popow.

Club of Rome, The [engl. ðə 'klʌb əv 'roʊm], 1968 gegr., lockere Verbindung von Wissenschaftlern und Industriellen. Ziele: Untersuchung, Darstellung und Deutung der „Lage der Menschheit" (sog. „Weltproblematik") sowie Aufnahme und Pflege von Verbindungen zu nat. und internat. Entscheidungszentren zum Zweck der Friedenssicherung, wobei „Frieden" verstanden wird als menschl. Zusammenleben auf der Grundlage sozialer Gerechtigkeit und Achtung vor den anderen Menschen sowie der Harmonie der Natur (globaler Rohstoffhaushalt und Umweltschutz). Seit 1972 („Die Grenzen des Wachstums") zahlr. Veröffentlichungen; Friedenspreis des Dt. Buchhandels 1973.

Cluj-Napoca [rumän. kluʒ] ↑ Klausenburg.

cluniacensische Reform ↑kluniazensische Reform.

Cluny [frz. kly'ni], frz. Ort in Burgund, Dep. Saône-et-Loire, 20 km nw. von Mâcon, 4700 E. – C. entstand bei der zw. 908 und 910 gegr. Benediktinerabtei, die zum bed. Reformzentrum für das abendländ. Mönchtum und die Gesamtkirche wurde (↑kluniazensische Reform); 1790 Aufhebung der Abtei. – Nach zwei Vorgängerbauten wurde 1088 unter Abt Hugo der Bau der größten ma. Kirche des Abendlandes begonnen (vollendet 1225; in der Frz. Revolution fast völlig zerstört). Sie besaß ein fünfschiffiges Langhaus, zwei Querschiffe mit Apsiden, runden Chorschluß mit Umgang und fünf Kapellen, im W eine dreischiffige Vorkirche. Die Basilika war in allen Teilen gewölbt.

Clusium, antike Stadt, ↑Chiusi.

Clusius-Dickelsches Trennrohr [nach den dt. Physikochemikern K. Clusius, * 1903, † 1963, und G. Dickel, * 1913], Gerät zur Isotopenanreicherung bzw. -trennung. Von zwei senkrechten, koaxialen Rohren, in deren Zwischenraum sich das gasförmige Isotopengemisch befindet, wird das innere beheizt, das äußere gekühlt. Durch Thermodiffusion reichern sich die leichteren Isotope an der warmen Innenwand an und steigen infolge ihrer Erwärmung nach oben (z. B. Anreicherung des für Kernreaktoren und Kernwaffen benötigten Uran 235).

Cluster [engl. 'klʌstə „Klumpen, Traube"], in der *Physik* Bez. für eine als einheitl. Ganzes zu betrachtende Menge von zusammenhängenden Einzelteilchen.

◆ in der *Musik* eigtl. „tone-cluster", von H. Cowell 1930 eingeführte Bez. für einen aus großen oder kleinen Sekunden (oder kleineren Intervallen) geschichteten Klang von konstanter oder bewegl. Breite. C. werden z. B. auf dem Klavier mit der ganzen Hand oder dem Unterarm hervorgebracht; **Flageolett-Clusters** entstehen, wenn zu den stumm niedergedrückten Tasten tiefere Töne angeschlagen werden.

Cluster-Modell [engl. 'klʌstə], ein Kernmodell, das davon ausgeht, daß Alphateilchen und andere leichte Atomkerne großer Bindungsenergie teilweise als Unterstrukturen in schwereren Kernen auftreten.

Cluytens, André [frz. klɥi'tɛ̃:s, niederl. 'klœÿtəns], * Antwerpen 26. März 1905, † Neuilly-sur-Seine 3. Juni 1967, belg.-frz. Dirigent. – 1949–60 Leiter des Orchesters der Pariser Société des Concerts du Conservatoire, dann des Orchestre National de Belgique in Brüssel.

Clwyd [engl. klʊɪd], Gft. in Wales.

Clyde [engl. klaɪd], längster Fluß Schottlands, entsteht im südschott. Bergland, mündet bei Dumbarton in den rd. 100 km langen, 1,5–60 km breiten **Firth of Clyde;** 171 km lang, am schiffbaren Unterlauf Schwer- und Schiffbauindustrie.

Clymenia [griech.], ausgestorbene Gatt. flacher, scheibenförmiger Ammoniten mit einfacher Lobenlinie; wichtiges Leitfossil aus dem jüngeren Oberdevon.

Clypeaster [lat./griech.], Gatt. der zu den Irregulären Seeigeln zählenden ↑Sanddollars mit zahlr. Arten in trop. und subtrop. Gewässern.

Cm, chem. Symbol für ↑Curium.

CMA, Abk. für: Centrale Marketing-Gesellschaft der deutschen Agrarwirtschaft mbH, Gesellschaft zur Erschließung und Pflege von Märkten im In- und Ausland; gegr. von Verbänden der Land- und Forstwirtschaft sowie der Ernährungsindustrie 1969, Sitz in Bonn-Bad Godesberg. Die CMA hat die Aufgabe, finanziert durch einen ihr zur Verfügung gestellten (öff.-rechtl.) **Absatzfonds,** zur Absatzförderung der dt. Agrarwirtschaft beizutragen.

C+M+B, Abk. für: Caspar, Melchior, Balthasar, die Namen der Hl. Drei Könige (urspr. Abk. für lat.: Christus mansionem benedicat [„Christus möge dies Haus segnen"]); wird bes. in ländl. kath. Gegenden mit der Jahreszahl zum Dreikönigsfest als Segensformel auf den Türbalken geschrieben.

C-14-Methode ↑Altersbestimmung.

CMOS-Technologie [Abk. für engl.: complementary metaloxide semiconductor], Herstellungsverfahren für integrierte Schaltungen auf der Basis von MOS-Feldeffekttransistoren.

Cn., Abk. für den altröm. Vornamen Gnaeus.

CNC [Abk. für engl.: computerized numerical control], computergestützte numer. Steuerung von Werkzeugmaschinen.

Cnidaria [griech.], svw. ↑Nesseltiere.

CNN, Abk. für: ↑Cable News Network.

CNT [span. θeene'te], Abk. für: Confederación Nacional del Trabajo (↑Spanien, Geschichte).

Co, chem. Symbol für ↑Kobalt.

Co., Abk. für frz.: Compagnie bzw. engl.: Company.

c/o, Abk. für engl.: ↑**care of.**

Co A, Abk. für: Coenzym A (↑Koenzym A).

Coach [ko:tʃ, engl. koʊtʃ], Sportlehrer; Trainer und Betreuer eines Sportlers oder einer Mannschaft.

Coahuila [span. koa'uila], Staat in N-Mexiko, 151 571 km², 1,94 Mill. E (1989), Hauptstadt Saltillo; umfaßt den NO des nördl. Hochlandes von Mexiko mit Anteil an der Sierra Madre Oriental; Feldbau (mit künstl. Bewässerung), Viehzucht. Wichtigstes mex. Kohlenbergbaugebiet; auch Abbau von Blei-,

Zink-, Kupfer-, Eisenerzen, Erdgasförderung.
Geschichte: Seit Mitte des 16. Jh. von span. Konquistadoren durchzogen; seit 1575 kolonisiert; bildete 1824 einen Staat, dem 1830–36 Texas angeschlossen war.

Coase, Ronald [engl. koʊs], * Willesden (= London) 29. Dez. 1910, brit. Volkswirtschaftler. – Prof. an der University of Chicago; erhielt 1991 für seine Verdienste um die Erweiterung der konventionellen Mikroökonomie den sog. Nobelpreis für Wirtschaftswissenschaften.

Coast Ranges [engl. 'koʊst 'rɛɪndʒɪz], äußerer Bogen der pazif. Küstenketten in den USA, Fortsetzung der Außenkette Kanadas, reicht bis nördl. von Los Angeles; 80 km breit, im Thompson Peak bis 2744 m hoch.

Coating [engl. 'koʊtɪŋ], Beschichtung von Werkstücken zum Schutz vor Verschleiß.

Coatsland [engl. koʊts], von Inlandeis bedeckter Teil der Ostantarktis zw. Filchner-Eisschelf und Königin-Maud-Land. Der westl. Küstenabschnitt wird **Prinzregent-Luitpold-Küste,** der östl. **Cairdküste** genannt.

Coatzacoalcos, Stadt im Bundesstaat Vera Cruz, Mexiko, am Golf von Campeche; 186000 E. Zentrum eines Erdölind.gebietes; Ausfuhrhafen für Erdöl.

Cobaea [nach dem span. Naturforscher B. Cobo, * 1582, † 1657], svw. ↑ Glockenrebe.

Cobalamine [Kw.], die Vitamine der B_{12}-Gruppe.

Cobalt, svw. ↑ Kobalt.

Cobaltin, svw. ↑ Kobaltglanz.

Cobán [span. ko'βan], Hauptstadt des Dep. Alta Verapaz in Z-Guatemala, im nördl. Bergland, 44000 E. Kaffeeanbau.

Cobbett, William [engl. 'kɔbɪt], * Farnham (Surrey) 9. März 1763, † bei Guildford 18. Juni 1835, brit. Politiker. – 1792–1800 und 1817–19 als Emigrant in den USA; wurde dort zum Begr. der amerikan. Parteipresse. Als Anwalt des sozialen und polit. Rechts der verelendeten Land- und Fabrikarbeiter seit 1815 Führer der unorganisierten brit. Arbeiterschaft; ab 1832 Mgl. des Unterhauses.

Cobden, Richard, * Dunford Farm bei Midhurst (Sussex) 3. Juni 1804, † London 2. April 1865, brit. Nationalökonom und Wirtschaftspolitiker. – Vertreter eines wirtschaftspolit. Liberalismus (Manchestertum). Initiierte 1838 die ↑ Anti-Corn-Law-League und erreichte 1846 die Abschaffung der Getreidezölle; schloß 1860 den auf freihändler. Grundsätzen beruhenden brit.-frz. Handelsvertrag *(C.-Vertrag)* ab.

Cobden-Sanderson, Thomas [James] [engl. 'sɑ:ndəsn], * Alnwick (Northumberland) 2. Dez. 1840, † Hammersmith (= London) 7. Sept. 1922, engl. Buchkünstler. – Gründete 1893 die Doves Bindery und 1900 die Doves Press. Sein Einbandstil hatte bed. Einfluß auf die dt. „Pressen".

Cobenzl, Ludwig Graf von, * Brüssel 21. Nov. 1753, † Wien 22. Febr. 1809, östr. Diplomat und Politiker. – Unterzeichnete 1797 den Frieden von Campoformio, führte 1801 die Friedensverhandlungen von Lunéville; 1801–05 Hof- und Staatsvizekanzler sowie Außenminister.

C., Philipp Graf von, * Ljubljana 28. Mai 1741, † Wien 30. Aug. 1810, östr. Politiker. – Vetter von Ludwig Graf von C.; schloß 1779 den Frieden von Teschen ab; 1792/93 Hof- und Staatskanzler sowie Außenminister.

Cobla ['ko:bla; katalan. 'kobblə], volkstüml. katalan. Tanzkapelle, die v. a. den Reigentanz (Sardana) spielt; heute übl. Besetzung: Einhandflöte, Trommel, Schalmeien, Kornette, Flügelhörner, Posaune und Kontrabaß.

COBOL, Abk. für: **Co**mmon **b**usiness **o**riented **l**anguage, problemorientierte Programmiersprache für kommerzielle Anwendungen.

Cobra, eine 1949 gegr., sich nach den Anfangsbuchstaben ihrer Ausstellungsstädte **Co**penhagen, **Br**üssel, **A**msterdam nennende niederl.-skand. Künstlervereinigung. P. Alechinsky, K. Appel, Constant, Corneille, A. Jorn sind Vertreter des ↑ abstrakten Expressionismus.

Coburg, Stadt im sw. Vorland des Thüringer Waldes, Bayern, 297 m ü. d. M., 42900 E. Verwaltungssitz des Landkr. C.; Landesbibliothek; Kunstsammlungen Veste Coburg, Museum Schloß Ehrenburg, Naturwiss. Museum; Theater; Maschinenbau, Holz-, Papier- und Bekleidungsindustrie. – 1231 Stadtrecht, fiel 1347 an die Markgrafen von Meißen; nach 1543 Residenz; 1920 nach Volksentscheid an Bayern. – Got. Pfarrkirche Sankt Moriz, mit Chor (um 1320) und zwei Türmen (15. Jh.). Die Ehrenburg entstand seit 1543 als dreiflügeliges, an die Stadtmauer anschließendes Renaissanceschloß, nach Brand (1690) z. T. neu erbaut; Rathaus (1578–80); zahlr. Häuser aus dem 16. Jh. Die **Veste Coburg** entstand als ma. Ringburg auf einer Bergnase, im 16. und 17. Jh. zur Landesfestung ausgebaut. – Abb. S. 302.

C., Landkr. in Bayern.

Coburger Convent, Abk. CC., 1951 als Zusammenschluß der Dt. Landsmannschaft und des Verbandes der Turnerschaften gegr. Konvent. Alljährl. Pfingsttreffen in Coburg.

Coca-Cola Company [engl. 'koʊkə-'koʊlə 'kʌmpənɪ], führender Erfrischungsgetränkeproduzent der Welt, Sitz Atlanta (Ga.), gegr. 1886; auch in der Nahrungsmittelproduktion sowie im Film- und Fernsehgeschäft aktiv; zahlr. Tochtergesellschaften, u. a. Columbia Pictures Industries Inc.

Cocceji, Samuel Freiherr von (seit 1749) [kɔk'tse:ji], * Heidelberg 20. Okt. 1679, † Berlin 4. Okt. 1755, preuß. Jurist. – Prof. in Frankfurt/Oder; bed. Reformer des preuß. Justizwesens, schuf u. a. eine neue Prozeßordnung (1747–49).

Coccejus, Johannes [kɔk'tse:jʊs], eigtl. J. Koch, * Bremen 9. Aug. 1603, † Leiden 5. Nov. 1669, dt. ref. Theologe. – 1630 Prof. in Bremen, 1650 in Leiden; bemühte sich um die Bestimmung des Verhältnisses von A. T. und N. T.; die Heilsgeschichte ist nach ihm eine Folge von Bundesschlüssen Gottes mit den Menschen **(Föderaltheologie).**

Coccidia ↑Kokzidien.

Coccioli, Carlo [italien. 'kɔttʃoli], * Livorno 15. Mai 1920, italien. Schriftsteller. – Schreibt seit 1951 auch in frz. Sprache; psycholog. Romane, u. a. „Himmel und Erde" (1950), „Manuel der Mexikaner" (1956), „La casa di Tacubaya" (1982).

Cochabamba [span. kotʃa'βamba], Hauptstadt des bolivian. Dep. C., am Río Rocha, 2 560 m ü. d. M., 317 000 E. Erzbischofssitz; Univ. (gegr. 1832), landw. Handelszentrum; Erdölraffinerie, Kfz-Bau; internat. ✈. **C.,** Dep. in Z-Bolivien, 55 631 km^2, 1,04 Mill. E (1987), Hauptstadt C.; im W und S Anteil am Ostbolivian. Bergland mit agrarisch bedeutenden dichtbesiedelten Hochbecken (2 400–2 800 m).

Cochabamba, Cordillera de [span. kɔrði'jera ðe kotʃa'βamba], östl. Zweig der Ostkordillere, in Z-Bolivien, bis 5 200 m hoch (Tunari).

Cochem, Krst. in Rhld.-Pf., an der unteren Mosel, 86–380 m ü. d. M., 5 200 E. Verwaltungssitz des Landkr. C.-Zell; Weinbau und -handel. – 866 zuerst genannt; um 1020 Bau der Burg C., seit 1332 Stadt; 1689 von frz. Truppen zerstört. – Stadtbefestigung (1332) z. T. erhalten.

Coburg. Veste Coburg

Cochem-Zell, Landkreis in Rheinland-Pfalz.

Cochin, Charles Nicolas, d. Ä. [frz. kɔ'ʃɛ̃], * Paris 29. April 1688, † ebd. 16. Juli 1754, frz. Kupferstecher. – Bed. Reproduktionsstecher (Watteau und Chardin); mit seinem Sohn **Charles Nicolas C. d. J.** (* 1715, † 1790) v. a. Illustrator und Porträtstecher.

Cochin ['kɔtʃɪn], ind. Hafenstadt im Bundesstaat Kerala, an der Malabarküste, 556 000 E. Kath. Bischofssitz, Univ. (gegr. 1971); Erdölraffinerie, Werften. – 1341 nach einer Flutkatastrophe als Hauptstadt des Ft. Cochin neu erbaut; seit 1502 in portugies., 1603–1795 in niederl. Besitz, seit 1795 bed. Handelshafen von Brit.-Indien, ✈. – Mattanchari-Palast (16. Jh.), Synagoge (1568).

Cochinchina [...tʃ...] (Kotschinchina), der aus dem Mekongdelta und den südl. Ausläufern der Küstenkette von Annam bestehende S-Teil Vietnams. Die durch zahlr. Wasserarme gegliederte flache Schwemmlandebene des Mekongdeltas ist größtenteils landwirtschaftl. erschlossen (Reis). – Gehörte in der Frühzeit teilweise zum Reich der Cham (↑Champa); seit dem 16. Jh. unter der Herrschaft des vietnames. Feudalgeschlechts der Nguyên von Huê, bis Anfang des 18. Jh. unter der Oberhoheit der Kaiser aus der Lê-dynastie; 1858–67 von Frankreich erobert und seit 1887 Bestandteil der Indochines. Union; kam 1945/49 zu Vietnam.

Cochise [engl. 'koʊtʃi:z, kɔ'tʃi:z], † 1874, Indianerhäuptling. – Erfolgreicher Anführer des Kampfes der Apachen gegen weiße Siedler und Soldaten in Arizona.

Cochisekultur [engl. 'koʊtʃi:z, kɔ'tʃi:z], vorgeschichtl. Kulturfolge im SW der USA (Staaten Arizona und New Mexico); ben. nach dem eiszeitl. Lake Cochise in SO-Arizona; Grundlage der Anasazitradition, Hohokamkultur und Mogollonkultur; drei Phasen: Sulphur Springs (7000–5000); Chiricahua (5000–2000); San Pedro (2000–200).

Cochläus, Johannes [kɔx...], eigtl. Dobneck, Dobeneck, * Wendelstein bei Schwabach 10. Jan. 1479, † Breslau 11. Jan. 1552, dt. Humanist und kath. Theologe. – Gab 1512 die Kosmographie des Pomponius Mela heraus, der er die 1. selbständige Beschreibung Deutschlands von einem Deutschen beifügte. Seit 1528 Hofkaplan Georgs von Sachsen, 1540 in Augsburg; Mitverfasser der kath. „Confutatio" gegen das Augsburger Bekenntnis; an den Religionsgesprächen in Hagenau, Worms und Regensburg (1540/41 und 1546) beteiligt. Seine Lutherbiographie (1549) hat bis ins 20. Jh. das kath. Lutherbild bestimmt.

Cochlea ['kɔxlea; griech.-lat.], svw. Schnecke (des Innenohrs; ↑Gehörorgan).
◆ Gehäuse der Schnecken.

Cockcroft, Sir (seit 1948) John Douglas [engl. 'koʊkrɔft], * Todmorden (Yorkshire) 27. Mai 1897, † Cambridge 18. Sept. 1967, brit. Physiker. - Entwickelte mit E. T. S. Walton den ↑Kaskadengenerator *(C.-Walton-Generator),* mit dem beide 1932 die erste Kernumwandlung mit künstlich bescheunigten Protonen durchführten. Nobelpreis für Physik 1951 (zus. mit Walton).

Cocker, John Robert „Joe" [engl. 'kɔkə], * Sheffield 20. Mai 1944, brit. Rockmusiker. - Von Blues und Soulvorbildern geprägter Sänger; tauchte, dem Tourneerummel nicht gewachsen, mehrfach unter, hatte jedesmal ein Schallplatten-Comeback.

Cockerspaniel [engl.; zu to cock „Waldschnepfen (woodcocks) jagen"], in England ursprüngl. für die Jagd gezüchtete Rasse etwa 40 cm schulterhoher, lebhafter, lang- und seidenhaariger Haushunde mit zieml. langer Schnauze, Schlappohren und kupierter Rute.

Cockney [engl. 'kɔknɪ], volkstüml., weithin als ungebildet geltende engl. Mundart der alteingesessenen Londoner Bevölkerung; i. e. S. die für diese Mundart typ. Aussprache; auch Bez. für eine C. sprechende Person.

Cockpit [engl., eigtl. „Hahnengrube" (vertiefte Einfriedung für Hahnenkämpfe)], Pilotenkanzel im Flugzeug.
◆ im *Automobilsport* Platz des Fahrers in Sport- und Rennwagen.
◆ (Plicht) vertiefter, ungedeckter Sitzraum für die Besatzung auf Segel- und Motorbooten; zumeist selbstlenzend.

Cocktail [engl. 'kɔkteɪl; eigtl. „Hahnenschwanz"], alkohol. Mixgetränk.

Cocléphasen [span. ko'kle], voreurop. Kulturabschnitte in der Prov. Coclé (Panama): frühe Phase: 500–800, späte Phase: 800–1100.

Coco, Río [span. 'rrio 'koko], längster Fluß Z-Amerikas, entspringt im äußersten S von Honduras, bildet im Mittel- und Unterlauf die Grenze zw. Nicaragua und Honduras, mündet in das Karib. Meer; 750 km lang.

Cocos [span.], Gatt. der Palmen mit der ↑Kokospalme als einziger Art.

Cocos Islands ['koʊkoʊs 'aɪləndz] ↑Kokosinseln.

Cocteau, Jean [frz. kɔk'to], * Maisons-Laffitte bei Paris 5. Juli 1889, † bei Milly-la-Forêt bei Paris 11. Okt. 1963, frz. Dichter, Filmregisseur und Graphiker. - In verschiedenen Stilrichtungen experimentierender Künstler und Kritiker. Seine Entwicklung führte von neuromant. Anfängen über futurist. und dadaist. Versuche zu originellem Surrealismus. C. gab allen avantgardist. Strömungen der Kunst entscheidende Impulse. Dichter. Virtuosität, Leichtigkeit und eleganter Stil machten ihn zu einer der interessantesten Gestalten des literar. Frankreich. Vielfach schöpfte C. aus der Mythologie. *Romane:* „Der große Sprung" (1923), „Kinder der Nacht" (1929); *Dramen:* „Orpheus" (1927), „Höllenmaschine" (1934); *Filme:* „Das Blut eines Dichters" (1930), ein Hauptwerk des Surrealismus. Berühmt sind „Es war einmal" („La belle et la bête"; 1946) und „Orphée" (1950). C. schrieb auch Libretti, u. a. für Strawinski und Milhaud; Förderer des Musiklebens; Illustrator, Maler und Bildhauer; seit 1955 Mgl. der Académie française.

Cod., Abk. für: **Cod**ex (↑Kodex).

Coda ↑Koda.

Code [ko:t; lat.-frz.], Gesetzeswerk, Gesetzbuch (↑Kodex), v. a. die fünf napoleon. Gesetzbücher: 1. **Code civil** (C. civil des Français, **Code Napoléon),** das frz. Zivilgesetzbuch vom 21. 3. 1804, das trotz zahlr. Änderungen heute noch gültig ist. Der C. civil übernahm Grundgedanken der Frz. Revolution (Gleichheit vor dem Gesetz, Anerkennung der Freiheit des Individuums und des Eigentums, Trennung von Staat und Kirche durch Einführung der obligator. Zivilehe); er gilt auch in Belgien und Luxemburg. - 2. **Code de procédure civile,** die frz. Zivilprozeßordnung von 1806; führte die Grundsätze der Mündlichkeit, der Öffentlichkeit, der freien Beweiswürdigung und des Parteibetriebes in den Zivilprozeß ein. - 3. **Code de commerce,** die Kodifikation des gesamten frz. Handelsrechts von 1807. - 4. **Code d'instruction criminelle,** die frz. Strafprozeßordnung von 1808. Sie schaffte den geheimen schriftl. Inquisitionsprozeß ab und ersetzte ihn durch ein mündl., öffentl., durch eine Anklage der Staatsanwaltschaft eingeleitetes Verfahren. - 5. **Code pénal** von 1810, das frz. Strafgesetzbuch.

Code [ko:t; frz. und engl.; von lat. codex „Buch, Verzeichnis"], (Kode, Informationscode) System von Regeln und Übereinkünften, das die Zuordnung von Zeichen (oder auch Zeichenfolgen) zweier verschiedener Alphabete erlaubt; auch Bez. für die konkreten Zuordnungsvorschriften selbst.
Neben den C. zur Nachrichtenübertragung (z. B. Morsealphabet) spielen C. zur Informationsdarstellung und zur Datenverarbeitung eine große Rolle. Wegen der binären Arbeitsweise von Computern sind alle in der Datenverarbeitung benutzten C. ↑Binärcodes.
◆ in der *Sprachwissenschaft* ein vereinbartes Inventar von Sprachzeichen und Regeln zu ihrer Verknüpfung: *semant. C.* (Zeichen, die den Vorstellungen des Sprechers inhaltlich entsprechen), *syntakt. C.* (Regeln zur Kombination der Zeichen) und *phonolog. C.* (Regeln zur Kombination der Laute, welche die In-

halte repräsentieren). In der ↑Soziolinguistik eine schichtenspezif. Weise der Sprachverwendung: *elaborierter C.* (Sprechweise der Ober- und Mittelschicht), *restringierter C.* (Sprechweise der Unterschicht).

Code Bustamante [ko:t] ↑Bustamante y Sirvén, Antonio Sánchez de.

Code civil [frz. kɔdsi'vil] ↑Code.

Codein ↑Kodein.

Code Napoléon [frz. kɔdnapɔle'õ] ↑Code.

Coder [lat.-engl.], elektron. Schaltung, die eine Verschlüsselung (Codierung) von Signalen zur Optimierung der Informationsübertragung oder -verarbeitung vornimmt.

Codex ↑Kodex, ↑Kodifikationen.

Codex argenteus [lat. „silberner Kodex" (nach dem Einband des 17. Jh.)], Evangeliar in got. Sprache; enthält Fragmente aus den vier Evangelien. Ursprüngl. 336, heute 186 Blätter (etwa 20 × 24 cm). Der Kodex ist die Abschrift der got. Bibelübersetzung des ↑Ulfilas und wurde um 500 in Norditalien geschrieben; seit 1669 in der Universitätsbibliothek Uppsala.

Codex aureus. Einbanddeckel der Handschrift von Sankt Emmeram (München, Bayerische Staatsbibliothek)

Codex aureus [lat. „goldener Kodex"], Bez. für mehrere kostbare Handschriften des MA mit Goldschrift oder goldenem Einband, z. B. für das Evangeliar aus dem Regensburger Kloster Sankt Emmeram, 870 von den Mönchen Liuthard und Berengar im Stil der Reimser Schule im Auftrag Karls des Kahlen geschrieben und illuminiert (heute in der Bayer. Staatsbibliothek, München).

Codex Dresdensis [nlat. „Dresdner Kodex" (nach dem Aufbewahrungsort)], die älteste und am besten erhaltene der drei Mayahandschriften aus vorkolumb. Zeit, vermutl. aus dem 14. Jh. Der Inhalt bezieht sich auf den Kalender und auf Wahrsagerei.

Codex Euricianus [lat.] ↑Eurich, König der Westgoten.

Codex Iuris Canonici [lat. „Gesetzbuch des Kanon. Rechts"], Abk. CIC, Gesetzbuch der kath. Kirche für den Bereich der lat. Kirche; es enthält die Grundlagen des kath. Kirchenrechts: Personen-, Sachen-, Prozeß- und Strafrecht. Auf Anordnung Pius' X. (19. März 1904) erarbeitet und am 27. Mai 1917 amtl. veröffentlicht; am 19. Mai 1918 in Kraft getreten. Die Reform des CIC oblag einer Kardinalskommission, die von Johannes XXIII. 1963 eingesetzt und von Paul VI. erweitert wurde. Im Jan. 1983 wurde eine Neufassung verkündet.

Codex Justinianus [lat.] ↑Corpus Juris Civilis.

Codex Sinaiticus (Sinaiticus) [lat.], Sigel ℵ, wichtige Pergamenthandschrift der Bibel aus dem 4. Jh.; 1844 von K. von Tischendorf im Katharinenkloster auf der Sinaihalbinsel (daher der Name) entdeckt.

Codex Vaticanus (Vaticanus) [lat. (nach dem Aufbewahrungsort)], Sigel B, wichtigste und bedeutendste Pergamenthandschrift der Bibel, wohl um 350 in Ägypten entstanden.

Codices Madrid [nlat.], 1973 veröffentlichte Ausgabe von Handschriften mit Zeichnungen Leonardo da Vincis.

codieren [lat.-frz.], allg. eine Nachricht verschlüsseln; i. e. S. ein Programm in die Maschinensprache einer Datenverarbeitungsanlage übersetzen.

Codon [lat.-frz.] (Triplett), in der Molekularbiologie Bez. für die drei aufeinanderfolgenden Basen (Nukleotide) einer Nukleinsäure (DNS, RNS), die den Schlüssel (Codierungseinheit) für eine Aminosäure im Protein darstellen.

Codreanu, Corneliu Zelea, * Jassy 13. Sept. 1899, † Bukarest-Jilava 30. Nov. 1938, rumän. Politiker. – Begr. 1923 die Liga Christlicher Nat. Verteidigung, die er 1927 in die Legion Erzengel Michael (seit 1930 ↑Eiserne Garde) umbildete; 1938 wegen Hoch- und Landesverrats verurteilt; in der Haft ermordet.

Coducci, Mauro [italien. ko'duttʃi], gen. il Moretto, * Lenna (Bergamo) um 1440, † Venedig im April 1504, italien. Baumeister. – Bed. Vertreter der lombard.-venezian. Renaissance; schuf in Venedig u. a. San Michele auf der Isola di San Michele (1469 ff.), Torre dell'Orologio (1496), San Giovanni Crisostomo (1497), Fassade von San Zaccaria (1483).

Cody, William Frederick [engl. 'koʊdɪ], amerikan. Pionier, ↑Buffalo Bill.

Coecke van Aelst, Pieter [niederl. 'ku:kə vɑn 'a:lst], *Aalst 14. Aug. 1502, †Brüssel 6. Dez. 1550, fläm. Holzschneider, Maler und Publizist. – Steht in der Nachfolge seines Lehrers B. van Orley; Künstlerwerkstatt in Antwerpen (u.a. Lehrer P. Bruegels d. Ä.). Holzschnittfolge mit türk. Szenen (nach 1534; als Wandteppich geplant); Stuckarbeiten (u.a. Rathaus, Antwerpen).

Coecum ['tsø:kum; lat.], svw. ↑Blinddarm.

Coel... ↑Zöl...

Coelenterata [tsø...; griech.], svw. ↑Hohltiere.

Coelho, Francisco Adolfo [portugies. 'kuɐʎu], *Coimbra 15. Jan. 1847, †Carcavelos 9. Febr. 1919, portugies. Philologe. – Gilt mit seinen sprachgeschichtl. Arbeiten als Begründer der portugies. Philologie; Hg. der ersten Sammlung portugies. Märchen (1879).

Coelius Antipater ['tsø:...] ↑Cölius Antipater.

Coello, Alonso Sánchez ↑Sánchez Coello, Alonso.

Coen, Jan Pieterszoon [niederl. ku:n], *Hoorn (Nordholland) 8. Jan. 1587, †Batavia (= Jakarta) 21. Sept. 1629, niederl. Kolonialpolitiker. – Begr. die niederl. Kolonialmacht in SO-Asien; 1618–23 und 1627–29 Generalgouverneur von Niederl.-Indien; gründete 1619 die Stadt Batavia.

Coen... ↑Zön...

Coena Domini ['tsø:na; lat. „Mahl des Herrn"], svw. ↑Gründonnerstag.

Coenobit [tsø...] ↑Zönobit.

Coenobium [tsø...; griech.-lat.], svw. ↑Zellkolonie.

Coenurosis [tsø...; griech.-lat.], svw. ↑Drehkrankheit.

Coenzym [ko-ɛ...] (Koenzym) ↑Enzyme.

Coesfeld ['ko:sfɛlt], Krst. in NRW, am Rand der Baumberge, 80 m ü. d. M., 31 800 E. Maschinen- und Apparatebau, Textil- und Möbelind. – 1197 Stadtrecht. – Pfarrkirche Sankt Lamberti (1473–1524).

C., Kreis in Nordrhein-Westfalen.

Cœur [kø:r; lat.-frz.], dem Herz oder Rot der dt. Karte entsprechende frz. Spielkarte.

Coffea [engl.], svw. ↑Kaffeepflanze.

Coffein ↑Koffein.

Coggan, Donald [engl. 'kɔgən], *London 9. Okt. 1909, engl. anglikan. Theologe. – 1937–44 Prof. für N.T. in Toronto, seit 1956 Bischof von Bradford, 1961–74 Erzbischof von York, 1974–80 Erzbischof von Canterbury.

Cogito ergo sum [lat. „ich denke, also bin ich"], Grundsatz der theoret. Philosophie Descartes' als Ergebnis eines radikalen Zweifels an allem bisherigen Wissen und Ausdruck der Selbstgewißheit des Denkenden.

Cognac [frz. kɔ'ɲak], frz. Stadt 40 km westlich von Angoulême, Dep. Charente, 21 000 E. Zentrum der frz. Cognac-Erzeugung (seit dem 17. Jh.). – 1215 Stadtrecht, 1308 zur Krondomäne. – Kirche Saint-Léger (12. und 15. Jh.); Häuser des 15. und 16. Jh.; Stadttor (15. Jh.). – In der **Liga von Cognac** schloß König Franz I. von Frankreich 1526 mit Papst Klemens VII., Mailand, Florenz und Venedig ein Bündnis zur Wiederaufnahme des Kampfes gegen Kaiser Karl V.; führte 1527 zum ↑Sacco di Roma.

Cognac ['kɔnjak; frz. kɔ'ɲak], aus Weinen der Charente (Zentrum die Stadt Cognac) hergestellter frz. Weinbrand.

Cohen, Hermann ['ko:hən, ko'he:n], *Coswig 4. Juli 1842, †Berlin 4. April 1918, dt. Philosoph. – Seit 1876 Prof. in Marburg, seit 1912 an der Lehranstalt für die Wiss. des Judentums in Berlin; einflußreicher Vertreter des Neukantianismus der Marburger Schule; faßte im Unterschied zu Kant das Denken als nicht auf die Sinnlichkeit angewiesen auf. Seine Ethik zielt auf die Verwirklichung eines eth. Sozialismus ab. – *Werke:* Kants Theorie der Erfahrung (1871), Kants Begründung der Ethik (1877), System der Philosophie (1902–12), Die Religion der Vernunft aus den Quellen des Judentums (1919), Jüd. Schriften (1924).

C., Leonard [Norman] [engl. 'koʊɪn], *Montreal 21. Sept. 1934, kanad. Schriftsteller, Komponist und Sänger. – Schrieb u.a. Gedichte um Liebe, Angst, Einsamkeit; Sänger seiner selbstkomponierten Lieder; auch Romanautor, u.a. „Schöne Verlierer" (1966).

C., Stanley [engl. 'koʊɪn], *New York 17. Nov. 1922, amerikan. Biochemiker. – Seit 1976 Prof. an der Vanderbilt-Univ. in Nashville (Tenn.). Für seine Entdeckung des „Epidermal Growth Factor" (EGF), eine das Zellenwachstum der Haut steuernde hormonähnl. Substanz, erhielt C. 1986 (zus. mit R. Levi-Montalcini) den Nobelpreis für Physiologie oder Medizin.

Cohn, Ferdinand [Julius], *Breslau 24. Jan. 1828, †ebd. 25. Juni 1898, dt. Botaniker und Bakteriologe. – Arbeiten v.a. über die Biologie und Systematik der Bakterien; gilt als einer der Begründer der modernen Bakteriologie.

Cohnheim, Julius, *Demmin 20. Juli 1839, †Leipzig 15. Aug. 1884, dt. Pathologe. – Prof. in Kiel, Breslau und Leipzig; Arbeiten über den Entzündungsvorgang und über Embolie.

Cohunepalme [indian./dt.] (Corozopalme, Orbignya cohune), bis 20 m hohe schlankstämmige Palme in M-Amerika; die eßbaren Samen liefern Öl, das als Speiseöl, techn. Öl und zur Seifenherstellung verwendet wird.

Coimbatore ['kɔımbə'tɔ:], Stadt im ind. Bundesstaat Tamil Nadu, am Noyil, 920 000 E. Kath. Bischofssitz, landw. Hochschule; Textil-, Zement- und Nahrungsmittelindustrie.

Coimbra [portugies. 'kuimbrɐ], portugies. Stadt am Mondego, 74 000 E. Verwaltungssitz des Distrikts C.; kath. Bischofssitz; älteste portugies. Univ. (gegr. 1290 in Lissabon, 1308 nach C. verlegt); Papier- und Nahrungsmittelind.; Freilichtmuseum. – Das röm. **Aeminium** war noch in westgot. Zeit bed.; 878 den Mauren entrissen, danach von Einwohnern und dem Bischof des antiken **Conimbriga** (Ausgrabungen) besiedelt. 1064 endgültig in christl. Hand; im 12. und 13. Jh. Residenz der portugies. Könige. – Roman. Alte Kathedrale (etwa 1170; erneuert im 16. Jh.), mit frühgot. Kreuzgang (13. Jh.); Neue Kathedrale (16. Jh.); Alte Universität.

Coincidentia oppositorum [ko-ın...; lat. „Zusammenfall der Gegensätze"], philosoph. Grundbegriff bei Nikolaus von Kues: Gegensätze und Widersprüche gelten als im Unendlichen (in Gott) aufgelöst; wieder aufgenommen bei Schelling.

Coing, Helmut, * Celle 28. Febr. 1912, dt. Jurist. – Prof. in Frankfurt am Main (seit 1940); seit 1980 Vize-Präs. der Max-Planck-Gesellschaft; Hg. des „Handbuches der Quellen und Literatur der neueren europ. Privatrechtsgeschichte" (1972 ff.).

Coitus [lat.], svw. ↑ Geschlechtsverkehr.

Cojedes [span. kɔ'xeðes], Staat in N-Venezuela, 14 800 km², 166 000 E (1985). Liegt in den Llanos, nur im N von Ausläufern der Küstenkordillere durchzogen.

Coke, Sir Edward [engl. kʊk], * Mileham (Norfolk) 1. Febr. 1552, † Stoke Poges bei Slough 3. Sept. 1634, engl. Jurist und Politiker. – Führte 1620–29 die Opposition des Unterhauses gegen absolutist. Ansprüche der Königsmacht und nahm nachhaltigen Einfluß auf die ↑ Petition of Right; verfaßte eine systemat. Darstellung des Common Law.

Cola [afrikan.], svw. ↑ Kolabaum.

Cola di Rienzo ↑ Rienzo, Cola di.

Colbert, Jean-Baptiste [frz. kol'bɛ:r], Marquis de Seignelay (seit 1658), * Reims 29. Aug. 1619, † Paris 6. Sept. 1683, frz. Staatsmann. – Seit 1661 Oberintendant der Finanzen, später auch der königl. Bauwerke, der schönen Künste, der Fabriken und der Marine; schuf durch grundlegende administrative, wirtsch. und finanzielle Reformen im Innern die Voraussetzungen für die Außen- und Kolonialpolitik Ludwigs XIV.; bedeutendster Vertreter des Merkantilismus **(Colbertismus).** Förderte Ind., Außenhandel und Schiffahrt; betrieb eine systemat. Kolonialpolitik und wurde der eigtl. Schöpfer der frz. Seemacht; begr. 1666 die Académie des sciences.

Colchester [engl. 'koʊltʃıstə], engl. Hafenstadt am Colne, Gft. Essex, 80 km nö. von London, 82 000 E. Univ. (gegr. 1961); Marktzentrum, Maschinenbau, Leichtind. – Erste röm. Niederlassung (43 n. Chr.) auf den Brit. Inseln **(Camulodunum);** um 1080 Bau einer normann. Burg; 1189 Stadtrecht. – Röm. Stadttor; Reste der röm. Ummauerung; Augustinerabtei Saint Botolph (Ende des 11. Jh.); Kirche Holy Trinity (1050).

Colchicin [griech.], svw. ↑ Kolchizin.

Colchicum [griech.-lat.], svw. ↑ Zeitlose.

Cold Rubber [engl. 'koʊld 'rʌbə „kaltes Gummi"], ein ↑ Synthesekautschuk.

Cole [engl. koʊl], Nat („King"), eigtl. Nathaniel Coles, * Montgomery (Ala.) 17. März 1917, † Santa Monica (Calif.) 15. Febr. 1965, amerikan. Jazzmusiker und Schlagersänger. – Zunächst Jazzpianist; seit den 50er Jahren Schlagersänger der „weichen Welle".

C., Thomas, * Bolton-le-Moors (heute Bolton, Lancashire) 1. Febr. 1801, † Catskill (N. Y.) 11. Febr. 1848, amerikan. Maler. – Vertreter der ↑ Hudson River School; Führer der romant. Landschaftsmaler Amerikas; malte auch große allegor. und religiöse Kompositionen.

Coleman, Ornette [engl. 'koʊlmən], * Forth Worth (Tex.) 19. März 1930, amerikan. Jazzmusiker. – Altsaxophonist, auch Trompeter, Violinist und Komponist; einer der Initiatoren des ↑ Free Jazz.

Colemanit [nach dem amerikan. Bergwerksunternehmer W. T. Coleman, * 1824, † 1893], in durchsichtigen bis weißen, monoklinen Kristallen auftretendes Mineral, $Ca[B_3O_4(OH)_3] \cdot H_2O$; wichtiges Bormineral; Mohshärte 4,5, Dichte 2,42 g/cm³.

Coleopter [griech.], senkrecht startendes und landendes Flugzeug mit einem Ringflügel, der den Rumpf und das Antriebssystem umschließt. Der C. setzte sich u. a. wegen der geringen Flugsicherheit beim Start nicht durch.

Coleoptera [griech.], svw. ↑ Käfer.

Coleraine [engl. 'koʊlrɛın], Distrikt in Nordirland.

Coleridge, Samuel Taylor [engl. 'koʊlrıdʒ], * Ottery Saint Mary (Devonshire) 21. Okt. 1772, † London 25. Juli 1834, engl. Dichter. – Einer der Hauptvertreter der engl. Romantik; Freundschaft mit Wordsworth. Sein wenig umfangreiches poet. Werk wirkte nachhaltig auf die engl. Literatur. Das Erscheinen der „Lyrical ballads" (1798), die in Zusammenarbeit mit Wordsworth entstanden, markiert den Beginn der literar. Romantik in England. Die Ballade „The ancient mariner" (1798; dt. 1898 u. d. T. „Der alte Ma-

Coimbra. Hof der Universität mit Uhrturm

trose") ist eine suggestive, myst. Dichtung von großer Klangschönheit, in der C. Übersinnliches in bildhafter Darstellung wiederzugeben sucht. Auch Literaturkritiker und -theoretiker.

Coleridge-Taylor, Samuel [engl. 'koʊlrɪdʒ 'tɛɪə], * London 15. Aug. 1875, † ebd. 1. Sept. 1912, engl. Komponist. – Sohn eines farbigen Arztes. Kompositionen teilweise auf dem Hintergrund afrikan. Musik (Orchester-, Kammermusik, Chorwerke, Lieder, u. a. „Song of Hiawatha" für Soli, Chor und Orchester [1898–1900]).

Coleroon [engl. koʊl'ru:n], Mündungsarm des ↑ Cauvery.

Cölestin, Name von Päpsten:

C. I., hl., Papst (10. Sept. 422 bis 27. Juli 432). Römer; verurteilte die Lehren des Nestorius auf einer röm. Synode 430 und durch seine drei Legaten auf dem Konzil von Ephesus 431. – Fest: 4. April.

C. V., hl., * Isernia 1215, † Schloß Fumone bei Anagni 19. Mai 1296, vorher Petrus von Murrone, Papst (5. Juli bis 13. Dez. 1294). – Einsiedler in den Abruzzen, wo um seine Zelle die Eremitengemeinde der **Cölestiner** entstand. Dankte freiwillig ab; 1313 heiliggesprochen. – Fest: 19. Mai.

Colette [frz. kɔ'lɛt], eigtl. Sidonie Gabrielle C., * Saint-Sauveur-en-Puisaye (Yonne) 28. Jan. 1873, † Paris 3. Aug. 1954, frz. Schriftstellerin. – Nach ihren erfolgreichen „Claudine"-Romanen (1900–03) als Artistin, Kritikerin, Schriftleiterin tätig. Internat. Erfolge waren „Mitsou" (R., 1919), „Chéri" (R., 1920), „Gigi" (R., 1945).

Colhuacán [span. kolua'kan] (Culhuacán), bed. vorspan. Stadt im Hochtal von Mexiko, am Rande des ehem. Sees, heute Teil von Mexiko. Im 10. Jh. zeitweise Sitz der Tolteken; seit 1160 Hauptstadt des wichtigsten toltek. Nachfolgestaates, der bis 1350 das westl. Hochtal beherrschte. C., 1413 von den Tepaneken erobert, war später eine Stadt des aztek. Reiches.

Coligny, Gaspard de [frz. kɔli'ɲi], Seigneur de Châtillon, * Châtillon-sur-Loing (= Châtillon-Coligny, Dep. Loiret) 16. Febr. 1519, † Paris 24. Aug. 1572, frz. Hugenottenführer. – 1552 frz. Admiral; trat in span. Gefangenschaft (1557–59) zum Kalvinismus über; übernahm neben Condé die Führung der Hugenotten; gewann großen Einfluß auf Karl IX.; versuchte, Frankreich in die prot. Front gegen Spanien einzugliedern; in der Bartholomäusnacht ermordet.

Colijn [niederl. ko:'lɛin], Alexander ↑ Colin, Alexander.

C., Hendrikus, * Haarlemmermeer 22. Juni 1869, † Ilmenau 16. Sept. 1944, niederl. Politiker. – Seit 1922 Vors. der Anti-Revolutionaire Partij; mehrmals Min., 1925/26 und 1933–39 Min.präs.; 1941 von den dt. Besatzungsbehörden interniert.

Colima, Hauptstadt des mex. Staates C., in den südl. Ausläufern der Cordillera Volcánica, 71 000 E. Bischofssitz; Univ. (gegr. 1867). – C. war Hauptort eines Indianerreiches, das 1521 von den Spaniern erobert wurde. Erhalten sind zahlr. aus Grabfunden stammende Skulpturen und Gegenstände aus Ton.

C., Staat in W-Mexiko, am Pazifik, 5 455 km^2, 426 000 E (1989), Hauptstadt C.; liegt im sw. Randgebiet der Cordillera Volcánica und in der vorgelagerten Küstenebene. – 1522 von Spaniern durchquert, seit 1523 kolonisiert; seit 1857 Staat.

Colima, Nevado de [span. neˈβaðo ðe], Vulkan in einem sw. Ausläufer der Cordillera Volcánica in W-Mexiko, 4 340 m über dem Meeresspiegel.

Colin (Colijn), Alexander, * Mecheln 1527 oder 1529, † Innsbruck 17. Aug. 1612, fläm. Renaissancebildhauer. – Schuf Figuren und Reliefarbeiten, u. a. 1558 ff. Teile des dekorativen Schmuckes für den Ottheinrichsbau des Heidelberger Schlosses.

Colitis [griech.], svw. ↑ Dickdarmentzündung.

Cölius Antipater, Lucius (lat. Coelius A.; Cälius A.), * zw. 180 und 170, † nach 121, röm. Geschichtsschreiber. – Verfaßte eine Monographie über den 2. Pun. Krieg in 7 Büchern (nur Fragmente erhalten).

colla destra [italien.], Abk. c. d., in der Musik Spielanweisung: mit der rechten Hand [zu spielen] (Klavier u. a.).

Collage [kɔˈla:ʒə; frz. „das Leimen" (von griech. kólla „Leim")], Kunstform des 20. Jh., ganz oder teilweise aus Papierausschnitten geklebtes Bild. Die ersten C. waren kubist. Zeichnungen mit eingeklebten Papierstreifen (z. B. Zeitungsausschnitten und Tapetenresten) von J. Gris, Braque und Picasso. Die Aufnahme außerkünstler. Alltagsmaterialien wird Gestaltungsprinzip weiterer neuer, heute unter „Objektkunst" zusammengefaßter Realisationsformen (Readymade, Assemblage, Montage, Environment) und wirkte noch auf die Pop-art der 1970er Jahre.

◆ in der *Literatur* seit Ende der 1960er Jahre Bez. der Technik der zitierenden Kombination von oft heterogenem vorgefertigtem sprachl. Material; auch Bez. für derart entstandene literar. Produkte. Der Begriff C. wurde zunächst synonym zu Montage gebraucht. Erste literar. C. als ausgesprochene Mischformen im Futurismus, Dadaismus und Surrealismus. Diesen futurist.-dadaist. Techniken sind z. B. Romane von J. Dos Passos, A. Döblin, J. Joyce verpflichtet.

◆ in der *Musik* eine Komposition, die aus einer Verschränkung vorgegebener musikal. Materialien besteht (im Unterschied zum musikal. Zitat, das innerhalb einer Komposition auftritt). Entscheidend ist dabei nicht die Gegenüberstellung bzw. das Aufeinanderprallen der heterogenen Materialien, sondern zugleich die Deformation des diesen Materialien urspr. innewohnenden Sinns.

colla parte [italien.], in der Musik Spielanweisung für die Begleitung, mit der Hauptstimme zu gehen bzw. sich dieser im Tempo anzupassen.

coll'arco [italien.] (arco), Abk. c. a., in der Musik Spielanweisung für Streicher, mit dem Bogen zu spielen, nach vorausgegangenem ↑ pizzicato.

colla sinistra [italien.], Abk. c. s., in der Musik Spielanweisung: mit der linken Hand [zu spielen] (Klavier u. a.).

colla voce [ˈvo:tʃe; italien.], in der Musik Spielanweisung für Instrumente, die Vokalstimmen mitzuspielen, z. B. von A-cappella-Sätzen.

College [engl. ˈkɔlɪdʒ; zu lat. collegium „Gemeinschaft"], in *Großbritannien* 1. eine höhere private Schule mit Internat, in der Lehrer und Zöglinge eine Lebensgemeinschaft bilden. Die größte und berühmteste Anstalt dieser Art ist das Eton C. (seit 1440). 2. einer Univ. angegliederte Wohngemeinschaft von Dozenten und Studenten mit Selbstverwaltung und häufig eigenem Vermögen. Die Tradition des C. reicht bis ins 13. Jh. zurück. 3. Fachschule und Fachhochschule. C. mit Hochschulcharakter können selbständig oder Teil einer Univ. sein.

◆ im Bildungswesen der *USA* die Eingangsstufe des Hochschulwesens. Das **Liberal Arts College** bietet das 4jährige Grundstudium („undergraduate study") an, das zum Bachelor's degree (B. S.; B. A.) führt. Auf die „lower division" (2jähriges allgemeinbildendes Studium) folgt die „upper division" mit „junior" und „senior year", es besteht die Wahl zw. Weiterführung der allgemeinbildenden Fächer („liberal arts") und Spezialisierung auf zahlr. Fachrichtungen. Das 2jährige **Junior College** bietet entweder das Grundstudium des Liberal Arts C. an oder als höhere berufsbildende Schule (Berufsfachschule) einen Kursus mit eigenem Abschluß (Associate in Arts oder Associate in Science degree). Das **Teachers College** (das oft nur die Bez. C. führt) bildet Lehrer und Verwaltungsangestellte für Schulen der Elementar- und Sekundarstufe aus. – Univ. haben z. T. den Namen C. beibehalten, manche Liberal Arts C. führen die Bez. Universität.

Collège [frz. kɔˈlɛ:ʒ (↑ College)], in *Frankreich* v. a. Bez. für 4jährige Schulen der Sekundarschulstufe. Diese **Collèges d'enseignement secondaire** sind in 3 Typen (sections) gegliedert: ein im Lehrstoff der Unterstufe der Lyzeen (lycées) entsprechender Typ, ein „allgemeinbildender" Typ (gibt es auch als selbständige Schulen: **Collèges d'enseignement général)** und ein prakt. Typ. Auch Lehrerbildungsanstalten heißen C. In *Belgien* bezeichnet C. eine nichtstaatl. Schule der Sekundarstufe. In der französischsprachigen *Schweiz* ist C. die Bez. für eine höhere Schule (6.–12. Klasse) oder deren Unterstufe (6.–9. Klasse).

Collège de France [frz. kɔlɛʒdə'frã:s], wiss. Institut in Paris, gegr. 1530, heute mit einem Kollegium von 50 Gelehrten aus allen Sparten der Geistes- und Naturwissenschaften. Am C. de F. können keine Prüfungen abgelegt werden; alle Vorlesungen und Übungen sind frei.

Collegium ↑Kollegium.

Collegium Germanicum ↑Germanicum.

Collegium musicum [lat.], aus den Kantoreien des 16. Jh. hervorgegangene freie Vereinigung von Musikliebhabern zur Pflege der Musik.

col legno [kɔl 'lɛnjo; italien.], in der Musik Spielanweisung für Streicher, die Saiten mit der Bogenstange anzustreichen oder zu schlagen.

Colleoni, Bartolomeo, * Solza (= Rivera d'Adda bei Bergamo) 1400, † Malpaga bei Venedig 4. Nov. 1475, italien. Kondottiere. – Zunächst in neapolitan., dann in venezian. und mailänd. Diensten; 1454 von Venedig zum Generalkapitän ernannt, das sein reiches Erbe erhielt und ihm von A. del Verrocchio das berühmte Reiterstandbild errichten ließ.

Collett, Jacobine Camilla, * Kristiansand 23. Jan. 1813, † Kristiania 6. März 1895, norweg. Schriftstellerin. – Frauenrechtlerin; gilt mit ihren sozial engagierten Tendenzromanen als Begründerin des norweg. Realismus, u. a. „Die Amtmanns-Töchter" (R., 1855).

Collage. Raoul Hausmann, „Tatlin at home"; 1920 (Privatbesitz)

Colli, Mrz. von Collo (↑Kollo).

Collider [engl. kə'laɪdə] ↑Teilchenbeschleuniger.

Collie [...li; engl.], svw. ↑Schottischer Schäferhund.

Collier [kɔli'e:] ↑Kollier.

Collin, Heinrich Joseph von (seit 1803), * Wien 26. Dez. 1771, † ebd. 28. Juli 1811, östr. Dichter. – Verfaßte patriot. Lyrik und Balladen gegen Napoleon sowie pathet. Dramen; zu seinem Trauerspiel „Coriolan" (1804) schrieb Beethoven die Ouvertüre.

Collins [engl. 'kɔlɪnz], Judy, * Seattle (Washington) 1. Mai 1939, amerikan. Popmusikerin (Gitarristin und Sängerin). – Zählt zu den bed. Folkmusic-Interpreten; wie J. Baez engagierte Bürgerrechtlerin und Pazifistin.

C., Michael, * bei Clonakilty (Cork) 16. Okt. 1890, † bei Bandon (Cork) 22. Aug. 1922, ir. Politiker. – Als Mgl. der Sinn-Féin-Bewegung unter de Valera Innen- und Finanzmin. (1919) sowie Chef für Organisation und Nachrichtenwesen der irisch-republikan. Armee; unterzeichnete den Vertrag über den Dominionstatus Irlands 1921; Mgl. der provisor. ir. Reg.; fiel im Bürgerkrieg als Oberbefehlshaber der Reg.truppen.

C., [William] Wilkie, * London 8. Jan. 1824, † ebd. 23. Sept. 1889, engl. Erzähler. – Schrieb vielgelesene, spannende Romane mit Horroreffekten und kriminalist. Einschlag. – *Werke:* Die Frau in Weiß (1860), Der rote Schal (1866), Der Monddiamant (1868).

C., William, * Chichester 25. Dez. 1721, † ebd. 12. Juni 1759, engl. Dichter. – Formvollendete Lyrik von großer Schlichtheit („Persian eclogues", 1742); erst die Nachwelt erkannte seine Dichtung als wegbereitend für die Romantik.

Collo ↑Kollo.

Collodi, Carlo, eigtl. Carlo Lorenzini, * Florenz 24. Nov. 1826, † ebd. 26. Okt. 1890, italien. Schriftsteller. – Berühmt durch sein in sehr viele Sprachen übersetztes Kinderbuch „Die Abenteuer des Pinocchio" (1883).

Colloquium ↑Kolloquium.

Collor de Mello, Fernando, * Rio de Janeiro 12. Aug. 1949, brasilian. Politiker. – Gründete im März 1989 den Partido da Reconstrução Nacional (PRN), gewann die Präsidentschaftswahlen 1989 (Amtsantritt März 1990); trat nach Einleitung des Amtsenthebungsverfahrens wegen des Verdachts von Amtsmißbrauch und Korruption im Okt. 1992 zurück, wurde 1994 freigesprochen.

Colloredo, weitverzweigtes östr. Adelsgeschlecht, dessen Ahnherr Wilhelm von Mels 1302 Burg C. bei Udine erbaute; 1591 Vereinigung mit den Freiherren **von Waldsee (Wallsee);** 1629 und 1724 in den Reichsgrafenstand erhoben; der fürstl. Zweig (1763 Erhebung in den Reichsfürstenstand) nannte sich seit 1789 **Colloredo-Mannsfeld.**

Collot d'Herbois, Jean Marie [frz. kɔlodɛr'bwa], * Paris 19. Juni 1749, † Sinnamary (Frz.-Guayana) 8. Jan. 1796, frz. Revolutionär. – Nach 1789 Volksredner und Mgl. des Konvents; ließ in Lyon Massenhinrichtungen vornehmen; nach dem Ende der Schreckensherrschaft deportiert.

coll'ottava [italien.], in der *Musik* die Vorschrift, eine Stimme in der oberen Oktave mitzuspielen (zu oktavieren).

Collum [lat.], in der *Anatomie* Bez. für: 1. Hals; 2. halsförmig verengter Abschnitt eines Organs, z. B. **Collum femoris** (Oberschenkelhals).

Colman, George [engl. 'koʊlmən], d. J., * London 21. Okt. 1762, † ebd. 17. Okt. 1836, engl. Schriftsteller. – Schrieb Possen und Komödien (u. a. „John Bull", 1802); auch Opernlibrettist.

Colmar ['kɔlmar, frz. kɔl'ma:r], frz. Stadt im Oberelsaß, am Fuß der Vogesen, 64 000 E. Verwaltungssitz des Dep. Haut-Rhin; technolog. Universitätsinst.; Zentrum des elsäss. Weinbaus, bed. Ind.standort; Kanalverbindung zum Rhein-Rhone-Kanal. – 823 erstmals erwähnt **(Columbarium),** karoling. Königshof; 1278 Stadtrecht; reichsunmittelbar; seit 1282 zu einer der stärksten Festungen des Reichs ausgebaut; 1575 Einführung der Reformation; seit 1673/97 frz.; 1871–1918/19 Hauptstadt des Bez. Oberelsaß im dt. Reichsland Elsaß-Lothringen. – Das ehem. Dominikanerinnenkloster Unterlinden beherbergt seit 1850 das Unterlindenmuseum mit Werken der oberelsäss. Kunst, u. a. den Isenheimer Altar des Mathias Grünewald (1513–15) und Werke Martin Schongauers; Stiftskirche Sankt Martin (1237 bis Ende 15. Jh.) mit Schongauers „Maria im Rosenhag" (1473).

Colmarer Liederhandschrift, aus Colmar stammende, jetzt in der Bayer. Staatsbibliothek München aufbewahrte Handschrift, die um 1460 in Mainz geschrieben wurde und über 900 Lieder (v. a. Minnesang) enthält, davon 105 mit Melodien.

Colomb-Béchar [frz. kɔlõbe'ʃa:r] † Béchar.

Colombe, Michel [frz. kɔ'lõ:b], * in der Bourgogne um 1430, † Tours zw. 1512/14, frz. Bildhauer. – Bed. Vertreter der Spätgotik, im Stil z. T. der Renaissance nahe; u. a. „Grabmal Franz' II. von der Bretagne und seiner Gemahlin" (1502–07; Nantes, Kathedrale).

Colombey-les-deux-Églises [frz. kɔlõbɛledøze'gli:z], frz. Ort im Dep. Haute-Marne, 690 E. – Landsitz General de Gaulles, der hier auch begraben wurde (1970).

Colombina, Figur der † Commedia dell'arte.

Colombo, Cristoforo † Kolumbus, Christoph.

C., Emilio, * Potenza 11. April 1920, italien. Politiker (Democrazia Cristiana). – Trug als Schatzmin. 1963–70 entscheidend dazu bei, die wirtsch. Krisen in Italien zu überwinden und hatte erhebl. Anteil an der Ausgestaltung der EWG; 1970–72 Min.präs.; 1977–79 Präs. des Europ. Parlaments; 1980–83 Außenmin., 1988/89 Finanzmin.; seit 1985 Präs. der Europ. Union Christl. Demokraten.

Colombo, Hauptstadt von Sri Lanka, 660 000 E. Erzbischofssitz; zahlr. Forschungsinst. und wiss. Gesellschaften; 2 Univ., mehrere Colleges; Museen und Bibliotheken, Theater; wirtsch. und kultureller Mittelpunkt des Landes; einer der bedeutendsten Häfen im Weltverkehr, am Schnittpunkt aller Seewege im Ind. Ozean. Verstärkte Ind.-entwicklung (Nahrungs- und Genußmittel, Metallverarbeitung, Erdölraffinerie) seit Einrichtung einer Freihandelszone (1977). ✈ 35 km nördl. von C. – Seit 949 bezeugt; liegt in nächster Nähe des buddhist. Wallfahrtsortes **Kelaniya** (heute zu C.). **Kotte,** ein anderer Vorort, war Residenz der Könige Ceylons im 15./16. Jh. Im 16. Jh. wichtigster Stützpunkt der Portugiesen auf Ceylon; seit 1656 unter niederl., seit 1796 unter brit. Herrschaft (Verwaltungssitz). – Charakteristisch für das Stadtbild ist das Nebeneinander fernöstl. und westl. Architektur; zahlr. Hindutempel sowie buddhist. Tempel, Moscheen und Basare, bed. christl. Kirchen, repräsentative Profanbauten im niederl.-angelsächs. Kolonialstil; Eingeborenen-Basarviertel „Pettah". Die alten niederl. Befestigungen wurden 1872 geschleift; Nationalmuseum (1873).

Colombo-Plan, 1950 in Colombo bei einer Konferenz der Außenmin. der Commonwealth-Staaten gefaßter, seit 1951 in Kraft stehender Beschluß zur Koordinierung und Förderung der finanziellen, techn. und wirtsch. Entwicklung der Länder S- und SO-Asiens; nicht auf Mgl. des Commonwealth beschränkt.

Colon [griech.], svw. Grimmdarm († Darm).

◆ † Kolon.

Colón, Cristóbal † Kolumbus, Christoph.

Colón, Hauptstadt der Prov. C. in Panama, 59 000 E. Freihandelszone; der Hafen für C. ist Cristobal. – 1850 gegr.; hieß bis 1890 **Aspinwall.**

Colón, Bez. für die Währungseinheiten in Costa Rica und El Salvador.

Colonel [frz. kɔlɔ'nɛl; engl. kə:nl; span. kolo'nɛl; frz., eigtl. „Kolonnenführer" (zu lat. columna „Säule")], Stabsoffizier im Rang eines Obersten.

Colonia (Mrz. Coloniae) [lat. „Ansiedlung"], in der Antike Bez. für Siedlungen

Colmar. Pfisterhaus

außerhalb Roms und des röm. Bürgergebietes, z. B. **Colonia Agrippinensis** = Köln; **Colonia Iunonia** = Karthago; **Colonia Ulpia Traiana** = Xanten. – ↑Kolonie.

Colonia del Sacramento, Hauptstadt des Dep. Colonia in SW-Uruguay, Hafen am Río de la Plata, 19 000 E. – 1680 als erste europ. Dauersiedlung in Uruguay von Portugiesen gegr., 1750 an Spanien abgetreten.

Colonna, seit dem frühen 12. Jh. erwähntes röm. Adelsgeschlecht; meist auf der Seite der Ghibellinen; Rivalen der Orsini, neben denen sie bis zum 16. Jh. in der röm.-päpstl. Geschichte eine wichtige Rolle spielten; bed.:

C., Oddo (Oddone, lat. Odo) ↑Martin V., Papst.

C., Vittoria, *Castello di Marino bei Rom um 1492, †Rom 25. Febr. 1547, Dichterin. – Mittelpunkt eines Gelehrten- und Künstlerkreises; Freundschaft mit Michelangelo. Sonette und Kanzonen im Stil Petrarcas.

Color [lat. „Farbe"], ma. musikal. Bez. für Verzierung, auch für Wiederholung; in der Notation Bez. für die Anwendung farbiger Noten (in ma. Handschriften), um eine Änderung ihres Wertes anzuzeigen.

◆ ↑Farbladung.

Color... [lat.], Bestimmungswort in Zusammensetzungen mit der Bed. „Farbe.... Farb...", z. B. Colorphoto (Farbphoto).

Colorado [kolo'ra:do, engl. kɔlə'rɑ:doʊ], B.staat der USA, 269 596 km², 3,3 Mill. E (1988); 12 E/km², Hauptstadt Denver. C. umfaßt 63 Counties.

Landesnatur: C. hat Anteil an zwei nordamerikan. Großlandschaften, den Great Plains und den Rocky Mountains. Die Schichtstufenlandschaft der Great Plains mit lehmigsandigen Böden ist bei ausreichender Bewässerung recht fruchtbar. Von den Great Plains setzen sich die Rocky Mountains mit einer kräftigen Stufe ab. Sie bilden keinen einheitl. Gebirgskörper, zwei große N-S-verlaufende Kettensysteme stehen durch einzelne kurze Quergebirge miteinander in Verbindung, dazwischen liegen Becken, sog. „Parks". Die Wasserscheide zw. Pazifik und Atlantik wird von der Sawatsch Range (Mount Elbert mit 4 402 m) im W gebildet. Im W schließt sich das Colorado Plateau an.

Klima, Vegetation: Die Rocky Mountains wirken als Klimascheide; sie trennen das sommertrockene C. Plateau von den wintertrockenen Great Plains. – Die urspr. Vegetation der Great Plains besteht aus Kurzgrassteppe, in feuchten Tälern finden sich einzelne Waldstücke. In den Rocky Mountains überwiegt Nadelwald, über 3 500 m Höhe alpine Latschenvegetation.

Bevölkerung, Wirtschaft, Verkehr: Die Bev. konzentriert sich in den städt. Gebieten am O-Fuß des Gebirges. Sie besteht überwiegend aus Weißen. Der Anteil der Schwarzen beträgt weniger als 4%, der der Indianer und anderer rd. 7% der Gesamt-Bev. C. verfügt neben zahlr. Colleges über 5 Univ. – An erster Stelle der Wirtschaft steht der Bergbau. Abgebaut werden Molybdän (in der Sawatch Range), Erdöl und Erdgas (im NW), Uran, Kohle, Silber, Zink, Vanadium und Gold. Die Landw. konzentriert sich in den Great Plains. Im N wird Bewässerungsfeldbau betrieben, im S Viehzucht. Intensiv agrar. genutzt werden auch die Parks. Auf Bergbau und Landw. basiert die Ind.: Stahlerzeugung, metallverarbeitende Betriebe, Elektronik- sowie Nahrungsmittelind. Nationalparks und Staatswälder sowie schneesichere Wintersportgebiete ziehen ganzjährig den Fremdenverkehr an. – Das Eisenbahnnetz hat eine Länge von rd. 7 240 km. Das Straßennetz beträgt 129 500 km, davon sind 15 000 km Fernstraßen. Internat. ✈ in Denver.

Geschichte: Seit dem 16. Jh. von Spaniern erforscht; bis 1763 zw. Spanien und Frankreich umstritten; durch den Verkauf von Louisiane ganz in span. Besitz. Der östl. Teil wurde 1800 wieder frz.; die USA kauften ihn 1803 mit dem gesamten Louisiane; der westl., span. Teil kam 1821 an Mexiko, der O dieses Gebietes (1835 von Texas annektiert) 1845 zu den USA. 1848 war ganz C. in amerikan. Besitz; 1861 selbständiges Territorium; seit 1876 38. Bundesstaat der USA.

▢ *Hafen, L. R.: C., the story of a western commonwealth. New York 1970.*

C., Fluß im SW der USA, entspringt im Middle Park, durchquert in tief eingeschnittenen Schluchten das Colorado Plateau, u. a. die Schlucht des **Grand Canyon** (350 km lang, 6–30 km breit, bis 1 800 m tief; zum größten Teil Nationalpark; Fremdenverkehr), fließt durch ein wüstenhaftes Gebiet und mündet südlich von Yuma auf mex. Territorium mit einem Delta in den Golf von Kalifornien; 2 334 km lang, Einzugsgebiet über 676 000 km². Stark schwankende Wasserführung; zur Energiegewinnung, Wasserversorgung (z. B. von Los Angeles) und zur Bewässerung Errichtung großer Stauanlagen (↑ Hoover Dam).

Colorado Desert [engl. kɔlə'rɑ:doʊ 'dɛzət], Trockengebiet in S-Kalifornien, USA.

Colorado Plateau [engl. kɔlə'rɑ:doʊ 'plætoʊ], semiarides Tafelland im SW der USA, zw. 1 800 und 3 000 m hoch, mit tief eingekerbten Schluchten und ausgedehnten Plateaus; v. a. vom Colorado entwässert.

Colorado River [engl. kɔlə'rɑ:doʊ 'rɪvə], Fluß in Texas, entspringt am O-Rand des Llano Estacado, mündet in den Golf von Mexiko, 1 352 km lang; zahlr. Stauwerke.

Colorado Springs [engl. kɔlə'rɑ:doʊ 'sprɪŋz], Stadt in Z-Colorado, am O-Abfall der Rocky Mountains, 1 800 m ü. d. M., 248 000 E. Luftwaffenakad.; Hauptquartier des North American Air Defense Command; Teil der Univ. of Colorado; neues Weltraumkontrollzentrum im Aufbau; Fremdenverkehr. – Gegr. 1871 als **Fountain Creek.**

Color-field-painting [engl. kʌlə'fi:ld-ˌpɛɪntɪŋ] ↑ Farbfeldmalerei.

Colosseum [engl. kɔlɔ'si:əm], brit. Popmusikgruppe 1968–71 ; schuf durch Integration von Elementen aus Jazz, Blues, Rockmusik und klass. Musik eine Art konzertanten Jazz-Rock; instrumental eine der bedeutendsten Gruppen.

Colosseum [lat.] ↑ Kolosseum.

Coloureds [engl. 'kʌlədz; zu lat. color „Farbe"], allg. svw. Farbige; i. e. S. in Südafrika die Mischlinge und die Nachkommen der eingewanderten Inder.

Colourladung [engl. 'kʌlə], svw. ↑ Farbladung.

Colt Ⓦ [engl. koʊlt; nach dem amerikan. Industriellen S. Colt, * 1814, † 1862], Bez. für die von S. Colt entwickelten und hergestellten Revolver mit Kipplauf.

Coltrane [engl. koʊl'trɛɪn], Alice, * Detroit (Mich.) 27. Aug. 1937, amerikan. Jazzmusikerin. – Pianistin, Organistin; ∞ seit 1966 mit John C., mit dem sie bis zu dessen Tod gemeinsam auftrat; gründete danach eigene Gruppen.

C., John [William], * Hamlet (N. C.) 23. Sept. 1926, † Huntington (N. Y.) 17. Juli 1967, amerikan. Jazzmusiker. – Tenor- und Sopransaxophonist, zunächst Vertreter des Hard-Bop, dann Mitbegr. des ↑ Free Jazz.

Colum, Padraic [engl. 'kɔləm], * Longford (Irland) 8. Dez. 1881, † Enfield (Conn.) 11. Jan. 1972, ir. Dichter. – Verfasser schlichter Naturlyrik; sammelte ir. Volkserzählungen („Der Königssohn von Irland", 1920) und arbeitete über hawaiische Folklore; Dramatiker.

Columba [lat.] (Taube) ↑ Sternbilder (Übersicht).

Columban (Columba) d. Ä., hl., gen. Columcille („Kirchentaube"), * Donegal 7. Dez. um 520, † auf Hy (= Iona) 9. Juni 597, ir. Missionar und Abt. – Errichtete um 563 das westschott. Inselkloster Hy, von wo aus er die Pikten in Schottland missionierte. – Fest: 9. Juni.

C. d. J., hl., * Leinster (Irland) um 530, † Bobbio bei Piacenza 23. Nov. 615, ir. Missionar und Abt. – Verließ um 590 mit 12 Gefährten das Kloster Bangor, predigte im Frankenreich, wo er die Klöster Anegray, Fontaine und Luxeuil gründete. – Fest: 23. November.

Columbia [engl. kə'lʌmbɪə], Hauptstadt des B.staates South Carolina, USA, am Congaree River, 95 000 E (Agglomeration 1988: 465 000). Sitz eines anglikan. und eines methodist. Bischofs; Univ. (gegr. 1801), Textilfabriken, Cottonölgewinnung, elektron. Ind., Verkehrsknotenpunkt, ✈.

Columbia [engl. kə'lʌmbɪə] ↑ Raumfahrt (Übersicht: Bemannte Raumflüge).

Columbia, Kap [engl. kə'lʌmbɪə], Kap auf Ellesmere Island, der nördlichste Punkt Kanadas.

Columbia Broadcasting System [engl. kə'lʌmbɪə 'brɔ:dkɑ:stɪŋ 'sɪstɪm], Abk. CBS, private Rundfunkorganisation in den USA; gegr. 1928; betreibt Hörfunk- und Fernsehsender und produziert für kleinere Rundfunkgesellschaften Programme.

Columbia Icefield [engl. kə'lʌmbɪə 'aɪsfi:ld], das größte Vergletscherungsgebiet der kanad. Rocky Mountains, zw. Mount Columbia (3 747 m ü. d. M.) und Mount Athabasca (3 491 m ü. d. M.); 337 km².

Columbia Mountains [engl. kə'lʌmbɪə 'maʊntɪnz], Gebirgssystem im S der kanad. Kordilleren. Die C. M. umfassen im N die **Cariboo Mountains** (im Mount Sir Wilfried Laurier 3 581 m hoch), im S verbreitern sie sich zu drei parallelen Gebirgszügen: **Monashee Mountains, Selkirk Mountains, Purcell Mountains.**

Columbia Plateau [engl. kə'lʌmbɪə 'plætoʊ], Großlandschaft im NW der USA, Becken zw. Cascade Range im W, Rocky Mountains im O und N; im S Übergang in das Great Basin, etwa 500 000 km², mit ausgedehnten Lavadecken. Das Klima ist semiarid bis arid, extensive Weidewirtsch. (Rinder und Schafe); Bewässerungsfeldbau in den Tälern des Columbia River und Snake River.

Columbia River [engl. kə'lʌmbɪə 'rɪvə], Strom in Nordamerika, entspringt im SO der kanad. Prov. British Columbia, mündet bei Astoria, Oreg., in einem 15 km breiten Ästuar in den Pazifik; 1953 km lang, Einzugsgebiet 671 000 km²; bis 650 km oberhalb der Mündung schiffbar.

Columbit ↑ Kolumbit.

Columbus, Christoph ↑ Kolumbus, Christoph.

Columbus [engl. kə'lʌmbəs], Hauptstadt des Bundesstaates Ohio, USA, 230 m ü. d. M., 566 000 E. Kath. Bischofssitz; 3 Univ. (gegr. 1850, 1870 bzw. 1911); Waggon- und Maschinenbau, Fahrzeug-, Flugzeugbau. – 1797 als **Franklinton** gegründet.

Columella [lat. „Säulchen"], (C. auris) säulenförmiges Gehörknöchelchen im Mittelohr der Lurche, Kriechtiere und Vögel; dient als schalleitendes Element zw. Trommelfell und häutigem Labyrinth und wird bei den Säugetieren (einschließlich Mensch) zum Steigbügel.

◆ zentrale Gewebesäule der Sporenbehälter bzw. Sporenkapseln von Algenpilzen und Laubmoosen; bei letzteren dient die C. als Nährstoffleiter und Wasserspeicher für die sich entwickelnden Sporen.

Columna [lat. „Säule"], Bez. für den Stiel der Seelilien.

◆ (C. vertebralis) svw. ↑ Wirbelsäule.

Columnea [nach dem italien. Gelehrten F. Colonna (latinisiert: Columna), * 1567, † 1650], Gatt. der Gesneriengewächse mit etwa 160 Arten im trop. Amerika; Sträucher, Halbsträucher oder immergrüne Kräuter, oft kletternd oder kriechend, mit gegenständigen Blättern und einzeln oder zu mehreren stehenden Blüten.

Colville, Alex ['kɔlvɪl], * Toronto 24. Aug. 1920, kanad. Maler. – An die realist. Malerei der 1920er Jahre in den USA anknüpfend, stellte er die Verbindung zu jüngsten Tendenzen des Realismus her. Die scheinbar banalen Situationen von Menschen und Tieren in typ. Lebensräumen deuten die Absurdität der modernen Zivilisation.

Coma Berenices [griech., nach der ptolemäischen Königin Berenike] (Haupthaar der Berenike) ↑ Sternbilder (Übersicht).

Comanche [engl. kə'mæntʃɪ] (dt. Komantschen), krieger. Indianerstamm der südl. Great Plains, USA; gehört zur utoaztek. Sprachgruppe; die C. spezialisierten sich auf die Büffeljagd und verbreiteten das Pferd in den nördl. Great Plains; etwa 3 600 (früher 12 000).

Comasken [italien.], Baumeister und Steinbildhauer aus der Gegend des Luganer Sees (ehemals zum Bistum Como gehörend), die vom frühen MA an (643 schon erwähnt) bis in die Barockzeit in Italien, aber auch nördl. der Alpen wirkten.

Comayagua [span. koma'jaɣu̯a], Hauptstadt des Dep. C. in Z-Honduras, 28 800 E. – Gegr. 1540 als **Valladolid la Nueva;** bis 1880 Hauptstadt von Honduras.

Combe-Capelle [frz. kõbka'pɛl], wichtiges Abri (vorgeschichtl. Wohnstätte unter einem Felsüberhang) 38 km osö. von Bergerac (Dordogne) mit mehreren paläolith. Kulturschichten; Bestattung eines etwa 40–50 Jahre alten Mannes.

Combes, Émile [frz. kõ:b], * Roquecourbe (Tarn) 6. Sept. 1835, † Pons (Charente-Maritime) 25. Mai 1921, frz. Politiker. – Führte als Min.präs. 1902–05 die radikale Trennung von Staat und Kirche durch.

Combo [zu lat.-engl. combination „Zusammenstellung"], kleines Jazz- oder Tanzmusikensemble, in dem die einzelnen Instrumente nur einmal vertreten sind.

Comeback [kam'bɛk, engl. 'kʌmbæk „Zurückkommen"], [erfolgreiches] Wiederauftreten nach längerer Pause, bes. von Künstlern, Sportlern, Politikern.

COMECON (Comecon), Abk. für engl.: Council for Mutual Economic Assistance (seltener: Aid), dt.: Rat für gegenseitige Wirtschaftshilfe (Abk. RGW), Organisation zur wirtsch. Integration Ost- und Ostmitteleuropas auf der Basis der Koordination der nat. Volkswirtschaftspläne und der Spezialisierung und Kooperation der industriellen Produktion innerhalb der internat. sozialist. Arbeitsteilung; gegr. am 25. Jan. 1949, Sitz Moskau. Gründungsmitglieder: UdSSR, Polen, Tschechoslowakei, Ungarn, Rumänien, Bulgarien; weitere Mgl.: DDR (1950), Mongol. VR (1962), Kuba (1972), Vietnam (1978), Albanien (1949; stellte 1962 seine Mitarbeit ein). Mit Jugoslawien (1965), Finnland (1973), Irak, Mexiko (1975) u. a. Ländern entstanden Formen der Zusammenarbeit auf vertragl. Grundlage. Der C. wurde unter dem Eindruck der ersten Erfolge des Marshallplans und als Gegenstück zur OEEC (heute OECD) gegr. mit dem übergreifenden Ziel der Durchsetzung des sowjet. Planwirtschaftssystems in den ost-, mittel- und südosteurop. Ländern auf der Grundlage polit. Gleichschaltung und Bindung an die UdSSR und seit 1971 der schrittweisen Integration der einzelnen Volkswirtschaften. Die UdSSR war von Anfang an für alle C.-Länder der wichtigste Handelspartner als Hauptlieferant von Energie und Rohstoffen. Als Gegenleistung bezog sie hauptsächl. industrielle Erzeugnisse. Der Warenaustausch innerhalb des C. erfolgte Ende der 80er Jahre immer noch überwiegend zweiseitig, d. h., ein Ausgleich der Handelsinteressen (und Zahlungsverpflichtungen) wurde im direkten Gegengeschäft gesucht (Bilateralismus) und nicht auch indirekt über ein drittes Land (Multilateralismus). Soweit Zahlungsverkehr zw. den C.-Ländern nötig war, wurde er über die **Internat. Bank für wirtschaftl. Zusammenarbeit** (COMECON-Bank, gegr. 1963, Sitz Moskau) mit Hilfe eines nicht frei konvertierbaren Verrechnungsrubels (seit 1964) abgewickelt. Im Zusammenhang mit der Ende der 80er Jahre einsetzenden Umgestaltung der Devisen-, Finanz- und Kreditbeziehungen im C. wurde auch die Forderung erhoben, nat., konvertierbare Währungen für Verrechnungen zu nutzen. Der Finanzierung gemeinsamer Investitionsprojekte diente die **Internat. Investitionsbank** (gegr. 1970, Sitz Moskau). Oberstes Organ des C. war die Mgl.versammlung, die sog. RGW-Tagung, zw. diesen das Exekutivkomitee. Die paritätisch zusammengesetzten C.-Organe waren keine supranat. Behörden mit einer übergeordneten Entscheidungsfunktion; anders als die Europ. Gemeinschaften konnten sie nur auf Grund einstimmiger Beschlüsse Empfehlungen geben. Diese bedurften der Bestätigung durch nat. Instanzen, was einem Vetorecht jedes Mgl. gleichkam. Eine Änderung dieser Regelung wurde aus Sorge vor einer noch stärkeren ökonom. und polit. Bevormundung durch die UdSSR von den kleineren Mgl.staaten strikt abgelehnt. So blieben die Ergebnisse des C. ständig beträchtlich hinter den gesteckten Zielen zurück. In den 80er Jahren verstärkten sich die Krisenerscheinungen, und im Zusammenhang mit den revolutionären demokrat. Veränderungen in verschiedenen Mgl.staaten war die weitere Existenz auch eines reformierten C. mehr und mehr in Frage gestellt. Am 28. Juni 1991 löste sich der C. auf seiner 46. Konferenz in Budpest formell auf. Die Protokolle sahen vor, daß der C. nach 90 Tagen endgültig zu existieren aufhört.

📖 *Uschakow, A.: Integration im RGW (Comecon), Dokumente, Baden-Baden 1983. – Lex. RGW. Hg. v. M. Engert u. H. Stephan. Lpz. 1981.*

Comedia [griech.-span.], span. dreiaktiges Versdrama ernsten oder heiteren Inhalts.

Comedian Harmonists [engl. kə'mi:djən 'hɑ:mənɪsts], berühmte dt. Gesangsgruppe (1927–35) mit internat. Erfolg; ihre brillante Technik, Stimmen instrumental einzusetzen, wirkte auf den Kleinchorgesang.

Comédie [frz. kɔme'di; griech.-frz.], frz. Schauspiel ernsten oder heiteren Charakters.

Comédie-Française [frz. kɔmedifrã'sɛ:z], das frz. Nationaltheater; 1680 von Ludwig XIV. durch Zusammenschluß der verschiedenen frz. Schauspieltruppen gegr.; 1804 unter Napoleon I. neu organisiert, der der C.-F. ihr teilweise heute noch geltendes Statut gab (Okt. 1812). Kennzeichnend sind ein stark konservatives Repertoire (klass. frz. Tragödien, Komödien von Molière, Marivaux u. a.) und traditioneller deklamator. Inszenierungs- und Spielstil.

Comédie larmoyante [frz. kɔmedilarmwa'jã:t], „Rührstück", frz. Variante eines in der 1. Hälfte des 18. Jh. verbreiteten Typus der europ. Aufklärungskomödie; gilt als wichtiger Vorläufer des ↑bürgerlichen Trauerspiels; Hauptvertreter war P. C. Nivelle de La Chaussée („Mélanide", 1741).

Comedy of manners [engl. 'kɔmɪdɪ ɔv mænəz] ↑Sittenstück.

Comenius, Johann Amos, eigtl. Jan Amos Komenský, * Nivnice (Südmähr. Gebiet) 28. März 1592, † Amsterdam 15. Nov. 1670, tschech. Theologe und Pädagoge. – Studierte ev. Theologie, wurde Lehrer und 1616 Prediger, 1631 Bischof der Böhm. Brüder; zahlr. Reisen. Verstand die Schöpfung als Weltgeschichte, an der der Mensch im Auftrag Gottes mitwirken soll. Dafür bedarf es der Einsicht in die Schöpfung, also einer universalen Bildung („formatio"). Sie soll allen Menschen gleichermaßen offenstehen; C. forderte eine allg. Schulpflicht (auch für Mädchen). Es sollen nicht nur Sprache (Muttersprache, ab dem 13. Jahr Latein), sondern auch Weltinhalte („verba et res") gelehrt werden („Pampaedia", hg. 1566; dt. 1960). Die Unterrichtsmethode muß dem Lernprozeß, der eher dem Spielen als dem Arbeiten verwandt ist, angepaßt werden („Didactica magna", 1627–32, dt. [2]1960 u. d. T. „Große Didaktik"). Sprach- und Sachunterricht sind aufeinander zu beziehen. Außerdem verfaßte C. religiöse Traktate, oft mit stark myst. Einflüssen, und Schriften philosoph. und philolog. Inhalts.

Comenius-Institut, ev. Arbeitsstätte für Erziehungswissenschaft e. V., Münster (Westf.), gegr. 1954; Tätigkeitsgebiete: Studienkommissionen und Expertentagungen zu Fragen der allg. Erziehungswiss., Sozialpädagogik und Religionspädagogik.

Comer See, oberitalien. See, 51 km lang, bis zu 4,5 km breit, 198 m ü. d. M.; im S in die Arme von Como und Lecco gespalten; mildes Klima, mediterrane Pflanzenwelt.

Comes (Mrz. Comites) [lat. „Begleiter"], in der Antike zunächst Bez. für Mgl. der Stäbe röm. Statthalter und Feldherren; seit Augustus in kaiserl. Dienst und mit amtsähnl. Funktionen betraut.

◆ im Früh-MA der Gefolgsmann, dann auch der Graf; **Comes stabuli** ↑Konnetabel; **Comes palatinus** ↑Pfalzgraf.

◆ Musik: in der ↑Fuge der dem ↑Dux folgende 2. Einsatz des Themas.

Comic strips [engl. „komische Streifen"] (Comics), Bilderfortsetzungsgeschichten, die Bildkästchen („panels") und Sprechblasen („balloons") integrierend verbinden, wobei das Bild aber dominiert. Nach Vorformen in Europa (u. a. Bilderbogen und -geschichten) entstanden die ersten eigtl. C. s. um 1900 in amerikan. Tageszeitungen. Die erste große Erfolgsserie schuf R. Dirks mit „The Katzenjammer Kids" (1897 ff.), 1929 entstanden „Popeye", 1930 „Blondie". Mit „Mickey Mouse" (1930 ff.), „Donald Duck" (1938 ff.) u. ä. Tiercomics kam W. Disney, v. a. auch über den Zeichentrickfilm, zu weltweitem Erfolg. Seit den frühen 1930er Jahren eroberten Comicbooks (Comichefte) als Nachfolger der Groschenhefte in den USA („pulps") ein Massenpublikum; Helden sind u. a. „Tarzan", „Phantom", „Superman" und „Batman", Personifikationen unterschwelliger Wunschbilder, aufgeladen durch Zukunftsvision oder dunkle, myth. Vergangenheit. In den 1950er und 1960er Jahren erfolgte der Anschluß an die Horrorwelle des Films und die Science-fiction-Literatur. Comics drangen auch in die Werbung wie in die Kunst ein (R. Lichtenstein). Verschiedene C. s. versuchen, das Trivialgenre durchlässig zu machen für revoltierende Selbstdarstellung und polit. Satire (z. B. die Undergroundserien „Head Comix" und „Fritz the Cat" von R. Crumb, andererseits die historisierenden „Asterix"-Serien von R. Goscinny und A. Uderzo). Liebenswürdig und psycholog. orientiert sind die „Peanuts" von C. Schulz. Zw. C. s. und anderen Medien (v. a. Film, Fernsehen und Hörfunk, auch Theater) bestehen enge Wechselbeziehungen. Eine ernsthafte Auseinandersetzung mit dem Massenmedium C. s. v. a. unter pädagog. und ästhet.-künstler. Gesichtspunkten begann seit den 50er Jahren.
📖 *Comic-Jahrbuch 1990. Hg. v. A. Knigge. Hamb. 1990. – Moscati, M.: Comics u. Film. Darmst. 1988. – Holtz, C.: Comics, ihre Entwicklung u. Bedeutung. Mchn. u. a. 1980.*

Comines, Philippe de [frz. kɔ'min] ↑Commynes, Philippe de.

Comité français de libération nationale [frz. kɔmitefrãsɛdliberasjõnasjɔ'nal] ↑Französisches Komitee der Nationalen Befreiung.

Comité International Olympique [frz. kɔmite ɛ̃tɛrnasjɔ'nal ɔlɛ̃'pik], svw. ↑Internationales Olympisches Komitee.

Comitia imperii [...ri-i; lat.], Bez. für den alten dt. ↑Reichstag (bis 1806).

Comma Joanneum (C. Johanneum) [lat. „Johanneischer Abschnitt"], eine im 4. Jh. vorgenommene Erweiterung der Worte „Drei sind, die Zeugnis geben", 1. Joh. 5, 7, durch „im Himmel: der Vater, das Wort und der Hl. Geist und diese drei sind eins; und

Comic strips. R. Goscinny und A. Uderzo, Asterix

drei sind, die Zeugnis geben auf Erden". Dieser Zusatz wurde von Luther als unecht nicht in die Bibelübersetzung aufgenommen, die kath. Kirche hält an seiner Echtheit fest.

Commedia dell'arte [italien.], um die Mitte des 16. Jh. in Italien entstandene, von Berufsschauspielern aufgeführte Stegreifkomödie, die nur Handlungsverlauf und Szenenfolge vorschrieb. Es bestand u. a. ein Repertoire an vorgefertigten Monologen und Dialogen, die, in den Aufführungen vielfältig variiert, immer wiederkehrten. Die Schauspieler verkörpern Typen. Dem jungen Liebespaar („amorosi") standen die kostümierten und maskierten kom. Figuren gegenüber, der „Dottore", der leer daherschwatzende ge-

Comic strips. C. Schulz, die „Peanuts"

lehrte Pedant aus Bologna, und „Pantalone", der geizige Kaufmann und unermüdl. Schürzenjäger aus Venedig, sowie zwei Diener (der eine, „Zani", entwickelte sich zum Harlekin: „Arlecchino"). Zu ihnen gesellten sich der prahlsüchtige Militär „Capitano" und die kokette Dienerin „Colombina". Goldonis Reform des italien. Theaters (Mitte des 18. Jh.) bedeutete ihr Ende. Seit 1947 setzt sich das Piccolo Teatro in Mailand erfolgreich für eine Wiederbelebung der C. d. a. ein.

comme il faut [frz. kɔmil'fo], wie es sich gehört, vorbildlich, musterhaft.

Commercial Banks [engl. kə'mə:ʃəl 'bæŋks], zum Geschäftsbankensystem der USA gehörende Depositenbanken. Sie nehmen Depositen an, gewähren kurzfristige Kredite, wickeln den Zahlungsverkehr ab.

Commerzbank AG, dt. Großbank, Sitz Düsseldorf, gegr. 1870 als Commerz- und Disconto-Bank, Hamburg, seit 1940 heutige Firma. Die C. AG betreibt alle Bankgeschäfte; sie kooperiert internat. mit der Crédit Lyonnais, Paris, und der Banco di Roma, Rom.

Commines, Philippe de [frz. kɔ'min] ↑Commynes, Philippe de.

Commissariat à l'Énergie Atomique [frz. kɔmisar'ja: alenɛr'ʒi atɔ'mik], Abk. C. E. A., 1945 gegr. frz. Atomenergiebehörde mit Sitz in Paris. Der Institution unterstehen Forschungs- und Entwicklungslaboratorien, sie unterhält Anlagen zur Erzeugung spaltbaren Materials.

Commodianus, lat. christl. Dichter syr. Herkunft, dessen Lebensdaten umstritten sind (3., 4. oder 5. Jh.). – Urspr. Heide; verf. u. a. das „Carmen apologeticum", eine in vulgärlat. Hexametern abgefaßte Verteidigung des Christentums gegen Juden und Heiden.

Commodity terms of trade [engl. kə-mɔditi 'tə:mz əv 'trɛid] ↑Terms of trade.

commodo ↑comodo.

Commodus, Marcus Aurelius C. Antoninus (seit 191 Lucius Aelius Aurelius C.), * bei Lanuvium (?) 31. Aug. 161, † Rom in der Nacht zum 1. Jan. 193, röm. Kaiser (seit 180). – Sohn Mark Aurels und Faustinas der Jüngeren; 166 Caesar, 177 Augustus; Willkürherrschaft, Günstlingswirtschaft, Ausschweifungen sowie sich steigernde Vorstellungen von eigener Göttlichkeit führten zu seiner Ermordung.

Common Law [engl. 'kɔmən lɔ:], 1. [urspr.] das im ganzen engl. Königreich für alle Personen einheitl. geltende Recht im Unterschied zu den nur örtl. geltenden Gewohnheitsrechten; 2. das in England entwickelte und später in vielen Ländern, dem angelsächs. Rechtskreis (↑angelsächsisches Recht), übernommene gemeine Recht im Unterschied zum Civil Law, d. h. den aus dem röm. Recht abgeleiteten Rechtsordnungen; 3. das von den Gerichten geschaffene Fallrecht im Gegensatz zum Gesetzesrecht.

Common Prayer Book ['kɔmən 'prɛɪə-bʊk; engl. „Buch des gemeinsamen Gebets"] (Book of Common Prayer), in den Jahren 1541–49 entworfenes, 1549 unter Eduard VI. eingeführtes, mehrfach revidiertes liturg. und katechet. Buch der anglikan. Kirche.

Commons [engl. 'kɔmənz „die Gemeinen"; zu lat. communis „gemein"], in England Vertreter der Ritter, Städte und Boroughs, 1265 erstmals mit dem feudalen Hochadel zu einem Parlament zusammengerufen; seit dem 14. Jh. Bez. für die Mgl. des brit. Unterhauses (House of Commons).

Common sense [engl. 'kɔmən 'sɛns] (lat. sensus communis; frz. bon sens), wörtl. „allg. Sinn, Gemeinsinn", entspricht etwa dem „gesunden Menschenverstand".

Commonwealth [engl. 'kɔmənwɛlθ], engl. Bez. für öffentl. Wohl, Gemeinwesen; Name der engl. Republik 1649–60. – ↑Britisches Reich und Commonwealth.

Commonwealth of the Northern Mariana Islands [engl. 'kɔmənwɛlθ ɔv ðə 'nɔ:ðən mɛəri'ænə 'aɪləndz] ↑Marianen.

Commotio ↑Kommotio; **Commotio cerebri,** svw. ↑Gehirnerschütterung.

Communauté de Taizé [frz. kɔmynote-dətɛ'ze] ↑Taizé.

Commune ↑Kommune.

Commune Sanctorum [lat. „das Gemeinsame der Heiligen"], in der kath. Liturgie eine Sammlung von Meß- und Breviergebetsformularen für Heiligenfeste.

Communicatio in sacris [lat. „Verbindung in heiligen (Dingen)"], Teilnahme an gottesdienstl. Handlungen andersgläubiger Religionsgemeinschaften, auch Gottesdienst- und Sakramentengemeinschaft zw. christl. Kirchen.

Communio [lat. „Gemeinschaft"], Begleitgesang zur Kommunion des Volkes in der kath. Eucharistiefeier.

Communio Sanctorum [lat.] ↑Gemeinschaft der Heiligen.

Communis opinio [lat.], die allgemeine Auffassung, herrschende Meinung.

Commynes (Comines, Commines), Philippe van den Clyte, Seigneur de [frz. kɔ'min], * Schloß Renescure bei Hazebrouck (Dep. Nord) um 1447, † Schloß Argenton (= Argenton-Château, Deux-Sèvres) 18. Okt. 1511, frz. Diplomat und Geschichtsschreiber. – Diente seit 1464 Karl dem Kühnen, seit 1472 König Ludwig XI. von Frankreich; seine seit 1489 verfaßten „Mémoires" (Erstdruck 1524) sind das erste Beispiel moderner polit. Geschichtsschreibung.

Como, italien. Stadt in der Lombardei, am SW-Ufer des Comer Sees, 202 m ü. d. M.,

91 000 E. Bischofssitz; traditionelle Seidenfabrikation (seit 1510); Fremdenverkehr. – Das antike **Comum** wurde 196 v. Chr. röm.; unter fränk. Herrschaft Mittelpunkt einer Gft.; 1127 von den Mailändern zerstört, von Friedrich I. Barbarossa wieder aufgebaut, 1451 endgültig an Mailand. – Roman. Klosterkirche Sant' Abbondio (1013–95); Dom (1396 begonnen, 1487–1596 im Renaissancestil vollendet).

comodo (commodo) [italien.], musikal. Vortragsbez.: gemächlich, behaglich, ruhig.

Comodoro Rivadavia [span. komo'ðoro rriβa'ðaβia], argentin. Stadt am Atlantik, wichtigste Stadt Patagoniens, 99 000 E. Bischofssitz; Univ. (gegr. 1961); Zentrum der bedeutendsten argentin. Erdöl- und Erdgasvorkommen. – Gegr. 1901.

Compact disc [engl. kəm'pækt 'dɪsk] ↑Schallplatte.

Compagnie [kɔmpa'ni: (↑Kompanie)], Handelsgesellschaft.

Company [engl. 'kʌmpənɪ (↑Kompanie)], Abk. Comp., Handelsgesellschaft; die **limited company** entspricht etwa der dt. GmbH, die **jointstock company** der AG (Großbritannien) bzw. der KG auf Aktien (USA).

Compaoré, Blaise, * 1915, Politiker in Burkina Faso. – Mossi; beteiligte sich an den Putschen unter T. Sankara (1982, 1983); putschte am 15. Okt. 1987 gegen Sankara und ist seit 31. Okt. 1987 Präsident.

Compendium [lat.] ↑Compiègne.

Compenius, dt. Orgelbauerfamilie des 16. und 17. Jh. Als bedeutendster Vertreter gilt Esaias C. (* 1560, † 1617), der M. Praetorius bei dessen „Organographia" beriet. Von seinen Orgeln ist die auf Schloß Frederiksborg in Dänemark erhalten.

Compiègne [frz. kõ'pjɛɲ], frz. Stadt in der Picardie, Dep. Oise, 43 000 E. TU; chem., Reifen-, Nahrungsmittelind. Naherholungsgebiet von Paris (Wald von C., 14 450 ha groß). – Erstmals 561 erwähnt (Merowingerpfalz **Compendium**); 1153 Stadtrecht. Am 11. Nov. 1918 wurden im Wald von C. der Waffenstillstand zw. dem Dt. Reich und den Alliierten, am 22. Juni 1940 der dt.-frz. Waffenstillstand geschlossen. – Got. Kirche Saint-Jacques (13. und 15. Jh.), spätgot. Rathaus (16. Jh.) und klassizist. Schloß (18. Jh.).

Compiler [kɔm'paɪlər; engl.] (Übersetzer), Programm eines Computers, das ein vollständiges, in einer höheren Programmiersprache formuliertes „Quellprogramm" in das Maschinenprogramm (als „Zielprogramm") übersetzt. Im Ggs. zum ↑Interpreter wird das Programm erst nach der Übersetzung aller Anweisungen abgearbeitet. Ein C. ist wesentlich umfangreicher als ein ↑Assembler.

Complet [kõ'ple:] ↑Komplet.

Completorium [lat.] ↑Komplet.

Compound... [kɔm'paʊnt; lat.-engl.], Bestimmungswort in Zusammensetzungen mit der Bed. „Verbund...".

Compoundkern [kɔm'paʊnt] (Verbundkern, Zwischenkern), der bei Beschuß eines Atomkerns mit energiereichen Teilchen (Nukleonen, Alphateilchen) entstehende hochangeregte Atomkern, der gegenüber der sonst für Kernreaktionen übl. Zeit relativ lange existiert und dann zerfällt.

Compoundtriebwerk [kɔm'paʊnt] (Verbundtriebwerk), Verbindung eines Flugmotors mit einer Abgasturbine zur Leistungssteigerung.

Comprehensive school [engl. kɔmprɪ'hɛnsiv 'sku:l], Gesamtschule im Sekundarschulbereich Großbritanniens. Sie bietet die Fächer des altsprachl., neusprachl. und naturwiss. Zweiges an.

Compton, Arthur Holly [engl. 'kʌmptən], * Wooster (Ohio) 10. Sept. 1892, † Berkeley (Calif.) 15. März 1962, amerikan. Physiker. – Prof. in Chicago und Washington; entdeckte 1922/23 den ↑Compton-Effekt und wies die vollständige Polarisation der Röntgenstrahlen sowie ihre Beugung an opt. Gittern nach. Nobelpreis für Physik zus. mit C. T. R. Wilson 1927.

Compton-Burnett, Dame (seit 1967) Ivy [engl. 'kʌmptən bə:'nɛt], * London 5. Juni 1884, † ebd. 27. Aug. 1969, engl. Schriftstellerin. – Romane aus dem viktorian. England oder der Zeit vor dem 1. Weltkrieg; u. a. „Eine Familie und ein Vermögen" (1939).

Compton-Effekt [engl. 'kʌmptən], von A. H. Compton entdeckte, mit einer richtungsabhängigen Vergrößerung der Wellenlänge verbundene Streuung von Photonen (speziell von Röntgenstrahlen) an freien oder schwach gebundenen Elektronen. Ein Photon überträgt dabei einen Teil seiner Energie auf das Elektron und wird gegenüber der Einfallsrichtung abgelenkt bzw. gestreut. Der C. ist ein Beweis für die Quantennatur der elektromagnet. Strahlung sowie für die Gültigkeit von Energie- und Impulssatz im atomaren Bereich.

Computer [kɔm'pju:tər; engl.; zu lat. computare „berechnen"] (Rechenautomat, Rechner, Datenverarbeitungsanlage), durch gespeicherte Programme gesteuerte elektron. Anlage zur ↑Datenverarbeitung sowie zum Steuern von Geräten, Anlagen und Prozessen. Der Begriff C. umfaßt dabei den weiten Bereich vom fest programmierten C., der als Steuergerät z. B. in Haushaltgeräten verwendet wird, bis hin zum frei programmierbaren universellen Großrechner und darüber hinaus zum „Supercomputer" für komplizierteste mathemat. Aufgaben. Auch versteht man unter C. meist ↑Digitalrechner im Unterschied zum ↑Analogrechner. Eine systemat. Klassifizierung von C. ist wegen ihrer sehr unterschiedl. Leistungs- und Anwendungsmöglichkeiten, der Ausstattung mit peripheren Geräten und ihres Preises problematisch. Die fortschreitende Miniaturisierung der elektron. Bauelemente und die Entwicklung der ↑Mikrocomputer führten zu einer Vielzahl von kleineren C.typen, z. B. ↑Heimcomputer, ↑Bürocomputer, ↑Personalcomputer. Die elektron. und mechan. Teile eines C. werden als *Hardware*, die Programme als *Software* bezeichnet. Alle C. besitzen eine *Zentraleinheit* (meist ↑Mikroprozessor) mit Steuer- und Rechenwerk sowie dem Arbeits- oder Hauptspeicher, die über Kanäle mit *peripheren Geräten* (z. B. Eingabe-/Ausgabegeräte, externe Speicher) verbunden ist. Die *Eingabe* von Daten geschieht normalerweise über die Tastatur; Programme und Daten werden auch von Speichern eingelesen oder über Telekommunikation von anderen C. eingegeben. Die *Ausgabe* von Daten geschieht i. d. R. auf dem Bildschirm bzw. auf Druckern oder Plottern. Wesentliches Funktionsprinzip ist die Programmsteuerung über in den C. eingegebene Programme, die nach dem Start automatisch ablaufen. – Die Idee eines programmgesteuerten Digitalrechners stammt von C. Babbage, das Konzept der internen Programmspeicherung von J. von Neumann. Den ersten programmgesteuerten Rechner baute K. Zuse. Nach den verwendeten Bauelementen werden C.generationen unterschieden: Die erste Generation enthielt Elektronenröhren und Magnettrommelspeicher, die zweite Transistoren und Ferritkernspeicher, die dritte integrierte Schaltungen und Halbleiterspeicher, die vierte hoch- bzw. höchstintegrierte Schaltkreise (Chips). Mit der nächsten Generation soll der Übergang von der Informations- zur Wissensverarbeitung erfolgen.

📖 *Benda, D.: C. Bln. ²1989. – Kaltenbach, T./Reetz, U./Woerrlein, H.: Das große C.lex. Haar bei Mchn. 1989. – Faulstich, P./Faulstich-Wieland, H.: C.-Kultur. Mchn. 1988. – Bauer, W.: C.-Grundwissen. Niedernhausen ⁸1987. – Simons, G. L.: Die fünfte C.generation. Dt. Übers. Mchn. u. a. 1986. – Vorndran, E. P.: Entwicklungsgesch. des C. Bln. ²1986.*

Computerblitz [kɔm'pju:tər] ↑Elektronenblitzgerät.

Computerdichtung [kɔm'pju:tər], mittels Rechenanlagen erzeugte literar. Texte, v. a. Lyrik; angeregt wurden Computertexte u. a. durch die informationstheoret. Ästhetik M. Benses Ende der 60er Jahre. Die Computer erhalten Programme mit einem Repertoire von Wörtern, grammatikal. Regeln, Versregeln, Reimmöglichkeiten und arbeiten mit sog. Zufallsgeneratoren. Die entstehenden überraschenden Wendungen, Bilder oder Metaphern sind Zufallsprodukte. Die C. steht in der Tradition der Zufalls- und Würfeltexte (↑aleatorische Dichtung). Mit ihr eröffnen sich Möglichkeiten, neue literar. Texttypen entwickeln und traditionelle Vorstellungen von Autorschaft, künstler. Absicht und ästhet. Wert verändern zu können.

📖 *Roncarelli, R.: The Computer Animation Dictionary. Bln. 1989. – Bense, M.: Nacht – Euklid. Verstecke. Poet. Texte. Baden-Baden 1988. – Schmidt, Siegfried J.: Computerlyrik. Eine Aufforderung ... In: Schmidt: Elemente einer Textpoetik. Mchn. 1974. – Bense, M.: Einf. in die informationstheoret. Ästhetik. Rbk. ²1969.*

Computergeld [kɔm'pju:tər], eine Weiterentwicklung des Giralgeldes, bei der die Aufzeichnungen der Banken in den Magnetspeichern von Datenverarbeitungsanlagen erfolgen.

Computergraphik [kɔm'pju:tər] (graph. Datenverarbeitung), computerunterstützte graph. Darstellung von Daten und Informationen, z. B. in Konstruktions- und Architekturbüros. Bei der C. können Datenstrukturen und Algorithmen nach der Verarbeitung durch einen Computer als farbige, ein-, zwei- oder dreidimensionale Darstellung mittels Drucker ausgedruckt, mittels Plotter gezeichnet oder mittels Bildschirm ausgegeben werden. Darstellungen auf dem Bildschirm können bei Verwendung geeigneter [Graphik]software gedreht, vergrößert, verkleinert und anderweitig im Dialog verändert werden. C. wird bes. bei CAD und CAM (↑Automatisierung), bei der visuellen Darstellung statist. Daten sowie in der Computerkunst verwendet.

Computerkriminalität [kɔm'pju:tər], Teilbereich der Wirtschaftskriminalität; Straftaten, die als **Computerbetrug** (Schädigung des Vermögens eines anderen durch Beeinflussung des Ergebnisses eines Datenverarbeitungsvorgangs in Bereicherungsabsicht) und **Computersabotage** (Unbrauchbarmachen einer Datenverarbeitungsanlage oder eines Datenträgers, um einen fremden Datenverarbeitungsvorgang zu stören) strafrechtl. geahndet werden; es wird Freiheitsstrafe bis zu fünf Jahren oder Geldstrafe angedroht.

Computerkunst [kɔm'pju:tər], mit Hilfe von Computern hergestellte ästhet. Objekte (graph. Blätter, Musikkompositionen, Texte); z. T. mit Hilfe von sog. Zufallsgeneratoren wird eine vorgegebene Reihe von Zeichen durch die verschiedenen Operationen (Vertauschung, Verknüpfung u. a.) zufällig oder nach Regeln variiert.

Computersatz [kɔm'pju:tər] ↑Setzerei.

Computer science [kɔm'pju:tər 'saɪəns], svw. ↑Informatik.

Computertomographie [kɔm'pju:tər], Abk. CT, ein 1972 eingeführtes Verfahren der Röntgenuntersuchung, das in seinen Grundzügen von A. M. Cormack und G. N. Hounsfield entwickelt wurde und eine direkte Darstellung von Weichteilstrukturen des menschl. Körpers auf dem Bildschirm eines Monitors oder Datensichtgeräts ermöglicht. Bei der C. werden mit einem dünnen, fächerartigen Röntgenstrahlbündel die zu untersuchenden Körperregionen schichtweise aus allen Richtungen und in gegeneinander versetzten, bei der **Computeraxialtomographie (CAT)** senkrecht zur Körperlängsachse verlaufenden Schichten (Schichtdicke einige Millimeter) mit einem Auflösungsvermögen von etwa 0,5 mm abgetastet, wobei die jeweilige Röntgenstrahlabsorption in den verschiedenen Volumenelementen mit Strahlendetektoren gemessen wird; die Meßdaten dieser Detektoren werden an einen angeschlossenen Computer weitergegeben, der sie aufbereitet und aus einigen Millionen Einzeldaten bereits nach wenigen Sekunden ein Fernsehbild **(Computertomogramm)** aufbaut. Bei der C. des Gehirns **(Gehirn-CT)** lassen sich geringe Veränderungen des Hirngewebes infolge Durchblutungsstörungen, Ödemen, Blutungen, Tumorbildungen u. a. erkennen und darstellen, während man bei der C. des Körpers **(Ganzkörper-CT)** v. a. Tumoren der Nieren, Oberbauchorgane sowie des Lymphystems im Brustraum frühzeitig nachweisen kann. Die C. hat die medizin. Diagnostik entscheidend bereichert, zahlr. belastende Röntgenuntersuchungen wurden überflüssig.

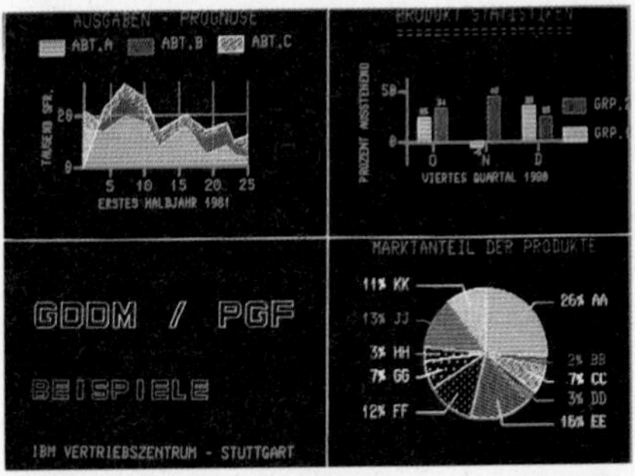

Computergraphik. Darstellung in verschiedenen Formen

Comsat [engl. 'kɔmsæt], Abk. für engl.: **Com**munications **Sat**ellite Corporation („Nachrichtensatelliten-Gesellschaft"), 1962 gegr. Betriebsgesellschaft der ↑ INTELSAT.

Comte, Auguste [frz. kõ:t], * Montpellier 19. Jan. 1798, † Paris 5. Sept. 1857, frz. Mathematiker und Philosoph. – C., Schüler Saint-Simons, gilt als Begründer des Positivismus, der jede Metaphysik ablehnt. Die von C. so benannte „Soziologie" untersucht die Gesetze, denen auch die Gesellschaft unterliegt. Nach seinem „Dreistadiengesetz" deutete er die gesellschaftl. Entwicklung als Fortschritt

Computertomographie. Computertomogramm des Brustkorbs eines Patienten mit deutlich sichtbarem Tumor in der linken Lunge

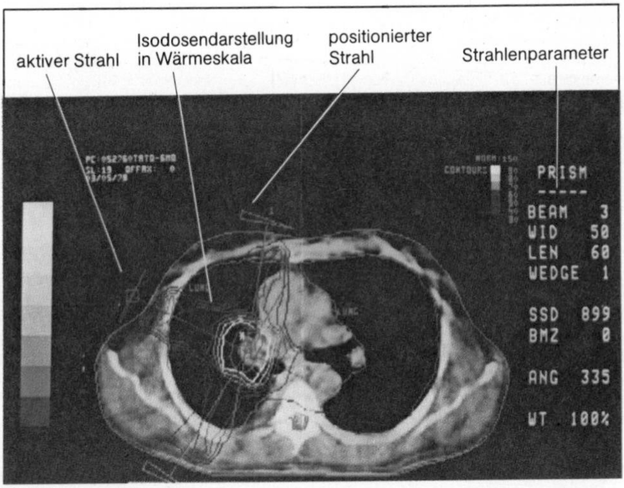

von der theologischen zur metaphysischen und zur positiven Weltdeutung.
Die Politik wird der „positiven Moral" untergeordnet, die die Selbstverwirklichung durch Sozialgebundenheit ersetzt. Seine Wissenschaftsauffassung, die wesentlich das moderne Verständnis der Naturwissenschaften prägte, gründete sich auf die Beschreibung von Tatsachen und deren Beziehungen. – *Werke:* Cours de philosophie positive (1830–46), Rede über den Geist des Positivismus (1846), Système de politique positive ... (1851–54), Catéchisme positiviste ... (1852).

Comte [frz. kõ:t; zu lat. ↑comes], frz. Bez. für Graf; dem Rang nach zw. dem Baron und dem Marquis stehend.

Comtesse [frz. kõ'tɛs], frz. Bez. für Gräfin (↑Comte). – ↑Komteß.

Comum, antike Stadt, ↑Como.

Comuneros [lat.-span.], Anhänger des kastil. Aufstandes von 1520/21 gegen König Karl I., König von Spanien (Kaiser Karl V.). ◆ Kurzname für den span. Geheimbund „Confederación de Caballeros C." (auch „Söhne des Padilla") mit demokrat. Zielsetzung; nach 1823 rücksichtslos verfolgt.